晚清常州地區的經學

林慶彰　總主編

蔡長林
丁亞傑　主編

臺灣學生書局　印行

圖版一：莊存與（1719－1788）像
（採自《中國歷代名人圖鑑》）

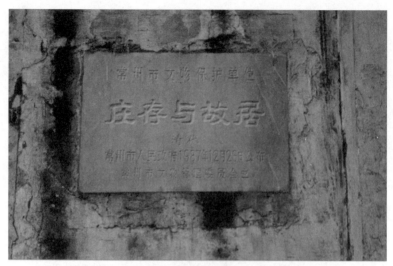

圖版二：常州市中心延陵西路北側馬山埠

周官說卷一　味經齋遺書四

莊氏學

大宰以九賦斂財賄

邦中之賦十一其正也四郊之賦二十而三甸也

稍也縣也都也賦無過十二六者公田之賦也其

別有二藉民力以耕公田而收其入無過十畝曰

耡粟鋤之言藉也授之宅以任嬪婦而徵其賦自

五之四以下或地儉於布帛則以粟當之曰屋粟

屋之言宅也閒民之力征以泉而農之傭者或徵

其粟曰閒粟各上諸地有司以給司空之役事關

周官說卷一　一

圖版三：莊存與著作《周官說》
（味經齋遺書本）

皇清經解卷三百七十五　學海堂

春秋正辭　武進莊侍郎存與著

奉天辭弟一

初一曰建五始元正天端自貴者始同日並建相須成體天人

大本萬物所繫春秋上之欽若丕指次二曰宗文王文王受命

武王述之文武既沒文不在玆稽古堯舜道法所祖聞而知之

萬世以為土次三曰大一統天無二日民無二王郊社宗廟尊

無二上治非王則革學非聖則黜次四曰通三統三代建正受

之於天文質再復制作備焉師法在昔恭讓則聖矧乃有監匪

獨一姓次五曰備四時謹於尊天慎於養人聖人以順動則日

月光明庶物露生陰佐不可右刑謚不可任五辰之正羣生在

皇清經解卷三百七十五莊侍郎春秋正辭　一　庚申補刊

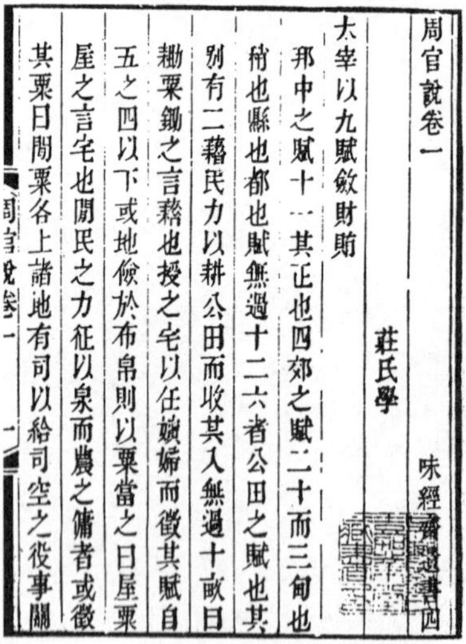

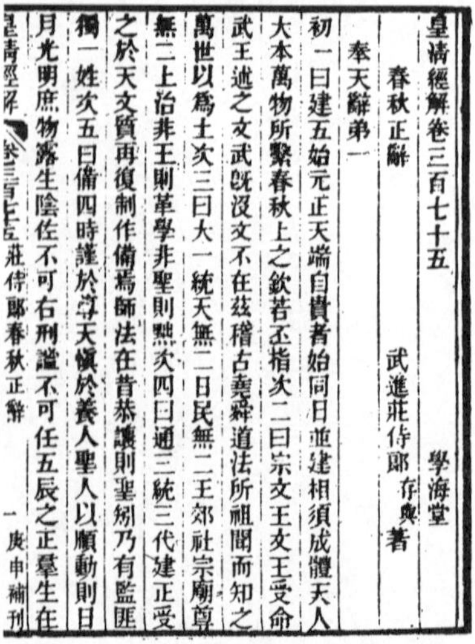

圖版四：莊存與著作《春秋正辭》
（皇清經解本）

圖版五：洪亮吉（1746－1809）像
（採自《中國歷代名人圖鑑》）

圖版六：洪亮吉紀念館門樓
（常州市區延陵東路西獅子巷口）

圖版七：莊述祖（1750－1816）像
（採自《中國歷代人物圖像集》）

圖版八：孔廣森（1752－1786）像

（採自《中國歷代人物圖像集》）

春秋公羊通義　　　曲阜孔檢討廣森著

何氏解詁

公隱

元年春王正月

元年者何解詁曰諸據疑問所不知故曰者何謹案春秋本

政敢傳壽凡五世至漢景帝時乃與齊人胡母子都著於竹

帛以先師口相授解釋其義校傳皆爲弟子疑問之辭諸竹

疑或直問所不知何此何卽問之如閒如何則如

有失者顏爲書元始也於當文目其所據彼目其所據或問

編神愼爲君之始年也雖曰元始也天子諸侯通稱君古

臣之義故名得紀元於其境內而何邵公所云反傳違戾之

改元立號經書元年爲託王於魯則自諱唯王者然後

矣失者何歲之始也月者歲始也歲始斗杓初昏以建子之月爲

木后氏以建寅之月爲歲始儒者有疑子丑月不得名春者可以辨

矣　　春者何歲之始也月者歲始也斗杓建丑之月爲歲始夏之

圖版九：孔廣森著作《春秋公羊通義》
（皇清經解本）

圖版十：李兆洛（1769－1841）像
（採自《中國歷代名人圖鑑》）

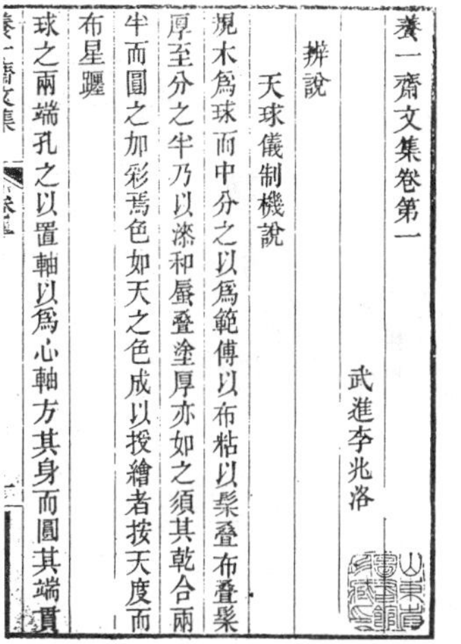

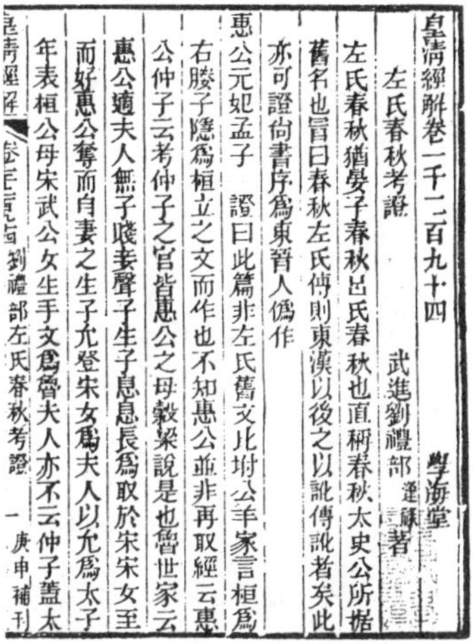

養一齋文集卷第一
武進李兆洛
辨說
天球儀制機說
規木爲球而中分之以爲範傅以布粘以粊疊布疊粊
厚至分之半乃以漆和蜃疊塗厚亦如之須其乾合兩
半而圓之加彩焉色如天之色成以授繪者按天度而
布星躔
球之兩端孔之以置軸以爲心軸方其身而圓其端貫
養一齋文集 卷一

圖版十一：李兆洛著作
《養一齋文集》
（清道光二十三年活字印本）

皇清經解卷一千二百九十四　學海堂
左氏春秋考證　武進劉禮部逢祿著
左氏春秋猶晏子春秋呂氏春秋也直稱春秋太史公所據
舊名也冒曰春秋左氏傳則東漢以後之以訛傳訛者矣此
亦可證尙書序爲東晉人僞作
惠公元妃孟子　證曰此篇非左氏舊文比坿公羊家言桓爲
右媵子隱爲桓立之文而作也不知惠公並非再取經云惠
公仲子云考仲子之宮皆惠公之母穀梁說是也魯世家云
惠公適夫人無子賤妾聲子生子息息長爲取於宋宋女至
而好惠公奪而自妻之生子允登宋女爲夫人以允爲太子
年表桓公母宋武公女生手文爲魯夫人亦不云仲子蓋太
皇清經解　劉禮部左氏春秋考證　一　庚申補刊

圖版十二：劉逢祿著作
《左氏春秋考證》
（皇清經解本）

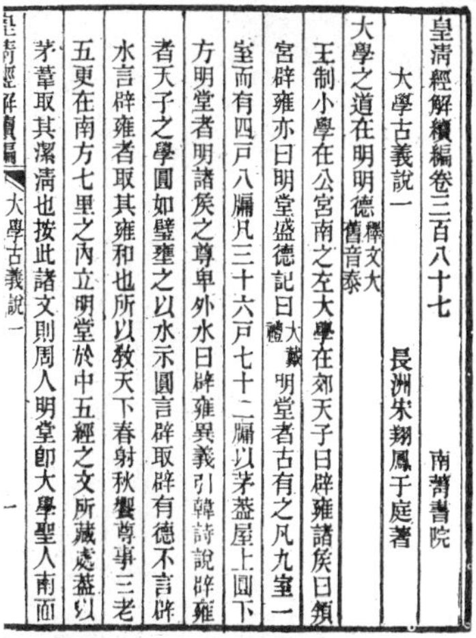

皇清經解續編卷三百八十七　南菁書院
大學古義說一　長洲宋翔鳳于庭著
大學之道在明明德釋文大舊音泰
王制小學在公宮南之左大學在郊天子曰辟雍諸侯曰頖
宮辟雍亦曰明堂盛德記曰大戴禮明堂者古有之凡九室一
室而有四戶八牖凡三十六戶七十二牖以茅蓋屋上圓下
方明堂者明諸侯之尊卑外水曰辟雍異義引韓詩說辟雍
者天子之學圓如璧壅之以水示圓言辟取辟有德不言辟
水言辟雍者取其雍和也所以教天下春射秋饗尊事三老
五更在南方七里之內立明堂於中五經之文所藏處蓋以
茅葦取其潔淸也按此諸文則周人明堂卽大學聖人南面
皇清經解續編　大學古義說一　一

圖版十三：宋翔鳳著作
《大學古義說》
（皇清經解續編本）

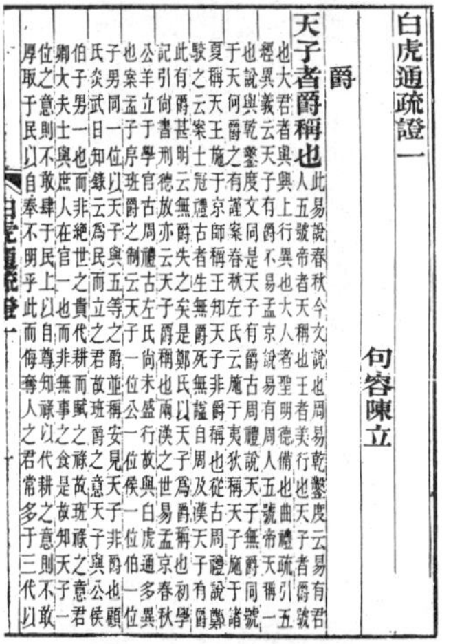

白虎通疏證一
句容陳立
爵
天子者爵稱也此易說春秋今文說也周易乾鑿度云易有君人五號帝者天稱也王者美行也天子者爵號
也大君者與興上行異也大人者聖明德備也曲禮疏引五經異義云天子有爵不易孟京說易有周人五號帝天稱一
也說與乾鑿度文同是天子有爵古周禮說天子無爵同號于天何爵之有謹案春秋左氏云施于夷狄稱天子施于諸
夏稱天王施于京師稱王知天子非爵稱也從古周禮說鄭駮之云案士冠禮古者生無爵死無謚自周及漢天子有爵
此有爵甚明云無爵失之矣是鄭氏以天子爲爵稱也初學記引尙書刑德放亦云天子爵稱也兩漢之世易孟京春秋
公羊立于學官古周禮古左氏尙未盛行故與白虎通多異也案孟子序班爵之制云天子一位公一位侯一位伯一位
子男同一位以天子與五等之爵並稱安見天子非爵也顧氏炎武日知錄云爲民而立之君故班爵之意天子與公侯
伯子男一也而非絕世之貴代耕而賦之祿故班祿之意君卿大夫士與庶人在官一也而非無事之食是故知天子一
位之意則不敢肆于民上以自尊知祿以代耕之意則不敢厚取于民以自奉不明乎此而侮奪人之君常多于三代以

圖版十四：陳立著作
《白虎通疏證》（清光緒元年
〔1875〕淮南書局刻本）

圖版十五：中央研究院中國文哲研究所
經學文獻組研究人員在常州圖書館查書

圖版十六：中央研究院中國文哲研究所舉辦
「常州學者的經學研究」第一次學術研討會議程

總　序

　　中央研究院中國文哲研究所經學文獻組自 2002 年起開始執行為期五年的「晚清經學研究計畫」，執行的方式與之前所執行的「清乾嘉學派經學研究計畫」略有不同。1999 年執行乾嘉經學計畫時，是依乾嘉學者之治經方法、義理學、治經貢獻三大主題來研究。晚清這一個時期是古文學漸衰，新興今文學氣勢如虹的時段，兩者治經的方法有同有異，治經的理想也不盡相同。前輩學者對此問題已有相當多的論述。為凸顯各地研究經學的差異性，我們採區域研究的方式來進行。這五年分別完成五個地區經學的研究：

　　1. 常州地區的經學　　2002 年執行，召開兩次研討會，發表 19 篇論文。

　　2. 湖湘地區的經學　　2003 年執行，召開兩次研討會，發表 12 篇論文。

　　3. 廣東地區的經學　　2004 年執行，召開兩次研討會，發表 18 篇論文。

　　4. 浙江地區的經學　　2005 年執行，召開兩次研討會，發表 20 篇論文。

　　5. 四川地區的經學　　2006 年執行，召開兩次研討會，發表 27 篇論文。

合計召開十次會議，發表 96 篇論文。

我們也發現，每個地區執行時間僅一年，不免有走馬看花，不夠深入的缺失。但值得安慰的是，晚清的研究，過去一直是思想史學者的囊中物，能夠從經學史的視角來做研究者少之又少。這五年間突然有近百篇用經學史角度來發表的論文，對研究晚清學術的學者，不啻投下一顆震撼彈，令人驚訝，自不在話下。

為了讓這近百篇論文能有更多人閱讀，產生更多的影響力，我們希望由民間出版社來出版。為求慎重，我們仿所內出版程序，邀請所外經學專家一起擔任主編，五個地區的主編分別是：

  1.常州地區：蔡長林、丁亞傑主編；

  2.湖湘地區：蔣秋華、車行健主編；

  3.廣東地區：楊晉龍、曹美秀主編；

  4.浙江地區：楊晉龍、葉純芳主編；

  5.四川地區：蔣秋華、丁亞傑主編。

由各冊的主編擔任召集人，組成審查委員會，將所有稿件送請所內外學者審查。需修改者，送請作者修改。所有稿件錄用與否，皆由委員會裁決，過程相當繁複嚴謹。

這套叢書即將陸續出版，謹代表經學文獻組，感謝五個地區的七位主編，和五個審查委員會的成員，及數十位審查論文的學者。在此景氣低迷的寒冬，臺灣學生書局願意出版這套專門叢書，也一併致謝。

二〇〇九年一月二十五日 林慶彰 誌於
中央研究院中國文哲研究所經學研究室

導 言

蔡長林

一、

　　《晚清常州地區的經學》這部書所收錄的論文，曾分別在
2002 年 7 月及 11 月舉辦兩次的「晚清常州地區的經學」學術研討
會上發表，經審查及作者修訂後，收入本書。在付梓之前，謹就
「晚清常州地區經學」研究計畫的初衷，以及本書內容略加說明，
以就教於讀者。

　　「晚清常州地區經學」是中央研究院中國文哲研究所「晚清經
學研究計畫」第一年執行的內容。晚清經學議題充足，內涵豐富，
涵蓋面廣，這可以從常州、湖湘、廣東、浙江、四川、福建等地所
呈現出的經學面目作出說明。不過相對於對清中葉的研究盛況而
言，晚清經學的研究一直受限於思想史視域而難以展開。過去對於
晚清經學的理解，從某種程度上來講，是晚清思想史的延續；而晚
清思想史的主流論述，無疑是改良主義的今文學派；所以對晚清經
學研究，今文學的相關議題可謂其大宗；而其呈現的主題，正是所
謂的「常州今文學」。但是經學與思想的概念畢竟不同，經學史與
思想史所關照的面向也存在差異。思想史視野下的常州學派，是晚

清改良主義的源頭；經學史視野下的常州經學，是考據學風潮容受
與排拒的典型案例。兩種不同學術視野下所呈現出的經學內涵，存
在著巨大的差異。所以，經學的研究，必須建立其主體性；而立足
於經學的學術語言，則是必然的前提。《晚清常州地區的經學》這
部論文集，可以說既是立足於經學與經學史，也是立足於思想與思
想史的研究成果，相信當能為常州經學的再深入研究，提供更為開
闊的學術視野。

二、

本書收錄論文十八篇，其中既有專經之論述，亦有學術傳承之
辨析，更有學術與學風之觀察，末附兩場學術坐談紀錄。現在，謹
就全書各篇論文的要旨略加介紹，以供讀者之參考。

賴貴三〈清代常州學派《易》學研究的成果與檢討〉，是立足
於經學文獻學的大作。作者認為清代常州學派在學術歷程的發展脈
絡上，係繼以惠棟為宗祖的吳派、戴震為挑宗的皖派，以及王念
孫、王引之、阮元、焦循等博學鴻儒為核心的揚州學派而起的學術
集團，在道光、咸豐以後的清代學術史上，居於引領風騷的關鍵地
位。開派宗師莊存與，以今文《春秋公羊》學教子孫、課門生，蔚
然一時之盛，名家輩出，卓然有成。常州學派以復興西漢今文經學
為職志，闡發「微言大義」與「通經致用」之道，具有濃厚的文
化、政治與社會義涵。本文關注於常州學派的《易》學研究成果與
檢討，分別考察知見的《易》學論著書目，並就其傳承與發展，論
述代表性名家的《易》學貢獻；最後檢討常州學派《易》學研究的
得失，並就其影響，作一歷史性的觀照，嘗試貞定常州學派《易》

學研究的經學史學術地位。故依次整理了常州學派代表學者《易》學研究論著書目；說明常州學派《易》學研究的傳承與發展；檢討常州學派《易》學研究成果；而後總結認為研究常州學派的《易》學，必須在今文經學所揭櫫的「微言大義」與「通經致用」的大纛之下，才能清楚的觀照出它的有限性與特殊性。

陳鵬鳴〈常州學派史學思想研究〉，則從史學的角度探討常州學派經說在史學上的意義。作者提到莊存與、劉逢祿、宋翔鳳三人均是清代今文經學家，並不是史學家，研究近代史學的學者，多以他們生活在鴉片戰爭之前，不屬於近代史的研究範圍之內而不加注意；而研究古代史學的學者因他們的影響主要在近代，也不太注意，以至於對他們的研究比較薄弱。其實，正是由於他們的努力，才使得今文經學在晚清得到了很大發展，成為當時談變法、議改革思想的源頭，對於近代歷史變易思想的發展、經世致用學風的形成關係極大，對於龔自珍、魏源、康有為等人的史學思想產生過重要的影響。要弄清楚近代思想史的源頭，就不能不首先研究以他們三人為代表的常州學派。文章依次說明常州學派的產生及原因；介紹莊存與其人及其家學；闡釋莊存與隨「時」變化的史學思想，認為莊存與治經的目的在於經世致用，所以他不抱門戶之見，不論是今文經說，還是古文經說，他都加以採納；討論劉逢祿「窮則必變，變則必反其本」的史學思想，提到劉逢祿贊同法後王主張，同時劉逢祿以為恢復封建制，有利於選拔人才；闡述宋翔鳳「不必泥古人之陳跡」的史學思想，要求及時變法改革，但對於封建三綱五常等根本問題，卻又以為是永遠不能改變，這就使得他的史學思想帶有很大的局限性。最後歸納了常州學派治學及史學思想的特點，《公

羊》三世說的歷史觀、歷史變易思想與社會改革主張、經世致用的
史學思想、疑古惑經的史學思想等，可謂是對傳統經史互位關係的
有力論述。

　　孫劍秋〈論莊存與的〈卦氣說〉〉一文，主要探討莊存與
《易》學的象數面向。作者認為清代今文經學興起於乾嘉之際，大
盛於道光年間，肇始者是莊存與。他在治學路徑上，不專事箋注，
不斤斤分明漢宋，但期融通聖奧，歸諸至當。莊氏於六經皆深造有
得，而《易經》方面尤致力於卦氣的研究。卦氣源起於西漢宣帝時
的《易》學博士孟喜。由於當時推行《太初曆》，間接促進天文學
的發達，孟喜便是在這種環境下，並參雜陰陽學說而建立他的卦氣
理論。孟喜的卦氣說其實是有意要建立一個包含時間、空間的宇宙
觀。此一學說雖免不了有迷信色彩，但從哲學意義上說，它卻充分
發揮了《易經》的生生思想。在此學說裡，宇宙的時間是一年，空
間是四方，其間的變化就是循環不已、生生不息。而人生活在其
中，也要因時因地推移，才能應合天理，趨吉避凶。莊存與的〈卦
氣說〉，主要便是根據孟喜的理論而推演出來的。作者先分別孟
喜、京房卦氣說之異同；接著論述莊存與的〈卦氣說〉，近於孟喜
的以卦象解說節氣變化，而遠於京房的災異之說。又針對莊氏的
〈卦氣解〉，說明其特色：從天文曆法的角度建構一己的宇宙觀；
以經傳文解卦氣，見卦知義；以陰陽爻增減說明歲時的消長。最後
闡明莊存與作〈卦氣解〉的意義：宇宙既是由一合理的統治秩序所
構成，則人類社會，甚至於政治秩序也必須合於此一循環，才合於
天理而免受災厄。此說一反漢末以來變異可怪之論，但言陰陽消
長，不輕涉災異，為天人感應理論增飾內容，確實是有其卓越貢獻

的，而莊存與深探聖人微言大義的治經特色，觀此而益明。

陳溫菊〈莊存與《周官記》研究〉一文，對常州學派的研究，具有開拓區宇之功。作者認為莊存與的研究遍及群經，除了具代表性的《春秋正辭》、《春秋舉例》、《春秋要旨》等闡明《公羊》家法的著述外，對於《易》、《書》、《詩》、《禮》、《四書》諸經皆有著作，不過目前研究者關注的焦點大多集中在《春秋》體例與微言大義的分析，成果也已可觀；但對莊存與的其他著作，則相對地缺乏較深入的探研。這樣的侷限，對於通盤掌握莊存與的思想脈絡，無疑是一個潛藏的弊端。為了對莊存與思想體系有更全面的瞭解，作者以莊氏另一個重個代表作《周官記》為對象，透過對原著深入的分析與爬梳，一探莊氏心中所建構的理想國藍圖，並進而尋繹其群經著作的通貫理念，期望能更客觀地推斷或評論其人、其書的研究成果及學術定位。作者先說明《周官記》的撰著動機，在保存周公建事之典、欲補冬官司空之闕亡、本鄭氏學而特重《周禮》。接著討論《周官記》的內容與體例，認為存與思想之宗旨，在其發用經說，以盡其為皇家導師之職責。《周官記》闡釋的官制內容與理念，實是莊存與塑建三代理想政治的具體藍圖。由莊存與長期擔負皇子教師的職務來看，他和皇室成員的關係至為密切，對於這一批國家未來執政者的實質影響，遠超過民間專注考據訓詁的經生。再者，《周官記》訓解既不墨守家法，並且不遵典章的「改制」之舉，在在顯示存與心中另有一套異於考據學的學術價值觀，反映出《周官記》寄託了莊存與思想中所建構的古代理想聖治。透過《周官記》一書，莊存與實踐了重塑周公制禮的精神與規模，同時上窺與體現三代聖王理想的堯舜之道。

　　馮曉庭〈莊存與的《春秋》學述論〉，用語精闢，每多新解。作者提到，莊存與認為孔子是政治思想家，《春秋》裏有微言大義。《春秋》是孔子的政治哲學著作，微言大義是委婉傳之。隨後闡釋莊存與的《春秋》學專著及其解經特色，認為莊存與在《春秋正辭》中所鈔錄援用《春秋》經經文，的確不屬於《公羊傳》體系，而較為貼近《左傳》以及《穀梁傳》系統。作者認為這樣的現象雖然不足以否定莊存與《春秋》學當中的《公羊》學特徵，卻能夠帶給斤斤於《公羊》、《穀梁》、《左氏》，務必區別經說今、古屬性的學者若干啟示──當大多數的相關研究者都在竭盡全力為某些學術現象，或者學術風氣制定合理的規範與標準的判定原則之際，是不是也曾經考量過這樣的規範、標準以及原則或許只能是一項崇高的理想信念，並非真實狀態的反應。作者並認為隱藏於莊存與《春秋》學之下的思想重心，可以區分為兩大部分，一是關於《春秋》義理的闡述，一是伴隨著《春秋》義理的發揚、轉化形成的實用性規範。然而，兩者卻又時常合而為一，相互為用，須相互參讀。

　　陳其泰〈莊存與──清代《公羊》學的開山〉，以比較性的視野，分析莊存與的《春秋》學內涵。作者從分別莊存與《春秋正辭》與趙汸《春秋屬辭》不同的學術宗旨入手，認為趙汸《春秋屬辭》和莊存與《春秋正辭》同為治《公羊》學之書，實則屬於兩個不同的層次：前者只著重從書法和義例上作解釋；後者則有志於探究《春秋》的「微言大義」。接著說明莊存與上接董、何，闡明《春秋》大義的學術特徵。《春秋正辭》標誌著今文《公羊》學說重新復興的起點，其主要表現為重新彰揚和詮釋《公羊》義法中大

一統、通三統、張三世這組基本命題。作者認為莊氏啟發人們治《春秋》應該遵循《公羊》學者「盡心」的家法，著力從尊天子、辨褒貶彰戒、立天下儀法的深刻寓意上去體會，並要進一步從義理層面加以發揮。莊氏所闡述的問題和提供的示範，構成了漢代到清代《公羊》學演進中極重要的一環。

張政偉〈莊有可《詩蘊》對《詩經》篇、章、句、字數目的闡釋〉，具有特殊的關照視野，能發人所未發。作者針對莊有可《詩蘊》一說作深入研究，提出莊有可認為《詩經》經孔子所刪訂，則各風、雅、頌的篇數乃自章、句、字數，這些數字即是聖人所留，上體天心，法象萬物的徵示。經典本文中所呈顯數字的綜合變化，無不蘊藏著神聖的意義。莊有可作《詩蘊》即是想發掘孔子刪訂《詩經》時，深蘊於外部體式數字的意義。本書分上下兩卷，上卷闡發的是篇數的意義，下卷主要談論章、句、字數的意義，全書以條列的方式匯聚了一百二十二條意見。作者認為莊有可《詩蘊》展現出一個極端的今文經學家的治學風格，論述取證有多欠客觀，而且沒有架構出完整而有邏輯的系統，所解有流於臆測的情形。其展現的治學風格如此，或可見常州今文經學派某些學者治經之一貌。作者接著說明《詩蘊》對《詩經》篇數蘊義的論述，莊有可以《詩經》各風、雅、頌之篇數與前後各部篇數之和皆有聖人刪詩時隱藏的大義存在。而其推論方式是先將篇名釋義定出，再引《周易》、《春秋》、陰陽、曆法等等數據加以比附。接著作者針對《詩蘊》對《詩經》章、句、字數蘊義進行論述及初步評價，認為莊有可的推論與舉證有問題，有以今附古，忽略時代侷限性與歷史事實，乃至蓄意引用錯誤的資料以證成其說，甚至改動經典數據以求彌縫。

其推論與舉證處處可見斧鑿痕跡，附會曲解，所以得出的聖人大義
只能淪為主觀臆說。故結論認為莊有可《詩蘊》的論述與取證紛
雜，並未建立一個有邏輯的系統，還不時出現矛盾。不過至少莊有
可《詩蘊》展現出對發掘聖人之大義，證明經典神聖性的熱誠，對
他來說這是研究經典的意義所在，或許也算是一種信仰。

　　丁亞傑〈孔廣森《公羊通義》的學術系譜與解經方法〉，其用
意在探究孔廣森的《公羊》學傳承及其解經特色。作者認為孔廣森
為清代治《公羊傳》的第一人，但其《公羊》學卻被認為是歧出，
與傳統《公羊》學不合。故以系譜學方法，分疏孔廣森《公羊》學
的學術系譜，說明孔廣森雖師承莊存與、姚鼐、戴震，但三氏的經
學，無法導出孔廣森的《公羊》學；孔廣森的解經方法，已從辭例
的褒貶，進至以假託解經；至於孔廣森在制度方面的建構，則有所
不足。作者提到孔廣森並未強調學術流派，更未以經今文學或《公
羊》學正宗自居，而他的系統是，源一流一，學術系譜專一，學者
直傳師門之學。並進一步探討孔廣森論《春秋》時會先分析春秋歷
史變遷、並以《春秋》自是聖者之作、又以《春秋》觀古知今，以
史為鑑的思考進路，重在預先防患於未然。最後作者認為將孔廣森
《公羊》學置於其所自道的師承之中，就會發現孔廣森《公羊》思
想，異於莊存與、戴震與姚鼐；再將孔廣森《公羊》學其置於清代
《公羊》學學術系譜之中，也略可推知與前後《公羊》學者，不存
在理論的邏輯關係。此所以阮元說孔廣森《公羊通義》有不同於何
休《公羊傳解詁》者四事，能發揚《公羊》絕學。如此，皮錫瑞以
降對孔廣森的評論，其實是預設了《公羊》學的傳承，以遵守《公
羊》家法為評價標準，忽略《公羊》學本身即蘊含多元性發展的可

能。由於經典意義是對讀者開放，是以任一讀者，宣稱其所解釋的意義，是符合作者或作品原意，其中即已顯現了學派的異同。

　　楊濟襄〈通義與異議——孔廣森對《公羊》學關鍵論題的統籌與澄清〉，透過關鍵議題的文本分析，討論孔廣森對董、何之學的傳承去取。作者認為孔廣森以《公羊》家身分自期，撰寫其《春秋》學的代表著作《公羊通義》，卻被梁啟超、皮錫瑞等人視為清代《公羊》學的「異議」。故深入顨軒《公羊》論題的核心，剖析孔廣森與何休解經路線之同異，發現他的「三科九旨」，完全凝練於西漢董仲舒對於《春秋》義法的主張；若因孔廣森在何休科旨舊說之外，另立「三科九旨」新義，而批評他「不明家法，治今文學者不宗之」，那麼以何休《解詁》為大纛的清代《公羊》學，在《公羊》學內部的方法論上，就有重新檢視之必要。強調推崇董仲舒「《春秋》無達辭」的顨軒，並非以突破今文家法為職志，顨軒之所以既治《公羊》又心儀鄭玄，其根本糾結處，是顨軒嚮往「通學」的治經態度；稟承漢學家「通經學古」的傳統，致使他追循西漢董仲舒「會通三傳以解《春秋》」，終而回歸《公羊》經學義趣的解經途徑；顨軒不能完全認同何休章句條例式的治經方法，轉而倚向鄭玄「通學」式的釋經路線，孔氏秉持「博學取義」的治經態度，他並非刻意挑戰經學史上今、古文家法的矜持。文章既區別孔廣森與何休解經路線之同異；亦論孔廣森對公羊學關鍵論題，如《春秋》的文例與義旨：以「義」馭「例」；《春秋》重「義」不重「事」；會通三傳以治《公羊》；「三科九旨」新論。其結論以為孔廣森在董、何二人意見相左時，《通義》往往直接標識「董仲舒曰」，整段引用《春秋繁露》原文以作為《通義》論證的準據；

又犖軒在《公羊通義》中與董仲舒春秋學相輝映的言論,歷歷可取,對身為《公羊傳》的注本而言,這也使得以何休註經體為底本的《公羊通義》,在內容上大幅偏向董仲舒,和歷來的《公羊傳》注本以何休《解詁》為本,有明顯的差異。

盧鳴東〈張惠言《虞氏易禮》中的《公羊》思想〉一文,觀察入微,讀書有得。作者認為張惠言雖不曾為《公羊》學注經立說,但也曾受到常州學風感染,在治學上帶有《公羊》學的色彩。這一觀察,除了晚清桂文燦之外,罕有道及者。本文論述張惠言對鄭玄《易》學的評價,並據此與虞翻《易》學比較,藉此說明其以虞氏《易》象補述鄭玄釋禮的因由。然後,通過《虞氏易禮》中婚禮《易》象的分析,舉例說明張惠言取象釋禮的方法,最後勾勒出他襲取漢代《公羊》學說,作為闡釋易代禮變的取象根據。作者認為乾嘉時期,清儒為求在《五經》之中尋找政治改革良方,皆在治經上作出多方面的嘗試和融合,以達致經世匡時之旨。張惠言治學兼得吳派《易》學和皖派《禮》學的影響,又不拘泥於經今古文的界限,遂結合虞氏《易》學和鄭氏《禮》學,撰寫成《虞氏易禮》。然則,張惠言援禮注《易》,其旨已與鄭玄不同:卦爻取象已不只是用來解釋禮制,而是在明確的政治目標下,引入《公羊》禮變思想,解釋王者改制的由來,藉此為清代改革的思潮作出了初步的嘗試。

三、

以下三篇,都是對常州學術傳承與學術風氣的觀察。丁亞傑〈李兆洛與常州學風〉從挑戰與回應的角度,來探討學術交鋒之間

的種種可能性。作者提到近人言清代學術,每稱乾嘉考據學,乾嘉考據學固為其時主流學風,但並不是清代學術只有這一學風,與其同時的學者,即不滿於此派學者治學的對象、方法,李兆洛倡導二《通》(《資治通鑑》、《文獻通考》)之學,可為明證。作者認為詳讀李兆洛文集,並以乾嘉學者為參照對象,即可見出李兆洛學術方向,及其對當時學風的批評。李氏不以專門之學自限,旁涉經學、史學、文學,文獻等;至於李兆洛所從出的常州學派,更是如此,既重視語言文字,也強調躬行實踐;既有經古文學,更以經今文學揚聲;既有漢學,亦不廢宋學;既有駢文,亦發揚古文;既有學者,也有文士。既有考古之功,更在意經世致用。詞章、義理、考據、經濟,同時出現在此一地域,並影響其他地區。故作者認為,李兆洛號稱通儒,通儒之通,一在學問根柢,基礎、視野廣大,不囿限一隅,以《通鑑》、《通考》為教學法門,即蘊含此一意義。一在學問成就,通儒之通,未必是沒有專門之學,李兆洛專精輿地即可為證,但不以專門之學自限,旁涉經學、史學、文學,文獻等,見識精到,沾溉士林。李兆洛雖不以經學名家,卻能以其通學,悠遊經學與文學之間,相容並包,指點後學。

承載〈李兆洛與常州今文經學〉一文立論與丁亞傑相近,而著重於強調李氏對莊氏的學術傳承。作者認為清代著名學者李兆洛,向來以其在文學、方志、天文、地理等方面的成就而引人注目。他的治學重心雖不在經學,但同莊存與後人有較為密切的學術交往,對「莊氏之學」的認識漸次深入,而且形成了讀經、治經的「獨是之見」,也對乾嘉漢學的弊端提出了中肯的批評。本文認為,李兆洛生當中國社會性質開始發生劇變、傳統學術開始向近代發展的歷

史關頭，目睹漢宋由紛紜而合流的局面，能夠以「求諸大體，得其統宗」之態度，以「通經致用」、「求其會通」為表徵，自覺地融入了復興西漢今文經學、開啓近代變革思想的時代潮流，表現了較強的經世意識。儘管李兆洛在學術師承關係上不算常州今文經學一派，但他作為這一時期常州學術界的領袖人物，為推動常州今文經學的流播發揚，提供了較大幫助。因此，在考察常州今文經學思想成為近代經世思潮先兆原因時，李兆洛應該是一個值得重視的人物。作者以為，要評判李兆洛的經學傾向，有必要注意三個現象：第一，在李兆洛的學術文字中，有眾多篇幅談到了他同莊存與、劉逢祿，以及與常州今文經學發展、遞變有關的其他人物，今人在研究莊、劉的經學思想，以及常州今文經學時，又每每以此為據。這表明，李兆洛雖不以今文經學名家，但不等於他只關注古文經學。第二，李兆洛對莊氏之學的態度，以及他在讀經、治經方面的特質，實與當時日益成熟的漢宋合流的大趨勢相適應，他作為這一時期常州地區學術界的領袖人物，提倡西漢今文經學，對常州今文學派的流播發展，起到了一定的作用。第三，李兆洛辭官回鄉後，長期授徒講學，校刊圖書，雖不復從政，但也關注政治現實，表現出較為強烈的經世意識，這與其經學傾向有無聯繫？本文即圍繞這些現象，從李兆洛與莊氏之學、與劉逢祿的關係，以及他的經世意識及其經學傾向等方面，逐一探討。結論說明李兆洛與乾嘉年間「漢學」一派人物是有較大區別的。當莊存與、莊述祖、劉逢祿等人相繼謝世後，李兆洛不僅以常州學術界領袖的身份，為推動「莊氏之學」的流播傳揚，起了很大作用。

蔡長林〈莊綬甲與常州學派〉一文則透過經學史與學術史的結

合，以觀察常州學派的學術側面。作者認為莊綬甲作為常州學派的
第三代成員而言，所面臨的形勢，與其父祖相較，可謂更形嚴峻。
不但家族賴以立身的科舉仕進之途，已無法在其兄弟行輩中得到有
效的延續，莊氏家族的學術理想亦因政治地位的低落，無法在高層
的政治舞臺作充分有效的發揮。如何在家族沒落的情況下，維繫家
學傳統，是莊綬甲所面臨的嚴酷挑戰。因此，掌握了莊綬甲的學行
經歷，將有助於對常州學派更深入的瞭解。換言之，研究常州學
派，既可正面地從構成常州學派主體的莊存與、莊述祖、劉逢祿、
宋翔鳳等人的學行經歷著手，以求其發展的大勢之外；亦可側面地
從莊家子弟如莊綬甲、丁履恆等人的學行經歷中，觀察莊氏一族的
興衰傳衍，以及莊氏家學由政治關懷轉向學術領域，並逐漸為人所
知的過程；並且在莊氏家族與當時學術界的交流當中，看出具有文
人特質以及以強烈經世之思為底蘊的常州學風；更可一窺考據學方
法逐漸為常州學者嫻熟運用的事實。作者以莊綬甲為切入點，側面
來剖析常州學派，亦即在眾所周知的《春秋》學視野之外，還有一
條由古文字學入手，譜系明確的《尚書》學傳承，這是研究常州
派，也將是挪開今文學框架，最有力的依據。再則認為莊綬甲的學
術內涵並不突出，不具有高度的原創性，在思想史或是經學史的敘
述中，很難說明他的重要性，但是透過學術史的觀察，卻可以看到
一幅莊氏學術開展傳播，並且與考據學展開對話的畫面，可以作為
清代中葉經學史的一個側面觀察。

　　胡楚生教授〈史法與經例——比較錢大昕及劉逢祿兩篇〈春秋
論〉中之見解〉旨在討論兩種不同的《春秋》學觀點，亦可謂兩種
不同學風的具體交鋒。清代錢大昕撰有〈春秋論〉，主張《春秋》

褒貶之法,在直記其事,使善惡自彰。稍後,劉逢祿也撰〈春秋論〉,針對錢氏之說,加以反駁,主張《春秋》之中,實有以一字為褒貶之「書法」存在。比較錢劉二人之說,欲見其異同。作者舉例作精詳論證,謂直書其事,善惡無隱,是錢氏對於《春秋》褒貶方式最基本的觀點。且劉知幾所說的史學主張,像「直書其事」、「善惡必書」等,對於錢氏觀點的形成,自然也曾產生不少的影響。而劉逢祿認為《春秋》重義、《春秋》有例,故特別重視解釋《春秋》經義之《公羊傳》,撰有《公羊何氏解詁箋》、《公羊何氏釋例》等書,以求發明《春秋》之「義」與「例」。作者綜合錢、劉二人對於《春秋》之見解,可得到幾項重點:

1.錢大昕與劉逢祿二人對於《春秋》之見解,相同者在二人皆以為《春秋》中有褒貶;不同者在錢氏以為,《春秋》褒貶之方法,在「直書其事」,使「善惡自見」;而劉氏以為,《春秋》褒貶之方法,在「屬辭比事」,以「參互見義」。

2.錢氏之意,以為「春秋」之中,凡書崩、書薨、書卒等,乃古今史家記書自古相承之通則,並不關涉於一字之褒貶與奪;而劉氏之意,則以為《春秋》之中,凡書地、不地、書日、不書日等,皆有其一貫之義例。

3.錢氏為學,本長於「史」,故其於《春秋》一書,亦多自史學之觀點;而劉氏之學,本長於「經」,故其於《春秋》之中,會比眾辭,推尋義例,以探索微言大義之所在。等等。

程克雅〈怨、讎、叛、逆:劉逢祿與《公羊》禮學的價值闡釋〉,是立足《公羊》與禮學相結合之思考,可以見出作者的學識及學問功底。作者基於以禮解經的既有議題,以及清代中葉以降,

常州學者經解《公羊》化的論述上開展相關的探討，透過《公羊傳》中「怨、讎、叛、逆」的相關解詁，析論「《公羊》禮學」的成立基礎以及相延而來的價值闡釋。文章的論述分為六節，首先在前言說明本文的研究動機，在第二節中，探討「怨、讎、叛、逆」的界義與涵義：在方法上，取一般的涵義，先就心境、情感語彙的辨認模式說明各項字詞的擷取理由；再由恩怨、報復、尊卑、順逆等人事涵義說明倫理學在語言上的關聯與實現；並舉經籍「怨、讎、叛、逆」字義詮釋古訓，瞭解清代常州學者在既有的名物度數考釋外，之所以沿用藉古訓以求義理，解析特定經籍寓含書例、闡釋微言大義的問題意識及其背景。在第三節中，則考察劉逢祿《春秋公羊傳》闡釋諸論著，關於「怨、讎、叛、逆」的事義與相關文本：首先列舉研究的主要對象與範圍，亦即劉逢祿對《公羊春秋》闡釋的回顧；其次說明「例」的形成與「大義」的發揮。在這一節中，主要是欲區別條例、義法、書例、義例等專門術語，在清代經解與文論中實為異施異恉的現象，並從而甄辨劉逢祿運用相特定術語時的脈絡，瞭解其藉「怨、讎、叛、逆」解到刑德論述的具體內容。在第四節中，藉由對「怨、讎、叛、逆」的解釋探討《公羊》禮學的成立：首先就學術史的考察，論究《公羊》禮學的源流及劉逢祿《公羊》禮學的成立與開展；其次則觀察《禮》學與《公羊》學的交會，看出二者實有價值闡釋的不同趨向，一是以《公羊》釋《禮》，表達對禮樂刑政今古微言大義的說解；二是以《禮》解《公羊》，回歸禮樂刑政的具體設想。就中實有禮學的地域互動與宗風同異之辨；即便是承學於劉逢祿的江都人淩曙及其門人陳立，也在撰著了名為《公羊禮說》等著作後，與常州學者劉氏有所歧

異。晚清以來學者頗有主張禮經與《公羊》大義相表裡之說,其中關於三《禮》的依違去取,正可以對《公羊》禮學之大義的申述方向提出學說淵源脈絡的考察。在第五節中,則就晚清學者的評述回溯,並對比學術史在劉逢祿《公羊》禮學,甚至是「怨、讎、叛、逆」相關人事評斷等議題之回響,藉此說明劉逢祿《公羊》禮學的意義及其對晚清思想的影響。結論則藉「怨、讎、叛、逆」四項字義古訓,及透過《公羊》義例的評斷與衡量,解析劉逢祿在相關解詁中表現的思想特色,及其學說在《公羊》禮學價值闡釋上形成的貢獻。

林素英〈宋翔鳳《大學古義說》發微〉,旨在闡明宋翔鳳的政治哲學。作者認為清末極盛的《公羊》思想不僅影響戊戌變法,同時也深切影響民初之學術思想。不過這種極為興盛的《公羊》思想,卻應上溯至莊述祖的常州《公羊》學派。宋翔鳳為清代今文經學的開創人之一,在常州學派中的地位也相當重要。若能理解宋氏的學術思想,則有助於明瞭清末《公羊》學派的政治思想。由於《大學》所載攸關儒家的政治理想,因而本文直接探究宋氏的《大學古義說》,期望藉此理解其理想政治制度的藍圖,而由此隱約以見其跨越鄭玄而追求經典之微言大義的走向。全文之進行,先從世人對於宋氏經學的評價開始,說明其未受學界青睞,多緣於前人所作之評價不甚客觀。同時,若要客觀說明《大學古義說》的價值,則先行說明其捨朱子《大學》改本,而選取古本的本義,繼而以「大學」為古之「明堂」,凸顯宋氏註解《大學》之特色與微言大義所在。繼此之後,則進一步蠡測其何以有此特異之說的原因,而稍稍窺見其經世致用思想的發揮。文末,以宋氏《大學古義說》的

最高成就，卻應該算是宋氏以其漢學根柢進行名物制度考證，在甲骨卜辭尚未成為學術研究資料以前，即立本於周代的明堂即大（太）學的說法，以解說《大學》之原義。更由於其能把握明堂即大學的根本關鍵，因此再運用宋學精於探微之功力，而回歸到古代社會之大學制度原本融合政治與教育制度於一爐的狀態；更緣於其政治教育二者本為合一，因此為學之目的，亦必須具體落實於治國始為得其本，於是何謂本末終始、處事孰先孰後即相當清楚，於是學成之後而可以有經世之才。最後，作者認為宋氏註解《大學》固然有其所長，不過亦不免有其遮障之弊。例如以其特殊之「五行之德」，解說「為政以德」之義，的確難辭牽強附會之嫌。然而其以「明堂」釋古之「大學」，則深得《大學》之本，對於闡發《大學》之原義具有重大貢獻，應該被積極重視。

　　徐興海〈《過庭錄》札記〉，則是以札實的學問功底舉例條辨宋氏《過庭錄》。《過庭錄》是宋翔鳳數十年學習心得積累而成之的讀書筆記，可藉以說明及評價宋翔鳳的學術貢獻。其內容以對文獻的考辨、校勘為主，本文分考辨、校勘、文字音韻訓詁三個部分，論述其內涵。其中考辨史實、作者、制度、名物、人名等部分，不少一己之創見，又可由其中見出宋翔鳳的調和傾向，如調和《左傳》與《公羊》、調和老學與儒學等，雖或有可商之處，卻可由其中見出宋翔鳳的學術趨向。而校勘部分，頗有獨特見解，除了具體指出文獻之訛誤，並發明訛誤之因，歸納校勘方法，又考訂版本異同、流傳並比較優劣，足為文獻研究者重視。文字音韻訓詁部分，則繼承其師段玉裁之學，雖有依託前人者，亦有不少更向前推進，甚至個人發明所得者，如發明古音假借、以古音揭示《春秋》

三傳之異字乃通假所致、發明對轉關係、發明聲轉等。同時,由於其考辨的目的,乃為發明《公羊》學說之要義,故可由其中窺見從乾嘉學派向今文學過度的色彩。是以宋翔鳳的重要學術貢獻,在於通過文字、音韻之學,建立《公羊》學微言大義的基礎,以音韻、訓詁等學,溝通了乾嘉學派與今文經學。

　　黃復山〈陳立早期的讖緯學──《白虎通疏證》引讖解經考論〉,是有關清代讖緯學研究的難得之作。作者認為陳立《白虎通疏證》引讖文以解說經義,使讖緯與經義之關係,得以具體窺見其實質內容,於後人研習讖緯與《白虎通》之議題,厥為重要之參考文獻。研究指出陳立所採用讖緯文獻計有《易緯》等九種、四十一篇、四百二十六條次,僅《洛書》未見引述。至於各條讖文之出典,來源不一,凡得經部十五種、史部九種、子部十三種、集部一種,共計三十八種。並經作者詳細搜檢陳立讖緯引文之出典,發現如摘錄《說郛》、《隋書·禮儀志》、《廣川書跋》、《鴻書》等書,蓋攟自趙在翰《七緯》也;又如《白虎通·封禪》兩段疏文,嘗引《援神契》讖文十四條,亦為襲取《七緯》卷三十六而來。此種藉他人功勞以為己力,於學術求真求實之態度而言,容或可議也。結論謂《白虎通》本不易通讀,重以歷代版本傳流衍生殘佚訛舛,更令後世學者束手,而陳立引據群書詳為疏證,嘗博稽載籍,鉤稽貫串,泛引文獻以疏證《白虎通》,並摘引其中讖緯佚文,以證《白虎通》經義與讖緯之關係。其於讖緯鑽研之深,較之當時樸學名家,可謂不遑多讓。又陳立能窺知經、讖異義處,且作舉例說明;又能稽覈讖文義例,為作句讀、補闕者,皆其苦心孤詣之所得也。

四、

　　從以上的介紹可以得知，常州經學內涵豐富，面向多元，六經大義兼包，訓詁微言並重，既涵養出中國現代化胎動的今文學，亦存在有漢學風潮下之學術回應，是經學研究豐盛的資糧，而有待學界進一步開發。然其前提，則應立足於經學之視野，操作以經學之語言，做經學史之俯瞰，解答經學之問題，而不僅出於思想史之視域。尤可說者，經學與政治之間，不必出以空泛之議論，或直接而無當之抨擊，亦有待於在典章訓詁之間，寓其深沉的經學政治觀，莊存與《周官》之研究，宋翔鳳《大學》之闡釋，正其類也。而學術與學風之隱微變化，經學性質的蛻變傳承，此又一代學術之總章，而為傳統心銜世變國運者，靈魂之所繫。研究晚清常州之經學，於此大關鍵處，似不宜輕忽。

晚清常州地區的經學

目　次

清代常州學派
《易》學研究的成果與檢討

賴貴三 *

　　清代常州學派在學術歷程的發展脈絡上，係繼以惠棟（1697－1758）❶為宗祖的吳派、戴震（1723－1777）為挑宗的皖派，以及王念孫（1744－1832）、王引之（1766－1834）、阮元（1764－1849）、焦循（1763－1820）等博學鴻儒為核心的揚州學派而起的學術集團，在道光、咸豐以後的清代學術史上，居於引領風騷的關鍵地位。開派宗師莊存與（1719－1788），以今文《春秋公羊》學教子孫、課門生，蔚然一時之盛，名家輩出，卓然有成。常州學派以復興西漢今文經學為職志，闡發「微言大義」與「通經致用」之道，具有濃厚的文化、政治與社會義涵。本文關注於常州學派的《易》學研究成果與檢討，分別考察知見的《易》學論著書目，並就其傳承與發展，論述代表性名家的《易》學貢獻；最後檢討常州

*　　賴貴三，國立臺灣師範大學國際漢學研究所所長兼國文學系教授。
❶　　本文於首見之古今人名，凡有生卒年可考知者，皆注明於後，其有複見者，則多不另注。

學派《易》學研究的得失，並就其影響，作一歷史性的觀照，嘗試
貞定常州學派《易》學研究的經學史學術地位。

一、前 言

　　清代常州府，治武進、陽湖兩縣；轄武進、陽湖、無錫、金
匱、宜興、荊溪、江陰、靖江八縣。張舜徽（1911－1992）《清儒
學記·常州學記第九》❷分述常州學派的學者為二：本地學者與外
地學者。本地學者開列四項，合計八人：一、莊存與。二、劉逢祿
（1776－1829）與宋翔鳳（1776－1860）。三、惲敬（1757－
1817）與張惠言（1761－1802），附孫星衍（1753－1818）、洪亮
吉（1746－1809）。四、李兆洛（1769－1841）❸。外地學者開列
二人：一、龔自珍（1792－1841）。二、康有為（1858－1927）。
本文依此分法，將於下節加以衍述。而常州本地學者中，除張氏所
述及的惲敬、洪亮吉、李兆洛三人外，尚有邵晉涵（1743－
1796）、莊述祖（1750－1816），以上五人並外地學者龔自珍與康
有為二人，皆非以《易》學名家，且無《易》學專著傳世，故本文
存而不論。

　　此外，楊方達（？－？）為常州《易》學重要的先驅人物，武

---

❷　參張舜徽：《清儒學記》（濟南：齊魯書社，1991 年），頁 480－520。並可
　　參蔡長林：〈常州學派略論〉，收於彭林、鄭吉雄主編：《清代學術講論》
　　（桂林：廣西師範大學出版社，2005 年），頁 45－60。
❸　李兆洛著有《石經考》（北京：北京圖書館出版社，2005 年），此為清抄
　　本，以非專論《易》學，故本文不加以引述。

進臧庸（1767－1811）有《易》著四種，為本文增益張氏所論本地學者之不足者；至於外地學者，本文增益孔廣森（1752－1786）與魏源（1794－1857）二人❹，雖均非常州人氏，但彼此時代相近，又與常州莊氏今文經學脈絡一致，學說相當；益以孔氏為莊存與門生，魏氏受學於劉逢祿、切磋於龔自珍，可知與常州學派重要學者，互動關係匪淺，學術影響頗深，且都有《易》著問世，故本文以為常州學派的外地學者代表，不以狹義的地理區域為學派範限。至於康有為、廖平（1852－1932）、梁啟超（1873－1929）等，雖亦同為今文經學者，但時間上已屬晚清近代，地理上也並無密切關係，加之以系統上缺乏直接傳承，故不以常州學派外地學者《易》學代表論述於此。

眾所周知，常州學派的宗師為武進莊存與，他為學務明大義，其書齋懸有一聯：「玩經文，存大體，理義悅心；若己問，作耳聞，聖賢在坐。」❺莊氏的治學精神與風範，由此聯可見豹斑。而通其學者為門人邵晉涵、孔廣森，其姪莊述祖實傳其《公羊》學，述祖甥劉逢祿、宋翔鳳，最能張大其今文經學統緒。故皮錫瑞（1850－1908）《經學歷史·十·經學復盛時代》論清代經學演變的大概說：

國朝經學凡三變。國初，漢學方萌芽，皆以宋學為根柢，不

❹ 參陳其泰：《清代公羊學》（北京：東方出版社，1997 年）。賀廣如：《魏默深思想探究——以傳統經典的詮說為討論中心》收入《文史叢刊》第 109（臺北：國立臺灣大學出版委員會，1999 年）。
❺ 莊存與書齋聯，錄見於張舜徽：《清儒學記·常州學記第九》，頁 482。

分門戶,各取所長,是為漢、宋兼采之學。乾隆以後,許、鄭之學大明,治宋學者已尠;說經皆主實證,不空談義理,是為專門漢學。嘉、道以後,又由許、鄭之學導源而上,《易》宗虞氏以求孟義,《書》宗伏生、歐陽、夏侯,《詩》宗魯、齊、韓三家,《春秋》宗《公》、《穀》二傳。漢十四博士今文說,自魏、晉淪七千餘年,至今日而復明;實能述伏、董之遺文,尋武、宣之絕軌,是為西漢今文之學。

皮氏的論述符合其今文經學家的觀點,而其關於道光年間的今文經學的復興,是為了取代乾嘉漢學的論斷,也符合學術流派的發展實質❻,誠如錢穆(1895-1990)《中國近三百年學術史》第十一章開宗明義說:「言晚清學術者,蘇州、徽州而外,首及常州。」❼又說:「常州之學,起於莊氏,立於劉、宋,而變於龔、魏,然言夫常州學之精神,則必以龔氏為眉目焉。」❽由以上簡要的引述中,可知常州學派在清代經學史中,有著承先啟後,創造發展的時代新義與學術特色。以下分就常州學派《易》學研究的成果、貢獻與檢討,分就代表性學者加以探究,由於筆者時間不足,能力有

---

❻ 參吳仰湘:《通經致用一代師——皮錫瑞生平和思想研究》(長沙:岳麓書社,2002 年)。

❼ 錢穆:《中國近三百年學術史》(北京:商務印書館,1997 年),下冊,第 11 章,〈龔定庵——附莊方耕、莊葆琛、劉申受、宋于庭、魏默深、戴子高、沈子敦、潘四農〉,頁 580-630。

❽ 同前註,頁 590-591。

限，匆匆草成，粗疏頗多，尚祈學界先進同道，不吝指教。

二、常州學派代表學者《易》學研究論著書目

本節以常州學派學者《易》學研究的論著為主，考察其相關重要傳世版本，記錄書目，並簡單記述各家傳略，以提供學者索引研閱的參考。而筆者目前考察檢知者，僅以下列九家為代表，闕遺者猶俟諸來日；至於有關清代常州本地學者《易》學研究論著存佚書目，筆者已整理匯集於本文附錄，可備稽參續考。

㈠ 楊方達（？－？）《易》著三種

楊方達，字符蒼，一字扶倉，武進（今江蘇常州）人，生平未詳。❾盧文弨（1717－1795）《毗陵經籍志·易類》❿高度評論楊方達及楊椿（1676－1753）⓫在常州《易》學研究中的地位，以為

---

❾ 據徐世昌（1855－1939）等編：《清儒學案》（臺北：世界書局，1979年），卷 56，頁 30，記載略曰：年七十九歲。雍正二年甲辰（1724）舉人。閉戶著書，絕干謁，鄉里重之。舉經學不應。楊方達著述多種，均已收錄《四庫存目》之中。

❿ 據艾爾曼著、趙剛譯：《經學、政治和宗族——中華帝國晚期常州今文學派研究》（南京：江蘇人民出版社，1998 年），頁 271，注 22，云：「盧文弨的《毗陵經籍志》僅有稿本存世，保存在北京圖書館。1859 年又出現一部名為《常州八邑藝文志》的著作。盧文弨創立了把常州籍士人短篇文章匯輯成書的先例。後者由莊氏族人莊翊昆完成。」按：《毗陵經籍志》稿本未能見及，但盧文弨輯、莊翊昆等校補：《常郡八邑藝文志》（上海：上海古籍出版社，1997 年），十二卷，今可檢閱，疑即《毗陵經籍志》稿本之傳刻刊行本。

⓫ 按：楊椿，字農先，武進人。生於康熙十五年丙辰，卒於乾隆十八年癸酉，享壽七十有八。傳詳〔清〕錢儀吉（1783－1850）等編：《碑傳集》（臺北：大化書局，1984 年），卷 47，頁 156－179。

二者的《易》學是漢學家惠棟的先聲,而楊椿資料未見,此處從
略。

1. 《周易圖書會通》八卷(或作《易學圖說會通》)、《續
   聞》一卷,見《楊符蒼七種》本。又有中國科學院圖書館藏
   乾隆復初堂刻本,《續修四庫全書·經部·易類·21》據北
   京圖書館藏乾隆刻本影印。

2. 《周易輯說存正》十二卷,《四庫存目》,見《楊符蒼七
   種》本。

3. 《易說通旨略》一卷,《四庫存目》,見《楊符蒼七種》
   本。

(二) 莊存與《味經齋遺書》⓬《易》著五種

莊存與,字方耕,號養恬,武進人。乾隆進士,授編修,屢遷
內閣學士,擢禮部侍郎。為常州學派的創始人,精於《春秋公羊
學》,兼治六經,後人匯編為《味經齋遺書》。⓭又《清代毗陵書
目》卷一:另著錄有「經部·《易》類」佚書兩種:《易說》十五
卷,《序卦傳論》。

⓬ 按:《味經齋遺書》十一種,內容有:第 1 冊《象傳論》一卷,第 2 冊《彖
象論》一卷,第 3 冊《繫辭傳論》二卷,第 4 冊《八卦觀象解》一卷、《卦
氣解》一卷,第 5 冊《尚書既見》三卷、《尚書說》一卷,第 6 冊《毛詩
說》四卷,第 7−10 冊《春秋正辭》十一卷、《春秋舉例》一卷、《春秋要
指》一卷。《清儒學記·常州學記》尚錄有:《周官說》五卷、《周官記》
五卷。

⓭ 並可參:魏源《魏源集·上·武進莊少宗伯遺書序》,闡論其學;龔自珍
《龔自珍全集》第二輯〈資政大夫禮部侍郎武進莊公神道碑銘〉(北京:中
華書局,1959 年),頁 141−143,論其學術所出及學術志趣,可以閱考。

1. 《彖傳論》一卷，有〔清〕光緒八年（1882）陽湖莊氏《味經齋遺書》刊本。

   《續修四庫全書·經部·易類·23》（上海：上海古籍出版社，1995 年），據上海圖書館藏〔清〕道光莊綬甲（1774－1828）❹寶研堂刻《味經齋遺書》本影印版本作：《彖傳論》二卷。

2. 《彖象論》一卷，版本同前。張舜徽《清儒學記·常州學記》錄作二卷。

3. 《繫辭傳論》二卷，版本同前。

4. 《八卦觀象解》一卷，版本同前。《續修四庫全書·經部·易類·23》影印版本作：《八卦觀象解》二篇。

5. 《卦氣解》一卷，版本同前。中央研究院傅斯年圖書館善本室藏《叢書十三種》，有〔清〕嘉慶二十五年（庚辰，1820）書業刊本；又有〔清〕光緒間德化李盛鐸（1859－1934）木犀軒輯刊《木犀軒叢書》本；《無求備齋易經集成》（臺北：成文出版社，1976 年），據〔清〕光緒十四年刊《續經解》影印本❺；《重編本皇清經解·續編》（臺北：漢京文化圖書公司，1980 年），據〔清〕光緒十四年（1888）南菁書院刊本重編影印；以及《易學叢書續編》

---

❹ 按：莊綬甲，字卿珊，江蘇陽湖人，年五十有五。傳詳李兆洛〈附監生考取州吏目莊君行狀〉。

❺ 按：與《周易古義》、《易經日抄》、《易經考》、《讀易錄》、《周易考證》、《易札記》、《周易識餘》等書合刊。

（臺北：廣文書局，1988 年）❶等版本。

(三) 劉逢祿《易》著一種

劉逢祿，字申受。武進人，嘉慶進士，授翰林院庶吉士，任禮部主事。少從外祖父莊存與、舅父莊述祖學，盡得其傳，成為常州學派的奠基人。然不從其外祖、舅父今古文雜用的治經方法，篤守今文經學家法。以西漢董仲舒（176BC－104BC）、東漢何休（129－182）之說反對許慎（30－124）、鄭玄（127－200）古文家言，主張治經重在研究「微言大義」。與同邑張惠言共究《易》義，於《易》主虞翻（164－233），為清代著名今文經學家、常州學派奠基學者。著《春秋公羊經何氏釋例》、《公羊春秋何氏解詁箋》、《公羊春秋何氏答難》、《左氏春秋考證》、《論語述何》、《申何難鄭》、《虞氏易言補》及《劉禮部集》等。

1. 《虞氏易言補》一卷，見《續修四庫全書·經部·易類·26》（上海：上海古籍出版社，1995 年），據北京大學圖書館藏清鈔本影印。

然據《清史稿》卷四八二本傳，「經部·《易》類」則著錄七種，除上列書外，其餘六種為：《易虞氏變動表》一卷、《六爻發揮旁通表》一卷、《卦氣解》一卷、《易象賦》、《卦氣頌》、《卦象陰陽大義》一卷，皆佚不存。另有《周易明辭說》存目，見於光緒年刊《武陽志餘》卷七。另《清代毗陵書目》卷一，著錄《五經考

---

❶　按：與惠士奇（1671－1741）《易說》、何秋濤（1824－1862）《周易爻辰申鄭義》、陳壽熊（1812－1860）《讀易漢學私記》、張履祥（1611－1674）《讀易筆記》合刊。

異》存目，原注云：「僅成《易》、《春秋》各一卷。」另《劉禮部集》中亦有關《易》象、卦氣之文，俱可參考。

四 宋翔鳳《易》著三種

宋翔鳳，字虞廷，又字于庭。長洲（今吳縣）人。嘉慶舉人，歷官泰州學政，旌德訓導，湖南興寧、耒陽等縣知縣。其學出於舅父莊述祖，後入段玉裁（1735－1815）門，兼治東漢許慎、鄭玄之學。治經發揮西漢董仲舒天人感應論，雜以讖緯神秘之辭，以言「聖王大義」。著有《論語說義》、《過庭錄》、《周易考異》、《尚書略說》、《小爾雅訓纂》等；後人編其著曰：《浮溪精舍叢書》。

1. 《卦氣解》未記卷數（實為一卷），見傅斯年圖書館善本室藏宋翔鳳《叢書十三種》，〔清〕嘉慶二十五年（庚辰，1820）書業刊本，原館藏目錄題名作：《浮溪精舍叢書》，精本，有「自強齋藏書印」等印記。按：《叢書十三種》內容有：第1－2冊《論語鄭氏注》十卷，第2冊《論語孔子弟子目錄》一卷、《論語師法表》、《孟子劉注》，第3冊〈答雷竹卿書〉、《四書釋地辨證》二卷，第4冊〈漢甘露石渠禮議〉、《五經通義》**⓱**一卷（宋翔鳳輯校）、《五經要義》一卷（宋翔鳳輯）、《卦氣解》、《石鼓然疑》一卷，第5－6冊《小爾雅訓纂》一卷，第7－8冊《樸學齋文

⓱ 按：此本為〔漢〕劉向（77BC－6BC）撰、宋翔鳳輯：《漢魏遺書鈔》（北京：北京圖書館出版社，2001年），據〔清〕嘉慶三年金溪王氏自刊影印本作：〔漢〕劉向撰、宋翔鳳校。

錄》三卷。

2.《周易考異》一卷（二卷），有《無求備齋易經集成》（臺北：成文出版社，1976 年），據〔清〕咸豐年刊宋翔鳳《過庭錄》影印本。〔清〕光緒十四年（1888）南菁書院《皇清經解·續編》刊本作二卷；《續修四庫全書·經部·易類·26》（上海：上海古籍出版社，1995 年），據此影印二卷本同，唯書題作：《易經考異》。

3.《讀易札記》未記卷數，有《無求備齋易經集成》（臺北：成文出版社，1976 年），據〔清〕咸豐年刊宋翔鳳《過庭錄》影印本。

㈤ 張惠言《易》著十五種❶❽

張惠言，字皋文，武進人。嘉慶進士，官翰林院編修。其治經雖不能專主今文家法（如治《禮》宗東漢鄭玄），但治《易》卻專主虞翻說，不雜古文經學家言。《易》著多種，旨在闡述解《易》

---

❶❽ 按：廣文編譯所編輯：《張惠言易學十書》（臺北：廣文書局，1977 年），其內容有：1《周易虞氏義》，2《周易虞氏消息》，3《虞氏易禮》，4《虞氏易事》，5《虞氏易言》，6《虞氏易候》，7《周易鄭氏義》，8《周易荀氏九家義》，9《易圖條辨》，10《易義別錄》。另有〔清〕嘉慶至道光間刊本《張皋文箋易注》十一種四十三卷，扉頁題名作：《張皋文箋易註全集》；其內容卷目如下：第1－2 冊《周易虞氏義》九卷，第 3 冊《周易虞氏消息》二卷、《虞氏易禮》二卷，第 4 冊《虞氏易候》一卷、《虞氏易言》二卷、《周易鄭氏注》三卷，第 5 冊《周易荀氏九家》三卷、《周易鄭荀義》三卷，第 6 冊《易義別錄》十四卷，第 7 冊《易緯略義》三卷、《易圖條辨》一卷、《讀儀禮記》二卷，第 8 冊《茗柯文編》五卷、《茗柯詞》一卷、《擬名家制藝》一卷。

以虞翻說為詳備。

1. 《周易虞氏義》九卷，有道光九年（1829）《皇清經解》刊本。《續修四庫全書·經部·易類·26》（上海：上海古籍出版社，1995 年），據復旦大學圖書館藏〔清〕嘉慶八年（1803）阮氏琅嬛仙館刻本影印。又有《羅氏雪堂藏書遺珍》，據清稿本影印，僅存四卷（北京：中華全國圖書館文獻微縮複製中心，2001 年）。

2. 《周易虞氏消息》二卷，有道光九年《皇清經解》刊本及《續修四庫全書·經部·易類·26》（上海：上海古籍出版社，1995 年），據復旦大學圖書館藏〔清〕嘉慶八年（1803）阮氏琅嬛仙館刻本影印。。

3. 《虞氏易禮》二卷，有道光九年《皇清經解》及咸豐十一年（1861）補刊本，光緒九年（1883）蛟川張氏《花雨樓叢鈔》刊本。《續修四庫全書·經部·易類·26》據上海圖書館藏道光元年（1821）合河康氏刻本影印。

4. 《虞氏易事》二卷，有《無求備齋易經集成》（臺北：成文出版社，1976 年），據〔清〕光緒十四年（1888）南菁書院刊《續皇清經解》影印本❶；光緒十五年上海蜚英館石印本作一卷。又有光緒六年（1880）會稽趙氏之謙（1829－1884）《仰視千七百二十九鶴齋叢書》本，《續修四庫全書·經部·易類·26》據上海圖書館所藏版本影印。

5. 《虞氏易言》二卷，《續修四庫全書·經部·易類·26》據

---

❶ 按：此本與《周易虞氏消息》、《虞氏易禮》合刊。

上海圖書館藏道光元年（1821）合河康氏刻本影印。清光緒
十四年（1888）南菁書院刊《續皇清經解》本，光緒十五年
上海蜚英館石印本《續皇清經解》作一卷。

6. 《虞氏易候》一卷，《續修四庫全書·經部·易類·26》據
上海圖書館藏道光元年（1821）合河康氏刻本影印。又有光
緒十四年（1888）南菁書院刊《續皇清經解》本，光緒十五
年上海蜚英館石印縮本。

7. 《周易鄭氏義》二卷，有《皇清經解》本。〔清〕嘉慶至道
光間刊本《張皋文箋易注》錄有：《周易鄭氏注》三卷。

8. 《周易荀氏九家義》一卷，咸豐十一年（1861）據道光九年
（1829）學海堂刊本重編《皇清經解》本作一卷。《無求備
齋易經集成》據道光九年刊《皇清經解》本影印作：《周易
荀氏九家》三卷。

9. 《周易鄭荀義》三卷，收於〔清〕嘉慶至道光間刊本《張皋
文箋易注》，又《續修四庫全書·經部·易類·26》據上海
圖書館藏道光元年（1821）合河康氏刻本影印。

10. 《易圖條辨》一卷，有光緒十四年（1888）南菁書院刊《續
皇清經解》本，又《續修四庫全書·經部·易類·26》據上
海圖書館藏道光元年（1821）合河康氏刻本影印。

11. 《易義別錄》十四卷，有道光九年（1829）廣東學海堂刊
《皇清經解》本，咸豐十一年（1861）補刊本。

12. 《易緯略義》三卷，有光緒十七年（1891）廣雅書局刊本，
又《續修四庫全書·經部·易類·40》據中國科學院圖書館
藏道光元年（1821）合河康氏刻本影印。

13. 《周易解故》一卷，民國九年（1920）番禺徐紹棨彙編
〔清〕光緒中《廣雅書局叢書》重印本。

14. 《周易鄭注》十二卷，〔宋〕王應麟（1223－1296）輯，
〔清〕丁杰（1738－1807）後定、張惠言訂正、臧庸輯附錄
一卷，《續修四庫全書·經部·易類·1》據復旦大學圖書
館藏嘉慶二十四年（1819）蕭山陳氏湖海樓刻《湖海樓叢
書》本影印。

15. 《周易審義》四卷，咸豐七年（1857）刻本。

㈥ 孫星衍《易》著六種

孫星衍，字淵如，一字季逑，江蘇陽湖人。乾隆五十二年
（1787）進士，歷編修、刑部主事、山東按察使等職。實為吳派經
學家，但籍屬常州，故納錄於此。以《尚書今古文注疏》三十卷名
世，釋漢今、古文共有之二十九篇，以〈書序〉為第三十篇，篇為
一卷，其〈自序〉謂其書依孔《疏》之例，遍採古人傳記之涉
《書》義者。自漢、魏迄于隋、唐，但不取宋以來諸注，再益以王
鳴盛（1722－1797）、江永（1681－1762）、段玉裁、二王（念
孫、引之）等諸說而成。星衍為此書，前後耗時二十二年，可說是
吳派《尚書》學之總結。另著有《周易集解》、《夏小正傳校
正》、《孔子集語》、《平津館金石萃編》等。

1. 《周易集解》（《孫氏周易集解》）十卷，有嘉慶三年
（1798）蘭陵孫氏《岱南閣叢書》刊本，以及咸豐年間南海
伍氏崇曜刊《粵雅堂叢書》本。

2. 《周易集解校異》二卷（〔唐〕史徵撰、〔清〕孫星衍
校），經部易類，佚。見《孫氏玉海樓藏書目錄》。

3.《周易口訣義》六卷（〔唐〕史徵撰、〔清〕孫星衍校），
經部易類，存。見《岱南閣叢書》及各通行本。

4.《易義考逸》一卷，經部，叢書類，存。並以下兩種見於沈
乾一《叢書書目匯編》所錄《問經堂叢書》二十七種。

5.《子夏易傳》一卷。

6.《馬王易義》一卷。

㈦ 孔廣森《易》著一種

孔廣森，字眾仲，一字撝約，號顨（巽）軒，山東曲阜人。乾
隆三十六年（1771）進士，官翰林院檢討。師事戴震，經史訓詁，
六書九數，靡不究心，尤精《大戴禮記》、《春秋公羊傳》。所著
《春秋公羊通義》，不惟代表清今文經學新發展，而亦使《公羊》
學經由常州學派而再放異彩。另有《詩聲類》，倡陰陽對轉之說。
其他著作尚有《大戴禮記補注》、《禮學卮言》、《經學卮言》、
《儀鄭堂文集》等。

1.《周易卮言》，《無求備齋易經集成》據道光二十三年
（1843）刊《指海》影印，未記卷數。

㈧ 臧庸《易》著四種

臧庸，初名鏞堂，字在東，又字東序，後改名庸，字用中，一
字西成，室名拜經。〔清〕武進人。琳（1650－1713）玄孫。與弟
禮堂（1776－1805）同師盧文弨於龍城書院，盡得其學；并從錢大
昕（1728－1804）、段玉裁等討論學術。精研經學，治學根據經
傳，剖析精微，擅長校讎，嘉慶初，助阮元（1764－1849）編纂
《經籍纂詁》、《十三經注疏校勘記》，盧文弨譽之為「校書天下
第一」。

1. 《子夏易傳》一卷，周・卜商（507BC－400BC）撰，〔清〕孫馮翼輯，臧庸述，見《問經堂叢書》本。此書臧庸以為是韓嬰所撰，非卜子夏。所採唯《經典釋文》、《周易正義》、《周易集解》，不取宋以後。

2. 《馬王易義》一卷，〔漢〕馬融（79－166）、〔魏〕王肅（195－256）撰，臧庸輯，見《問經堂叢書》本。

3. 《周易鄭注》十二卷、附《敘錄》一卷，〔漢〕鄭玄撰，〔宋〕王應麟輯，〔清〕丁杰後定、張惠言訂正，《敘錄》為臧庸撰。有《湖海樓叢書》及《叢書集成初編》本。

4. 《周易注疏校纂》三卷。此書已佚，見光緒年刊《武陽志餘》卷七，注引臧氏〈自序〉略云：「余師盧紹弓學士撰《周易注疏輯正》九卷、《略例》一卷，以校正《易疏》之訛。受讀下因錄其切要可據者為《校纂》三卷。」

㈨ 魏源《易》著一種

魏源，原名遠達，字默深。湖南邵陽人。道光進士，曾官高郵知州。西元 1814 至 1816 年間，在京從劉逢祿學「《公羊春秋》」，從此治經主今文家法。而他所提倡的復興今文經學，與龔自珍宗旨相同，主要不在學術上復興西漢今文經學之古，而是努力將經學引向現實的「經世致用」。著有《詩古微》、《書古微》、《公羊春秋上下》等傳世著作，其餘經學著作大多散佚不存。

1. 《易象微》，已散佚，不知其詳。

以上九家常州在地學者七人，外地學者只錄孔廣森與魏源二人，俱為常州學派今文學風的重要代表，也有《易》學專著傳世可

考，故先列述於此。本文後附錄，復依據《江蘇藝文志·常州卷》中著錄資料，爬梳整理完成〈清常州學者《易》學研究論著存佚書目〉，可以提供更進一步觀察與研究的參考。

三、常州學派《易》學研究[20]的傳承與發展

清代乾嘉學術以吳、皖兩派為之先導，戴震為皖學宗師，惠棟為吳學領袖，分主壇坫，各領風騷，影響深遠。而皖派衍生出揚州學派，吳派影響而為常州學派，兩派各有樹立，學有特色，蔚然為清代學術史的發展階段中，具有重要時代意義的表徵。以下分就常州學派《易》學研究的傳承與發展進程，臚列居於關鍵地位的人物，論述其《易》學的特識與貢獻。

(一) 常州學者楊方達與楊椿為吳派惠棟《易》學的先聲

盧文弨的《毗陵經籍志·易類》高度評論楊方達（？－？）與楊椿在常州《易》學研究中的地位，以為二人的《易》學研究是漢學家惠棟的先聲。據《武進陽湖縣合志》（1886）記載：楊方達熟讀《易經》，為清初《易》學專家，已開始探討漢、唐《易》說，並獲閻若璩（1636－1704）的支持；唯此時楊方達雖已轉向漢《易》，並未如後期的惠棟經學，與宋明理學徹底決裂。而乾隆初期楊椿的經學研究成就，漢學已然成為學術的主流，楊椿建樹了「今文經學優於古文經學」的宗旨為常州今文學派的基本主張，這

---

[20] 艾爾曼著、趙剛譯：〈常州《易》學〉，《經學、政治和宗族——中華帝國晚期常州今文學派研究》，頁87－91。

也標識出常州今文經學與漢學的密切關係。❷

　　楊方達撰有《周易圖書會通》，錄列宋元以來以及清初研象數或述圖說有裨《易》學者，述論「太極探原」、「圖屋測微」、「卦畫明德」、「變互廣演」、「筮法考占」、「律呂指要」、「外傳附證」、「雜識備參」八篇之意。視宋以來的河圖洛書《易》學為道家著作，而以朱子《周易本義》所列九圖為依據。與後來惠棟重新恢復古《易》的真面目，並運用漢學方法重建《易》象數學，有著截然不同的重大轉變。

(二) 吳派惠棟《易》學研究為常州《易》學的基礎

　　乾隆時期，吳派巨擘惠棟三部代表名作《易例》二卷、《易漢學》八卷、《周易述》二十三卷❷，利用漢學方法重建漢《易》象數學，已成為當時《易》學研究的泰斗。惠棟於漢儒《易》說研究最深，他爬梳鉤沈，輯錄兩漢經師孟喜、京房（77BC－37BC）、鄭玄、荀爽諸家《易》說，並發明《易》理，辨正宋儒河圖、洛書之非，著《易漢學》八卷；又考究漢儒之傳，以發明《易》之本例，著《易例》二卷❷；又在鉤稽考證漢儒《易》說的基礎上，進而以荀爽、虞翻為主，參以鄭玄、宋咸、干寶等各家之說，融會貫通，疏解《易》義，撰《周易述》一書。綜觀惠棟及其弟子如沈彤（1688－1752）、王鳴盛、錢大昕、段玉裁、江聲（1721－

❷　參周予同：《經今古文學》（臺北：臺灣商務印書館，1967 年），頁 27－36。

❷　惠棟未完成《周易述》就辭世，此書最終由其弟子余蕭客完成。

❷　可參江弘遠：《惠棟易例研究》（臺北：臺灣師範大學國文研究所 1988 年碩士論文），於此書有詳盡研究闡述。

1799）、余蕭客（1729－1777）等，以漢儒學說為基礎，重建正統儒學成為清代《易》學重建的中心目標，以期能清除王弼（226－249）以來《易》學中的道家見解，進而能開發《易經》的微言大義，闡揚漢儒所揭示的義理與家法。惠棟又常以《公羊傳》解釋漢儒《易經》的主張❷，相當程度上促使他從今文、古文之爭的背景重新評價《易經》。此即是惠棟《易》學的最大貢獻。

　　孫劍秋論文〈惠棟治《易》的特色與貢獻〉之參〈惠棟治《易》的貢獻〉分從三部分加以論述：「一、精研文字以通《易》學奧旨。二、整理文獻以復《易》學原貌。三、分析名物以求禮制本末。」❷清明條達，綱舉目張，茲不贅引。此外，漆永祥《乾嘉考據學研究》之第五章〈惠棟考據學述論〉❷，頗有精簡的說解可以參考，亦不具錄。朱伯崑（1923－2007）《易學哲學史》之第九章〈道學的終結和漢《易》的復興〉，第三節〈漢學家的《易》說〉，就惠棟《周易述》和《易漢學》申議其《易》學，而歸結曰：

　　　　總之，惠棟的《周易述》和《易漢學》作為清代漢學家的代

---

❷　因為《公羊傳》是唐、宋時期漢學傳統失傳後僅存的少數漢代經典注釋之一；而相傳《公羊傳》的義例與家法，乃承繼於孔子所闡發的《春秋》微言大義之中，自然也符合孔子在《易傳》中闡發的義理。

❷　發表於中研院文哲所舉辦之「清代乾嘉學者的治經貢獻第一次學術研討會」（2001 年 7 月 12－13 日），頁 1－17。

❷　漆永祥：《乾嘉考據學研究》（北京：中國社會科學出版社，1998 年），頁137－159。

表作，就經學史說，對漢《易》的整理和解說，積累了大量的史料，對《周易》經傳中的文字，依古訓加以注疏，有其貢獻。但就哲學史說，除闡述漢《易》的卦氣說外，別無新的建樹。可見，惠棟只是一位考據學者，並非哲學家。❷

一時代有一時代的學術，以當時樸學的風會而言，惠棟不僅承先啟後，紹述繼志，而且著述宏富，足為乾嘉學術領袖，其定位與貢獻自然貞定而無可磨滅了。

㈢ 莊存與的《易》學研究為常州學派的宗師

莊存與去世四十年之後，其孫莊綬甲在常州刊行了他的《易》學著作，均被收錄在巡撫阮元資助刊行的《味經齋遺書》（1828）中，並為撰序言。劉逢祿與莊綬甲本都希望阮元及其廣東學海堂幕僚在編纂《皇清經解》時，收錄其祖的著作；但因他發現這些《易》學著作不宜於收入一部專為清代漢學而編的叢書後，並未將莊氏《易》學著作收入，而僅收錄了一部《春秋正辭》。阮元透過了莊氏宗親學者如劉逢祿、莊述祖、宋翔鳳等認識了莊存與的學術價值，因此極為推崇莊氏擺脫漢、宋之爭，直溯經典「微言大義」的努力，超越門戶之見，成為經學發展的新階段。

盧文弨《毗陵經籍志》著錄了常州學者莊存與的十一種《易》學著作，並排序為第二位，裒輯收錄於莊氏《味經齋遺書》者，計有：《彖傳論》一卷、《彖象論》二卷、《繫辭傳論》二卷、《八

---

❷ 朱伯崑：《易學哲學史》（臺北：藍燈文化事業公司，1991 年），卷 4，頁 346。

卦觀象解》附《卦氣解》。莊存與的《易》學以朱學為基礎，並且不同於強調經學細節和歷史價值的漢學家，他從整體上理解六經，進而能自如運用六經闡發古聖大義。❷莊存與認為《周易》、《周禮》與《春秋》為聖人學說歸納的義理，而且是治亂安邦的關鍵性經典，故能運用《周易》學說，推闡一套哲學理論，論證聖人是安邦定國的根本，肯定了聖人學說的權威性。又闡述了形而上的天道在《周易》宇宙論中的優先地位，反對宋儒視天、地為被造之物的觀點，他以為天、地本身即是萬物本原；並主張只有陰陽交替運轉才是天道，陰陽之道不是萬物本體的體現，而是宇宙變化的規律。再者，莊存與主張《周易》的啟示在於：明道、行道是人的責任。故艾爾曼總結了莊存與《易》學的三大特點：「一、聖人的權威性」。「二、天道」。「三、天與人」。❷

　　事實上，莊氏治經，不拘漢、宋門戶之見，不為煩瑣箋注之學，重在剖析疑義，講求經世致用。其「《易》則貫串群經，雖旁涉天官分野氣候，而非如漢、宋諸儒之專衍術數、比附史事也」。❸莊氏《易》學為常州學派開啟了發展的契機。

㈣ 劉逢祿與宋翔鳳的《易》學研究為常州學派的中繼

　　劉逢祿為莊存與的外孫，自其幼學便極賞愛，以為此孩長大，

----

❷　莊存與：《序卦傳論》，卷 2，頁 94；臧庸〈禮部侍郎莊公小傳〉討論過朱子《易》學對莊存與的影響。

❷　參艾爾曼著、趙剛譯：〈莊存與的《易》學〉，《經學、政治和宗族──中華帝國晚期常州今文學派研究》，頁 94－98。

❸　阮元：《莊方耕宗伯經說·序》，此文刻入《味經齋遺書》卷首，而阮氏《揅經室集》失收，此文要言不煩，精簡概括莊存與的治經特點。

必能傳吾學；而其從舅莊述祖教授其學，嘗稱道說：「吾諸甥中，劉申受（逢祿字）可以為師，宋于庭（翔鳳字）可以為友。」❸其後李兆洛撰〈劉君傳〉稱其「一意志學，洞明經術，究極義理」，「孜孜從事公羊家言」。❸他在所撰《公羊何氏釋例·敘》中以為「《易》虞氏有義例可說」❸，又在《公羊春秋何氏解詁箋·序》中指出：「……於後漢則今《易》虞氏，文辭稍為完具。……虞君精象變而罕大義。」❸可知劉氏治《易》主虞翻，有《虞氏易言補》一卷傳世，這是闡發以今文孟喜《易》學為本的虞翻《易》說的著作。劉氏《易》學主虞翻，世傳今文孟氏《易》，當時張惠言治虞氏《易》，劉逢祿曾虛心請教，得其指授，有所撰述。張舜徽《清儒學記·常州學記第九》總結劉氏貢獻，說道：

> 清代今文經學到了劉逢祿，對儒家諸經傳有了比較全面的闡
> 述，也有了比較系統的理論，劉逢祿可說是清代今文經學中
> 承上啟下的關鍵人物。❸

❸ 宋翔鳳：〈莊珍藝先生行狀〉，《樸學齋文錄》，《浮谿精舍叢書》（臺北：聖環圖書，1998年），頁154b。

❸ 李兆洛：〈劉君傳〉，《養一齋文集》，《續修四庫全書》（上海：上海古籍出版社，1995－2002年，道光24年增修本影印）1495冊，頁262a。

❸ 劉逢祿：〈春秋公羊釋例序〉，《劉禮部集》道光10年思誤齋刻本影本，《續修四庫全書》1501冊，頁59b。

❸ 劉逢祿：〈春秋公羊解詁箋序〉，《劉禮部集》，《續修四庫全書》1501冊，頁62a。

❸ 張舜徽：《清儒學記》，《張舜徽集》（武昌：華中師範大學出版，2005年）二輯，頁326。

至於宋翔鳳於《易》學僅有《卦氣解》一卷，反對古文經學，然喜
援用讖緯，未免流於附會。其於《易》學著述既疏，貢獻不多，尚
未足以道其業。而遠在劉逢祿、宋翔鳳之前，與莊述祖同時的常州
學者，尚有陽湖惲敬，其治學頗多談漢代博士的蔽短，而意在指斥
乾嘉樸學家抱殘守缺、專治一經的通病。當時學者，惲敬最佩服、
推重專治虞氏《易》學的張惠言。

　　宋翔鳳的經學是乾隆、嘉慶漢學至道光、咸豐今文學轉變中的
環節，其學同時具有兩派的特徵。如其《過庭錄》、《周易考異》
等為考證校勘之作，與乾嘉漢學無異；而《大學古義說》、《論語
說義》，則為發揮孔門義理之作。考證與義理相諧和，欲在名物制
度的考據基礎上，創建與宋儒相異的義理，鍾彩鈞概述其學術思想
大要有八：「（一）從訓詁聲音到微言大義」。「（二）翔鳳的崇
古與全體之學」。「（三）以經書為微言、家法為大義」。
「（四）以《易》、《春秋》、《論語》為微言，《詩》、
《書》、《禮》、《樂》為大義」。「（五）翔鳳論今、古學」。
「（六）政教合一──制度、義理的結合」。「（七）翔鳳的諸子
學」。「（八）翔鳳的詩詞」。❸要之，宋、劉二人為常州學派的
發揚者，雖然在《易》學研究上並無豐富的成果，但二氏推闡之
功，仍是值得正視與肯定的。

㈤ **張惠言的虞氏《易》學研究為常州學派的高峰**

　　清儒真正用漢學的求實客觀態度研究《易》學者，除了惠棟以

---

❸　參鍾彩鈞：〈宋翔鳳學術及思想概述〉，《清代經學國際研討會論文集》
　　（臺北：中央研究院中國文哲研究所籌備處，1994 年），頁 355－381。

外，張惠言主虞氏義，求其陰陽消息之論，撰有名著《周易虞氏義》九卷、《虞氏消息》二卷等，可說是卓然有成的代表人物，治漢《易》與惠棟並駕齊名。故皮錫瑞《經學通論》以為張惠言說《易》為專門，而稱許其書，說道：

> 張氏著《周易虞氏義》，復有《虞氏消息》，《虞氏易禮》、《易事》、《易言》、《易候》，篤守家法，用功至深。漢學專門，存此一線。治專門者，當治張氏之書，以窺漢《易》之旨。❸❼

張惠言與莊氏家族關係密切，尤其與莊存與之孫莊綏甲的關係最為密切，他們有共同的經學研究興趣，並景仰於莊存與的《易》學研究，互有啟示與影響。而張惠言研治鄭玄、虞翻《易》學，又可說是惠棟重建漢代《易》學傳統的延續，也擴大了漢學家治《易》的門徑，尤其特重虞翻、荀爽《易》學，為漢代《易》說提供了相當多的補充性證據，這是他《易》學中的極重要貢獻。故朱伯崑《易學哲學史》第九章〈道學的終結和漢《易》的復興〉第三節〈漢學家的《易》說〉，就張惠言《周易虞氏義》和《周易虞氏消息》，闡述其學術貢獻，說道：

> 他作為一位《易》學史家，其對漢《易》和虞氏《易》的整

---

❸❼ 皮錫瑞：〈論近人說易張惠言為顓門焦循為學學者當先觀二家之書〉，《經學通論》，《續修四庫全書》180冊，頁19。

理和解說，不只是分條注疏，而且探討其體系，仍有其學術價值。……張氏《易》學，對虞翻《易》的闡發，就其理論思維說，雖無新意，但對漢《易》的研究和整理，對《周易》經傳的校勘和一些字義的解釋，其貢獻，則是不容抹煞的。❸❽

張惠言的虞氏《易》學，是常州《易》學發展已臻極致的表徵；其後，遂轉向專力於「通經致用」的《春秋公羊》之學上，《易》學也就沒有開展出新的局面了。就方法學上而言，常州學派學者主張用西漢宗尚「微言大義」的今文經學，取代東漢專講「訓詁名物」的古文經學。唯有講求微言大義，才能經世致用，救亡圖存，這是常州學派不同於吳、皖兩派的學術趨向，也是其治經具有時代性的特點與貢獻所在。然而，在《易》學研究上，這種進路似乎就不那麼的突顯而特予強調了。

四、常州學派《易》學研究成果的檢討

阮元《味經齋遺書·序》稱莊存與：「於六經皆能闡扶奧旨，不專為漢、宋箋注之學，而獨得先聖微言大義於語言文字之外，斯為昭代大儒。」❸❾而李兆洛也十分推崇莊存與會通乾隆後期存在的漢、宋學術界限的努力，他於《養一齋文集》中說：「（莊存與）

---

❸❽　參朱伯崑：《易學哲學史》，頁 346－361。

❸❾　阮元：〈莊方耕宗伯經說序〉，莊存與：《味經齋遺書》，光緒 8 年重梨陽湖莊氏藏板，頁1。

不分別漢、宋，必融通聖奧，歸諸至當。」❹而張惠言的外甥董士錫在為《味經齋遺書》所作的《易說·序》中，有一段話可說為莊存與的經學研究下了註解：

> 本朝經學盛於宋、元、明，非以其多，以其精也。乾隆間為之者，《易》則惠棟、張惠言，《書》則孫星衍，《詩》則戴震，《禮》則江永、金榜，《春秋》則孔廣森，小學則戴震、段玉裁、王念孫，皆粲然成書矣。而其時莊存與先生以侍郎官於朝，未嘗以經學自鳴，成書又不刊版行世，世是以無聞焉。❹

　　西漢今文經學專明微言大義，施諸行事；而常州今文經學特標舉以論通經致用之義，然西漢今文經學雜揉許多陰陽五行災異的談說，並不純粹，如京房受《易》於焦延壽，其說長於災變；董仲舒推說災異以附合《春秋》善善惡惡之意等皆是。常州學者重振西漢今文經學的遺緒，其出發點為《春秋公羊傳》，其學派論說著述的核心也在此。今文經學家魏源曾與龔自珍一同習業《春秋公羊傳》於劉逢祿，闡發西漢微言大義宗旨，以從事於經世致用之學，他在《魏源集·兩漢經師今古文家法考·敘》中指出：

---

❹　李兆洛：〈附監生考取州吏目莊君行狀〉，《養一齋文集》，《續修四庫全書》1495 冊，頁 235b。

❹　董士錫：〈莊氏易說序〉，《齊物論齋文集》，《叢書集成續編》136 冊，頁 752－753。

> 今日復古之要，由訓詁、聲音以進於東京典章制度，此齊一
> 變至魯也。由典章、制度以進於西漢微言大義，貫經術、政
> 事、文章為一，此魯一變至道也。㊷

他又在《默觚上·學篇九》談到當時學風的流弊，並標榜「通經致
用」，「以經術為治術」，說：

> 曾有以通經致用為詬厲者乎！以詁訓音聲蔽小學，以名物器
> 服蔽《三禮》，以象數蔽《易》，以鳥獸草木蔽《詩》，畢
> 生治經，無一言益己，無一事可驗諸治者。烏乎！古此方
> 策，今亦此方策；古此學校，今亦此學校；賓賓焉以為先王
> 之道在是。吾不謂先王之道不在是也，如國家何？
> 以《周易》決疑，以《洪範》占變，以《春秋》斷事，以
> 《禮》、《樂》服制興教化，以《周官》致太平，以《禹
> 貢》行河，以《三百五篇》當諫書。㊸

據此加以檢討常州學派《易》學研究的成果，可以掌握基本的論述
方向。以下分就代表性六名家《易》說，簡單再作一評述，以窺觀
其中可能的歷史問題與核心義涵。

　　1.楊方達據朱子而發揮《易》義，以為研《易》須先明正義，
而後參以旁義，如此主賓秩然，條理各得。又以爻位之正否、有應

㊷　魏源著、楊家駱主編：《魏源集》（臺北：鼎文書局，1978年），頁152。
㊸　同上注，頁24。

無應，乃卦中正義，象爻所從出，而變互者皆其旁義也，因宗《周易本義》而撰《周易輯說存正》十二卷，附《易說通旨略》一卷。其卦變之說則主程、朱，《易說通旨略》則仿王弼《周易略例》。尚不離宋學氛圍，是漢、宋之學交融的前期，猶具清初的學術風貌。

2.惠棟的《易》學，則想要清除從宋代起取代漢儒家法的道家見解，並撰寫《周易述》欲以取代朱子的《周易本義》，他認為朱子的觀點是王弼對《易經》曲解的繼續。惠棟想藉由《周易述》發掘《易經》的「微言大義」，以闡發漢儒從《易經》揭示的義理與家法。惠棟且常以《公羊傳》解釋漢代《易經》的主張，因為《公羊傳》是唐、宋時期漢學傳統失傳後僅存的少數漢代經典注釋之一，而《公羊傳》的義例和家法導源於孔子《春秋》中的闡發，正也符合孔子在《易經》中闡發的義理，這促使他從今、古文之爭的背景中，重新評價《易經》。惠棟認為《易經》與《春秋》是天人之道的體現，而這一思想性的開發，正啟迪了常州莊存與、張惠言等學者細心鑽研於《易經》與《春秋》，遂開啟了常州學派獨樹一幟的學術氣象。❹這是惠棟的《易》學在常州學派中，最有影響及價值的定位之處。

3.莊存與繼承前輩學者的遺緒，統論〈彖傳〉、〈象傳〉、〈繫辭傳〉的大義，考陰陽二儀的運行，以明「垂象見吉凶」之理。如其解〈小過・六二〉云：

---

❹　楊向奎：《中國古代社會與古代思想研究》（上海：中華書局，1964 年），卷 2，頁 901－911。

其為妾母不附於天子之廟。諸侯祭於諸侯之廟。大夫之家世世子孫祀以為先妣,此「過其祖,遇其妣」之過也。諸公之臣相其國,客廟中將幣三享,君行一,臣行二,及廟惟君相入,君之上相與使君並行而為左右,此「不及其君,遇其臣」之禮也。❹

莊氏復精於卦氣,能以《易》、《禮》與卦氣參解《易經》,亦良足多者。如其《卦氣解》謂:

〈震〉、〈巽〉各進三,〈艮〉、〈離〉各進二,〈坎〉、〈坤〉各進一,而後四正四維,不愆於位焉此奠卦之義也。日躔有盈縮,春及秋日多而度少損至大過,列卦三十;秋及春日少而度多隨至節,列卦三十有四,此應乎天矣。中衡交地平於卯酉,中國地南距地少,北距地多,〈震〉、〈兌〉以南卦二十八,〈震〉、〈兌〉以北卦三十六,此應乎地矣。❹

莊氏的《易》學研究為常州經學樹立了發展的基礎,具體而微的表現詮釋的特色。

4.宋翔鳳《周易考異》考證《周易》的異文異義,細密而深入

---

❹ 編者案:此文出處不知為何。

❹ 編者案:當為宋景昌所作之〈跋〉。宋景昌:〈卦氣解跋〉,《味經齋遺書》。

訓詁的深奧。

5.孫星衍《周易集解》十卷,其書取〔唐〕李鼎祚《周易集解》為主,每條後列王弼《注》,又采漢儒各家如馬、鄭諸家之《注》附於其後,經文異字、異音者附近本文;並及〔唐〕史徵《周易口訣義》中古《注》,與《經典釋文》古《易》音訓異字、異音萃成。以上宋、孫二家可說是常州《易》學校證與輯佚的代表,具有清代樸學的風華。

6.張惠言專研虞氏《易》學,依據古本十二篇之序注《易》,以回復虞氏注《易》的舊觀;而於虞氏未注處多所補注,已注處亦多所闡發,於虞氏之消息、卦變諸象言之精詳。於虞氏之《易》禮、《易》事、《易》言、《易》候、《易》消息,復多所發揮。其《易圖條辨》考圖書之源,謂先天圖不曾離得漢人,陳希夷(?－989)龍圖序未合之數,在孔子三陳九卦之義得之;趙仲全太極圖出於元末明初等,則繼胡渭(1633－1714)、毛奇齡(1623－1716)諸氏後而述出圖之所從出,尤為細密,皆發先儒所未發。除此之外,張惠言與惠棟一樣,醉心於恢復王弼以前的《易》學,重建古代的《周易》學說;他並曾力圖以明、清之際十七世紀的《易》圖批評為基礎,恢復經典時代原有的「圖書」面貌。

張惠言的外甥董士錫與劉逢祿、李兆洛三人有深厚的友誼關係❹,董向劉逢祿等重要的常州學派學者轉介了張惠言的虞氏《易》學研究,由此張惠言的學術研究遂與常州今文學派有著實質

---

❹　詳劉逢祿為張惠言《虞氏易言》所作的「記」(1802),另見陳善的「後記」(1803)。

的聯繫；而透過董士錫與劉逢祿的努力，董士錫重視莊存與的
《易》學，劉逢祿倡導他外祖父的《公羊》學，莊存與的經學才在
常州之外產生可能的廣泛影響。❹張惠言與常州莊氏家族關係密
切，尤與莊存與之孫綏甲為甚，彼此並與惲敬過從甚密。張惠言與
莊綏甲都有共同的經學研究興趣，並對莊存與的《易》學充滿著景
仰。而張惠言傑出的常州漢學家的《易》學研究成果，也相對的提
高了莊存與所代表的常州學派《易》學的學術地位。而張惠言的
《易》學，阮元認為是惠棟重建漢代《易》學傳統的延續；而張惠
言亦認肯其說，並自承其試圖重建漢代《易》學傳統的努力，實源
於惠棟對《周易》「古義」的開拓性研究。❹然而，張惠言超過了
惠棟，他沒有局限於鄭玄《易》說，而是力圖復原荀爽、虞翻的
《易》說，擴大了漢學家治《易》的門徑；他尤其注意虞翻的
《易》說，因其為漢代《易》說提供了相當多的補充性證據。❺

　　常州學派的重心在「通經致用」的《春秋公羊》學，故相關著
作及論點最為紛繁精彩。相對來說，《易》學研究只是繼承吳派惠
棟漢學的研究，踵事增華，後出轉精而已，並沒有太多卓異的創
論。而在發揚乾嘉樸學考據覈實的訓詁方法上，則取得了一定的成
果，這是時代學術的共同特色，有其延續發展的意義。總體來說，
常州經學具有濃厚的政治、社會意識，對於西漢今文經學的「微言
大義」，有著積極的蘄嚮與追求，故由《易》學而《春秋公羊》

---

❹　詳參艾爾曼著、趙剛譯：〈常州《易》學〉，《經學、政治和宗族——中華
　　帝國晚期常州今文學派研究》，頁 90－91。

❹　阮元為張惠言《周氏虞氏易》所作序言。

❺　張惠言：《茗柯文二編·序》（臺北：世界書局，1964 年），頁 2－6。

學，有其體用共詮的文化融通蘊涵，在乾嘉考證樸學的發展極致之後，開創了復古而新生的學術視域。光是這一點而言，常州學派在清代經學發展史的地位與價值，也就貞定而不凡了。

五、結　論

龔自珍在北京送常州學者丁履恆（1770－1832，字若士）南歸時，賦〈常州高材篇送丁若士〉詩云：

> 丁君行矣龔子忽有感，聽我擲筆歌常州。天下名士有部落，東南無與常匹儔。……乾嘉輩行能悉數，數其派別徵其尤。《易》家人人本虞氏，毖緯戶戶知何休。聲音文字各窾奧，大抵鐘鼎工冥搜。學徒不屑談周、孔，文體不甚宗韓、歐。人人妙擅小樂府，爾雅哀怨聲能遒。近今算學乃大盛，泰西客到攻如仇。……(51)

龔氏在此詩中提到了常州的經學、文字聲韻學、文學、詞學以至數學，可見常州學派學術傳統的影響深遠。而常州《易》學與《公羊》學的關係密切，這是常州學派的學術特點，所以蘇完恩在〈洪北江先生遺集序〉中說：

---

(51) 詳龔自珍《龔自珍全集》第九輯，而錢鍾書〈龔定庵詩〉，《談藝錄》（臺北：書林出版有限公司，1988 年），頁 134，說：「龔定庵〈常州高材篇〉可作常州學派總序讀。於乾嘉間吾郡人各種學問，無不提要鉤玄。」

　　而常州之學尤甲海內，如張氏惠言之治鄭、虞《易》，劉氏
逢祿之治《公羊春秋》，皆卓然一家之言也。❷

　　學問為學術大勢、學理邏輯發展而出。清代學術淵源流派言人人
殊，即以考據之學而論，則樸學（言其方法進路）與漢學（言其歸
趣指涉）二脈而已。大體而言，清學開山大師為崑山顧炎武（1613
－1682），其論學宗旨在反對宋、明以來，言心言性向內而主觀的
學問，轉而提倡向外而客觀的經世致用之學。至元和惠棟出，始專
師漢儒，重家法師傳，「漢學」旗幟因而大張。戴震崛起安徽，方
法益密，陣容益盛，「漢學」規模與進路至此始固。戴氏弟子，以
揚州為盛；揚州學派綜合吳派之專、皖派之精而匯為通學，而清學
益大。然真正用漢學的求實客觀態度研究《易經》的大家，當為：
吳派宗師惠棟的《周易述》二十三卷，《易漢學》八卷，《易例》
二卷。揚州學派的雄傑通儒焦循的《雕菰樓易學》三書──《易章
句》十二卷，《易通釋》二十卷，《易圖略》八卷。常州學派專門
學者張惠言的《周易虞氏義》九卷，《虞氏消息》二卷。

　　在乾嘉各派學術發展的良好基礎之上，常州學派應時而生；而
清代今文經學的復興始於嘉慶末年，興於道光年間，就性質而言是
對「以字解經」的反動，常州學派居於領導的地位。故梁啟超認
為：

　　常州學派有兩個源頭：一是經學，二是文學；後來漸合為

---

❷　洪亮吉：《洪亮吉集》（北京：中華書局，2001 年），第 5 冊，頁 2399。

一。他們經學是《公羊》家經說——用特別眼光去研究孔子的《春秋》，由莊方耕（存與）、劉申受（逢祿）開派。他們的文學是陽湖派古文——從桐城派轉手而加以解放，由張皋文（惠言）、李申耆（兆洛）開派。兩派合一來產生一種新精神：就是想在乾、嘉考證學的基礎之上，建設順、康間「經世致用」之學。代表這種精神的人，是龔定庵（自珍）和魏默深（源）。**㊿**

可知，常州今文經學者以《春秋公羊傳》「微言大義」為推闡目標，由莊存與、劉逢祿開派；源於文學者為陽湖派古文——從桐城派轉化而來，由張惠言、李兆洛開派。常州學派在文學上發揚了「變古解放」的精神，這同他們在經學上發揚今文傳統是一致的。故「通經致用」就思想方法而言，乃發揚了今文經學的傳統；而復興今文經學的中堅正是常州學派。所以審視常州學派的《易》學研究，必須在今文經學所揭櫫的「微言大義」與「通經致用」的大纛之下，才能清楚的觀照出它的有限性與特殊性，這是時代學術的宿命，也是發展的必然歸趣。

㊿ 梁啟超：《中國近三百年學術史》（臺北：華正書局，1979 年），頁 28－29。梁氏所謂「常州學派有兩個源頭：一是經學，二是文學」，實可上推驗證於常州學者惲敬與張惠言等人，並非獨創之見，梁氏只是陳述史實。

附錄：〈清常州學者《易》學研究論著存佚書目〉

本目錄以南京師範大學古文獻整理研究所編：《江蘇藝文志·常州卷》（南京：江蘇人民出版社，1994 年）為據，依年序爬梳著錄常州所屬行政區域中清代學者《易》學研究論著，以及五經總義、術數類相關存佚書目，並簡錄學者傳略及按語，每條後加注《江蘇藝文志·常州卷》所見頁碼，方便尋索參考。至於每條資料所引述的方志確實名稱、出版年月等，《江蘇藝文志·常州卷》已有文獻版本來源，恕不再另行考察，逐一注明。

㈠ 常州市、武進縣

1.岳虞巒：《周易感義》，經部，《易》類，佚。見《四庫提要·易類·存目三》。字舜牧，武進人。崇禎四年（1631）進士，知杭州，升江西按察司副使，有政聲。明亡，出家為僧，改名岳嵐，自號東海衲民。晚年尤好《易》學。（頁 203）按：是書成於順治十三年（1656）。惟解六十四卦，分作八巨冊。《江南通志·人物傳》作《周易感》，誤。

2.呂宮：《五經辨訛》十卷，經部，群經總義類，佚。見《清代毗陵書目》卷七。字長音，一字蒼忱，號金門。武進人。明末舉於鄉，順治四年（1647）一甲一名進士，授內翰林秘書院修撰。累官至弘文院大學士、太子太保。立朝矜尚氣節。撰述甚富，授門人吳侗校理，遂失之。（頁 208）

3.楊玤：《周易觀玩偶抄》四卷，經部，《易》類，佚。見光緒《武陽志餘》卷七。字逢玉，號砥齋。武進人。惟寅子，少承家學，中崇禎九年（1636）副榜第一，文傳海內。與惲日初、黃晞等

友善，以文章道義相切磋。崇禎十三年，與日初肄業陳渡山莊，講論《周易》，盡發宋五子書而讀之。順治九年（1652）後，杜門謝客，築匪石山房，著述其中，以明儒學，辟「異端」為己任。（頁210）

4.劉漢卿：《周易卦象一貫》二卷，經部，《易》類，佚。見《清代毗陵書目》卷一。《卦象大義》，經部，《易》類，佚。見《清代毗陵書目》卷七。字上于，號依思。武進人。啟美次子，順治六年（1649）進士，授江西鉛山縣知縣，以事解任。尋還職，補陝西褒城縣知縣，調任洋縣。歸田後以經史自娛，於《易》理研究較深。（頁216）

5.卜云吉：《易傳》，經部，《易》類，佚。見道光《武陽合志》卷三十二。《易解》，經部，《易》類，佚。見道光《武陽合志》卷三十二。武進人。刑部郎中象乾子。崇禎十六年（1643）進士，官宣平縣知縣。（頁218）

6.吳光：《五願齋易粕》十箋，經部，《易》類，佚。見道光《武陽合志》卷三十二。《象數易理》，經部，《易》類，佚。見《清史列傳》卷六十六本傳。字與岩，武進人。十歲喪母，從伯父吳鐘巒講學於東林。明亡後，結廬僻壤，致力耕讀。自號野翁，作〈野翁傳〉以明志。與李顒善，李氏稱賞之，為作傳，見《李二曲先生全集》。（頁218）

7.毛重倬：《補庵易注》，經部，《易》類，佚。見道光《武陽合志》卷三十二。字卓人，號劭軒，又號補庵。武進人。平生好讀書，文章初學韓愈、蘇軾，繼學司馬遷、班固，後則倣六經及諸子百家。識者謂其學凡三變，愈變愈工。頁（頁222）

8.錢養浩：《闡易精蘊》，經部，《易》類，佚。見《清代毗陵書目》卷一。《七易緒餘》，經部，《易》類，佚。見道光《武陽合志》卷三十二。字學聖，號樸齋。〔清〕武進人。讀書用功，十三經、史傳率自手錄。（頁 233）

9.楊文言：《圖卦闡義》，經部，《易》類，佚。見《清代毗陵書目》卷七。《易俟書象圖說》，經部，《易》類，佚。見《清代毗陵書目》卷七。《書象本要》，經部，《易》類，佚。見《南蘭紀事詩抄·序》。字道聲，別號南蘭外史。武進人。瑀子，昌言弟。少聰穎，於學無所不窺，盡傳父學，尤精《易》學，通曆算。畢生以著述、講學為事，名重鄉里。（頁 245）

10.顧日融：《易說纂》，經部，《易》類，佚。見道光《武陽合志》卷三十二。號坦齋。武進人。（頁 247）

11.唐元度：《五經總義》，經部，群經總義類，佚。見《清代毗陵書目》卷一。《九經字樣》，經部，小學類，佚。見《清代毗陵書目》卷一。字斐又，號雲岩。武進人。（頁 253）

12.毛留郢：《學易篇》，經部，《易》類，佚。見道光《武陽合志》卷三十二。初名章斐，又名雲仍，字子亶，號旦齋。武進人。（頁 268）

13.鄒登嵋：《易經大義》，經部，《易》類，佚。見道光《武陽合志》卷三十二。字眉雪。武進人。順治十二年（1655）進士。潛心《易》學。（頁 269）

14.臧琳：《經義雜記》三十卷，附敘錄一卷（臧庸輯），經部，群經總義類，存。見《拜經堂叢書》本，《清經解》本作十卷。字玉林。武進人。幼端敏，好讀書，無不瀏覽。熟於聲音訓

詁，治文字學主張必以《爾雅》、《說文》為宗，以為不解字不能讀書，不通訓詁不能明經。治經貫通漢注唐疏，旁及諸家之說，別白精審，實事求是。生平絕意舉業，研經考古，隱居教授。（頁292）

15.吳翰：《五經旁解》四卷，經部，群經總義類，佚。見道光《武陽合志》卷三十二。陽湖人。貢生。（頁293）

16.薛宮：《十三經類聚》，經部，群經總義類，佚。見道光《武陽合志》卷三十二。武進人。貢生。（頁293）

17.毛寧魯：《三經注解》，經部，群經總義類，佚。見道光《武陽合志》卷三十二。陽湖人。（頁293）按：三經為《周易》、《儀禮》、《爾雅》。

18.錢濟世：《像象一得》，經部，《易》類，佚。見道光《武陽合志》卷三十二，云：「是書自損卦以下闕。」字元功，一字迂叟，號碩齋。武進人。養浩次子。杜門著書，惜多散佚。（頁295）

19.陳嘉璊：《讀易偶解》一卷，經部，《易》類，佚。見道光《武陽合志》卷三十二。武進人。醫生。（頁307）

20.惲鶴生：《讀易譜》三卷，經部，《易》類，佚。見道光《武陽合志》卷三十二。字皋聞，號誠翁，別號雷門。武進人。早年曾至蠡縣師事李塨，研習理學，深為李氏所重。晚任金壇教諭，誡子弟以經世為務，勿徒以文字為能。其學由格致以迄治平，非空談性理者可比。（頁308）

21.龔孫葰：《周易繹義》，經部，《易》類，佚。見道光《武陽合志》卷三十二。號笠濱。陽湖人。（頁311）按：光緒《武陽

《志餘》卷七云：「是書稿本未刊，大旨以《本義》為宗，稍參《大全》諸說，蓋講章之類也。」

22.張采：《易貫》，經部，《易》類，佚。見道光《武陽合志》卷三十二。字文復。武進人。惠言曾祖，縣學生。（頁312）

23.惲寬生：《占筮備要》二卷，子部，術數類，佚。見惲寶惠《惲氏先世著述考略》。字敷五，號胥城。武進人。鶴生弟，工詩宗陸游，精《易》學。（頁313）

24.張蘭皋：《周易析義》十五卷，經部，《易》類，存。見乾隆九年（1744）初刻本，以及乾隆十四年重訂本。原名一是，字一隨。武進人。一俊弟，終生絕意科舉，專攻經史，尤精於《易》。集《易》學數十百種，細加研討。晚年得蔣理正《讀易隨鈔》，深為傾倒，因請理正於家，相互切磋。以為「經義當以《象傳》為斷」。（頁313－314）按：此書經五十餘年始脫稿。《四庫提要·易類·存目四》著錄，光緒《武陽志餘》卷七略云：「初刻題《重訂讀易隨鈔》，蓋重訂蔣理正書也。卷首列圖八十三頁，蓋明初歙人朱升所作，作者取以增入者。復全錄蕭（漢中）氏《讀易考原》，以為『至道妙義，精蘊所在』。而《說卦傳》注則仍取諸家之說而不及蕭氏，蓋仍蔣氏之舊也。」

25.是奎：《易象元音》（一作《大易元象》），經部，《易》類，佚。見道光《武陽合志》卷三十二。字玉雯，號晚齋。陽湖人。鏡父，諸生。博學好古，能詩文，深於經學、文字音韻，著述頗富。（頁319）

26.薛詮：《易義析解》無卷數，經部，《易》類，佚。見道光《武陽合志》卷三十二。字正希。武進人。（頁326）按：光緒

《武陽志餘》卷七云：「《經籍錄》：是書刊於康熙五十一年（1712）。大旨參酌朱子《本義》、程子《易傳》而引申之。」

27.楊椿：《周易定本》一卷，經部，《易》類，佚。見道光《武陽合志》卷三十二。字農先。武進人。大鶴子。康熙五十七年（1718）進士，改庶吉士，授檢討。工古文詞，承家學，從蔣金式學，博通經史，尤精研《易》、《詩》、《書》、《春秋》、《三禮》。（頁329－330）

28.蔣梧：《易藝稿》，經部，《易》類，佚。見乾隆《陽湖縣志・人物志》本傳。字葊招。武進人。監生，工詩能文；後謝舉子業，以經史自娛。（頁333－334）

29.錢人麟：《易贅》二卷，經部，《易》類，佚。見道光《武陽合志》卷三十二。《易古音》一卷，經部，《易》類，佚。見道光《武陽合志》卷三十二。《易韻》，經部，《易》類，存。見錢維城《茶山文鈔》。字鑄庵，一字服民，號借翁，室名師思齋。武進人。（頁347）按：《易古音》疑即《易韻》。

30.莊淳凝：《經義自怡集注》，經部，群經總義類，佚。見光緒《武陽志餘》卷七。字次山，號容軒。武進人。（頁354）

31.潘思榘：《周易淺釋》二卷，經部，《易》類，存。見南京圖書館藏「竹書堂紅格抄本」，及《四庫全書》本。字絜方，別號補堂。陽湖人。講究經濟實學，尤邃於《易》。（頁362）

32.吳秉璜：《周易會旨》，經部，《易》類，佚。見《清代毗陵書目》卷一。字師洛，一字師陸。陽湖人。博學多能。（頁364）

33.楊方達：《易學圖說會通》八卷、《續聞》一卷，《周易輯

說存正》十二卷，《易說通旨略》一卷，經部，《易》類，存。見
《楊符蒼七種》本。字符倉，亦作扶蒼。武進人。雍正二年
（1724）舉人。少凝重好學，受知於孫嘉淦。安貫經史，旁及群
書；閉戶著書，不求仕進。喜施與，鄉里重之。（頁 369）

34.董昕：《經義詮微》，經部，群經總義類，佚。見光緒《武
陽志餘》卷七。號曉堂。武進人。歲貢生。（頁 381）

35.楊肩吾：《經義異同考》四十卷，經部，群經總義類，佚。
見道光《武陽合志》卷三十二。字大受。武進人。幼穎異，晚授徒
里中。（頁 385）

36.奚賓：《易詩書直解》，經部，群經總義類，佚。見《清代
毗陵書目》卷一。字曰朝，一字蕉峰。陽湖人。（頁 386）

37.惲庭森：《周易圖說》，經部，《易》類，佚。見道光《武
陽合志》卷三十二。《序卦圖說》，經部，《易》類，存。乾隆間
刻本。字叔植，號友陶。武進人。源浚三子，承鶴生之家學，邃於
《易》。（頁 389）按：惲寶惠《惲氏先世著述考略》云：「上列
《圖說》兩種，恐是一書，尚待考證。」

38.莊存與：《易說》十五卷，經部，《易》類，佚。見《清代
毗陵書目》卷一。《序卦傳論》，經部，《易》類，佚。見《清代
毗陵書目》卷一。《八卦觀象解》二卷，經部，《易》類，存。見
《味經齋遺書》本。《象傳論》二卷，經部，《易》類，存。見
《味經齋遺書》本。《象象論》一卷，經部，《易》類，存。見
《味經齋遺書》本。《繫辭傳論》二卷，經部，《易》類，存。見
《味經齋遺書》本。《卦氣解》一卷，經部，《易》類，存。見
《味經齋遺書》本，《浮溪精舍叢書》本，《木犀軒叢書》本及

《清經解續編》本。字方耕，號養恬。武進人。培因兄，精於經學，為常州經今文學派創始人。（頁391）

39.蔣蘅：《周易尊翼訓》八卷，經部，《易》類，佚。見光緒《武陽志餘》卷七。號曙齋，室名自怡齋。陽湖人。（頁393－394）按：《清代毗陵書目》卷一作三十二卷。光緒《武陽志餘》卷七引《經籍志》云：「是書專言義理，凡卦變、互卦、象數、圖說概皆不取，并朱子《本義》衍文誤字亦皆不取。」

40.胡儞：《十三經典義》九卷，經部，群經總義類，佚。見道光《武陽合志》卷三十二。字慄侯。武進人。通經學，長於論史。（頁399）

41.蔣本：《周易尊述》不分卷、《剩義》一卷，經部，《易》類，存。見道光十年（1830）王氏信芳閣刻本。字虞仁，又字根庵。乾隆時武進人。績學工文，好讀《周易》，終老不輟。（頁400）按：道光九年陳錦鼝序云：「其人題毗陵蔣本，夾注曰：癸巳再定，根庵自寫。……計其成書之日，至今六十年。」據此相推，癸巳為乾隆三十八年（1773）。又蔣本《周易尊述·後序》云：「壬辰夏，《周易尊述》成。」是為乾隆三十七年。道光年間得自淮陰故書堆中，橋李王氏信芳閣乃刻之。分上下經、繫辭上下傳、說卦傳、筮儀、占法、占驗、圖說諸類。

42.陸振符：《周易匯纂》，經部，《易》類，佚。見道光《武陽合志》卷三十二。字聖撰，一字心齋。武進人。敦品勵學，訓俗有方，當時學者宗之。（頁405）

43.鄭環：《周易觀象》二卷，經部，《易》類，佚。見道光《武陽合志》卷三十二。《十三經考證異同》二十卷，經部，群經

總義類，佚。見道光《武陽合志》卷三十二。《願學齋經說》二卷，經部，群經總義類，佚。見道光《武陽合志》卷三十二。《石經文注釋》一卷，經部，群經總義類，佚。見道光《武陽合志》卷三十二。字清如，一字夢暘、孟揚，自號東里居士。武進人。（頁416）

44.管幹貞：《讀易一隅》二卷，經部，《易》類，存。見乾隆間大觀樓刻本。初名翰，曾改名幹珍。字陽復，號松崖。陽湖人。《清史稿》有傳。（頁424）

45.莊逢原：《易說》三卷，經部，《易》類，佚。見道光《武陽合志》卷三十二。字開美，號匯川，一號玉泉。武進人。存與長子。（頁428）

46.蔣騏昌：《五經文字偏旁考》三卷，經部，群經總義類，存。見乾隆五十九年（1794）列岫山房刻本。亦作麒昌，字雲翔，一字瑩溪。陽湖人。炳子，麟昌弟。（頁444）

47.莊有可：《周易集說》七卷，經部，《易》類，佚。見道光《武陽合志》卷三十二。《易義條析》一卷、《卦序別臆》一卷，經部，《易》類，佚。見道光《武陽合志》卷三十二。按：據道光《武陽合志》卷三十二是書〈自序〉曰：「《條析》成，與《卦序別臆》合訂。并附輯張仲純《說易》之卦畫蓍策數條。」又《卦序別臆》，《清代毗陵書目》作《卦序別義》。《刪輯周易玩辭》二卷，經部，《易》類，佚。見光緒《武陽志餘》卷七。按：《武陽志餘》謂該書乃「刪輯南宋江陵項平甫《周易玩辭》而成，約為原書四之一」。平甫，名安世，其書今存。《周易原本訂正》一卷，經部，《易》類，佚。見道光《武陽合志》卷三十二。按：據吳仁

傑《古周易》訂正。《周易大修十翼原本》，經部，《易》類，
佚。見《清代毗陵書目》卷一。《周易文字異同》一卷，經部，
《易》類，佚。見《清代毗陵書目》卷一。《周易異文》一卷，經
部，《易》類，佚。見《清代毗陵書目》卷一。《周易篆文》一
卷，經部，《易》類，佚。見《清代毗陵書目》卷一。《刪輯元清
江張理仲純氏易說》一卷，經部，《易》類，佚。見《清代毗陵書
目》卷一。《各經傳記小學》十四卷、附錄一卷，經部，群經總義
類，存。見 1935 年商務印書館影印本。

　　原名獻可，字大久，一字岱久，號慕良。武進人。四十三歲赴
京師，與左輔、張惠言、惲敬等交往甚厚；四十九歲校《四庫全
書》於奉天文溯閣，五十歲還京。畢生勤於著述，耄年猶晨夕持卷
弗釋，成書達五百卷。（頁 454）

　　48.吳懋濟：《群經通詁》五十卷，經部，群經總義類，佚。見
《清代毗陵書目》卷一。武進人。（頁 463）

　　49.洪亮吉：《傳經表》二卷、《通經表》二卷，經部，群經總
義類，存。見《洪北江全集》本，另有題畢沅撰之《傳經表》、
《通經表》各一卷，實即洪書。初名蓮，又名禮吉，字稚存，又字
華峰、君直，號北江，別號藕莊、夢殊、對岩、華封、更生。陽湖
人，祖籍安徽歙縣。博學多才，與黃景仁、孫星衍、趙懷玉、楊
倫、呂星垣、徐書受稱「毗陵七子」。博通經史、音韻及訓詁，尤
精輿地之學。（頁 466）

　　50.楊廷贊：《周易直講》，經部，《易》類，佚。見光緒《武
陽志餘》卷七。字季思。武進人。倫弟，少從兄學，篤志力行，潛
研經術，通《易》學。（頁 486）

51.莊述祖：《五經小學述》二卷，經部，群經總義類，存。見
《珍埶宧遺書》本，《清經解續編》本，成都存古書局本。《五經
異義》一卷，經部，群經總義類，佚。見道光《武陽合志》卷三十
二。字葆琛，號珍埶。武進人。存與姪，培因子，十歲而孤，賴存
與教育成人。博覽精思，繼承存與之學，五經均有撰述。（頁
490）

52.王駟：《學易五種》，叢書類，存。見道光二年鱸雪山房刻
本，子目有：《周易本義》八卷，《周易象纂》一卷，《周易圖
剩》二卷，《周易辨占》一卷，《周易校字》二卷。字瑤舟。陽湖
人。治經不倚傳注，但取經文觸類旁通，一生致力於《周易》、
《春秋》之學。（頁499）

53.楊峒谷：《五經臆》五卷，經部，群經總義類，佚。見《清
代毗陵書目》卷七。字麗中，武進人。通經學。（頁506）

54.孫星衍：《周易集解》十卷（一名《孫氏周易集解》），經
部，《易》類，存。見《岱南閣叢書》及各通行本。《周易集解校
異》二卷，經部，《易》類，佚。見《孫氏玉海樓藏書目錄》。
《周易口訣義》六卷，經部，《易》類，存。見《岱南閣叢書》及
各通行本。《易義考逸》一卷、《子夏易傳》一卷、《馬王易義》
一卷，經部，叢書類，存。見沈乾一《叢書書目匯編》所錄《問經
堂叢書》二十七種。

小名喜，字淵如，一字伯淵、苑如、季仇，別號芳茂山人，室
名有問字堂、嘉穀堂、平津館、五松園、岱南閣、廉石居等。陽湖
人。深究經史百家、文字音韻之學，旁及金石碑版，尤精校勘，在
經學、金石學、校勘學、語言學方面均有卓越成就。（頁507）

55.吳堂：《五經古今文異同》，經部，群經總義類，佚。見《清代毗陵書目》卷一。字公珍，一字伯升，號肯哉。武進人。通經史，長於文字音韻之學。（頁 536）

56.莊宇逵：《群經輯詁》十卷，經部，群經總義類，佚。見道光《武陽合志》卷三十二。原名永曾，字達甫，號印山。武進人。好學砥行，少有大志。屬友張惠言篆書「牝牡飲食，禽獸之識；官爵祿利，僕隸之志」四語，榜諸座右以自勵。教授經學於鄉里，一時名士如洪飴孫等多出其門。（頁 538）

57.蔣理正：《讀易隨抄》四卷，經部，《易》類，佚。見《清代毗陵書目》卷一。字紫真，武進人，原籍丹陽，一說無錫。究心《易》學，凡漢、魏以至宋、元、明諸家《易》書，無不搜錄研討。（頁 547）按：《四庫提要·易類存目》載有《讀易隨抄》，無卷數，亦不著撰人姓氏，為兩江總督採進本。其書用反對之說，雜採諸家之言而融貫以己意，所解多參以人事，疑即此書。

58.丁來復：《周易探微》，經部，《易》類，佚。見道光《武陽合志》卷三十二。武進人。（頁 547）

59.張惠言：字皋文。武進人。博學多能，詞學尤有創見。其《詞選》一書，為常州詞派奠基之作，影響深遠。古文別具一格，與惲敬共創陽湖文派。治學尤長於經，其虞氏《易》號為「專家絕學」。《禮》主鄭玄，兼工篆書。（頁 554－555）按：著錄張氏《易》書十四種（頁 555－558），已見於正文，不具錄。又頁 561 有叢書類《張皋文箋易註全集》，為嘉慶、道光間揚州阮氏、合河康氏刻本。凡收惠言《易》學著作十一種（其中《周易鄭荀義》作一種），其他著作五種，計五十八卷。另著錄《箋易注玄室遺書》

十五種五十一卷，道光元年合河康氏刻本，見《江蘇省國學圖書館總目》。

60.吳金鑒：《周易易簡錄》二卷，經部，《易》類，佚。見《清代毗陵書目》卷七。《易經參讀》（一作「《易注參贊》」），經部，《易》類，佚。見《清代毗陵書目》卷一。字秋輪。陽湖人。通經學，尤精於《易》。（頁 563）

61.楊新甲：《讀易管窺》六卷，經部，《易》類，佚。見道光《武陽合志》卷三十二。字振華，一字艾山，號西園。陽湖人。篤於經學，尤精於《易》，名重鄉里。（頁 565）按：《武陽合志》注云：「存。」

62.臧庸：武進人。琳玄孫。（頁 576）按：生平事略及《易》學著述四種，已錄見正文，不贅。

63.湯琴川：《易象圖說》四卷，經部，《易》類，佚。見《清代毗陵書目》卷一。武進人。（頁 600）

64.蔣承曾：《周易明辭》，經部，《易》類，佚。見道光《武陽合志》卷三十二。陽湖人。諸生。（頁 608）

65.莊綏甲：《周易古本》一卷，經部，《易》類，佚。見道光《武陽合志》卷三十二。字卿珊。武進人。存與孫，曾受業於其從叔述祖，盡通其祖之學，尤精於《尚書》。時與張惠言、丁履恆、劉逢祿輩相研討，學益進。曾與劉逢祿討論五經，病文多訛舛，因約共纂考異。存與所著諸書，多未刊布，綏甲次第付梓，惜未竟而卒。（頁 608－609）

66.趙秋澤：《五經典庫》，經部，群經總義類，佚。見《清代毗陵書目》卷一。常州人。（頁 614）

67.謝珍：《易學贅言》二卷，經部，《易》類，存。見《武進謝氏叢書·踵息廬稿》（一作「《息廬稿》」），有光緒九年（1883）刻本。字寶齋，一字瑞周。武進人。終生研摩《易》學與理學，世稱「隱君子」。（頁 615）

68.錢大濟：《易賣》，經部，《易》類，佚。見光緒《武陽志餘》卷七。字來成，晚自號凌霄子。武進人。（頁 615）按：《武陽志餘》注云：「是書校本未刊，無卷數。大旨依鄒梅雪《易解》，仿其篇法，每章融會始末而貫之。《經籍志》謂科舉家言也。」

69.虞青選：《周易消息圖解》，經部，《易》類，佚。見《清代毗陵書目》卷一。武進人。（頁 616）

70.鄭之罕：《周易切韻》三卷，經部，《易》類，佚。見道光《武陽合志》卷三十二。字展宗，號賓日。武進人。（頁 618）

71.劉逢祿：武進人。（頁 618）按：生平事略及《易》著存目已見正文，不具錄。

72.莊鎮方：《四書五經字義注釋》十六卷，經部，群經總義類，佚。見《清代毗陵書目》卷一。原名祖誠，字秩寓。武進人。（頁 624）

73.莊繢澍：《易乾鑿度考證》一卷，經部，讖緯類，佚。見光緒《武陽志餘》卷七。字玉繁，晚號适齋。武進人。存與曾孫，經學承家學。著述甚富，多散佚。（頁 645）

74.袁履潔：《周易貫義》，經部，《易》類，存。見光緒間刻本。《六經札記》，經部，群經總義類，佚。見《清代毗陵書目》卷一。武進人。（頁 647）

75.胡嗣超：《易卦圖說》六卷，經部，《易》類，存。見道光十七年（1837）香雪齋刻本。字鶴生。武進人。（頁647）

76.伍兆蟠：《蕉林書屋著易編》，經部，《易》類，佚。見《清代毗陵書目》卷一。字稚卿，別號蕉隱。陽湖人。承家學，工詩，著述甚豐。（頁608）

77.薛子衡：《序卦釋義》二卷（一作「《卦序釋義》」），經部，《易》類，佚。見《清代毗陵書目》卷一。字子選。常州人。曾師事劉逢祿，博通經史，尤精《易》、《詩》。（頁673）

78.謝蘭生：《易經微蘊》，經部，《易》類，佚。見《清代毗陵書目》卷一。字厚庵。武進人。珍子，其治學能以通經致用為標的。（頁699）

79.許亮弼：《周易虞氏直解》十一卷，經部，《易》類，存。見咸豐五年（1855）軒溪書屋刻本。武進人。（頁726）

80.陳金盤：《三易發蒙》三卷，經部，《易》類，佚。見光緒《武陽志餘》卷七。《圖書一得》一卷，經部，《易》類，佚。見光緒《武陽志餘》卷七。武進人。（頁726）

81.徐壽基：《易學》二卷，經部，《易》類，佚。見《清代毗陵書目》卷一。字桂珤，室名有志學齋、酌雅堂、知味軒、天繪園等。武進人。（頁786）

82.方愷：《易說》二卷，經部，《易》類，佚。見《清代毗陵書目》卷一。又名楷，字子可，又字引康。武進人。（頁791－792）

83.吳翊寅：《周易象傳消息升降大義述》二卷，經部，《易》類，存。見光緒二十年廣雅書局刻本。《周易消息升降爻例》一

卷,經部,《易》類,存。見同上刻本。《周易上下訓詁述》六卷,經部,《易》類,存目。見《周易象傳消息升降大義述》附《遯庵所著書總目》。《易繫辭大義述》一卷,經部,《易》類,存目。見《周易象傳消息升降大義述》附《遯庵所著書總目》。《易漢學考》二卷,附《易漢學師承表》一卷,經部,《易》類,存。見光緒十九年陶浚宣刻本,及廣州刊《吳氏遺書》本。字孟棐,一字遯庵,學者稱悔庵先生。陽湖人。博涉經史,洞悉時務,尤精於《易》。(頁818)

84.鄭良弼:《乾坤易簡錄》一卷,子部,術數類,存。清刻本,見《江蘇省立國學圖書館圖書總目》。武進人。(頁830)

85.金士麒:《易義來源》四卷,經部,《易》類,存。見《刻鵠齋叢書》本。字瑞甫,一字仁甫。武進人。(頁833)

86.孟森:《周易》九卷,附《略例》一卷、《校記》一卷,經部,《易》類,存。字純蓀,號心史,武進人。(頁854)

(二) 金壇縣

1.蔣衡:《讀易私記》,經部,《易》類,佚。見民國《金壇縣志·藝文志》。《易卦私箋》二卷,經部,《易》類,存。見《清史稿·藝文志》,有嘉慶元年(1796)重刻本。原名振生,字湘帆,一字拙存,號拙老人、江南拙叟、函潭老布衣。金壇竹林鎮人。工書法,今揚州大明寺前「淮東第一觀」五字即其所書。(頁989)

2.李駿奇:《三易補遺》,經部,《易》類,佚。見民國《金壇縣志·文苑》本傳。字駁六(一作「御六」,疑「駁」應作「馭」),金壇人。深研理學,與句容笪重光談《易》,遂悟〈說

卦〉包涵三《易》之義。（頁995）

3.李玉華：《周易闡微》三卷，經部，《易》類，佚。見民國《金壇縣志‧藝文志》。字掌衡，金壇人。通諸經，尤邃於《易》。（頁1023）

4.虞樹仁：《三易宗旨》，經部，《易》類，佚。見民國《金壇縣志‧文苑》本傳。字粹堂。金壇人。通經、子、史諸書，尤長於《易》。（頁1023）

5.李秉陽：《易學會通》二十三卷，經部，《易》類，佚。見民國《金壇縣志‧藝文志》。按：《金壇縣志‧藝文志》注曰：「內分《河洛闡奧》，《俯仰法象》，《先天真原》，《後天精蘊》，《筮法傳心》，《變占匯參》，《道學本原》，《象數引端》，《夏商二易拾遺》，《卦氣輯要》，《觀物輯要》等十一種，外附《說卦補遺義》，《觀象大凡》二種，共十三種。」《易學旁通》，經部，《易》類，佚。見民國《金壇縣志‧文苑》本傳。字子燮，號暘谷。金壇人。好學，尤邃於《易》。（頁1033－1034）

(三) 溧陽市

1.芮長恤：《周易大象傳解》一卷，經部，《易》類，存。見道光十八年惇敘堂刻本，光緒十年毗陵惲氏刻本。按：嘉慶《溧陽縣志‧藝文志》作「《周易大象解》」。字萇子。初名城，字嚴（一作「巖」）尹，室名滄浪亭。溧陽人。潛心理學，著作甚豐，惜多散佚。（頁1067）

2.湯泰亨：《周易大象傳》，經部，《易》類，佚。見嘉慶《溧陽縣志‧藝文志》。字仁只。溧陽人。與同里芮城（長恤）談

論《易經》，交往契合。（頁 1069）

3.湯之賓：《周易纂訂》，經部，《易》類，佚。見嘉慶《溧陽縣志・人物志》本傳。字觀光。溧陽人。究心經史，研其指歸。（頁 1085）

4.毛一鳴：《周易傳義會通》，經部，《易》類，佚。見嘉慶《溧陽縣志・藝文志》。字靈喈。溧陽人。（頁 1086）

5.強天章：《易經講義》十卷，經部，《易》類，佚。見嘉慶《溧陽縣志・藝文志》。溧陽人。（頁 1088）

6.宋煥：《易說大綱》三卷，經部，《易》類，佚。見嘉慶《溧陽縣志・藝文志》。溧陽人。（頁 1098）

7.彭光斗：《易經廣義》，經部，《易》類，佚。見光緒《溧陽縣續志・藝文志》。字文樞，一字蕢園，號退庵。溧陽人。（頁 1099）

8.狄瓏：《易經要旨》十卷，經部，《易》類，佚。見嘉慶《溧陽縣志・藝文志》。溧陽人。（頁 1100）

9.王理：《周易集解》，經部，《易》類，佚。見嘉慶《溧陽縣志・人物志・王皓傳》附。溧陽人。（頁 1107－1108）

10.強溱：《周易膚解》十卷，經部，《易》類，佚。見光緒《溧陽縣續志・藝文志》。按：《溧陽縣續志・人物志》本傳及《晚晴簃詩匯》卷一二一作「《易象膚解》」。榜名瑗，字沛崖（墓誌銘作「字東淵，號沛崖」），室名佩雅堂。溧陽人。深於經學而期有用於世，晚年尤深於《易》，以為「《易》者，聖人教人寡過之書。」（頁 1110）

11.狄子奇：《周易質疑》二卷，經部，《易》類，佚。見張宗

泰《魯巖交游記》。字叔穎，一字惺庵（或云：名惺垣，字子奇）。溧陽人。生平究心經籍，不屑屑於章句。（頁 1115）

12.陳鼎：《槎溪學易》三卷，經部，《易》類，存。見同治十三年（1874）保定蓮花池刻本。字作梅。溧陽人。先後入曾國藩、胡林翼幕。（頁 1121）

13.強汝諤：《周易集議》八卷，經部，《易》類，存。見《求恕齋叢書》本。按：亦作「《周易集義》」。光緒《溧陽縣續志·人物志》本傳云：「取古今說《易》諸書，擇其合於孔義者纂輯之，名曰：《周易集義》。」字星源。溧陽人。精《易》學，謂學《易》當以十翼為主。（頁 1124）

14.狄遂：《周易要旨續編》，經部，《易》類，佚。見光緒《溧陽縣續志·藝文志》。溧陽人。（頁 1128）

常州學派史學思想研究

陳鵬鳴[*]

莊存與、劉逢祿、宋翔鳳三人均是清代今文經學家，並不是史學家，研究近代史學的學者，多以他們生活在鴉片戰爭之前，不屬於近代史的研究範圍之內而不加注意，而研究古代史學的學者因他們的影響主要在近代也不太注意，以至於對他們的研究比較薄弱。其實，正是由於他們的努力，才使得今文經學在晚清得到了很大發展，成為當時談變法、議改革思想的源頭，對於近代歷史變易思想的發展、經世致用學風的形成關係極大，對於龔自珍、魏源、康有為等人的史學思想產生過重要的影響。要弄清楚近代思想史的源頭，就不能不首先研究以他們三人為代表的常州學派。

另外，由於經學已失去其原有地位，「六經皆史」早已成為客觀事實，在當前情況下，研究經學似更應從思想史上去考察，而不應就經學論經學。

一、常州學派的產生及原因

今文經學自東漢以後為古文經學所壓倒，但仍不絕如縷。魏、

---

* 陳鵬鳴，華東師範大學史學博士，現任人民出版社編審。

晉以來，那些倡言變法改革的思想家們，或多或少都受到變易思想、大同理想等今文經學思想的影響。到了清朝康、乾以後，特別是鴉片戰爭前後，地主制封建社會經濟形態不斷地趨於衰敗解體，「內亂」、「外患」交相凌襲，地主制封建社會逐步向半殖民地半封建社會分解淪落。當時清政府中的一些有識之士，深感清王朝的統治和自己所處社會地位的垂危，他們泣血椎心，開展救亡圖存運動。這些人大多是經學家，他們厭惡傳統的古文派舊說，求助於被壓千百年難見天日的今文經學中主張變易思想的《公羊》學說，以之作為變法改革的理論支柱。於是，就在乾嘉學派鼎盛時期，《公羊》派今文經學經過一段醞釀和發生時期，終於拔地而起，常州學派誕生了！

常州學派的開創者是莊存與。莊存與（1719－1788）江蘇武進（今常州）人，是復興今文經學的第一人。由於莊氏之學與當時學風「枘鑿不相入」❶，莊氏生前並未刊刻其著作，故時人皆不知其學，只有子孫數人通其學。外孫武進劉逢祿（1776－1829）、侄外孫長洲（今吳縣）宋翔鳳（1777 ❷－1860）能傳其學，外人始知。此後，今文經學以異乎尋常的速度，蓬勃發展，及至清末，幾乎取代古文經學的地位而成為學者治學的新時尚。不過，古文經學

---

❶ 阮元：〈莊方耕宗伯經說序〉，《味經齋遺書》（光緒八年重刊本），卷首，頁 2。

❷ 宋翔鳳的生年，據《清史稿》卷 482 所記，折算成西曆為 1779 年；據徐世昌等編纂的《清儒學案》卷 75，則為 1776 年。鍾彩鈞據宋氏有關詩作，推算其生年為 1777。見臺灣中山大學主編：《第一屆國際清代學術研討會論文集》（高雄：中山大學，1993 年），頁 197。

的長期影響不可能一朝更除，許多治今文經學的學者，在治學時，依然不能忘情於古文經學，這主要表現在他們沿用古文經學的治學方法研究今文經學，他們注重的只是今文經學自身的研究，而不是發揮今文經學中的歷史變易思想，為解決當時日益危急的社會問題獻計獻策，這樣就走上了為今文經學而今文經學的道路。如果我們根據學者治今文經學的目的與態度的不同，可以將清代的今文經學家分成兩派：一派為經生派，另一派為常州學派。

陳壽祺（1771－1834）、陳喬樅（1809－1869）父子雖為今文經學家，但他們只是忙於今文經說的輯佚。陳壽祺專輯西漢今文《尚書》及三家《詩》之遺說，有關經學的著作有《五經異義疏證》、《左海經辨》、《三家詩遺說考》等，僅從書名上就可以看出他的著作是以考證為主的特點。陳喬樅著有《三家詩遺說考》、《四家詩異文考》、《詩緯集證》等，不過能傳其父西漢今文輯佚之學而已，在治學方法和態度上，和考據學者實無太大區別。故章炳麟稱他們治經但有疏證，並無極端主張，與劉逢祿、宋翔鳳治經不同，所言甚當。

凌曙（1775－1869）、陳立（1809－1869）師徒亦是如此，他們僅僅只是忙於《公羊》材料的收集，論義理，很少發揮；論考據，又不夠精闢。他們不能將《公羊》學與當時政治相結合，只是用樸學方法治《公羊》學，背離了《公羊》學的治學方向。故他們在《公羊禮疏》、《公羊義疏》等著作中，多側重於疏解典章制度，對於《公羊》學的義理發揮較少，因此，有學者指出：「舍其

大而逐其小,是凌、陳學風。」❸

　　而常州學派的學者治學目的在於為現實服務,他們發揮今文經學裡的「微言大義」,倡言變法改革,與經生派的治經態度截然不同。常州學派的主要人物除莊存與、劉逢祿、宋翔鳳之外,還有浙江仁和(今杭州)龔自珍(1792－1841),湖南邵陽魏源(1794－1857)、廣東南海康有為(1858－1927)等人。劉、宋二人為莊氏外孫,龔、魏二人又受業於劉逢祿,康有為的學風也是從這一派衍生出來的。梁啟超(1873－1929)在《儒家哲學》裡指出:「自他們(莊、劉)專提今文以後,今文在學術界很有極大的勢力。繼他們而起的,有兩個人,籍貫雖然不是常州,然不能不說是常州一派。一個是魏源,……一個是龔自珍,……南海康先生的學風,純是從這一派衍出。」❹因此,我們若就近代今文經學的源流關係來說,可將龔自珍、魏源、康有為和莊存與、劉逢祿、宋翔鳳並稱為常州今文經學派,或簡稱為常州學派。

　　常州學派這個概念最早由誰提出,目前尚不得而知。皮錫瑞(1850－1908)早在光緒三十年(1907)所著的《經學通論》一書裡便指出:「陽湖莊氏乃推今《春秋公羊》義並及諸經,劉逢祿、

---

❸　楊向奎:〈清代的今文經學〉,《繹史齋學術文集》(上海:上海人民出版社,1983年),頁351。附記:楊向奎教授曾審閱過本文,並提出過修改意見,特此致謝。

❹　梁啟超:《儒家哲學·二千五百年儒家變遷概略》,收入《飲冰室合集·專集之103》(北京:中華書局,1989年),頁69－70。原文「種」疑為「個」,據文意改。

宋翔鳳、龔自珍、魏源繼之。……常州學派蔚為大宗。」❺梁啟超
不僅在上引文裡談論常州學派，而且在《中國近三百年學術史》裡
說，常州學派由莊存與、劉逢祿「開派」，龔自珍、魏源代表常州
學派「經世致用」的精神。❻此後，許多學者都持有相同的觀點，
如錢基博❼、錢穆❽、侯外廬❾、張舜徽❿、湯志鈞⓫等在各自的
著作裡，都論述過常州學派。國外，如日本學者大谷敏夫以為常州
學派的特點「是運用《公羊》學的微言大義和顧炎武的經世致用
學」⓬，美國學者艾爾曼（Benjamin A. Elman）並著有《經學、政
治和宗族：中華帝國晚期常州今文學派研究》，重點考察常州學派
興起的原因及初期幾位學者的思想。於此可見，常州學派這個概
念，已基本上為學術界所接受。至於支偉成在所著《清代樸學大師
列傳》裡，本於章炳麟的意見，不將龔自珍、魏源列入《常州派今

---

❺ 皮錫瑞：〈論劉逢祿魏源之解尚書多臆說不可據〉，《經學通論》（北京：
中華書局，1954 年），頁 97－98。

❻ 梁啟超著，朱維錚校注：《梁啟超論清學史二種》（上海：復旦大學出版
社，1985 年），頁 119。

❼ 錢基博：《古籍舉要·序》（上海：世界書局，1913 年），頁 1。

❽ 錢穆：《中國近三百年學術史》（上海：商務印書館，1937 年），頁 532。

❾ 侯外廬：《中國思想通史》（北京：人民出版社，1995 年），頁 631。

❿ 張舜徽：〈常州學記第九〉，《清儒學記》（濟南：齊魯書社，1991 年），
頁 481。

⓫ 湯志鈞：《近代經學與政治》（北京：中華書局，1989 年），頁 67、71。

⓬ 大谷敏夫：〈揚州常州學派及其江南文化圈〉，《中國文化研究集刊》第四
輯（上海：復旦大學出版社，1987 年），頁 427。

文學家列傳》的做法，因前人對此已有批評，此不具論。⑬

今文經學在湮沒無聞近二千年之後，為什麼會在鴉片戰爭前夕復活呢？又為什麼會率先在常州地區復活呢？其原因有以下幾點：

第一，常州學派的出現，是商品經濟發展後在人們意識形態上的反映。常州是江南經濟重鎮，地理位置十分優越，南探太湖、鬲湖，北憑長江天塹，西毗茅山丘陵，東連蘇杭平原，京杭大運河流經常州境內達九十餘公里。從隋、唐一直到清代，都是封建王朝的財賦重地，隋煬帝開鑿運河的主要目的，便是「通江淮漕運」，便於榨取江南人民的財富。唐朝，江南經濟的發展加快，安史之亂後，以長江中下游地區為主的南方經濟開始超過北方，唐政府的賦稅收入主要依靠江淮地區，「國用之本，出於江淮」⑭。「天下經賦，首於東南」⑮。「軍國費用，取資江淮」⑯。類似文字，史不絕書。宋代，常州及江南一帶的經濟更加發達，紡織業的發展，尤其引人注目。不僅有「織造局」這種官辦作坊，而且還有織造戶、織錦戶等官匠以及遍佈城鄉的機戶，江南成為全國絲織品的主要產地。明代江南商業活動開始活躍，由於優越的地理位置，揚州、常州一帶的鹽業、典當業、河運業都非常發達，尤其是這一帶的鹽

---

⑬　對章炳麟、支偉成的反駁，見蕭一山：《清代通史》（北京：中華書局，
　　1986 年），頁 1772－1773。另請參閱拙文：〈龔自珍與常州學派〉，載《江
　　漢論壇》1996 年第 11 期；〈試論今文經學對魏源思想的影響〉，載《孔孟
　　月刊》34 卷第 7 期（1996 年 3 月）。

⑭　王播：〈請令程異出巡江淮奏〉，《全唐文》（北京：中華書局，1983
　　年），卷 615，頁 6219。

⑮　呂溫：〈代百僚賀放浙西租賦表〉，《全唐文》，卷 626，頁 6317。

⑯　唐憲宗：〈上尊號赦文〉，《全唐文》，卷 63，頁 677。

商，操縱了鹽業市場，擁有全國商界最龐大的資產，他們常常以包買商的身份，控制一些手工業生產者。到了清朝乾嘉年間，商品經濟得到了較大的發展，這必然會反映在人們的意識形態之上，常州學派的許多主張，有不少便是商品經濟在人們意識形態上的反映。例如在對「私」的看法上，常州學派的觀點顯然反映出市民意識。莊存與說：「無私者，無親也。天子必有親，聖人必有親。」[17]因此，不論「天子」抑或「聖人」都有其「私」。當政者不僅不應該禁止人民有「私」，而且還應該鼓勵天下人民有「私」，他說：「（上）豈特不禁下之有其私，憂下之不有其私而造天下之至險也。」[18]如果老百姓沒有「私」，必將導致「天下之至險」。龔自珍則以他那讓人「觸電」似的文筆，指出無論聖帝哲后，忠臣孝子貞婦，皆有其私，所謂「大公無私」者，皆為「無父無君」之徒。[19]這種對「私」的肯定和禮贊，反映出商品經濟對人們思想的影響。

再如在對「人欲」的看法上，程朱理學認為應「存天理，滅人欲」。莊存與卻說：「飲食也，宮室也，聲色也，田獵也，凡所以娛心意，悅耳目者，亦不必苦禁之。」[20]莊存與對人欲的肯定，和戴震的有關言論一起，匯成一股反對理學禁欲的思想洪流。標誌著

---

[17]　莊存與：《尚書既見》（《味經齋遺書》本），卷3，頁9。

[18]　莊存與：《象象傳》（《味經齋遺書》本），頁8。

[19]　龔自珍：〈論私〉，《龔自珍全集》（上海：上海古籍出版社，1999年），第1輯，頁92。

[20]　莊存與：《毛詩說》（《味經齋遺書》本），卷3，頁14；這樣的文字又重複於《象象論》（《味經齋遺書》本），頁35。

被封建禁欲思想束縛的人性的復甦。我們知道，西方資產階級文藝
復興時期，有不少人就是以對人欲的肯定來宣揚資產階級的思想，
如義大利著名作家卜伽丘的《十日談》便是如此。當然，莊存與僅
僅只是受到商品經濟的影響，他還不可能達到卜伽丘等人的認識水
平。

又如在對平等的看法上，莊存與指出：「人之生，何貴何賤？
皆其母之子也。」❷人之初生，並無貴賤之分，皆為其母之子而
已，這裡流露出人人平等的思想。到了康有為，更是公然將自由、
平等、人權等資產階級思想附會進儒家經典之中，借孔子的影響，
為其君主立憲的政治活動開路。所有這些，都表明了常州學派的產
生，是商品經濟在人們意識形態上的反映。

但是，由於受到傳統重農抑末思想的影響，莊存與等人卻反對
發展工商業，這與商品經濟發展的要求背道而馳。

第二，常州學派的出現，是常州地區獨特文風的反映。常州地
當東南要衝，來自長江南北、運河東西的旅客在此交匯，學術思想
的傳播速度極快，學者足不出戶，便可獲得全國各地的消息。這在
交通落後、資訊難於傳播的時代，對於學者的治學與成名顯得尤為
重要。而且，由於常州等江南一帶經濟發達，許多富商巨賈為了附
庸風雅，往往投資於文化事業中。他們或是招集一批學者，從事學
術研究；或是經營書院，刊刻圖書。這對於江南地區的文化發展，
無疑起到了很大的促進作用。常州附近的常熟，明清時期，一直是
江南圖書收藏出版的中心。毛晉（1599－1659）的汲古閣便位於常

---

❷　莊存與：《象象論》（《味經齋遺書》本），頁 47。

熟。毛晉不僅收藏有大量珍貴的善本圖書，而且，他還以影抄本的
方式，出版這些圖書。毛晉印書，不是為了獲取暴利，相反，由於
精校精刊，導致印書成本上升，印的書越多，虧損越嚴重。但他卻
不管虧損與否，依然苦心經營，保存和傳播了中華文化。㉒長洲
（今吳縣）的黃丕烈（1763－1825）亦喜藏書、印書，他批評某些
人「不輕借書與人，恐其秘本流傳之廣也。此鄙陋之見，何足語於
藏書之道」，他則請良工翻印宋、元精刻本書籍，合成《士禮居叢
書》，多達二十二種。㉓所以明、清時期，江南地區文風最盛，藏
書最富，這從乾隆朝修《四庫全書》時各地進獻的圖書種類上亦可
見一斑。僅揚州鹽商馬裕個人進獻的圖書就達 776 種，雄踞個人進
書之首位。寧波天一閣范氏進獻的圖書有 602 種，他們因此而受到
御賜《古今圖書集成》一部的獎賞。從各省進獻的圖書總數上看，
江浙兩省共達 9408 種，約占全國進呈圖書總數 12237 種的 77%。
於此可見江南一帶圖書之富。㉔而這則為常州學派的學者們提供了
豐富的研究資料。

　　常州地區有著經世致用的治學傳統。早在明朝後期，顧憲成
（1550－1612）因在政治鬥爭中失敗，罷官歸里，回到常州府無錫
縣之後，率人修復東林書院，並和同鄉高攀龍（1562－1626）等人
講學其中。他們積極倡導「風聲、雨聲、讀書聲，聲聲入耳；家

㉒　路工：〈明代出版家毛晉〉，《訪書見聞錄》（上海：上海古籍出版社，
　　1985 年），頁 478－480。

㉓　路工：〈清代藏書家黃丕烈〉，《訪書見聞錄》，頁 483。

㉔　參見黃愛平：《四庫全書纂修研究》（北京：中國人民大學出版社，1989
　　年），頁 33－39。

事、國事、天下事，事事關心」的新學風，在講學時，時常「諷議
朝政，裁量人物」。天下文人，聞風而集，在朝的一些正派官員，
也與他們互通聲氣，相互應和，於是形成「東林黨」。❷東林黨人
代表了中等階級反對派的利益，他們要求個性解放，減輕稅收；做
到貧富兩便，貧不累富等❷，對於當時和此後的學風都產生了深刻
的影響。

　　清朝建立之後，在文字獄的威脅之下，常州地區的一些學者，
依然繼承了前人經世致用的學風。如被人誤認為只懂考據的陽湖
（今常州）人趙翼（1727－1814），其治學目的便是經世致用。❷
同是陽湖人的洪亮吉（1746－1809），在嘉慶四年（1799），上書
成親王等人，不僅指斥內外大臣，而且還指責嘉慶帝「視朝稍
晏」，疑有「俳優近習之人熒惑」❷，將矛頭直指和珅。後竟以
「訕謗君父」的罪名，遠戍伊犁。洪亮吉因痛斥弊政而獲罪，對於
莊存與、劉逢祿都產生了很大的影響。有人以為，莊存與之所以從
事今文經學研究，目的是「假借經典的外衣，表達對和珅擅權的不

❷　關於東林黨人熱心救世的論述，讀者可參見容肇祖：《明代思想史》（上
　　海：開明書店，1941 年），第九章有關內容，尤其是頁 298－299。
❷　參見侯外廬主編：《中國思想通史》第四卷，下冊，二十五章有關內容，尤
　　其是頁 1108－1116。
❷　參閱拙文：〈趙翼經世致用的史學思想研究〉，《中國文化月刊》第 196 期
　　（1996 年 2 月），頁 19－31。
❷　洪亮吉：〈乞假將歸留別成親王極言時政啟〉，《卷施閣文甲集》（授經
　　堂，光緒三年），卷 10 續，頁 2。

滿」❷。劉逢祿在寄洪亮吉的信中說：「欲向東籬尋伴侶，晚香依舊耐霜寒」❸的詩句，表示對洪亮吉直言進諫的崇敬和欲以他為榜樣的決心。

常州地區自乾嘉以後，家家戶戶通曉今文經學。龔自珍曾這樣描述這一盛況：

> 天下名士有部落，東南無與常匹儔！……
> 乾嘉輩行能悉數，數其派別徵其尤：
> 《易》家人人本虞氏，毖緯戶戶知何休；……
> 學徒不屑談賈、孔，文體不甚宗韓、歐；
> 人人妙擅小樂府，爾雅哀怨聲能道；
> 近今算學乃大盛，泰西客到攻如讎。❸

按：虞氏，指虞翻，傳西漢田何之《易》學，今文經學家。張惠言以為：「學者求田何之書，則惟孟氏此文；求孟氏之義，惟虞氏注說。」❸何休是東漢末年《公羊》學派的大師，著《春秋公羊解詁》一書，總結《公羊》學的理論義法，認為三科九旨為《公羊》

❷ 艾爾曼著，趙剛譯：《經學、政治和宗族──中華帝國晚期常州今文學派研究》（南京：江蘇人民出版社，1998 年），頁 6。
❸ 劉逢祿：〈秋海棠寄洪稚存丈於伊犂〉，《劉禮部集》（思誤齋道光十年刊本），卷 11，頁 21。
❸ 龔自珍：〈常州高材篇，送丁若士履恒〉，《龔自珍全集》，第 9 輯，頁 494。
❸ 皮錫瑞：〈論孟氏為京氏所托，虞氏傳孟學，亦間出道家〉，《經學通論》，頁 20─21。

學理論之關鍵,並提出由據亂世到昇平世到太平世逐步進化的歷史發展思想,對於此後今文經學家的影響極大。賈、孔,指的是唐代古文經學家賈公彥、孔穎達,在常州一帶,學徒都不屑於談論他們。韓、歐,指的是唐宋八大家的韓愈、歐陽修,常州的學者們在文體上不宗唐宋八大家,而自創為陽湖派古文——從桐城派轉手而加以解放;❸在詩詞的創作上,有所謂「常州詞派」,他們在思想上提倡封建正統觀念和儒家的詩教,表現出濃厚的政治傾向性;在內容上,要求有寄託,意內而言外,表現大的題材。❹因此,「常州在有清一代,無論哪一門學問,都有與人不同的地方」❺。今文經學不過是其一端而已。

第三,常州學派的出現,是學術發展的必然。清代建立之後,在朝廷的威逼利誘之下,明末清初興起的經世致用學風逐漸為考證學風所取代。若從純學術的角度看,清代的考證學者功不可沒,他們確實解決了許多歷史上一直懸而未決的疑難問題,讀懂了許多前人讀不懂的書,對於學術的發展有著重要意義。如閻若璩經過潛心研究,寫成《尚書古文疏證》一書,以八卷的篇幅,將偽古文和偽《孔傳》的作偽證據詳細羅列出來,雖然此書不夠完美,但從此之後,《古文尚書》之為偽書,已是「鐵案如山搖不動」了。閻若璩的辨偽,將昔日人所共奉為神明的《古文尚書》宣判為偽書,這在

---

❸ 梁啟超著,朱維錚校注:《梁啟超論清學史二種》,頁 119。

❹ 敏澤:《中國文學理論批評史》(北京:人民文學出版社,1981 年),頁 1073－1074。

❺ 梁啟超:《儒家哲學·二千五百年儒學變遷概略》,收入《飲冰室合集·專集之 24》,頁 69。

當時學者的心理上，激起了巨大的反響，人們認識到要想求得「道」——「聖人」本意，只有向六經裡尋找，愈接近六經成書時代的解釋，愈可能真實地反映出孔子之道。而當時的學術界為東漢許慎、鄭玄之學所籠罩，這顯然不如距離孔子生活時代較近的西漢經師們的解釋可靠，於是，今文經學得以復興。劉逢祿說：「學者莫不求知聖人，聖人之道備乎五經，而《春秋》者，五經之筦鑰也，先漢師儒略皆亡闕，惟《詩》毛氏、《禮》鄭氏、《易》虞氏有義例可說，而撥亂反正，莫近《春秋》。董、何之言，受命如響。然則求觀聖人之志，七十子之所傳，舍是奚適焉？」[36]主張從西漢董仲舒、何休的解釋裡，探尋「聖人之志」。魏源亦是如此，他要求學者「由詁訓、聲音以進於東京典章制度」，「由典章、制度以進於西漢微言大義」[37]，他甚至主張拋棄傳注，直接從經文裡獲得大義，他說：「經有奧義，有大義，研奧者必以傳注分究而始精，玩大者止以經文彙觀而自足。……奚必待傳注而後明哉！」[38]梁啟超以「復古」概括清代學術發展上的這個特點，他說：

> 入清則節節復古，顧炎武、惠士奇輩專提倡註疏學，則復於六朝、唐。自閻若璩攻偽《古文尚書》，後證明作偽者出王肅，學者乃重提南北朝鄭、王公案，絀王申鄭，則復於東漢。乾嘉以來，家家許、鄭，人人賈、馬，東漢學爛然如日

---

[36] 劉逢祿：〈春秋公羊釋例序〉，《劉禮部集》，卷3，頁22－23。

[37] 魏源：〈兩漢經師今古文家法考敘〉，《魏源集》（北京：中華書局，1976年），頁152。

[38] 魏源：〈論語孟子類編序〉，《魏源集》，頁145。

中天矣。懸崖轉石，非達於地不止。則西漢今、古文舊案，
終必須翻騰一度，勢則然矣。❸

　　梁氏此言，表明今文經學的復興，是當時學術發展的自然趨
勢，是溯時代復古的必然結果。不過，常州學派的主張，並非西漢
今文經學的簡單翻版，兩者的學術思想也不盡相同。常州學派所宣
講的孔子「微言大義」，實質上是以孔子為依託，以經學手段來宣
傳他們的政治思想，是中國面臨半殖民地半封建社會危機時人們思
想上的反映。而西漢今文經學則是在領主制經濟崩潰之後建立的地
主制經濟條件下，地主階級的應變哲學，故二者似是而非。

　　第四，常州學派的出現，是社會危機深化後在人們心理上的反
映。清朝乾隆年間雖說是清朝「鼎盛」時期，其實在「鼎盛」的背
後，已經掩蓋不住日益衰敗的跡象，官吏貪汙成風，軍事廢弛，財
政虛耗，再加上統治者奢侈無度，腐敗驚人！到了嘉道年間，「內
亂」、「外患」不斷，震慟朝野。國家現狀的惡化，社會危機的加
深，在一批士大夫的心裡激起了強烈的道德責任感，他們勇敢地擔
負起挽救危機的重擔。自古以來，中國的知識分子便懷抱著「修
身、齊家、治國、平天下」的政治理想，以其所理解的「聖人之
道」作為判斷、批評現實的理論依據。一旦社會現實惡化，背離了
他們的理想之後，知識分子便行使起社會批判者的職能，指天劃
地，圖謀挽救。雖然也有一些知識分子在巨大的政治權勢面前「枉
道以從勢」，以至於「曲學阿世」，但從總體上看，關注並設法解

---

❸　梁啟超著，朱維錚校注：《梁啟超論清學史二種》，頁 60。

救社會危機的知識分子仍是絕大多數。這從孔子為了實現其政治理想而周遊列國開始，一直到五四運動，都體現出中國知識分子的這種思想傳統。❹

常州學派的學者們發現了清政府原有的統治體制和統治思想已經不合時宜，但是，由於清政府禁止士大夫議論時政，為了實現他們的變法圖強主張，只有採用「微言大義」的形式，發表他們的政治見解。再加上歷史的侷限，商品經濟發展的緩慢，又未接觸到西方資本主義思想，他們只得從中國社會歷史中原有的儒家經學裡，尋找思想理論武器。而當時學術思想界多沈浸於訓詁名物之中，較少關心國家民族的興衰存亡及現實社會政治。現實提供不了他們需要的武器。「上窮碧落下黃泉，兩處茫茫皆不見」，經過艱難的尋找，他們終於從傳統經學裡發現了西漢時代《公羊》學──以「微言大義」的形式，闡述社會歷史時時「變易」、社會政治隨之變革的理論。因此，如獲至寶，並急不可待地加以繼承和發揮，西漢時代的《公羊》今文經學終於復興起來，常州學派就這樣形成起來了。

二、莊存與其人及其家學

莊存與，字方耕，號養恬，江蘇武進（今常州）人，生於康熙五十八年（1719），卒於乾隆五十三年（1788）。乾隆十年

❹ 參閱余英時：〈中國知識分子的古代傳統〉一文的有關內容，載《士與中國文化》（上海：上海人民出版社，1987年），頁 113、121、128。

（1745）會試中一甲第二名進士（俗稱榜眼），授編修。❹先後任湖北恩科鄉試副考官、浙江鄉試正考官、禮部侍郎等職。

莊存與一生著作繁富，於六經皆有撰述。於《易經》有《彖傳論》一卷，《象象論》一卷，《繫辭傳論》一卷，《八卦觀象解》二卷，《卦氣論》一卷；於《尚書》有《尚書既見》三卷，《尚書說》一卷；於《詩經》有《毛詩說》四卷；於《周禮》有《周官記》五卷，《周官說》五卷；於《春秋》有《春秋正辭》十一卷，《春秋舉例》一卷，《春秋要指》一卷；於樂有《樂說》二卷；於四書則有《四書說》一卷。道光八年（1828），孫莊綬甲彙刻其遺著，成《味經齋遺書》，但因所收著作不全，此後續有刊刻。例如劉逢祿曾於道光十八年刊刻莊存與的《八卦觀象》。此後，莊氏後人又於光緒八年（1882）重刊，補收入一些著作，是目前較易找到的本子。

莊存與在乾隆時期，使湮沒無聞長達兩千餘年的今文經學重現於世，對於《春秋公羊》學的許多基本思想，諸如以《春秋》當新王、天人感應、大一統、通三統、張三世等都有或多或少的論述，雖然他的這些論述大多只是重複漢代今文經學家已有的言論，其中很少有他自己的獨特思想，但是，如果我們考慮到在考據學一統天下的時候，他能不從流俗，敢於揭櫫《春秋》大義，專意於今文經學的研究，以其微不足道的個人力量與整個學術界對抗，我們就不能不敬佩他那卓越的膽識和以天下興亡為己任的精神。在治學時，

---

❹ 劉逢祿：〈記外王父莊宗伯公甲子次場墨卷後〉，《劉禮部集》，卷 10，頁 8－9。

他不抱門戶之見，不分漢、宋，不分今、古，從經世致用的目的出發，以今文經學改造古文《尚書》和《周禮》，使它們能更好地為當時的現實服務。他的思想和學說雖然不為時人所知，但是卻直接深刻地影響到莊述祖、莊綏甲、莊有可、劉逢祿、宋翔鳳等人，並通過他們對龔自珍、魏源乃至康有為都產生了一定的影響。

莊述祖，生於乾隆十五年（1750），卒於嘉慶二十一年（1816），字葆琛，因其所居之室曰珍藝宦，故學者多稱其為珍藝先生，江蘇武進（今常州）人，為莊存與之侄兒。十歲而孤，乾隆四十五年（1780）中進士，官山東濰縣知縣，明暢吏治，刑獄得中，豪猾斂跡。有一次勘察一片鹽鹼地，眾人皆以為不可耕種，述祖指路旁草問何名，答曰：「馬帝」，述祖笑曰：「此於經曰茪，《夏正》『茪秀』記時，凡沙土草茪者宜禾，何謂城？」⓬眾人皆服其能援經決事。莊述祖治學，一方面深受當時漢學家的影響，從《說文解字》的研究入手，重視字詞訓詁；另一方面他又深受伯父莊存與所倡導的《春秋公羊》學的影響，在治學時，重視義例的闡發。他認為《春秋》三傳之中，惟「以《公羊》家法為可說」，何休所著之《春秋公羊解詁》，使「非常異義可怪之論，皆得其正」。後人對《春秋》「句剖字析」不可能得到「聖人筆削之旨」。而《夏時》亦為孔子所正，「《夏時》之取夏四時之書，猶《春秋》之取魯史也。聖人之旨，於是乎在。其以大正、小正、王

⓬　趙爾巽等：〈莊述祖傳〉，《清史稿》（北京：中華書局，1977 年），卷481，頁 13218。

事科為三等，蓋出於游、夏之徒，高、赤之等」⑱。這裡所述他對
《公羊》學的看法，以及他模仿「三世說」而以大正、小正、王事
為三等的觀點，都顯露出所受家學的影響，無怪臧庸致信，稱讚其
書「洵足與董子《春秋繁露》、程子《易傳》二書相並」⑭。

　　莊述祖的著作有《夏小正經傳考釋》十卷，《尚書今古文考
證》七卷，《毛詩考證》四卷，《毛詩周頌口義》三卷，《五經小
學述》二卷，《珍藝宧文鈔》七卷，後人彙刻為《珍藝宧叢書》。
莊述祖在常州學派的形成上，擔負著承上啟下的作用，一方面他繼
承並發展了莊存與的學術思想，另一方面對於劉逢祿等人也產生了
很大的影響。劉逢祿曾回憶少時所受舅氏的影響道：「余年十五，
治《公羊春秋》條例之學，舅氏莊珍藝先生為言夏時之等，文約而
旨無窮，與《春秋》相表裡。……由是以知《春秋》改周之正，行
夏之時，百世莫之能達者。」⑮又說：「《詩》、《書》、《夏
時》、五經、小學、多從（述祖）受之。」⑯於此可見他對劉逢祿
的巨大影響。

　　莊綏甲，生於乾隆三十九年（1774），卒於道光八年
（1828），字卿珊，存與之孫，少時受業於莊述祖，盡通家學，曾
仿照莊存與治《周禮》的義例，「學為《周官禮箋》十卷」，此外

⑱　莊述祖：〈夏小正音讀考序〉，見《夏小正經傳考釋》卷首。
⑭　臧庸：〈臧在東來書〉，見莊述祖：《珍藝宧文鈔》，卷 6，〈與臧在東說
　　虞庠四郊西郊異同〉後所附。
⑮　劉逢祿：〈夏時等列說〉，《劉禮部集》，卷 2，頁 16。
⑯　劉逢祿：《穀梁廢疾申何》，見《皇清經解》（學海堂庚申補刊本），卷
　　1293，頁 3。

尚著有《尚書考異》三卷，《釋書名》一卷等，因見其祖父之著作多未刊刻，乃請人將未刻者次第付梓，已刻者補續未備。如將莊存與所著《周官記》、《周官說》等著作於嘉慶八年（1803）刊刻後，又「於遺稿中檢得零章斷句及批註簡端者，並錄而編之，成三卷，補刊附後，都為十卷」❹。於此可見莊綏甲對於莊存與著作的收集、整理與出版起了很大作用。嘉慶二十三年（1818），莊綏甲館於龔自珍家，課其子弟時，向龔自珍言及莊存與「事行之美，且曰：碑文未具」❹。並請其撰述，龔自珍便寫下〈資政大夫禮部侍郎武進莊公神道碑銘〉，極力表彰其經世之意，世人方知存與之志。莊綏甲曾勸龔自珍刪去〈乙丙之際著議〉數篇裡的鋒芒，以免受到反對派的迫害，龔自珍大概是接受了他的建議，這從《全集》裡缺少數篇〈乙丙之際著議〉上，可見一端。龔自珍後曾詠詩一首以記此事：「文格漸卑庸福近，不知庸福究何如。常州莊四能憐我，勸我狂刪乙丙書。」自注：「莊君卿珊語也」❹。因此，莊綏甲傳播了莊存與的思想，並對龔自珍產生了一定的影響。

莊有可，生於乾隆九年（1744），卒於道光二年（1822），字大久，或字岱久，莊存與同族曾孫，郡庠生，喜讀書，淡於名利。年輕時所撰《周官指掌》得到族祖莊存與的讚賞。於六經多有撰述，尤其對《春秋》用力最多，著成《春秋注解》十六卷，《春秋

---

❹　莊綏甲：〈周官記跋〉，見《周官記》後所附。

❹　龔自珍：〈資政大夫禮部侍郎武進莊公神道碑銘〉，《龔自珍全集》，第 2 輯，頁 143。

❹　龔自珍：〈雜詩，己卯自春徂夏，在京師作，得十有四首〉，《龔自珍全集》，第 9 輯，頁 441。

字義本》四卷，《春秋小學》七卷，《春秋異文小學》一卷，《春秋地名考》二卷，《春秋人名考》二卷，然其著作世罕有傳本。在對《春秋》的看法上，他認為《春秋》為孔子所作，「若其義，則以字准數，以數集字，經之以天，緯之以地，而人物之倫類亦無不寓於其中。是故刪《書》百篇，所以觀政也；贊《易十翼》，所以窮理也；皆數也，皆與《春秋》相發揮而旁通者也」。這是說《春秋》之義與《易經》、《尚書》相通。又言《春秋》之義雖千變萬化，「然蔽以一言，則窮理盡性，達諸天道」❺⓿。這種以理學觀點解釋《春秋》的做法，與乃祖莊存與的做法亦頗一致。莊有可的著述，據《清史稿》本傳所說，凡四十二種，四百三十餘卷。❺❶

　　劉逢祿，字申受，亦字申甫，號思誤居士，江蘇武進（今常州）人，生於乾隆四十一年（1776）❺❷，卒於道光七年（1827）。其祖劉綸舉乾隆丙辰年（1736）博學鴻詞科，仕至文淵閣大學士、軍機大臣、太子太傅。其父劉召揚，乾隆四十九年（1784）會試第一，授內閣中書。其母為禮部侍郎莊存與之女，故劉家在當時地位頗為顯赫。劉逢祿自幼在其母的教誨之下，對於外祖父莊存與所發明的《春秋公羊》學情有獨鍾。莊存與稱讚道：「此外孫必能傳吾學」❺❸。後從舅父莊述祖治今文經學。嘉慶十九年，殿試二甲。朝考時，他向皇帝上〈尚德緩刑疏〉，根據董仲舒《春秋繁露》的精

---

❺⓿　蕭一山：《清代通史》，頁 1754－1755。

❺❶　趙爾巽等撰：〈莊有可傳〉，《清史稿》，卷 481，頁 13219。

❺❷　關於劉逢祿的生年問題，參閱拙文：〈劉逢祿生年及著作略考〉，《史學史研究》1996 年第 1 期（1996 年 1 月），頁 75。

❺❸　劉承寬：〈先府君行述〉，載《劉禮部集》附錄，頁 1。

神，提出治理國家，不應一味重刑，惟有尚德緩刑，方可保證長治久安。曾任禮部主事。

劉逢祿的著作，除道光十年（1830）思誤齋刊行的《劉禮部集》十二卷之外，尚有《春秋公羊經何氏釋例》十卷，《公羊春秋何氏解詁箋》一卷，《穀梁廢疾申何》二卷，《左氏春秋考證》一卷，《後證》一卷，《箴膏肓評》一卷，以及《論語述何》二卷等，均收入《皇清經解》。此外尚有《毛詩譜》三卷，《詩說》三卷；所編輯之書則有《石渠禮議》一卷、《庚辰大禮記注長編》十二卷，《春闈雜錄》一卷，《東陵勘地圖說》一卷等。

宋翔鳳，字于庭，一字虞廷，生於乾隆四十一年（1776），卒於咸豐十年（1860），江蘇長洲（今吳縣）人。母為莊述祖之妹，翔鳳嘗隨母歸寧，因留常州，從舅父受業，遂得聞莊氏今文經學之家法緒論。述祖曾說：「劉甥可師，宋甥可友」❺。劉即逢祿，宋即翔鳳。比長，遊段玉裁門，兼治東漢許、鄭之學。嘉慶五年（1800）中舉，歷官泰州學正，旌德訓導，湖南興寧❺、耒陽等縣知縣，咸豐九年（1859），重賦鹿鳴。其著作主要有：《周易考異》二卷，《尚書略說》二卷，《大學古義說》二卷，《論語說義》十卷，《孟子趙注補正》六卷，《小爾雅訓纂》六卷，《過庭錄》十六卷，均收入《皇清經解續編》內。此外，尚有《四書釋地辨證》二卷，《樸學齋文錄》四卷，《香草詞》二卷，《碧雲庵

---

❺ 趙爾巽等：〈宋翔鳳傳〉，《清史稿》，卷482，頁13268。
❺ 《清史稿》作「新甯」，據張舜徽說應為興寧，即今資興，見其所著：《清儒學記》，頁490。

詞》二卷等多種。

宋翔鳳通過莊述祖的傳授，接受了今文經學，並試圖用《春秋》大義闡釋群書，從而擴大了今文經學的陣地。龔自珍正是通過他和莊綏甲的介紹，得知莊存與的治學精神。龔自珍對宋翔鳳不僅有「樸學奇材」的讚語，還寫有「萬人叢中一握手，使我衣袖三年香」❺❻的詩句，於此可見龔氏對他的欽佩之情。宋翔鳳在今文經學的研究上，秉承常州學派的觀點，以為《左傳》、《周禮》等古文經典裡有劉歆竄亂之處，對於疑古思潮的發展，起著推波助瀾的作用。宋翔鳳繼承了歷史上民為邦本的重民思想，要求君主以親民為要，但又擔心老百姓以國本自居，犯上作亂，故又宣揚天命思想，企圖維護封建統治。他看到社會是變易的，但卻認為這種變易只是「文」與「質」的不斷循環，在許多根本的問題上，如「道」與「五常之德」等內容則是不可變易的。由於受到莊存與借經議政思想的影響，宋翔鳳在治學時，亦能注意一些現實問題，如在治理黃河、譏世卿、舉賢而不避親等方面，提出自己的變革主張。

自莊存與復興今文經學之後，今文經學的陣地不斷擴大：莊述祖以《公羊》義說《夏小正》，劉逢祿不僅光大了《春秋公羊》學，而且以《公羊》之義說《論語》和《易經》。宋翔鳳則以《公羊》之義解說群書，將今文經學的陣地從原有的今文典籍上，擴大到《四書》、〈禮運〉，甚至《老子》之書。由於今文經學裡的「微言大義」可為人們談改制，議變法提供理論武器，故在晚清一度成為當時的顯學。追源溯始，則莊存與之家學所致也。

❺❻ 龔自珍：〈投宋于庭〉，《龔自珍全集》，第 9 輯，頁 462。

三、莊存與隨「時」變化的史學思想

莊存與對近代史學思想史的影響在於他不僅復興了今文經學，為此後的人們提供了思想武器，而且他還借闡釋經義的方式，論證了變易改革的必要性，明確提出隨時而變，不斷「修法」的主張，這在當時社會文字獄的威脅極其嚴重之時，實屬難能可貴。

莊存與認為自然界和人類社會都是在不停地變化著，他說：「變化原於天，降於地」❺❼。「變化之為言，天道也」❺❽。自然界裡一切事物都是在不斷地變化之中，人們只有積極地順應這種變化，才能夠治理好國家：「順變化之道以正天下之動，其在時乎！剛，善也，失其時，則不善也；柔，未善也，得其時，無不善也。推地道從天時，以明人事之吉凶。……變化成於寒暑之運，天之進退。」❺❾在莊存與看來，人類社會也像自然界一樣在不停地變化之中，當政者必須及時地調整治國政策，跟上這種變化，如此則無不善矣；如果不能及時改革，即使是好事也會轉化為壞事。因此，「隨時」便顯得非常重要。「隨時」本是《易經》裡的概念，其中包含著極其豐富的變易思想。莊存與受此影響，認為人必須隨時而不能違時，他說：「必隨天地之道，隨天地之時。……天有時而人逆焉，則天不隨焉，隨必隨時，時者，天之為也。」❻❿在他看來，「時」是「天」所造出，是「天道」，人必須遵從這個要求，隨時

---

❺❼　莊存與：《繫辭傳論》，頁2。
❺❽　同前註，頁5。
❺❾　同前註。
❻❿　莊存與：《象傳論》上篇，頁6。

而動，「與時消息」。若逆時而動，則「天下不隨」，不能達到自己的目的。「未有不與時消息而可以通天人古今之宜者也」❻。

莊存與將自然界和人類社會發生變化的原因歸之於「天道」，他所說的「天道」，並不完全是唯心主義者所說的有意志的「天道」，而只是相當於歷史發展的規律這個意思。他說：「變化者，陰陽之所為，天之道也。」❻變化這一「天道」是自然界裡所存在著的陰陽二氣相互作用的結果，由此而導致「物盛則衰，時極則轉」❻。以至於「貴者無常貴，賤者無常賤」❻。用陰陽二氣的相互作用來解釋自然界和人類社會的變化原因，是我國古代歷史裡常見的樸素唯物主義思想，莊存與只是繼承了前人的這種思想而已，在這個問題上，他並沒有超過甚至達到古代某些思想家的認識水平。

莊存與以為，用來治國的法律制度，不可能永遠不變，而應隨著時代的變化，不斷地變化，如此便可保證國家的長治久安。這種變化有兩種類型：「不知其然而然謂之變，制之使然謂之改。自古以來，小大之業，遠近之俗，上下同流，不得其所，雖有聖人之法斷斷無所用之，必至於非聖無法而後止。〈革〉之稱名，殆非文王之所願也。」❻他將變化分成兩類，一類他稱之為「變」，這是自己尚不明白其中的原因就發生了變化，它來勢兇猛，「非聖無

---

❻　莊存與：《彖傳論》下篇，頁 51。

❻　莊存與：《繫辭傳論》，頁 1。

❻　同前註，頁 48。

❻　莊存與：〈諸夏辭〉，《春秋正辭》，卷 7，頁 23。

❻　莊存與：《彖傳論》下篇，頁 42。

法」，致使有國有家者不得其守，這實際上便是革命，連周文王都不願其出現；另一類他稱之為「改」，意思是變化是按照自己預期的方向發展，這實際上便是改革。自古以來，各個王朝的覆滅，便是由於當權者不知道改革，以至於江山易色，身死敵手，為人笑罵而不自知。如果當權者能夠勇於改革，便不會出現「非聖無法」的革命局面了。為了說明他的這個觀點，莊存與以古井為例，說明必須對原有制度進行必要的改革。「舊井多矣，修之則不廢；因而不改，害者福矣。爰有古井，尚存於今，修之力也」❻。法律制度，亦應如此。「敝熟矣，害深矣，不可不革矣」。只要不斷地「修數十世不敝之法，而終無隙焉」❼。

莊存與的「修法」主張，僅僅只是小修小改，而不是革命。他以鳥獸的羽毛時常更新而皮革並不改變的事例來說明他的這種「修法」主張。他說；「毛羽以時更，革不更。不更乃所以更，且其更者，必如其故。」另外，在進行改革時，必須選擇「民心之固若黃牛之革」時，方「可以用革」，若「俗不敝，政不害，雖可革，不革也」❽。這是說，只有在弊極害深，不改革就沒有出路的情況下，才能進行改革。改革的目的在於使現政權「不更」，即為了維護原有統治而進行改革。因此，他特別反對革命，認為「湯、武之放伐亦然。天之所廢必若桀、紂，否則雖名之曰幽、厲，天命未改，諸侯不得行湯、武之事焉」❾。就像古井一樣，只要修修補補

---

❻　莊存與：《彖象論》，頁2。

❼　同前註，頁18。

❽　同前註，頁17－18。

❾　莊存與：《尚書既見》，卷3，頁16。

尚可以勉強使用,「奚必鑿而飲乎」❼？儒家以為,湯、武革命,應天順人,但莊存與卻認為不可輕行,哪怕君主無道到周幽王、周厲王的程度,只要「天命未改」,依然不能進行革命;只有當君主敗壞到桀、紂之時,方可行革命之事。

由於清朝的文字獄極其慘酷,在當時的政治環境下,莊存與雖然要求清政府實行變易改革,可是他卻不敢明明白白地上書表達他的意見,而只是躲在研究經學的外衣下,遮遮掩掩地提出來:「方是時,國家累葉富厚,主上神武,大臣皆自審愚賤,才智不及主上萬一。公自顧以儒臣遭世極盛,文名滿天下,終不能有所補益時務,以負隆之期。」❼並不是大臣皆為愚賤之徒,而是專制的君主不容許他們談論時務!可莊存與卻不願脫離現實地考據,他想以其所學知識有補於時務,這便和當時的現實產生了矛盾。無可奈何之下,莊存與只好採用經書裡所存「聖人之真言」,傳授給「帝冑天孫」,借此實現「以學術開帝」的目的。莊存與的這種做法,表面上看只是研究經學,可事實上卻是「借經議政」。這樣便使得其著作的本意隱晦不明,「史氏不能推其跡,門生、學徒、愚子姓不能宣其道」。致使莊氏之學長期不顯於世。直到龔自珍,方從莊綬甲、宋翔鳳的「推測」之中獲得莊存與的本意。「綬甲始為書測君志,以告綬甲友。……翔鳳則為予推測公志如此」❼。阮元亦以為

---

❼　莊存與:《彖象論》,頁2。

❼　龔自珍:〈資政大夫禮部侍郎武進莊公神道碑銘〉,《龔自珍全集》,第 2 輯,頁 141－142。

❼　同前註,頁 141－143。

莊存與的著作「多可取法致用」❼❸，魏源則以為莊存與借經義批評和珅❼❹，劉逢祿的學生薛子衡看出莊氏於「用人、設教、理財、治獄、行師、命將，皆言之不足而長言之，詳言之不足而反覆言之，若不自知其言之重，辭之危者。……若先生者，其真知人道之務矣」❼❺。薛子衡明白莊存與對於治國安邦之道反覆詳言的目的，在於其希望為現實服務。

天人感應說裡充滿了神秘主義思想，是《公羊》學裡的基本思想。受此影響，莊存與也好談論天人感應之說。在他看來，人類若作了善事，上天便會降下祥瑞以示獎勵；若是作了惡事，上天則會降下災異以示懲罰。「作善降之百祥，作不善降之百殃」❼❻。因此，人們必須謹慎地侍奉上帝，「事天如事親。父母怒之，必誠求其所以然，多方擬議之，既得而後已。此之謂修省」❼❼。一旦上天降下災異，就要認真地考察其產生原因，加強自身修養，以此求得上天的原諒。如果對於上天所降下的災異不去考察其產生原因，也不採取相應的補救措施，依然我行我素，上天就會降下更大的災異，直至亡其國而滅其種。「自古主亂之人，未有不墜命亡氏者，廢興存亡，上帝所以治萬世而不亂也」❼❽。

---

❼❸　阮元：〈莊方耕宗伯經說序〉，《味經齋遺書》卷首，頁2。

❼❹　魏源：〈武進莊少宗伯遺書序〉，《魏源集》（北京：中華書局，1976年），頁238。

❼❺　薛子衡：〈八卦觀象跋〉，頁2－3。

❼❻　莊存與：〈奉天辭〉，《春秋正辭》（《味經齋遺書》），卷1，頁14。

❼❼　同前註，頁15。

❼❽　莊存與：《毛詩說》，卷2，頁2。

　　莊存與認為《春秋》一書所記數起火災，皆是因為各國君主
「不用聖人而縱驕臣，將以亡國」❼⑨，故而上天降下火災。宣公十
年秋所發生的「大水」，則是因為「先是遂不伏辜，仍寵其子，三
桓專政自此始，陰盛極矣」❽⓪。襄公七年，「八月螽」，其原因在
於這一年的夏天，「用眾城費。費，季氏邑也，易常擾民之應」❽①。

　　莊存與談論天人感應，一方面反映出神秘主義思想對他的影
響，另一方面也表現出他欲以此警戒皇帝的思想。在封建社會裡，
君主擁有至高無上的權力，他可以天馬行空，不受任何約束。但
是，若按照天人感應的觀點來看，君主只是上帝之子，受天之命到
人間來治理芸芸眾生，這就在天子的上面增加了一位「天父」，
「天父」在上天監視著天子的所作所為。如果天子作了壞事，上天
便要懲罰他，這勢必會在某種程度上，對天子的行為有所約束。而
上天無言，吉凶禍福全靠人間的今文經學家來解說，這便為今文經
學家議政諫王提供了理論武器。莊存與在談論天人感應時，便包含
了這種積極的思想成份。他說：「人實自敗，非由妖敗，妖由人興
也。人無釁焉，妖不自作。」無論是吉是凶，皆是由人的所作所為
而引起的。「夫人，神之主也，天地之心也」❽②。老百姓所希望
的，也正是上天所希望的，「民之所欲，天必從之」。天不可能決
定國家的興亡，「夫天無必也，國家有將興無必興，有將亡無必

---

❼⑨　莊存與：〈奉天辭〉，《春秋正辭》，卷 1，頁 20。
❽⓪　同前註，頁 23。
❽①　同前註，頁 35。
❽②　同前註，頁 32。

亡，禍福有將至無必至」❸。一切皆取決於老百姓的意願。莊存與
這裡所說的天，已經沒有了那種神秘莫測的內容，它只是民意的代
名詞而已。

　　莊存與繼承了古代「民為邦本」的重民思想，認為「民者，君
之本也」❸。「民者，《春秋》之所甚愛也」❸。因此，君主必須
了解老百姓的若難，「為之主人可不知其苦哉！可不知其何以至於
苦哉」❸！體「恤民力」，節用愛民，「取之時，用之節」❸。
「凡為害於耒耤者」，如「養生泰奢」、「送死泰厚」、「廓地泰
廣」等等，皆「扦而盡去之」❸。同時，大力勸導農民從事耕作，
「導之以耕事」，這是因為「人之生道在穀」，「穀者天地生民之
本也」，「穀之報人不甚遲，不甚速，不大息，不大耗」❸。君主
應以「農夫為本」❹，重視農業生產；若不知此理，一味追求享
樂，必將亡國亡身，「嗜味亡國，其次亡身。」「樂其欲則為天下
害」❹。故而莊存與對於《呂氏春秋》裡的齊民務農之說極其欣
賞，在其著作中加以引用：

---

❸　莊存與：《繫辭傳論》，頁 16。

❸　莊存與：〈諸夏辭〉，《春秋正辭》，卷 7，頁 18。

❸　莊存與：〈外辭〉，《春秋正辭》，卷 8，頁 13。

❸　莊存與：《象傳論》下篇，頁 58。

❸　莊存與：《毛詩說》，卷 2，頁 5。

❸　莊存與：《繫辭傳論》，頁 47。

❸　莊存與：《彖象傳》，頁 21－22。

❹　莊存與：《八卦觀象》，頁 13。

❹　莊存與：《繫辭傳論》，頁 45－46。

> 古先聖王之所以導其民者，先務於農。民農非徒為地利也，
> 貴其志也。民農則樸，樸則易用，易用則邊境安，主位尊。
> 民農則重，重則少私義，少私義則公法立，力專一。民農則
> 其產復，其產復則重徙，重徙則死其處而無二慮。民舍本而
> 事末則不令，不令則不可以守，不可以戰。民舍本而事末則
> 其產約，其產約則輕遷徙，輕遷徙則國家有患，皆有遠志，
> 無有居心。民舍本而事末則好智，好智則多詐，多詐則巧法
> 令，以是為非，以非為是。⑨

　　這段文字從正反兩個方面論證了導民務農的重要意義。老百姓從事農業生產勞動不僅可以增加國家的糧食供應，而且，更重要的是有利於維護封建社會的統治。相反，若老百姓從事工商業（即末業）則必將四處遷徙，不易於管理，從而不利於封建社會的統治。莊存與此時談論這個問題，似乎表明他已經隱約地覺察到工商業者（即未來的資產階級）是封建社會的掘墓人，故而主張極力壓制他們，這表明莊存與的重農建議不過是為了維護封建統治而已。

　　為了達到齊民務農的目的，莊存與要求統治者首先「上農」，即在政策上重視農業；其次「任地」，根據土地高低情況，讓農民分別種植旱地或水田作物；第三「辨土」，根據土壤的性質，種植適宜其生長的作物；第四「審時」，根據節氣的發展，適時種植，

---

⑨　莊存與：《周官記》，卷 5，頁 1。莊綬甲在〈周官記跋〉裡指出，此書係「原本經籍，博采傳記諸子」而成，見《周官記》後所附。按：本段文字出於《呂氏春秋·上農》，感謝研討會上專家對於此條資料出處的教正。

不違農時。如果奪農時而「妨神農之事」，則「天殃加焉」❾❸。莊
存與特別反對戰爭，他以闡釋《春秋》大義的方法，指出：「《春
秋》之法，苦民尚惡之，況傷民乎？傷民尚痛之，況殺民乎？」❾❹
又說：「《春秋》惡兵，所尤痛者，糜爛其民而戰之也。日以志
之，痛此蒼生，同日而就死也，我之救民扶傷不給，彼三國者獨不
寡人之妻，孤人之子，獨人父母乎？以戰勝為榮，彼所以放其良心
者，猶斧斤之於木矣。」❾❺莊存與從「重民」、不違農時等思想出
發，反對戰爭，這可能是針對乾隆時戰爭不斷的現實而發。不過，
乾隆時期的戰爭，有一些是為了維護祖國的統一和完整而進行的，
因此是正義的戰爭，莊存與不論戰爭是否正義，一概加以反對，這
是不正確的。

　　莊存與堅持《公羊》三世說歷史觀。《公羊》學家認為《春
秋》所記魯國十二個君主二百四十二年的歷史，可以根據距離孔子
生活時代的遠近分成三世。距離孔子生活時代最近的昭、定、哀三
位君主的時代為「所見世」，文、宣、成、襄四世為「所聞世」，
隱、桓、莊、閔、僖五世為「所傳聞世」。孔子在《春秋》中對於
三世所發生的事件，用詳略不同的「書法」予以記載，即「所見異
辭，所聞異辭，所傳聞異辭」❾❻。孔子用這種「異辭」的書法，表
示對君主之義的厚薄深淺。到何休時，又將所見、所聞、所傳聞三

---

❾❸　莊存與：〈內辭〉，《春秋正辭》，卷4，頁8、11。

❾❹　莊存與：〈外辭〉，《春秋正辭》，卷8，頁13。

❾❺　莊存與：〈諸夏辭〉，《春秋正辭》，卷7，頁10。

❾❻　這句話在《春秋公羊傳》裡共出現三次，分見隱公元年，桓公二年三月，哀
　　公十四年春。

世分別對應於太平、昇平和衰亂三世。這樣便形成了人類社會由衰亂世到昇平世，再到太平世，不斷地向前發展的歷史模式，從而構成三世說的另一層含義。

莊存與對於三世說的這兩層含義都有所論述。如他在分析《春秋》於隱公七年記載「滕侯卒」的原因時指出：「滕微國也，所聞之世始書卒，所見之世乃書葬，曷為於所傳聞世稱侯而書卒？」這是因為「其子來朝，恩錄其父，王者所不辭也。曷為不卒？其子以朝於弒君者之朝而奪其恩」[97]。三世說的貢獻，並不在於它能解釋《春秋》詳略不同的書法，而在於它指明了歷史發展的方向，故而何休的解釋就顯得格外重要。莊存與對何休的解釋有所了解，他說：「次九曰：張三世。據哀錄隱，隆薄以恩，屈信之志，詳略之文，智不危身，義不訕上，有罪未知，其辭可訪，撥亂啟治，漸於昇平，十二有象，太平以成。」[98]這裡，莊存與已經明確指出歷史是按照撥亂、昇平、太平的順序不斷地向前發展。

在分配上，莊存與深受井田制的影響，要求按照井田制的標準，重新分配土地。他不僅在其著作裡全文抄錄下「井田之法」，而且還設計出〈量地任民譜〉，以求「均土分民」。[99]他說：「自古之厚農人也，均田里，教樹蓄。」[100]「均田里」是一重要內容，故他提出，「凡隸農，田不足而家過五人者，以閑田益之，蠲其租，九分取一，以為公田；不及五人，會其民而合之，否則為餘

---

[97]　莊存與：〈諸夏辭〉，《春秋正辭》，卷7，頁23。

[98]　莊存與：〈奉天辭〉，《春秋正辭》，卷1，頁1-2。

[99]　莊綬甲：〈周官記跋〉，《周官記》後所附，頁1。

[100]　莊存與：《繫辭傳論》，頁47。

夫；田逾制而家過九人，分諸子弟，不及九人則均諸不足者，皆蠲其租」❶。

莊存與生活的時代，土地兼併日益嚴重。莊存與提出按照人口的多少，重新分配土地，其目的可能是為了解決因土地兼併而引起的種種矛盾。但是，井田制不可能解決當時的土地兼併。儘管如此，莊存與重提井田制度，反映出他對於建立一個和諧的小農經濟體制的嚮往與追求，這在當時小農經濟體制日益衰敗之時提出，有著穩定社會的現實意義。

與「均土分民」相呼應的是，莊存與提出「均財」的主張。他看到「庶人財相什佰相千萬則僕役以事之，往亦且不敢不速」的現象，主張將財富「均之」，不使窮人益窮，富人益富的現象加劇，一旦「巨室厭其欲，下貧積其愈」，「澤有偏壅，則山有馳崩」❷。民眾就會揭竿而起。不過，莊存與的「均土」、「均財」主張，並不是真正的平均分配，而只是「有等差」的相對平均，他只是希望「富不至於驕，貧不至於約」——富人不至於「以一人盡數人之食」，窮人則可以「事父母，育妻子」❸。如此而已。因此，我們不應對其平均思想評價過高。

《春秋》是部什麼性質的書？今文經學家和古文經學家的看法不同。古文經學家以為《春秋》是史書，今文經學家則以為《春秋》非記事之書。莊存與認為：「《春秋》，禮義之大宗也，治有

---

❶　莊存與：《周官說補》，卷3，頁6。

❷　莊存與：《彖象傳》，頁8。

❸　莊存與：《八卦觀象》，頁13。

司者也。法可窮，《春秋》之道則不窮。」⑩《春秋》一書裡包含著極其重要的微言大義，「不書多於書，以所不書知所書，以所書知所不書」⑩。那種將其作為記事之史看的觀點是錯誤的。今文經學家之所以知道「書」與「不書」的真正用意，是通過《公羊春秋》得到的，《左氏春秋》不僅不傳《春秋》，而且還是「罪人」，「獲罪聖人者，傳左丘氏者也」⑩。「彼徒據左丘，經將何以明之？經鮮不亂，傳且失之誣矣」⑩。孔子正是利用「書法」的不同，顯示出他對於所記人物與事件的褒貶與進退，以此實現他對天下的治理，「《春秋》，萬事之權衡也」⑩。這便是公羊家所說的「以《春秋》當新王」。以《春秋》當新王，具有非常強烈的批判精神。孔子在《春秋》裡確立起「義法」，以之貶天子，退諸侯，討大夫，「亂臣賊子」難逃其口誅筆伐。而《春秋》之道不窮，後世的人們自然可以援引《春秋》「大義」，發揮孔子的批判精神，評判當世的歷史了。

莊存與認為孔子「制《春秋》以俟後聖」，彷彿孔子預知兩千多年後有個清朝，故在《春秋》中制定出治國的方略，這便是「譏世卿」，但是，「後世之變，害家凶國，不皆以世卿」。那麼孔子為何要「譏世卿」呢？「告為民上者，知天人之本，篤君臣之義也」。這是因為：「彼世卿者，失賢之路，蔽賢之蠹也」。世卿阻

---

⑩ 莊存與：〈誅亂辭〉，《春秋正辭》，卷10，頁9。
⑩ 莊存與：〈春秋要旨〉，頁2。
⑩ 莊存與：〈誅亂辭〉，《春秋正辭》，卷10，頁4-5。
⑩ 莊存與：〈內辭〉，《春秋正辭》，卷5，頁7。
⑩ 莊存與：〈諸夏辭〉，《春秋正辭》，卷7，頁14。

礙了賢人進取的道路，他們必須退出政治舞臺，讓賢人來擔任卿相，「非賢不可以為卿，君不尊賢則失其所以為君」⑩。不是賢人，便不可為卿；君主若不尊重並任用賢人，便失去其作為君主的資格。他勸告後世蔽賢之人，「曷不讀乎《春秋》」⑩？從《春秋》記載臧孫辰的事例中吸取教訓。莊存與批評世卿蔽賢，恰如某些研究者所指出的那樣，其真實目的在於反對滿人貴族把持政權。因為莊存與的時代，世卿是滿人貴族，他們掌握著政權，非滿人貴族不得居高官，非滿人貴族不得據要津。⑪賢人被滿人貴族所壓制，無法施展其抱負，只好沈淪於中下層，聽任歲月磨蝕自己的才華。

莊存與反對君主任用「小人」。在他看來，「小人榮，君子之恥也；小人得，君子之失也。」因此，君主「必先勿用小人」。如果君主不能分辨君子與小人，不能用君子而退小人，致使小人得志，那麼必將給自己和國家帶來極大的損失，「寒暑積而惡始熟矣，及其一旦名辱身危，以快天下之心，而養之者已大過矣」。小人固然惡貫滿盈，一旦名辱身危，自是罪有應得；但是，作為「養之者」的君主，難道沒有「大過」嗎？而且，君主往往自以為自己聖明，結果卻為小人所專權，甚至到了國家有兩君的時候，尚不自知呢。「自謂窮神知化，卒墮於女子小人之術數，至於國有兩君而不寤也」⑫。

---

⑩　以上引文俱見莊存與：〈天子辭〉，《春秋正辭》，卷2，頁14。

⑩　莊存與：〈內辭〉，《春秋正辭》，卷5，頁9。

⑪　參看楊向奎：〈清代的今文經學〉，《繹史齋學術文集》，頁332。

⑫　莊存與：《繫辭傳論》，頁60。

　　莊存與的君子小人之論表面上只是沿襲歷史上的概念，其實他在這裡是有所特指的。魏源說：「君（莊存與）在乾隆末，與大學士和珅同朝，鬱鬱不合，故於《詩》、《易》君子、小人進退消長之際，往往發憤慷慨，流連太息，讀其書可以悲其志云。」⑬魏源認為莊存與談論君子與小人，正是針對和珅而發。然魏源卻僅僅引而不發，未加詳論，致使後人有懷疑此為溢美之辭者。其實，魏源之言，我們可為其尋找出證據來。英國馬戛爾尼使團來華，時間較短，與朝野人士的交往不會很多，即便如此，他們也探聽到一些有關和珅的言論，他們為我們留下這樣一段文字：「這位中堂大人（指和珅）統率百僚，管理庶政，許多中國人私下稱之為二皇帝。」⑭連外國人都知道許多中國人私下裡將和珅稱為「二皇帝」，莊存與當然也完全有可能知道這個稱呼，他在上文裡所說的「國有兩君」，不正是「二皇帝」的另一種說法嗎？

　　莊存與對當時社會裡的學風極其不滿，他批評考據學風道：「辨古籍真偽，為術淺且近者也，且天下學僮盡明之矣，魁碩當弗復言。」⑮他指責當時的那些所謂「學者」，「信口說，背傳記，分文析字，煩言碎辭，斯講習之害也」⑯。又說：「末師口說，每況愈下，俯而就之，道固未有如是其速成者也。」⑰當時的學者，

---

⑬　魏源：〈武進莊少宗伯遺書序〉，《魏源集》，頁 238。
⑭　斯當東：《英使謁見乾隆紀實》，頁 370。
⑮　龔自珍：〈資政大夫禮部侍郎武進莊公神道碑銘〉，《龔自珍全集》，第 2 輯，頁 142。
⑯　莊存與：《彖傳論》下篇，頁 40。
⑰　莊存與：《彖象論》，頁 4。

或尚考據，不過是分文析字的玩意；或尚空談，不過是昔日講習的餘波。這些皆無補於時務。

為了使所學知識能於時務有所補益，莊存與提出恢復古代所實行過的「清議」制度。春秋時代，鄭國人喜歡到鄉校去議論國家大事，有人主張搗毀鄉校，使他們沒有議政的地方。當時的執政大夫子產卻不毀鄉校，他認為從國人的議論裡，可以知道行事的得失，「其所善者，吾則行之；其所惡者，吾則改之」。⑱這大概是最早的「清議」了。東漢黨錮之禍中，太學生聯合少數正直官僚，褒貶人物，激勵士氣，將清議之風推向高潮。後在黨錮的壓制下，清議轉向了清談，失去了原來的進步作用。莊存與對清議大加讚賞，認為「清議曷可少哉？夫清議所以養不中不才之人，使勸勉愧恥，以共輔王路」。通過清議的褒貶，使那些「不中不才之人」受到教育，這對於國家的長治久安關係甚大。可後世清議不存，原因何在呢？莊存與指出這是後世君主以嚴刑峻法相威脅戕害的結果。他說：「世非無深慮知化之士也，然所以不敢盡忠拂過者，多忌諱之禁，忠言未卒於口而身為戮沒矣。」在這種情況下，「其人既在誅絕之列，則不在其位不謀其政，君子焉得引為己責？一國之士又焉得以不論不議為君子恥乎？此非清議所及，乃執法之任也」⑲。君子不議時政，並不是君子的過錯，在嚴刑峻法的威脅之下，忠言尚

---

⑱　《左傳》襄公三十一年。

⑲　以上引文俱見莊存與：《毛詩說》，卷3，頁13－14。

未講完，身首已經分家，在這種情況下，誰還敢議論朝政呢？⑫所以，君子不議朝政，責任在當權者身上。

為了說明清議是自古以來的良法，莊存與引經據典，認為《詩經》、《尚書》裡便有鼓勵群臣直言進諫的詞句：「言雖深痛，暴王不得以為忤。不然幽、厲豈能受？盡言而不以訕上之罪正於司寇也。吾聞先王有不諫之刑矣，未聞有歸過之罰也。今將明大義、垂臣戒，而猥舉幽、厲之所不罪，斥為懟上，等諸不道，開人君縱咨之心，傷忠臣盡諫之志，啟萬世言語之禍，速國家危亡之憂，非所聞也。」⑫即使像周幽王，周厲王這樣無道的君主，也不以直言進諫為忤，可後世卻以明君臣大義的旗號，壓制大臣的直諫，致使忠臣寒心，國家滅亡的速度加快。

要想恢復古代的清議制度，就必須讓人們享有言論自由，統治者不能大興刑罰，更不能有「誅意」之刑。莊存與認為：「古人之善教以為清議，不以作刑罰，苟作刑罰，則秋荼也，幽、厲實用之。」⑫嚴刑峻法是周幽王、周厲王時代才有的，清明之世應該實行「清議」。楚子於七年之內先後殺死三位大夫，對於大夫尚且濫殺，那麼「疏且賤者」必將無所容身，而「民無所措手足矣」。莊

---

⑫　「君子」是我國古代典籍裡經常出現的辭彙。今文經學裡的君子常有卓越的品質，他們站在那主體與客體、個人與社會經由「仁」而結合起來的宇宙中心，通過表現主義行為來整合自我，對於今文經學中所包含的個人表現主義問題的論述，可參看魏斐德：《歷史與意志》（貴陽：貴州人民出版社，1994 年），頁 116－117。

⑫　莊存與：《毛詩說》，卷 4，頁 20。

⑫　同前註，卷 3，頁 13。

存與不禁感歎到：「噫！斯楚之所以敗於吳也。」濫用刑罰的結果，必將導致眾叛親離，「刑人者，與眾棄之」❷。國君不可因其一人之信任與懷疑而殺戮大臣，更不可以像楚子那樣嗜殺成性。國君應慎用刑罰，「獄者，天下之大命，國祚之修短繫焉，不得已而用之，不可以不宜」。不僅要少用刑罰，而且還必須儘量避免使用重刑，做到「刑人也不虧體，罰人也不虧財」。不使犯人的身體和財物受到嚴重的損害。對於犯人應該「小懲而大誡之」，使其認識到犯罪是件可恥的事情，以後不再重犯就可以了。莊存與考察古代的刑罰後指出，古代只有象刑，又稱明刑，對於犯人，「重則置之圜土（牢獄），輕則坐諸嘉石」，從來沒有實行過酷刑。可是，後世刑罰日重，甚至對於「謀而未行」者，皆加殺戮，「罪人以行者為重」，君主「慎毋謬於誅意之法也，若乃所行既善矣，而又誅其意之所從來，斯豈聖人之旨哉」❷？聯繫到乾嘉時代一系列殘酷的文字獄，莊存與要求減輕刑罰，反對誅意的主張，不正是針對當時社會的實際而發嗎？

莊存與治經的目的在於經世致用，所以他不抱門戶之見，不論是今文經說，還是古文經說，他都加以採納。朱珪論《春秋正辭》：「義例一宗《公羊》，起應寔述何氏，事亦兼資《左氏》，義或拾補《穀梁》。條例其目，屬比其詞，若綱在網，如機省括，義周旨密，博辨宏通，近日說經之文此為卓絕。」❷阮元則讚揚其

---

❷　以上引文俱見莊存與：〈誅亂辭〉，《春秋正辭》，卷10，頁39－40。

❷　以上引文俱見莊存與：《象象傳》，頁22。

❷　朱珪：〈春秋正辭序〉，載《春秋正辭》，卷首，頁2。

治《尚書》「不分今、古文文字同異，而剖析疑義，深得夫子序《書》，孟子論世之意」❿。其治《周禮》，「多可取法致用」❿。

四、劉逢祿「窮則必變，變則必反其本」 的史學思想

作為常州學派承前啟後的關鍵人物，劉逢祿對於常州學派的形成關係甚大。從表面上看來，他似乎以為人類社會的歷史是由有意志的天來掌握，流露出唯心主義的天命思想；但若仔細研究，又會發現他在一定程度上繼承了歷史上的重民思想，明確提出「國以民為本」的主張，他認為天下之事，若沒有民眾的支援和參預，是很難取得成功的。從歷史觀上看，他雖然以為人類社會是按照《公羊》三世說的理論，不斷地由低級向高級進化；但是，另一方面他又以為「三王之道若循環」，人類的歷史不過是在重複著三王之道，周而復始地循環著。在社會生活上，他要求平均，懲治貪官污吏，藉以保護日益貧困的貧民；同時他又主張實行封建制，強化諸侯的權力，使他們有足夠的力量鎮壓農民的反抗。

古代社會自身的穩定性，使人們錯誤地以為有一恆常不變之道，貫串著人類社會的始終，西漢時的董仲舒並將其與天聯繫起來，稱「天不變，道亦不變」❿。儘管劉逢祿極其崇拜董仲舒，但對此言卻不苟同。他通過研究歷史發現：三代治國之道並不相同，

---

❿　阮元：〈莊方耕宗伯經說序〉，《味經齋遺書》，卷首，頁 1。

❿　同前註，頁 2。

❿　班固：《漢書·董仲舒傳》（北京：中華書局，1962 年）。

其間存在著因革損易，「周監夏、商而建天統，教以文，制尚文；
《春秋》監商、周而建人統，教以忠，制尚質也」❷。因而得出結
論：「天下無久而不敝之道，窮則必變，變則必反其本，然後聖王
之道與天地相終始。」❸這是說，當天下到了一定的時候，必須要
進行變易，但這種變易只是返回到最初狀態而已。他說：「三王之
道若循環，終則又始。」❹又說：「天運循環，無往不復。」❺因
此，劉逢祿的這種變易思想只是其歷史循環論的表現。

不過，劉逢祿的歷史循環思想卻不同於前人，他在其中加入了
自己的新內容。他說：「自後儒言之，則曰：法後王；自聖人言
之，則曰：三王之道若循環。」❻儒者與「聖人」對於人類歷史的
看法並不相同，對於後代儒者來說，必須取法於後王；而對於「聖
人」來說，歷史不過是不停地重複著三王之道，周而復始地循環
著。「法後王」與「法先王」在儒學發展史上曾有過激烈爭論，劉
逢祿贊同「法後王」主張，反映出其進步的歷史思想。

劉逢祿的這種變易思想，與他在認識事物時所採取的樸素的辯
證觀點分不開。他以為事物總是存在著相反的兩個方面，世界上不
可能只有平地而無高坡，國家之中也不可能只有君子而無小人，
「世不能有平而無陂，至治之國不能無小人」。在處理問題的時

---

❷ 劉逢祿：《公羊春秋何氏解詁箋》，《皇清經解》（學海堂庚申補刊），卷
1290，頁2。

❸ 劉逢祿：〈釋三科例中〉，《劉禮部集》，卷4，頁3。

❹ 劉逢祿：〈詩古微序〉，《劉禮部集》，卷9，頁5。

❺ 劉逢祿：〈詩聲衍序〉，《劉禮部集》，卷7，頁1。

❻ 劉逢祿：〈釋三科例中〉，《劉禮部集》，卷4，頁3。

候,如果僅考慮到問題的一端,則很難正確,「知進而不知退,不可與慮始;知前而不知後,不可與圖終」⑱。他並將此稱為「天地之心」:「無平不陂,無往不復,聖人以此見天地之心也。」⑱因為有此矛盾雙方的相互作用,事物乃至人類社會才會發生變化。劉逢祿在當時採用這種樸素辯證的觀點分析事物,確是難能可貴的。

劉逢祿要求進行社會改革。他明確提出:「否將傾政,可革也。」⑱一旦某項法律制度出現弊端,以至於將要危及國家統治的時候,便應及時予以廢除,不可讓其繼續危害政治。這個觀點是劉逢祿進行改革的出發點。可是,由於劉逢祿所生活的時代正是「日方中而見沫(微暗)」⑱,社會的種種危機雖然已十分嚴重,但還沒有嚴重到龔自珍、魏源的時代那樣,所以劉逢祿的社會改革主張不像龔自珍、魏源那樣激烈,但我們依然能從劉逢祿的著作裡,聽到他那呼喚改革的吶喊。

劉逢祿所生活的乾嘉時代,正是考據學如日中天之時,考據學風對他有很大影響,青年時代的劉逢祿以為:「凡讀書,必先審其音,正其字,辨其句讀,然後可以求其義。」⑱這與戴震所言「由字以通其詞,由詞以通其道」⑱主張若合符節。

但是,劉逢祿不久便有了新的認識。在二十歲時所寫的《春秋

⑱　劉逢祿:〈易言篇〉,《劉禮部集》,卷2,頁14。
⑱　劉逢祿:〈釋三科例上〉,《劉禮部集》,卷4,頁2。
⑱　劉逢祿:〈易言篇〉,《劉禮部集》,卷2,頁15。
⑱　劉逢祿:〈短長吟二章〉,《劉禮部集》,卷11,頁1。
⑱　劉逢祿:〈五經考異敘〉,《劉禮部集》,卷9,頁7。
⑱　戴震:〈與是仲明論學書〉,《戴東原集》(四部備要本),卷9,頁4。

公羊經何氏釋例》裡,他明確提出:「版圖之要,水地之記,司徒、司馬、司空之有司職之,豈聖王之事哉?是故有所弗學而後其學博,有所弗問而後其問審,有所弗思而後其思慎,有所弗辨而後其辨明。屑屑焉天文、地理、術數、兵法之求,亦淺之乎視聖人矣。」⑭在他看來,學者不可能以一己之力同時著力於天文、地理、術數、兵法等方面的研究,再說,天文、地理等問題,皆有專官負責,學者不應越俎代庖,放下究明「聖王之道」的大事不做,而去從事這些瑣碎的研究。

劉逢祿又說:「子夏言學,必以行為本也。後世有僅明小學而不知大學者,子夏之所謂末學也。」⑭小學,指的是文字訓詁之學;大學指的是修身、齊家、治國、平天下的學問。古人對於「小學」不甚重視,他們對於「大學」卻很重視,可到了後代,這種現象恰好相反,人們爭先恐後地去研究「小學」,事實上,這些人正如子夏所說的那樣,只是「末學」而已。清朝的小學因眾多學者的努力,取得了空前的成就,解決了許多長期不得解決的問題,讀懂了許多長期讀不懂的古籍,他們對於學術的貢獻委實不小。但是,這批小學家們多不關心國計民生,埋頭考據,不問現實,脫離了經世致用的學風,因而受到劉逢祿的譏諷:「我朝聲音學,妙契三代盛。作者森如林,復瓿我心怲。」⑭他以為那些聲音文字學的著作,除了用來覆甕口之外,實無多少用處。不過,對於包括小學在

---

⑭ 劉逢祿:〈釋地例〉,《劉禮部集》,卷4,頁40。

⑭ 劉逢祿:《論語述何》,《皇清經解》,卷1297,頁3。

⑭ 劉逢祿:〈屠琴塢說詩圖〉,《劉禮部集》,卷11,頁11。

內的考據學的貢獻也不應完全否定。

劉逢祿有此不同於考據學家的見解，是因為他自幼受外祖父莊存與所發明的《春秋》公羊學的影響，以為研究學問的目的在於「達政」，他說：「六義貴達政。」⑭故其治經重微言大義，對於董仲舒、何休等人借經議政的著作尤為喜愛，自言：「祿束髮受經，善董生、何氏之書，若合符節。則嘗以為學者莫不求知聖人，聖人之道備乎五經，而《春秋》者，五經之筦鑰也。先漢師儒略皆亡闕，惟《詩》毛氏、《禮》鄭氏、《易》虞氏有義例可說，而撥亂反正，莫近《春秋》，董、何之言，受命如響，然則求觀聖人之志，七十子之所傳，舍是奚適焉？」⑭學者治學的目的在於「求知聖人」，而「聖人」已經死去，其道保留在五經之中，先漢師儒（今文經學家）得孔子真傳，但他們對於五經的闡釋大都亡佚，惟少數幾人所言義例尚有保存，對於後世的學者來說，只有從現存的這些書中方可尋覓到「聖人」的「微言大義」。本著這種認識，劉逢祿便走上了與考據學者不同的道路。

當然，劉逢祿對於考據學並非完全否定，他對考據學的這些微詞，也不像比他生活時代略後的龔自珍、魏源的批判那樣有力，這是因為劉逢祿所生活的時代，社會危機沒有龔、魏時代那樣深重的緣故。劉逢祿依然生活在康乾盛世的餘光之中，但他卻彷彿預感到大廈將傾的危機。針對考據之學脫離經世致用傳統的弊端，他痛下針砭，號召以公羊學的微言大義取而代之。劉逢祿對於考據學的微

---

⑭　同前註。

⑭　劉逢祿：〈春秋公羊釋例序〉，《劉禮部集》，卷3，頁22—23。

詞，顯示出這種學風已不適應時代需要，即將為一種新學風所取代的趨勢。

與不滿考據學風的同時，劉逢祿積極倡導經世致用的新學風。他在解釋「溫故知新」這一成語時，賦予它以嶄新的意義。他說：「故，古也，六經皆述古昔稱先王者也；知新，謂通其大義以斟酌後世之製作，漢初經師是也。」⑮學者治學應該像漢初經師那樣，從對古代的研究，尤其對六經的研究中，獲得其中「大義」，用來為後代的「制作」提供指導。劉逢祿的這種主張是對中國歷史上經世致用優良學風的繼承與發展，是晚清地主階級改革派談改制、議變法的先聲。

劉逢祿研究《易經》，繼承了張惠言「引伸〈文言〉舉隅之例」的治學特點，將其與現實政治聯繫起來。如他曾引用《易經·中孚》裡「遯魚吉」這句話，要求當政者不可嚴刑峻法，只有法寬民方可得到安寧，人民與統治者才能共度危難。他說：「以政率者畏，以教率者化。夫民猶魚也，網密則魚無所遁，法寬則民格。《中孚》：『遯魚吉。』繼亂世以蘇民也，民蘇而邦可化也。漢之伯九有也，入關而除秦苛法，刑新國用輕典，改元立政莫先於此。故曰：牧民者務在安之而已，安之而後可與危，靜之而後可與動。」⑯案：對於《易經·中孚》這句話，元人吳澄、明人何楷、清人馬國翰及今人高亨等學者皆以為：「豚魚，即河豚，江豚，海

---

⑮　劉逢祿：《論語述何》，《皇清經解》，卷1297，頁4。
⑯　劉逢祿：〈易言篇〉，《劉禮部集》，卷2，頁15。

豚,魚之豕頭者也。」❿而劉逢祿卻將豚魚作「遯魚」解,從而將遙遠古代的占卜之術與現實政治結合起來。

劉逢祿曾經寫過四十章〈連珠〉。他說:「〈連珠〉兆於韓非,引於揚、班,言近旨遠,假物連類。」❿於此可見,〈連珠〉的意義在於托物諷諭之上。劉逢祿在所寫〈連珠〉中,建議皇帝生活節儉,不可奢侈浪費;處理問題時,廣泛聽取人們的意見,兼聽則明,偏信則暗;選拔官吏的時候,應首先考察其器識的優劣,其次才是文藝的高低。

在天與人之間的關係上,劉逢祿受到天人感應說的影響,以為天是有意志的存在,強調天與人之間互相感應。他說:「天之告人主,先之以災異,而後亂亡從之,……聖人撥亂反正,尤重於上律天時,下襲水土。」❿上天對於皇帝確實是愛護備至,先是用災異來警告他,若不思改正,才降下亂亡之禍。而對於「聖人」來說,若欲撥亂世反之正,所採取的行動必須合乎「天時」,否則上天不加保佑,依然不能達到目的。在他看來,清朝的建立是「誕膺天命」,康熙平定三藩之亂及嘉慶平定白蓮教起義均是因為皇帝「睿

---

❿ 高亨注:《周易大傳今注》(濟南:齊魯書社,1979年),卷4,頁477。

❿ 劉逢祿:〈八代文苑敘錄〉,《劉禮部集》,卷9,頁12。按,劉氏此說不確。據《文選》引傅玄〈敘連珠〉曰:「所謂「連珠」者,興於漢章之世,班固、賈逵、傅毅三子受詔作之。其文體辭麗而言約,不指說事情,必假喻以達其旨,而覽者微悟,合於古詩諷興之義。欲使歷歷如貫珠,易看而可悅,故謂之「連珠」。」見《文選》(上海:上海古籍出版社,1994年),卷55,頁2383。此條資料出處為陳鴻森教授告知,謹致謝意。

❿ 劉逢祿:〈釋災異例〉,《劉禮部集》,卷4,頁41。

知神武，與天合撰」，「神謨廟略，動合天心」❿的原因。「天惟求德而簡畀之。……吉不恃，亂斯可弭」❶。有意志的天選擇有德行之人授予他治理國家的大任，對於皇帝來說，不依靠那些「瑞應」，禍亂才可消失。他又說：「人君自仁愛而天仁愛之，人君自昏昧而天亦應以昏昧。」❷上天根據皇帝的表現而降禍福，這樣就將災禍產生的原因歸結到皇帝個人的德行修養之上，從而突出了皇帝自身行為的重要性。換句話說，人類的禍福是由人（尤其是皇帝）的所作所為而決定。由此看來，劉逢祿談論天人感應，目的在於告誡皇帝不可胡作非為。故他又說：「夫陳說先王而失譴告之旨，謂之不學無術；……諱其事之著而不肯戚言於上，謂之曲學阿世。」❸一旦天降下了災異，便應如實上報皇帝，同時分析其產生的原因，要是不分析原因，便是不學無術；要是隱瞞原因，便是曲學阿世，二者皆非儒者所應為。「故深於天文者，不惟知其位次度數而已，又能推其薄蝕危亡之故，本於人事而整齊之」❹。談論天人感應，不僅要確切地搞清楚發生了什麼災異，而且更重要的是要能夠找出災異發生的原因，然後通過政治改革來消災弭禍。天通過災異來影響人，人也可通過改革政治影響天，二者相互作用。劉逢祿的這種言論，早已為兩漢無數儒者所談論過，沒有多少新鮮的內容。天人相與問題，一方面表現出唯心主義思想，另一方面也表現

---

❿　劉逢祿：〈擬南苑大閱賦〉，《劉禮部集》，卷1，頁23。

❶　劉逢祿：〈易言篇〉，《劉禮部集》，卷2，頁13。

❷　劉逢祿：〈釋災異例〉，《劉禮部集》，卷4，頁42。

❸　同前註，頁41。

❹　劉逢祿：〈釋九旨例上〉，《劉禮部集》，卷4，頁7。

出他欲以此為其改革政治服務的思想。封建社會裡，皇帝至高無上，昏庸之主常因無所畏懼而胡作非為。而天人相與則可在一定程度上對皇帝有所制約，尤其因為儒者操有對天人相與的解釋之權，他們便常可通過對災異產生原因的解釋來達到改革政治的目的，因而談論天人相與，在當時也有一定的積極意義。

劉逢祿繼承古代重民思想，明確提出「國以民為本」❶❺❺的主張。在他看來，《春秋》一書「譏初稅畝，用田賦，作丘甲，城築必書，皆重民也」❶❺❻。有時，他甚至特別重視民的作用，他說：「天下之患必與天下共濟之，眾志既孚而後可徵也。」❶❺❼天下的禍患必須和天下之人共同解決，只有所有人都擁護你，才可能取得最後的成功。但是，在談到人類的起源時，劉逢祿沒有採納那些宗教上種種荒誕不經的說法，而是堅持認為：「人受陰陽之氣以生，若水之漸魚也。」❶❺❽人類的產生就像魚類的產生一樣，不過是受陰陽二氣的作用而已，絲毫也不神秘。

從「重民」的思想出發，劉逢祿要求進行經濟、政治改革。清代乾嘉以後，土地高度集中在少數地主之手，「近日田之歸於富戶。大約十之五六，舊日有田之人，今俱為佃耕之戶」❶❺❾。因此，當時社會貧富兩極分化極為嚴重，「一家而有數千百家之產，則以

❶❺❺　劉逢祿：〈制國邑〉，《劉禮部集》，卷5，頁15。
❶❺❻　劉逢祿：《論語述何》，《皇清經解》，卷1297，頁2。
❶❺❼　劉逢祿：〈易言篇〉，《劉禮部集》，卷2，頁14。
❶❺❽　劉逢祿：〈釋災異例〉，《劉禮部集》，卷4，頁42。
❶❺❾　《皇清奏議》，卷23，乾隆十三年，楊錫紱奏。

一家而致失業者數千百家也」⑩。貧富分化的加劇，導致「民變」
此伏彼起。針對這種情況，劉逢祿提出改革建議：「蓋均無
貧。……使民富不足以驕，貧不至於憂，以此為度而調均之，是以
財不匱而上下相安。」⑩劉逢祿看出社會不安定的根本原因在於貧
富兩極的嚴重分化，他企圖以相對平均的方法，維持貧民的生活，
緩解二者之間日益緊張的關係。雖然劉逢祿提出了相對平均的解決
方法，但是，他並沒有提出實現相對平均的辦法，因而這個建議只
是一種空想而已。

乾嘉時代，吏治敗壞，各級政權機構中，賄賂公行，劉逢祿對
此有著較為清醒的認識，他說：「誅奸禁暴，有司之事。有司誨
淫，厥風用熾。吏胥舞文，亂紀乖法。鷹貪鴟嚇，柔弱是脅。」⑫
各級官吏像鷹鴟一樣貪得無厭。他又說：「刑罰之不中也，則上之
縱也。上縱則下暗，下暗則上蒙，且暗且蒙，無以相通。」⑬當時
出現的種種刑罰不合律例的現象，皆是上層統治者放縱下層吏胥的
結果。若欲改變諸如此類的問題，只有先從最高層抓起，他說：

> 夫醫者之治疾也，不攻其病之已然而攻其受病之處。〈小
> 雅〉盡廢，亂賊所以橫行也。《春秋》欲攘蠻荊，先正諸
> 夏；欲正諸夏，先正京師。欲正士庶，先正大夫；欲正大

---

⑩　錢維城：〈養民論〉，《皇朝經世文編》（道光十年刊本），卷11，頁9。
⑪　劉逢祿：《論語述何》，《皇清經解》，卷1298，頁6。
⑫　劉逢祿：〈張貞女獄議〉，《劉禮部集》，卷10，頁14。
⑬　劉逢祿：〈易言篇〉，《劉禮部集》，卷2，頁5。

夫，先正諸侯；欲正諸侯，先正天子。⑯

他以為社會上的所有問題，總根本在京師與天子的身上，解決
的根本方法是先正內後正外；先正天子，後正文武百官，「故平天
下在誠意，未聞枉己而能正人者也」⑯。其身正，不令而行；其身
不正，雖令不行。劉逢祿看出當時社會各種弊病產生的根本原因在
於最高統治者，他希望約束統治者的自身行為，消除其中的腐敗分
子，達到「左右前後罔非正人，任官受祿不素餐也」⑯的清明政
治，國家便可長治久安。

嘉慶年間，「民變」不斷，嚴重動搖了清朝的統治基礎。有鑒
於此，劉逢祿提出擴大地方政府的權力，使他們如古時之諸侯，一
旦發生「民變」，便可及時予以撲滅。他說：

> 夫郡縣之法勢不能重其權，久其任，如古諸侯也。一旦奸民
> 流竄，盜賊蜂起，其殃民而禍及於國，秦、漢之忽亡，晉季
> 之紛擾，視三代之衰則悌矣。聖賢之才不世出，則莫若修封
> 建之制，得如齊桓、晉文者以為方伯，連帥則滅亡之禍可
> 弭，而侵奪之罪可正。君國子民，求賢審官以輔王室，以救
> 中國。持世之要務，太平之正經。⑯

---

⑯　劉逢祿：〈貶絕例〉，《劉禮部集》，卷4，頁16。
⑯　劉逢祿：〈釋三科例〉下，《劉禮部集》，卷4，頁6。
⑯　劉逢祿：〈易言篇〉，《劉禮部集》，卷2，頁3。
⑯　劉逢祿：〈釋兵事例〉，《劉禮部集》，卷4，頁38。

他甚至將封建的作用誇大到無以復加的地步:「封建之於治,如宮室之有楹,舟之有維楫,柞枝之有葉也,其可一日去也!」**⑯**

劉逢祿想借恢復封建制,促使地方政府擔當起維護當地治安的責任,從而實現地主階級統治的長治久安。其實,劉逢祿的這個主張純粹是空想。歷史早已證明,封建制對於中央集權來說,只會產生離心作用,它不可能成為鞏固國家統一的力量。

劉逢祿以為恢復封建制,有利於選拔人才。出現於隋唐的科舉制度,經過近千年的發展,此時已經越來越難於選拔出有真才實學之士,以至於「爵祿所及,未必非有文無行之士」**⑯**。要是實行封建制便可克服這一弊病。殊不知,科舉制的出現,正是為了改變封建制任人唯親,以至於有真才實學之人難於脫穎而出的弊端。科舉制雖然存在著這樣那樣的問題,但比起封建制的選官制度來說,則要進步得多。當然,劉逢祿之所以如此說,也是有其隱衷的。我們知道,劉逢祿出身於世代簪纓之家,祖父任軍機大臣,父親任內閣中書,但到了他本人,卻艱於科舉,屢試不第,直到三十九歲,方中進士。後僅擔任禮部主事這一閑差。到了他的兒子輩,則幾乎沒有任何官職了。若實行封建制,則可憑祖、父的餘蔭,子孫世代為官,這大概是其要求實行封建制的個人心理原因吧。

五、宋翔鳳「不必泥古人之陳跡」的史學思想

宋翔鳳生活時代長達八十餘年,直到第二次鴉片戰爭之後方去

---

⑯ 劉逢祿:〈十七諸侯終始表序〉,《劉禮部集》,卷4,頁44。
⑯ 劉逢祿:〈釋九旨例〉下,《劉禮部集》,卷4,頁11。

世。兩次鴉片戰爭的炮火震醒了許多先進的中國人，他們或是談改制、議變法；或是倡導師夷長技以制夷，圖謀挽救國家和民族所面臨的嚴重危機。但是，生活在這個時代裡的宋翔鳳對此卻無動於衷，依然在我行我素地研究經學。他借闡釋今文經學裡的「微言大義」的機會，提出「不必泥古人之陳跡」的主張，要求及時變法改革，但對於封建三綱五常等根本問題，卻又以為是永遠不能改變，這就使得他的史學思想帶有很大的侷限性。龔自珍、魏源去世的年代雖比他要早許多年，但二人的史學思想卻比他還要先進許多，鴉片戰爭之後救亡圖存的社會現實對他的史學思想似乎沒有什麼影響，從他的那些著作中，我們幾乎感受不到近代的氣息。從宋翔鳳的身上，我們看到純粹的今文經學研究已經走進了死胡同，只有將今文經學與社會現實結合起來，才能發揮它的社會作用。宋翔鳳對近代史學思想史的貢獻主要表現在對今文經學的發揚光大及對龔自珍、康有為等人思想的影響上。

宋翔鳳繼承和發展了今文經學的理論。他以為《春秋》之中存在著許多「微言大義」，學者若欲求其義，「舍今文家未由也」。**⑰**只有今文經學裡，才保存有孔子的「微言大義」，具體地說，這些「微言大義」是指：「《春秋》之作，備五始、三科、九旨、七等、六鋪、二類之義，輕重詳略，遠近親疏，人事浹，王道備，撥亂反正，功成於麟，天下太平。」**⑰**這是說《春秋》一書通過對親

---

⑰ 宋翔鳳：〈元年春王周正月〉，《過庭錄》（北京：中華書局，1986 年），卷9，頁149。

⑰ 宋翔鳳：《論語說義》，收入《皇清經解續編》，卷389，頁10。

疏遠近等事物記載的詳略不同，表達出孔子對於治理亂世的態度和對於太平世的嚮往。

宋翔鳳以為不僅《春秋》中有孔子的「微言大義」，而且其他儒家典籍中也有孔子的「微言大義」，如《論語》中就寄託了孔子的許多「微言大義」，包含著「太平之治，素王之業」⑫，彌足珍貴。他說：「孔子受命作《春秋》，其微言備於《論語》。」⑬在篇次的安排上，「《論語》於〈學而〉之後，次〈為政〉之篇，著明堂法天之義，亦微言之未絕也」⑭。「《論語》顯斥季氏而深沒文公，是《春秋》之微言也」⑮。因此，「《論語》一書，皆聖人微言之所存，……吾故曰：仲尼沒而微言未絕，七十子喪而大義未乖，蓋其命意備於傳記，千百世而不泯者，是固好學深思者之所任也」⑯。

《尚書》、《易經》之中也有孔子的「微言大義」。他說：「《尚書》者，述五帝、三王、五伯之事，蠻夷猾夏，王降為霸，君子病之。」孔子為了「戒後王，制蠻夷，式群侯」⑰，在寫作〈書序〉時，「於誅紂則闕其文，於周公攝政則微其辭，以見聖人處變非常異誼也」⑱。因此，《尚書》之中保存有孔子的「微言大

---

⑫　宋翔鳳：〈論語說義序〉，《皇清經解續編》，卷389，頁1。

⑬　同前註。

⑭　同前註，頁7。

⑮　宋翔鳳：《論語說義》，《皇清經解續編》，卷390，頁4。

⑯　宋翔鳳：《論語說義》，《皇清經解續編》，卷398，頁2-3。

⑰　宋翔鳳：《尚書譜》，《過庭錄》，卷6，頁121。

⑱　同前註，頁118。

義」。《易經》一書中含有豐富的歷史變易思想，宋翔鳳對《易經》有所研究，著成《周易考異》二卷，主要考證諸本文字的異同，和當時考據學者的研究，實無太大區別。他以為《易經》之中包含有孔子「太平之世」的理想，「明天道以通人事」，與《春秋》「紀人事以成天道」❿相輔相成。《易經》「四德」，通於《春秋》「五始」，「《易》有四德，《春秋》有五始」❽，說明《易經》與《春秋》之義相通。

宋翔鳳認為〈禮運〉之中亦包含了孔子的「微言大義」，他說：「〈禮運〉為七十子所傳之大義」，其中包含有「據魯、親周、故殷、紬夏之說。……〈禮運〉一篇，皆發明志在《春秋》之義」❽。〈禮運〉「以禹、湯、文、武、成王、周公為六君子，以素王當之，亦繼君子之號」❽。宋翔鳳對於〈禮運〉篇中所描繪的大同遠景深信不疑，他稱井田制度是先王所立「經常之法」❽，在詳考歷史上關於井田制的種種說法之後，宋翔鳳指出：井田一廢，雖然「渺無遺規可見，而至今誦班固、何休之言者若恍親三代之治」❽，那種否定井田制的說法是錯誤的。他還要求君主選用賢人治國，「為邦家立太平之基」❽，使天下人民「各安其居，樂其

---

❿　宋翔鳳：《論語說義》，《皇清經解續編》，卷393，頁2-3。

❽　宋翔鳳：《論語說義》，《皇清經解續編》，卷391，頁1。

❽　宋翔鳳：《論語說義》，卷390，頁6-8。

❽　宋翔鳳：《論語說義》，卷389，頁1。

❽　宋翔鳳：《尚書略說下·般庚》，《過庭錄》，卷5，頁83。

❽　宋翔鳳：《孟子趙注補正》，《皇清經解續編》，卷401，頁8。

❽　宋翔鳳：《大學古義說》，《皇清經解續編》，卷388，頁12。

業，老有所終，壯有所用，幼有所長，矜寡孤獨廢疾者，皆有所
養」⑱，這顯然受到〈禮運〉篇所描繪的大同理想的影響。

宋翔鳳以《春秋》之義貫之〈禮運〉，對大同太平世的嚮往
等，對於康有為的思想有所影響。康有為撰《禮運注》，將《公
羊》三世說理論與〈禮運〉大同、小康之論結合起來，指出中國二
千年來，皆為小康之世，目前已到了向大同世轉化的關鍵時刻，
「將納大地生人於大同之域，令孔子之道大放光明」⑲，要求清政
府立即變法改革，實行君主立憲制，致中國於「大同之域」；又撰
《大同書》，宣揚大同理想。儘管康有為所言的大同理想與宋翔鳳
所言的太平世之間存在著根本的不同，但二者之間似有一定的思想
淵源關係。

宋翔鳳不僅認為儒家典籍裡貫穿著《春秋》大義，甚至認為老
子所著《道德經》亦與孔子之說相流通。他說：「老子之說，通乎
《易》與《論語》。」⑳在他看來，老子著書，正是用來闡明「黃
帝自然之治，即〈禮運〉篇所謂『大道之行』」，故其書先道德而
後仁義；孔子六經，闡明的是禹、湯、文、武、成王、周公時代的
政治，也就是〈禮運〉篇所說的「大道既隱，天下為家」時的政
治。孔子用六經「申明仁義禮知以救斯世」，因此，「黃老之學，
與孔子之傳，相為表裡者也」㉑。

---

⑱　宋翔鳳：《大學古義說》，《皇清經解續編》，卷388，頁15。

⑲　康有為：〈禮運注序〉，《孟子微禮運注中庸注》（北京：中華書局，1987
年），頁236。

⑳　宋翔鳳：《論語說義》，《皇清經解續編》，卷390，頁32。

㉑　宋翔鳳：〈老子〉，《過庭錄》卷13，頁214。

在宋翔鳳看來：「微言之存，非一事可該；大義所著，非一端足竟。」⑲因此，各種典籍之中，都可能含有孔子的「微言大義」。龔自珍亦以為五經之中皆貫串著孔子的三世理論，並著〈五經大義終始論〉及〈答問〉九篇，專門予以論述。⑲於此可見，隨著今文經學的發展，今文經學家試圖以《春秋》之義貫於群書的治學傾向。

宋翔鳳敢於疑古，他以為古文經學著作大多為劉歆所竄亂或偽造，因此並不能真實地反映出孔子的思想。劉逢祿曾以為《左傳》不傳《春秋》，《左傳》原名為《左氏春秋》，劉歆等人為了個人的目的，「多緣飾《左氏春秋》以售其偽」⑲，增刪纂改《左氏春秋》的內容。東漢以後，人們「以訛傳訛」，遂有《春秋左氏傳》的名稱。受劉逢祿的影響，宋翔鳳說：「《左氏》所載，存史之文，非《春秋》之正義也。」⑲又說：「《左氏》不傳《春秋》，其云：春正月、夏四月，以《史記》引《左氏》校之，往往無春、

---

⑲ 蕭一山：《清代通史》，頁 1744。

⑲ 龔自珍：〈五經大義終始論〉及〈答問〉九篇，據吳昌綬《定庵先生年譜》，作於道光三年（1823）；宋翔鳳以《春秋》之義貫群書的思想主要表現於《論語說義》之中，而是書成於道光二十年（1840），遠遠後於龔氏成文年代。如果從成書年代上分析，似乎龔自珍影響宋翔鳳。但龔自珍對今文經學的學習和研究，則是源於莊綬甲、宋翔鳳的介紹及劉逢祿的傳授；宋翔鳳自幼便隨莊述祖學習今文經學，又年長龔氏十餘歲，若言龔影響宋，似於情理不合。存疑待考。

⑲ 劉逢祿：《左氏春秋考證》，《皇清經解》，卷 1294，頁 1。

⑲ 宋翔鳳：〈鄭伯克段於鄢〉，《過庭錄》，卷 9，頁 150。

夏字,知劉歆以傳合經,始依經文加之,實違《春秋》之義。」❶
這是說劉歆增添四時之文於《左傳》。這也是劉逢祿的觀點,劉逢
祿以為莊公二十六年之文,實為劉歆采《左氏》之文,「而增春、
夏、秋、冬之時」❶,以此來附會經文。《左傳》以為隱公二年所
記之夫人子氏為仲子,又「傳會尹氏卒為君氏,而以為聲子」,這
和《公羊傳》的記載亦不相同,宋翔鳳以為這是「劉歆之徒,欲尊
《左氏》,遂竄其文,與《公羊》立異」。其實「《左氏》但存史
文,故闕褒刺之義。凡論義例,當用《公羊》」。❶這樣是不是就
完全否定了《左傳》的地位呢?並不是如此。宋翔鳳以為《左傳》
之中雖然沒有《春秋》之正義,但卻保存了史文,依然可稱為「良
史」,他說:《左傳》「宜為良史,終不可廢,但當辨其古字古言
而芟夷其竄亂,固在好學深思之人矣」❶。

　　宋翔鳳認為《周禮》可能是戰國諸人所造,他說:「《周禮》
之傳,無所師承,或者戰國諸人剗周公之制作,去其籍而易其文,
合其毀壞並兼之術,故何君(休)譏為戰國陰謀之書。」然而馬
融、鄭玄二人因篤信古文經,「就《周禮》轉詁他經,幾使孔、孟
之所傳,分為兩家之異學,積疑未明,大義斯蔽,後之儒者,不可
不辨也」❶。他還以《孟子》、〈王制〉等書的記載,證明此論,
他說:「按:〈王制〉,漢文帝時作,時《周禮》未出,所謂古

---

❶　宋翔鳳:《論語說義》,《皇清經解續編》,卷 395,頁 2。
❶　劉逢祿:《左氏春秋考證》,《皇清經解》,卷 1294,頁 18－19。
❶　宋翔鳳:《過庭錄》,卷 9,頁 151。
❶　宋翔鳳:《論語說義》,《皇清經解續編》,卷 391,頁 7。
❶　宋翔鳳:《論語說義》,《皇清經解續編》,卷 389,頁 3－4。

者,指春秋以前也。周公成文、武之德,時《周禮》未出,不當改治岐之政,以此益見《周禮》為戰國陰謀之書。孟子欲變戰國之法,故與《周禮》異。」⑲

　　古文《尚書》自閻若璩著成《尚書古文疏證》之後,偽書之論已成鐵案。丁晏又作《尚書餘論》,列舉十九項證據,企圖證明作偽者為王肅,當時不少人都相信丁氏之說。劉逢祿在認真研究漢朝今文《尚書》學者的言論之後,堅持認為古文《尚書》出於劉歆偽造⑳,宋翔鳳亦是如此,他從《尚書》經文及〈書序〉中將周公稱為周公,將王稱為王這種用詞上,發現了作偽的證據,認為這是「劉歆實亂之也」,「歆假飾《書》以傅會王莽,而鄭君(玄)說《書》於武王、周公之事多惑於劉歆而又參以己見,不如太史公得古文舊說之為可信也」㉑。他又引用莊述祖的觀點,認為《尚書·嘉禾》篇所言「假王」,實際上是「格王」的意思,「古文假、格通」,即諫王的意思,「而佞邪傅會,乃謂周公假王者之號,是所云十六篇,皆歆等以意屬讀,非復古文舊書,宜博士不肯置對矣」㉒。按:劉歆曾為設立古文《尚書》博士之事寫信責備太常博士們「信口說而背傳記,是末師而非往古」㉓。史書沒有記載太常博士們的答辭,在宋翔鳳看來,這是因為太常博士們覺得劉歆之言,不

---

⑲　宋翔鳳:《孟子趙注補正》,《皇清經解續編》,卷400,頁4。

⑳　劉逢祿:〈書序述聞〉,《劉禮部集》,卷6,頁2。

㉑　宋翔鳳:《尚書略說下·武王伐殷年》,《過庭錄》,卷5,頁87-88。

㉒　宋翔鳳:《尚書譜》,《過庭錄》,卷6,頁109。

㉓　班固:〈劉歆傳〉,《漢書》(北京:中華書局,1962年),卷36,頁1970。

值得反駁。可宋翔鳳卻不能忍受劉歆的指責，作〈擬漢博士答劉歆書〉，反對包括古文《尚書》在內的古文經學。

宋翔鳳還懷疑劉歆《三統術》所記周朝年代的正確性。他指出：劉歆自云作《三統術》，「據魯公伯禽以下為紀」，可《史記‧魯世家》並無伯禽年數，則此必為劉歆「所臆度」；《三統術》引〈魯世家〉考公以下的年代數，多不與《史記》合，因此，後漢就有人批評劉歆「橫斷年數，損夏益周，考之表紀，差謬數百」[204]。由此可見：「《三統術》之年數，皆附會損益以遷就其術，漢人已言之，不足憑也。」[205]他稱讚江永不信《三統術》為「卓識」。[206]

作為今文經學家的宋翔鳳，承襲今文經學的觀點，懷疑古文經為劉歆所竄亂，並連帶懷疑到劉歆所著《三統術》之上，這和劉逢祿對古文經的否定一起，形成了一股疑古之風，對於此後疑古史學思想的發展，起到了前趨先導的作用。

像常州學派的其他成員一樣，宋翔鳳也愛談論民為邦本。他以為，「君非民不立」[207]，要是沒有了老百姓，君主雖說是誕膺天命，國家是「天帝」賜給君主的，但更是老百姓賜給的，「國者天之所與，實民之所與也，故得國以親民為要」[208]。為此，他要求君

---

[204]　宋翔鳳：《尚書略說下‧武王伐殷年》，《過庭錄》，卷5，頁88。

[205]　宋翔鳳：《尚書譜》，《過庭錄》，卷6，頁113。

[206]　宋翔鳳：《孟子趙注補正》，《皇清經解續編》，卷400，頁12。

[207]　宋翔鳳：《尚書略說》下，《過庭錄》，卷5，頁84。

[208]　宋翔鳳：《大學古義說》，《皇清經解續編》，卷387，頁13，南菁書院本（下同）。

主治國以「親民為要」，各項法律制度皆必須合乎眾人的好惡，若能做到「合民之所好所惡，則好惡為天下之至公」，便可「天下一家，中國一人」[209]，無往而不勝；若是反其道而行之，不與民同好惡，甚至「不顧法令之日煩，人心之日蔽，不旋踵而禍亂至」[210]。

宋翔鳳一方面談論民為邦本，但另一方面他又大談天命思想。他說：「夫王者之興以民也。天命所在，無所可避；天命不予，無所可幸也。」[211]雖然王者之興離不開老百姓的支援，但若沒有「天命」的庇護，也是不可能取得政權的。從表面上看，「天命」與「民本」二者似乎矛盾，但宋翔鳳卻將二者統一起來，他既期望統治者從民為邦本的思想出發，改善當時政治，不與民爭利，藉以維持統治階級的統治；同時，他又害怕老百姓自我意識的覺醒，從而危及政治，故而他既講民本，又講天命，其最終目的完全相同，即維護清朝統治。

宋翔鳳繼承了今文經學中的歷史變易思想。今文經學中含有極其豐富的歷史變易思想，如「通三統」、「張三世」便是如此。在今文經學家看來，夏、商、周三代的正朔各不相同，他們所崇尚的顏色亦不相同，三代的典章制度也存在著因革損益。三世說則將《春秋》時代歷史分成據亂世、昇平世和太平世三個階段，後一階段比前一階段要進步，因此，其中也包含著歷史變易和發展的思想。宋翔鳳繼承了董仲舒以來的今文經學家的觀點，以為《論語》

---

[209] 宋翔鳳：《大學古義說》，《皇清經解續編》，卷388，頁11。

[210] 同前註，頁13。

[211] 宋翔鳳：《論語說義》，《皇清經解續編》，卷392，頁10。

所記載的孔子所說：「殷因於夏禮，所損益可知也；周因於殷禮，所損益可知也；其或繼周者，雖百世可知也。」這是孔子借此以明「通三統之義」。㉒又說：「三王疊用天、地、人之正，兼三王，謂通三統也。」㉓此外，宋翔鳳還談論到衰亂、昇平、太平三世說㉔，這些今文經學裡的歷史變易思想，都為他所接受。

歷史是如何變化的？宋翔鳳以為不過是文質交替而已。他說：「商家主質，質之過，流為貴賤無等；周家主文，文之過，流為以下僭上。」㉕三代的更替，便是以文救質之弊，再以質救文之弊。孔子作《春秋》，則是「變周之文，從殷之質」㉖，又恢復到商朝的「質」。由此，宋翔鳳得出結論：「正朔三而改，文質再而復。」㉗一旦國家所實行的「文」治出現嚴重弊端而不能繼續維持下去之後，就得以「質」來救之；若「質」又出現了嚴重弊端之後，就得以「文」來救之。歷史便是這樣一質一文不斷地反覆下去。因此，宋翔鳳所說的變易，是循環論的變易。當然，歷史循環論是今文經學本身固有的缺點，今文經學家一般很難擺脫它的束縛。

宋翔鳳以為治理國家不應墨守舊法，而應該有所變易。他說：「人君治道寬猛緩急，隨俗化為轉移。」《論語》裡孔子雖然講過

㉒　宋翔鳳：《論語說義》，《皇清經解續編》，卷398，頁2。

㉓　宋翔鳳：《孟子趙注補正》，《皇清經解續編》，卷402，頁9。

㉔　宋翔鳳：《論語說義》，《皇清經解續編》，卷392，14。

㉕　宋翔鳳：《論語說義》，《皇清經解續編》，卷390，頁4。

㉖　宋翔鳳：《孟子趙注補正》，《皇清經解續編》，卷400，頁6。

㉗　宋翔鳳：《論語說義》，《皇清經解續編》，卷393，頁3。

「三年無改乃父之道」，但是，三年之後卻「不能無所變易」❷。所謂「俗化」，有時他又將其說成為「人情」，「立一王之法，成一代之禮，必以所損益者順乎人情，即以所不變革者維乎世運」❷。「順人情」與「隨俗化」二者意思相同，皆是要求將不便於人情的內容除去。但是，在變易的同時，還必須保留某些內容，藉以維繫「世運」，那麼，究竟哪些內容不能改變呢？宋翔鳳說：「《春秋》之義，天法也，其不隨正朔而變，所謂天不變也。」❷「夫政教文質，所以云救也，故事或變古而不遠於道，……有改制之名，無變道之實」❷。這是說政教等治國的策略可以有所變化，而「道」是不可變的。董仲舒在其著名的〈天人三策〉裡曾經提出「天不變，道亦不變」的主張。宋翔鳳所說「無變道之實」正是繼承了董仲舒的觀點。不僅「道」不變，在宋翔鳳看來，仁義禮智信等內容也是不可變易的，他說：「仁義禮知信，五常之德，周四海，亙古今而不變。」❷

宋翔鳳以為，三代盛時，「天子以是道為政教，大臣百官有司以是道為職業，無一民一物不被是道之澤」❷。士人所習之道與治理國家的政教密不可分。隨著時代發展，道與政教分途，別有所謂「道學」，士人所習之道遂不可施之於政教，成為無本之學。「君

❷　宋翔鳳：《論語說義》，《皇清經解續編》，卷389，頁5。
❷　宋翔鳳：《論語說義》，《皇清經解續編》，卷393，頁2。
❷　宋翔鳳：〈元年春王周正月〉，《過庭錄》，卷9，頁148-149。
❷　宋翔鳳：《論語說義》，《皇清經解續編》，卷393，頁3。
❷　宋翔鳳：《論語說義》，《皇清經解續編》，卷397，頁3。
❷　宋翔鳳：〈道學〉，《過庭錄》，卷12，頁209。

子如欲化民成俗，必由學。言學而不可究之於治國，其學為無本」㉔。君子治學，應如三代盛世那樣，將所學知識應用於治國安邦之上。應該指出的是，宋翔鳳談論三代盛世的情景，並不是真的希望模仿古人治國的方案，「後之學者，明先聖之道，亦求興利除害，不必泥古人之陳跡也」㉕。不必泥古，但求其有益於國計民生，這正是常州學派的治學精神。

宋翔鳳對於龔自珍的思想有一定的影響。龔自珍早在嘉慶二十四年（1819）初識宋翔鳳之時，便推許他為「樸學奇材」，二十年後，當龔自珍由京城返回杭州，途經宋翔鳳的家鄉長洲時，他又想到了往日之事，遂寫下一首〈己亥雜詩〉：「玉立長身宋廣文，長洲重到忽思君。遙憐屈賈英靈地，樸學奇材張一軍。」㉖龔自珍「樸學奇材」這個評語，準確地道出了宋翔鳳以考證方法研究今文經學的治經特點。宋翔鳳曾對文字訓詁著作《小爾雅》作過專門研究，他覺得是書儘管因采自於偽書《孔叢子》而多有竄亂，但畢竟它是「《爾雅》之流別，經學之餘裔」，成書又早於鄭玄注經年代，其中還保存有不少漢人的訓詁，而「余少識故訓，略求津逮，見此書之傳獨遭厚誣」㉗，遂於嘉慶十二年（1807）著成《小爾雅

㉔ 宋翔鳳：《論語說義》，《皇清經解續編》，卷 389，頁 3。

㉕ 宋翔鳳：《孟子趙注補正》，《皇清經解續編》，卷 401，頁 10。

㉖ 龔自珍：〈己亥雜詩〉，《龔自珍全集》，第 10 輯，頁 522。龔自珍在此詩後注裡說，這是他「二十年前目君語」，逆推二十年，應為嘉慶二十四年己卯；又龔氏於〈資政大夫禮部侍郎武進莊公神道碑銘〉後的自記裡說：「越己卯，之京師，識公之外孫宋翔鳳。」（頁 143）二者相合。

㉗ 宋翔鳳：《小爾雅訓纂》，《皇清經解續編》，卷 410，頁 2－3。

訓纂》六卷,較為系統地研究了古代的音韻訓詁之學,其中有不少獨到的見解,梁啟超稱此書為「走偏鋒而能成家」[228]的著作。

張之洞曾經說過:「由小學入經學者,其經學可信。」[229]這是因為小學為經學研究的基礎,若不明訓詁,不通文義,自然很難在經學的研究上有所貢獻。宋翔鳳既於小學著有《小爾雅訓纂》,復從小學進入經學,在經學的研究上,亦取得一定的成績,張之洞因將他列入「篤守漢人家法,實事求是,義據通深」[230]的漢學專門經學家之列。宋翔鳳治經,常用訓詁考證等樸學家的治經方法,如在《周易》「天命不佑」的「佑」字解釋上,他引《說文解字》:「『右』,手口相助也,從又從口。則『右』是正字,馬、鄭古文皆當作『右』。」[231]所論頗當。宋翔鳳晚年將平生數十年來的讀書劄記彙刻為《過庭錄》十六卷,書中考證了經、史、子以及詩文共三十多種,六百餘條,其中不乏創見,多發前人之所未發。他的這種治學方法與態度,正是樸學家的風格。宋氏本人亦以樸學自勉,這從他為自己書齋命名為「樸學齋」上可見一斑。

如果宋翔鳳只是一位樸學家,龔自珍也就不會稱他為樸學「奇」材了。宋翔鳳的「奇」就「奇」在他與一般樸學家不同:一般的樸學家只知道字詞訓詁,哪管什麼「微言大義」!宋翔鳳卻因受莊述祖的影響,治學時一方面重訓詁名物,另一方面又講「微言

---

[228] 梁啟超:《中國近三百年學術史‧梁啟超論清學史二種》,頁 332-333。

[229] 張之洞原著,范希曾補正:《書目答問補正》(上海:上海古籍出版社,1983 年),頁 344。

[230] 同前註,頁 346-347。

[231] 宋翔鳳:《周易考異》上,《過庭錄》,卷 2,頁 29-30。

大義」，表現出寓義法於樸學研究之中的特點，這位「樸學奇材」，奇就奇在這裡！《論語·子罕》篇：「子罕言利與命與仁」，通行的解釋多將「罕」作為副詞看待，釋為「少也」，表示動作的頻率。㉜宋翔鳳卻將這句話讀為：「子罕言。利與命與仁。」然後對此加以解釋道：「罕者，希也，微也。罕言者，猶微言也。」故「此篇之文，皆以說聖人微言之故也」㉝。以「罕言」為孔子「微言」，這種訓詁方法不僅使古文經學家覺得有些附會，就連今文經學家也會覺得有些「奇」特，宋翔鳳就是這樣以樸學的方法研究今文經學，這在當時，確是獨樹一幟。

樸學的方法畢竟不適應今文經學，因而宋翔鳳治學常有穿鑿附會之處。上文所說他以「罕言」為「微言」，便反映出宋翔鳳的這個缺點。對於《論語·陽貨》篇「予欲無言」，宋翔鳳亦將「無言」附會為「微言」，他說：「無言者，微言也。」「性與天道不可得聞，即無言之謂也。」㉞而「性與天道」又保存在《易經》和《春秋》之中，若欲求孔子之「微言」，就必須研究它們。宋翔鳳以「無言」、「罕言」為「微言」，實在有些穿鑿附會。又如，他以為許慎作《說文解字》，其中包含有正名之義、歸藏之說：「文字造而歸藏出，漢許慎得正名之傳，為《說文解字》，始一終亥。一者，道生一也。道有常道，必繼之以正名，而名有常名。一生二，二生三，而指事之法具在；三生萬物，而象形、會意、形聲、

㉜　參看楊伯峻：《論語譯注》（北京：中華書局，1980 年），頁 86。

㉝　宋翔鳳：《論語說義》，《皇清經解續編》，卷 393，頁 1。

㉞　宋翔鳳：《論語說義》，《皇清經解續編》，卷 397，頁 6。

轉注、假借之法不窮。謂之六書，皆不可變之名也。其終亥之義，則歸藏之說也。」❷⑤《說文解字》共收字 9353 個，分為 540 部，按部排列，集東漢以前文字學研究之大成，宋翔鳳卻牽強附會地以為其中體現出「微言大義」，自然難以令人信服。在《尚書》的研究中，宋翔鳳因受莊述祖的影響，認為《書序》「立武庚以箕子歸」中應以「立武庚以」為句，「以」當作「祀」❷⑥；「周公攝政」中「攝即相義」，「攝政」指的是「相成王」❷⑦；「康王命作冊，當作康王命作豐刑」❷⑧。如此等等，皆是為求新穎而不惜穿鑿附會的顯證。宋翔鳳之所以會出現這些穿鑿附會，主要是受樸學方法的侷限。樸學只適宜於研究古文經學，對於今文經學，實難發揮其作用。若不顧這個限制，硬要以樸學的方法談論「微言大義」，便難免會有牽強附會之處。

對於宋翔鳳善於附會的缺點，前人曾有批評。章太炎說：「長洲宋翔鳳，最善傅會，牽引飾說，或采翼奉諸家，而雜以讖緯神秘之辭。」❷⑨按：宋翔鳳雖善附會，但似乎並不相信讖緯之說。據《四庫總目提要》的說法：「讖者，詭為隱語，預決吉凶。……緯

---

❷⑤　宋翔鳳：〈老子〉，《過庭錄》，卷 13，頁 216。原文斷句有誤，故改。

❷⑥　宋翔鳳：《尚書略說下·武王伐殷年》，《過庭錄》，卷 5，頁 86。

❷⑦　宋翔鳳：《尚書譜》，《過庭錄》，卷 6，頁 119。

❷⑧　同前註，頁 120。

❷⑨　章炳麟：〈清儒〉，《檢論》，《章太炎全集》（三）（上海：上海人民出版社，1984 年），卷 4，頁 476。

者，經之支流，衍及旁義。」⑳宋翔鳳反對神仙不死之類神秘說法，將其稱為「邪議」，他說：「丁公為不死之說，此與李少君輩無異，而西京百餘年，郊祀、明堂之禮，無不廢壞於邪議。」他並援引《梁書》有關言論，批評梁松「必欲依緯說」，導致以巡守為封禪的古禮湮沒無聞，他認為：「緯書之曲說，非正經之通義。」㉑因此，緯書的記載不盡可靠。他肯定許慎在《說文解字》裡採納緯書的觀點時，能加以合理的去取。他說：「許君時以緯候為秘書，……但緯書多近鄙別字，如易從日下月，亦近鄙之流。故許氏取其說，而不載從日從月之字，知非古文也。」㉒綜觀宋翔鳳的著作，還沒有看到他神化孔子，詭為隱語，預示當前及未來吉凶禍福的文字。章太炎是古文經學家，對於宋翔鳳採納今文經學的觀點往往不能接受，遂斥之為讖緯迷信，對此不可不察。

宋翔鳳治學常能擇善而從。經學之中，派別林立。清代乾嘉學者嚴辨漢、宋，道咸以後的學者嚴辨今、古。生活於這個時代裡的宋翔鳳，對於漢、宋之爭，今、古之別基本上不抱門戶之見。他雖然是今文經學家，但卻並不拒絕古文經學，在學術研究，時常採用古文經學的觀點。周武王何時去世問題，今古文經學家有不同說法。司馬遷在《史記‧周本紀》裡採用古文經學家的觀點，認為：「武王崩年，亦六十內外耳。」劉歆據二《戴記》，稱文王十五歲

---

⑳ 〔清〕永瑢撰：〈經部‧易緯坤靈圖〉，《四庫全書總目》（北京：中華書局，1965年），卷6，頁47。有人對此說提出疑義，以為讖緯之間沒有區別。見鍾肇鵬：《讖緯論略》（瀋陽：遼寧教育出版社，1991年），頁5-11。

㉑ 宋翔鳳：《尚書略說上‧古禮巡守封禪》，《過庭錄》，卷4，頁72-76。

㉒ 宋翔鳳：《周易考異》上，《過庭錄》，卷2，頁10。

而生武王，即位九年而崩，崩後四年武王克殷，克殷之時，年已八十六矣，再過七年之後方去世。《禮運·文王世子》採納今文經學家的說法，認為「文王九十七而終，武王九十三而終」。宋翔鳳卻不採納今文經學家的說法，而是採用古文經學家的說法，認為：「案之事理，（今文家說）多有齟齬，不如古文家之為當也。」❹又如關於太姒去世年齡，據今文經學家的說法，太姒去世時「當已百餘歲」；而據古文，則年五十耳，「揆之事理，古文說是」❹。對於今、古文經的許多矛盾說法，宋翔鳳不是一邊倒地接受或拒絕，而是「揆之事理」地進行分析，擇善而從。「古、今文家說者各異，在讀書者折其衷矣」❹。不僅對於今、古文經裡的矛盾說法如此，對於古代的其他著作亦應如此。在他看來，《史記》因博采眾書而成，其中往往有矛盾之處，「勢難齊一」；周、秦百家之言，多托之於孔子，互相矛盾之處更多，「後之學者，亦但求其當於理而已」❹。對於矛盾的說法，認真地考察一下，看看它們是否與「理」相合，合則取之，否則棄之。我們從宋翔鳳的著作裡，經常可以看到他用這種方法去取史料：「以情事推之，昭然可見。」❹「理是而文恐非」❹，這些言論，都表明了宋翔鳳不抱成見，實事求是的治學特點。

---

❹ 宋翔鳳：《尚書譜》，《過庭錄》，卷6，頁116。

❹ 宋翔鳳：《論語說義》，《皇清經解續編》，卷392，頁10。

❹ 宋翔鳳：《孟子趙注補正》，《皇清經解續編》，卷401，頁21。

❹ 宋翔鳳：《大學古義說》，《皇清經解續編》，卷387，頁10。

❹ 宋翔鳳：《孟子趙注補正》，《皇清經解續編》，卷402，頁7。

❹ 同前註，頁9。

宋翔鳳治學，不分漢、宋。中國學術史上，本無所謂「漢學」、「宋學」之分。漢學家以為宋、明道學家所講的經學中混有佛老的見解，故欲知孔、孟之道，就必須求之於漢人之經說。他們以宋、明人所講經學為宋學，以別於自己所講之漢學。清代康熙年間，毛奇齡治經，力辟宋人舊說，表彰漢儒經說，始揭漢學、宋學之名。此後，漢、宋之間爭論不休，形同水火。生活在這種環境裡的宋翔鳳，卻不分漢、宋。在他看來，自孔、孟以後，西漢有董仲舒，宋朝有程、朱等人，可稱為儒學大家。他並肯定程、朱等人所講的性命義理之學有益於實用，「最為學問入門要路」。後來的學者只要掌握其理論，便可「不流於釋氏」。至於朱熹所闡發的《大學》之道，「合之《中庸》、《孟子》之義，無不合。……朱子之學，自足繼往開來，非他儒所能及」㉔。宋翔鳳充分肯定程、朱理學對於儒學的巨大貢獻，這對於一位漢學家來說，實屬難得。

宋翔鳳治學不同於時人：他雖是常州學派的重要代表人物，治學以今文經學為主，但他又像當時的一些考據學者一樣，從《說文解字》、《小爾雅》等字詞訓詁的研究入手，企圖將今文經學的「微言大義」寓於樸學研究之中，因此龔自珍稱讚他為「樸學奇材」。但是由於樸學不便於發揮「微言大義」，致使其在治經時，常有穿鑿附會。不過他的這種附會，尚沒有陷入讖緯神學之中。另外，宋翔鳳治經，不抱門戶之見，而是「揆之事理」，有分析，有批判地採納經今、古文及漢學、宋學的不同說法，表現出較為難得的超脫。

㉔ 以上引文俱見宋翔鳳：〈道學〉，《過庭錄》，卷13，頁212。

六、常州學派治學及史學思想的特點

由於所處社會經濟政治地位的不同，常州學派中各人的史學思想並不完全相同，而且因每個人所處時代和社會形勢的差異，其史學思想也有所變化和發展。但是，作為一個學派，又必然表現出某些相同或相近的特點，茲分述於下。

第一，《公羊》三世說的歷史觀。《公羊》學家以為《春秋》一書存在著許多「非常異義可怪之論」，這主要表現在「三科九旨」之上。東漢末年的何休說：「三科九旨者，新周，故宋，以《春秋》當新王，此一科三旨也。所見異辭，所聞異辭，所傳聞異辭，二科六旨也。內其國而外諸夏，內諸夏而外夷狄，是三科九旨也。」❿何休所總結出來的這套理論，有他因襲的傳統內容，也有他自己的創見，例如在「《公羊》三世說」上，便體現了這個特點。《公羊傳》認為《春秋》在記載二百四十二年的歷史中，所用的「書法」各不相同：「所見異辭，所聞異辭，所傳聞異辭。」❿何休則將這段歷史分成三個階段，即所見世、所聞世和所傳聞世，並分別對應於「太平」、「昇平」、「衰亂」三世，這樣就構成了一幅從低級到高級，由混亂而有序，循序漸近，日益向上的發展史觀。何休並設計出通過井田制來實現太平之世的途徑，確立了「貴

---

❿ 何休：〈春秋文謚例〉，見監本附音《春秋公羊傳注疏》隱公第一，徐彥《疏》轉引何休文，《公羊傳注疏》（北京：商務印書館，2005 年），卷1，頁3。

❿ 這句話在《春秋公羊傳》裡，共出現三次，分見隱公元年，桓公二年三月，哀公十四年春。

人、重公、賤私」的原則。在這個理想的世界裡，天子、諸侯、司空、父老和里正都在為大家辦事，「民無近憂」，財力均勻，「四海之內莫不樂其業」，人們「崇仁義，譏二名」㉒。……。

常州學派的學者們對於何休的這套理論深信不疑。莊存與最先重提何休的這個理論，他說：「次九曰：張三世。據哀錄隱，隆薄以恩，屈信之志，詳略之文，智不危身，義不訕上，有罪未知，其辭可訪，撥亂啟治，漸於昇平，十二有象，太平以成。」㉓這裡莊存與已經明確提出撥亂、昇平、太平的發展順序。但另一方面，莊存與又講「治亂相循」㉔、「文質再復」㉕，表現出歷史循環論的思想。

劉逢祿高度評價何休「三科九旨」說，認為它是「《公羊》先師七十子遺說」，是今文經學的核心，「無三科九旨則無《公羊》，無《公羊》則無《春秋》，尚奚微言之與有」㉖，對於《公羊》三世說，他以為：「於所傳聞世見撥亂始治，於所聞世見治㬊㬊昇平，於所見世見治太平。」㉗承認歷史是按照三世說的順序向

㉒ 何休：《公羊傳注疏》，卷 1，頁 14。隱公元年「公子益師卒」下。

㉓ 莊存與：〈奉天辭〉，《春秋正辭》（《味經齋遺書》），卷 1，頁 1－2。

㉔ 莊存與：《繫辭傳論》（《味經齋遺書》），頁 95。

㉕ 莊存與：〈奉天辭〉，《春秋正辭》，卷 1。

㉖ 劉逢祿：〈春秋論下〉，《劉禮部集》，卷 3，頁 20。思誤齋道光十年刊本。按：此文誤收入《魏源集》中，惟篇名改為〈公羊春秋論〉，參閱拙文〈劉逢祿生年及著作略考〉，載《史學史研究》1996 年第 1 期（1996 年 1月），頁 75。

㉗ 劉逢祿：〈釋三科例〉上，《劉禮部集》，卷 4，頁 1。

前發展。但他也說：「天運循環，無往不復。」⑱「三王之道若循環，終則又始。」⑲同樣表現出歷史循環論的思想。

宋翔鳳亦是如此，一方面他說：「孔子於《春秋》張三世，至所見世而可致太平。」⑳另一方面他又說：「正朔三而改，文質再而復。」㉑表現出進化論與循環論相攙的特點。

龔自珍的《公羊》三世與前此諸人不同。他認為人類的整個歷史可以分成據亂世、昇平世和太平世三個階段，每段歷史還可以再分成三世，他說：「〈禮運〉之文，以上古為據亂而作，以中古為昇平，若《春秋》之當興王，首尾才二百四十年，何以具三世？答：通古今可以為三世，《春秋》首尾，亦為三世。」㉒《公羊》三世說就如同干支既可以用來紀年，又可以用來紀日一樣，不僅可以劃分整個人類歷史，而且可以用來劃分春秋這一特定時代的歷史，甚至還可以用它來表示年、月、日以及文學作品的時代，如〈公劉〉之中，「有據亂，有昇平」㉓；〈洛誥〉之中，「有昇平，有太平」㉔。這已隱約流露出「三世三重說」的影子。龔自珍也相信「三王之道若循環」㉕之類的說法，表現出歷史循環論的思

㉘　劉逢祿：〈詩聲衍序〉，《劉禮部集》，卷7，頁1。

㉙　劉逢祿：〈詩古微序〉，《劉禮部集》，卷9，頁5。

㉚　宋翔鳳：《論語說義》，《皇清經解續編》，卷390，頁19。王先謙編，南菁書院刊本。

㉑　宋翔鳳：《論語說義》，《皇清經解續編》，卷393，頁3。

㉒　龔自珍：〈五經大義終始答問八〉，《龔自珍全集》，第1輯，頁48。

㉓　龔自珍：〈五經大義終始答問四〉，《龔自珍全集》，第1輯，頁47。

㉔　龔自珍：〈五經大義終始答問五〉，《龔自珍全集》，第1輯，頁47。

㉕　龔自珍：〈江子屏所著書序〉，《龔自珍全集》，第3輯，頁193。

想。

魏源本於《公羊》三世說理論,將人類歷史分成太古、中古和末世三個階段,他說:「夫治始黃帝,成於堯,備於三代,殲於秦,迨漢氣運再造,民脫水火,登衽席,亦不啻太古矣。……孰謂末世與太古如夢覺之不相入乎?」⑳末世之後便返回到太古時期,如此循環往復。有時他又以「三氣運」的說法,代替上面這種分法,他曾將三皇至秦當作一「氣運」,漢至元為一「氣運」,而明、清為另一「氣運」。㉗所謂「氣運」說,其實依然是《公羊》三世說的變形。魏源也認為在一個朝代裡,可以分成三世,他說:「我聖清皞皞二百載,由治平、昇平而進於太平。」㉘便是將清代的歷史分成治平、昇平和太平三個時期。魏源思想中也有歷史循環論因素,他說:「『天下之生久矣,一治一亂。』治久習安,安生樂,樂生亂;亂久習患,患生憂,憂生治。」㉙

康有為是廣東南海人,較早接受到西方資產階級的思想,出於愛國主義的憂患意識,他力主維新變法,救亡圖存,在常州學派《公羊》三世說的感召下,終於形成了他的資產階級改良主義歷史觀。他主張的《公羊》三世說,不僅是中國資產階級改良派史學的核心,而且也是資產階級改良主義政治運動的理論基礎。他說:

　　大道者何?人理至公,太平世,大同之道也。三代之英,昇

㉖　魏源:〈論老子二〉,《魏源集》,頁 258。
㉗　魏源:《默觚下·治篇三》,《魏源集》,頁 43。
㉘　魏源:〈國朝古文類鈔敍〉,《魏源集》,頁 229。
㉙　魏源:《默觚下·治篇二》,《魏源集》,頁 39。

平世，小康之道也。孔子生據亂世，而志則常在太平世，必
進化至大同，乃孚素志，至不得已，亦為小康。⑳

可見康有為也是繼承據亂世、昇平世、太平世三世說，並認為世界
的發展，必將「進化至大同」。在《孔子改制考》中，康有為認為
六經皆孔子托古改制，寄託其政治理想的作品，三代盛世，是孔子
「托之以言其盛」；孔子雖身在據亂世，但他卻嚮往著太平世，為
撥亂救民，故創儒教。但是，戊戌變法失敗之後，康有為的思想逐
漸墮落，在《中庸注》裡，他提出「三世三重說」，他說：

每世之中又有三世焉。則據亂亦有亂世之昇平、太平焉，太
平世之始亦有其據亂、昇平之別。每小三世中，又有三世
焉，於大三世中，又有三世焉。故三世而三重之，為九世，
九世而三重之，為八十一世。輾轉三重，可至無量數，以待
世運之變，而為進化之法。⑳

康有為將原有三世說細分成無量數之世，每一世皆須循序漸進，不
可跳躍發展，「萬無一躍飛越之理，凡君主、民主立憲、民主立
法，必當一一循序行。若紊其序，則必大亂」⑳。從而放慢其改良

---

⑳ 康有為：《禮運注》，《孟子微‧禮運注‧中庸注》（北京：中華書局，
1987年9月），頁239。
⑳ 康有為：《中庸注》，《孟子微‧禮運注‧中庸注》，頁223。
⑳ 康有為，湯志鈞編：〈答南北美洲諸華商論中國只可行立憲不可行革命
書〉，《康有為政論集》（北京：中華書局，1981年），頁476。

主義步伐，成為反對資產階級革命的庸俗進化論的代表。

康有為對《公羊》三世說理論有較大發展，這表現在他結合《禮記‧禮運》篇的有關論述，於 1901 年至 1902 年間寫成著名的《大同書》，提出只有行大同太平之道，才能「救生人之苦，求其大樂」㉓。而「欲致大同，必去人之私產而後可；凡農工商之業，必歸之公」㉔。他並具體規劃，如何實現農工商的公有化。應該指出，康有為受西歐空想社會主義的某些影響，結合傳統的大同理想而創造出的大同世界，是一個實行公有制，按照計劃經濟模式運營的空想社會，儘管它僅僅只是空想，但是卻反映出人們對美好生活的追求與嚮往，對於中國近代社會主義思潮的發展有著重要的基礎作用。

由此可見，常州學派的學者們以《公羊》三世說作為歷史觀，他們認為歷史的發展必然經過據亂世、昇平世後，進入太平世，所以是不斷進步的。但同時，他們又以為「文質再復」、「治亂相循」，表現出歷史循環論的思想。因此，常州學派的歷史觀是進化論與循環論相攙的混和物。當然，這是《公羊》學自身的缺點，信奉《公羊》學的人很難克服。

第二，歷史變易思想與社會改革主張。今文經學中包含有豐富的歷史變易思想，常州學派正是利用了今文經學中的這種歷史變易思想，來為他們的社會改革主張服務。

㉓　康有為：《大同書》（北京：古籍出版社，1956 年），頁 8。

㉔　同前註，頁 240。

常州學派的創始者莊存與以為：「變化之為言，天道也。」⑳
變化是自然界和人類社會共同遵循的規律，治理國家的法律制度不
能一成不變，「敝孰矣，害深矣，不可不革矣」。只要不斷地修改
法律制度，就可以歷數十世而不亂，「修數十世不敝之法，而終無
隙焉」㉖。他並舉古井為例：「舊井多矣，修之則不廢；因而不
改，害者福矣。爰有古井，尚存於今，修之力也。」㉗莊存與通過
借經議政的方式，發表了許多社會改革的建議：政治上，要求賢人
政治，反對小人專權，以此影射和珅；經濟上要求君主節用愛民，
發展農業生產，實行相對平均的分配制度，以緩和地主和農民兩個
階級之間的矛盾；此外，他還要求開放言論禁令，減輕刑罰，反對
「誅意」，鼓勵知識分子以「清議」的方式議論時政。

劉逢祿以為夏、商、周三代治國之道不同，「周監夏、商而建
天統，教以文，制尚文；《春秋》監商、周而建人統，教以忠，制
尚質也」㉘。因此，「天下無久而不敝之道，窮則必變，變則必反
其本，然後聖王之道與天地相終始」㉙。他希望通過變易與改革，
將那日益衰敗的社會，扭轉到「聖王之道」上，從而「與天地相終
始」，避免滅亡的慘劇。從這種變易思想出發，劉逢祿認為「否將
傾政，可革也」㉚，一旦某項法律制度出現弊病，以至於危及國家

㉕　莊存與：《繫辭傳論》，頁 5。

㉖　莊存與：《象象傳》，頁 18。

㉗　莊存與：《象象論》，頁 2。

㉘　劉逢祿：《公羊春秋何氏解詁箋》，《皇清經解》，卷 1290，頁 2。

㉙　劉逢祿：〈釋三科例中〉，《劉禮部集》，卷 4，頁 3。

㉚　劉逢祿：〈易言篇〉，《劉禮部集》，卷 2，頁 15。

的統治時，便要及時加以改革。針對當時社會的現實，劉逢祿要求在經濟上改變土地過於集中，以至於貧富兩極嚴重分化的現象；在政治上賦予地方政府以必要的權力，使他們能及時地鎮壓「民變」；在法律制度上，因受莊存與的影響，要求統治者「尚德緩刑」[281]，廢除不合律例的刑罰。

宋翔鳳亦指出治理國家的方法應隨時變化，「人君治道寬猛緩急，隨俗化為轉移」，「不能無所變易」[282]。對於後代的學者來說，治學不必泥古，而應設法興利以除害，「後之學者，明先聖之道，亦求興利除害，不必泥古人之陳跡也」[283]，同樣表現出歷史變易思想和要求社會改革的主張。

龔自珍與魏源生活在鴉片戰爭前後，社會的危機較前更加深重，他們對於社會改革的呼喚更加迫切。龔自珍說：「自古及今，法無不改，勢無不移，事例無不變遷，風氣無不移易。」[284]他勸告當權者：「一祖之法無不敝，……與其贈來者以勁改革，孰若自改革？」[285]要求立即變法改革。龔自珍的改革建議，內容涉及人才的選拔與任用、君臣關係、邊防制度以及經濟領域的一些具體問題，基本上涉及當時需要迫切解決的所有社會危機。龔自珍的改革建議，從內容上看較前此諸人更加深刻，更加尖銳。前此諸人的改革

---

[281] 劉逢祿於嘉慶二十九年（1814）朝考時，向皇帝上〈尚德緩刑疏〉，載《劉禮部集》，卷9，頁24−25。

[282] 宋翔鳳：《論語說義》，《皇清經解續編》，卷382，頁5。

[283] 宋翔鳳：《孟子趙注補正》，《皇清經解續編》，卷401，頁10。

[284] 龔自珍：〈上大學士書〉，《龔自珍全集》，第5輯，頁319。

[285] 龔自珍：〈乙丙之際著議第七〉，《龔自珍全集》，第1輯，頁6。

建議都是在經學的掩護下，通過闡述經文中「微言大義」的方式，羞羞答答地提出來；而龔自珍卻直言不諱，大膽陳辭，當然，這主要是由於時代危機的深化所導致。

魏源的改革主張較龔自珍的改革主張更加具體。他從歷史變易的角度出發，以充分的證據，周密的推理，令人信服地論證了「無窮極不變之法」❷❽❻的道理，打破了「祖宗之法不可變」的守舊思想，為此後資產階級改良派的變法維新運動奠定了思想基礎。在許多具體問題上，如漕運、河防、鹽政、軍事等，都提出了許多有益的改革建議，在實踐上大多收到顯著成效。

康有為面對中國即將被列強瓜分的嚴重危機，挺身而出，指出：「治國之有法，猶治病之有方也，病變則方亦變。若病既變而仍用舊方，可以增疾。時既變而仍用舊方，可以危國。」❷❽❼他反問那些墨守祖宗舊法而不敢言變之人道：「且法者所以守地者也。今祖宗之地既不守，何有於祖宗之法乎？」❷❽❽他大聲呼喚以改革求生存，以改革求發展。在光緒帝的支援下，轟轟烈烈的維新變法運動開展起來了！在改革的內容上，康有為不僅提出發展工商業以救貧救弱的主張，而且還提出應進行政治改革，實行君主立憲制，發展資本主義，從而將常州學派的歷史變易思想與社會改革主張推向頂點。

所以，歷史變易思想與社會改革主張，是常州學派所共有的思

---

❷❽❻ 魏源：〈籌鹺篇〉，《魏源集》，頁432。

❷❽❼ 康有為：〈上清帝第一書〉，《康有為全集》（上海：上海古籍出版社，1987年），第1集，頁359。

❷❽❽ 康有為：〈上清帝第六書〉，《康有為政論集》，頁212。

想主張。隨著社會危機的深化，要求變易改革的呼聲越來越迫切，內容也從個別問題，發展到整個社會問題；從經濟領域的改革建議，發展到要求政治上進行修修補補，再發展到要求廢除封建制度，實行君主立憲制這樣大改大革。在常州學派的宣傳下，變易改革思想逐漸深入人心，得到了社會上越來越多人的贊同與支援。康有為領導的戊戌變法運動失敗之後，以孫中山為首的資產階級革命派，認識到變法改革不可能挽救國家與人民，遂轉而開展革命運動，發動武裝鬥爭，終於取得了辛亥革命的偉大勝利。

第三，經世致用的史學思想。常州學派的產生，是對當時脫離經世致用的治學風氣的反動。常州學派的開創者莊存與對當時社會裡士大夫埋頭考證，不問現實的學風極其不滿，認為：「辨古籍真偽，為術淺且近者也，且天下學僅盡明之矣，魁碩當弗復言。」⑱他批評那些學者「信口說，背傳記，分文析字，煩言碎辭，斯講習之害也。」⑲又說：「末師口說，每況愈下，俯而就之，道固未有如是其速成者也。」⑳要求學者拋棄無補於時務的學問，講求經世致用。但由於乾隆朝文字獄的威脅，莊存與還不敢明目張膽地談論時政，只是躲在經學的保護傘下，借經義影射時政而已。如他諷刺乾隆自以為很聰明，實際上卻陷入和珅的圈套之中，以至於國人皆知有「二皇帝」，而皇帝自己卻毫無所知。他說：「自謂窮神知

---

⑱　此為龔自珍所轉述，見龔自珍：〈資政大夫禮部侍郎武進莊公神道碑銘〉，《龔自珍全集》，第 2 輯，頁 142。

⑲　莊存與：《彖傳論》，頁 40。

⑳　莊存與：《彖象論》，頁 4。

化，卒墮於女子小人之術數，至於國有兩君而不寤也。」㉒又如，在《周官記》裡，莊存與借前人言論要求清政府加強農業建設。他的這一主張在當時農民與地主兩個階級之間矛盾不斷深化，「民變」此伏彼起的時候提出，自然也有其經世致用的意圖。

青年時代的劉逢祿，由於受考據學的影響，認為：「凡讀書，必先審其音，正其字，辨其句讀，然後可以求其義。」㉓但是不久，他便走出考據學的狹窄天地，強調學者治學須求「聖王之事」，他說：「版圖之要，水地之記，司徒、司馬、司空之有司職之，豈聖王之事哉？是故有所弗學而後其學博，有所弗問而後其問審，有所弗思而後其思慎，有所弗辨而後其辨明。屑屑焉，天文、地理、術數、兵法之求，亦淺之乎視聖人矣。」㉔要求學者不要放下究明「聖王之道」的大事不做，而去從事於天文、地理、術數之類的考證。與對舊學風批判的同時，劉逢祿以自己的實際行動倡導經世致用的新學風。他曾寫過四十章〈連珠〉，借物陳義，以通諷諭，向皇帝提出不少改革建議。如他提出選拔官吏應「先器識而後文藝」㉕，強調對於官吏的選擇應首先考察其「器識」的優劣與否，至於「文藝」才能的高低倒在其次，這裡隱約流露出他對當時選官重「文藝」而輕「器識」的不滿。

龔自珍本著「一代之治即一代之學」的認識，要求學者應將治學與治國有機地結合起來，他指責當時的那批讀書人，小的時候不

㉒　莊存與：《繫辭傳論》，頁 60。

㉓　劉逢祿：〈五經考異敘〉，《劉禮部集》，卷 9，頁 7。

㉔　劉逢祿：〈釋地例〉，《劉禮部集》，卷 4，頁 40。

㉕　劉逢祿：〈聖駕再幸盛京謁陵恭紀〉，《劉禮部集》，卷 1，頁 19。

參加農業勞動，長大之後又不學習處理政事，對於當代的典章制度一無所知，「上不與君處，下不與民處」，所學的內容對於國家毫無用處。為了改變這種局面，龔自珍要求學者「誦本朝之法，讀本朝之書」❷⑨⑥，研究「當世之務」❷⑨⑦，使學術走上為現實服務的道路。

魏源亦持治學合一論，他說：「三代以上，君師道一而禮樂為治法；三代以下，君師道二而禮樂為虛文。」❷⑨⑧三代以上的社會裡，為君者即是為師者，亦即守道者；而三代以後，治與學相分離，教師所傳授的禮樂知識，不能施之於政事，遂徒有虛文。為了扭轉當時這種脫離現實，無益於國計民生的學風，魏源倡導「以經術為治術」❷⑨⑨，希望通過援引經書經義作為治國方略的辦法，使治學與治國結合起來。魏源這種要求的意義，並不在於真的能用六經來解決國家的現實危機，而在於表明當時社會裡憂國憂民的知識分子，為了挽救社會危機所作出的探索與努力，值得我們予以應有的肯定。

康有為繼承並發展了前此諸人的治學合一理論，早年的康有為認為：「古者道與器合，治與教合。」❸⓪⓪又說：「官司之所守，即師資之所在。秦人以吏為師，猶是古法。」❸⓪①為此，他要求學者仿

---

❷⑨⑥　龔自珍：〈乙丙之際著議第六〉，《龔自珍全集》，第 1 輯，頁 4—5。

❷⑨⑦　龔自珍：〈對策〉，《龔自珍全集》，第 1 輯，頁 114。

❷⑨⑧　魏源：《默觚上‧學篇九》，《魏源集》，頁 23。

❷⑨⑨　同前註，頁 24。

❸⓪⓪　康有為：《教學通義‧文學》，《康有為全集》，第 1 集，頁 127。

❸⓪①　康有為：《教學通義‧備學》，《康有為全集》，第 1 集，頁 85。

照古代「讀法」形式，對於「國之政令禁律」❸，皆須熟記。他的
這種言論，幾乎是前此諸人言論的翻版。可到了戊戌變法前後，康
有為的思想發生了很大的變化，他認為治學合一理論，「在昔一統
閉關之世也，立義甚高，厲行甚嚴，固至美也。若在今世，列國縱
橫，古今異宜」，這個理論便不盡適合，「故今莫若令治教分途，
則實政無礙而人心有補焉」。而治教分途的方法，「莫若專職業以
保守之，令官立教部，而地方立教會焉」。如此，便可「政教各
立，雙輪並馳，既並行而不悖，亦相反而相成」❸。康有為之所以
思想上有此轉變，是因為隨著對西方資產階級思想瞭解的加深，他
逐漸認識到僅靠「讀法」是不可能解決當時社會和國家的危機。為
了挽救危機，就必須學習西方。治教分途，設立教會教部，正是他
學習西方的努力。

　　常州學派要求治學為現實服務，開創了晚清經世致用的新學
風，在一定程度上扭轉了當時社會裡「所學非所用，所用非所學」
的舊學風，這在當時和此後，都產生了積極的進步作用。

　　第四，疑古惑經的史學思想。疑古思想在中國產生甚早，《孟
子·盡心下》言：「盡信書，不如無書。吾於武成，取二三策而
已。」可見春秋戰國時人們已經對文獻的真實性產生了懷疑。唐代
劉知幾著《史通》，對於《尚書》、《春秋》等經書裡的記載皆有
懷疑，指出六經所言不真，不可全信。「魯史之有《春秋》也，外

❸　康有為：《教學通義·讀法》，《康有為全集》，第1集，頁141。
❸　康有為：〈請尊孔聖為國教立教部教會以孔子紀年而廢淫祠折〉，《康有為
　　政論集》，頁282－283。

為賢者，內為本國，事靡洪纖，動皆隱諱。斯乃周公之格言。然何必《春秋》，在於六經，亦皆如此」❹。到了清代，考據學發達，閻若璩繼承前人疑古思想，著《尚書古文疏證》，以無可辯駁的證據證明古文《尚書》為偽書，昔日奉為神明的經典竟是偽書！對於思想界震撼之大可想而知。及至章學誠，又在理論上提出「六經皆史」——皆三代之歷史，將經學的地位降到與史相等，為此後的疑古惑經掃除了思想障礙。他們的這些主張已開了常州學派疑古惑經思想的先河。

宋翔鳳懷疑劉歆篡改《左傳》，「劉歆以傳合經，始依經文加之（指春、夏等字），實違《春秋》之義。自歆改《左氏》而班固撰《漢書》，於《史記》幾月之上皆加春、夏字，以歸畫一」❺。他甚至懷疑商、周彝器上的銘文皆為後人所篡改：「商、周彝器，其銘詞皆史官所篡」❻。

常州學派的健將劉逢祿全部否定《左傳》，認為《左傳》裡的書法、凡例皆出自劉歆偽造，他說：「余年十二，讀《左氏春秋》，疑其書法是非多失大義。」他並具體指出《左氏》書法不當之處：「（穎）考叔於莊公，君臣也，不可云：『施及』，亦不可云：『爾類』，不辭甚矣。凡引『君子』之云，多出後人附益。」又批評《左傳》裡的「凡例」云：「凡例以稱人而執為執有罪，固

❹ 劉知幾著，浦起龍釋：〈疑古〉，《史通通釋》（上海：上海古籍出版社，1978年），頁380。
❺ 宋翔鳳：《論語說義》，《皇清經解續編》，卷395，頁2。
❻ 宋翔鳳：〈元年春王正月〉，《過庭錄》，卷9，頁149。

不可通矣。」⑳

　　龔自珍繼承章學誠「六經皆史」的主張，指出：「六經者，周史之宗子也。」㉚又延伸劉逢祿《左氏春秋考證》之緒餘，疑《左傳》為劉歆偽造，「於《左氏春秋》審為劉歆竄益，顯然有跡者，因撰《左氏決疣》一卷」㉝。又疑《周官》為劉歆所造，則曰：「《周官》晚出，劉歆始立。劉向、班固灼知其出於晚周先秦之士掇拾舊章所為，附之於《禮》，等之於《明堂》、《陰陽》而已。後世稱為經，是為述劉歆，非述孔氏。」㉚「《周官》之稱經，王莽所加」㉛。對於其他經書，龔自珍亦有懷疑，嘗欲「寫定」㉜群經，可見其對群經皆有所疑。

　　魏源懷疑《詩經》、《尚書》，著《詩古微》、《書古微》二書，均收入王先謙主編之《皇清經解續編》之內。在〈書古微序〉中，指出是書之作，目的在於對《尚書》進行「補亡」、「正訛」㉝的整理。這表明在他看來，《尚書》之中有佚失，有錯誤，需要他來「補亡」、「正訛」。他自述《詩古微》的寫作目的是：

　　　　所以發揮齊、魯、韓三家《詩》之微言大誼，補苴其罅漏，

---

⑳　劉逢祿：《左氏春秋考證》，《皇清經解》，卷 1294，頁 1－3。

㉚　龔自珍：〈古史鈎沈論〉二，《龔自珍全集》，第 1 輯，頁 21。

㉝　張祖廉：〈定庵先生年譜外紀〉，《龔自珍全集》，第 11 輯，頁 641。

㉚　龔自珍：〈六經正名〉，《龔自珍全集》，第 1 輯，頁 37。

㉛　龔自珍：〈六經正名答問〉一，《龔自珍全集》，第 1 輯，頁 39。

㉜　龔自珍：〈古史鈎沈論〉三，《龔自珍全集》，第 1 輯，頁 25。

㉝　魏源：〈書古微序〉，《魏源集》，頁 113。

張皇其幽渺，以豁除《毛詩》美、刺、正、變之滯例，而揭周公，孔子制禮正樂之用心於來世也。❸

即使對於他所深信的今文經，亦覺得其中有罅漏，需要他來補苴，更不用說對於那些他不相信的古文經了。

康有為繼承常州學派先賢疑古惑經的思想，並加以發展，著《新學偽經考》，認為西漢末年劉歆所力爭立為博士之經皆為新莽之學，為劉歆所偽造，甚至認為《史記》、《楚辭》中也有劉歆竄入的數十條內容；出土之鍾鼎彝器，皆為劉歆私鑄埋藏於地下以欺後人。又著《孔子改制考》，認為孔子作六經，托古以改制，「堯舜者，孔子所托也，其人有無不可知；即有，亦至尋常；經典中堯舜之盛德大業，皆孔子理想上所構成也」。這樣一來，「數千年來共認為神聖不可侵犯之經典，根本發生疑問，引起學者懷疑批評的態度」❸。

由上論述可見，常州學派的疑古思想一浪高過一浪，從懷疑《左傳》有劉歆纂改到全部否定《左傳》，再發展到懷疑古文經的真實性，到康有為則懷疑古代所有典籍的真實性。他們的疑古思想，在當時有著解放人們思想的進步意義。但是，毋庸諱言，常州學派的這種疑古思想，在某種程度上走向了極端。尤其是康有為，全面否定古代典籍的真實性，在歷史上造成了不良影響，是此後歷史虛無主義、民族虛無主義產生的重要誘因。

---

❸ 魏源：〈詩古微序〉，《魏源集》，頁119－120。
❸ 梁啟超著，朱維錚校注：《梁啟超論清學史二種》，頁65。

　　總而言之，從史學思想上看，常州學派的學者們表現出一定的共性：他們信奉《公羊》三世說，在歷史觀上表現出進化論與循環論相擾的特點；面對當時日益嚴峻的社會危機，他們以歷史變易思想為武器，要求進行社會改革；他們借經術文飾政論，關心國計民生，講求經世致用，慨然以天下興亡為己任，積極倡導關注現實的新學風，在一定程度上，扭轉了當時無益於時務的舊學風；另外，他們還懷疑古代典籍的真實性，這在當時有著解放人們思想的進步意義。❸⓫⓰

---

❸⓫⓰　本文是在業師吳澤教授的指導下撰寫的博士學位論文的一部分。在常州學者的經學研究學術研討會上，得到林慶彰教授、陳鴻森教授、蔡長林教授等專家的指正，特此致謝！

論莊存與的卦氣說

孫劍秋[*]

一、緒　論

　　清代今文經學興起於乾嘉之際，大盛於道光年間。[❶]肇始者是莊存與。莊氏字方耕，江蘇常州人。他在治學路徑上，不專事箋注，不斤斤分明漢、宋，但期融通聖奧，歸諸至當。[❷]

　　莊氏於六經皆深造有得，而《易經》方面尤致力於卦氣。[❸]卦氣源起於西漢宣帝時的《易》學博士孟喜。[❹]由於當時推行太初

---

[*]　　孫劍秋，國立臺北教育大學語文與創作學系副教授。

[❶]　　皮錫瑞：「國朝經學三變，……嘉、道以後，又由許、鄭之學，導源而上，《易》宗虞氏以求孟義，……是為西漢今文之學。」《經學歷史》（臺北：臺灣商務印書館，1984 年），頁 64。

[❷]　　嚴文郁編：《清儒傳略》（臺北：臺灣商務印書館，1990 年），頁 224。

[❸]　　徐芹庭稱清代可謂漢象數《易》學復興之黃金時代，並於介紹莊氏《易》學時，以「莊存與精於卦氣」為標題。徐先生認為莊氏「能以《易》、《禮》與卦氣參解《易經》，亦良足多者。」《易學源流》（臺北：國立編譯館，1987 年），頁 1046。

[❹]　　金春鋒：「孟喜《易》學的產生，本質上是漢代以董仲舒為代表的陰陽五行之天人感應學說，在《周易》中的具體發展和表現。孟喜以前，董仲舒以陰陽災異說《公羊春秋》，為儒者宗。董仲舒學說的基本內核即是以陰陽與五

曆,間接促進天文學的發達,孟喜便是在這種環境下,並參雜陰陽學說❺而建立他的卦氣理論。孟喜的卦氣說其實是有意要建立一個包含時間、空間的宇宙觀。此一學說雖免不了有迷信色彩,但從哲學意義上說,它卻充分發揮了《易經》的生生思想。在此學說裡,宇宙的時間是一年,空間是四方,其間的變化就是循環不已、生生不息。❻而人生活在其中,也要因時因地推移,才能應合天理,趨吉避凶。莊存與的卦氣說,主要便是根據孟喜❼的理論而推演出來的。

行之消長盈虛,為天道之正常與變異,及由此造成的人事吉凶禍福之根據。孟喜不過是把它具體引入《易》學,使之《易》學化而已。」《漢代思想史》(北京:中國社會科學出版社,1997年),頁339。

❺ 《周易卦爻辭》原無陰陽觀念,至〈十翼〉才以陰陽觀念說《易》。換句話說,並非「《易》以道陰陽」,而是戰國以後學者努力以「陰陽」道《易》。參見謝松齡:《天人象:陰陽五行學說史導論》(濟南:山東文藝出版社,1997年),頁58—65。

❻ 參見羅光:《中國哲學思想史清代篇》(臺北:臺灣學生書局,1990年),頁521。

❼ 孟喜從丁寬之弟子田王孫學《易》。孟喜為人「好自稱譽」,偶得《易家侯陰陽災變書》,詐稱為其師田王孫臨終所傳,同窗梁丘賀曾指此事為偽。周立升:「所謂《易家侯》即卦氣說,通過卦氣以推斷陰陽災異,故稱《易家侯陰陽災變書》。孟喜的卦氣說實屬道家隱士所傳,不屬於儒家。」又云:「孟喜學《易》有師法是事實,但並非是儒家《易》的正宗傳人,而是一位叛離師法、背離儒家,號稱『今文經派』而實為接受道家思想的《易》學家。因此漢宣帝聞聽孟喜改師法,遂不用喜。」《兩漢易學與道家思想》(上海:上海文化出版社,2001年),頁36。

二、孟喜、京房卦氣說之異同

孟喜《易》學的特點是以卦象解說一年節氣的變化。朱伯崑認為此說來自於《禮記·月令》、《呂氏春秋·十二紀》及《淮南子》〈天文篇〉、〈時則篇〉。❽其內容是以〈坎〉、〈震〉、〈離〉、〈兌〉四正卦主管四時，每卦六爻，共二十四爻，分別主管二十四節氣。如〈坎卦〉初六為冬至、九二為小寒、六三為大寒、六四為立春、九五為雨水、上六為驚蟄，其餘三正卦亦以此類推。剩下的六十卦，每卦分掌六日七分，並配以七十二候。其中又以〈復〉、〈臨〉、〈泰〉、〈大壯〉、〈夬〉、〈乾〉、〈姤〉、〈遯〉、〈否〉、〈觀〉、〈剝〉、〈坤〉分別代表十二個月，稱十二辟卦，或十二消息卦。整體來說，孟喜《易》學和當時的太初曆法❾是相對應的，並依此闡說人事吉凶。❿

漢元帝時的京房《易》學⓫就不盡相同，他表面上是承繼孟喜的卦氣說，實際上卻是以六十四卦卦象和卦爻辭為資料，並吸收當時的陰陽五行說，而推演自己的《易》學體系⓬，諸如八宮、世

---

❽ 朱伯崑：《易學哲學史》第 1 卷（臺北：藍燈文化公司，1991 年），頁135。

❾ 漢武帝於元封七年頒太初曆，漢章帝時改用四分曆，現在通行的農曆是延續四分曆而衍生下來的。參見鄺芷人：《陰陽五行及其體系》（臺北：文津出版社，1992 年），頁 241－254。

❿ 朱伯崑認為孟喜的卦氣說同太初曆相應。見〈漢代的象數之學〉，《易學哲學史》，頁 140。

⓫ 西漢時有二位《易》學家皆名京房。其一為楊何弟子，是梁丘賀的老師；其二為焦延壽弟子，著有《京氏易傳》三卷，本文所指為後者。

⓬ 朱伯崑：《易學哲學史》，頁 142。

應、飛伏、納甲等。那麼究竟京房的卦氣說和孟喜的有何不同呢？⓭

首先，孟喜以六十卦、三百六十爻配一年日數，剩餘五又四分之一日，則平均分到六十卦中，每卦得七分，故孟喜六十卦的每一卦皆六日七分；京房則將〈坎〉、〈離〉、〈震〉、〈兌〉四正卦，也納入一年的日數中。以六十四個卦三百八十四爻，配一年之日數。其分法是以四正卦的初爻，分別掌二至二分，每爻得一日八十分之七十三；再以四正卦之前四卦〈頤〉、〈晉〉、〈升〉、〈畜〉，各分得五日十四分，其餘各卦才是六日七分。

其次，孟喜以四正卦配十二月，京房以八卦配十二月；孟喜以四正卦掌二十四節氣，京房則以〈乾〉、〈坤〉卦為父母卦，不納入節氣中，其餘六子卦三十六爻分掌二十四節氣。由於爻數多，節氣少，所以創「同用」之說，例如〈坎初六〉配立春及立秋等等。這麼一來京房就多用了〈巽〉、〈艮〉二卦來掌二十四節氣。

其三，孟喜和京房雖都著眼於陰陽二氣的變化，然孟喜重在陰陽消長進退所引起的天地氣候變化；而京房則是重在各卦的陰陽變易與互變所造成的卦象與卦義的改變，從而使《周易》全面陰陽

⓭　周立升認為：「卦氣說是漢《易》的理論支柱，也是漢《易》之價值所在。西漢中期是卦氣說的創制時期，《易》學家在對當時《易》學、哲學和天文曆法所取得的成果，進行總結與整合之後，極力尋找《易》學與宇宙論和天文曆法的結合點，並以此為基礎建構適應當時社會需要的卦氣理論。……但京房力圖把一切均納入八宮六十四卦，因此他的卦氣說也顯得十分龐雜，甚至有相互牴牾之處。」見《兩漢易學與道家思想》，頁83。

化，並以之闡發陰陽災異。❶

三、莊存與的卦氣說

莊存與的〈卦氣解〉，明顯近於孟喜的以卦象解說節氣變化，而遠於京房的災異之說。以下針對莊氏的〈卦氣解〉，說明其特色：

㈠ 從天文曆法的角度建構一己的宇宙觀

孟喜卦氣說以〈中孚〉卦為首，朱伯崑認為一方面是取此卦卦義，一方面與律曆中的十一月律說相配合。❶他舉《淮南子》說：〈天文篇〉提出「日冬至德氣為土」的說法，德氣指自然界表現的主氣，冬至時為土氣，土居中央，五常為信，可見「中孚」之義。而〈中孚〉之所以在〈復〉卦之前，〈中孚〉代表陽氣初萌，仍潛藏地下而未出。至於〈復〉卦，則是一陽已成，大地陽氣已現，所以要退居其次。❶莊氏則認為：

> 卦氣始〈中孚〉，終於〈頤〉，渾蓋之象，包括始終也。
> 〈乾〉辟巳、〈坤〉辟亥、攝提方也。〈巽〉候申、〈艮〉
> 候亥、日月會也。〈巽〉後而〈艮〉先，天行有進退也。先
> 卯中而〈晉〉，後酉中而〈明夷〉，歲之晝夜也。〈晉〉近

---

❶ 金春峰：《漢代思想史》，頁345。

❶ 朱伯崑：《易學哲學史》，頁141。

❶ 西漢末揚雄作《太玄》，取用〈中孚〉以表示陽氣萌生之初，潛藏於地之陽氣正在化生之中。卦氣起中孚的意義，可以相證。《周易辭典》（長春：吉林大學出版社，1992年），頁396。

而〈明夷〉遠，勸賞畏刑之義也。❶

莊氏的說解，明顯側重在日月星辰的分布、運行與變化。首先，他說：「渾蓋之象，包括終始。」渾指圓形，蓋指方形。古人對天體的認識是天圓地方，所以這兩句指的是天與地的關係。「乾辟巳、坤辟亥、攝提方也」，說的是斗杓所指的方位。❶「巽候申、艮候亥」，指的是日、月出沒的時間，所以說「日月會也」。「巽後而艮先，天行有進退也」，指的是四時的代序變化。「先卯中而晉，後酉中而明夷，歲之晝夜也」，對照卦氣七十二候表中，〈晉〉在春分之前，〈明夷〉在秋分之後，表示一年中的晝夜（溫冷）由此開始變化。

最有意義的當是「晉近而明夷遠，勸賞畏刑之義也」二句，從〈晉〉卦之後，天氣漸漸暖和，從〈明夷〉卦之後，天氣漸漸寒冷，這種天時變化給人的啟示是「勸賞畏刑」！由此可得到兩個觀念：

1.梁啟超《清代學術概論》云：莊存與的《春秋正辭》：「刊落訓詁名物之末，專求其所謂『微言大義』者」❶，套用在此處也頗為恰當。蓋莊氏先後直上書房、南書房達四十年之久，從他所著《春秋正辭》來看，他對漢儒與帝王溝通的模式必有相當體會，而

---

❶ 莊存與：〈卦氣解〉，《續經解易類彙編》（臺北：藝文印書館，出版年未載），頁133。

❶ 漢人以北斗柄做為天體座標來規範二十八宿與十二星次。見鄺芷人：《陰陽五行及其體系》，頁241－254。

❶ 梁啟超：《清代學術概論》（臺北：臺灣商務印書館，1966年），頁75。

卦氣說正是該書之外，最適當取得天人相感的論證，也是他建構宇宙論的根據。

2.莊氏並不以漢儒之非常可怪之論與帝王溝通。按：顧頡剛認為常州學者在經學上的研究，會以《公羊》為中心，是因其時《十三經》中，僅何休的《公羊解詁》為今文家言。❷何休解經便不以非常可怪之論為尚，這種思想自然影響莊氏的著作內容，當然也包括〈卦氣解〉在內。

㈡ 以經傳文解卦氣，見卦知義

莊氏進行卦氣論述時，是以平實可信的方式，舉出《易經》經傳文及後人相關說解，以證己說。例如：「〈艮〉其首，〈坤〉其尾，首下地而潛，尾行天而見，〈謙〉之象也。」❷〈謙〉卦的上卦為〈坤〉，下卦為〈艮〉，〈坤〉象為地，本質屬下而上行於天；〈艮〉象為山，本質屬上而下潛於地，二象相合有〈謙〉之義，這是以上、下二象解卦。又如：

> 淵泉動，〈屯〉也；冰泮，〈蒙〉也；雲升，〈需〉也；龍
> 出泉，〈解〉也；天降時雨，〈訟〉也；通瀆於四海，
> 〈師〉也；絡脈通，潤下而不竭，〈比〉也。❷

---

❷ 顧頡剛：「經今文學運動的出發點是《公羊傳》，這是因其時《十三經》中僅何休的《公羊解詁》為今文家言。」《當代中國史學》（香港：龍門書店，1964年），頁41。

❷ 莊存與：〈卦氣解〉，頁134。

❷ 同前註，頁133。

這段話也明顯是以上、下卦象作說明：〈屯〉卦上〈坎〉下〈震〉，〈坎〉為水而上，〈震〉為動而在下，所以是「淵泉動」。〈蒙〉卦上〈艮〉下〈坎〉，〈艮〉為山、〈坎〉為水，山下有水，又〈蒙〉在七十二候中是立春次候，初候為「東風解凍」，次候之「山下有水」自然是冰泮的現象。〈需〉卦上〈坎〉下〈乾〉，〈坎〉為雲、〈乾〉為天，雲上於天，所以是雲升未雨之象。以上〈屯〉、〈蒙〉、〈需〉三卦，又正好是四正卦為〈坎〉卦之時。

又〈解〉卦上卦為〈震〉下卦為〈坎〉，〈說卦〉：震為龍，坎為泉。所以說「龍出泉」。〈訟〉卦上卦為〈乾〉為天，下卦為〈坎〉為雨，所以是「天降時雨」。〈師〉卦上〈坤〉下〈坎〉，〈坤〉為地，〈坎〉為溝瀆，所以是「通瀆於四海」。〈比〉卦上〈坎〉下〈坤〉，水在地上，所以說「絡脈通，潤下而不竭。」而〈解〉、〈訟〉、〈師〉、〈比〉四卦，又正好是七十二候表中，四正卦為〈震〉之時。

諸如此類的說解，只要對《周易》經文及十翼內容有所了解，必能見卦知義。由此可知，莊氏對卦氣的理解是平實的天象自然變化，而非如京房《易》刻意將它神秘化。

㈢ 以陰陽爻增減說明歲時的消長

卦氣說的內涵，旨在建構蘊含時空的宇宙圖式。❷孟喜〈卦氣

---

❷　馮友蘭認為：陰陽家不講八卦，《易》傳不講五行，但卻各自建立自己的體系與世界圖式。其後《易》緯整合說明「氣」的發展流行，便把《易》傳的世界圖式，和陰陽家的世界圖式結合起來。又云：「這個世界圖式不僅是一個空間的圖式，也是一個時間的圖式。照上面的說法，六十四卦在一年陰陽

圖〉以〈坎〉、〈震〉、〈離〉、〈兌〉四正卦，配冬、春、夏、秋四季；四正卦每卦六爻，共二十四爻配二十四節氣；餘六十卦主一年日數，所以每卦為六日七分。卦氣開始的六日七分屬公卦，次為辟（君）卦，以下依序為候卦、大夫卦及卿卦。又有十二卦主十二辰，十二卦共七十二爻，主七十二候，這便是孟喜卦氣說的主要內容。莊氏就是在此基礎上，說明卦爻與氣候的關連性：

> 自〈中孚〉迄〈井〉，陽爻八十九，陰爻九十一，共一百八十，當半歲。實其在〈晉〉以前，陽爻三十八，〈解〉以後，陽爻五十一，曆日在春分前則少，在春分後則多之象也。自〈咸〉迄〈頤〉，陽爻九十一，陰爻八十九，共一百八十，當半歲。實其在〈大畜〉以前，陽爻五十四，〈賁〉以後，陽爻三十七。曆日在秋分前則多，在秋分後則少之象也。……。二至相距，陰爻、陽爻不正九十而多一少一者，何也？曰：吾以是知歲實之有消長也。㉔

按：從冬至十一月中的〈中孚〉卦起，至芒種五月節的〈井〉卦止，共三十卦，一百八十爻，其中陽爻有八十九數，陰爻有九十一數，似乎予人一年的前半年陰爻多而陽爻少的錯覺，所以莊氏說，若以春分為準，則春分之前（〈晉〉以前），陽爻僅三十八數，春

之氣的消長中都起『用事』的作用，這就是所謂『卦氣』。」《中國哲學史新編》（臺北：藍燈文化公司，1991 年），第 3 冊，頁 204、214。
㉔　莊存與：〈卦氣解〉，頁 135。

分以後（〈解〉以後），則有五十一數，正符合曆日在春分前少，在春分後多的天象。當然，自〈咸〉至〈頤〉的後半年道理亦同。

> 自〈解〉迄〈大畜〉，陽爻一百有五，陰爻七十五，畫永而夜短也。自〈賁〉迄〈晉〉，陽爻七十五，陰爻一百有五，畫短而夜永也。㉕

按：自春分〈解〉卦，至白露〈大畜〉卦，此半年間日長夜短，所以陽爻達一百有五數，而陰爻僅七十五數，自秋分〈賁〉卦，至驚蟄〈晉〉卦的半年時間，陰陽爻數正相反。由此可知「陽爻多則陰爻少，象行度之縮焉；陰爻多則陽爻少，象行度之盈焉。」㉖這就

㉕　同前註。

㉖　此處疑有錯簡：本段原文：「自〈中孚〉迄〈井〉陽爻八十九，陰爻九十一，共一百八十，當半歲。實其在〈晉〉以前，陽爻三十八，〈解〉以後，陽爻五十一，曆日在春分前則少，在春分後則多之象也。自〈咸〉迄〈頤〉陽爻九十一，陰爻八十九，共一百八十，當半歲。實其在〈大畜〉以前，陽爻五十四，〈賁〉以後，陽爻三十七。曆日在秋分前則多，在秋分後則少之象也。陽爻多則陰爻少，象行度之縮焉；陰爻多則陽爻少，象行度之盈焉。自〈解〉迄〈大畜〉，陽爻一百有五，陰爻七十五，畫永而夜短也。自〈賁〉迄〈晉〉，陽爻七十五，陰爻一百有五，畫短而夜永也。二至相距，陰爻陽爻不正九十而多一少一者，何也？曰吾以是知歲實之有消長也。」本人認為「二至相距，陰爻陽爻不正九十而多一少一者，何也？曰吾以是知歲實之有消長也。」應移置於「曆日在秋分前則多，在秋分後則少之象也。」之後！而「陽爻多則陰爻少，象行度之縮焉；陰爻多則陽爻少，象行度之盈焉。」應移置於「畫短而夜永也」句後。

是以陰陽爻消長來說明行度有盈縮，歲實有消長。至於十二辟卦的解說，莊氏認為：

> 辟卦十二，乾坤之爻各三十六；候卦十二，乾坤之爻各三十六；凡百四十有四畫，合坤之策。辟治天下，侯治一國，皆君道也。辟以序，而侯以錯，讓於辟也，臣道也。公卦十二，乾爻四十一，坤爻三十一，有師保之誼焉。卿卦十二，乾爻三十五，坤爻三十七，讓於侯也。大夫卦十二，乾爻三十二，坤爻四十，讓於卿也。公、卿、大夫，凡二百一十有六畫，合乾之策也。❷❼

按：十二辟卦配合於人事屬君，所以莊氏說「辟治天下」。而侯則為封國之主，雖是臣子，也實有統治權，所以說「侯治一國」。辟為中央之君，侯為地方之長，都要配合七十二候調整作息，以應時令。又公卦十二，其中陽（乾）爻四十一數，陰（坤）爻三十一數，是因君數少，臣數多，臣輔君之象，所以說有「師保之誼」。至於卿、大夫的陽爻數漸少，陰爻數漸多，則是上下尊卑之不同，所以說卿卦「讓於侯」，大夫卦「讓於卿」。另外文中提到坤策、乾策，語出〈繫辭〉「大衍之數五十」一段。原文為：

> 乾之策二百一十有六，坤之策百四十有四。凡三百六十當期

---

❷❼ 莊存與：〈卦氣解〉，頁135。

之曰。二篇之策萬有一千五百二十，當萬物之數也。❷

按：〈卦氣圖〉中奧妙的地方就在於此。大衍坤策的由來是坤卦六
爻，每得一爻，需揲六次，每揲一次以四根草來分，六次共二十四
根。六爻乘二十四，正為一百四十四之數。大衍乾策每得一爻需揲
九次，每次以四根來分，九次共得草三十六根。六爻乘三十六，正
為二百十六之數。依此算法，易經全篇六十四卦三百八十四爻，陽
陰爻各佔一半。陽爻之數 192×9 次×4 根，即為 6912 策；陰爻之
數 192×6 次×4 根，即為 4608 策。陰陽兩數相加，共 11520 策，
此數即象徵表示萬物之數。

所以自古以來學《易》者皆深信，將此乾坤策數「引而伸之，
觸類而長之，天下之事畢矣」！換句話說，就是能預知天下之事而
加以掌握。而〈卦氣圖〉所呈現的氣候現象，一年便重複一次，是
可親身實證的，無怪乎歷代談天人相感的學者，都藉此以論證一己
之天人理論。莊氏作〈卦氣解〉自然也有此意。

四、莊存與作〈卦氣解〉的意義

天人感應說，主要是通過人類社會的災變現象，與自然界的異
常現象，以說明人類行為與歷史事件之間的因果關係。他們認為天
人同存於合理、和諧的宇宙中，故天人可以相感應，自然界的變異
現象正是人類行為的不善之氣，破壞此一氣化宇宙的結果。因此他
們深信此一學說，並致力於將它系統化、理論化。莊存與作〈卦氣

---

❷　周振甫：《周易譯注》（臺北：五南圖書公司，1995 年），頁 422。

解〉的意圖，應即如是。換句話說，莊氏文中所透顯出來的意義是：宇宙既是由一合理的統治秩序所構成，則人類社會，甚至於政治秩序也必須合於此一循環，才合於天理而免受災厄。

在此，本文提出兩點小結：其一，莊存與任職上書房、南書房近四十年，如何面對夷狄入中國的政治敏感問題，應是研究莊學者首要觸及的問題。所以本人認為莊存與作〈卦氣解〉在學術的目的上，應是尋求更適合鞏固舊有傳統秩序的不同形式，以合乎順天應人之特殊政治背景，也就是以陰陽消長說明人事代換，從而肯定清人統治中國的合理性。❷❾其二，莊存與的〈卦氣解〉能一反漢末以來變異可怪之論，但言陰陽消長，不輕涉災異，為天人感應理論增飾內容，確實是有其卓越貢獻的。

---

❷❾ 孫春在：《公羊》家的立場是，只要接受中國文化可以忽略血統因素。《清末的公羊思想》（臺北：臺灣商務印書館，1985 年），頁 28。

莊存與《周官記》研究

陳溫菊*

一、引　言

　　莊存與（1719－1788），字方耕，號養恬，江蘇武進人。生於清康熙五十八年，卒於乾隆五十三年，享年七十。乾隆十年（1745）中一甲二名進士（即榜眼），授職翰林院編修，屢次升遷至禮部侍郎、內閣學士，歷任湖南、順天、河南、山東等地學政，典湖北、浙江鄉試各兩次，先後於南書房、上書房行走近四十年，以年老休致。其人性情方正廉鯁❶，影響所及，治學態度也篤實謹

---

* 　陳溫菊，銘傳大學應用中國文學系副教授兼系主任。

❶　〔清〕龔自珍：〈資政大夫禮部侍郎武進莊公神道碑銘〉載：「公性廉鯁，典試浙江，浙巡撫餽以金，不受，遺以二品冠，受之。及塗，從者以告曰：『冠頂，真珊瑚也，直千金。』公驚，馳使千餘里而返之。」《定盦文集》，《續修四庫全書》第 1520 冊（上海：上海古籍出版社，1995 年影印光緒丁酉年粵東全經閣藏版），卷上，頁 18－19。又〔清〕臧庸：〈禮部侍郎莊公小傳〉述存與之立身治家云：「治家嚴而有法，不苟言笑，於世俗聲華玩好之屬，淡然無所嗜。性清介，嚴取予，謹然諾，飲食衣服，刻苦自持。」《拜經文集》（清同治九年上元宗氏據漢陽葉氏藏本），卷5，頁1。可見其性之清介耿直。

嚴而博通群經❷，尤其能在乾隆經訓之學隆盛時期，另闢治經義的
途徑，成為清儒首治《公羊》學學者。他的學術著作影響了從子莊
述祖、孫莊綬甲、外孫宋翔鳳及劉逢祿，都喜談《公羊》學說，而
形成著名的「常州學派」，故被視為清代《公羊》學派之祖，在清
代學術史上佔有一席之地。

　　事實上，莊存與的研究遍及群經，除了具代表性的《春秋正
辭》、《春秋舉例》、《春秋要旨》等闡明《公羊》家法的著述
外，對於《易》、《書》、《詩》、《禮》、《四書》諸經皆有著
作❸，不過目前研究者關注的焦點大多集中在《春秋》體例與微言
大義的分析，成果也已可觀；但對莊存與的其他著作相對地缺乏較
深入的探研，這樣的侷限，對於通盤掌握莊存與的思想脈絡，無疑
是一個潛藏的弊端。為了對莊存與思想體系有更全面的了解，本文
以他另一個重個代表作——《周官記》為對象，透過對原著初步的
分析與研究，一探莊氏心中所建構的理想國藍圖，並進而尋繹其群
經著作的通貫理念，期望能更客觀地推斷或評論其人、其書的研究
成果及學術定位。

---

❷ 〔清〕阮元：「宗伯踐履篤實，于六經皆能闡抉奧旨，不專專為漢、宋箋注
　之學，而獨得先聖微言大義於語言文字之外，斯為昭代大儒。」〈莊方耕宗
　伯經說序〉，見莊存與：《味經齋遺書》（光緒八年陽湖莊氏藏版），卷
　首。

❸ 莊方耕的著作，於《易》有《彖傳論》、《象傳論》、《彖象傳》、《繫辭
　傳論》、《序卦傳論》、《八卦觀象解》、《卦氣解》等，於《書》有《尚
　書既見》、《書說》、《周書時訓解》，於《詩》有《毛詩說》，於《禮》
　獨重《周禮》，作《周官記》、《周官說》、《周官說補》，於樂有《樂
　說》，又折衷經籍之大典作《四書說》一卷。

二、《周官記》的撰著動機

莊存與的經學專著多收錄在《味經齋遺書》當中，唯《周官記》、《周官說》及莊綬甲由其遺稿中檢錄編輯的《周官說補》，另收載於《皇清經解續編》。莊存與治經，「最先致力於《禮》」（莊綬甲：〈周官記跋〉）❹，而《周官記》的成書當在他晚年之時❺，故此書可視為他一生致力鑽研《禮》學的成果表現。也因為嫻熟於《禮》，在他四十餘年的仕宦生涯中，先後多次出任禮部侍郎之職❻，朝廷與時人皆公認他知《禮》。值得探討的是，對於《三禮》的研究態度，他何以特重《周禮》而不及《儀禮》或《禮記》呢？他專為《周禮》補亡而作《周官記》、《周官說》，推究其理念，有三個原因：

㈠ 保存周公建事之典

關於《周官》或《周禮》❼的作者，歷來聚訟紛紜，或以為周公所作，如漢代至少有賈逵、衛宏、鄭眾、馬融、鄭玄等人，唐代有賈公彥，宋代有王安石，清末有孫詒讓等；或以為出於劉歆手

---

❹ 此文與《周官記》同時收錄於《續經解三禮類彙編（一）》（臺北：藝文印書館，1986年），頁714。

❺ 莊存與自撰〈序冬官司空記〉一文，同時收錄於《續經解三禮類彙編（一）》，頁685，落款年份是乾隆四十八年（1783），此時他已六十五歲，《周官記》完成的時間應在此前後。

❻ 莊存與於乾隆二十年（1755）擢任內閣學士兼禮部侍郎，二十三年擢禮部右侍郎，三十八年補禮部右侍郎，四十四年署禮部右侍郎，四十九年轉禮部左侍郎，足見其嫻知禮制典章而數任此職。

❼ 《周官》即《周禮》，西漢時稱之為《周官》，乃河間獻王所得先秦古文典籍之一。王莽居攝八年時，據劉歆建議，正名為《周禮》。

筆，如宋代朱熹、胡五峰、晁說之、洪邁等人；或以為戰國之書，
例如何休所謂「六國陰謀之書」（賈公彥〈序周禮廢興〉）以及時
人錢穆先生〈周官著作時代考〉一文❽中的考證。莊存與〈序冬官
司空記〉一文明確地說：「夏王之作司空，周公之建事典也，其道
甚著，萬世卒不廢，安可泯沒哉？」他以為司空一職原是夏禹時所
立之官，至西周，由周公建構成完備的職官制度，也成為周人立國
治朝的依據。此建國制度載於《周禮》之中，故知《周禮》（即
《周官》）乃周公建事之典籍，是有周一朝治國之法。不過他同時
也說明《周官》所建之典章制度並非周公一人獨創，而是由許多先
聖先王陸續積建其規模的，他說：

> 民之初生，不可得而知也，聖人之作，自包犧氏王天下，略
> 見於《易・大傳》，歷神農、黃帝，爰及堯、舜，制器尚
> 象，備物致用，然後飲食、宮室、器械、衣服皆有法度，所
> 以養生送死，要於極敬愛之心，著上下之辨而已。制禮，上
> 物不過十二，自上以下，降殺以兩，以是為天之大數也。堯
> 遭洪水，不遑寧處，茅茨土階，葛衣鹿裘，飯土簋，啜土
> 鉶，樂土鼓，葦籥，伊耆氏之作也，憂深思遠甚矣。有虞繼
> 之而上陶，夏后繼之而上匠，卑宮室，盡力乎溝洫，損而有
> 孚，二簋可享，益以元吉，用為大作，明德之隆也。……周
> 之先公，世修后稷、公劉之業，文武有明德，周公定宗禮，

---

❽ 見《兩漢經學今古文平議》（臺北：東大圖書公司，1971 年），頁 285－
434。

以詔後嗣子孫。（〈序冬官司空記〉）

莊氏以為：周人典章制度的建立，自遠古時代的包犧氏開始，歷經神農、黃帝、堯、舜、禹、湯、文王、武王，最後由周公旦完成禮制的確立，所謂「周公定宗禮」，「宗禮」所指，即是《周官》所建之典章制度。因此《周官》為萬世禮治之事典，此事典存而行，國家可治；此事典廢而亡，則世道泯滅，弊亂叢生，「天子僭天，諸侯僭天子，大夫僭諸侯，設兩觀，乘大路，朱干玉戚，臺門旅樹，鏤簋朱紘，養生奢泰，奉終泰厚，君不陳藝，臣不信度，天下蕩然矣」。（〈序冬官司空記〉）一旦維繫政權穩固的典章制度失去本有之規範與體制，也象徵著上下階級與社會禮度的墮壞，天下國家禍患將至。《周官》既是周公所建集先聖禮制大成之事典，據其內容，可為萬世治事之法，後世子孫實有為之保存的責任，即使不能得存全貌，也不可任其泯滅，故作《周官記》以存之。

㈡ 欲補冬官司空之闕亡

莊存與作《周官記》最主要的原因，據莊綬甲言：

> 先大父……病《周官》禮經六篇，〈冬官·司空〉獨亡，以為周家制度莫備於《周官》，《周官》式法根柢皆在冬官，冬官存，舉而錯之，天下無難也。欲為冬官補亡，而闕失不可理，遂原本經籍，博采傳記、諸子，為《周官記》五卷。（〈周官記跋〉）

莊存與既以《周官》為周公建制之法典，又以為《周官》所建

〈天〉、〈地〉、〈春〉、〈夏〉、〈秋〉、〈冬〉六官，其根柢
實在〈冬官〉，因此〈冬官〉的闕亡，對於《周禮》的保存與重建
是很大的打擊。若能補〈冬官〉之闕亡，則再現《周禮》之貌亦不
難矣。原先莊存與作《周官記》的首要目標及動機是欲為〈冬官·
司空〉補亡，雖然書上第一至第三卷是以冢宰、司徒、司馬為對
象，但其中凡涉及〈司空〉官職的部分，莊存與也會一併說明。為
了特別標榜〈冬官〉的重要性，他還為〈冬官·司空〉作序。此即
莊綏甲所言：「蓋將通貫六官，以陳一官之典」的推斷，這確實是
莊存與真正用心所在。他又自言：

> 《周官》禮經六篇，遭暴秦滅學，〈司空〉篇亡。漢興，購
> 千金不得，記錄考工以備大數，自是以來，〈考工記〉上繫
> 冬官，而〈司空〉之典遂亡矣。……《儀禮》十七篇，有經
> 復有記，蓋書缺簡脫，而賢者陳誦所聞。及宋劉敞為〈士相
> 見〉、〈公食大夫〉作義，皆效往古之辭，斯學者之成法
> 也。（〈序冬官司空記〉）

蓋莊氏以為《儀禮》十七篇是經，由於「書缺簡脫」，故有許多前
賢將其誦聞寫為釋經文字，此即《禮記》；又有宋人劉敞作《七經
小傳》補全了《禮記》所缺的「士相見」、「公食大夫」二禮之禮
義，因此《儀禮》一經經文大體完備，經義得其詮釋，無泯沒之
憂。相較而論，《周官》獨闕〈冬官〉，而〈冬官〉又是《周禮》
制度的根柢，卻偏偏早已闕亡，乃此經最大的缺憾，因此他作《周
官記》的主因，原是希望能儘量為〈冬官〉補亡。

(三) 本鄭氏學而特重《周禮》

　　莊存與特別重視《周禮》還有一個原因，因為他「治《禮》本鄭氏學」❾，而鄭玄對《三禮》雖然兼注，卻特別推崇《周禮》。他以為此書「為括囊大典，網羅眾家」（《後漢書·鄭玄傳》）而成，又在為「經禮三百，曲禮三千」（《禮記·禮器》）一句作注時明白地說：「經禮謂《周禮》也，《周禮》六篇，其官有三百六十；曲猶事也，事禮謂今禮也，禮篇多亡，本數未聞，其中事儀三千。」將《周禮》釋為「經禮」，是因為它講的是國家制度，可萬世不變；而《儀禮》講的是世俗禮儀，是禮的具體表現，故釋為「曲禮」；《禮記》則是由先秦至漢代的儒者為闡釋《儀禮》意義而形成的合輯，為佐助解讀《儀禮》之文。鄭康成注《周禮》「天官冢宰」首句「惟王建國」時曾謂：「建，立也。周公居攝而作六典之職，謂之《周禮》，營邑於土中，七年，致政成王，以此禮授之，使居雒邑治天下。」他既然主張《周禮》乃周公所作，故而提高它的地位為「經禮」。也因為鄭玄刻意的推崇，原是漢代晚出的古文經──《周禮》，經由其手，集漢儒杜子春、鄭興、鄭眾、賈逵、馬融諸家舊注之大成而作《周禮注》，才因此大為盛行。賈公

---

❾　鄭玄注《禮》，乃為後學學禮釋讀之本，莊存與治《禮》「本鄭氏學」亦當然耳。但於釋《禮》詁訓上，卻時見莊存與駁鄭氏異議之說，不獨《周官記》、《周官說》，《毛詩說補》、《尚書既見》亦觸目皆是。蓋莊存與雖受鄭氏《禮》學思想啟發，但非墨守其說，而以上追七十子大義為己任，故莊綬甲言：「治《禮》本鄭氏學，又遍覽晉、唐、宋、明以來說《禮》之書，擇善而從，為鄭氏拾遺補闕。」（〈周官記跋〉）因此，《周官記》所述諸官職掌，有許多異於或未見於鄭氏學說者。

彥說：「《周禮》起於成帝劉歆，而成于鄭玄，附離之者大半。」
（〈序周禮廢興〉）鄭玄對於《周禮》的貢獻確實如此。莊存與深
信此書乃周公所建事典，故特為其作書以保存之，此蓋受鄭玄思想
影響所致。

三、《周官記》的內容與體例

　　據傳《周禮》原有六篇，分述〈天〉、〈地〉、〈春〉、
〈夏〉、〈秋〉、〈冬〉六官，漢初〈冬官〉已經亡佚，故而以
〈考工記〉補之。自宋代俞廷椿作《周禮復古編》一卷，主張〈冬
官・司空〉未亡，而是分寄於五官之中，並以「五官所屬皆為六
十」的原則❿，取出五官中超過六十的部分，與司空職掌相近者補
為〈冬官〉，爾後又有王與之（《周官補遺》）、邱葵（《周禮定
本》）、吳澄（《周禮敘錄》）、陳友仁（《周禮集說》）、明人
何喬新（《周禮明解》）、柯尚遷（《周禮全經釋原》）等倣此，
皆割取五官職官以補〈冬官〉之法成書。

　　莊存與著《周官記》一書，主要目標也是嘗試彌補〈冬官〉之
亡。不過莊存與補〈冬官〉之法與上述前人不同，並非取自五官之

---

❿　此原則乃據《周禮・天官・小宰》所記：「以官府之六屬舉邦治，一曰：天
官，其屬六十，掌邦治，大事則從其長，小事則專達；二曰：地官，其屬六
十，掌邦教，大事則從其長，小事則專達；三曰：春官，其屬六十，掌邦
禮，大事則從其長，小事則專達；四曰：夏官，其屬六十，掌邦政，大事則
從其長，小事則專達；五曰：秋官，其屬六十，掌邦刑，大事則從其長，小
事則專達；六曰：冬官，其屬六十，掌邦事，大事則從其長，小事則專
達。」〔漢〕鄭玄注：《周禮鄭注》（臺北：新興書局，1976 年影印校永懷
堂本），卷 3，頁 21–22。六官之屬，其數皆六十。

職，而是「原本經籍，博採傳記諸子」進行補亡，換言之，莊存與認為〈冬官〉確實已經亡佚，故唯有從先秦典籍中搜羅相關的記載來彌補，才是最接近典籍及制度原貌的作法，因此他參酌《詩》、《書》、《易》、《周禮》、《春秋》、《左傳》、《孟子》、《國語》、《管子》、《呂氏春秋》……諸書，從中統整出與〈天官〉、〈地官〉、〈夏官〉及〈冬官·司空〉相關的職官或職掌分卷補述。就內容而言，本書由卷一至卷三（即包含〈冢宰記〉、〈司徒記〉、〈司馬記〉）的部份，莊存與撰寫的焦點擺在將職官體系或職務的具體內容進行整理歸納與增補，根據今本《周禮》所列的職官與職掌歸併統計，重述自中央至地方的官府層級編制和分工職務的內容，打破原來《周禮》職官、職掌逐條分述的寫法，站在總體架構的立足點重整，因此有助於讀者概要性地掌握周朝體制的系統與具體實施的方針；而卷四「〈冬官司空記〉」的部分，體例與前三卷顯然不同，採取《周禮》原來逐條分寫的方式，為〈司空〉及其屬官的職掌進行補亡。若論《周官記》的首要貢獻，也應當在此；至於最後卷五的「〈司空記〉」，其實和前面四卷性質全然不同，比較接近附錄的作用，內容並非莊存與自作，而是他「采撮周、秦之書」割裂而成，實質的作用在於提供「〈司空〉」職掌參酌。以下就《周官記》一書五卷的具體內容逐一詳述，俾使更深入了解與掌握此書。

㈠ 冢宰記

卷一「〈冢宰記〉」，內容是「著官府」，即是記錄朝廷官員的蒞朝之位、編制、人數、爵等、職等、職掌、身份等相關資料，另外還附有「〈官屬表〉」。與《周禮》相較，突顯莊存與用心之

處有二：

一是對於官員蒞朝之位的排序。《周禮》一書對於五官的編制及職掌雖然詳盡，但對於實際臨朝治事時官員列位的具體方位和順序幾乎闕如❶，故莊存與在「〈冢宰記〉」中，首先將六卿以及不同職掌的屬官首長明確列位：

> 外朝左右：大宰、宗伯、司馬，西面；司徒、司寇、司空，東面；曰：醫師、曰：大府、曰：司會、曰：遂人、曰：廩人、曰：大卜、曰：大祝、曰：大史，在其後，皆西面；曰：巾車、曰：司甲、曰：司弓矢、曰：校人、曰：職方氏、曰：大行人、曰：工正、曰：后稷，在其後，皆東面。外朝之位：朝士蒞焉。王宮左右，曰：膳夫、曰：內宰、曰：師氏、曰：內史、曰：大僕，西面；曰：射人、曰：諸子、曰：虎賁氏、曰：戎右、曰：大馭，東面。（《周官記·冢宰記》）

---

❶ 《周禮》記朝官蒞朝方位者僅見三條：一見《地官·師氏》：「居虎門之左」，鄭注：「虎門，路寢門也，王日視朝於路寢，門外畫虎焉。」（卷14，頁74）；二見《夏官·司士》：「正朝儀之位，辨其貴賤之等。王南鄉，三公北面東上，孤東面北上，卿大夫西面北上。王族、故士、虎士在路門之右，南面東上；大僕、大右、大僕從者，在路門之左，南面西上。」鄭注：「此王日視朝事，於路門外之位。」（卷31，頁166）三見《秋官·朝士》：「掌建邦外朝之法。左九棘，孤卿大夫位焉，群士在其後；右九棘，公侯伯子男位焉，群吏在其後；面三槐，三公位焉，州長眾庶在其後。」（卷35，頁196）

對照其〈官屬表〉可知，此上朝列位之官，實為朝政職掌分工之首長，例如「膳夫」，《周禮》鄭注即曰：「食官之長」；「醫師」鄭《注》：「眾醫之長」；「大府」鄭《注》：「為王治藏之長」；「司會」鄭《注》：「計官之長」；「內宰」鄭《注》：「宮中官之長」……似此不勝枚舉。具體排序的作用除了可標明朝官蒞朝之位外，亦可據此掌握朝政職務分工的種類。

其次，本卷所附之「〈官屬表〉」，將《周禮》五卿所屬職官的爵等、人數、等級、身份等全數統整為一表格，使人一目瞭然，並統計出五官及內官總數，對於周朝官制的掌握不但可收整體規劃之效，也有清晰簡明、方便查覽之功，值得參考。

(二) 司徒記

卷二「〈司徒記〉」，內容在於「表均土分民之法」，即是有關土地分配利用、人民戶籍的建立，以及賦稅徵收的辦法、使用等，並附有「〈載師任地譜〉」。此卷論述的要題有三：

首先，詳述司徒職掌。司徒之職最主要的重心在於完善規劃土地以分配於民，由邦國、都鄙至鄉遂，包括農民、餘夫、百工、商賈、下士、醫巫、卜祝、服公事者，甚至於閒民，依其職業、身份，都有嚴格規定的授田制度，以使地盡其利，民盡其力，達成「田宅無曠，亦無遊民」的高度發展。為了使授田合理化，故審慎考核治地的方式，辨別土壤優劣以調整分配，開發山林川澤以廣耕田，以及山坡植木水土保持的原則等，都是不可輕忽的問題。治地授田的依據是井田制度，實施範圍自邦國、都鄙以達於六鄉、六遂。先經由司空「執表度，以經田野山林川澤」，進行精確的土地測量後，司徒才根據眾民戶籍，按井田「九一之制」授之以地。所

謂「井田」是指田畝的形狀，一井為田九百畝，即一井分為九塊，每塊面積百畝。《周禮·小司徒》云：「乃經土地，而井牧其田野。九夫為井，四井為邑，四邑為丘，四丘為甸，四甸為縣，四縣為都。以任地事而令貢賦，凡稅斂之事。」所謂「九夫為井」，其義是一井九家，一家授田百畝，九家共九百畝，如此一來，井田當中應無公田之地作為賦稅，而是每家自行貢賦（土地稅），此為「助」法。應繳的稅率於《地官·載師》中有記載：「凡任地，國宅無征，園廛二十而一，近郊十一，遠郊二十而三，甸、稍、縣、都皆無過十二，唯其漆林之征，二十而五。」原則上，距離王畿中心愈近者，稅率愈輕。城中的住宅（國宅）不必納土地稅，園圃及農宅（廛）的稅率是二十分之一，王國五十里內的近郊是十分之一，百里內的遠郊是二十分之三，距王國二百里、三百里、四百里、五百里以內的甸、稍、縣、都，征收稅率不超過十分之二，只有經濟價值較高的漆林之地征收二十分之五的高稅率。而莊存與所說的「九一之制」則為：

> 九一之制：公田居一，私田居八，輕近重遠。園廛：公田二十畝，宅征一畝；近郊：公田十畝，宅征一畝；遠郊，公田二十畝，宅征三畝；甸稍縣都：公田二十畝，宅征四畝。惟漆林之征：公田二十畝，征乃五畝爾。輕不及九一，重不過九一。宅田未嘗在公田外，故曰：「莫善於助」。

此處明言「公田居一，私田居八」，說法近似於孟子「八家共一井」之法，而和《周禮》「九夫為井」之法不同。《孟子·滕文公

上》說：

> 夫仁政必自經界始，經界不正，井土不均，穀祿不平，是故
> 暴君汙吏必慢其經界。經界既正，分田制祿，可坐而定
> 也。……請野九一而助，國中什一使自賦，卿以下必有圭
> 田，圭田五十畝。餘夫二十五畝。死徙無出鄉，鄉田同井，
> 出入相友，守望相助，疾病相扶持，則百姓親睦。方里而
> 井，井九百畝，其中為公田，八家皆私百畝，同養公田，公
> 事畢，然後敢治私事，所以別野人也。此其大略也。

「九一而助」的意思是八家各有私田百畝，並助耕公田百畝，合為
井田九百畝。征收的稅率則只有十分之一一種，並無《周禮》的十
分之一、二十分之一、二十分之三、十分之二、二十分之五等其他
分別。而莊存與一面主張「九一之制：公田居一，私田居八」之
說，與孟子所論述的井田制度相近，另一方面，涉及土地稅徵收制
度時，又同時採納《周禮》之法，似有融冶《孟子》古制與《周
禮》的用心。賦稅的徵收有一定的制度，但司徒須謹守察時而通變
的原則，必要時，應當減免或免除徵收，「凡山林、川澤、邱陵、墳
衍、原隰之物有變焉，以時察之，奠其民人，舍其財征」。「隨水
所毀則舍其征，因土所成則賦之」。這是為政者須知通變的道理。

其次，與授田制度攸戚相關的要素是必須先建立完備詳密的戶
籍制度，有了詳盡的戶籍資料，政府不但易於掌控、管理人民，也
才能進一步合理而完善地規劃土地。《周禮》中建立戶籍資料的工
作是劃歸於〈秋官·司民〉當中，司民「掌登萬民之數，自生齒以

上，皆書於版，辨其國中，與其都鄙，及其郊野，異其男女，歲登
下其死生」。而莊存與則將它劃入司徒之職，曰：

> 歲十月命司徒登民於籍，授之法曰：凡我有眾，故有爵者幾
> 何族，名田幾何也，學士幾何人；野之名田者幾何，其為隸
> 農者幾何，眾傭者幾人，邑之服公事者某某也。商者幾何
> 家，賈者幾何家，技食者幾何家，其名田有亡也。奔走往來
> 者幾人，善書者幾人，善算者幾人，習地形者幾人，能辨護
> 者幾人，伉健者幾人，食於軍者某某也。賓旅幾何等，習奇
> 邪者何人也。漁者、獵者、負販者、轉輸者幾何人，居何所
> 也。臧獲罪隸幾何人，罷民某某也，窮民某某也。其貴賤老
> 幼男女皆書之，有田宅錄之，無則闕之。往來者繫其地，傭
> 隸繫其主。籍於正歲上於國。

戶籍資料的內容包括人數的統計、田產多寡、職業類別，甚至於技
能專長，皆具體而微。人民與土地、戶籍與授田的關係實則密不可
分，莊存與將這個職務劃歸司徒管轄，比《周禮》列之秋官似更為
合理。然此舉不僅顯示莊存與釋禮不遵舊說，不墨守成見，更重要
的是，他將職官、職掌所屬部門更動，不從原典舊制，已是大膽
「改制」的作為，也突顯出其研經著述的目的並非為了成就為通曉
名物詁訓的義理之儒，而是以通貫群經，追探制作之本，以達經世
目標的致用之儒。

第三，除了土地分配、賦稅徵收、戶籍建立之外，莊存與在此
卷中還將「立宗」之事列入司徒職掌。《周官記·司徒記》曰：

《大雅》曰：「日止日時。」又曰：「君之宗之。」《書》曰：「莫麗陳教則肆。」乃立之宗，乃設之輔，乃建之師。凡庶民，因地以辨姓，因族以建邑。凡同族，擇一人以為之宗，著其能而奠其繫，使以時。登其族之夫家眾寡、田萊六畜之數，以逆有司之會計而贊之。凡其族之昏冠喪祭飲食之事，皆掌之。凡上士、中士、下士皆有隸，子弟因其宗，不別族。大夫則立宗焉。宗，故大夫也，則為小宗，而屬於大宗。別子為卿者，繼世皆宗之，庶子為側室。凡有地者有宗，有宗者有臣，自上士以上，凡卿、大夫、士，以孤子繼世，則命父兄為之輔，俟其長而任之。其才不任於國事者亦如之。教之，才則任之；否則，以其輔攝其事使奉之，而錄其子，必有大過然後廢。其有廢疾者，立其子；無子，立其弟。

土地與人民之關係緊密相連，在建立戶籍資料的同時，為了使土地的分配與繼承有依循的制度，方便管理，因此設定以宗族為單位登錄其夫家、田萊、六畜眾寡之數，可使宗族、鄉黨、人民因血緣、土地關係，結合更加密切。不過「立宗」之職並未見諸《周禮·地官》，唯「〈族師〉」所掌有：「各掌其族之戒令政事」及「校登其族之夫家眾寡，辨其貴賤老幼廢疾可任者，及其六畜車輦」等族務。但「〈族師〉」所掌之「族」，鄭玄《注》曰：「鄭司農云：『百家為族』」，與莊存與所論「同宗立族」之「族」，恐不盡相同。莊存與言立宗、設輔、建師三者並行，是將土地、人民與周禮的根基──宗法制度縮合，除了顯現其嚮往三代禮制制定的根源之

外，也塑造他心目中理想而完美的治國體制。

　　至於本卷所附之「〈載師任地譜〉」，其功用與卷一之「〈官屬表〉」相類，將人民（包括農民、士未仕者致仕者、賈民、商民、工民、服公事者、以技食者、閒民）所能分配的宅、田、廬、公田，按國中、近郊、遠郊、甸、削、縣、都、場圃、藪牧、山澤等位置的差異，詳細記錄畝數多寡及徵賦的比例，也有清晰簡便之功。

㈢ 司馬記

　　此卷所撰目的在於「補其闕文」。因《周禮·夏官》中〈小司馬〉、〈軍司馬〉、〈輿司馬〉、〈行司馬〉之職皆闕脫，故莊存與欲逐一為其補闕。由《周官記》原文觀之，小司馬之職包含軍法執行、王宮禁衛、射法選士、諸侯及適子廢置、戰車兵器之授藏等事務；軍司馬則掌軍隊會同、田獵、行軍時之各項政令；輿司馬掌車輿之政令，行司馬掌徒兵卒伍出入、坐作、進退之事。另外，莊存與又根據《周禮》司徒所掌之土地規劃制度，在此具體詳盡的陳述軍賦之法，其中部分制度的重建則依鄭《注》所引之《司馬法》而記。❷

---

❷　《周禮·小司徒》鄭《注》引《司馬法》曰：「六尺為步，步百為畝，畝百為夫，夫三為屋，屋三為井，井十為通；通為匹馬，三十家，士一人，徒二人，通十為成；成百井，三百家，革車一乘，士十人，徒二十人，十成為終；終千井，三千家，革車十乘，士百人，徒二百人，十終為同；同方百里，萬井，三萬家，革車百乘，士千人，徒二千人。」（卷11，頁62）《周官記·司馬記》據此而「以通法制游闕之賦」（頁700）。

四 冬官司空記

本卷的寫作目標在於「儗補其文」，名稱上則「特加〈冬官〉之目以別異諸篇」。（〈周官記跋〉）莊存與自言：「謹采《尚書》、《國語》及博聞有道術之文，宣究其意。」「〈冬官司空記〉」的寫作體例和前三卷有明顯差別，它是仿《周禮》的體例，逐條陳述司空的屬官與職掌內容。除了大、小司空之外，還從《尚書》、《詩經》、《國語》、《左傳》及《周禮》當中整理出匠師、后稷、農正、農師、田畯、嗇夫、工正、工師、司里、司商、遒人、舟虞等十二種隸屬司空的職官，這是此書的重要特點，也達成了莊存與「欲為〈冬官〉補亡」的主要目的。就職官數量而言，雖然仍與《周禮》的五官不相類，但莊存與既是「原本經籍」而補〈冬官〉，因此寧闕而不妄作。以下個別概述〈冬官〉大、小司空及十二職官的出處與職掌內容。

1.大、小司空

司空一職見於《尚書‧舜典》，據載為舜所設九官之一，最早由禹擔任，其職為「平水土」，即主管水利。商湯時，以咎單任司空之職，此即《尚書‧商書‧湯誥》謂：「咎單作明居」。《傳》曰：「咎單，臣名，主土地之官，作明居。」馬融云：「咎單為湯司空。」又《左傳‧昭公十七年》記載郯子至魯國時，曾論及其祖少皞氏時有治民之官——「五鳩」曰：

> 我高祖少皞摯之立也，鳳鳥適至，故紀於鳥，為鳥師，而鳥
> 名：鳳鳥氏，歷正也；玄鳥氏，司分者也；伯趙氏，司至者
> 也；青鳥氏，司啟者也；丹鳥氏，司閉者也；祝鳩氏，司徒

也；雎鳩氏，司馬也；鳲鳩氏，司空也；爽鳩氏，司寇也；鶻鳩氏，司事也；五鳩，鳩民者也。

郯子所言「五鳩」，包括：祝鳩氏，任司徒之職，主教民；雎鳩氏，任司馬，主法制，當亦「主兵」；鳲鳩氏，任司空，掌平水土；爽鳩氏，任司寇，主盜賊；鶻鳩氏，任司事，正義曰：「司事謂營造之事，於六官皆屬司空。」由於《周禮》中天、地、春、夏、秋官等首長皆有大、小之分，故莊存與做其體例作大司空、小司空。其職掌包括所有度、量、權、衡的測量工程與使用法令，所有建設工程和民力徵召的相關規定，以及百工造器與用器的制度。莊存與以〈冬官〉為《周禮》式法之根柢，所謂「根柢」，當是指冬官職掌所涉攸關國家實體建設、民生用度之法，乃一國存在的具象制度，故冬官為建國立事的根本。

2. 匠師

《周禮·地官·鄉師》職曰：「及葬，執纛以與匠師御匶而治役。及窆，執斧以涖匠師。」鄭《注》云：「匠師，事官之屬，其於司空，若鄉師之於司徒也。鄉師主役，匠師主眾匠，共主葬引。」又曰：「匠師，主豐碑之事，執斧以涖之，使之役事。」故知匠師屬司空。鄭玄以為其職掌眾匠之役事，包括大喪之役事。而《周官記》陳其職曰：

掌土工之法。凡建王國，方十二里，旁三門；諸侯：大國方九里九門，次國方七里七門，小國方五里五門。郭倍其城，有奇望之，以視其勢；景之，以正其面；然後卜之，卜之

吉，然後營之。

匠師所掌是王國建城之役事，為營建之長。同時，營建之事除了工程建設本身有一定的規定外，還關涉到任民、定民居、為圖、度山、治地、治野、治田等問題，因此匠師之職特詳載諸事。

3. 后稷

《尚書·舜典》曰：「棄！黎民阻飢，汝后稷，播時百穀。」相傳周人先祖棄於舜時任「后稷」之官，掌農耕技藝之事。《國語·周語上·祭公諫穆王征犬戎》云：「昔我先王世后稷，以服事虞、夏。及夏之衰也，棄稷不務，我先王不窋用失其官，而自竄於戎狄之間。」此載虞、夏之時，周之先祖世襲「后稷」之官，至夏衰，才棄后稷之官，不問農務，因此不窋失去其職，逃亡於戎狄之間。又《國語·周語上·虢文公諫宣王不籍千畝》記載：「夫民之大事在于農，……是故稷為大官。」「及籍，后稷監之，膳夫、農正陳籍禮，……后稷省功，太史監之；司徒省民，太師監之。」可知后稷也掌監籍禮省察治田之事，當是農官之長。《周官記》言其職為「掌農之政令」，亦不外主帝籍與協農耕事。

4. 農正

《周官記》曰：「農正，掌正農時，紀農功，厚農利，贍農用，糾農禁，以佐后稷。」此以農正為農官之副，佐后稷理農事。參校上文所引《國語》記載，農官首長后稷主監察之事，農正則是實際執行所有農政的副官。

5. 農師

同樣見於《國語·周語上·虢文公諫宣王不籍千畝》文曰：

「徇,農師一之,農正再之,后稷三之,司空四之,司徒五之,太
保六之,太師七之,太史八之,宗伯九之,王則大徇。耦穫亦如
之。」韋昭《注》曰:「農師,上士也。」其位當在農正之下,故
先行。《周官記》記其職曰:「掌教耕稼耦穫之宜,以殖百穀。」
則農師主教耕稼之務。

6.田畯

《詩經·豳風·七月》詩首章云:「三之日于耜,四之日舉
趾。同我婦子,饁彼南畝,田畯至喜。」《傳》曰:「田畯,田大
夫也。」田畯是管理農作之官,監督考核庶民之耕耦。《周官記》
述其職曰:「田畯,各掌其田之耕耦之令,以役農師,平其眾庶,
稽其功事,勸而贊之。」故其職在農師之上,農正之下。

7.嗇夫

《左傳·昭公十七年》載有:「《夏書》曰:辰不集于房。瞽
奏鼓,嗇夫馳,庶人走。此月朔之謂也。」此文記載救日食之禮。
《疏》曰:「孔安國云:『嗇夫,主幣之官,馳取幣,禮天神』。
嗇夫於《周禮》無文。」《儀禮·覲禮》也有:「天子袞冕負斧
依,嗇夫承命告于天子」之文,鄭《注》曰:「嗇夫,蓋司空之屬
也,為末擯,承命於侯氏下介,傳而上上擯,以告于天子。」則嗇
夫亦擔任諸侯入覲的末擯。故《周官記》論其職掌曰:

> 掌守其封域社稷之壇,各率其野之眾庶,祈其田主以報先
> 嗇、司嗇,蜡則黃衣、黃冠、草笠而至於其所救日、月之
> 食,聞鼓聲,擊柝而馳,帥其眾庶,環壇以走,如鼓之節。
> 諸侯入覲為末擯,受辭於賓之介而謁諸天子,諸侯遣於廟,

以齒事戒之。

嗇夫為鄉邑之官，掌守社稷壇壝，率民救日、月食，以及任諸侯入覲時之末擯。

8.工正

《左傳》莊公廿二年：「陳公子完與顓孫奔齊，顓孫自齊來奔。齊侯使敬仲……為工正。」（頁163）《注》曰：「掌百工之官。」則工正為百工之長，故《周官記》以「工正」掌百工政令及器物製造、使用制度諸事。

9.工師

《周官記》曰：「各掌其工之式法，辨其材，審其象與其度，以時正其水火之齊而和之。」工師負責監督百工對邦器的製造，故莊存與據〈考工記〉所列百工而有攻木之工七（輪、輿、工、廬、匠、車、梓）、攻金之工六（築、冶、鳧、栗、段、桃）、攻皮之工五（函、鮑、韗、韋、裘）、設色之工五（畫、繢、鍾、筐、慌）、刮磨之工五（玉、楖、雕、矢、磬）及搏埴之工二（陶、瓬）的分別，職工分類實見三十種。

10.司里

《國語·周語中·單襄公論陳必亡》一文中記載單襄公所見陳國亂象：「侯不在疆，司空不視塗，澤不陂，川不梁，野有庾積，場功未畢，道無列樹，墾田若藝，膳宰不致餼，司里不授館，國無寄寓，縣無施舍。」司里是負責安排外賓住宿之職。《周官記》曰其職：「掌國中、四郊、甸、稍、都、鄙之宅里，以功勞班爵為次第之法而行之。庶人之宅制，在邑者二畝有半，公田之廬二畝有

半。」則以司里為職掌住宅、田居分配制度的官員。

11.司商

《國語·周語上·仲山父諫宣王料民》曰：「夫古者不料民而知其少多：司民協孤終，司商協民姓，司徒協旅，司寇協姦，牧協職，工協革，場協入，廩協出，是則少多、死生、出入、往來者皆可知也。」司商是負責統計賜族受姓數目之官，故《周官記》曰：「司商，掌姓名之族而敘之，受法於太史，別生分類以設居方，辨其姓使無失其土宜。凡隸臣、妾，識於丹書，庶人不與齒。以詔媒氏辨其良賤，別其婚姻，不用法者離之。」則司商亦須留意分明姓氏與身份的關連，以供其他屬官作為辨別良賤、分授土田的依據。

12.遒人

《左傳》襄公十四年記載師曠引《夏書》曰：「遒人以木鐸徇于路，官師相規，工執藝事以諫。」《注》云：「遒人，行人之官也；木鐸，木舌金鈴；徇於路，求歌謠之言。」《正義》云：「此在〈胤征〉之篇，其本文云：『每歲孟春，遒人以木鐸徇于路，官師相規，工執藝事以諫，其或不共，邦有常刑……。』孔安國云：『遒人，宣令之官；木鐸，金鈴木舌，所以振文教也。』《周禮》無遒人之官。彼云：『其或不共，邦有常刑』，是號令群臣百工，使之諫也。木鐸徇路是號令之事。」《注》、《疏》所論，以古之「遒人」之官為宣令之官、採詩之官。《周禮·地官·鄉師》職掌有：「凡四時之徵令有常者，以木鐸於市朝。」鄭《注》曰：「徵令有常者，謂田狩。」《秋官》雖有大行人、小行人之職，其職掌朝、覲、會、同賓客之禮，與宣令之官有別。《周官記》言：

道人掌司鐸。凡文事用木鐸，武事用金鐸。正月孟春，百官萬民觀法於象魏，徇以木鐸，曰：官師相規，工執藝事以諫，其或不共，邦有常刑。仲春奮木鐸以令兆民，曰：雷將發聲，有不戒其容止者，生子不備，必有凶災。孟冬之月，受聲詩於適四方使者，辨妖祥於謠風，聽臚言於市，問謗譏於路，獻諸天子內史，職之樂師肆焉。佐鄉師，徇四時徵令之有常者，禁急徵暴令於鄉邑之有司，慢令、留令、虧令、益令皆有誅，以木鐸徇之。其在軍壘，則徇之以金鐸。

顯是綜採《左傳》、《周禮》之文，以道人為兼宣令、採詩之官，同時也督核鄉邑有司，以及軍令宣達者。

13.舟虞

《尚書·舜典》記載，舜以益擔任「虞」之官，「疇上下草木鳥獸」，即負責管理山林川澤、草木鳥獸之事。《國語·周語中·單襄公論陳必亡》有「虞人入材」之語，《周禮·地官》有山虞、澤虞之官，知「虞人」也是掌山林水澤政令、獻物之官。但典籍中未見「舟虞」之官。《周官記》曰：「舟虞，掌王之乘舟，受法於匠師，辨其名與其用，設其飾，以司馬之法為之。戒令營衛行列，辨其舟之形制而授其乘之者，以陸行三十里為舟行之舍，舍則前後為屯，善相其水勢、地勢而設軍壘焉。疾風甚雨，弗能憚也。其行也，舟為裏，車為表，相輔以進止，川上有路，遠者無過千步。王涉大川，造舟為梁……以鼓、鐸、鐃、鐲節其行，六師皆應焉。凡道路之達於天下者，辨其大川、中川、小川，以時設其舟梁之政，敘而比之，誅不用命者。國有故，則發梁藏舟以止行者，掌飛江天

船之法以待軍事。」舟虞掌天子行軍乘舟的形制、分配、安全性及平時的管藏,戰時則著重與車兵相互配合,和《尚書》、《周禮》所見「虞人」之職有別。

㈤ 司空記

此卷乃莊存與「采撮周、秦之書」而作,有搜羅之功,但無自創之見。所謂「周、秦之書」,實指抄錄《呂氏春秋》、《管子》、《周髀算經》三書文字雜湊拼成。包括「上農、任地、辨土、審時」四段文字,是節錄自《呂氏春秋》卷二十六〈士容論〉之部分原文;其次,齊桓公與管仲對於「五害」和「作土功」的對答論述,則出自《管子‧度地》和〈地員〉兩篇,對照原文,還偶有疏漏❸;最後一段,是周公與商高論數之法,取自《周髀算經》卷上之一的前半文字。此卷文字的內容涉及土質優劣與五穀生長的關係、土地可能面臨的五種危害,以及土地測量的圓矩之道,這些都與水利土功有密切關連性,與《周禮‧大司徒》職掌有相近處,但莊存與將之歸諸司空,故別錄此卷而與上卷區別,以存周、秦之書中尚資參考的相關記載。

由上述內容觀之,《周官記》的寫作體例散亂無序,各卷內容並無嚴密的關照聯繫,和《周禮》原典也未全然貫通相仿,可能之因在於此書原是莊存與生前教授皇子的講義❹,由於逐日經講,費

---

❸ 《周官記‧司空記》文:「位土之次曰:五蔭,五蔭之狀,黑土黑菭,青怵以肥,芬然若灰。」(頁712)以下,《管子‧地員》原文尚有:「其種櫑葛赤莖,黃秀恚目,以十分之二,是謂蔭土。蔭土之次曰:五壤,五壤之狀芬然若澤,若屯土。」一段,當是莊存與抄錄時遺誤。

❹ 其說詳見下節文字。

時良久，因而集結成書時呈現條列而不相串聯的形式，也沒有完備的思想體系。還有一點令人質疑的是，本為儳補冬官闕亡而作的《周官記》，成書時已擴充有天官、地官、夏官、冬官四卿的職掌內容，然終缺春官、秋官，其因何在，莊存與並未明言。或許因為它本來講義的性質，長期保全不易，致使刊刻時已佚殘不全；或者莊存與以為春官、秋官無綜補再釋之需要，故而未作，今已難推究。

四、《周官記》的作用與地位

《周官記》是莊存與數十年治《禮》的總結，寫作過程可能歷時甚久，而刊刻發行已是他過世以後的事。《周官記》的內容原來是莊存與教授皇子之用，即授經的講義。莊存與曾任職南書房與上書房近四十年，南書房是清代大臣參與樞秘事務的單位，而上書房則是教育皇子之所，包括未來的皇帝，任職者被尊為師傅。據莊勇成提及莊存與被派任上書房的情況說：

> 派在上書房行走，教學相得，欽愛尤摯。出任中州學使，皇子皇孫共賦詩寵行。在上書房最久，賜福字豐貂綵緞以及上方珍品食物無算。❺

所謂「上書房行走」，即是擔任上書房師傅，其實就是未來皇帝及

---

❺ 〔清〕莊勇成：〈少宗伯兄養恬傳〉，《毗陵莊氏增修族譜》（光緒元年刊本），卷30，頁29。

諸多皇子的老師。莊存與四十年的仕宦生涯中，主要任務正是在於
教育皇子的職責❶，因此其學術著作的旨趣，莫不與此經歷息息相
關。魏源說：

> 武進莊方耕少宗伯，乾隆中以經術傅成親王于上書房十有餘
> 載，講幄宣敷，茹吐道誼。子孫輯錄成書，為《八卦觀象上
> 下篇》、《尚書既見》、《毛詩說》、《春秋正辭》、《周
> 官記》如干卷。❶

魏氏明言包括《周官記》在內的許多經說著作，原本都是莊存與在
上書房教學用的講義，教授對象是朝廷未來的統治者及主要執政
群，故莊存與的經說內容一再反覆地陳述三代聖王形象、三代的政
治理想、為君之道，以及君子、小人的明辨等議題。例如他說：

> 《春秋》樂道堯、舜之道，察其所譏，堯、舜之道存焉。佑
> 啟我後人，咸以正無缺，聖人之志也。❶

莊氏以為孔子以堯、舜之道為標準，孔子所陳是三代聖王之大法。

---

❶ 蔡長林：《常州莊氏學術新論》（臺北：臺灣大學中文研究所博士論文，
2001年），頁130。

❶ 〔清〕魏源：〈武進莊少伯遺書序〉，《魏源集》（北京：中華書局，1983
年），頁236。

❶ 〔清〕莊存與：《春秋正辭》（《味經齋遺書》），卷9，頁5。

·178·

這種觀點在其他著作如《繫辭傳論》、《彖象論》也有闡述。⑲又
說：

> 古之明德，虞帝其不可及已。其德好生，其治人不殺；伊尹
> 以其道相湯伐桀，未嘗行一不義，殺一不辜，然欲如舜未嘗
> 殺一人而不能也。文王之心如舜，享國五十年而崩，紂不能
> 以自斃也；武王之德如湯，太公之志如伊尹，不逮舜與文
> 王，此則聖人於天道之命也。⑳

以此舜、伊尹、湯、文王、武王、太公為聖人典範，其治國、治人
之志合於天道之命。莊存與思想之宗旨，在其發用經說，以盡其為
皇家導師之職責。《周官記》闡釋的官制內容與理念，實是莊存與
塑建三代理想政治的具體藍圖。由莊存與長期擔負皇子教師的職務
來看，他和皇室成員的關係至為密切，對於這一批國家未來執政者
的實質影響，遠超過民間專注考據訓詁的經生。

再者，《周官記》訓解既不墨守家法，並且不遵典章的「改
制」之舉，在在顯示莊存與心中另有一套異於考據學的學術價值

---

⑲　《繫辭傳論》曰：「不知堯、舜、禹、湯、文、武、周公之行事何以為法於
　　天下後世？不知孔子作《春秋》，何以為王者之事？」（《味經齋遺
　　書》），頁 41。《彖象論》云：「（孔子）自衛返魯，正《禮》、《樂》，
　　順《詩》、《書》，作《春秋》，贊《周易》，始終條理，總聖知之事，致
　　中和之極，金聲而玉振之，俾宓犧、神農、黃帝、堯、舜、禹、湯、文、
　　武、周公之道傳之，萬世而不變，以振民育德。」（《味經齋遺書》），頁
　　11。莊氏之說，反覆論贊孔子之志，在於申揚三代聖王之道。
⑳　莊存與：《尚書既見》（《味經齋遺書》），卷 2，頁 2。

觀。李兆洛於〈周官記序〉中言：

> 方耕先生仿《儀禮記》作《周官記》，甄綜經意，今就條
> 理，欲以融通舊章，定後世率由之大凡。其於冬官，採周秦
> 諸子之言地事者輔益之，不屑屑於事，為制造之末，而于官
> 不陳藝，工不信度，府事隳壞，三嘆息焉。又捃拾經中大典
> 如郊廟、族屬之類，古人所論列者，件繫而折衷之，為《周
> 官說》三卷，以輔記之所不盡。實能探制作之本，明天道以
> 合人事，然後綴學之徒，鉤稽文詞，吹索細碎，沿傳訛謬之
> 說，一切可以盡廢。㉑

李氏對莊存與的誇讚指出：《周官記》不屑於「制造之末」，而是
上探「制作之本」，以明天道，以合人事，說明莊存與作書的方式
和「鉤稽文詞，吹索細碎，沿傳訛謬」的經生講解不同。雖然李兆
洛的評價或有過度推崇之嫌，而且莊存與主張的「制作之本」也未
必就是三代、周公制禮之本，但他點出了莊存與經說不斤斤於學術
門戶之辨，而以融通群經，上追聖王、天道的本心，體現了其身任
廟堂輔臣、皇家教師，極欲通經致用的大方針。

　　總之，《周官記》和《尚書既見》、《春秋正辭》等書的完
成，原來是為教育皇子，因此三代聖王、周公治事之典是後代君王
應當學習、必須關切的焦點之一。只不過由《周官記》的內容思想

㉑　〔清〕李兆洛：〈莊方耕先生周官記序〉，《養一齋文集》，收入《續修四
　　庫全書》第1495冊（上海：上海古籍出版社），卷2，頁25。

看來，莊存與恐怕難脫假藉三代聖王、周公之名，行其闡述個人治世理想國之實。

五、《周官記》的思想——古代理想聖治的實踐

莊存與《周官記》的寫作動機是源自於為儳補《周官》之闕脫，以及匡正後世似是而非的謬釋，因此他對於經典殘缺或隱晦難明之處，都加以糾補或辨正。但若進一步思索背後透顯的深沉用心，可以發現，實際上此書同時寄託了莊存與思想中所建構的理想治世。透過《周官記》一書，莊存與實踐了重塑周公制禮的精神與規模，同時上窺與體現三代聖王理想的堯舜之道。

(一) 周公的聖人形象與《周官》的典範性

莊存與的群經著作顯示了他心目中的聖人形象，包括上自堯、舜、禹、湯、文、武，下及周公、孔子。堯、舜、禹、湯、文、武是聖君，周公則是孝、弟、臣、友四德兼備的聖人。[22]周公的身份雖非聖君，其行則足以繼文、武聖君之德。故莊存與於《尚書既見》曰：「夫與文王一德者惟周公，與文、武一心者惟周公。父子一體，兄弟一體，與文、武一體者惟周公。天欲以聖人之德為法於

---

[22] 莊存與：《四書說》曰：「堯、舜、禹、湯、文、武、為君，周公、孔子為師，皆天佑下民而作之以助上帝者。」（《味經齋遺書》）頁 6。《尚書既見》又云：「（周）公為文王之子則孝，為武王之弟則弟，為成王之臣則臣，為二公（此指太公、召公）之友則友，則能先施之四者，周公實親之，有所不足，不敢不勉，憂勤以終身，而不一日以已。」（《味經齋遺書》），卷 2，頁 4。是故蔡長林《常州莊氏學術新論》以周公為「至德純臣」（頁 164），「是一個孝、弟、臣、友四行兼備的聖人」（頁 160）。

天下後世，舍周公誰屬哉？」㉓他對周公的推崇若是。由此觀知，他以堯、舜、文、武為聖君，聖君之德上可配天，其治乃理想之聖制，而惟能繼嗣與實踐此聖王之道者，惟周公一人，故周公和堯舜等古代聖王相類，在莊存與心中具有崇高而不可撼動的聖人地位。

存與又堅信《周官》乃周公所作，是聖人治事之典，是實踐理想聖制的具體依據，它的典範性當是無庸置疑。因此若能重塑《周官》之貌，或更進一步了解《周官》制作之意，對於古聖先王治道的實現、永世基業的建立定有裨益。故為《周官》補闕闡釋，是他藉以重建聖王之道、實現聖世理想的媒介之一。

(二) 古代理想聖治的藍圖與實踐

莊存與對於自己身為皇家導師的責任認知非常深切，因此他每以國家興亡為念㉔，讀經是為了通經致用，群經著作則是「藉以闡釋三代聖王理想的工具」㉕。他一方面塑造明確的聖王形象，另一方面又積極地打造一個期望的政治藍圖，終極目標是為了讓國家安定，百姓安居，聖世長存。所以他將心中最理想的政治典範——周公事典改造為《周官記》，以補強原《周官》之不足。他的用意並非要亦步亦趨地跟從周公的腳步，而是希望重現古代聖王聖治的聖世精神。故而《周官記》並非經生講解經籍之作，也不是為了學術興味而戮力完成的資料庫，它是莊存與追求國家長治的人生理想。他對此書的期待應是希望它能被實踐與運用，而非僅是案頭研究。

㉓　同前註，卷2，頁9。

㉔　蔡長林：《常州莊氏學術新論》於第四章曾詳論此觀點，見頁123－148。

㉕　同前註，頁146。

李兆洛〈莊方耕先生周官記序〉曰：「有志于治者，由其說通其變，舉而措之，如視諸掌，非徒經生講解之資而已也。」❷❻對於莊存與的心志與理想，可謂知之甚深。

六、結　論

　　由莊存與的群經著作觀其思想體系，可以重建他終生思路貫串的可能性。就《易經》諸作而論，是為闡述聖君與天道合一的確然性，故實踐聖王之道即是實踐天道，這也是他追求聖道重現的原動力；就《尚書》之作而論，是為塑造堯、舜、禹、湯、文、武諸君明確的聖王形象，以及聖王之道，讓後世有可依循的聖王典範；就《周官》之作而論，不但確立周公嗣續於三代聖王德治的超然地位，也為恢復與實踐三代聖制的理想提供具體藍圖；至於《毛詩》之作，則是體現詩人憂周道衰微之心，以歌頌文武聖王之風、周公純臣之德，欲啟世人求治之心；而《春秋》諸書的撰述，既是「考成敗、錄禍福」❷❼，申衍孔子的微言大義，以為後世治事者之警惕，並且可以「法文王也，樂道堯舜之道也」❷❽，雖以孔子「從周」之心為據，仍上追堯舜聖王之道。

　　大體綜觀莊存與的思想體系，可推知他以皇室佐臣的身份，將堯舜三代的治世視為聖王理想治世的終極典型，因此在他許多著作當中，可見其反覆陳論堯舜聖道的嚮往之情。而周公是繼承這個理

---

❷❻　李兆洛：〈莊方耕先生周官記序〉，頁 25。

❷❼　莊存與：《八卦觀象解下》（《味經齋遺書》），頁 22。

❷❽　莊存與：《春秋正辭·正天子辭》（《味經齋遺書》），卷 2，頁 4。

想制度的實踐者，《周官》一書是其推行治事的藍圖，然東周以後，周禮崩壞，周公建制不復存在，雖有孔子知其志，釋古禮，傳諸孔門，然未能保其全貌，因此後人讀釋有所闕脫的《周禮》時，仍有許多難明之處。推究莊存與作《周官記》的歷程，本以此為教授皇子的講義，雖有再建聖王理想治世以為後王模範的用意，但他誇大周公的聖德與地位，大抵是出於個人私淑周公，欲傚其「純臣」賢明之志，以達盡人臣輔君建業的用心。

概論《周官記》一書的價值，是有儳補與綜整之功。但由於時空的隔閡，文獻的不足，仍有許多莊存與未迨之處。一方面文字過於精練古奧，造成閱讀上的障礙；另一方面，資料零散，體系不全，或紛雜糾葛，或語焉不詳，或一筆帶過；加上他本欲甄綜經意，融通舊章的野心，有時不免出現矛盾混淆的跡象。整體而言，此書確實還存在諸多弊病。但筆者亦以為，評論《周官記》的價值不必然單只考究作者文字表達方面的對錯，或許秉持「由其說通其變，舉而措之，如視諸掌」。「治經者知讀書所以致用，必有觀其會通而不泥于跡者」。（李兆洛〈莊方耕先生周官記序〉）的觀點，以體察作者的動機與心意，才能掌握其人、其書的時代意義。

莊存與的《春秋》學述論

馮曉庭*

一、清代《公羊》學的濫觴莊存與

近人梁啟超（1873－1929）先生在鋪陳其「清學分裂論」時曾經如是說道：

> 清學分裂之導火線，則經學今、古文之爭也。……南北朝以降，經說學派，只爭鄭（玄）、王（肅），今、古文之爭遂熄。……自宋以後，程、朱等亦徧注諸經，而漢、唐注疏廢。入清代則節節復古；顧炎武、惠士奇輩專提倡注疏學，則復於六朝、唐；自閻若璩攻偽《古文尚書》，後證明作偽者出王肅，學者乃重提南北朝鄭、王公案，絀王申鄭，則復於東漢；乾、嘉以來，家家許、鄭，人人賈、馬，東漢學爛然如日中天矣。懸崖轉石，非達於地不止，則西漢今、古文舊案，終必須翻騰一度，勢則然矣。❶

---

* 馮曉庭，國立嘉義大學中國文學系助理教授。

❶ 梁啟超：《清代學術概論》（臺北：里仁書局，1995 年），卷21，頁62－63。

顯然，梁任公認為，有清一代學術重心由六朝、李唐為伊始，終而
步入西漢今文經學的發展路向，自清初顧炎武等人倡導「注疏之
學」起便已經形塑道確。梁任公活躍於清季，論述於民國，當然得
以根據所見所聞，為清代學術編排自認合理的發展進程。之所以會
做如是認定，筆者以為肇因於梁任公在這段敘述當中省卻了以下三
個現象：其一，宋學（朱子學）在清代初期仍然頗受官方重視。其
二，即使在乾嘉考據學極盛的年代，仍然有如方東樹（1772－
1851）之流，基於擁護宋學的立場撰著《漢學商兌》一書。其三，
西漢今文經學復興之後，今文經學僅是清儒整體學術研究的諸多面
相之一，以發揚東漢古文經學為職志的學者仍然為數頗眾，其成就
亦不可小覷。然而，儘管不能全然同意《清代學術概論》一書關於
清代學術發展進程的敘述，在確實地針對相關史料進行觀察檢覈之
後，對於梁任公所謂「今文學啟蒙大師，則武進莊存與」（《清代
學術概論》，二十二，頁64）一事，筆者卻認為饒富興味。

關於莊存與（1719－1788）的學術性格，《清代學術概論》認
為：

> 存與著《春秋正辭》，刊落訓詁名物之末，專求其所謂「微
> 言大義」者，與戴、段一派所取塗徑，全然不同。（二十
> 二，頁64）

除此之外，梁任公又列舉夏曾佑（1863－1924）贈詩「璱人（龔
〔自珍〕）申受（劉〔逢祿〕）出方耕（莊〔存與〕），孤緒微茫
接董生（仲舒）」（《清代學術概論》，二十二，頁64），用以

說明莊存與學術的傳遞脈絡。所謂「刊落訓詁名物之末，專求其所謂『微言大義』」，僅足以說明莊存與為學不同於乾嘉考據學者，並不一定能夠凸顯莊存與的學術特色；然而，視治《公羊》學聞名的清代後期學者劉逢祿（1776－1829）、龔自珍（1792－1841）為莊存與的傳人，則似乎展現了莊存與治《春秋》偏重《公羊》學說的特性。基於相同的認識，梁任公在《中國近三百年學術史》一書中更為清楚地說道：

> 《公羊》學初祖，必推莊方耕（存與），他著有《春秋正辭》，發明《公羊》微言大義，傳給他的外孫劉申受（逢祿），著《公羊何氏釋例》，於是此學大昌。❷

所謂「《公羊》學初祖，必推莊方耕」，梁任公推莊存與為有清一代《公羊》學之濫觴，意識甚為顯達。事實上，這樣的意識必須涵蓋一個前提，即「清儒頭一位治《公羊傳》者」為孔廣森（1752－1786），但是孔廣森「並不通《公羊》家法，其書違失《傳》旨甚多」（《中國近三百年學術史》，〈十三·清代學者整理舊學之總成績（一）〉，頁 270），不能算是《公羊》學家。

在梁任公將莊存與視為清代《公羊》學復興標竿人物並且訴諸文字之後，周予同（1898－1981）先生的〈群經概論〉一文也曾針對清代《公羊》學的發揚鋪展以下陳述：

---

❷ 梁啟超：〈十三·清代學者整理舊學之總成績（一）〉，《中國近三百年學術史》（臺北：里仁書局，1995 年），頁 270－271。

> 清代治《公羊》學著名的，有孔廣森《公羊通義》，……但
> 諸儒還不是立場於純粹西漢今文學的見地；其憑藉《公羊》
> 以復興今文學的，當首推莊存與。存與撰《春秋正辭》，始
> 宣究微言大義，不專事訓詁。存與甥劉逢祿更加鑽研，撰
> 《公羊何氏釋例》、《公羊何氏解詁箋》，又撰《左氏春秋
> 考證》，以斥《左傳》，於是今文學的壁壘愈益森嚴。❸

分析上述文字，可以發現，周予同認為，包括莊存與在內，清代的
確出現許多以治《公羊》學聞名的學者，然而在屬性上真的能與西
漢今文學接軌、闡揚正統《公羊》學說的，卻只有自莊存與首發端
緒的學術體系。換言之，周先生的認知，間接地表明了莊存與為清
代《公羊》學濫觴的觀點。

　　除了在〈群經概論〉中如此稱述莊存與的學術性格之外，在其
弟子彙編的《中國經學史講義》當中，周予同先生在論及所謂「常
州學派」之際又敘述道：

> 常州學派又稱《公羊》學派，清今文學派。今文學發展到清
> 代，只留存《公羊》學了。《公羊》學是今文學的齊學。後
> 期清學，是以反東漢古文學而恢復西漢今文為特徵。
> 開創者莊存與，常州人，撰有《春秋正辭》。他認為孔子是
> 政治思想家，《春秋》裏有微言大義。《春秋》是孔子的政

---

❸　周予同：〈群經概論〉，《周予同經學史論著選集（增訂本）》（上海：上
　海人民出版社，1996 年），頁 268。

治哲學著作，微言大義是委婉傳之。莊存與還研究《周禮》、《毛詩》等古文經典，所以他不是純粹的今文學家。

劉逢祿，常州人，是純粹的今文學家。他的著作是《左氏春秋考證》，是「破」古文學的《左傳》的，……另一著作《春秋公羊經傳何氏釋例》則是「立」的，以何作《公羊解詁》為主，創通條例，貫串群經，發揮「今文」微言。這部書是清代今文學的重要著作。

宋翔鳳治西漢今文學，又講讖緯。

總之，常州學派開始於莊存與，奠基於劉逢祿。❹

關於常州學派以及莊存與，這則敘述中展現了兩個要點：其一，常州學派又稱《公羊》學派，可見該派諸家是以《公羊》學為學術探研的重心。其二，常州學派在學術性格上屬於今文經學，雖然莊存與並非「純粹的今文學家」，卻已經奠定指畫出其後該學派「純粹今文學家」的治學方向。筆者以為，周先生表達的觀點至少可以凸顯一項理念，即：莊存與既然是清代《公羊》學派的開創者，那麼視之為清代《公羊》學的濫觴，應該是合乎事理的推斷。

除了梁、周兩家以外，今人陳其泰（1939－）先生的《清代公羊學》一書，也視莊存與為清代《公羊》學的開創者，並且如此載敘道：

---

❹ 周予同：〈清學〉，《中國經學史講義》（上海：上海藝文出版社，1999年），頁85。

> 莊存與是清代《公羊》學復興的代表人物。由於他的成就，一下子打破了千餘年的消沉，接續了西漢董仲舒和東漢何休的《公羊》學說統緒，使這一獨特的儒家古代學說重新獲得生命。他的著作，為清代《公羊》學開闢了得以繼續前進的基地。❺

在筆者所徵引的文句當中，陳先生所謂莊存與「是清代《公羊》學復興的代表人物」、「為清代《公羊》學開闢了得以繼續前進的基地」——認定莊存與為清代《公羊》學濫觴，立場與理論基調方面與前述梁、周二家的認知並無二至。而認為「一下子打破了千餘年的消沉，接續了西漢董仲舒（前 176－前 104）和東漢何休的《公羊》學說統緒」，除了直接凸顯明確莊存與治《春秋》宗法董仲舒與何休（129－182），是《公羊》學嫡傳正宗之外，也從另一個角度再次證明了莊存與對於清代《公羊》學研究風氣的開創性格。

　　事實上，設若暫束上述各家論說於高閣，單就莊存與的《春秋》學著作，以及清代《春秋》學發展的實情進行簡單地觀察，也可以推得莊存與為清代《公羊》學濫觴的結論。就論述的路向與中心觀點來看，莊存與的《春秋》學專著《春秋正辭》、《春秋舉例》、《春秋要指》三書的確嚴實地攀附著董仲舒與何休的觀點；而從清代《春秋》學的發展實情入手，則可以發現在莊存與之前，

---

❺　陳其泰：〈復興序幕的揭起〉，《清代公羊學》（北京：東方出版社，1997年），頁60。

除了孔廣森的《公羊春秋經傳通義》之外，清代諸儒並未撰寫與《公羊》學有關的專門經說，姑且不論《公羊春秋經傳通義》所論所議是否與《公羊傳》多有扞格，單就孔廣森較莊存與晚生三十三年，學術思想體系建立的時間必然較晚的情況著眼，便可以大致推斷莊存與《公羊》學中心思想的建構應該早於孔廣森。綜合各家論述與實際狀況，說莊存與是清代《公羊》學的濫觴，應該是學者都能夠認同的事實。

二、莊存與的《春秋》學專著及其解經特色

㈠ 莊存與的《春秋》學專著

　　綜合現存相關文獻，可以知道莊存與在《春秋》學方面共有三部，分別是《春秋正辭》、《春秋舉例》、《春秋要指》。關於這些專著甚或莊存與所有論著編彙的過程，魏源（1794－1857）的〈武進莊少宗伯遺書序〉一文有若干說明：

> 武進莊方耕少宗伯，乾隆中以經術傳成親王於上書房十有餘載，講幄宣敷，茹吐道誼，子孫輯錄成書，為《八卦觀象上下篇》、《尚書既見》、《毛詩說》、《春秋正辭》、《周官記》如干卷。❻

分析魏源的載錄，可以知道：其一，今日所見莊存與各部著述，其

---

❻　魏源：〈武進莊少宗伯遺書序〉，《魏源集》（臺北：鼎文書局，1978年），頁236－238。

原始材料很可能大多是莊存與為皇子講學於上書房之際纂撰而成的。其二，莊存與生前是否便曾著手整編這些材料，今日已無法考訂，然而所有著作全數歷經後世子孫編輯方纔成書刊板梓行，則是非常確切的事實。

後世子孫彙整先人論述集結成書，在中國學術發展的進程中當然並非孤案特例，但是如是的行為在莊存與「以經術傳成親王於上書房十有餘載，講幄宣敷，茹吐道誼」之後發生，就可能代表著些許特殊狀況：

其一，就著作的功用而言；《春秋舉例》列舉《春秋》書例十則，用以說明孔子作《春秋》所據的書法原則，《春秋要指》則試圖以貫通《春秋》經文的方式釐清研讀《春秋》、探研聖人微言大義的門徑與要訣；如是的創制形態與心理固然在以「屬辭比事」為基本說解信念的《春秋》詮釋史中屢見不鮮，但是莊存與於上書房以經術教授皇子十餘載的經歷，卻致使筆者產生《春秋舉例》與《春秋要指》二書，乃莊存與為教授皇子讀《春秋》所編成之入門初階的推想。

其二，就著作的整體形制而言；《春秋正辭》一書內容涵蓋〈奉天辭〉至〈傳疑辭〉等十大類，莊存與於書中首列〈敘目〉，說明單元建構標舉的意義，並且於各單元端首置放「〈小敘〉」，陳述該單元蒐羅之類目以及類目成立的因由。在確實依據〈敘目〉、〈小敘〉諸說覈驗《春秋正辭》的實質內容之後，可以發現無論實質內容如何，〈敘目〉所述在名目上的確能與全書環節相互呼應，而〈小敘〉所列條科卻產生無法與該單元內容嚴實密合的現象。換言之，〈小敘〉所述該單元應有的條科，不見得會出現在該

單元當中。筆者以為，倘若《春秋正辭》確實經過莊存與再三親自
寡正方纔脫稿，這個類目與內容不一的現象可能不會產生，而類目
與內容不一的特殊現象，事實上並不代表莊存與力有未逮，也不表
示《春秋正辭》是一部未成之作。「敘」與「類目」完整繁密、內
容卻頗有疏闕的現象，似乎在呼應著莊存與的經歷與魏源的說法，
亦即《春秋正辭》確實是莊存與於上書房說《春秋》的講義，在講
學之前，類目已經具備，從另一個層面來說，代表著莊存與對於
《春秋》經已經具備了這樣的認識，然而在講學的過程當中，這些
類目是否都能受到關照，莊存與是否能將所知所識全數表達，就值
得再行觀察商榷了。

　　儘管莊存與關於《春秋》學的三部專著都很有可能是教授皇子
的講義，實質的經世作用高於經學義理的弘揚作用，但是由於莊存
與已經被認定為清代《公羊》學甚或今文經學復興的關鍵，所以儘
管經說內容不盡完整，經說水平也不見得齊備，莊存與的《春秋》
學專著，仍舊應該被視為探研清代《春秋》學或《公羊》學不可忽
視的議題。

1.《春秋正辭》

　　《春秋正辭》是莊存與《春秋》三書中最為歷來學者所重視的
一部，篇幅也最為鉅大。全書十一卷，區分為十個單元，分別為
〈奉天辭〉、〈天子辭〉、〈內辭〉、〈外辭〉、〈二伯辭〉、
〈諸夏辭〉、〈外辭〉、〈禁暴辭〉、〈誅亂辭〉、〈傳疑辭〉。
如前文所述，莊存與除了在書首〈敘目〉說明全書的內容以及各單
元建構的因由之外，在各個單元的端首，也撰寫「〈小敘〉」陳述
該單元包羅的條科以及各條科必須成立的原因。莊存與之所以撰述

《春秋正辭》一書，外在原因固然是為了因應教授皇子所需，而內在的動力則是導源於元人趙汸（1319－1369）《春秋屬辭》的啟發。趙汸撰寫《春秋屬辭》一書，善用「屬辭比事」❼的概念，連綴《春秋》經中性質相關的記事文字，釐清孔子的書法以及筆削大義，莊存與對於該書深具興趣，所以因襲著趙汸的法式，撰成《春秋正辭》，對於當中的曲折，莊存與在〈敘目〉中清楚地說道：

> 存與讀趙先生汸《春秋屬辭》而善之，輒不自量，為驪括其條，正列其義，更名曰：「《正辭》」，備遺忘也。以尊聖尚賢，信古而不亂，或庶幾焉。❽

二者之間的承接關係顯然易見。

2. 《春秋舉例》

《春秋舉例》一書一卷，就形制而言與《春秋正辭》並無差異，兩者的區別在於《春秋正辭》所論述的條目涵蓋層面與範疇較為狹窄專一，而《春秋舉例》所列的條目則屬貫通性議題，這些條例包括：

其一，「《春秋》貴賤不嫌同號，美惡不嫌同辭。」

---

❼ 《禮記·經解篇》（臺北：藝文印書館，1985 年影印清嘉慶二十年江西南昌府學刊《十三經注疏》本），卷 50，頁 1a：「屬辭比事，《春秋》教也。」本書所引《十三經》經文均以此版本為准，以下僅紀錄書名、卷數、頁次，不再重複紀錄板本。

❽ 莊存與：《春秋正辭·敘目》（上海：上海古籍版社影印清道光七年莊綬甲寶研堂刻《味經齋遺書》本），頁 1a。

其二，「《春秋》辭繁而不殺者，正也。」

其三，「一事而再見者，先目而後凡也。」

其四，「《春秋》見者不復見也。」

其五，「《春秋》不待貶絕而罪惡見者，不貶絕以見罪惡也。」

其六，「貶絕然後罪惡見者，貶絕以見罪惡也。」

其七，「擇其重者而譏焉。」

其八，「貶必于其重者。」

其九，「譏始，疾始。」

其十，「書之重，辭之複，嗚呼！不可不察，其中必有美者焉。」

3.《春秋要指》

《春秋要指》一書一卷，就形制來說與《春秋舉例》類似，而所論內容也與《春秋舉例》所述頗多類似，兩者之間較大的差異，在於《春秋舉例》全說《春秋》書例，而《春秋要指》則除了在紹介闡揚《春秋》書例之外，還包括了若干發揮微言大義的條文。

(二) 莊存與《春秋》學專著的解經特色

1.兼採諸家

莊存與說解《春秋》，最為重要的特色便是「兼採諸家」，朱珪（1731－1806）為《春秋正辭》所作的〈序〉文當中，就針對莊存與治《春秋》兼採諸家之說的特性有所敘述：

> 公所纂《春秋正辭》一書，……義例一宗《公羊》，起應寔述何氏，事亦兼資《左氏》，義或拾補《穀梁》。……（《春秋正辭·序》，葉2上，頁2）

分析以上文字可以知道，朱珪認為莊存與在詮釋《春秋》經文之際，所採納的文獻與視角是多元而非單一的。因此，《春秋正辭》所展現的詮釋風貌是：其一，關於《春秋》書法的解說與發揮尊崇《公羊傳》的理路；其二，問題意識的興起與針對命題鋪陳詮說依循何休的法式；其三，採用《左傳》的敘述輔助對於史事的論述；其四，援引《穀梁傳》的說解加強義理的發揮。

　　事實上，朱珪的說法僅僅能夠展現莊存與治《春秋》學「兼採諸說」的部分樣貌，在《春秋正辭》當中，為莊存與所援引的經說尚不只如此，以下數例，更能凸顯莊存與治《春秋》「兼採諸家」為說的特性。

　　⑴二年，春，王正月。_{桓公}

　　　其曰：王何？程子曰：「正督之罪也。」

　　　（《春秋正辭》，卷 1〈奉天辭〉，葉 7 下，頁 6）

　　⑵秋，八月，王申，御廩災。_{桓公十有四年}

　　　公羊子曰：御廩災，何以書？記災也。

　　　董仲舒以為：先是四國共伐魯，大破之於龍門，百姓傷者未瘳……。

　　　劉向以為：御廩，夫人八妾所舂米之藏，以奉宗廟者也……。

　　　（《春秋正辭》，卷 1〈奉天辭〉，葉 16 下－17 上，頁 11）

　　⑶冬，大雨，雹。_{昭公三年}

　　　《漢志》（《漢書·五行志》）：是時季氏專權，脅君之象見，昭公不寤，卒逐昭公。

　　　（《春秋正辭》，卷 1〈奉天辭〉，葉 30 下，頁 18）

(4)夏，公及宋公遇於清。^{隱公}_{四年}

《禮》（《禮記·曲禮篇》）曰：諸侯未及期相見曰：
遇。

穀梁子曰：遇者，志相得也。禮蓋省矣，未嘗不有禮
焉……。

《詩》（《詩經·小雅·鴻鴈》）曰：「之子于征，劬勞于
野；爰及矜人，哀此矜寡」，此侯伯勞來萬民還定而安集之
詩也……。

（《春秋正辭》，卷 4〈內辭〉，葉 17 上－17 下，頁 51）

檢覈上述四例，可以發現除了朱珪所稱諸家以外，莊存與在撰著
《春秋正辭》之際，也援引了董仲舒、劉向（前 77－前 6）、程子
（應該是程頤，1033－1107）等人以及《詩經》、《禮記》、《漢
書》等典籍，做為疏識《春秋》經文的依憑。事實上，除了上述各
項之外，就筆者所見，《春秋正辭》至少還徵引援用了《尚書》、
《論語》、《國語》、胡安國（1074－1138）的記載與論述，整體
而言採納的範圍相當廣博。就此而言，阮元（1764－1849）在〈莊
方耕宗伯經說序〉一文中關於莊存與《春秋》學「主《公羊》、董
子」，「略採《左氏》、《穀梁氏》及宋、元諸儒之說」❾的論
述，似乎便透漏著相當程度的忽略與不足。

2.經文用《左傳》、《穀梁傳》

《春秋正辭》所引經文用《左傳》、《穀梁傳》，是莊存與

---

❾　阮元：〈莊方耕宗伯經說序〉，收入《味經齋遺書》（清光緒八年陽湖莊氏
刊本），卷首，頁 1b。

《春秋》學諸多環節當中令筆者最感訝異的一項。由於《三傳》各
有師承，傳授的體系也壁壘分明，因而釀成《左氏》、《公羊》、
《穀梁》三家所依循的《春秋》經在文字上有所歧異的現象，早已
是學者都能承認的基本常識；另一方面，學者因為學術屬性與基本
立場不同，對於隸屬體系所遵循的經文奉行不悖，則更是屢見不鮮
的普遍現象。根據這項原則，說奉《公羊》為治《春秋》首要法門
的莊存與，所援引徵用的《春秋》經文必與《公羊傳》所錄經文絕
無二致，也應該是合理而且必然的推斷，無庸贅言。然而，現實的
狀況並非如此，在經過大致的比對之後，筆者發現，設若所徵引的
經文出現了《三傳》載錄有所歧異的現象，那麼莊存與所採用的，
並非出自想當然爾的《公羊傳》，而是《左傳》與《穀梁傳》，在
《春秋正辭》當中足以支撐這項論點的實證有許多，以下便略舉數
例以為說明。

　⑴《春秋正辭》：夏，成周宣榭火。_{宣公十有六年}（〈奉天辭〉，卷
　　1，葉 17 下，頁 11）

　　《左傳》：夏，成周宣榭火。（卷 24，葉 13 下，頁 410）

　　《公羊傳》：夏，成周宣謝災。（卷 16，葉 17 下，頁 209）

　　《穀梁傳》：夏，成周宣榭災。（卷 12，葉 17 上，頁 123）

　　※《春秋正辭》所引經文與《左傳》全同，「榭」字與《穀
　　梁傳》同，與《公羊傳》「謝」、「災」全異。

　⑵《春秋正辭》：春，王正月，戊申，朔，隕石于宋五。_{宣公十有六年}
　　（〈奉天辭〉，卷 1，葉 31 上，頁 18）

　　《左傳》：春，王正月，戊申，朔，隕石于宋五。（卷
　　14，葉 13 上，頁 235）

《公羊傳》：春，王正月，戊申，朔，霣石于宋五。（卷
11，葉 13 上，頁 139）

《穀梁傳》：春，王正月，戊申，朔，隕石于宋五。（卷
8，葉 14 上，頁 84）

※《春秋正辭》所引經文「隕」字與《左傳》、《穀梁傳》
全同，與《公羊傳》「霣」字異。

(3)《春秋正辭》：楚子、蔡侯次于厥貉。_{文公}_{十年}（〈外辭〉，卷
8，葉 7 下，頁 85）

《左傳》：楚子、蔡侯次于厥貉。（卷 19 上，葉 23 下，頁
322）

《公羊傳》：楚子、蔡侯次于屈貉。（卷 14，葉 1 上，頁
175）

《穀梁傳》：楚子、蔡侯次于厥貉。（卷 11，葉 3 上，頁
108）

※《春秋正辭》所引經文「厥貉」字與《左傳》、《穀梁
傳》全同，與《公羊傳》「屈貉」字異。

(4)《春秋正辭》：春，楚子伐麇。_{文公}_{有二年}（〈外辭〉，卷 8，葉
9 下，頁 86）

《左傳》：春，楚子伐麇。（卷 19 下，葉 1 上，頁 328）

《公羊傳》：春，楚子伐圈。（卷 14，葉 1 上，頁 175）

《穀梁傳》：春，楚子伐麇。（卷 11，葉 3 上，頁 108）

※《春秋正辭》所引經文「麇」字與《左傳》、《穀梁傳》
全同，與《公羊傳》「圈」字異。

由上述數例可以得知，莊存與在《春秋正辭》中所鈔錄援用《春

秋》經經文,的確不屬於《公羊傳》體系,而較為貼近《左傳》以及《穀梁傳》系統。筆者以為,這樣的現象雖然不足以否定莊存與《春秋》學當中的《公羊》學特徵,卻或許能夠帶給斤斤於《公羊》、《穀梁》、《左氏》,務必區別經說今、古屬性的學者若干啟示——當大多數的相關研究者都在竭盡全力為某些學術現象或者學術風氣制定合理的規範與標準的判定原則之際,是不是也曾經考量過這樣的規範、標準以及原則或許只能是一項崇高的理想信念,並非真實狀態的反應;而在擺脫如是的集體迷思之後,曾經活躍於學術史上的每一個個體,或許才能得到較為適切的評價,同時,絕大多數的研究者在面對某些意外的特例之際,也就不會徒耗心力強為曲解或者顯得手足無措。

三、莊存與《春秋》學的思想重心

整體而言,隱藏於莊存與《春秋》學之下的重心思想可以簡單區分為兩大部分,一是關於《春秋》義理的闡述,一是伴隨著《春秋》義理的發揚、轉化形成的實用性規範。然而,兩者卻又時常合而為一,難加判分。

(一) 譏世卿

莊存與在《八卦觀象解》一書中曾經如是陳述道:「《春秋》考成敗、錄禍福,譏世卿最甚。」[10]此外,《尚書說》一書也說:「……周德既衰,世諸侯、卿大夫,而聖賢位在匹夫,帝王之制遂

---

[10] 莊存與:《八卦觀象解·下》(上海:上海古籍版社影印清宗道光七年莊綬甲寶研堂刻《味經齋遺書》本),頁22a。

不可復振……。」⑪不但認為世襲的諸侯、卿大夫阻滯了聖人賢士的名位，造成禍亂接踵而至，終於導致古先聖王的制度陵夷破碎無可提振，同時也認為孔子撰述《春秋》，對於不分賢愚累世因襲的世襲卿大夫制度譏刺最深。因此，在鋪陳其《春秋》學說之際，往往借題發揮，強調「世卿」對於聖王治世的危害與衝擊。

魯隱公元年，公子益師辭世，《春秋》以「公子益師卒」為記，緣著這項歷史事件，莊存與於《春秋正辭》為文發揮道：

> 公子與？公子而為大夫者與？《春秋》錄大夫卒，以大夫錄
> 公子，公子不為大夫，則不卒，必有故然後錄之。曷為錄大
> 夫卒？國體也，命於天子者也。曷為以大夫錄公子？魯無異
> 姓大夫也。且見成、襄而下，公子無復為大夫者。……見魯
> 無異姓大夫，賢賢之義缺矣；見成、襄而下公子無復為大
> 夫，則親親之道缺。而世卿之害家凶國，為王法所必禁矣。
> （《春秋正辭·正內辭》，卷 5，葉 5 下－6 上，頁 61－
> 62）

在這段文字當中，關於益師身為公子，卻受到「以大夫錄公子」待遇的論述，並非莊存與關注的焦點，莊存與所關注的是，在「世卿」制度之下，屬於聖王治道中重要倫理學原則的「賢賢」、「親親」即將淪喪殆盡。因此，莊存與針對「世卿」提出嚴厲批判，認為「世卿」「害家凶國」，是「王法所必禁」。

---

⑪　莊存與：《尚書說》（清光緒八年陽湖莊氏刊本），頁 6b。

基於相同的理念，莊存與在面對《春秋》經關於魯隱公三年「夏，四月，辛卯，尹氏卒」的記載時也這樣論述道：

> 何以氏之而不名？……公羊子曰：「譏世卿。世卿，非禮也。」其聖人之制乎！制《春秋》以俟後聖。後事之變，害家凶國，不皆以世卿故？聖人明於憂患與故，豈不知之？則何以必譏世卿？告為民上者，知天下之本，篤君臣之義也。告哀公曰：「義者，誼也。尊賢為大。」述湯、武之書曰：「帝臣不蔽，簡在帝心，雖有周親，不如仁人。」是故非賢不可以為卿，君不尊賢，責失其所以為君。彼世卿者，失賢之路，蔽賢之蠹也。不然，好賢如〈緇衣〉，豈曰：世卿而譏之乎？……世卿非禮，譏不尊賢養賢，不必其兇家害國。……世卿非文王之典也，無故無新，惟仁之親，尊賢養賢之家法也。（《春秋正辭·正天子辭》，卷2，葉13下－14下，頁30）

以上的記敘當中，莊存與除了延續先前「世卿」制度「害家凶國」，破壞聖王治道的基本論調之外，更近一步徵引《公羊傳》的說法證實所謂「世卿」的確並非聖王（文王）所創制的法式，可以說是毫無根據。除此之外，莊存與更因應著批判「世卿」制度的步調，逐漸推演強化，終而建構出古代聖王之所以能夠成就太平盛世，是因為能夠掌握親仁晉賢原則的歷史認識。筆者以為，無論所謂「《春秋》考成敗、錄禍福，譏世卿最甚」的基本論調是不是真的符合孔子以及《春秋》的本意，莊存與以消極的「世卿害家凶國

論」為基本立場，進而建構了極富積極性的「尊賢親仁規範」，不管從現實歷史發展進程或者政治現實，道德規範的角度切入，都能夠自圓其說，並且具備了絕對的善性與普遍可行性，闡揚《春秋》義理達於實用，不可不謂莊存與深知「屬辭比事」之教。

除了清晰地表現自我中心理想之外，莊存與也嘗試著以其他方式展現《春秋》對於「世卿」的譏刺。魯哀公三年五月，魯桓公以及魯僖公的祠廟遭災，《春秋》以「五月，辛卯，桓宮、僖宮災」為記。針對這一則記載，《公羊傳》認為是「記災也」——經文只是單純地記載災情，而董仲舒、劉向則認為《春秋》之所以書記，是因為「此二宮為非禮者也」——兩座祠廟的設置是違反禮制的。對於前人的說解，莊存與一概不予接受，以為：

> 哀公以季氏之故不用孔子，孔子在陳聞魯災，曰：「其桓、釐（僖）之宮乎？」以桓季氏之所出，釐使季氏世卿者也。（《春秋正辭·正奉天辭》，卷1，葉20上，頁13）

分析這段文字，可以知道，莊存與將災禍的發生引導成對於「世卿」的譏貶，因為魯國「世卿」障蔽了魯哀公「尚賢親仁」的知能，阻滯孔子申明聖賢懷抱的可能，是以「季氏所出」的桓公以及「使季氏世卿」的僖公兩者祠廟均遭受災禍。就科學的眼光來看，莊存與的說法幾乎一無可取，無立足之地。然而也正是因為莊存與詮釋《春秋》經記載所依據的理由極為不可信賴，方纔更加凸顯其人對「世卿」的絕對譏貶意識。

㈡ 大一統思想

「大一統」一辭，首見於《公羊傳》（卷 1，葉 8 下，頁 9）以及董仲舒「〈對策〉」，自何休以下，學者多有論述，「大一統」觀念的提出，不但直接促使《公羊》學與現實政治相互攀緣，也間接促成皇室中央集權的可能性以及任何型態分裂意識的遭受抑制。所以，儘管學術上的《公羊》學在東漢之後凋零式微，以「大一統」為中心的政治性《公羊》學，卻一直在漢文化社會中保有強大的影響與活動力。

莊存與治《春秋》學以《公羊傳》為依歸，當然會針對這項議題進行發揮，與何休等人不同，莊存與對於「大一統」的解說非常簡單易懂（《春秋正辭・正奉天辭》，卷 1，葉 4 上－4 下，頁 5）《禮記・曾子問》文句「天無二日，土無二王，嘗禘郊社尊無二上」（卷 18，葉 19 上，頁 367）便是莊存與為「大一統」設定的意義。所謂「天無二日，土無二王」，也就是《詩經・小雅・北山》所謂的「溥天之下，莫非王土；率土之濱，莫非王臣」（卷 13－1，葉 19 下，頁 444），就此看來，莊存與在此徵用《禮記》文字，所要表達的是「大一統」展現的政治歸一層面。在為「大一統」確立政治層面的定義之後，莊存與又徵引王陽（？－？）的說法道：「《春秋》大一統者，六合同風，九州共貫也。」王陽的意見，似乎在說明《公羊》家所謂的「大一統」，指的就是所有個體都遵循相同的生活規範，抱持同一的文化價值意識，而這也是莊存與為「大一統」的社會文化層面所確立的定義。綜合上述兩項，可以得到一個結論，便是莊存與所認識的「大一統」，是政治、文化、社會意識的共通統一狀態。

身為皇家教師，莊存與會在講授《春秋》學之際為因應政治現實而強調「大一統」觀念，其中情狀可想而知。然而，「大一統」究竟是不是有如莊存與徵引的董仲舒說法——「天地之常經，古今之通誼」，卻是值得再三商榷的事。姑且不論董仲舒藉政治「大一統」概念誘使漢武帝（劉徹，前156－前87）以政治力強勢地拉擡儒學地位的行為，蘊藏著多少學派或學術意見成分，筆者以為，所謂「天地之常經，古今之通誼」、「諸不在六藝之科，孔子之術者，皆絕其道，勿使並進，邪辟之說」等言論與觀點，無論用以之教授皇子或者是一般童蒙甚或知識分子，倘若稍有不慎，都會造成相當程度的認知偏狹。莊存與基於學術立場，必須為「大一統」進行疏識，原是無可厚非，然而論說主張太過，卻不能不說是一大失策。

四、結　語

在粗略地針對莊存與的《春秋》學進行片段性探研與敘述之後，關於莊存與的《春秋》學以及相關問題，筆者有以下幾點初步認識：

其一，無論從著作的性質以及活躍的時代來說，莊存與的確可以被視為有清一代《公羊》學的濫觴。然而，《公羊》學說在莊存與的《春秋》學著作中已經可以被稱為展現的主體，但並不意味著日後學術必定依此路線沿續發展。相對的，《左傳》、《穀梁傳》以及宋、元諸儒的《春秋》說，在《春秋正辭》並不罕見。就如同莊存與解《春秋》大多宗《公羊》，所援引的《春秋》經文卻以《左傳》以及《穀梁傳》為主一般，莊存與本身懷抱著多少身為

「今文經學家」的自覺，事實上是值得再深入推敲的。或許，在莊存與的基本意識中，根本就沒有所謂《公羊》、《左氏》或者是今文、古文的認知與概念，今日學者在《春秋正辭》等書中所尋獲的《公羊》學說，在意義上或許和同樣出現於其中的《左傳》經說或者《穀梁》經說相仿，只是經過莊存與認定，較為合乎需要的經書詮釋而已。

其二，設若能夠仔細檢覈莊存與的《春秋》學相關著作，那麼學者一定能夠發現莊存與在《春秋》經以及《公羊》學的詮釋與發揮方面並沒有過人的貢獻。在捨去徵引前人說法的部分之後，《春秋正辭》等書所錄發自莊存與本人的相關經說，倘若不是在詮釋路線與基本立場上與前人不相左右，就是所發揮的義理僅只是前人學說的再論述。面對如是的現象，學者倘若仍舊以傳統的觀點面對，無法就社會學、文化現象學、政治哲學等角度入手，必然無從發現莊存與在中國經學發展史上的確切地位並且加以適當的評價。

其三，莊存與之所以被視為清代《公羊》學的濫觴，或者是清代今文經學的開創者，並不是本身的學術成就使然，而是其後繼者的學術成就促成。這樣的現象是不是會造成學派或學術分類的迷思，應該是一個極為有趣的議題。自從班固（32－92）的《漢書·藝文志》針對先秦學術施行強迫性區別之後，歷來學者皆無法跳脫其藩籬，在面對龐大的學術體系之際，總會試圖先行區分其屬性，殊不知如是的作法除了會造成主流與支脈的錯誤價值性判斷之外，更會無端地區別出眾多無意識的特立獨行研究者。以莊存與以及常州學派、今文學派為例：論者大多認為莊存與的學問在考據學風行的時代獨具一格，隨後劉逢祿、宋翔鳳等人則被視為《公羊》學與

今文經學的確立者，龔自珍、廖平（1852－1932）、康有為（1858－1972）、梁啟超數人則被視為《公羊》學與今文經學發展的極至，從表面上來說，在如是的說法之下，學術由紛雜至精純，體用脈絡越見清晰。然而，實際的狀況卻應該是——學術自由的認知吸引了一波又一波願意投入新興學問的熱情者，因為如此，學者能夠在舊基礎之上附益新說，使清末《公羊》學日漸恢弘，終於能夠左右當時政局。筆者以為，倘若當時諸家便以純粹以學派區分的眼光看待自身學術，捨棄了自由創作意識，侷限於自身門戶之中而不自知，那麼清末今文經學諸家除了與崇奉古文經學的學者持續鬥爭之外，恐怕無法在清季造成那樣規模巨大的變動，至今仍為學者所樂於探研。

莊存與：清代《公羊》學的開山

陳其泰*

一、《春秋正辭》與趙汸《春秋屬辭》 不同的學術宗旨

　　莊存與（康熙五十八年至乾隆五十三年，1719－1788 年），字方耕，他生活於清乾隆時代，是清代《公羊》學復興的代表人物。莊氏關於《公羊》學的主要著作是《春秋正辭》，此外有《春秋舉例》、《春秋要旨》。他還有仍主古文經傳之說的著作《周官記》、《周官說》、《毛詩說》。關於其學術的評價，《清儒學案》謂：「生平踐履篤實，於六經皆能闡發奧旨，不專事箋注，而獨得先聖微言大義於語言文字之外。」❶魏源則稱他學術的特點是：「崒乎董膠西之對天人，醇乎匡丞相之述道德，肫乎劉中壘之陳今古，未嘗凌雜釽析。」❷大體近是。

---

*　　陳其泰，北京師範大學歷史系教授。

❶　　徐世昌編：〈方耕學案〉，《清儒學案》（北京：中國書店，1990 年），卷 73，頁 1b。

❷　　魏源：〈武進莊少宗伯遺書序〉，《魏源集》（北京：中華書局，1976 年），上冊，頁 237－238。

更準確地說，莊氏所著《春秋正辭》，固然從趙汸之作受到啟發，同時又具有啟開清代《公羊》學序幕的重要意義。而實際上各持不同的學術宗旨。莊氏在清代學術史上佔有重要的地位，他是清代《公羊》學的開山，公開舉起旗幟，要尊漢代董仲舒、何休今文學家之「古」，求《公羊》學之正途。由於他的成就，一下子打破了千餘年的消沉，接續了西漢董仲舒和東漢何休的《公羊》學說統緒，使這一獨特的儒家古代學說重新獲得生命。他的著作，為清代《公羊》學創闢了得以繼續前進的基地。

《春秋正辭》共 13 卷。莊存與開宗明義，宣佈自己不同於趙汸的主張：❸

> 存與讀趙先生汸《春秋屬辭》而善之，輒不自量為隱括其條，正列其義，更名曰：「正辭」，備遺忘也。以尊聖尚賢，信古而不亂，或庶幾焉。

由元代趙汸的《春秋屬辭》到莊氏的《春秋正辭》，一字之差，實包含著性質上重大的變化。在闡釋《公羊傳》的標準上，他明顯推尊董仲舒、何休，這即其「尚賢」的含義，故莊氏所說的「信古」，實則指信兩漢今文學派家法之「古」。他依照這一標準去求《春秋》辭句中蘊含的正確的義理。

趙汸《春秋屬辭》雖有在長期湮滅無聞之中為《公羊》學說保存

---

❸ 莊存與：〈敘目〉，《春秋正辭》（光緒庚寅學海堂本《皇清經解》），卷375，頁 1a。

了「火種」的作用，然而其書對《春秋》義旨的總結又屬於比較表層的，未能深入到《公羊》學的實在意義。我們比較趙汸和莊存與兩人對隱公元年即位與否的不同解釋，即可明瞭莊氏學術旨趣的特色。

趙汸《春秋屬辭》首條提出：「嗣君逾年即位，書『元年春王正月，公即位』；不行即位禮，不書『即位』；告朔朝正，書『王正月』。」這一義例，是他從「隱公元年春王正月」至「哀公元年春王正月公即位」，見於《春秋》中十一條記載歸納得出的。趙汸認為：魯桓、文、宣、成、襄、昭、定、哀八個國君，都是第一年嗣子繼位，「逾年正月朔日，乃先謁廟，以明繼祖，還就阼階之位，見百官，以正君臣」。國史因書「元年春王正月公即位」；而隱、莊、閔、僖四君元年，都僅書「元年，春王正月」，不書即位。趙氏認為這些都有特殊原因，如「隱公攝君位，不行即位禮」。❹

按趙氏所說，隱公元年首條的記載，只是據魯史而來，毫無深切微妙之意旨。然則，按莊存與的解釋，這一記載卻包含非常重要之意義。他說，《春秋》這樣書法，不是隱公未嘗踐位、行禮。「公踐其位，行其禮，然後稱元年，君之始年，非他人，隱公也」。進而說，這樣書法，是表示隱公只攝相位，以將來讓位於其弟桓公。可是，桓公後來弒其兄隱公，是大惡的行為，恰是隱公助長他的。所以隱公這種讓恰恰應受到譴責。他由此得出一條原則：「《春秋》之志，天倫重矣，父命尊矣。讓國誠，則循天理、承父命不誠矣。雖行即位之事，若無事焉。是以不書即位也。君位，國

---

❹ 趙汸：〈存策書之大體〉，《春秋屬辭》（臺北：臺灣商務印書館，1983 年影印清文淵閣《四庫全書》第 158 冊），卷 1，頁 3-5。

之本也。南面者無君國之心，北面者有二君之志，位又焉在矣！十年無正（按：指自隱公二年至十一年，《春秋》經文中均無「正月」字樣），隱不自正，國以無正也。元年有正，正隱之宜為正，而不自為正。不可一日而不之正也！」❺

　　莊存與這樣解釋，《春秋》中首條的書法，實包含有國君應遵從天理、父命，莊嚴治國，而譏評魯隱公卻未能依此而行這些深刻的意義。顯然趙汸《春秋屬辭》和莊存與《春秋正辭》同為治《春秋》學之書，實則屬於兩個不同的層次：前者只著重從書法和義例上作解釋；後者則有志於探究《春秋》的「微言大義」。

二、上接董、何，闡明《春秋》大義

　　莊存與的學術影響了其從子述祖，孫綏甲，外孫宋翔鳳、劉逢祿，皆喜談《公羊》學說，成為清代著名的常州學派，劉逢祿尤能傳其學。但在當時，莊氏所究心的專講「微言大義」的《公羊》學，與當時盛行的訓詁考證的學術風氣相異趣，故他有關《公羊》學的著作長時間不被學者所重視，魏源對此曾發出慨歎：莊氏的《公羊》學著作，「世之語漢學者鮮稱道之」。魏源又表彰莊氏具有因權奸當道而憂心國事的志操：「君在乾隆末，與大學士和坤同朝，鬱鬱不合，故於《詩》、《易》君子小人進退消長之際，往往發憤慷慨，流連太息，讀其書可以悲其志云。」❻莊氏這種鯁直的

---

❺　莊存與：《春秋正辭·內辭第三上·公繼世》，《皇清經解》，卷377，頁3b。
❻　魏源：〈武進莊少宗伯遺書序〉，《魏源集》（臺北：漢京文化，1984年）第一冊，頁236。

性格反映在學術上，便是重視特識真見和開創新學派的風格。

莊氏《春秋正辭》全書分為正奉天辭、正天子辭、正內辭、正二伯辭、正諸夏辭、正外辭、正禁暴辭、正傳疑辭八類，是按莊氏所理解的《公羊》家的觀點，將《春秋》經重要的文辭按類歸納，逐條作出自己的闡釋。

莊氏所尊列為第一位的「奉天」，實則是「奉天子」。這是莊存與在對《公羊》學說的重要紬繹，把漢代形成的《公羊》學理論體系中尊奉王室、強調國君是受天命而治這一核心觀點凸顯出來，這對預示清代《公羊》學將走上政治性、以經論政的道路關係至大。莊氏解釋「元年春王正月」中元、春、王、正月、即位五項一同出現，是代表了王承天而治、諸侯上奉王政這一套最根本、最重要的意義。因而稱之為「建五始」，作為「奉天辭」的第一項。他重申何休所說：「政莫大於正。故《春秋》以元之氣，正天之端；以天之端，正王之政；以王之政，正諸侯之即位；以諸侯之即位，正竟內之治。……五者同日並建，相須成體，乃天人之大本，萬物之所繫，不可不察也。」❼且又引述董仲舒〈天人三策〉所言人君依天意行事，以正朝廷百官，統率萬民，四方之內正氣充旺，邪氣蕩清，達到風調雨順，萬民協和，五穀豐登，草木茂盛，四海太平的境地，王道得到完美的實現這番話。這就有力地證明：莊氏的《公羊》學著作是以董仲舒、何休的學說為根本出發點，利用《公羊》學來宣揚王權神授、天人合一、君臣名分不可逾越的觀點。

莊氏還歸納了另一條原則：「宗文王」。他這樣主張：

---

❼　莊存與：《春秋正辭·奉天辭第一·建五始》，《皇清經解》，卷375，頁2a。

公羊子曰：王者孰謂？謂文王也。聞之曰：受命之王曰大
祖，嗣王曰繼體。繼體也者，繼大祖也。不敢曰受之天，曰
受之祖也，自古以然。文王，受命之祖也；成、康以降，繼
文王之體者也。武王有明德，受命必歸文王，是謂天道。武
王且不敢專，子孫其敢或幹焉。命曰文王之命，位曰文王之
位，法曰文王之法。所以尊祖，所以尊天也。❽

文王者，代表本朝的「大祖」，只有他才是受命於天。其餘歷世君
王只是「受之祖」，都要奉行大祖規定的成法，這樣才是「尊
祖」，才是「尊天」。莊氏的解說，是要強調他治《公羊》學的目
的也在證明王權受命於天，後代必須恪守祖宗成法，否則就是違反
「天道」！這位處於乾隆時期清朝統治所謂「盛世」的《公羊》學
提倡者，在政治上仍無法擺脫以「拱奉王室」為依歸。

　　《春秋正辭》標誌著今文《公羊》學說重新復興的起點，其主
要表現為重新彰揚和詮釋《公羊》義法中大一統・通三統・張三世
這組基本命題。

　　此三項，本是漢代《公羊》學家最重視的信條，然而在儒學演
變的歷程中，它們早被人們遺忘。莊氏由於尊奉董仲舒和何休的學
說，必然要重視這些信條，學者社會一千幾百年所失落的，如今重
新被拾起，《春秋正辭》中所論，真可謂是兩漢《公羊》學大師在
千餘年後引起的迴響。

---

❽　莊存與：《春秋正辭・奉天辭第一・宗文王》，《皇清經解》，卷 375，頁
　　3a。

　　繼董仲舒奠定了《公羊》學說體系的基礎之後，東漢何休推進了「大一統」說和「三世」說，由此確立了《公羊》學說的兩大主幹，為《公羊》家法的發展作出突出貢獻。何休對大一統說的闡述更加理論化。他提出「元」即是「氣」，是世界物質性的基礎，「無形以起，有形以分」，由此構成天地萬物。那麼，「王」作為最高權力的代表，就賦有「養成萬物」、統理一切的職責。何休又論證要真正體現天子之「大一統」，就須自王侯至於庶人，以至山川萬物，統統置於天子的治理之下，「故《春秋》以元之氣，正天之端；以天之端，正王之政；以王之政，正諸侯之即位；以諸侯之即位，正竟內之治。……五者同日並見，相須成體，乃天人之大本，萬物之所繫，不可不察也」。❾這樣，何休便進一步從哲理的高度，對於天子大一統權力從何而來和大一統權力如何體現這兩個問題，作了更具理論深度和更加有力的論證。中國是一個幅員遼闊的國家，統一局面是歷史長期形成的，也是歷史進一步發展的需要。當東漢末年，世族豪強的勢力正膨脹，分裂割據已出現苗頭，何休這樣突出地闡發「大一統」的政治觀，並且抨擊世卿豪強掌握重大權力、構成對君權的威脅，就具有很強的現實針對性。《公羊》三世說在何休書中，更成為系統的歷史哲學。何休進一步發展了《公羊傳》、董仲舒的樸素歷史進化觀點，在儒學史上第一次系統地用「據亂世－昇平世－太平世」作為描述社會進化的理論。他在《春秋公羊解詁》隱公元年注文中，系統地、多層次地闡發《公

---

❾　何休解詁：《春秋公羊傳》（北京：中華書局，1959 年影印《四部備要》本），第 2 冊，卷 1，頁 2a。

羊》學派對於歷史變易的見解。第一個層次，從孔子修《春秋》對
「所傳聞世」、「所聞世」、「所見世」採用不同的書法，證明歷
史是變化的，不同階段有不同的特點。第二個層次，論述孔子對所
傳聞世、所聞世、所見世，還寄託了不同的政治態度和理想。《春
秋》「始於粗糲，終於精微」，因此終篇有「西狩獲麟」之筆，何
休解釋說：「上有聖帝明王，天下太平，然後乃至。」❿「人事
浹，王道備。」⓫這是孔子以此表示撥亂功成，理想實現。第三個
層次，何休提出了「據亂—昇平—太平」的「三世」歷史進化學
說。他論述說：「于所傳聞之世，見治起於衰亂之中，用心尚粗糲
觕，故內其國而外諸夏，先詳內而後治外；……于所聞之世，見治
升平，內諸夏而外夷狄……；至所見之世，著治太平，夷狄進至於
爵，天下遠近小大若一。」⓬何休的「三世說」，包含有國家統一
規模、文明程度和民族關係都越來越發展的豐富內涵，到太平世，
則達到空前的大一統，並且實現民族之間平等、和好相處的理想，
不再有民族的歧視、壓迫和戰爭。在階級壓迫、民族壓迫不斷的封
建時代，何休卻能提出這樣美好的理想，這說明他眼光遠大、思想
深刻。他總結了孔子、韓非、司馬遷等人肯定歷史向前進步的思想
而加以發展，從具體的社會現象概括出歷史由低級向高級進化的哲
理，在理論思維上實現了昇華。「三世說」歷史哲學成為儒家今文
學派寶貴的思想精華，並以其對歷史本質的哲理概括，成為清代

---

❿　何休解詁：《春秋公羊傳》，卷28，頁5a。

⓫　同前註，頁6a。

⓬　同前註，卷1，頁7b—8a。

《公羊》學者繼承和發揮的寶貴基礎。

　　莊存與對何休所總結的《公羊》家法頗有體會，他旁徵博引，對「大一統」加以發揮：

> 公羊子曰：「何言乎王正月？大一統也。」《記》曰：「天無二日，土無二王。國無二君，家無二尊。以一治之也。」子曰：吾說夏禮，杞不足徵也。吾學殷禮，有宋存焉。吾學周禮，今用之，吾從周。王天下有三重焉，其寡過矣乎！❸

顯然，莊存與沒有拘泥於何休《公羊解詁》的字句。何休對隱公元年「何言乎王正月？大一統也」解釋的原文是：「統者，始也，總繫之辭。夫正者始受命改制，布政施教於天下。自公侯至於庶人，自山川至於草木昆蟲，莫不一一繫於正月，故云：政教之始。」❹這裏，何休用國君受命改制，使舉國上下一致奉行周王的正朔，表示「自公侯至於庶人」無不奉行周王的政教。其實質意義，是講用封建專制政治來統一全國，不過意思不夠明顯。莊氏有見於此，他更加直截了當，指明「《春秋》所以大一統者，六合同風，九州共貫」。任何人都不允許有違背於專制王權統一政教的行為。為了突出這項意思，他又引述董仲舒所說：「《春秋》大一統者，天地之常經，古今之通誼也。今師異道，人並論，百家殊方，指意不同。

---

❸　莊存與：《春秋正辭·奉天辭第一·大一統》，《皇清經解》，卷375，頁3b。

❹　何休解詁：《春秋公羊傳》，卷1，頁1b－2a。

是以上無以持一統，法制數變，下不知所守。臣愚以為，諸不在六藝之科，孔子之術者，皆絕其道，勿使並進，邪辟之說滅息，然後統記可一，法度可明，民知所從矣。」對此，莊氏特別加注，說：「此非《春秋》事也。治《春秋》之義莫大焉。」意思上引這段話不是《春秋》一書中本有的內容，是董仲舒運用《春秋》大一統觀點加以發揮的，在漢代產生了極大作用，今天仍然有意義。這些都是治《春秋》者所加的「義」，足見《春秋公羊》學說的重要！

再者，關於「通三統」這一《公羊》學的又一根本觀點，莊氏的解釋有很中肯之處，也有理解不夠深入之處。他闡釋的原文是：

> 何休曰：「夏以斗建寅之月為正，平旦為朔，法物見，色尚黑。殷以斗建丑之月為正，雞鳴為朔，法物芽，色尚白。周以斗建子之月為正，夜半為朔，法物萌，色尚赤。」……王者存二王之後，使統其正朔，服其服色，行其禮樂。所以尊先聖，通三統，師法之義，恭讓之禮，於是可得而觀之。子曰：「殷因于夏禮，所損益可知也；周因于殷禮，所損益可知也，其或繼周者，雖百世可知也。周監於二代，鬱鬱乎文哉！吾從周。」子曰：「行夏之時，乘殷之輅，服周之冕，樂則韶武。」……劉向曰：「王者必通三統，明天命所授者博，非獨私一姓也。」按，日月星辰之行，始於日至。陰陽風雨之氣，徵於丑仲。王政民事之序，揆於寅正。三正並行而不悖，尚矣。❶

---

❶　莊存與：《春秋正辭・奉天辭第一・通三統》，《皇清經解》，卷 375，頁 4a。

「三正」，是夏、商、周三代所實行的三種不同曆法，是由於天象觀測取得進步和生產經驗積累推動曆法的沿革。《公羊》學家即針對這種曆法制度的變革，引申出一套理論：三代分別實行三種曆法，新朝建立，就要確立新的正朔，規定朝廷所崇尚的服飾的顏色，說明不同的朝代，制度上必然要有適當的變革。這就是「通三統」，由此引申出「改制」之說。《公羊》學家還認為，孔子所說殷代對夏代禮樂制度，周代對殷代的禮樂制度，都有繼承，又有損益，「改制」的主張正符合孔子「損益」之說。莊氏又引用劉向所稱「天命不獨私一姓」，還包含有一層積極意義：正如舊曆法沿用既久誤差過大即要廢除，新的正朔將取而代之一樣，朝代也是要更易的，一姓的君王不可能永遠不變，「天命」有可能轉授別人，讓他姓做君王。

莊存與對「張三世」的論述，文字簡略，但也包含有重要的意義。其原文是：

> 據哀錄隱，隆薄以恩，屈信之志，詳略之文。智不危身，義不訕上，有罪未知，其辭可訪。撥亂啟治，漸於升平，十二有象，太平已成。❶

這段話有兩層含義。第一層，是解釋《公羊傳》原本所有「所見異辭，所聞異辭，所傳聞異辭」。《公羊傳》隱公元年云：「公子益

---

❶ 莊存與：《春秋正辭·奉天辭第一》，《皇清經解》，卷 375，頁 1b。

師卒。何以不日？遠也。所見異辭，所聞異辭，所傳聞異辭。」**⓱**
原意是，由於這一年所記魯隱公時事，離孔子修《春秋》的哀公時
代已經很遠了。因年代遠近不同，所據材料詳略不同，事件、人物
與記載關係密切的程度不同，故在用辭上自然有所不同。然則其中
包含著春秋十二世二百四十二年不應視為凝固的，死板的整體，而
應按一定的標準區分為不同階段這一可貴的合理因素。經過董仲舒
解釋，何休又將之進一步發揮，這「所見異辭，所聞異辭，所傳聞
異辭」三句話，便具有深刻得多的內涵。莊存與採用了董、何的解
釋。「據哀錄隱，隆薄以恩」，即何休所說因時代遠近不同，「見
恩有厚薄，義有深淺」，故採用異辭，使之符合於人倫名分。「於
所見之世，恩已與父之臣尤深，大夫卒，有罪、無罪皆錄之」；
「于所聞之世，王父之臣恩少殺，大夫卒，無罪者日錄，有罪者不
日，略之」；「于所傳聞之世，高祖、曾祖之臣恩淺，大夫卒，有
罪、無罪皆不日，略之也」。《公羊傳》又說：「定、哀多微辭，
主人習其句讀而問其傳，則未知己之有罪焉爾。」何休對此作了解
釋：「此假設而言之。主人，謂定、哀也。設使定、哀習其經而讀
之，問其傳解詁，則不知己之有罪於是。此孔子畏時君，上以諱尊
隆恩，下以辟害容身，慎之至也。」說明孔子修《春秋》，對定、
哀兩世，因與現實太近，故多忌諱，而採用委婉隱晦的筆法，讓當
日國君讀了這樣的記載也無法找到把柄，斷定他有罪。然而，後人
卻能夠根據他用辭的曲折微妙，去探求深切的寓意。故說：「屈信
（同伸）之志，詳略之文。智不危身，義不訕上，有罪未知，其辭

⓱ 何休解詁：《春秋公羊傳》，卷 1，頁 7b。

可訪。」以上是莊氏重申董仲舒及何休用「三世說」解釋「所見異辭，所聞異辭，所傳聞異辭」。

第二層意思，是用「據亂世－昇平世－太平世」解釋三世說。這一項，何休原來所作的解釋內容相當深刻，並且在社會進化和民族融合觀點上都具有明顯的進步意義。可是莊氏卻說得很簡單：「撥亂啟治，漸於昇平，十二有象，太平以成」。他對此體會甚淺，所謂「十二有象」，是指《春秋》十二公的數目與一年十二月一致，符合於天數，也即何休所言「《春秋》……所以二百四十二年者，取法十二公，天數備足，著治法式」❸。儘管未能做到深入的解釋，但莊氏畢竟接觸到「三世說」這一要義，這就接續上董、何的義法，並給後來者以啟示。

三、「章疑別微，《春秋》之大教也」

莊存與繼承了董仲舒、何休的《公羊》家法而加以發揮，推進了今文《公羊》學家的「微言大義」說，其意義是承接千餘年前這一重要儒家學派的統緒，預示了清代《公羊》學的發展格局。莊氏有相當精闢的提煉：「章疑別微，以為民坊，《春秋》之大教也。」❹強調《春秋》具有別嫌疑、定是非的巨大道義威力，為天下儀則，遂使《公羊》學政治性這一根本特點在清代重新得到重視。這是莊氏對復興今文《公羊》學說的又一重大貢獻。

由於莊氏相當中肯地把握住《公羊》學「政治性」這一特點，

---

❸　何休解詁：《春秋公羊傳》，卷1，頁8a。

❹　莊存與：《春秋正辭·內辭第三中·來聘》，《皇清經解》，卷378，頁21b。

故他能從《春秋》有關「王伐」、「王使」的簡略記載中,推求其「微言大義」,論述周天子地位由無比尊貴到低微的變化,諸侯對周天子態度是否符合周禮,以及《春秋》維護天子至尊,以綱紀天下的義旨;又使《春秋》有關魯國對齊桓公行朝聘之禮的記載中,對齊桓公地位凌駕於周天子加以批評,同時又對齊桓公稱霸使中原各諸侯國得到安睦的功績予以肯定。莊氏的解釋,堪稱能繼承董、何的事業而把《公羊》學向前推進。

㈠ 對有關「王伐」、「王使」的闡釋

《春秋》桓公五年載云:「秋,蔡人、衛人、陳人從王伐鄭。」《公羊傳》對此有極簡單的解釋:「從王,正也。」何休對此加以發揮,並認為對王的行為有所諷刺。他先解釋何以從王即表示正:「美其得正義也,故以從王征伐錄之。蓋起(按:此字應作其)時,天子微弱,諸侯背叛,莫肯從王者征伐。以善三國之君獨能尊天子死節。」然則,何休又認為《春秋》的書法中包括對周天子的譏諷,這是《公羊傳》所未言及的。其理由是:「稱『人』者,刺王者也。天下之君,海內之主,當秉綱攝要,而親自用兵,故見其微弱,僅能從微者,不能從諸侯。……不使王者首兵者,本不為王舉也。」[20]批評周天子已處於微弱地位,又不能秉操天子的大權,而輕率地征伐鄭國。莊存與對此作了更進一步的發揮。他著重論述兩層意思。第一層,鄭伯確有罪當誅,但作為周天子,決不應如此輕率行動,這樣做有失於至尊的地位,而又使民眾勞於征伐,致使王室危殆。請細繹其所作解釋:「蔡、衛、陳皆何以稱

---

[20] 何休解詁:《春秋公羊傳》,卷4,頁9b。

人？侯不行，使大夫從也。《春秋》不志王室事，天子伐國不可見，以從王伐國者見之。曷為見之？非所以伐也。鄭伯當誅矣，王躬不可以不省，不可以不重。輕用其民，王室危；輕用其身，天下危。鄭罪既盈於誅，《春秋》之義，務全至尊而立人紀焉。月不繫王，傷三王之道壞也。諸侯不知有天子，此可忍言，孰不可忍言？」第二層意思，強調「天子」是受天命而治，這是人倫綱紀的根本，絕對不能動搖：「以天下言之，曰：天王，王承天也。繫王于天一人，匪自號曰：天王也。自侯氏言之，從王焉，朝于王焉，至尊者三王也，不上援於天。若王后、王世子、王子、王姬，繫于王則止，皆不得以不稱天為疑問矣。」❹從《公羊傳》只用「從王，正也」四個字的簡略解釋，到莊存與作如此長段的議論，顯然是把《公羊》學派講「微言大義」的風格突出地表現出來了。

　　《春秋正辭》中對有關「王使」的兩條解釋同樣顯示出這種特點。《春秋》隱公七年和隱公九年各有一條「王使」的記載：「（七年）冬，天王使凡伯來聘。」「（九年）春，天王使南季來聘。」莊氏闡述前一條，強調這是天子使者聘問諸侯，使魯國至感光榮，格外重視，故《春秋》予以記載：

> 此天子之使，其言聘何？天子所以撫諸侯者，存俯省問皆聘也。北面稱臣，受之於大廟，則何以書？榮之也，喜之也。諸侯有功德于其民，則天子使問之云爾。魯使（按：「使」

---

❹　莊存與：《春秋正辭·天子辭第二·王伐》，《皇清經解》，卷376，頁4a。

> 字當為刊誤，應改為「侯」）可以自省矣，有則榮之，無則
> 愧之。……《公羊》家傳之矣。㉒

按照莊氏的解釋，周王對於諸侯擁有無上的權威，天子褒獎，魯侯
極感榮耀，從《春秋》簡略的記載中，應能體會出語言文字之外的義
旨。關於後一條的解釋，莊存與更強調《春秋》「非記事之史」：

> 八年於茲，公不一如京師，又不使大夫聘，天王則再使上大
> 夫來聘，周德雖衰，不如是之甚也。公如京師矣，以為常事
> 而不書也。宋公不王，而謀伐之，在此歲矣。齊入朝王，在
> 往年矣。書曰：「天王使南季來聘。」見公之朝于天子也，
> 公一朝，王比使聘，則以為非常數而志之矣。得其常數，不
> 志於《春秋》。《春秋》，非記事之史也。㉓

這番議論，符合於《公羊》學家「於所書求所不書」這一典型的治
學路數。《春秋》中記載的是周天子的使者聘魯。莊氏卻強調，這
段時間內一定有魯侯親自朝見周天子和魯使者聘問周王室的事。其
理由，一是反證法。「周德雖衰，不如是甚也。」堂堂的周天子，
哪能在魯國君不朝，魯使者不聘的情況下，一次再次地派大夫使魯
呢？一是用旁證法。因為在此年，宋國君「不王」（按：不供王
職），故諸侯共謀攻伐宋國；而在去年，齊入朝王，又清清楚楚地

㉒　莊存與：《春秋正辭·天子辭第二·王使》，《皇清經解》，卷376，頁7a。
㉓　同前註，卷376，頁7a-7b。

記載在《春秋》上。那為何魯侯朝見和魯國使者聘周都未予記載
呢？則是因為魯侯朝見和魯使聘周都屬於正常禮節範圍，「得其常
數，不志於《春秋》」。而周兩次派出使者，乃是「非數」。這同
樣證明《春秋》不是普通的「記事之史」，它有深遠幽隱的義旨，
學者務必做到「於所書求所不書，於所不書求所書」。

(二) 對齊桓公霸業的譏評和肯定

　　莊氏站在「尊王」即尊奉周天子的立場，對齊桓公有所譏評。
見於「內辭第三」中「公適諸侯」條，解釋《春秋》僖公十年所
載：「春王正月，公如齊」，及僖公十五年所載：「春王正月，公
如齊。」莊存與認為，魯侯這樣過於頻繁地會見齊桓公，是「非
禮」的舉動。諸侯之間互相朝見聘問，符合周禮的做法應是：「歲
相問，殷相聘，世相朝。」而如今齊桓公卻擁有號令諸侯的地位，
諸侯相朝過於頻繁，「三歲而聘，五歲而朝」。魯僖公甚至「五歲
而再朝」，莊氏更視為「非禮也」，《春秋》之所以這樣記載，即
因其「非常事也」。莊氏很不滿於齊桓公的威望竟凌駕於周天子之
上，指責說：「桓、文之令諸侯，則三王之罪人也。以齊桓之志，
為已滿矣，始干王章，以令於天下。」**❷❹**

　　上述莊氏言論，顯然因出於「尊王」立場而顯得迂腐。不過，
他又確實見到了齊桓公的稱霸，使中原各諸侯國得以安寧，制止了
混亂的局面，出現了各國之間密切往來的正常秩序。故在解釋《春
秋》莊公二十五年所載「春，陳侯使女叔來聘」時，他這樣評論齊

---

❷❹　莊存與：《春秋正辭·內辭第三中·公適諸侯》，《皇清經解》，卷 378，
　　頁 14a。

桓公稱霸的事業：

> 終《春秋》而一志聘者，中國諸侯惟陳爾。舍陳則無簡者
> 乎？曰：鄭亦簡矣。舍鄭則無簡者乎？曰：有，皆狄之矣。
> 陳侯使女叔來聘，何以書？錄齊桓之功也。桓公糾合諸侯，
> 謀其不協，玉帛之使，盛於中國，不可勝書。書必于簡策
> 者，陳三恪之封也。自我言之，遍與戚不若宋、衛；自陳言
> 之，齊桓沒而日役乎楚矣。齊桓主中國，則陳不知有楚患，
> 國家安寧，而志一以奉王事，嘉好之使，接於我焉。志陳之
> 聘我，則中國諸侯見矣。終《春秋》而一志聘者，陳與鄭
> 爾，何言乎陳侯使女叔來聘？言齊侯之力，安中國而義睦諸
> 侯也。㉕

莊存與這番議論，可謂因小而見大，由微而知著，很有深度。陳侯
派女叔到魯國聘問這件事，在他看來，完全不是孤立的。《春秋》
全書記載諸侯國派使者前來聘魯，只有陳國、鄭國各一次。為何獨
獨重視陳侯派使者來聘呢？因為陳是古帝王之後，它與魯的關係，
遠不及宋、衛之親近。如是，越是證明陳國來聘之舉有不平常的意
義。這就是齊桓公的霸業協調了諸侯各國的關係，因而出現使者交
聘於道的友好和睦的局面。而陳國又處在北方勢力與南方楚國勢力
交鋒的前哨，在齊桓公霸主地位的保護下，陳這個毗鄰於楚的小

㉕　莊存與：《春秋正辭·內辭第三中·來聘》，《皇清經解》，卷 378，頁 20a
　　—20b。

國，才不受楚國的威脅，得以與中原諸侯融洽地交往。一旦齊桓稱霸的局面結束，陳國又陷入楚國的奴役。所以，莊氏強調陳侯使者來聘這件事，實則反映了中原各國大局的許多問題，突出地表明「齊侯之力，安中國而義睦諸侯」的歷史貢獻。

為了探究和發揮《春秋》的「微言大義」，《公羊》學家有「以所不書知所書，以所書知所不書」之說。莊存與對此很有體會，此見於他對晉使兩次來聘的闡釋。他認為記晉荀庚來聘，是表示尊王而抑晉，理由是：「晉，兄弟之國也，我事之敬矣。敬不答乎？何逮乎成之篇而後言來聘？向以為常事焉而不書也。晉侯使荀庚來聘，何以書？抑之也。何抑爾？禮之始失也。偶晉于京師，其甚也！以共（供）京師者共（供）晉，微見乎僖，至成而甚焉，晉侯益驕，非魯所望也。志晉之聘，見晉之為晉，我之適者而已矣。曷為於此焉始？曰：王使不志矣，而後志晉使，《春秋》之大教也，不可不察。隱、桓之《春秋》，志王使聘五焉。成、襄之《春秋》，志晉使聘九焉。魯人之所以榮且喜者移于晉矣，以共京師者共晉，聖人之所甚懼也。舍隱、桓則志王使也罕，自成而下王使亦絕不見。章疑別微，以為民坊，《春秋》之大教也。《春秋》終不使魯人以待王使者待晉使，絕之若不相見者。然以尊王而抑晉，微故尊之，僭故抑之。王聘屢於隱、桓，晉聘屢于成、襄，皆以為非常焉爾。」❷❻這裏，莊存與強調了兩項所謂「《春秋》之大教」，即極重要的義旨。一是「王使不志矣，而後志晉使」。他認為，自

---

❷❻ 莊存與：《春秋正辭‧內辭第三中‧來聘》，《皇清經解》，卷 378，頁 21a －b。

隱、桓之時，記載周王室派使者來魯國，符合於周禮，體現出「尊
王」。自成公以下，記晉侯來聘，卻是有意抑晉，因為自此以後，
王室衰微，晉侯驕盛，其地位簡直比擬於周天子，諸侯拿供奉周王
的禮數來供奉晉國，莊氏認為是破壞君臣關係的嚴重事件，故一再
加以譴責：「偶晉于京師，其甚也！」「晉侯益驕，非魯所望
也。」「以共京師者共晉，聖人之所甚懼也。」由此又得出《春
秋》另一重要義旨：「章疑別微，以為民坊，《春秋》之大教
也。」必須仔仔細細辨別，才能體察出文字內裏尊王室，抑僭越的
「大義」，而這就須按《公羊》家法努力發掘、闡釋。同樣的道
理，莊氏認為昭公二十一年所載晉使來聘，更是禮崩樂壞至極的證
據。「天子微，諸侯僭，大夫強，諸侯脅，於是相貴以等，相覿以
貨，相賂以利，而天下之禮亂矣！自是無書聘者矣。志齊侯使其弟
年來聘❷，以謹其始，志晉侯使士鞅來聘，以謹其終。玉帛之事，
君子盡心焉而已。」❷意即必須努力發掘其中的「微言大義」，
《春秋》才能讀懂、讀活。

　　莊氏啟發人們治《春秋》應該遵循《公羊》學者「盡心」的家
法，著力從尊天子，辨褒貶彰戒，立天下儀法的深刻寓意上去體
會，並要進一步從義理層面加以發揮。莊氏所闡述的問題和提供的
示範，構成了漢代到清代《公羊》學演進中極重要的一環。

---

❷　齊侯使其弟年來聘，見《春秋》隱公七年載。
❷　莊存與：《春秋正辭·內辭第三中·來聘》，《皇清經解》，卷 378，頁
　　24a。

莊有可《詩蘊》對《詩經》篇、章、句、字數目的闡釋

張政偉*

一、前 言

　　莊有可原名獻可，後改為有可，又名見可，字大久，又字岱玖，別號慕良，江蘇武進人，生於乾隆九年（1744），卒於道光二年（1822）。莊有可少時家貧，積極於舉業仕進，但是屢試不中。乾隆五十一年（1786）至北京坐館課徒，此時與張惠言（1761－1802）、惲敬（1757－1817）、左輔（？－1833）交從甚密。乾隆五十七年（1792）被延攬校蠹文溯閣《四庫全書》。兩年後主講順德蓮城書院、卜里書院。嘉慶六年（1801），應左輔之聘，修《合肥縣志》。❶

＊　　張政偉，國立東華大學中國語文學系博士。

❶　　關於莊有可的世系與年譜可參見莊清華編纂：《毘陵莊氏增修祖譜》（北京：中國社會科學院歷史研究所圖書館，1986 年），中央研究院傅斯年圖書館典藏，縮影資料據 1934 年鉛印本攝製，卷 5。另湯志鈞先生有〈莊大久之經學研究〉一文，結合多種史料，對莊有可的生平與著述加以整理，亦可參

　　莊有可出身於常州，這是清代今文經學家的大本營。莊有可出身的武進莊氏，更是當時有名的學術家族。莊有可因為地緣與親緣的關係，與同鄉左輔、張惠言、惲敬交往密切。同族前輩有莊存與（1719－1788）、莊培因（1723－1759），同輩有莊述祖（1750－1816）、莊宇逵皆潛心研究經學，以此名家。莊有可雖然出身於常州莊家，但是在當時的知名度以及日後的影響並不如莊存與諸人。

　　莊有可一生刻苦勤學，著述遍及諸經，數量近四百五十卷，著作何止等身，可謂常州學者僅見者。觀察莊有可的著述，以《春秋》類最多，共計二十八種，達三百餘卷，其次是《周易》類，共計十種，十餘卷。莊有可對學術的關注焦點在《春秋》學與《易》學，其為人所矚者亦在此❷，這原也是常州今文學派研究的重點學門。另外《詩經》類作品有七種，二十餘卷。其餘《尚書》、《禮》各有數種。❸莊有可著述雖多，但多藏於家未刊行於世，目

照。是文收入林慶彰先生主編：《經學研究論叢》（臺北：聖環圖書公司，1994 年），第 2 輯，頁 199－210。

❷　〔美〕艾爾曼：「《易經》、《春秋》論著是莊有可的代表作，《武進陽湖合志》的經籍目錄收錄了他的五種《易》學著作，十二種《春秋》論著。其中大部分是兩種經典的注釋，還有一些是考證地名、人名。……莊有可還用考證方法研治《尚書》、《詩經》和《周禮》。」見〔美〕艾爾曼著、趙剛譯：《經學、政治和宗族——中華帝國晚期常州今文學派研究》（南京：江蘇人民出版社，1998 年），頁 135。

❸　本段統計據《禮記集說》附錄《武進莊大久先生遺著總目》，間引於湯志鈞先生：〈莊大久之經學研究〉，「後記」，頁 208－210。《清史稿·儒林二·莊有可傳》：「莊有可，字大久。勤學力行，老而彌篤。取諸注、傳，精研義理，句櫛字比，合諸儒之書以正其是非，而自為之說。於《易》、

前已出版者尚不及十種。❹

　　莊有可《年譜》的著作繫年只至嘉慶十三年（1808），當年撰作了《毛詩說》與《詩蘊》二書，這是目前所能確定莊有可著作中最晚出者。所以，說這兩本書為莊有可晚年思慮圓熟的結晶應為允當。其中，《詩蘊》一書立論奇特，頗值得一談。

　　莊有可〈詩蘊序〉言：

> 《春秋》聖人之所作也，《詩》非聖人之所作也，而為聖人所刪定，則雖非聖人所作，而亦猶之作也。聖人之文，義無不包，不得其說，故似是而仍非；或得其說，亦逢原而即是。蘊也者，理之雜而無弗著者也，而要不可以辯而偽。若隨所舉而不敢出於鑿，雖使程、朱復生，有不能易是說者矣！於是又成《詩蘊》二卷，上卷七十一條，下卷五十一條，共百二十二條。莊有可自序。❺

　　　《書》、《詩》、《禮》、《春秋》皆有撰述，凡四十二種，四百三十餘卷。」

❹　莊有可著作目前僅出版數種，計：《周官指掌》5 卷（武昌官書局刊入《正覺樓叢書》）、《毛詩說》6 卷（1934 年商務印書館影印）、《詩蘊》2 卷（附訂於《毛詩說》之後）、《春秋小學》7 卷（1935 年商務印書館影印）、《禮記集說》49 卷（1935 年商務印書館影印）、《各經傳記小學》14 卷（1935 年商務印書館影印）、《慕良雜纂》4 卷（1930 年武進莊氏刊本）、《慕良雜著》（1930 年武進莊氏刊本）、《春秋慎行義》1 卷、《春秋刑法義》1 卷、《春秋使師義》1 卷（1995 年上海古籍出版社《續修四庫全書》據浙江圖書館藏清抄本影印）。

❺　莊有可：《詩蘊・序》，收入《續修四庫全書》（上海：上海古籍出版社，

莊有可認為《詩經》之文雖非出自孔子之手，但是孔子曾經加以刪訂節選。於是，刪訂節選在某種程度的意義上與孔子作《春秋》之「作」相似。所以，《春秋》既經聖人之作而有微言大義，《詩經》亦經聖人之手，當然其中也有深蘊的意義存在。但是莊有可承認《詩經》並非孔子所作，那該如何將刪訂的意義提升到「作」的層次而使之有微言大義存在呢？

莊有可的設想相當巧妙，認為《詩經》既經孔子刪訂，則各〈風〉、〈雅〉、〈頌〉的篇數乃自章、句、字數即是聖人所留，上體天心，法象萬物的徵示！經典本文中所呈顯數字的綜合變化無不蘊藏著神聖的意義！莊有可作《詩蘊》即是想發掘孔子刪訂《詩經》時，深蘊於外部體式數字的意義。本書分上下兩卷，上卷闡發的是篇數的意義，下卷主要談論章、句、字數的意義，全書以條列的方式匯聚了一百二十二條意見。莊有可對《詩蘊》十分自信，以為「雖使程、朱復生，有不能易是說者矣」！

二、《詩蘊》對《詩經》篇數蘊義的論述

《詩蘊》上卷一至三條說明對〈風〉、〈雅〉、〈頌〉的理解，第四條開始才進入《詩蘊》的主要論述：

> 何以謂之〈周南〉也？南，任也；周，備也；召，感也；
> 邶，辨也；鄘，用也；衛，護也；王，君也；鄭，重也；

1995 年），據復旦大學圖書館藏 1935 年商務印書館本影印，第 64 冊，卷上，頁 1。

齊，整也；魏，高也；唐，大也；秦，至也；陳，布也；
鄶，聚也；曹，耦也；豳，分也。❻

此條可謂《詩蘊》上卷推論的基礎，莊有可對各「風」的論述扣緊
這些釋義而發。此條大多釋義可以找出訓詁上的證據支持❼，但是
莊有可並沒有利用當時乾嘉漢學家慣用的訓詁方式處理舉證問題，
只是直捷地以意會之。如《詩蘊》第五條：

「南」何以名「任」也？堪其事也。夫人南面則向明，明則
已無蔀形，物無遁情，故能有所任也。〈周南〉為本已無蔀

---

❻ 莊有可：《詩蘊》，卷上，頁 1b。
❼ 政偉案：莊有可此條大多的釋義可以找出訓詁上的證據。如：「周，備
也」，《廣韻·尤韻》：「周，備也。」《左傳》文公三年：「君子是以知
秦穆之為君也，舉人之周也，與人主壹也。」杜預《春秋左傳注》：「周，
備也。」「王，君也」，《爾雅·釋詁》：「王，君也。」「鄭，重也」，
《廣雅·釋詁》：「鄭，重也。」「齊，整也」，《說文·齊部》：「齊，
禾麥吐穗上平也。」段玉裁《說文解字注》：「禾麥隨地之高下為高下，似
不齊而實齊，參差其上者，蓋明其不齊而齊也。引申為凡齊等之義。」《廣
雅·釋言》：「齊，整也。」「魏，高也」，《說文·嵬部》：「巍，高
也。」段玉裁《說文解字注》：「高者必大，故《論語》注曰：『巍巍，高
大之稱也。』後人省『山』作『魏』，分別其義與音。」「唐，大也」，
《說文·口部》：「唐，大言也。」段玉裁《說文解字注》：「唐，引申為
大也。」「陳，不也」，《玉篇·阜部》：「陳，布也。」「曹，耦也」
《楚辭·招魂》：「分曹並進，道相迫些。」王逸《楚辭章句》：「曹，偶
也。」另外有些可以用「音訓」方式處理，如：「邶，辨也」、「豳，分
也」。所以，莊有可對於「字義」基本界定上，並非全出於一己之意。

形也，〈召南〉為用物無遁情也。是天下所由平也。❽

「夫人南面則向明」的說法大概是取自於《周易》❾，不過以此為基點論述〈周南〉、〈召南〉「無萠形」、「無遁情」，還是無法說明「南」何以解釋成「任」。莊有可接著在《詩蘊》第六條進一步說明「周」之義：

> 周之為備何也？周則內充而外不可窮，蓋循之無端焉。故〈周南〉者，恭己正南面之謂也。❿

此處對「周」為「備」解釋，幾近將「周」當作「圓」之義。但是，無論是將「周」解為「備」，還是視「周」為圓，都很難連結至「恭己正南面」的意思。所以，「周」為「備」雖然可以很輕易地用乾嘉漢學家慣用的訓詁方式找出證據，但是莊有可意不在此，他希望闡發的是「周」為「備」的釋義所能衍生的義理，找出是聖人之意。下一條即以此解釋〈周南〉篇數為十一的原因：

> 〈周南〉十一篇何也？一者數之始也，十者數之終也，自始至終則窮矣！窮則非周也，十而有一，終則有始，乃所以為

---

❽ 莊有可：《詩蘊》，卷上，頁 1b。政偉案：《周易·豐》：「六二豐其萠。」《周易注》：「萠，覆曖鄣光明之物也。」

❾ 《周易·說卦傳》：「離也者，明也，萬物皆相見，南方之卦也；聖人南面而聽天下，嚮明而治，蓋取諸此也。」

❿ 莊有可：《詩蘊》，卷上，頁 1b。

〈周南〉也。❶❶

莊有可認為「一」是數字的起始，「十」是數字的循環終結❶❷，如果〈周南〉只有十篇，只象徵終結，那不符合「周」為「備」的意義，所以〈周南〉篇數十一，代表「十而有一」，有十有一，即有終結亦有起始，如此方能循環無窮，這樣才是「周」，才是「備」。前一條「恭己正南面」的義理性說明，對本條解釋篇章數目意義無任何關連，重點還是以「字義」推論篇數意義。

又如《詩蘊》第八條首先說明「召」的意義：

> 「召」之為「感」何也？《詩》曰：「無言不讎，無德不報。」召無有不應者也。〈召南〉也者，聖人南面而聽，天下萬物皆相見也。❶❸

引《詩經·大雅·抑》中的詩句作為解釋「召」為「感」的證據❶❹，

---

❶❶ 莊有可：《詩蘊》，卷上，頁 1b。

❶❷ 董仲舒：「天、地、陰、陽、木、火、金、水、土九，與人而十者，天之畢數也。故數者至十而止，書者以十為終，皆取此也。」〔漢〕董仲舒著、〔清〕蘇輿撰、鍾哲點校：《春秋繁露義證》（北京：中華書局，1992年），卷 17，頁 465。《史記·律書》：「數始於一，終於十，成於三。」《說文》：「十者數之具也。」

❶❸ 莊有可：《詩蘊》，卷上，頁 2a。

❶❹ 《詩經·大雅·抑》：「無言不讎，無德不報。惠于朋友，庶民小子。」《毛傳》：「讎，用也。」《鄭箋》：「惠，順也。教令之出如賣物，物善，則其售賣貴；物惡，則其售賣賤。德加於民，民則以義報之，王又當施

然後對〈召南〉作出義理性說明。莊有可接著推論〈召南〉為十四篇的理由：

> 〈召南〉十四篇何也？聲出而響應之，君作而民從之，陽倡而陰和之，日曜而月承之。十四者，月幾望之期也。下順上，陰向陽之極則也。❶

因為「召」是「感」，由君民上下感從推衍至日月陰陽相互承和，所以〈召南〉十四篇之數，正好符合「幾望」（滿月）之期，象徵「下順上」、「陰向陽」的律則。❶

　　莊有可除了解釋各〈風〉、〈雅〉、〈頌〉部篇目數的意義，

順道於諸侯，下及庶民之子弟。」《禮記·表記》：「報者天下之利也。子曰：『以德報德，則民有所勸；以怨報怨，則民有所懲。』《詩》曰：『無言不讎，無德不報。』」政偉案：我們可以寬容地將「報」意會為相互「感」，但是，這與「召」連不上關係，所以依據莊有可的解法，「召，感也」的釋義要成立恐怕不甚容易。

❶　莊有可：《詩蘊》，卷上，頁2a。政偉案：此為第九條。

❶　《十三經》文中出現「幾望」者唯有《周易》共三處：《周易·小畜》：「屬月幾望。」《周易注》：「屬也，陰之盈盛莫盛於此，故曰：『月幾望也。』滿而又進，必失其道。」《周易正義》：「月幾望者，婦人之制夫，猶如月在望時，盛極以敵日也。幾，辭也。」《周易·歸妹》：「不如其娣之袂良，月幾望，吉。」《周易注》：「位在乎中以貴，而行極陰之盛，以斯適配，雖不若少往亦必合，故曰『月幾望，吉』也。」《周易·中孚》：「月幾望，馬匹亡。」《周易注》：「充乎陰德之盛，故曰：『月幾望。』」政偉案：莊有可此處用「順」、「向」兩字說解與《周易》中的「幾望」與陽（日）所對應意思有些出入。依照《周易》「幾望」之期，此時陰（月）正盛，可與陽（日）相抗，這是一種「對立」，而非順從依向。

也將各〈風〉、〈雅〉、〈頌〉前後兩兩相加的意義一併討論，
《詩蘊》第十條：

> 〈二南〉之篇，合之而二十有五何也？天之數也。周、召分
> 陝，周所以王天下也。王者法天，故〈二南〉之詩，獨取乎
> 天數焉。一，數之本也。三與七皆不盡之數也，是為〈周南〉
> 之篇。九，極數也；五，中數也，是為〈召南〉之篇。❶❼

〈周南〉十一篇，〈召南〉十四篇，相加為二十五篇，莊有可以為
這符合「天數」。所謂「天數」的概念是源自於《周易》。《周
易·繫辭》有：「天一，地二，天三，地四，天五，地六，天七，
地八，天九，地十。」將五個天數相加（1＋3＋5＋7＋9），則得
出二十五❶❽，剛好與〈周南〉、〈召南〉篇數之和相同。莊有可將
〈周南〉篇數解為一、三、七的組合；〈召南〉篇數為五、九的組
合，即是加強〈周南〉、〈召南〉之和為天數的論述。不過，這樣
的解釋與前面對〈周南〉、〈召南〉篇數意義的說法便有所扞格。

　　以上數條展示出《詩蘊》上卷的說解模式：先解釋該〈風〉、
〈雅〉、〈頌〉的意義，然後以此解釋篇數意義。若莊有可前後

---

❶❼　莊有可：《詩蘊》，卷上，頁 2a。

❶❽　《周易·繫辭》：「天數五，地數五。五位相得而各有合。天數二十有五，
　　地數三十。凡天地之數，五十有五。」《易緯乾坤鑿度》：「天數一、九、
　　二十五。……衍天地合和數，天地合一二得三，合九六，合二十五及三
　　十。」是書收入〔日〕安居香山、中村璋八輯：《緯書集成》（石家莊：河
　　北人民出版社，1994 年），上冊，卷上，頁 88－89。

〈風〉、〈雅〉、〈頌〉之數目之和有特殊意涵，亦會釋出。《詩蘊》偶爾也會解釋各篇順序的理由，如：「〈唐〉之繼〈魏〉何也？有其高必極其大也。」❾

關於篇數與意義結合方面，莊有可喜用曆法上的律則、數字解釋《詩經》〈風〉、〈雅〉、〈頌〉篇數意義，如《詩蘊》第十一條：

> 邶之為辨何也？邶，北也，亦背也。人之所不出也，人之所不見也。於己為無我，於物無不同，惟其是而已矣！❷

莊有可提出「邶」為「辨」的意義上解釋，不過說的相當模糊晦澀。「邶」與「北」、「背」有字形、字義上的關連，但是要以此連結至「辨」的意義，莊有可的說明顯得不足。在確立「邶」為「辨」之後，《詩蘊》第十二條解釋〈邶〉篇數意義：

> 〈邶〉十九篇何也？歲之一章也。至辨而不可淆者，莫如天時，宵晝昏旦之謂日，晦朔弦望之謂月，春夏秋冬之謂歲。氣盈朔虛至不齊矣。至十九歲七閏則一章成而又復其始。辨之至也。❷

因為「邶」是「辨」，最能讓人判別、明察而不混淆的，❷就是

---

❾ 　莊有可：《詩蘊》，卷上，頁4a。
❷ 　同前註，卷上，頁2a。
❷ 　同前註，卷上，頁2b。
❷ 　《說文》：「辨，判也。」《周禮·天官·小宰》：「六曰：廉辨。」鄭玄

日、月、四時的運行，而這天時的運行便以十九年為一周期，正好
與〈邶〉篇數相合。

不過，莊有可在某些地方解釋天體運行的規則，卻與曆法不
合，比如《詩蘊》第三十四條：

> 〈豳〉七篇何也？月之會日，莫辨於七也，合朔矣！生明七
> 日而上弦，弦七日而望，望七日而下弦，弦七日而晦。日為
> 君，月為臣，其志同，其分定，蓋如是也。㉓

莊有可為了彌合〈豳〉篇數七與「豳，分也」的說法，將月亮運行
的朔望既晦解為七日一個周期，還以此論日與月的配合無間，彷彿
若君臣各有其分。事實上月亮的運行時間絕對無法與日的周期同步
齊合。㉔中國的曆法將月分為大月三十天與小月二十九天，並且於
若干年置閏，即是處理日、月時間周期不整合的狀況。中國古代曆
法有一月四分的情況，但是絕對不是以七日等分一個月，而是視月
亮變化而有七至八日的分法㉕，這就是考量一個月的日數與月亮陰

《周禮注》：「辨，辨然，不疑惑也。」

㉓ 莊有可：《詩蘊》，卷上，頁 5b。

㉔ 政偉案：月亮繞地球約需要 29 日 12 時 44 分左右，因為月份不能以小數點計
算，所以分大小月，大月 30 天，小月 29 天。多出日數則置閏解決。

㉕ 王國維：「余覽古器物銘，而得古之所以明日者凡四：曰：初吉，曰：既生
霸，曰：既望，曰：既死霸。因悟古者蓋分一月之日為四分：一曰：初吉，
謂自一日至七、八日也；二曰：既生霸，謂自八、九日以降至十四、五日
也；三曰：既望，謂十五、六日以後至二十二、二十三日也；四曰：既死
霸，謂二十三日以後至于晦也。八、九日以降，月雖未滿，而未盛之明則

晴圓缺的實際情況斷不可以以四等分。莊有可必然知道以四期七日解釋月亮周期絕對不合理，但他仍以此解〈豳風〉篇數為七的意義，為其辯護者可以說這是舉其大數言之，但是就學術標準而言，說此條為曲解穿鑿，以附己意，應不為過謗。

　　莊有可不止用曆法解釋，有時會混入一些「陰陽」之類的概念，如其統計十五國風篇數的意義：

> 十五國風合之共百六十篇，則自冬至一陽生以至小滿之候，
> 正陽全盛之日數也。過此則陰生矣。故風也者，君子之德
> 也；詩也者，君子之言也。君子之修身以及天下也，自微陽
> 之生，擴而充之以至於純，則天下皆知風之自矣。㉖

這裡說明十五國風一共一百六十篇，正好符合「冬至」以至「小滿」的日數，並且還用「陰陽」變化的概念來說其內蘊大義。

　　「冬至」、「小滿」是二十四節氣其中兩個名稱，由「冬至」開始自「小滿」之前的「立夏」正好經歷十個節氣。顯然莊有可是以一節氣十六日來計算，得出一百六十的數據。問題是，每一節氣

生已久，二十三日以降，月雖未晦，然始生之明固已死矣。蓋月受日光之
處，雖同此一面，然自地觀之，則二十三日以後月無光之處，正八日以前月
有光之處，此即後世上弦、下弦之由分。以始生之明既死，故謂之既死霸。
此生霸、死霸之確解，亦即古代一月四分之數也。」〈生霸死霸考〉，《觀
堂集林》（石家莊：河北教育出版社，2001年），上冊，卷1，頁8-9。
㉖　莊有可：《詩蘊》，卷上，頁5b-6a。

日數不同，十四至十六日不等❷，莊有可獨取十六日整數，當然是為了遷就自己的論述。更嚴重的漏洞在於完整的二十四節氣建置是在秦以後❷，聖人刪《詩》之時豈能如此高瞻遠矚，預知後世的天文知識？莊有可沒有考量歷史的侷限性，任意以今附古，這類以當時的天文知識數據比附篇數的說法在《詩蘊》中為數不少，可說幾無可信度。❷

　　有直接以《周易》解篇數意義者，如：

❷　陳久金先生、楊怡先生：「就時間上來說，由於地球公轉的速度是不均勻的，這就導致了有的節氣 14 天，有的近 16 天，平均 15 天多。」《中國古代的天文曆法》（臺北：臺灣商務印書館，1994 年），頁 75－76。

❷　陳遵嬀先生：「戰國末年，《呂氏春秋·十二月紀》始有孟春、仲春、孟夏、仲夏、孟秋、仲秋、孟冬、仲冬八個月，各安插立春、日夜分、立夏、日長至、立秋、日夜分、立冬、日短至八節。《禮記·月令》和《淮南子·時則訓》都是十二月紀的合抄本，這說明了前漢初年，還沒有確定二十四氣的名稱。二十四氣的名稱，最早見於《淮南子·天文訓》，它和現今通用的二十四氣名稱及次序完全相同。一年分為二十四氣，大概是前漢初年以後，《淮南子》成書（西元前 139 年）以前。」《中國天文學史》（臺北：明文書局，1998 年），第 5 冊，第 6 編，「曆法」，頁 51－52。

❷　如前面提到的《詩蘊》第十二條，以十九年置七閏解〈邶〉十九篇的說法，也有以今附古的謬誤。據陳遵嬀先生：「春秋前半期，以殷正為歲首，閏月置於歲終，頻大月及置閏法都沒有規則，這說明當時還沒有固定的曆法。在春秋中期，即魯文公、宣公時代以後，以周正為歲首，而頻大月與置閏法頗有規則；由於頻大月的安排法和置閏法還沒有統一，因而還不能說有固定的曆法。當時大概每隔十五月、十七月設一次頻大月，這和十九年的周期不相一致；因而可以說是曆法的準備時期。至於曆法確立時期，當在戰國中期，當時採用四分曆，以七十六年為安排頻大月和置閏的共同周期。……這時期的四分曆，可以肯定用十九年七閏的閏周和 365 1/4 日的歲實。」《中國天文學史》，頁 109－110。

〈大雅〉之篇三十有一何也？雅者，正也，「正大而天地之
情見矣」。是〈大壯〉之卦之日數也。❸

有以《周易》與陰陽相混解釋篇數者：

〈周頌〉亦三十有一篇何也？頌者，容也。陽不純則不能以
成形，是自〈夬〉趨〈乾〉之日數也，至〈乾〉而月正矣，
純陽而無陰矣。其為容也，不亦大哉。亦周而無不備哉，此
〈周頌〉所以名也。❸

〈大雅〉與〈周頌〉同樣都是三十一篇，一則引〈大壯〉卦的「日
數」解釋；一則以「陰陽」出發，而以〈夬〉趨〈乾〉的日數解
釋。篇數雖同，但是代表的意義不同，其間詮釋的依據在於篇名。
《詩蘊》亦有融合《春秋》類之書、陰陽與曆法解釋篇數者：

二〈雅〉、〈周頌〉其為什十有四何也？《傳》曰：「獨天
不生，獨陽不生，獨陰不生，三合然後生。」月之會日也。
十四日而後望，望則陰陽交而萬物生也。❸

---

❸ 莊有可：《詩蘊》，卷上，頁 8b。政偉案：《周易·大壯·象傳》：「大
壯，大者壯也；剛以動，故壯。大壯利貞，大者正也。正大而天地之情可見
矣！」
❸ 莊有可：《詩蘊》，卷上，頁 8b。
❸ 同前註，卷上，頁 9a。政偉案：《穀梁傳·莊公三年》：「獨陰不生，獨陽

·242·

〈雅〉、〈頌〉之什與《穀梁傳》有什麼關連，何以能置於一處。莊有可並沒有解釋。

　　還有以人體解釋篇數意義者，如：「〈魯頌〉四篇何也？四支具而成形，舉其體之實而言也」、「〈商頌〉五篇何也？五官具而能事，舉其用之虛而言也」❸。這類的解釋方式與《春秋繁露》的〈人副天數〉篇很相近❹，或即淵源於此。

　　總之，莊有可認為《詩經》各〈風〉、〈雅〉、〈頌〉之篇數與前後各部篇數之和皆有聖人刪詩時隱藏的大義存在。而其推論方式是先將篇名釋義定出，再引《周易》、《春秋》、陰陽、曆法等等數據加以比附。

三、《詩蘊》對《詩經》章、句、字數蘊義的論述

　　《詩蘊》下卷主要對《詩經》章、句、字數數目做出統計與說明。

　　第一條首先對《詩經》篇、章、句、字的功用提出說明：

> 篇者，連而總之也；章者，分而明之也；句者，鉤而止之也；字者，滋而累之也。人之生也，形成而聲出，聲出而言立，言之立也，必有物焉。有物而無方，各指所之，則其字乃滋也。滋累而不已，不可不節也，故有句以止之。止之而

不生，獨天不生，三合然後生。」莊有可引文順序略有差池。

❸　莊有可：《詩蘊》，卷上。兩條俱見頁 9b。

❹　董仲舒：「人有三百六十節，偶天之數也」、「外有四肢，副四時之數也。」引自《春秋繁露義證》，卷 13，頁 354、頁 357。

> 意有不盡，則不明也，故又更端往復，章以明之。章分而意有
> 不屬，則不文也，故必如貫珠焉，終始合一，而後成篇也。㉟

此處提出人言有所指，所以「字」會不斷滋累，此時要靠「句」加
以節止，而後以「章」來明意，而「章」要讓意義前後相貫，而成
為「篇」。《詩蘊》上卷談的是「篇數」的問題，下卷則集中在
「章」、「句」、「字」數字的整理與詮釋上。《詩蘊》下卷第二
條至第十條即是統計《詩經》章、句、字的數目。不過，莊有可處
理的方式並不僅止單純總加而已，比如第三條：「篇有一章者，有
二章、三章、四章、五章、六章、七章、八章、九章者，又有十
章、十二章、十三章、十六章者。」㊱呈顯的是各篇章、句、字數
目的種類與狀況。

　　《詩經》多以四字為句㊲，莊有可對此做出解釋：

> 句以四字為率，數積四而方，方則正，正則和，和則平，蓋
> 樂節之本然也。其不及乎四字者，句之短者也；其過乎四字
> 者，句之長者也。㊳

㉟　莊有可：《詩蘊》，卷下，頁1a。

㊱　同前註。

㊲　據莊有可統計《詩經》句之字狀況：「句自一字至十四字：止一字句者六；
　　二字句者亦六；三字句者百五十四；五字句者四百有三；六字句者百；七字
　　句者三十五；八字句者十一；十一四句者一；其六千五百五十五句，皆四字
　　也。」《詩蘊》，卷下，頁2a。政偉案：本條為第7條。

㊳　莊有可：《詩蘊》，卷下，頁3b。政偉案：本條為第11條。

以「四」為「方」，而由「方」推論至「正」、「和」、「平」，「和平」正是「樂節之本」❸，依照莊有可的想法，《詩經》可歌，許多篇章合樂，因此以「四」句為常為多，是中正和平的象徵，才能合乎樂的要求。《詩經》句式亦有長短不一，莊有可進一步解釋：

> 倍乎四字以至十四字為句，則又長之長者也。天地之氣有贏縮，七政有遲速，事物有不齊，故句不能無長短。四者其常，長短者其變，常變相生，相節得適其中而已。❹

《詩經》句中字數不一，有長有短，象徵天地之氣有贏縮消長，日、月與木、火、土、金、水星運轉也有遲速緩急之分❹，所以四字一句是常，句字長短則是變，而常與變互相調節以得其中。

莊有可將《詩經》的章、句、字數蘊含的意義相當看重：

---

❸ 《禮記·樂記》：「樂者天地之和也。……正聲感人，而順氣應之；順氣成象，而和樂興焉。」《詩經·商頌·那》：「鞉鼓淵淵，嘒嘒管聲。既和且平，依我磬聲。」《毛傳》：「嘒嘒然和也，平，正平也。依，倚也。磬，聲之清者也。以象萬物之成。」《鄭箋》云：「磬，玉磬也。堂下諸縣與諸管聲，皆和平不相奪倫，又與玉磬之聲相依，亦謂和平也。」

❹ 莊有可：《詩蘊》，卷下，頁3b。政偉案：本條為第12條。

❹ 《尚書·虞書·舜典》：「在璿璣玉衡，以齊七政。」鄭玄《尚書注》：「衡玉者，正天文之器可運轉者。七政，日、月、五星各異政，舜察天文齊七政，以審己當天心與否。」《尚書正義》：「七政，其政有七。於璣衡察之，必在天者，知七政謂日、月與五星也。木曰：歲星；火曰：熒惑星；土曰：鎮星；金曰：太白星；水曰：辰星。」

> 凡《詩》之篇章句字多寡長短莫不有數,則雖天地變化,日
> 月離合,原始要終,無不備矣!而猶未盡也,更為之別其
> 同,合其異,錯綜參伍,加減乘除,又莫不有義焉,不亦文
> 之至也哉!❷

以為篇、章、句、字數目蘊含天地日月變化離合的道理,若加以錯
綜組合、乘除加減,更可看出聖人深藏於其中的大義,才能真正發
覺《詩經》為「文之至」的道理。

不過,或許是因為操作層次上的困難,莊有可雖然統計出章、
句、字數目,也認為其中蘊藏聖人大義,但是不像《詩蘊》上卷對
每篇數目意義做出解釋,只有對〈魯頌〉部分提出較深入的說明:

> 〈魯頌〉四篇,三分之,則首篇四章,次篇三章,合而為七
> 章。第三篇八章,第四篇九章也。兩分之,則前三篇百二十
> 三句,後一篇百二十句也。徑一者圍三,一固生三,三仍歸
> 一,此兩分者,所以不各兩其篇,而貴或三或一也。百二十
> 三句者,止四百七十九字,則句雖多三,而以四字為句,仍
> 得百二十句之字而尚少其一也。百二十句者轉四百九十二
> 字,則句雖少三,而以四字為句,卻得百二十三句之字也。
> 亦可舉一反三乎!❸

---

❷　莊有可:《詩蘊》,卷下,頁 6b。政偉案:本條為第 23 條。
❸　同前註,卷下,頁 8b。政偉案:本條為第 41 條。政偉案:《周髀算經》:

莊有可以為〈魯頌〉的〈駉〉、〈有駜〉、〈泮水〉、〈閟宮〉四篇可以有三分與兩分兩種分法。三分法是將首篇與次篇視為一組，則兩篇共有七章，而第三篇為八章，第四篇為九章。如此三分下來則是七、八、九章，有了數字排列的秩序性，章數的意義也由此顯現。

另外一種是兩分法，莊有可將〈駉〉、〈有駜〉、〈泮水〉歸為一組，算出這三篇共有一百二十三句，四百七十九字；另外一組只有〈閟宮〉一篇，有一百二十句，四百九十二字。因為《詩經》多四字句，所以現在將第一組的總字數加一除以四，正好為一百二十（〔479＋1〕÷4＝120），這剛好是第二組的句數。另外，將第二組的字數除以四，正好得一百二十三（492÷4＝123），恰好是第一組的句數。莊有可認為這正是「一固生三，三仍歸一」的循環理則，也足以說明句、字數的背後皆有深刻蘊意。莊有可的解釋最大的漏洞在於第一組的字數根本不能以四整除，非得硬加一才能符合其自言的「一」、「三」互生原則。此外，這四篇能否如此兩分、三分，有也很大的疑問。除了生硬湊出數字的規則性之外，這樣的分法毫無依據與意義。

莊有可一生著述主力在《春秋》之學，深信《春秋》為孔子所作，而《詩經》所有篇章中最能與孔子牽扯上關係的就是〈魯頌〉，「魯」為孔子之國，聖人之風豈能無大義存焉？所以在《詩蘊》下卷對〈魯頌〉的論述即費盡心思將《春秋》與《詩經》彌於

「商高曰數之法出於圓方。」〔漢〕趙君卿注：「圓徑一而周三。」《周髀算經》（臺北：藝文印書館，1981 年），卷上，頁 10b。

一處,如:

> 〈魯頌〉,魯詩也;《春秋》,魯史也。《詩》,聖人所刪
> 也;《春秋》,聖人所作也,本相經緯者也,而於〈魯頌〉
> 為尤著。是故四篇者,四時之義也;二十四章,二十四氣之
> 義也;二百四十三句,二百四十三年之義也;九百七十一
> 字,二百四十三年春、夏、秋、冬之數也。❹

莊有可解釋〈魯頌〉四篇是象徵春、夏、秋、冬四時之義;〈魯
頌〉共二十四章代表二十四節氣的循環;〈魯頌〉共二百四十三
句,與《春秋》紀二百四十三年合節;〈魯頌〉字數合計九百七十
一字,更是《春秋》所書的季節數目總和。

《詩蘊》上卷以為〈魯頌〉篇數為四是因為「四支具而成
形」,但是此處卻說是「四時之義」,可以體會這是莊有可為與二
十四節氣、四季、年解釋協合而出,但是畢竟前後說法有別,並不
一致,是有可詬病之處。

莊有可進一步說明上條數據來由:

> 《春秋》書元十二,二十年為一元,則二百四十年也。《春
> 秋》書春二百四十二,夏二百四十一,秋二百三十九、冬二
> 百三十八,四時合九百六十,固二百四十年也。然三元而加
> 一,又二百四十四年也。《春秋》既書二百四十二年,又加

---

❹ 莊有可:《詩蘊》,卷下,頁8b-9a。政偉案:本條為第42條。

書「有年」、「大有年」，是二百四十四年也。四時之氣，春極長，夏次長，冬極短，秋次短，此歲差所由出也。一歲之日，三百六十五日有奇，因月會而生朔虛，較氣盈、朔虛而求其中，則三百有六旬，一歲之整也。截整以餘盈，則兩百四十年之日，當得兩百四十三年，九百七十一春夏秋冬也，其尚有盈詘，則氣有遲速，《詩》與《春秋》實相參而合也。❹

莊有可以數字的關連性證成「《詩》與《春秋》實相參而合也」，對《詩經》章句、字、數目的數字探秘到此可說達於極致！

《春秋》共記述二百四十二年史事，對一個經學家來說是很基本的常識❹，可是莊有可在前一條硬是多栽上一年，讓《春秋》年數可以正好與〈魯頌〉句數對應，已屬牽強；後來對數據的推論，更近亂語。因為「三元加一」、「有年、大有年」❹，所以必須在

---

❹ 莊有可：《詩蘊》，卷下，頁 9a。政偉案：本條為第 42 條。莊有可對《春秋》記載的四季數目可能有誤。依據《左傳正義》：「史之所記日，必繫月，月必繫時。《春秋》二百四十二年之間，有日無月者十四；有月無時者二。……四時必具，乃得成年。桓十七年五月無夏；昭十年十二月無冬，二者皆有月而無時，既得其月，時則可知。仲尼不應故闕其時，獨書其月，當是仲尼之後寫者脫漏。」則《春秋》漏記夏季、冬季各一。將之還原於莊有可計數的春、夏、秋、冬之中，得《春秋》記四季數目依序為：242、（241＋1）、239、（238＋1）。春夏與秋冬落差兩季（次），莊有可的計數可能有誤。

❹ 董仲舒：「《春秋》論十二世之事，人道浹而王道備。法布二百四十二年之中，相為左右，以成文采。」引自《春秋繁露義證·玉杯》卷1，頁32。

❹ 《春秋》記載桓公三年：「有年」、宣公十六年：「冬，大有年」。《公羊

《春秋》記年數目上加四年、二年，前所未聞，毫無道理。若依此條的敘述，說《春秋》有二百四十年、二百四十二、二百四十三、二百四十四年都可以，這樣的推論等於自亂陣腳。此外，用「氣盈」、「朔虛」❹、「氣有遲速」、「截整以餘盈」的理由，以三十六旬為一歲除二百四十日之日，以得出符合〈魯頌〉句數的數據，那絕對是曲護己說，強自作解，實不足為訓。

　　《詩蘊》下卷主要針對《詩經》章、句、字數進行討論，或許是太過瑣碎難以進行，所以對這些數字意義的闡發不多，反倒是作了不少統計。本卷尚有數條對篇章數目的討論以及提出對《詩經》某些議題的意見。

傳》桓公三年：「有年，何以書？以喜書也。大有年，何以書？亦以喜書也。此其曰：有年何？僅有年也。彼其曰：大有年何？大豐年也。僅有年亦足以當喜乎？恃有年也。」《穀梁傳》桓公三年：「五穀皆熟，為有年也。」《穀梁傳》宣公十六年：「五穀大熟，為大有年。」所謂的「有年」、「大有年」即是豐收之年，不知為何要將這兩年再加入《春秋》紀年數。

❹　關於「氣盈」、「朔虛」的說法可參考王鳴盛《尚書後案》：「分周天之度為三百六十五度四分度之一，是一歲日行之數也。……自前月合朔以來，比月之周天，而日行又二十七度有奇矣。故必更越二日，凡二十九日九百四十分之四百九十九，而復與日會，是為一月。十二會，得全日三百四十八，餘分之積又五千九百八十八，如日法九百四十而一，得六，不盡三百八十四。通計得日三百五十四日九百四十分之三百四十八，是一歲月行之數也。歲有十二月，月有三十日，三百六十者，一歲之常數也。故日與天會，而多五日九百四十分之二百三十五，為氣盈；月與日會，而少五日九百四十分之五百九十二，為朔虛。合氣盈、朔虛，一歲餘十一日弱。」轉引自〔清〕王聘珍著，王文錦點校：《大戴禮記解詁》（北京：中華書局，1983年），卷9，頁182。

四、對《詩蘊》的初步評價

某些數字的使用除了計數意義之外，還具有特殊而神秘意義。[49]在中國古代以迄漢代，神秘數字相當盛行，並且滲入當時的思想與生活中。但是並非每個數字都具這種特殊的非計數意義，這類的神秘數字往往具有特殊的歷史性，也有某些規則可尋。[50]

就經典或文獻的外部撰作體式、篇數來看，的確可能蘊含某種特殊意義。[51]如《楚辭》的〈九辯〉、〈九歌〉、〈九章〉之「九」，有學者以為這不一定是篇數計數，很有可能具有特殊意義。[52]也有編纂者或作者直接說出其篇章數目是具有神聖意義的，

---

[49] 葉舒憲：「不論是在史前社會還是在文明社會，普遍存在著這樣一種奇特現象，某些數字除了其本身的數字計數意義之外，還兼有某種神秘的、非數字的意義，或者說兼有某種神聖性質的蘊含。人類學家給這類數字起了種種名稱，如「聖數」（Sacred Number）、「模式數目」（Pattern Number）、「巫術數目」（Magic Number）、「神秘數目」（Mystic Number）。」《中國神話哲學》（北京：中國社會科學出版社，1997 年），頁 192。葉舒憲先生在前書的基礎上，對中外「神秘數字」展開深入研究，認為一到十以及三十六、七十二等數字在各民族中的語言、文獻使用上，大都有其特殊意義。請參見葉舒憲、田大憲：《神秘數字》（北京：社會科學文獻出版社，1998 年）。

[50] 關於中國神秘數字的規則性請參閱楊希牧：〈中國古代的神秘數字論稿〉，《先秦文化史論集》（北京：中國社會科學出版社，1995 年），頁 616－653。是文並整理出部分神秘數字的公式。

[51] 請參見楊希牧：〈古籍神秘數性編撰型式補證〉，《先秦文化史論集》，頁 717－737。

[52] 王逸：〈九辯序〉：「九者陽之數、道之綱紀也。」〔宋〕洪興祖：《楚辭補註》（臺北：藝文印書館，1986 年），卷 2，頁 98。楊希牧更主張不單〈九歌〉、〈九辯〉、〈九章〉之「九」具有「神秘數字」的意義，連〈天

如《呂氏春秋·意序》就指出〈十二紀〉配於「十二月」之下，不但象徵十二月份，更是大圜（三）、大矩（四），天數（三）、地數（四）相乘之數，代表著法象天地，而以此論人世之治亂是非。❺❸又如，劉勰（464－522）就明白道出《文心雕龍》五十篇的篇數，是為了符合「大易之數」。❺❹也有作者雖然沒有明白說出著作的篇章數目安排是別有用心，但是其意一望即知，不言自明，如揚雄（53BC－18AD）《太玄》分篇以及其數字明顯有規律及意涵。❺❺

　　漢代已有學者討論先秦典籍的篇章數目是否具有神秘意義的問題。王充（27－91）《論衡·正說》提及這方面的論述：

問〉各段的句數都是有心安排的。參見楊希牧：〈論神秘數字七十二〉，《先秦文化史論集》，頁713。

❺❸　《呂氏春秋·季冬紀·序意》：「良人請問〈十二紀〉。文信侯曰：『嘗得學黃帝之所以誨顓頊矣，爰有大圜在上，大矩在下，汝能法之，為民父母。蓋聞古之清世，是法天地。凡〈十二紀〉者，所以紀治亂存亡也，所以知壽夭吉凶也。上揆之天，下驗之地，中審之人，若此則是非可不可無所遁矣。』」〔秦〕呂不韋著、高誘注：《呂氏春秋》（臺北：藝文印書館，1974年），卷12，頁281－282。

❺❹　劉勰：「位理定名，彰乎大易之數，其為文用，四十九篇而已。」〔梁〕劉勰著，周振甫注：《文心雕龍注釋·序志》（臺北：里仁書局，1998年），頁916－917。《周易·繫辭》：「大衍之數五十，其用四十有九。」

❺❺　《漢書·揚雄傳》：「於是輟不復為。而大潭思渾天，參摹而四分之，極於八十一。旁則三摹九据，極之七百二十九贊，亦自然之道也。故觀易者，見其卦而名之；觀玄者，數其畫而定之。玄首四重者，非卦也，數也。其用自天元推一晝一夜陰陽數度律曆之紀，九九大運，與天終始。故玄三方、九州、二十七部、八十一家、二百四十三表、七百二十九贊，分為三卷，曰一、二、三，與泰初曆相應，亦有顓頊之曆焉。」

或說《尚書》二十九篇者，法曰：斗七宿也，四七二十八，
其一曰：斗矣，故二十九。……經之有篇也，猶有章句；有
章句也，猶有文字也；文字有意以立句，句有數以連章，章
有體以成篇，篇則章句之大者也。謂篇有所法，是謂章句復
有所法也。《詩經》舊時亦數千篇，孔子刪去復重，正而存
三百篇，猶二十九篇也。謂二十九篇有法，是謂三百五篇復
有法也。❺❻

王充提到的這些漢代學者揣測《詩經》篇、章、字、句數目意義的
論點，跟《詩蘊》極其類似。王充對這類言論抱持反對的態度：

說事者好神道，恢意不肖以遭禍，是故經傳篇數皆有所法。
考實根本，論其文義，與彼賢者作讀書，無以異也。故聖人
作經，賢人作書，意窮理竟，文辭足備，則為篇矣，其立篇
也，種類相從，科條相符。殊種異類，論說不同，更別為
篇。意異，則文殊；事改，則篇更。據事意作，安得法象之
義乎！❺❼

王充認為聖人賢者制撰經傳是「據事意而作」，敘事表意、論理說
義，講述同類的內容意義則放在同篇，事意不同則文殊篇更，如此

---

❺❻ 〔漢〕王充著，陳蒲清點校：〈正說〉，《論衡》（長沙：岳麓書社，1991
年），卷28，頁427－428。

❺❼ 同前註，卷28，頁428。

撰作出來的經傳典籍的篇、章、句、字數目是不可能有特殊意涵存在。王充雖早生莊有可近兩千年，但是以其論述駁斥《詩蘊》仍是相當有力。

莊有可《詩蘊》以為《詩經》篇、章、句、字、數目有聖人深藏其中的深意，這樣的命題與假設與漢代某些學者的論點如出一轍，這是一種學術倒退，還是延續，更或是有新的發展？

歷來學者多以為孔子刪《詩》的意義在於詩篇內容的取捨上❺❽，於是不斷地反覆吟詠《詩經》中的聖王之化、聖人之教。在此基點衍生出許多學人熱烈討論：對《詩經》本義的詮釋究竟是要在詩人之意落腳，還是當緊緊熨貼聖人之心。莊有可《詩蘊》以為聖人刪《詩》之義尚隱藏在外部形制之中，這個假設並不違背聖人之義存於《詩經》內容之中的認知。因為，以內容意義決定《詩經》篇章的取捨標準，同時兼顧外在編纂體式的特殊性與神聖性，不是毫無可能。前面也提到，在各民族中神秘數字不但存在，在中國甚至就有以神秘數字作為編訂篇章數目的原則或依據。如此，莊有可汲汲於探索聖人留下的「《詩經》密碼」，由有別於傳統的途徑，以弘揚聖人體天地萬物變化之法意，其用心值得肯定，如此思考絕不屬無稽。不過，假設首要靠合理的推論與堅實的舉證來完成；又其次者，能自成體系，成一有邏輯系統的論述，也能肯定其假設具有一定的效度。

首先，《詩蘊》對章、句、字數的統計花了相當大的篇幅，並

---

❺❽　《史記·孔子世家》：「古者《詩》三千餘篇，及至孔子，去其重，取可施於禮義，上采契、后稷，中述殷、周之盛，至幽、厲之缺，始於衽席。」

以為其錯綜變化都深蘊意義。不過，《詩經》經文原本無「章句」之分，是後來學者為之傳訓，才將每篇經文細分幾章幾句，這種分章分句未必是刪詩者本意。[59]所以《詩蘊》以今本之章句說聖人於章句數目變化中置入大義，恐怕是無甚意義。

再者，就《詩經》篇數部分的說解而言，莊有可對許多風、雅、頌的篇名、篇數釋義的釐定便有許多問題，如此要怎麼相信以此基點做出的數字比附具有可信度？莊有可的推論與舉證也是大有問題，有以今附古，忽略時代侷限性與歷史事實，甚至蓄意引用錯誤的資料以證成其說。更令人不可置信者，竟改動經典數據以求無縫。推論與舉證處處可見斧鑿痕跡，附會曲解，所以得出的聖人大義只能淪為主觀臆說。

莊有可《詩蘊》的論述與取證紛雜，並未建立一個有邏輯的系統，還不時出現矛盾。比如前面提過對〈周南〉、〈召南〉篇數的解釋就有兩種不同的說法。此外，莊有可另一本《詩經》學著作《毛詩說》的序言提到：

> 《詩》則周《詩》三百之外，末附〈商〉詩五篇而已。……觀〈魯論〉屢記子言：「《詩》三百」，乃愈知〈商〉詩之五篇為附，而不與於刪《詩》之定數矣。[60]

---

[59] 〔漢〕毛亨傳，鄭玄箋，〔唐〕孔穎唐疏：《毛詩正義》：「《六藝論》云：『未有若今傳訓章句。』明為傳訓以來，始辨章句。或毛氏即題，或在其後人，未能審也。」（臺北：藝文印書館，1997 年），卷 1，頁 23b。

[60] 莊有可：〈毛詩說序〉，《毛詩說》，收入《續修四庫全書》（上海：上海

既然〈商頌〉排除在刪《詩》之列，那《詩蘊》以〈商頌〉五篇符合人之五官的說法便顯得無意義了。另外，既然孔子刪《詩》定數只有三百，但是《詩蘊》的篇、章、句、字數仍是照三百一十一篇來計算，想要以此數據探討聖人存於其中蘊義，是前後矛盾。《毛詩說》與《詩蘊》同年作成，會有這種論述上的誤差，令人不解。

就常州莊氏的學術發展來看，莊存與是常州今文經學的開山祖，第二代則是莊有可與莊述祖。但是常州莊氏家學的迅速拓展，則要到第三代的莊授甲、宋翔鳳（1776－1860）。居中的莊有可與莊述祖的地位就很關鍵。莊存與本人不喜考據。❻可是莊有可與莊述祖並不排斥小學，而且對文字之學下了不少工夫。❻於是，有學者以為常州莊氏第三代學人會如此傑出而獲得重視，關鍵在於第二代學人引入了考據語境與模式。❻那這位關鍵學人是莊有可還是莊

古籍出版社，1995 年），據復旦大學圖書館藏 1935 年商務印書館本影印，第 64 冊，頁 1。政偉案：《詩經》三百一十一篇，莊有可認為需刪去〈商頌〉五篇以及有目無辭的逸詩六篇，這就是孔子言「《詩》三百」的原因。

❻ 錢穆：「莊氏（存與）為學，既不屑屑於考據，故不能如乾嘉之篤實，又不能效宋明先儒尋求義理於文字之表，而徒牽綴古經籍以為說，又往往比附以漢儒之迂怪，故其學乃有蘇州惠氏好誕之風而益肆，其實則清代漢學考據之旁衍岐趨，不足為道違。」《中國近三百年學術史》（臺北：臺灣商務印書館，1995 年），頁 525。

❻ 〔美〕艾爾曼：「莊有可（莊氏家族二房另一支的成員）與莊述祖一樣，將小學傳統引入莊氏家學。儘管（或許就因為）他精於考證，但舉業不順，畢生轉而致力學術研究。」《經學、政治和宗族——中華帝國晚期常州今文學派研究》，頁 134。

❻ 蔡長林：「莊述祖運用考據，將帶有價值取向的儒學傳統帶出一條學術新路，使儒學致用的理想，可以藉由考據學的語言保存之，並使其後繼者能有

述祖？還是兩人都是？筆者以為：《詩蘊》是莊有可晚年的作品，雖不一定是代表作，但是應該能反映出他的基本治學水準與態度。以《詩蘊》的論證過程與而言，引進考據而堪為莊氏小輩典範的恐怕不會是莊有可。也或許能稍稍理解莊有可為何在乾嘉考據學興盛的時代，聲名不出於常州的原因。然而莊有可雖然名氣不如莊存與、劉逢祿諸人，但是在常州學派上算是一位有聲望的學者，而其展現的治學風格如此，或可見常州今文經學派某些學者治經之一貌。

五、結　論

　　莊有可《詩蘊》展現出一個極端的今文經學家的治學風格**❻**，論述取證有多欠客觀，而且沒有架構出完整而有邏輯的系統，所解有流於臆測的情形。**❻**

　　張舜徽（1911－1992）曾評論莊有可《慕良雜著》、《慕良雜

依循的指標，而形成一股難以抵擋的風潮，這不能說不是莊述祖的功勞。……莊綏甲、劉逢祿、宋翔鳳能使莊氏家學迅速開展，又不得不歸功於莊述祖的融入考據語境，為他們建立良好的學術規範。」《常州莊氏學術新論》（臺北：臺灣大學中國文學研究所博士論文，2000年），頁326。

❻　蔡長林：「今文學之所以成為今文學的最大特質，筆者以為研究的對象倒在其次。……重點當在他們對文獻所抱持的態度。……不可諱言的，漢學家唯文獻是從，今文家唯立場是從。……都是先立架構，規劃藍圖，然後再找證據。」《常州莊氏學術新論》，頁320。

❻　倫明：「書凡百二十二條，義取乎備。尤斤斤者，格《詩》之篇數、章數、句數、字數，謂其多寡長短，皆與天地變化，日月離合相為比附。更為之別其同，合其異，錯綜變化，加減乘除，亦莫不有義存焉。說經至此，可謂想入非非。」收入中國科學院圖書館整理：《續修四庫全書總目提要》（北京：中華書局，1993年），〈詩蘊二卷〉條，頁366。

纂》二書：

> 然余觀其說字解經，多可笑者。……蓋亦思而不學之過也。
> 雖皓首窮經，著書滿家，卒後已越百年（有可卒於道光二
> 年，年七十九），迄無人謀刊布其遺著，非無故也。❻❻

套用張舜徽對莊有可著作的評語，並略加改動：「觀其以數解
《詩》，多可嘆者。」莊有可一生勤學不息，著作等身，其對學術
追求的熱情足以令人肅然起敬。但是，莊有可處於具有徵實求真精
神的乾嘉漢學高峰時期，而《詩蘊》所展顯出的學術高度卻停留在
漢代的讖緯術數之學，在時代的進程上是落後的。莊有可《詩蘊》
展現出對發掘聖人之大義，證明經典神聖性的熱誠，對他來說這是
研究經典的意義所在，或許也算是一種信仰。

---

❻❻　張舜徽：《清人文集別錄》（北京：中華書局，1963 年），上冊，〈《慕良
　　雜著》三卷、《慕良雜纂》四卷〉條，頁 254－255。

孔廣森《公羊通義》的
學術系譜與解經方法

丁亞傑*

一、前　言

孔廣森（1752－1786）為清儒最早治《公羊傳》者，阮元（1764－1849）嘗為該書作〈序〉，稱其能傳聖門絕學。❶而考察清代《公羊》學史，其聲光幾全為劉逢祿（1776－1829）、龔自珍（1792－1845）、魏源（1794－1857）、康有為（1858－1927）等所掩。皮錫瑞（1850－1908）的評論，可供參考：

> 《春秋》是一部全書，其義由孔子一手所定，比《詩》、
> 《書》、《易》、《禮》不同。學《春秋》必會通全經，非
> 可枝枝節節而為之者，若一條從《左氏》，一條從《公

---

*　丁亞傑，國立中央大學中國文學系助理教授。

❶　〔清〕阮元：〈春秋公羊通義序〉，《揅經室集》（臺北：臺灣商務印書館，1967 年），卷 11，頁 224。

羊》，一條從《穀梁》，一條從唐、宋諸儒，雖古義略傳，
必不免於《春秋》失亂之弊，故《春秋》一經，尤重專門之
學。國朝稽古，漢學中興，孔廣森作《公羊通義》，阮元稱
為「孤家專學」，然其書不守何氏義例，多采後儒之說，又
不信「黜周王魯」科旨，以「新周」比「新鄭」，雖有篳路
藍縷之功，不無買櫝還珠之憾。❷

孔廣森《公羊通義》確如皮錫瑞所說，但孔廣森處於乾隆盛世，其
時經今、古文之爭不顯；皮錫瑞身當晚清，治經以經今文學為宗，
難免有學派之見。

這一詮釋系統，大抵為後人接受：如梁啟超（1873－1929）
云：

清儒頭一位治《公羊傳》者為孔巽軒（廣森），著有《公羊
通義》，當時稱為絕學，但巽軒不通《公羊》家法，其書違
失傳旨甚多。❸

錢穆（1895－1990）亦云孔廣森《公羊通義》：

---

❷ 〔清〕皮錫瑞：〈春秋·論三傳皆專門之學學者宜專治一家治一家又各有所
從入〉，《經學通論》（臺北：藝文印書館，1989 年），卷 4，頁 88－89。
就三傳而言，皮錫瑞區分經史，而各有所從；就《公羊》學而言，強調從專
家之學入門，也可側面見出孔廣森在其心目中，不完全是《公羊》學專家。

❸ 梁啟超：〈清代學者整理舊學之總成績（一）〉，《中國近三百年學術史》
（臺北：里仁書局，1995 年），頁 270。

已不遵兩宋以來謂《春秋》直書其事，不煩褒貶之義；然於
何休所定三科九旨，亦未盡守。❹

楊向奎（1910－2000）則云：

> 莊存與首先發現《公羊》，但沒有發現何休，孔廣森發現了
> 何休，又偏離了何休，自有其「三科九旨」，遂使多變的
> 《公羊》變作保守落後的《公羊》。❺

至陳其泰更因孔廣森「自立創三科九旨」及「抹殺今文、古文界
限」而以「誤區」形容孔廣森的《公羊》學。❻

　　孔廣森並未強調學術流派，更未以經今文學或《公羊》學正宗
自居，以違失傳旨，偏離何休評其《公羊通義》，可能未觸及孔廣
森《公羊》學核心；再以書名而論，既名「通義」，即已隱含綜匯
諸家之義，要求孔廣森守專家之學，與其《公羊》學路向逕庭。這
些詮釋方向，是立基於預設的《公羊》學傳承──《春秋》──
《公羊傳》──何休《解詁》，以此傳承為準，檢視孔廣森，自會

---

❹　錢穆：〈龔定盦〉，《中國近三百年學術史》（臺北：臺灣商務印書館，
　　1980 年），頁 528。

❺　楊向奎：〈巽軒學案〉，《清儒學案新編（四）》（濟南：齊魯書社，1994
　　年），頁 92。

❻　陳其泰：〈復興序幕的揭起〉，《清代公羊學》（北京：東方出版社，1997
　　年 4 月），頁 79－94。又後世對《公羊通義》的批評，另詳王財貴：〈孔廣
　　森公羊通義敘錄〉，《鵝湖月刊》第 16 卷第 2 期（1990 年 8 月），頁 6－
　　20。

覺其與此系統偏離。本文即嘗試分析孔廣森學術淵源，並建構其《公羊》學解經方法。

二、孔廣森的學術系譜

傅柯（Michel Foucault，1926－1984）的系譜學注意思想史中難以歸結的或系統化的部份，更進一步的說，系譜學以為確定的本性、統一的規律、形上的最終性，均不存在，在別人發現延續的發展之處，找到間斷性。❼觀察孔廣森的師承，確實很難建構一系統性的學術系譜。孔廣森曾寫過三篇文章，自道其師承：〈辛卯進士祭座主莊侍郎太夫人文〉、〈戴氏遺書總序〉、〈上座主桐城姚大夫書〉❽其外甥朱文翰（？－？）則稱孔廣森：「嘗受書於東原、姬傳兩君子之門。」❾根據這些文獻，構成孔廣森師承系譜：莊存與（1719－1788）、戴震（1723－1777）、姚鼐（1731－1815）。三人代表清代乾嘉時期三種不同學派：常州派、皖派、桐城派。而

---

❼ 參考王德威：〈「考掘學」與「系譜學」〉，收入《知識的考掘》（臺北：麥田出版社，2001 年），頁 39－66，引述見頁 43；德雷福斯（Hubert Dreyfus）、拉比諾（Paul Rabinow）撰、錢俊譯：《傅柯——超越結構主義與詮釋學》（Michel Foucault: Beyond Structuralism and Hermeneutics）（臺北：桂冠圖書公司，2001 年），第五章，〈詮釋解析法〉，頁 104－163，引述見頁 140。又傅柯的系譜學探討知識與權力的關係，非本文重點，僅採取其反系統性觀點，分析孔廣森學術傳承。

❽ 俱收入《鮃儷文》（上海：上海古籍出版社，1995 年影印清嘉慶十七年孔昭虔刻巽軒孔氏所著書本。《續修四庫全書》，第 1476 冊），卷 3，頁 18；卷 2，頁 1；卷 1，頁 13。

❾ 同前註，《鮃儷文·後序》。

後來學者在指出孔廣森知識性格時，常會從三種學派中擇一敘述。

例如淩廷堪（1755－1809）嘗說：

> 君故休寧戴君弟子，盡傳其學。至於駢儷之文，瑰麗之作，
> 則又君不假師承，自得於己者也。❿

將學術與文章分立，學術盡得於戴震，文章則自得於己。學術部分，可能有誇大之嫌，因為在敘述戴震事略時，淩廷堪則說：

> 先生卒後，其小學之學，則有高郵王給事念孫、金壇段大令
> 玉裁傳之；測算之學，則有曲阜孔檢討廣森傳之；典章制度
> 之學，則有興化任御史大椿傳之，皆其弟子也。⓫

孔廣森所得者是算術之學，而非盡傳其學。

江藩（1761－1831）則說孔廣森：

> 少受經於東原氏，為《三禮》及《春秋公羊》之學。

又云：

---

❿　王文錦點校：〈孔檢討誄並序〉，《校禮堂文集》（北京：中華書局，1998
　　年），卷36，頁322。
⓫　同前註，〈戴東原先生事略狀〉，卷35，頁316。

廣森深於戴氏之學，故能義探其源，言則於古也。⑫

而敘述戴震學術源流則較淩廷堪加詳：同時學者有鄭牧（？
－？）、方矩（？－？）、程瑤田（1725－1814）、汪龍（？
－？）；親受業者有王念孫（1744－1832）、王引之（1766－
1834）、段玉裁（1735－1815）；同志之友而問學，有盧文弨
（1717－1795）、紀昀（1724－1805）、邵晉涵（1743－1796）、
任大椿（1738－1789）、洪榜（？－？）、汪元亮（？－？）；姻
婭而執弟子之禮是孔廣森。⑬根據淩、江的敘述，戴震是孔廣森學
術源頭，莊存與、姚鼐則不在孔廣森師承淵源系譜。

阮元（1764－1849）敘述莊存與之學術流傳：

> 通其學者，門人邵學士晉涵、孔檢討廣森及子孫數人而
> 已。⑭

姚鼐依然不在孔廣森學術淵源之列。

綜合前述，約有兩種系統：一是衍其流，〈戴東原先生事略
狀〉、〈莊方耕宗伯經說序〉、〈戴震〉屬之；一是溯其源，〈孔
檢討誄並序〉、〈孔廣森〉屬之。前者源一流多，後者源一流一。
前者學術系譜分散，學者各得師門一端；後者學術系譜專一，學者

---

⑫　江藩著：鍾哲整理：〈孔廣森〉，《國朝漢學師承記》（北京：中華書局，
　　1998 年），卷 6，頁 102、105。
⑬　同前註，〈戴震〉，《國朝漢學師承記》，卷 5，頁 90。
⑭　阮元：〈莊方耕宗伯經說序〉，收入《味經齋遺書》，卷首。

直傳師門之學。究竟是啟蒙之功，抑或指點門徑，還是規仿師學，其中實情甚難得知。但在此一學術網絡中，後人可以縱橫編織，形成學術流派。所以如此，就是因為每一學者學術性格複雜多元，有許多罅隙，可供後人編定。而編定者也因其自身學術立場，看到可以編定之處。

以師承淵源為例，「座主」是科舉考試特殊稱謂，主考官稱為座師，同考官稱為房師。❺孔廣森於乾隆三十六年（1771）中進士，莊存與為會試副考官，姚鼐為同考官，並稱座主，應是尊稱。孔廣森學問的形成，有可能是在中進士之前；也有可能是在為官之後，與莊、姚相互討論的結果。後代自是難以確知，而這就構成編定學術系譜的可能性。至於在〈戴氏遺書總序〉所說：「廣森嘗聞先生緒論……。」❻師承的意義較為明顯，而這也構成編定另一種學術系譜的可能性。

以編定者學術立場為例，嘉慶七年（1802）凌廷堪曾覆信姚鼐討論《司馬法》版本問題，凌廷堪直接指出姚鼐錯誤，並借機質疑義法說：「集中論詩假索倫、蒙古人之射為喻，以為非有定法，此誠不易之論。竊謂詩既如此，文亦宜然，故於方望溪義法之說，終不能無疑也。」❼義法說是桐城派散文理論核心，此說不存，桐城

---

❺　座師、房師之別，參見顧炎武（1613－1682）撰、華忱之點校：〈生員論中〉，《顧亭林詩文集》（北京：中華書局，1983 年），卷 1，頁 23。又座師起源及其流弊，見顧炎武撰、黃汝成（1799－1837）集釋：〈座主門生〉，《日知錄》（臺北：世界書局，1981 年），卷 17，頁 407。

❻　孔廣森：《騈儷文》，卷 2，頁 1。

❼　凌廷堪：〈復姚姬傳先生書〉，《校禮堂文集》，卷 24，頁 220。

文派何能立足。⓭至於江藩更對方苞（1668－1749）詆諆不遺餘力，嘗借汪中（1744－1794）之口譏方苞：「吾所罵者，皆非不知古今者，惟恐莠亂苗耳。若方苞、袁枚輩，豈屑屑罵之哉。」⓮這一故事，淩廷堪於〈汪容甫墓誌銘〉再覆述一遍。⓯

　　以自身學術性格而言，孔廣森被編定為常州學派學者，傳承莊存與之《春秋》學，但其堂名「儀鄭」，顯與常州宗西漢經今文學異趣，近於鄭玄「通學」。姚鼐為儀鄭堂作記，就清楚的指出：「漢儒家別派分，各為崇門，及其末造，鄭君康成總集其全，綜貫繩合，負閎洽之才，通群經之滯義，雖時有拘牽附會，然大體精密，出漢經師之上。」⓰孔廣森閱讀之後云：「賢者識大，不當囿以專家；古之離經，非徒尋夫章句。許君謹案，何掾《膏肓》，雜

_____

⓭　義法說出自方苞〈又書貨殖傳後〉：「義即《易》之所謂言有物也，法即《易》之所謂言有序也。」簡言之，是內容與形式的區別。而其形式，從〈書五代史安重誨傳後〉、〈與孫以寧書〉、〈答喬介夫書〉觀察，又較偏重「敘事形式」，不同事件，即應採取不同敘事形式，方苞已有清楚說明，方苞在〈書五代史安重誨傳後〉更指出：「夫法之變，蓋其義有不得不然者。」法隨義而變，清晰可見，並未如淩廷勘所云執持定法，不知變通，淩廷勘對方苞的理解，似有失誤之處。所引諸文，均見劉季高點校：《方苞集》（上海：上海古籍出版社，1983 年），卷 2。

⓮　汪中：〈汪中〉，《國朝漢學師承記》，卷 7，頁 113，又江藩屢譏方苞，除前引文外，並分見於〈江永〉、〈汪喜孫跋〉、《國朝經師經義目錄・禮》，參見《國朝漢學師承記》各篇。

⓯　淩廷堪：《校禮堂文集》，卷 35，頁 320。

⓰　劉季高點校：〈儀鄭堂記〉，《惜抱軒詩文集》（上海：上海古籍出版社，1992 年），卷 14，頁 215。

間之志,《六藝》之論,詆要道之微言,秖通人之鄙事。」❷研治
經典,不受限於門戶之意,清晰可見,所以後來學者多以不明《公
羊》家法當之,然而《公羊通義》之「通」,就在不限囿於家法門
派。孔廣森指出何休自設條例,前後矛盾,又不肯引《左傳》、
《穀梁》以釋經,為不通之二端,所以:

> 今將祛此二惑,歸於大通,輒因原注,存其精粹,刪其支
> 離,破其拘窒,增其隱漏,冀備一家之言,依舊帙次為十一
> 卷,名曰:「通義」。❷

正是刺取三家,以獲得最正確的經義,其目的何止不限家法門派,
根本是要成一家之言。以此判斷孔廣森非《公羊》學正宗,可能與
其本身自我定位就頗有差異。

三、學術系譜與解經方法

阮元指出莊存與治經特色:「不專事箋注,得先聖微言於語言
文字之外。」❷這一講法,略有兩種發展方向:一是語言文字意義
的發現,又有二種路向,其一是探求語文本義,再以本義解釋經
典,乾嘉文字訓詁即是此一方向;另一是推衍語文意義,建構意義
系統,宋、明理學,差堪近之。由於對語文態度大相逕庭,所以

---

❷ 孔廣森:〈上座主桐城姚大夫書〉,《騈儷文》,卷1,頁14。
❷ 孔廣森:《春秋公羊經傳通義·敍》(臺北:藝文印書館影印《皇清經解春
   秋類彙編》第二冊,1986年),卷691,頁9。
❷ 阮元:〈莊方耕宗伯經說序〉,收入《味經齋遺書》,卷首。

宋、明理學流裔與乾嘉漢學學者，時有齟齬。另一是語言文字的寄託，言在此而意在彼，語文本身是一符號，須穿透符號，才能看到深層意義，《詩經》學的比興說及《公羊》學的假事見義，均屬此類。

莊存與云：「《春秋》以辭成象，以象垂法，示天下後世以聖心之極。觀其辭必以聖人之心存之，史不能就，游、夏不能主，是故善說《春秋》者，止諸至聖之法而已矣。」㉕以辭成象，在此象並非《周易》的象，而是言辭構成的歷史事件，這些歷史事件所蘊含的政治、倫理意義，可以為後世法。如此講法，讀者就必須探索作者──《春秋》的作者，《公羊》學家認定是聖人──心志；其次，事件本身就絕非單純紀事，必含作者特殊的思想，或者說寄寓作者懷抱，所以莊存與肯定的說：「《春秋》非記事之史也。」㉖

戴震論《春秋》引宋・黃澤（1260－1346）語：「蓋當時魯君雖不能用孔子，至於託聖人以正禮樂、正書法，則決然有之。」㉗這是指孔子託聖人以正禮樂。既是寄託，顯然不同於史書，所以又引黃澤語：「故作史惟當直書為得體，夫子《春秋》只是借二百四十二年行事以示大經大法於天下，故不可以史法觀之。」㉘朱子（1130－1200）嘗以史法讀《春秋》：「問：『《春秋》當如何

㉕　莊存與：《春秋要旨》（臺北：藝文印書館影印《皇清經解春秋類彙編》第一冊，1986 年），頁 1。

㉖　同前註，頁 4。

㉗　戴震：《經考》，收入張岱年主編：〈據魯史〉，《戴震全書》（合肥：黃山書社，1994 年），第二冊，頁 307。

㉘　同前註，〈書時事之變〉，頁 311。

看？』曰：『只如看史樣看。』」㉙黃澤已意識到《春秋》的特殊性質，所以才分《春秋》與史書為二。但這並不意指朱子不理解經、史之異，朱子嘗言：「以三傳言之，《左氏》是史學，《公》、《穀》是經學。史學者記得事卻詳，於道理上便差；經學者於義理上有功，然記事多誤。」㉚很清楚的區別三傳的不同，朱、黃的差異，在於對《春秋》性質的認定，就此而言，黃澤越出朱子的範限。戴震大量引黃澤語，基本立場，約略近之。然而戴震治《春秋》，並不在挖掘聖人隱微心志，更不如《公羊》學者，意圖建立一理論系統。

　　至於姚鼐，則近於莊存與，而遠於戴震，更近於朱子立場，認為：「《春秋》之作也，其文則史，孔子曰：『其辭則某有罪焉爾。』因其事而易其辭，孔子有之，併史所載事而易之，孔子所不為也。」㉛所以讀《春秋》之法，是「即事以存善惡之跡」㉜。姚鼐混淆「事」與「義」的關係，即使是極端的《公羊》學者，也僅認為「義」的價值超越「事」，但不會更改「事」。並非更改歷史事件，即可獲得意義，而是賦歷史事件以意義，此時讀者的「詮

㉙　朱子著，黎靖德編：〈春秋·綱領〉，《朱子語類》（臺北：文津出版社，1986年），卷83，頁2148。

㉚　同前註，頁2152。

㉛　姚鼐：〈九經說·壬辰公羶說〉，《惜抱軒集》，《續修四庫全書》，第172冊（上海：上海古籍出版社影印清同治五年省心閣刻《惜抱軒全集》本，1995年），卷15，頁4。

㉜　同前註，〈九經說·昭公三十一年冬黑肱以濫來奔說〉，卷15，頁10。

釋」居於重要關鍵。❸善乎董仲舒（前 176－前 104）之言：「假其位號以正人倫，因其成敗以明順逆。」❸因為不具有實際權力，就必須假其位號；因為假其位號，是以歷史事件、人物，就必須寓有作者理想，而非客觀記事。

所以三家可分為兩組：莊存與、姚鼐為一組，解《春秋》略以辭例褒貶為主；戴震為一組，雖不以探討聖人心志為主，其理論卻可發展此一方向。前者著重《春秋》文本，後者則著重《春秋》作者。

孔廣森云：

> 《詩》有美刺，《春秋》有褒貶，其義一矣。❸

《詩經》比興寄託與《春秋》微言大義，可以相通❸，以辭例的褒

❸ 狄爾泰（1833－1911）致力於探討歷史事件的意義，而非其事實，這一意義，又不是固定不變，而是不斷建構的過程，且過去不能賦自己以意義，只有現在和未來才有此功能。見安延明：《狄爾泰的歷史解釋理論》（臺北：遠流出版公司，1999 年），頁 135－168，引述見頁 165、148。詳究其實，未來既不能預知，自也不能賦歷史事件以意義，所以可賦與歷史事件意義者，惟有現在。不同的讀者，處於不同的「現在」，歷史事件的意義開放而非封閉，其理在此。

❸ 〔清〕蘇輿（1873－1914）撰、鍾哲點校：〈俞序〉，《春秋繁露義證》（北京：中華書局，1992 年），卷 6，頁 163。

❸ 孔廣森：《公羊通義》（臺北：藝文印書館影印《皇清經解春秋類彙編》第二冊，1986 年），卷 679，頁 3。

❸ 比興而有寄託的涵義，有一詮釋過程。徐復觀（1903－1982）云：「賦是就直接與感情有關的事物加以鋪陳。比是經過感情的反省而投射到與感情無直

貶，作為《春秋》的主要面貌。

《春秋·文公十年》：「楚子、蔡侯次于屈貉。」孔廣森云：「座主莊侍郎為廣森說此經曰：『……若蔡莊侯者，所謂用夷變夏者也。』廣森三復斯言，誠《春秋》之微旨。……」❸這是《公羊通義》莊存與與孔廣森討論經義僅有的記載。莊存與之見，是在說明主書蔡侯之義。《春秋》襄公十一年：「春王正月，作三軍。」

接關係的事物上去，賦與此事物以作者的意識、目的，因而可以和與感情直接有關的事物相比擬。興是內蘊的感情，偶然被某一事物所觸發，因而某一事物便在感情的振盪中，與內蘊感情直接有關的事物，融和在一起，亦即是與詩之主體融和在一起。」見〈釋詩的比興——重新奠定中國詩的欣賞基礎〉，《中國文學論集》（臺北：臺灣學生書局，1982 年），頁 91－117，引文見頁 103，比與興的詳細比較，見頁 98、100。葉嘉瑩云：「所謂『賦』者有鋪陳之意，是把所欲敘寫的事物加以直接敘述的一種表達方法；所謂『比』者，有擬喻之意，是把所欲敘寫之事物借比為另一事物來加以敘述的另一種表達方法；而所謂『興』者，有感發興起之意，是因某一事物之觸發，而引出所欲敘寫之事物的一種表達方法。」見〈中國古典詩歌中形象與情意之關係例說——從形象與情意之關係看「賦、比、興」之說〉，《迦陵談詩二集》（臺北：東大圖書公司，1985 年），頁 115－148，引文見頁 119，比與興的比較見頁 120。徐、葉二氏的解釋，在分析比興的原始意義，至少是最接近原意。但在此解釋下，比興是藝術技巧，無法導出寄託的涵義。龔師鵬程指出作者生活於歷史與社會中，作品自然與時代發生關係，透過作品的理解，確實能透顯歷史與人生的意義，表現作者對歷史的感情和判斷，見《詩史、本色與妙悟》（臺北：臺灣學生書局，1986 年），頁 19－91，引述見頁 73。蔡師英俊更由此推論借著比興的手法，《詩》性質與意義可等同《春秋》，見《比興、物色與情景交融》（臺北：大安出版社，1986 年），頁 109－165，引述見頁 127。因此〈詩大序〉不但不是詩歌欣賞的障礙，反而是詩歌意義深化的基礎。

❸ 孔廣森：《公羊通義》，卷684，頁 15。

孔廣森云：「座主姚大夫曰：『治國則謂之卿，在軍旅則謂之士，
卿而有軍行者謂之卿士是也。……』」❸這也是《公羊通義》姚鼐
與孔廣森討論經義僅有的記載。姚鼐之義在說明魯國立國之初的軍
制。僅此兩條自不能說明莊存與、姚鼐與孔廣森論學實況，也不能
據此推論兩家研治《春秋》學內容，僅能說明，莊、姚二氏與孔廣
森討論《公羊》學，涉及書例、制度。

孔廣森論《春秋》先分析春秋歷史變遷：

> 春秋之初，征伐自諸侯出，小事則遣微者，苟動大眾，君必
> 親將。文、宣以後，征伐自大夫出，而貴卿率師，始接踵
> 矣。此世變升降之端也。❸

所謂世變之兆，就是國君權力的削弱，所以要恢復君權，這其實與
《春秋》原意不合，就此而言，孔廣森論春秋歷史，已有承認現實
的預設。此一預設，立基於孔廣森對天子與國君的特殊定義：

> 天子諸侯通稱君，古者諸侯分土而守，分民而治，有不純臣
> 之義，故各得紀元於其境內。❹

---

❸　同前註，卷 687，頁 9。

❸　同前註，卷 684，頁 7。

❹　同前註，卷 679，頁 1。孔廣森於其下續云：「何邵公狠謂唯王者然後改元立
　　號，經書元年為託王於魯，則自蹈所云：反傳違戾之失矣。」陳立（1809－
　　1869）反駁孔廣森之說云：「《公羊》家說以《春秋》託王於魯，明假魯為
　　王者，故謂唯王者然後改元立號也，有何反傳違戾之有？」見《公羊義疏》

諸侯與天子既為敵體，恢復君權，自非僭越。具體的論述，則在對魯國積弱的分析：

> 蓋慕刑措之名，失勝殘之實，自是君廢其威，魯遂積弱。**④**

君有其威，方法在「二柄」：

> 平天下者，大柄有二，曰：威，曰：福。二柄舉則天下治矣。一有失焉，不以淪亡，則以敗亂。**②**

這已遠於儒家政治思想，而近於法家。**⑤**然而：「春秋之初，魯秉

（臺北：臺灣商務印書館，1982 年），卷 1，頁 8。「王魯」說出自董仲舒《春秋繁露·奉本》，為《公羊》學重要思想，孔廣森反對王魯說，確與《公羊》家異途。王魯的意義，可參考蔣慶：《公羊學引論》（瀋陽：遼寧教育出版社，1995 年），第三章，〈公羊學的基本思想（上）〉，頁 91－190，王魯部分見頁 101－114。孔廣森與劉逢祿王魯說的異同，可參見丁亞傑：《清末民初公羊學研究——皮錫瑞、廖平、康有為》（臺北：萬卷樓圖書公司，2002 年），頁 221－271，相關討論見頁 245－246。

④ 同前註，卷 681，頁 22。

② 同前註，卷 683，頁 4。

⑤ 韓非（前 280？－前 233？）即有二柄之說：「二柄者，刑、德也。何謂刑、德？殺戮之謂刑，慶賞之謂德。」見陳奇猷：《韓非子校注》（臺北：華正書局，1977 年），卷 2，頁 111。楊向奎甚稱贊孔廣森以法家解《公羊》，見〈巽軒學案〉，《清儒學案新編（四）》（濟南：齊魯書社，1994 年），頁 91。

周禮。」❹又說：「諸侯相與習禮樂，則德行脩而不流也。」❺在在證明孔廣森儒家的傳統。孔廣森史觀如此，回顧往史，《春秋》意義究竟為何？其性質、其目的，均為首要探討的問題。

孔廣森認為《春秋》是孔子所作，但並未建構一《春秋》標準解釋系統——《公羊傳》——董仲舒《春秋繁露》——何休（129－182）《公羊傳解詁》，一如後世《公羊》家所為。孔廣森指出：

> 《公羊》之說，誠得《春秋》微旨，……六經皆聖賢之說，曷為不可相通？❻

《公羊》是可得《春秋》微旨，但《春秋》微旨未必一定在《公羊》之中，還可在其他經典中獲得。這是孔廣森基本預設，以不守家法指責孔廣森，其實並未理解基本立場。

在此前提下，或駁斥《公羊傳》本身的字義解釋，如《公羊傳》莊公十年：「經：二月公侵宋。傳：曷為或言侵，或言伐？觕者曰侵，精者曰伐。」何休義同。孔廣森引《周禮》「九伐之法」

---

❹ 孔廣森：《公羊通義》，卷 679，頁 17。

❺ 同前註，卷 679，頁 26。語出《大戴禮記·朝事》，孔廣森有《大戴禮記補注》，收入《續修四庫全書》，第 107 冊（上海：上海古籍出版社影印嘉慶刻巽軒所著書本，1995 年 3 月），另可參考〔清〕王聘珍（1746－？）撰、王文錦點校：《大戴禮記解詁》（北京：中華書局，1998 年）。

❻ 孔廣森：《公羊通義》，卷 684，頁 21。

以為侵、伐皆王者之師，而伐者深入境內，是以「侵善於伐」。❹
或補《公羊傳》解釋的不足，如《公羊傳》成公十六年：「經：晉
侯及楚子、鄭伯戰於鄢陵，楚子、鄭師敗績。傳：敗者稱師，楚何
以不稱師？王痍也。王痍者何？傷乎矢也。」何休義同。孔廣森則
以為稱「及」者，是因楚數陵諸夏，鄭國附從，所以善晉能敗楚
師。❹這在說明除了「楚不稱師」之義外，何以稱「及」的意義。

　　這些並未觸及《公羊》學典籍或思想基礎。但駁斥何休之說則
不然，若干解釋已涉及對經典的基本認知。如《公羊傳》閔公元
年：「經：季子來歸。」案：上一年（莊公三十二年）莊公薨，子
般即位，旋即為慶父所弒，立閔公，季友奔陳。本年齊桓公與閔公
盟於洛姑，以安定魯國政局，並召季友。尋按文義，季友應從陳
來，《左傳》閔公元年即如此記載，但何休解季友從洛姑來，是以
孔廣森指責何休之說支離，所以如此，是因「不信左氏」❹。以
《周禮》解《公羊》，已有破壞家法之嫌，以《左傳》解《公
羊》，更是混淆今、古文之分。❺再如《公羊傳》莊公九年：
「經：八月庚申，及齊師戰于乾時，我師敗績。傳：內不言敗，此
其言敗何？伐敗也。曷為伐敗？復讎也。」何休《解詁》：「復讎
以死敗為榮，故錄之。」孔廣森反駁：「復讎者雖不愛其死，要期

---

❹　同前註，卷 681，頁 13。

❹　同前註，卷 686，頁 15。

❹　同前註，卷 682，頁 2。

❺　陳立則云：「季子會齊侯洛姑，經無明文，書來，以起其自齊來也。」見
　　《公羊義疏》，卷 27，頁 678。雖承認自洛姑來未有明證，但確從齊來。依
　　達之說，自有其經學立場。

於有成，豈以敗為榮乎？」此說有理，但更重要的是：「齊、魯皆非誠復讎者，而假襄公以見復讎之善，又假莊公以寬不能復讎之責，皆所以因事託義，著為後法。」❺齊襄公為復讎滅紀，魯莊公為復讎與齊戰，復讎是名，利益是實，用於《公羊》系統，復讎是事，至於其義（見復讎之善、寬不能復讎之責），則由讀者詮釋賦予，至於實際利益，則存而不論。因事託義，其大要如此。❺

上述兩例，不論是他經解《公羊》，抑或以假託解經，孔廣森均比何休廣泛，也實踐了六經皆可相通的理論。

《春秋》自是聖者之作：

> 夫子兼帝王之道，參文、質之中，而作《春秋》以法萬世。❺

此一聖者，當然指孔子，目的則是以為萬世法。由此推論，撰作目的既是為萬世法，所記載的歷史事件，除了存真之外，應當有作者寓意──言在此而意在彼。這一意究竟有何功能？孔廣森指出《春秋》可為後世法。所謂：

---

❺　孔廣森：《公羊通義》，卷681，頁12。

❺　齊襄公借復讎以取利，《春秋》借其事以明復讎之義，皮錫瑞有深入分析，見《春秋講義》（上海：上海古籍出版社影印宣統元年鉛印本，1995年，《續修四庫全書》，第148冊），卷上，頁3，並可參考丁亞傑：《清末民初公羊學研究──皮錫瑞、廖平、康有為》，頁113-161，相關討論見頁124-125。

❺　孔廣森：《公羊通義》，卷687，頁3。

《春秋》之文不空設，皆為後世法。觀於王札子，知貴戚之禍；觀於三世內娶，知外戚之禍。❺❹

這是觀古知今，以史為鑑的思考進路，重在預先防患於未然：

然則觀物之動，而先覺其萌，絕亂塞害于將然未行之時，《春秋》之志也。❺❺

具體的例證是對齊襄公的評價：「假令襄公不貪土地，醇乎令德，更復何諱？唯賢其復讐，而又病其利紀，是以存乎可法，沒其不可法，而假以為後世法耳。」❺❻然而從古至今，伐人之國，奪人之土，無代無之，這種戒鑑式的經典觀，其實際效用，極為有限。然而孔廣森卻反覆申述。❺❼

更進一步的思考是將可為後世之法視為特定的制度：

四夷雖大，皆曰子。此《春秋》之法，仲尼之制也。❺❽

---

❺❹ 同前註，卷 685，頁 19。

❺❺ 同前註，卷 681，頁 19。

❺❻ 同前註，卷 681，頁 4。

❺❼ 可以參見《公羊通義》：〈莊公二十八年·臧孫辰告糴於齊〉，卷 681，頁 31；〈僖公二年·春王正月城楚丘〉，〈僖公五年·冬晉人執虞公〉，〈僖公九年·九月戊辰諸侯盟于葵丘〉，〈僖公十四年·夏六月季姬及鄫子遇于防使鄫子來朝〉，〈僖公二十一年·楚人使宜申來獻捷〉，卷 683，頁 5、11、14、18、26，均是戒鑑式經典觀。

❺❽ 同前註，卷 686，頁 8。

此一制度，自不止名號上的稱謂，應有更廣泛的內容，所以孔廣森云：

> 《春秋》之制者，君子所託新意，損益周制，以為後王法。[59]

此時就須建構整套制度內容，但孔廣森仍限於辭例的褒貶，就此而言，基本上與莊存與的路向無甚差異。而孔子假託王法，實際成為假借天子之權以衡定天下人事，並為後世戒。如此進路，其實頗為狹隘。孔廣森引唐‧徐彥（？－？）：「師說《春秋》有七缺：惠公妃匹不正，隱、桓之禍生，是為夫之道缺。文姜淫而害夫，為婦之道缺。大夫無罪而致戮，為君之道缺。臣而害上，為臣之道缺。晉侯、宋公殺其世子，為父之道缺。商臣、蔡般弒其君，為子之道缺。黷烝災嘗，郊祀不修，周公之禮缺。此君子所以懼，《春秋》所以作也。」[60]以說明撰作《春秋》的原因。但夫婦之道、君臣之義、父子之恩、周公之禮，實情如何，孔廣森仍未有具體說明。建構《春秋》制度，有賴於劉逢祿完成。[61]但是時移世易，何能以為後世法，是《公羊》家的最終挑戰。

　　除了功能之外，萬世法的概念又如何能獲得？此時就必須直探

---

[59]　同前註，卷 689，頁 7。

[60]　同前註，卷 679，頁 2。原文見徐彥：《春秋公羊傳注疏》（臺北：藝文印書館影印十三經注疏本，1985 年），卷 1，頁 4－5。

[61]　劉逢祿「春秋制」，見吳龍川：《劉逢祿公羊學研究》（桃園：中央大學中文系碩士論文，1998 年），頁 58－96。

作者制作之意，宣稱文字的背後，實有作者深意，在讀者解之。文本不過是一借徑，這一方法，雖肇端於董仲舒，何休、徐彥繼之，但在清代，孔廣森應是首先提出者，所謂《春秋》微義「固不以文句求也。」㉒如此略有兩種方向：一是限制在文本之內，推論作者省略的意思，例如天子服喪三年然後稱王，推論諸侯服喪三年而後稱子，結論是：

> 善言《春秋》者，能因其所見，達之於所不見。㉓

一是超越於文本之外，建構作者寄託的意思，例如祭仲行權，未必祭仲真有此心，但假此事以說明行權的意義，結論是：

> 《春秋》非記事之書，明義之書也，苟明其義，其事可略也。㉔

所謂「因事託義」、「假事證義」均屬此類。事件本身既不能虛構，也不能變更，但對事件的意義，則可以有作者所未明言的解說，並且宣稱這是作者的本意，開啟清代解《公羊》的路向。㉕相

㉒　孔廣森：《公羊通義》，卷 679，頁 19。
㉓　同前註，卷 684，頁 11－12。
㉔　同前註，卷 680，頁 16。
㉕　包慎言（？－？）：〈王魯說〉更云：「十二君者，魯之君乎哉？《春秋》之君也。……十二公皆筌蹄也。」陳立：《公羊義疏》引，卷 1，頁 10。以此解經方法而論，孔廣森均較劉逢祿、包慎言、陳立時代為早。

較於莊存與解經以辭例為主，孔廣森越出此方法；劉逢祿長於建構《春秋》制度，孔廣森則略遜一籌。

四、結 論

經由上述分析，我們如將孔廣森《公羊》學置於其所自道的師承之中，就會發現，孔廣森《公羊》思想，異於莊存與、戴震與姚鼐；再將孔廣森《公羊》學其置於清代《公羊》學學術系譜之中，也略可推知與前後《公羊》學者，不存在理論的邏輯關係。此所以阮元說孔廣森《公羊通義》有不同於何休《公羊傳解詁》者四事，能發揚《公羊》絕學。[66] 如此，皮錫瑞以降對孔廣森的評論，其實是預設了《公羊》學的傳承，以遵守《公羊》家法為評價標準，忽略《公羊》學本身即蘊含多元性發展的可能。

經典所以為經典，就在於經典的意義，隨時更新，不同時代、不同學派、不同學者，會有不同解釋。所以如此，除了解釋情境，經典本身所具有精博意義，自也開啟了這一可能性。由於經典意義是對讀者開放，是以任一讀者，宣稱其所解釋的意義，是符合作者或作品原意，其中即已顯現了學派的異同。

---

[66] 阮元：〈春秋公羊通義序〉，《揅經室集》，卷11，頁223－224。

通義與異議:孔廣森對《公羊》學關鍵論題的統籌與澄清

楊濟襄[*]

一、「通義」乎?「異議」乎?
——孔廣森與何休解經路線之同異

清乾嘉時期學者孔廣森[❶](乾隆十七年－乾隆五十一年,1752－1786),字眾仲,號顨軒,乃孔子第七十代孫,顨軒《春秋》學的代表著作是《公羊通義》,但是,這本以「通義」自期的著作,卻被視為清代《公羊》學的「異議」。

江藩《漢學師承記》卷六提到:「(顨軒)少受經於東原氏」[❷];

---

* 楊濟襄,中山大學中國文學系副教授。

❶ 孔廣森,家世襲封衍聖公,居山東曲阜,乾隆辛卯進士,官翰林院檢討。〈顨軒學案〉載:其人「年少入官,翩翩華胄,一時爭與之交。然性恬淡,耽著述,裹足不與要人通,謁告養歸不復出,及居大母與父喪,竟以哀卒,乾隆五十一年,年三十有五。」見徐世昌:《清儒學案》(臺北:世界書局,1979 年),卷 109,頁 1a－1b。

❷ 〔清〕江藩:《漢學師承記》(臺北:臺灣商務印書館,1977 年),頁 104。

支偉成《清代樸學大師列傳》亦詳錄㯼軒事蹟，特別刊載㯼軒「年少曾從戴東原先生游」之事：

> （㯼軒）生而異穎，年十七舉於鄉。嘗從戴東原先生游，因得盡傳其學。經史訓故，沉覽妙解，兼及六書九數，靡不貫通。……築「儀鄭堂」，讀書其中，蓋心慕康成，藉志宗仰也。……生平經書皆博涉，顓門尤長《春秋》、《戴記》，而積力終在《春秋公羊傳》。❸

朱文翰在〈儀鄭堂遺文跋〉亦曰：「（㯼軒）嘗受書于東原、姬傳兩君子之門。」❹㯼軒在清代學術中向被視為漢學之一員，例如：陳其泰《清代公羊學》即認為：

> 孔廣森的治學路數跟《公羊》學家是極不相同的。他是乾隆中期以後達到極盛的「漢學」陣營中的一員。所熟悉、所信服的是考訂、訓詁一類方法。用這種標準來看待《公羊》學，他極不滿意於那些「非常異義可怪之論」。❺

---

❸ 支偉成：《清代樸學大師列傳》（長沙：岳麓書社，1986 年），頁 163。

❹ 在《儀鄭堂文集》中，孔廣森對於姚鼐與莊存與皆「座主」稱之，姚鼐是孔廣森鄉試時的主試官，莊存與則是孔廣森會試時的主考官。見朱文翰：〈儀鄭堂遺文跋〉，《儀鄭堂文集》，收入《文選樓叢書》（臺北：藝文印書館，2001 年，《百部叢書集成》），第十三函，卷 2，頁 14。

❺ 陳其泰：《清代公羊學》（北京：東方出版社，1997 年），頁 81。

學界有關孔廣森之研究，一般多著墨於顨軒在「古韻分部」上的貢獻，卻忽略了顨軒身為聖人哲孫，在經學方面——尤其是「《春秋》學」、「禮學」上的成就。顨軒之著作，今日可見之刊本有：

> 《詩聲類詩聲分例》（清光緒十四年江陰南菁書院刊本）
> 《春秋公羊通義》（清光緒十四年上海點石齋石印本）
> 《經學卮言》（清光緒十四年上海點石齋石印本）
> 《禮學卮言》（清道光九年廣東學海堂刊，咸豐十一年補刊本）
> 《大戴禮記補注》（清光緒五年定州王氏謙德堂刊畿輔叢書本）
> 《儀鄭堂文集》（民國五十六年藝文印書館百部叢書集成初編影印本）
> 《少廣正負術內篇》（民國五年南海黃氏刊本）

可見，顨軒學術並非僅止於「音韻學」而已。支偉成指出：顨軒「顓門尤長《春秋》、《戴記》，而積力終在《春秋公羊傳》」，孔廣森在《公羊》學之主要著作為《春秋公羊通義》。❻然而，以漢學家身份治《公羊》，孔廣森對於清代《公羊》學的建樹，是否如陳其泰所云，「只是考訂、訓詁一類方法」而已？

---

❻　由《公羊通義·敘》（卷 691）可知，該書成於乾隆四十八年（1783）。有關此書之卷帙，《皇清經解》所錄本書，由卷 679 至 691，共 13 卷。但是《公羊通義·敘》自云：為 11 卷，《清儒學案》卷 109，〈顨軒學案〉即依此而載本書為 11 卷。

　　當今學界對於孔廣森《公羊》學的著眼點和學術評價，主要受到梁啟超《清代學術概論》、《中國近三百年學術史》的影響。對於孔廣森學術的認知——特別是顨軒的《公羊》學，梁氏的評價是負面的，他甚至不認為，孔廣森可以躋身於《公羊》家之列：

> 清儒頭一位治《公羊傳》者為孔顨軒（廣森），著有《公羊通義》，當時稱為絕學，但顨軒不通《公羊》家法，其書違失傳旨甚多。❼

> 戴震弟子孔廣森著《公羊通義》，然不明家法，治今文學者不宗之。❽

梁氏的說法，主導了爾後學界對顨軒《公羊》學的評論角度，誠如梁氏所云，孔廣森是清儒第一位說釋《公羊傳》的學者，顨軒將自己的《公羊》學代表作取名《通義》，但是，梁氏卻認為孔廣森「不通《公羊》家法，其書違失傳旨甚多」；顯然，梁氏的評論與顨軒的自我評價，有相當大的落差。

　　顨軒何以被梁任公視為「不通《公羊》家法，其書違失傳旨甚多」？從任公「不明家法，治今文學者不宗之」這句話，可以看出些許端倪。對此，錢穆先生有詳細的論述：

---

❼　梁啟超：〈清代學者整理舊學之總成績（一）〉，《中國近三百年學術史》（臺北：華正書局有限公司，1994 年），頁 214。

❽　梁啟超：《清代學術概論》（臺北：啟業書局，1972 年），頁 121。

曲阜孔廣森顨軒，為方耕門人，而亦從學戴氏，為《公羊通義》，已不遵南宋以來謂春秋直書其事，不煩褒貶之義，然於何休所定三科九旨亦未盡守。至申受乃舉何氏三科九旨為聖人微言大義所在，特著〈春秋論〉上下篇，極論《春秋》之有書法，與條例之必遵何氏。……其意若謂孔門微言大義，惟何氏一家得之也。❾

晚清今文經師所以張大其說者，尤恃何休之《春秋公羊解詁》，以為今文博士微言大義所賴以存。❿

錢先生明白的指出，顨軒之後的《公羊》學家如劉逢祿（申受）者，極度遵奉何休《春秋公羊解詁》所建立的「文字條例」，晚清今文經學所倡言之「微言大義」，實以何休所建立的「三世異辭」文字條例為大纛；因此，關於梁氏所言，所謂「不明家法，治今文學者不宗之」，儼然與孔廣森《公羊通義》「於何休所定三科九旨，亦未盡守」有關。

此外，錢先生還提到顨軒之學「已不遵南宋以來謂『春秋直書其事，不煩褒貶之義』，然於何休所定三科九旨，亦未盡守」，很顯然，錢先生在「不遵」與「未盡守」之間，道出顨軒《公羊通義》對於歷來《春秋公羊》家的持論，既有承傳，更有新意。孫春

---

❾　錢穆：《中國近三百年學術史》（臺北：臺灣商務印書館，1987 年），頁528。

❿　錢穆：〈東漢經學略論〉，《中國學術思想史論叢》（三）（臺北：東大圖書公司，1985 年），頁46。

在《清末的公羊思想》對於孔廣森被排除於「正統」公羊學之外，
提出扼要的說明：

> 由於孔廣森說了「七十子沒而微言絕，三傳作而大義睽，
> 《春秋》之不幸耳」，而被清末《公羊》學家視為不明微言
> 大義，甚至不承認彼為「正統」的《公羊》學家。但實際考
> 察的結果，由董仲舒、何休以下，每一代的《公羊》家都有
> 其獨特的見解，除了力言孔子作《春秋》的說法，闡述《公
> 羊傳》中極富彈性的「微言大義」，以及對時政的關切外，
> 實不需用任何法定的「三科九旨」來作為檢驗其正統性的標
> 準。⑪

孔廣森被視為「正統」《公羊》學之外，真正的原因來自於他對
《春秋》有特殊的見解，尤其是摒棄何休舊有的立論，獨創「三科
九旨」新義；筆者認為，顨軒指陳「微言何以滅絕」、「大義何以
睽違」，關係到他對《春秋》方法論的看法，這正是剖析顨軒治學
態度、釐清其解經途徑，乃至深論其何以既根據何休《公羊解詁》
重新梳整成《公羊通義》⑫，卻又別出心裁在歷來《公羊》家奉守

---

⑪　孫春在：《清末的公羊思想》（臺北：臺灣商務印書館，1985 年），頁 32。
⑫　《皇清經解》本之學海堂《春秋公羊通義》，卷首標明「何氏《解詁》」，
　　顨軒《通義》內容亦以何氏《解詁》所錄《公羊》經傳為綱目，在傳文下何
　　氏《解詁》之後，標「（顨軒）謹案」以自陳己見，剔去現行本《解詁》徐
　　彥疏的部分，顨軒直接對何休《解詁》加以疏釋。然而，顨軒《通義》並非
　　全盤保存《解詁》原文字句，以《通義》與《解詁》兩相對照，可發現顨軒

的何休「三科九旨」之外，另立一家之言的關鍵因素。孫氏為顨軒提出辯駁，認為不必以任何法定的三科九旨（即何休「三科九旨」）來作為檢驗孔廣森《公羊》學正統性的標準，可謂公允之論。那麼，顨軒如何看待自己與《公羊》學的關係？簡言之，顨軒是否自視為《公羊》學者之列？

顨軒在解釋《公羊》哀公十四年傳文「制《春秋》之義，以俟後聖，以君子之為，亦有樂乎此也」時，有云：

> 當世有聖帝如堯舜者，知君子而用之也。既不可得，退修《春秋》以俟後世王者復起，推明《春秋》之義以治天下，則亦君子之所樂也。《左氏》馳騁於文辨，《穀梁》囿圉於詞例，此聖人制作之精意，二家未有言焉，知《春秋》者，其唯公羊子乎！（《公羊通義》卷690，頁12）

身為聖門後裔，顨軒在《公羊通義·敘》有明確的自白：

> 昔我夫子有帝王之德，無帝王之位，又不得為帝王之輔佐，乃思以其治天下之大法，損益六代禮樂，文質之經制，發為文章以垂後世，而見夫周綱解弛，魯道陵遲，……必將因衰世之宜，定新國之典，寬於勸賢，而峻於治不肖，庶幾風俗可漸更，仁義可漸明，政教可漸興。烏呼託之？託之《春

針對《解詁》抒發己見，但並不墨守《解詁》，往往只引錄《解詁》須疏釋之片段為楔引，「（顨軒）謹案」之後的抒論，才是《通義》的重點。

秋》！《春秋》之為書，上本「天道」，中用「王法」，下
理「人情」。……此『三科九旨』既布，而壹裁以「內外之
異例」，「遠近之異辭」。錯綜酌劑，相須成體。凡傳《春
秋》者三家，粵唯公羊氏有是說焉。……東漢時，帝者號稱
以經術治天下，而博士弟子因端獻諛，妄言「西狩獲麟」，
是庶姓劉季之瑞，聖人應符為漢制作，黜周、王魯、以《春
秋》當新王云云之說，皆絕不見本傳，重自誣其師，以名二
家之糾摘矣。（《公羊通義·敘》，頁1）

由孔子託《春秋》以示天下之大法，「因衰世之宜，定新國之典，
寬於勸賢，而峻於治不肖」，可看出顨軒不自外於《春秋》，他獨
標「三科九旨」、「內外異例」，「遠近異辭」三者乃《春秋》治
經之要道，並且高舉《公羊春秋》「推明《春秋》之義以治天
下」、「俟後世王者復起」的立場，以為：「《左氏》馳騁於文
辨、《穀梁》圈囿於詞例」，終而倡言「知《春秋》者，其唯公羊
子乎」，我們可以明確看出顨軒於《春秋》三傳中，治經立場特別
推崇《春秋公羊傳》。若將孔廣森對於《春秋》的研究，摒棄於
《公羊》學之外，非但有失公允，且顯然與實際情況不相符。

　　阮元在《清史稿·儒林傳序》言：「孔廣森之於《公羊春
秋》，張惠言之於孟、虞《易》說……皆專家孤學也。」❸阮元甚
至為《公羊通義》寫〈序〉：

---

❸　趙爾巽等：〈儒林一·序〉，《清史稿》（北京：中華書局，1991 年），卷
　　480，頁 13100。

曲阜聖裔孔顨軒先生，思述祖志，則從事於《公羊春秋》者
也。先生幼秉異資，長通絕學，凡漢、晉以來之治《春秋》
者，不下數百家，靡不綜覽，嘗謂：「《左氏》舊學，湮於
征南；《穀梁》本義，汩於武子。王祖游謂何休志通《公
羊》，往往為《公羊》疾病，其餘啖助、趙匡之徒，又橫生
義例，無當於經，唯趙汸最為近正。何氏體大思精，然不無
承訛率臆。」於是旁通諸家，兼采《左》、《穀》，擇善而
從，撰《春秋公羊通義》十一卷，《序》一卷，凡諸經籍義
有可通於《公羊》者，多著錄之。（阮元：〈春秋公羊通義
序〉，《揅經室一集》卷 11，頁 11－12，《續修四庫全
書》，第 1478 冊，集部·別集類）

阮元清楚指出顨軒「思述祖志，則從事於《公羊春秋》者也」，顨
軒以治《公羊》自期，是毫無疑問的。阮元也同時指出顨軒治《公
羊》的鮮明途徑：「旁通諸家，兼采《左》、《穀》，擇善而
從」、「凡諸經籍義有可通於《公羊》者，多著錄之」、「唯趙汸
最為近正。何氏體大思精，然不無承訛率臆」等，這些都是孔廣森
持論《公羊》的關鍵主張。孔廣森在《公羊通義·敘》指出：

《左氏》之事詳，《公羊》之義長，《春秋》重「義」不重
「事」，斯《公羊傳》尤不可廢。方今《左氏》舊學，湮于
征南；《穀梁》本義，汩于武子。唯此《傳》相沿，以漢司
空掾任城何休《解詁》列在註疏，漢儒授受之旨，藉可考
見。其餘《公羊墨守》、《穀梁廢疾》、《左氏膏肓》、

《春秋漢議》、《文諡例》之等，尚數十篇，惜無存者。《解詁》體大思精，詞義奧衍，亦時有承訛率臆，未能醇會《傳》意。（《公羊通義·敘》，頁9）

何邵公自設例與《經》詭戾，……致令不曉者，為《傳》詬病，此其不通之一端也。七十子沒而微言絕，《三傳》作而大義睽，《春秋》之不幸耳。幸其猶有相通者，而三家之師，必故各異之，使其愈久而愈歧，何氏屢蹈斯失。若「盟于包來」下，不肯援《穀梁》以釋《傳》；「叛者五人」，不取證《左傳》而鑿造；諫不以《禮》之說，又其不通之一端也。今將祛此二惑，歸於大通。輒因原注，存其精粹，刪其支離，破其拘窒，增其隱漏，冀備一家之言。依舊帙次為十一卷，竊名曰：「通義」。（《公羊通義·敘》，頁9）

他對於何休之立論，並非全盤接受或否定；「體大思精，詞義奧衍」是他對《解詁》的肯定，在《公羊通義·敘》中，孔廣森也道盡他對何休《解詁》的批評——「時有承訛率臆，未能醇會《傳》意」、「自設例與《經》詭戾」、「不肯援《穀梁》以釋《傳》、不取證《左傳》而鑿造」。從顨軒的自我期許：「今將祛此二惑，歸於大通，……冀備一家之言」，我們可以洞悉《公羊通義》之所以取「通」為名，實別具深意。雖然孔廣森不認為何休《解詁》所指引的途徑是理解《公羊傳》的最佳方式，何休《解詁》有精粹、有支離；有拘窒、有隱漏，但是他仍然「輒因原注」據之為底本：「存其精粹，刪其支離，破其拘窒，增其隱漏」，一語道盡顨軒著

作《公羊通義》時，對於何休《解詁》的處理態度。皮錫瑞在《經學通論》裡，論及孔廣森曰：

> 《春秋》是一部全書，其義由孔子一手所定，比《詩》、《書》、《易》、《禮》不同。學《春秋》必會通全經，非可枝枝節節而為之者，若一條從《左氏》，一條從《公羊》，一條從《穀梁》，一條從唐、宋諸儒，雖古義略傳，必不免於《春秋》失亂之弊，故《春秋》一經，尤重專門之學。

> 國朝稽古，漢學中興，孔廣森作《公羊通義》，阮元稱為「孤家專學」，然其書不守何氏義例，多采後儒之說，又不信「黜周王魯」科旨，以「新周」比「新鄭」，雖有篳路藍縷之功，不無買櫝還珠之憾。惟何氏《解詁》與徐《疏》，簡奧難讀，陳立書又太繁。治《公羊》者可從《通義》先入，再觀注疏。……治《公羊》者，當觀凌曙所注《繁露》，以求董子大義。及劉逢祿所作《釋例》，以求何氏條例。再覽陳立《義疏》以求大備，斯不愧專門之學矣。❶

「若一條從《左氏》，一條從《公羊》，一條從《穀梁》，一條從唐、宋諸儒，雖古義略傳，必不免於《春秋》失亂之弊，故《春

---

❶ 〔清〕皮錫瑞：〈四·春秋〉，《經學通論》（臺北：臺灣商務印書館，1989年），頁88。

秋》一經，尤重專門之學」，皮錫瑞此語，顯然是針對阮元稱讚孔
廣森「旁通諸家，兼采《左》、《穀》，擇善而從」、「凡諸經籍
義有可通於《公羊》者，多著錄之」而發。

　　劉逢祿、凌曙以降，張揚何休之學的清代常州《公羊》學者，
往往將董、何二人之學混同等視⑮。凌曙《春秋繁露注》和蘇輿
《春秋繁露義證》，是《春秋繁露》現存最重要的注本，其中，蘇
輿《義證》又是以凌曙注本為底稿加以發揮；凌、蘇注解董氏之
學，引用《公羊》經傳，一以何休《解詁》為據，筆者曾發表〈凌
曙注《春秋繁露·奉本》「遠外近內」說之商榷〉⑯、〈蘇輿《春
秋繁露義證》「滅國」詞義論釋之商榷〉⑰二篇文章，分別具體論
證二人引用何休《解詁》，詮釋董氏著作所產生的扞格不入，凌、
蘇注解董氏之學，引用《公羊》經傳，一以何休《解詁》為據，印
證了《清儒學案》謂凌曉樓「為《繁露》撰注，實為何、徐功
臣」，這個清朝中葉以來《公羊》學隱藏的問題。阮元以「專家孤

---

⑮　徐世昌在《清儒學案》便明載劉逢祿之學「探原董生，發揮何氏，尋其條
　　貫，正其統紀」（《清儒學案》，卷 75，〈方耕學案〉下「方耕私淑·劉先
　　生逢祿」，頁 1）凌曙是劉逢祿的學生，在凌氏學案下亦有云：「晚樓蓋亦
　　好劉氏之學者，而溯其源於董氏，既為《繁露》撰注，……實為何、徐功
　　臣」（《清儒學案》，卷 131，〈晚樓學案〉，頁 1）可見劉逢祿已將董、何
　　二人的春秋學統合而視，倡言「董氏之所傳，何邵公之所釋」，以「探原董
　　生，發揮何氏」來建立其公羊學的條貫與統紀。

⑯　該文發表於「清代乾嘉學者的治經貢獻」第二次學術研討會（中央研究院中
　　國文哲研究所籌備處主辦），2001 年 11 月 22—23 日。

⑰　該文發表於「晚清時期湖湘學者的經學研究」第二次學術研討會（中央研究
　　院中國文哲研究所主辦），2003 年 11 月 14 日。

學」指稱顨軒，與皮錫瑞意有所指的《公羊》注疏「專門之學」相較（凌曙所注《繁露》、劉逢祿作《何氏釋例》、陳立為《義疏》），可明白看出：清代《公羊》學一以何休《解詁》為《公羊》家法之尺度。無怪乎孔廣森被指為「孤學」！無怪乎孔廣森在何休舊有「三科九旨」之外，另以「天道（時月日）、王法（譏貶絕）、人情（尊親賢）」等《公羊》舊義，重新詮釋「三科九旨」，竟被拒於《公羊》門檻之外！

雖然皮錫瑞認為顨軒「不守何氏義例，多采後儒之說」，但是他仍然不得不承認「治《公羊》者可從《通義》先入」：

> 《穀梁》不傳三科九旨，本非《公羊》之比，惟其時月日例，與《公羊》大同小異，詳略互見，可以補《公羊》所未及。

皮氏所言：「時月日例可以補《公羊》所未及」，實際上也為顨軒將「時月日」納入《公羊》三科中的「天道科」作了緩頰；由此看來，皮氏並未完全將孔廣森摒棄於《公羊》家之外。由解經方法來說，顨軒側重《公羊》「重義不重事」的特質，視「天道、王法、人情」為《春秋》大義之總綱，將《公羊》學義例更精確圍繞在「時月日、譏貶絕、尊親賢」等命題上作討論；顨軒擠身《公羊》學家之列，應是毫無疑問的。

由此，我們可確定，晚清《公羊》學以何休《解詁》為家法之唯一尺度，孔廣森之所以招來「不守家法」的非議，甚至連《公羊》學家的身分也被質疑，主要來自於他未全然信守何休持論的緣故。當然，孔廣森以「儀鄭堂」取號書齋，對康成的仰慕，溢於言

表，也使得那些對戴軒《公羊》學未能深刻認知的好事者，更加視孔廣森為今文經學家之叛徒。**⑱**

　　關於孔廣森「未盡守何休三科九旨」的根本原因，近人孫春在、陳其泰等學者，紛紛有不同的解答。孫春在認為：

> 這本是自然的現象，因為十八世紀末的中國有其特定的背景，莊存與和孔廣森二人的《公羊》學，正就反映了他們對時代的關切。在當時，「內外」是最值得研究發揮以撥正滿族政權的「微言大義」，至於「三世」不過是撥亂起治的意思，「三統」也失去了它在西漢時的嚴謹定義。實際上，清代已保留了元、明二朝的皇族後裔，符合了三統的形式，因此，對清代的思想家而言，如果再強調以前二代為借鑑或憲章的參考，未免多此一舉。**⑲**

至於陳其泰的論點，前已徵述，不再贅論。統言之，孫、陳二氏的見解，一則是由清代思想家所面臨的客觀環境，認為何休的三科九旨已不符合時代的需要。一則是由劃定孔廣森為「漢學」一員，進

---

⑱　關於何休與鄭玄之爭，《後漢書·儒林傳》言何休「與其師博士羊弼，追述李育意以難二傳，作《公羊墨守》、《左氏膏肓》、《穀梁廢疾》」。而經學大師鄭玄則針對何休的《春秋》學，而作《發墨守》、《箴膏肓》、《起廢疾》。何休見而嘆曰：「康成入吾室，操吾戈，以伐我乎！」《後漢書·鄭玄傳》亦記載：「中興之後，范升、陳元、李育、賈逵之徒爭論古今學，後馬融答北地太守劉瓌及玄答何休，義據通深，由是古學遂明。」

⑲　孫春在：《清末的公羊思想》，頁30。

而推論漢學家治學的「考訂、訓詁一類方法」，與何休等《公羊》學家的路數不同。

筆者認為，孫、陳二氏所言，仍然無法解決本文的疑問。

如果，孔廣森不守何休「三科九旨」的原因，僅僅是一種「外在的自然現象」——亦即「三世」、「三統」諸說，在清代已經「不合時宜」而應該自然淘汰。那麼，孔廣森之後的劉逢祿、凌曙等常州《公羊》學者，皆高舉何休之學，常州《公羊》學風盛極一時，何休「據亂世、升平世、太平世」的進化觀，甚至影響到晚清康、梁諸輩，試問我們該如何解釋？

另外，陳氏云：「孔廣森的治學路數跟《公羊》學家極不相同」，似乎有一開始即把孔廣森摒除於《公羊》學家之外的意思。我們若進一步探究㩗軒在《通義》中的論述，很容易便發現，㩗軒是由《春秋》學本質內涵的爭議——亦即「義旨」與「文例」二者孰為輕重，博引諸家闡釋大義。並非如陳氏所云，只是在漢學家「考訂、訓詁一類方法」上打轉而已。

對於《春秋》褒貶大義的闡釋，孔廣森獨出己見，錢穆先生特別注意到，孔廣森與莊存與的關係。㩗軒在《公羊》學之著力，顯然不僅止於「考訂、訓詁」。事實上，《清儒學案》在卷 73〈方耕學案上〉對於莊存與的《春秋》學也有特殊的描述：

> （莊方耕）講筳《春秋》則主《公羊》、董子，雖略采《左氏》、《穀梁氏》及宋、元諸儒之說，而非如何劭公所譏：「倍經任意，反傳違戾」。……（其學）要於《春秋》為最深，所學與當時講論，或枘鑿不相入，故所撰述皆秘

不示人。通其學者僅門人邵晉涵、孔廣森,及子孫數人而已。[20]

《清儒學案》特別強調:莊氏主張董子之學,並兼採《三傳》及後儒之說以講筵《春秋》。而「旁通諸家,兼采《左》、《穀》」正是孔廣森治理《公羊》的方法。這段有關莊存與《春秋》學的敘述,提供我們重要的線索:

1.莊氏釋讀《春秋》經傳的結果,與何劭公所譏之「倍經任意,反傳違戾」者不相同。何休認為有「倍經任意,反傳違戾」之慮者,在莊存與、孔廣森的訓釋下,並不存在這種謬誤。

2.莊氏深研《春秋》,「所學與當時講論不相入,故所撰述皆祕不示人」。

3.孔廣森是少數通習莊氏《春秋》學的門人之一。

何休之《公羊》學,實質上牽動著清代「經今文學」學術的脈絡。清末常州《公羊》學派尊奉何休《解詁》為大纛,視條例之法為研究《公羊》經傳的最佳門徑,流傳至今,這個觀念仍普遍影響當代治理《公羊》經傳的學者。然而,對《公羊》學史而言,文例的歸納,卻非《公羊》一系學者詮釋《春秋》大義的唯一途徑。筆者認為,西漢董仲舒在「即事取義」的治經觀點上,從《春秋》如何寓「義」的角度去詮釋「微言」,而主張「《春秋》無達辭」;與東漢拘執於師法、家法的經生相比,董仲舒的《春秋》學內容,不拘於後世所謂的「師法、家法」,顯示西漢解經以「義」為宗的

---

[20] 徐世昌:〈方耕學案上〉,《清儒學案》,第三冊,卷73,頁1。

風尚，與東漢何休以降解讀《公羊春秋》所慣用的文字條例，分別代表了《公羊》學內部兩種不同的方法論，亦即《公羊》學史至少存在著分別以西漢董仲舒、東漢何休為代表的兩種解經途徑。董、何二人所治雖然同為《春秋公羊傳》，卻因二人「解經方法」迥異，以致「釋義結果」多有不同。❷

　　由此看來，莊存與「主張董子之說」、並主張「兼採三傳以論經義」，乃至「與當時講論不相入」，承傳莊存與的孔廣森，在《公羊》學術上「於何休三科九旨未盡守」，可謂其來有自。

　　筆者認為，在瞭解孔廣森《公羊》學的實際內容之後，應該回到《公羊》學的實質內涵去討論，才能進一部釐清：孔廣森傳承莊存與《春秋》學，身屬常州學派之一員，何以卻又以「儀鄭」為堂名，仰慕鄭玄通學，與常州宗奉西漢經今文學的風格大異其趣？傳承莊存與《春秋》學的孔廣森，與其他「張揚何休之學」的常州《公羊》學者基本論點的差異，是否淵源自西漢董仲舒、東漢何休二人《公羊》學解經途徑的不同，乃至於顨軒在治學路數上轉趨於嚮往——同為東漢、與何休有「入室操戈」之議的康成通學古風？筆者主張，有清一代經今文學合視董、何二人《公羊》學為一，無視兩漢《公羊》學已歷經政治學術客觀環境迥異，學術內部解經途徑、釋經成果已有歧異的實際情況，甚至還以「若合符契」（劉逢祿語）形容董、何二人；清中葉以降，張揚何休之學的特殊氛圍，在今日看來，有許多論題值得進一步省視與商榷。孔廣森在其代表

---

❷　詳參楊濟襄：《董仲舒春秋學義法思想研究》（臺北：臺灣師範大學國文研究所博士論文，2001年6月）。

作《公羊通義》中，對於董、何二人治經觀點的異同，有多處釐清與辨別，甚至在劉逢祿奉何休「三科九旨」為金科玉律之外，顨軒仍然提出對於《公羊》「三科九旨」不同的新解釋，本文冀望透過顨軒對《公羊》學的統籌與剖析，重新理解在《公羊》學術上「橫眉冷對千夫指」的孔廣森，對於《公羊》學的關鍵議題究竟作了哪些的澄清。

二、孔廣森對《公羊》學關鍵論題之掌握

㈠ 《春秋》的文例與義旨：以「義」馭「例」

錢穆先生曾提及孔廣森對《春秋》經文之詮釋，「已不遵南宋以來謂『春秋直書其事，不煩褒貶之義』」。事實上，顨軒在《公羊通義・敍》便開宗明義地表達，自己對《春秋》的書寫形式與實質內涵──亦即「文例」與「義旨」的看法：

> 大凡學者謂「《春秋》事略，《左傳》事詳，經傳必相待而行」，此即大惑。……聖人之所為經，詞以意立，意以詞達，雖無三子者之傳，方且揭日月而不晦，永終古而不敝。魯之《春秋》，史也；君子修之，則經也。經主義，史主事；事故繁，義故少，文少而用廣。世俗莫知求《春秋》之義，徒知求《春秋》之事，其視聖經竟似《左氏》記事之標目，名存而實亡矣。（《公羊通義・敍》，頁3）

顨軒藉著「經學」、「史學」的辨明，強調「魯之《春秋》」與「孔子所修之《春秋》」二者已然不同。這段話除了談到「寓義」

是經學的主要目的外，同時也揭示了，經學以「寓義」為主要目的，在「文字形式」的表達上，以「闡揚大義」為考量，而不以史官之「敘事詳明」、「筆例一貫」之「書法」來取勝。

值得注意的是，孔廣森對於《春秋》「行文書例」所提出的看法。

顨軒在隱公十年經：「冬十月壬午，齊人、鄭人入盛」下，特別就「入國」、「滅國」二種事件之經文群組，論述自己對經文書例的意見：

> 推尋前後經例——「入國」恆「月」，討有罪者乃「日」，「丙午晉侯入曹」、「丁亥楚子入陳」是也。至「滅國」反是，所尤惡者乃「日」，「丙午衛侯燬滅邢」、「丁酉楚師滅蔡」是也。蓋「入國」猶有彼善，於此須分別之，略其所惡，錄其所善。「滅國」一切皆惡，無所分別，但以日不日，見罪之輕重耳。《易》窮則變，變則通，《春秋》之於例，亦猶是也。

顨軒對於經文書例，採取一種「變通」的態度。而這種「變通」並非毫無原則，我們從顨軒在「入國」、「滅國」二種經文書例的討論上可以發現，顨軒其實是以「《春秋》大義」來掌握經文書例：「蓋『入國』猶有彼善，於此須分別之，略其所惡，錄其所善。『滅國』一切皆惡，無所分別，但以日不日，見罪之輕重。」這種「以『義』馭『例』」的情形，也出現在顨軒對閔公元年經：「冬齊仲孫來」，《公羊》傳文「曷為謂之『齊仲孫』？繫之齊也。曷

為『繫之齊』？外之也」的討論中：

> 慶父既以罪去，則當逆諸齊，絕其公族，使常為齊人，不當
> 令復來。故變文不言「自齊來」而繫齊于上，以見義
> 也。……後之讀《春秋》者，將以《春秋》之文，治《春
> 秋》之事，則前後經未見齊有仲孫者，其必知為吾仲孫與。
> 明繫之齊，不嫌也。《解詁》曰：「主書者，賊不宜來，因
> 以起上，如齊實弒君出奔」。（顨軒）謹案：「何氏之意，
> 得與上相起者，實如者『出、歸不兩書』。今言『來』，明
> 從『出奔、復入兩書者』例矣。」凡《春秋》之諱，必使
> 「文」不沒「實」。

這段話明白指出：「《春秋》變文以見義」。顨軒認為：為求「義
旨」的突顯，《春秋》不惜以特殊的「敘事手法」，為這一則事件
「量身訂作」出最恰當的「寓義」方式。

孔廣森此處對《春秋》「文例」與「義旨」的詮釋，正與他在
《公羊通義·敘》所振言之「經主義」、「世俗莫知求《春秋》之
義，徒知求《春秋》之事」相呼應。值得一提的是，由文意來看，
顨軒此處並未反駁何休《解詁》所論之文例，對於何休《解詁》所
倡言之文例，孔廣森顯然將它引領到論述重心——「義旨」之上，
以「義」詮釋「文例」。「《春秋》變文以見義」，「不嫌也」；
《春秋》經文之敘述，為求義旨的傳達，而在文字上作巧妙變化，
其前提是「後之讀《春秋》者，以《春秋》之文，治《春秋》之
事」，於《春秋》大義之領悟，不會有疑隙。因此，顨軒再次強

調：《春秋》之筆，「必使『文』不沒『實』。」

孔廣森在《公羊通義·敘》中，也特別提到「文例」的變通，實質關係著《春秋》大義推求的結果：

> 啖、趙橫興，宋儒踵煽，加以鑿空懸擬，直出於《三傳》之外者，淺釋之士，動為所奪。其詈毀《三傳》，率摭拾本例，而膚引例不可通者以致其詰。董生不云乎：「《易》無達占，《詩》無達詁，《春秋》無達例。」夫唯有例，而又有不囿於例者，乃足起「事同辭異」之端，以互發其蘊。記曰：「屬辭比事，《春秋》之教也。」此之謂也。（頁3）

顨軒直指，墨守文例，「膚引例不可通者」，往往以「例」之未暢，竟反過來詰難經傳。❷❷

對於《春秋》「文例」與「義旨」的掌握，孔廣森明白揭示其「夫唯有例，而又有不囿於例」的觀點，就是由董仲舒「《春秋》無達辭」的闡述而來。

董仲舒在《春秋繁露·精華》說：「《詩》無達詁，《易》無達占，《春秋》無達辭，從變從義，而一以奉人。」所謂「《詩》無達詁」、「《易》無達占」，並非指「詩之詁」與「易之占」無

---

❷❷ 如前文引論之孔廣森在《公羊通義·敘》，頁9所言：「《春秋》重『義』不重『事』，斯《公羊傳》尤不可廢。……何邵公自設例與經詭戾，而『公孫敖之日』、『歸父之不日』，兩費詞焉；『叔術妻嫂』，《傳》所不信，邵公反張大之，目為『非常異義可怪之論』。……致令不曉者，為《傳》詬病，此其不通之一端也」。可與此處「墨守文例，竟詰難經傳」者相發凡。

所通達。而是說：《詩》與《易》的釋義，在不同的人、事、物對象上，其取義結果將有不同，因此，其釋義無法予以「規則化」。《春秋》「一以奉人」，情況亦然。《春秋》之所以「無達辭」，就在於其記事既「從義」於「常經」，亦「從義」於「權變」，「或達於經，或達於變」，因此，《春秋繁露·竹林》即謂此為「移其辭以從其事」：

> 《春秋》無通辭，從變而移。今晉變而為夷狄，楚變而為君子，故移其辭以從其事。

所謂「《春秋》無通辭，從變而移」，為了貼切示現經文事件的記載目的（亦即該經文事件所寓託的「大義」），經文在書寫記事時，往往因考慮到該事件的時空處境，以及人物的主從身分等因素，而有「事同辭異」的作法。

此外，孔廣森對《春秋》經文記事亦提出「文隨事變」的看法。僖公元年經文：「齊師、宋師、曹師次于聶北救邢」，《公羊》傳文針對經文敘事「實與而文不與」的手法作討論，顨軒即發表其意見云：

> 《春秋》文隨事變。豈得設文外之事，而泥事後之文，以生巧辯哉？

清·蘇輿《春秋繁露義證》在〈竹林〉：「《春秋》無通辭，從變而移」句下曾經說到，治《春秋》之學者多有「泥詞以求，多

有不可貫」的困境：

> 〈精華篇〉：「《春秋》無達辭，從變從義，而一以奉
> 人。」達，亦通也。論《春秋》者，泥詞以求而比，多有不
> 可貫者，故（董氏）一以「義」為主。下文云：「詞不能
> 及，專在於指。」大抵《春秋》先「義法」，後「比例」。
> 以「義法」生「比例」，非緣「比例」求「義法」也。（頁
> 46）

「以『義法』生『比例』，非緣『比例』求『義法』」，如此一來
我們將發現，「《春秋》大義」其實就寄寓在經文字裡行間所流露
的「敘述觀點」與「書寫型態」之中。所謂「《春秋》大義」，不
是只憑藉史官若干「特定用字」的「史筆」與「書法」就可一語道
盡。世俗學者試圖將經文書寫用語歸類成「凡例」，執此「凡例」
泥詞以求，於《春秋》大義將不可貫得。

　　蘇輿所指出的：董仲舒「以『義』馭『例』」的解經方法，同
時也是孔廣森《公羊》學在釋經方法上所循行的路線。

㈡ 《春秋》重「義」不重「事」

　　《春秋》經文的記載，既以「寓義」為成書目的，那麼，治
《春秋》之學者，在經文的字裡行間，該如何推敲取「義」呢？孔
廣森特別提出，《春秋》經文記事在「嫌疑之際」，正是最關鍵之
處；此時，「當其無嫌」是取「義」之正途。然而，該如何「發其
嫌疑」呢？

十二公之篇，二百四十二年之紀，文成數萬，赴問數千，應問數百，操其要歸，不越乎「同辭」、「異辭」二途而已矣。

「當其無嫌」，則「鄭忽之正」、「陳佗、莒展之賤」、「曹羈、宋萬、宋督之為大夫」，未嘗不同號。「祭伯奔而曰：來」、「祭公使而曰：來」、「介葛盧朝而曰：來」、「齊仲孫外之而曰：來」，未嘗不同辭。「入」者為篡，天王入于成周，乃非「篡」。「出」者為有外，天王出居于鄭，乃非「外」。此無他，正名。天王灼然不嫌也。「夫人婦姜」、「夫人氏」、「夫人孫于齊」，則辭有異。「楚屈完來盟于師」、「齊侯使國佐如師」，則辭有異。「衛侯言歸以成叔武之意」、「曹伯言歸以順喜時之志」，而或加「復」或不加「復」，則同辭之中猶有異。……凡皆片言榮辱，筆削所繫，不可不比觀，不可不深察。《春秋》有當略而詳，當詳而略，詳之甚者，莫如錄伯姬；略之甚者，莫如鄭祭仲之事。……此《春秋》重「義」不重「事」之效。（《公羊通義·敘》，頁3—4）

孼軒這段話有三項重點：

1.指出研究《春秋》的途徑，是透過經文「同辭」、「異辭」的剖析，反覆提問辨正，在「赴問」與「應問」的討論下，《春秋》大義得以詳明。

2.「文辭」的片言筆削，必須透過「經文事件」的「比列合觀」，方得其大旨。本文在此羅列這一大段原文的目的，即在呈現

顨軒所謂的「片言筆削」，其實是「屬辭比事」的實踐。

3.《春秋》重「義」不重「事」。「屬辭比事」的目的，不在建立「凡例」，而在見其「義」。藉由類似事件的若干經文群組，比較其書寫型態的異同，進而探取每一個經文事件的背後，各自所寄寓的「大義」。

由此可見，所謂「重義不重事」，其實是「文辭」→「事況」→「義旨」三者逐步推求、輕重取捨的拿捏與推進。以「義」為尚，並非捨棄《春秋》的經文文辭，更非摒除《春秋》事件，在「事」外言「理」。《春秋》在經文事件中，藉著「正嫌疑」來澄清事理之宜然，這才是《春秋》「重義不重事之效」，孔廣森特別引用董仲舒的見解來立論：

> 董生曰：「正朝夕者視北辰，正嫌疑者視聖人。」聖人以「祭仲易君」、「季子殺母兄」，皆處乎嫌疑之間，特殊異二子于眾人之中而貴、而字之、而不名。尚有援《左氏》之事以駁《公羊》行權之義者，盍思仲之稱字？（《公羊通義·敘》，頁4）

董仲舒在《繁露·重政》曾云：「夫義出於經，經傳大本也。」然而，如何才能得取經義以為用呢？董仲舒對於治《春秋》之法，在〈重政〉、〈玉杯〉等篇章都有詳細的論述：

> 論《春秋》者，合而通之，緣而求之，五其比，偶其類，覽其緒，屠其贅，是以人道浹而王法立。……能以比貫類、以

辨付贅者，大得之矣。（《繁露·玉杯》）

能說鳥獸之類者，非聖人所欲說也；聖人所欲說，在於說仁
義而理之，知其分科條別，貫所附，明其義之所審，勿使嫌
疑，是乃聖人之所貴而已矣。（《繁露·重政》）

「以比貫類」、「明義之審，勿使嫌疑」，董仲舒治《春秋》並非
以詁訓章句的形式去解經，而是通貫《春秋》二百四十二年的經文
記事，即事以言義。在董仲舒以評論為體裁的《春秋》學內容裡，
「通貫事類，以見其義」的情況，不勝枚舉，如《繁露·王道》
云：

「魯隱之代桓立」，「祭仲之出忽立突」，「仇牧、孔父、
苟息之死節」，「公子目夷不與楚國」，此皆執權存國，行
正世之義，守拳拳之心，《春秋》嘉其義焉，故皆見之，復
正之謂也。……「魯季子之免罪，吳季子之讓國」，明親親
之恩也。「閽殺吳子餘祭」，見刑人之不可近。「鄭伯髡原
卒於會，諱弒」，痛強臣專君，君不得為善也。「衛人殺州
吁，齊人殺無知」，明君臣之義，守國之正也。……

我們可以注意到，這種將經文事件「比列合觀」，以便在嫌疑
之處作推敲，進一步貫取經義的作法，孔廣森與董仲舒的解經觀點
如出一轍。

孔廣森認為「（《春秋》）十二公之篇，二百四十二年之紀，

文成數萬，赴問數千，應問數百」（《公羊通義·敘》），《公羊傳》以「問答體」推敲經文，一問一答之際，無疑提供了最佳的線索，所以孔廣森也特別標舉《公羊傳》於研經取義上的價值：

> 《左氏》之事詳，《公羊》之義長，《春秋》重「義」不重「事」，斯《公羊傳》尤不可廢。（《公羊通義·敘》，頁9）

董仲舒肯定《公羊傳》解經之效，無獨有偶，亦落在「赴問」與「應問」的取義上：

> 《春秋》赴問數百，應問數千，同留經中。翻援比類，以發其端，卒無妄言而得應於《傳》者。（《繁露·玉杯》）

對於《公羊傳》問答體的解經方式：「赴問數百，應問數千，同留經中」，董仲舒認為，問題所發之端，往往即是《春秋》經文寓義隱微之處。因為在《春秋》經文裏，「翻援比類，以發其端」，循著傳文之發問，往往可以尋找出經文書寫的深義；因此，董氏對《公羊傳》問答的形式，深具信心。董氏認為《公羊傳》「以其得應，知其問之不妄」，經與傳兩相比照，「卒無妄言」而得以相應。

太史公司馬遷在《史記》中曰：「《春秋》以道『義』」（〈滑稽列傳〉），論及董生治《春秋》，亦云：「上大夫董仲舒推《春秋》義，頗著文焉。」（〈十二諸侯年表序〉）董仲舒在

《繁露·重政》有云:「義出於經,經傳大本也。」在董仲舒的詮釋之下,「經」的核心價值在於「義」,也就是聖人執以教化天下的「大本」、「大元」;儘管在漢代《春秋》學氣化宇宙論的觀念裡,所謂的「大本」、「大元」,追溯最終,往往是以「氣」為「元」,然而董仲舒在《繁露》此處所強調的:「《春秋》變一謂之『元』,『元』猶原也,其義以隨天地終始也。」(〈重政〉)卻標示出:「義」──才是《春秋》這部經典的終極價值根源。孔廣森亦倡言「義」之所在,正是聖人修經的目的;在標舉「經主義,史主事」的精神下,顨軒開始注意到《孟子》書中,孟子以《春秋》所載事件,取「義」游說諸國的若干應答。而謂:「孟子最善言《春秋》」:

> 愚以為《公羊》家學,獨有合於《孟子》。乃若對齊宣王言小事大,則「紀季之所以為善」;對滕文公言效死勿去,則「萊侯之所以為正」;其論異姓之卿,則「曹羈之所以為賢」;論貴戚之卿,又「寔本於不言剽立以惡術之義」。且《論語》責輒以讓國,而《公羊》許石曼姑圍戚,今以曼姑擬皋陶,則與瞽瞍殺人之對,正若符契,故孟子最善言《春秋》,豈徒見「稅畝」、「伯于陽」兩傳文句之偶合哉。(《公羊通義·敍》,頁2)

孔廣森推崇孟子「最善言《春秋》」,是由孟子對事理之闡述舉證,與《公羊傳》所取之「義」相合而論,並非只是由《孟子》書中所記之「稅畝」、「伯于陽」等,與《春秋》行文偶合的字面去

立說。

孔廣森治《春秋》以「義」為尚，或許是受到其師戴震《孟子字義疏證》的影響，他注意到《孟子》，並將《公羊春秋》與《孟子》義旨加以融會。顨軒雖無明文指出「引《公羊》入群經」的論調，但是他使《公羊》學與《孟子》接軌，無意間卻開啟了清代《公羊》學援引《公羊》入群經：「經典釋義《公羊》化」之先聲。❷❸

㈢ **會通三傳以治《公羊》**

孔廣森雖然倡言《春秋》「重義不重事」，並且多次以《公羊》為經學、《左氏》為史學。顨軒將《春秋》視為聖人「寓義」之手筆，因此，在他的心目中，通達聖人義旨的《公羊傳》，其層級顯然在以敘事為勝的《左氏》之上。

然而，以解經的立場來看，「屬辭比事」之際若欲「明事見義」，三傳所提供的訊息，無疑是《春秋》經文之外最寶貴的資源。因此，孔廣森的《公羊通義》兼採三傳以證《公羊》，《通義》雖然是以「註經體」的形式成書，並且採用同為「註經體」的何休《解詁》為底本，但是在解經釋傳時，顨軒的論述觀點卻未必承襲何休《解詁》的看法，例如：

> 七十子沒而微言絕，三傳作而大義睽，《春秋》之不幸耳。幸其猶有相通者，而三家之師，必故各異之，使其愈久而愈

---

❷❸ 詳見鄭卜五：〈乾嘉《公羊》學者對《公羊》學的發展成果析論〉，該文發表於「清代乾嘉學者的治經貢獻」第二次學術研討會（中央研究院文哲研究所籌備處主辦），2001年11月22-23日。

> 歧，何氏屢蹈斯失。若「盟于包來」下，不肯援《穀梁》以
> 釋《傳》；「叛者五人」不取證《左傳》而鑿造；諫不以
> 《禮》之說，又其不通之一端也。今將袪此二惑，歸於大
> 通。輒因原注，存其精粹，刪其支離，破其拘窒，增其隱
> 漏，冀備一家之言。依舊帙次為十一卷，竊名曰：「通
> 義。」（《公羊通義·敘》，頁9）

巽軒自云其書，名為「通義」之由來，便在於「博採諸論，歸於大
通」，袪除何休「不肯援《穀梁》」、「不取證《左傳》」之失。
巽軒認為，三傳雖各有得失，但解經取義猶有足資相通之處：

> 公羊、穀梁、左邱明並出於周、秦之交，源於七十子之黨，
> 學者固不得而畸尚，而偏詆也。雖然，古之通經者，首重師
> 法，《三傳》要皆有得失，學者守一傳，即篤信一傳，斤斤囿
> 敢廢墜，……恐所取者，適一傳之所大失；所棄者，反一傳
> 之所獨得，斯去經意彌遠已。（《公羊通義·敘》，頁2）

孔廣森對於徒守師法、不以通經明義為務的學者，提出質疑。而這
種會通三傳以治《公羊》的態度，也具體反映在《通義》這本書
中。例如：隱公二年傳「無駭者何」？下，《解詁》未注無駭何
人，《通義》則云：

> 《左傳》云：「無駭卒，羽父請諡與族。公命以字為展
> 氏。」

又如：隱公二年傳「紀子伯者何？無聞焉耳」。《通義》注云：

> 無聞者，《公羊》經師失其傳也。廣森以為：《左氏》經作
> 「子帛」者是。古文省「伯」、「帛」皆止為「白」，隸寫
> 遂異耳。

孔廣森在這二處注文，皆不嫌異家，引《左傳》之文以補《公羊》先師之未說。顨軒《通義》中，也有《公羊》家已說，復取《左傳》以更加彰明者，如：隱公元年三月傳文「及，我欲之暨不得已也」下所云：

> 《解詁》曰：「舉及暨者，明當隨意善惡，而原之欲之者，
> 善重惡深。不得已者，善輕惡淺」（顨軒）謹案：《左傳》
> 謂：「公攝位而欲求好於邾。」則是盟我欲之，故從及文
> 也。

此乃取《左傳》之史實，以明何休《解詁》所謂「原之欲之」之意。在解經釋義的前提下，顨軒方引《左傳》內容為論據，至於《左傳》所論於義有乖之處，顨軒亦有語帶批評以論其誣者，例如：閔公元年經「冬齊仲孫來」，傳文「曷為繫之齊？外之也」下，顨軒認為：

> （《傳》）變文不言「自齊來」而繫齊于上，以見義也。
> 《左氏》不達《春秋》微意，因訛為齊仲孫湫來省難，彼未

> 知高子來盟，不言使者，我無君也。此時我有君，令實仲孫
> 湫，必無不言齊侯使者也。故知《左氏》誣耳。

就是藉《左傳》之誣來突顯《公羊》之可信。顨軒執《穀梁傳》以
證《公羊》的情形亦然，由於《公》、《穀》二傳，性質相近，旁
通側求，可供採證者亦多，因此《通義》擇取《穀梁傳》以為《公
羊》佐據者甚夥。例如隱公三年「武氏子來求賻」傳下之解，引
《穀梁》以明交譏之意：

> 言為臣下者，亦通有譏也，《穀梁傳》曰：「周雖不求，魯
> 不可以不歸；魯雖不歸，周不可以求之。求之為言，得不得
> 未可知之辭也。交譏之。」是也。

引《穀梁》之言，更足以證明《公羊》：「求賻，非禮也，蓋通於
下」之說。再如文公六年經「閏月不告月，猶朝於廟」，傳「天無
是月，是月非常月也」下，顨軒解云：

> 非年年常有之月也。十二月各有其政，著於〈明堂月令〉；
> 閏月，非常月，則無常政，故頒朔不及也。《穀梁傳》曰：
> 「閏月者，附月之餘日也。積分而成於月者也。天子不以告
> 朔，而喪事不數也。」

顨軒先說明自己的看法，然後再徵引《穀梁》之說以證己見。其餘
如宣公三年經「春王正月，郊牛之日傷，改卜牛，牛死乃不郊，猶

三望」，傳「其言之何？緩也」下，顨軒解云：

> 《解詁》曰：「辭閒容之，故為緩。」（顨軒）謹案：《穀
> 梁傳》曰：「之日，緩辭也。傷自牛作也。」

同樣亦引《穀梁》之說，以便和《解詁》相發凡。這類例子雖多見
於《通義》，但顨軒引《左氏》、《穀梁》的用意，是以「通經取
義」為前提；如前文所引，《左氏》有誣者，顨軒固直言之；而
《穀梁》有疑之處，顨軒亦明文見之而不隱，例如隱公元年經「冬
十有二月，祭仲來」，傳「言奔，則有外之辭也」下，《通義》解
云：

> 謹案：王臣奔他國者，皆不言「出」以示「無外」之
> 義。……《穀梁傳》以為「來朝」。劉向本治《穀梁》，其
> 上〈封事〉云：「周大夫祭伯乖離不合，出奔於魯，而《春
> 秋》為諱，不言『來奔』。」是亦取《公羊》之說為長。

顨軒以劉向在〈封事〉中的文句，證明《公羊》論點，而反對《穀
梁》「來朝」之說。又如桓公十二年經「十有二月，及鄭師伐宋。
丁未戰於宋」，傳「嫌與鄭人戰也」下，顨軒解云：

> 《解詁》曰：「時宋主名不出，不言伐，則嫌內微者與鄭人
> 戰於宋地，故舉伐以明之。宋不出主名者，兵攻都城與郎同
> 義。」（顨軒）謹案：此經詭例，「戰」、「伐」兩舉，特

> 恐學者疑惑為與鄭戰。而《穀梁》乃正以為與所與伐者戰，
> 亦可謂「不善讀《春秋》矣」。《左傳》曰：「公欲平宋、
> 鄭。秋，公及宋公盟于句瀆之丘。宋成未可知也，故又會于
> 虛；冬，又會于龜。宋公辭平，故與鄭伯盟于武父，遂帥師
> 而伐宋，戰焉。」與此傳合。㉔

這次的事件，《解詁》所釋隱晦不明，所以㢱軒特別引用《左傳》
之敘事印證《公羊》傳文，並且提出自己的看法認為：經文之所以
用特殊的行文（「詭例」）書寫記事，是要避免「學者疑惑為與鄭
戰」，而《穀梁》果然就如此認為，㢱軒遂批評《穀梁》：「不善
讀《春秋》。」孔廣森對於《左》、《穀》二傳的援引態度，我們
在此可清楚見及，對於《左》、《穀》二傳，㢱軒或取或捨，或贊
同或批評，全然以「經文義旨」之推求為要務而取論之。至於《公
羊傳》，㢱軒除了在《公羊通義·敘》（頁 9），大力疾呼「《公
羊》之義長，《春秋》重義不重事，斯《公羊傳》尤不可廢」外，
在《通義》一書中，更是旁徵博引諸家之說，務求張皇《公羊》之
義旨。㉕

㉔ 何休注、徐彥疏：《春秋公羊傳注疏》云：「戰不言伐，此其言伐何？辟嫌
也。惡乎嫌？嫌與鄭人戰也。」（臺北：藝文印書館，1997 年），卷 5，頁
11b。

㉕ 㢱軒博通諸經傳，其注《公羊》，往往引其他經傳之義以證《公羊》之說，
務求突顯《公羊》持理之正。例如：隱公二年傳「辭窮者何？無母也」下，
㢱軒曰：「廣森謂《禮記》，國君取夫人曰：『請君之玉女與寡人共有敝
邑，事宗廟社稷。』」此引《禮記》之文。同條下「譏始不親迎也」，㢱軒
則注云：「廣森以《詩》考之，文王親迎於渭，韓侯迎止於蹶之里。諸侯親

此處值得注意的現象是，在《通義》一書中，孔廣森所論與《穀梁傳》有關者，除直言《穀梁》之外，還出現另一位人物——范武子。例如文公三年十二月，經「陽處父率師伐楚救江」，傳文「伐楚為救江也」下，巽軒解云：

> 范武子曰：「楚國有難，則江圍自解。」廣森謂：「將尊稱『將』，將卑稱『人』，固經之達例。然外大夫稱名氏率師，實至此始見。可見《春秋》之初，征伐自諸侯出，小事則遣微者。苟動大眾，君必親將。文、宣以後，征伐自大夫出，而貴卿率師，始接踵矣。此世變升降之端也。」

巽軒所謂「范武子」者，就是註解《穀梁傳》的范甯。巽軒此處所論，文公三年經文，范甯在《穀梁傳》下注曰：「時楚人圍江，晉師伐楚，楚國有難，則江圍自解。」值得我們注意的是，孔廣森的行文，對於范甯的《注》，在《穀梁傳》之外另以「范武子」標稱，這顯示巽軒已注意到「後世註解家的意見」，未必等同於「傳

迎，更有明文，齊風著篇，刺時不親迎……」此引《詩經》之文。又隱公元年傳「曷為襃之，為其與公盟也」下，巽軒注云：「《尚書》曰：『公曰……嗟』，泰伯也。《詩》云：『覃公惟私』，覃子也。《禮・大射》經曰：『公則釋獲大射者，諸侯之禮也。』伯子男，皆公也。」此並引諸經以證「公」為諸侯之通稱。

此外，凡有助於其說理釋義《公羊》者，不論古今，皆廣取之。其引書遍及《孟子》、《荀子》、《鹽鐵論》、《白虎通》、《潛夫論》、《說文》、《爾雅》、《經典釋文》……等典籍；其引人則鄭康成、顏安樂、胡康侯、徐彥、趙汸、顧炎武、黃道周、惠士奇等等；皆常所徵引，或與或駁。

文原義」。類似的立場也出現在對於《公羊傳》以及《公羊》學者
如董仲舒、何休等人論點的區隔上。強力主張「《公羊傳》不可
廢」，務求張皇《公羊》義旨的孔廣森，就未必贊同何休《解詁》
的意見。例如桓公四年經「紀侯大去其國」，傳「大去者何？滅
也」下，顨軒解云：

> 大去者，去不返之辭，其君出奔而國為敵有也。由齊言之則
> 為滅；由紀言之，則為大去。《春秋》因其可諱而諱之。
> 《解詁》曰：「言『大去』者，為襄公明義。」但當遷徙去
> 之，不當取而有，明亂義也。

顨軒顯然駁斥《解詁》「為襄公明義」之說，以為不當取。而顨軒
的申論：「《春秋》因其可諱而諱之」、「由齊言之則為滅；由紀
言之，則為大去」，其實兼採了《公羊傳》：「《春秋》為賢諱。
何賢乎襄公？復讎也。」及《穀梁傳》：「紀侯賢而齊侯滅之。不
言『滅』，而曰：『大去其國』者，不使小人加乎君子。」二傳的
意見而抒發。

　　孔廣森批駁何休《解詁》，並非僅見於此。桓公九年經「八月
庚申，及齊師戰於乾時，我師敗績」，傳文「復讎也」下，顨軒亦
不同意何休《解詁》之說：

> 《解詁》曰：「復讎以死敗為榮，故錄之。」（顨軒）謹
> 案：復讎者，雖不愛其死，要期於有成。豈以敗為榮
> 乎？……

《公羊傳》之「復讎說」，孔廣森對於何休所詮釋的「復讎以死敗為榮」，深不以為然。同樣在桓公九年，經「齊小白入于齊」，傳「篡辭也」下，孔廣森更直接駁論何氏之誤：

> 何氏之例：「大國篡，例月。小國，時。」又「納，亦為篡」，皆誤也。子糾正，小白不正，而一言「納」，一言「入」，不當同為「篡」。……《春秋》要自論正不正，豈分別大小國乎？故今不取。

由此可見，𪾴軒以何休《解詁》為底本，卻不見得信守何氏之說。

另一個值得玩味的問題是——張皇《公羊》義旨的孔廣森，在遇到《公羊傳》未有發論，而《春秋》經文旨義又必須有「解」的時候，𪾴軒如何處理？

以「桓無王」為例，魯桓公在位的十八年內，只有首尾兩年及二年、十年共四次經文有書「『王』正月」，其餘十四年的起始經文都沒有書「王」。《公羊傳》對此並無特別發論，甚至在《公羊傳》裏完全不曾提及過「桓無王」的說法，「桓無王」事實上見於《穀梁傳》。孔廣森在桓公三年經「春正月，公會齊侯于嬴」下，特別提到：

> 《公羊》都不言「桓無王」之義，今取《穀梁》為說。……十八年有「王」，《穀梁》無傳。何邵公以為：「桓公之終也。」蓋惡桓之深，若曰「今而後乃復有王」云爾。董仲舒曰：「桓之志無王，故不書王。其志欲立，故書即位。書即

位者，言其弒君兄也。不書王者，以言其背天子。是故『隱
不言立，桓不言王』者，從其志以見其事也。從賢之志以達
其義，從不肖之志以著其惡。由此觀之，《春秋》之所善，
善也；所不善，亦不善也，不可不兩省也。」

關於《公羊》無論，而《穀梁》有說者，顨軒雖然引《穀梁》之說
以解《春秋》，卻不忘參列《公羊》學者董仲舒、及何休的意見；
關於援引董、何二人之說，孔廣森此處其實暗藏玄機。

何休桓公三年此段經文下之《解詁》，原文是：

無王者，以見桓公無王而行也。二年有王者，見始也。十
八年有王者，數之終也。十八年有王者，桓公之終也。明終始有
王，桓公無之爾。不就元年見始者，未無王也。二月非周之
正月，所以復去之者，明《春秋》之道，亦通於三王，非主
假周以為漢制而已。

這麼一大段文字，顨軒卻輕描淡寫只以一句：「何邵公以為桓公之
終也」加以帶過。有關何氏分別就桓公二年、十年、十八年書
「王」所發之議論，以及何氏所強調的「明《春秋》之道，亦通於
三王，非主假周以為漢制而已」，顨軒顯然未予理會。

至於董仲舒之說，孔廣森所引文字，見於《春秋繁露・玉英
篇》。〈玉英〉裡董仲舒有關「桓無王」的這段議論，包括董氏對
這件事的個人見解：《春秋》「從賢之志以達其義，從不肖之志以
著其惡」，以及董氏治《春秋》所強調的「兩省」之法……等。孔

廣森將它一字不漏，如實抄錄。

本文認為，孔廣森《公羊通義》處理董、何二人論點的方式，並非偶然。這種情形，在顨軒同時援引董、何二人之說以釋解《春秋》經義時，尤為明顯。此外，僖公十五年九月，經「己卯晦，震夷伯之廟」，傳「何以書？記異也」下，顨軒云：

> 董仲舒說：「陪臣不當有廟，晦冥雷擊其廟，明當絕去僭差之類也。」廣森以為：季氏專魯，其弊極於陪臣執國命，故天於季友將卒，震其私人之廟以示戒。若曰：「勿使季氏世卿位，將害於而國，凶於而家。」明年友卒，魯君不寤，復卿其子。天垂象見吉凶，其端在數十年之前，而應變于易世之後。

孔廣森在此處引用了董氏「《春秋》記災異，旨在明人事」的觀點，以印證自己的看法，並進一步加以申論，卻全然未語及何休在《解詁》中的相關論述。事實上，何休《解詁》在同一條傳文下亦有說：

> 此象桓公德衰，強楚以邪勝正。僖公蔽於季氏，季氏蔽於陪臣，陪臣見信得權，僭立大夫廟，天意若曰蔽公室者，是人也，當去之。

何休《解詁》是孔廣森《通義》所用之底本，顨軒引用董仲舒的論點來強化己說，對於何休《解詁》中同一條經傳的註解文字，顨軒

竟隻字未提。

　　犖軒在《通義》中，多處直引「董仲舒曰」作為立論之據，而未有批駁。事實上，犖軒會通三傳以取經義的作風，亦與董仲舒相合。

　　董仲舒的《春秋》學，遠早於漢代經學今、古文之爭。其治學目標，亦以詮釋《春秋》經文義旨為目的。雖然董氏以《公羊》一系論者的解經觀點為基礎，卻不排斥他派《春秋》學者的意見，董仲舒治論《春秋》經義，出於公羊氏而不限於《公羊傳》，董仲舒治論《春秋》經義的材料，並不限於《公羊》傳文所論。追溯董氏論義釋理所依循的原始史料，我們可以發現，其中與《左氏春秋》的敘事頗有相合；在董仲舒的《春秋》學內容裏，也可以見到《穀梁傳》所釋解的經義，甚至與《穀梁傳》行文幾近相同的論理文句。

　　《三傳》對事理的分析，各有其觀察角度和側重要項，以致所見各有專隅；「論點相異」，並非代表「論點對立」，有時，相異的論點，還能互為補充，相得益彰。在董仲舒的《春秋》學裏，對於《春秋》經義的詮釋，「兼合《三傳》」而互相為用，為「會通《三傳》以取經義」作了明確的示範。❷⑥

　　由《公羊通義》所援引的董、何二人論點，可以清楚看出，孔廣森對待董、何二人之說的態度並不相同。

---

❷⑥　有關董仲舒「會通三傳以取經義」之實例，以及董氏《春秋》學解經方法之運用，在《春秋》學史上所代表的意義與價值。詳見楊濟襄：《董仲舒春秋學義法思想研究》，第二章。

荖軒引何休《解詁》，未必盡為同意何氏之說，甚至有明文駁斥其非的情況。《通義》與《解詁》同為《公羊》「註經體」體裁的著作，而董仲舒的《春秋》學論著，則是以「評論體」酣暢行文；「註經體」著作，方便後學者逐條翻引；「評論體」著作，後學者閱讀時，則必須先考證出該段評論所言為何年何事，而後才能加以對照引用。荖軒《通義》依經傳逐條注釋，在相關經傳的說解上，荖軒慣常引用董氏之說，顯示孔廣森於董氏之《春秋》學，亦有深研。董氏立論被引述時，多為長篇採錄，資為輔證，這顯見孔廣森心目中對於董學的信服。同為「註經體」，方便《通義》引述的何休《解詁》，荖軒在引用時，卻反而顯得斟酌與保守，甚至完全不加採錄。

本文認為，孔廣森對《春秋》「以『義』為質」的認識，及荖軒「會通《三傳》以取經義」的解經手法，和西漢大儒董仲舒符契相合，正是這種現象背後，最關鍵的支撐理由。

㈣ 「三科九旨」新論

1.孔廣森之前的「三科九旨」

以「科」、「旨」的方式，論《春秋》者，始於西漢董仲舒。董仲舒治《春秋》，首重《春秋》大義之發凡。《春秋》大義散見於《春秋》二百四十二年的記事文辭之中，董氏分別以「六科」、「十指」來加以歸納。

「六科」見於《春秋繁露·正貫》篇：

> 《春秋》，大義之所本耶！六者之科，六者之旨之謂也。然後援天端，布流物，而貫通其理，則事變散其辭矣。故誌得

> 失之所從生，而後差貴賤之所始矣。論罪源深淺，定法誅，
> 然後絕屬之分別矣。立義定尊卑之序，而後君臣之職明矣。
> 載天下之賢方，表廉義之所在，則見復正焉耳。幽隱不相
> 逾，而近之則密矣，而後萬變之應無窮者。故可施其用於
> 人，而不悖其倫矣。

「六科」的內容並不是將義法分為六大類，而是指出《春秋》義法
的彰顯目的和作用。我們由「六科」可以看出，董仲舒在彰顯《春
秋》義法時所寄寓的期許，與社會秩序的建立有莫大的關係。在董
仲舒的眼中，《春秋》並不是過時的史蹟，而是傳自於聖人，「應
萬變之無窮」、「施用於人，不悖其倫」的常理與智慧。

「十指」見於《春秋繁露·十指》篇：

> 《春秋》二百四十二年之文，天下之大，事變之博，無不有
> 也。雖然，大略之要有十指。十指者，事之所繫也，王化之
> 所由得流也。舉事變，見有重焉，一指也。見事變之所至
> 者，一指也。因其所以至者而治之，一指也。強幹弱枝，大
> 本小末，一指也。別嫌疑，異同類，一指也。論賢才之義，
> 別所長之能，一指也。親近來遠，同民所欲，一指也。承周
> 「文」而反之「質」，一指也。木生火，火為夏，天之端，
> 一指也。切刺譏之所罰，考變異之所加，天之端，一指也。

「十指」與「六科」內容並不相同。「六科」所言為《春秋》
義法的目的和作用，「十指」則顯然是治學《春秋》，舉得義旨的

方法。

我們必須指出，董氏所論之「六科」、「十指」，與後來何休以下之《公羊》學家所言之「三科九旨」，在內容上並不相同。後世《公羊》學有所謂「三科九旨」之說，「三科九旨」這個專名，見於徐彥的疏文，而未見於《公羊傳》。徐彥《疏》提到：

> 問曰：「《春秋說》云：『《春秋》設三科九旨。』其義如何？」答曰：「何氏之意，以為三科九旨正是一物；若總言之，謂之三科，科者，段也；若析而言之，謂之九旨，旨者，意也。言三個科段之內，有此九種之意。故何氏作《文諡例》云：『三科九旨』者：『新周，故宋，以《春秋》當新王，此一科三旨也。』又云：『所見異辭，所聞異辭，所傳聞異辭，二科六旨也。』又『內其國而外諸夏，內諸夏而外夷狄，是三科九旨也。』」（徐彥於何休《解詁》「隱公第一」下《疏》）

關於「三科九旨」，徐彥《疏》另外提及緯書《春秋說》之宋氏《注》文亦有一說，其文曰：

> 三科者，一曰：張三世，二曰：存三統，三曰：異外內，是三科也。九旨者，一曰：時，二曰：月，三曰：日，四曰：王，五曰：天王，六曰：天子，七曰：譏，八曰：貶，九曰：絕。時與日月，詳略之旨也；王與天王天子，是錄遠近親疏之旨也；譏與貶絕，則輕重之旨也。

以「三科」而言，宋氏《注》與何休之說可以相應：何休的「所見異辭，所聞異辭，所傳聞異辭」與宋氏《注》之「張三世」一科相應；而何休的「新周，故宋，以春秋當新王」，則是與「存三統」一科相應；至於「內其國而外諸夏，內諸夏而外夷狄」，則與「異內外」一科相應。然而，以「九旨」來說，宋氏《注》的「九旨」與何休的「九旨」，就顯然不同。宋氏《注》的「三科」與「九旨」，內容分別各有所指，與何休「九旨」寓於「三科」之中，「三科九旨正是一物」，並不相同。

若先不論董仲舒的「六科」、「十指」，那麼，《公羊》學「三科九旨」一詞，在孔廣森之前，至少有二種解釋方式：一為何休《文諡例》所言「三科九旨正是一物」，在「張三世、存三統、異內外」之中，析出「九旨」；另一為宋氏注緯書《春秋說》所言，其「三科」之實質內容與何休同，但「九旨」別有所指。民國·柯劭忞便根據這二種說法而推論，所謂「三科」（何休與宋氏論點相同之處），是《公羊》學的觀點；而「時、月、日、王、天王、天子、譏、貶、絕」，這「九旨」應是《穀梁》學的內容。❷

依徐彥所言，何休的「三科九旨」之說，乃是總論「新周，故宋，以《春秋》當新王」、「所見異辭，所聞異辭，所傳聞異辭」、「內其國而外諸夏，內諸夏而外夷狄」這三段內容中的九種含意。

以字面名稱來說，「新周，故宋，以《春秋》當新王」出自於

---

❷　詳參柯劭忞：《春秋穀梁傳注·序》（臺北：力行書局，1970年），頁 1b。

董仲舒「三統說」❷。「所見異辭，所聞異辭，所傳聞異辭」、「內其國而外諸夏，內諸夏而外夷狄」，則是出自《公羊傳》傳文。❷然而，究其實質，何休將「三科九旨」闡發為「內其國，假魯以為京師」、「託隱公以為始受命王」的「王魯」，以及因為「王魯」，而以「君恩之殺」解釋《公羊傳》「所見、所聞、所傳聞」三世之遠近，並且由「亂世」、「升平世」、「太平世」的程序，去推演《春秋》史實的進化歷程。這樣的內容，已經和董仲舒、乃至《公羊傳》的相關文字，有了完全不同的詮釋。❸

2.孔廣森重新詮釋「三科九旨」

⑴孔廣森「三科九旨」的內容

孔廣森所云之「三科九旨」，又與何休、宋氏之說不相同。《公羊通義·敘》云：

---

❷　董仲舒：《春秋繁露·三代改制質文》：「《春秋》應天作新王之事，時正黑統，王魯，尚黑，絀夏，親周，故宋，樂宜用韶舞，故以虞錄親，制爵宜商，合伯、子、男為一等。」（臺北：臺灣商務印書館，1968 年），卷 7，頁 107。

❷　「所見異辭，所聞異辭，所傳聞異辭」之文，在《公羊傳》傳文中三見，分別是隱公元年、桓公二年、哀公十四年傳。卷 1，頁 23a；卷 4，頁 5a；卷 28，頁 12a。
「內其國而外諸夏，內諸夏而外夷狄」之文，出現在《公羊傳》成公十五年傳文之中。《公羊》成公十五年經：「冬，十有一月，叔孫僑如會晉士燮、齊高無咎、宋華元、衛孫林父、鄭公子鰍、邾婁人，會吳于鍾離。」傳云：「曷為殊會吳？外吳也。曷為外也？《春秋》內其國而外諸夏，內諸夏而外夷狄。」

❸　有關公羊學關鍵論題——《公羊傳》、董仲舒、何休三者之比較，請詳見楊濟襄：《董仲舒春秋學義法思想研究》，第五章。

《春秋》之為書，上本「天道」，中用「王法」，下理「人情」。不奉「天道」，「王法」不正；不合「人情」，「王法」不行。天道者，一曰時、二曰月、三曰日。王法者，一曰譏、二曰貶、三曰絕。人情者，一曰尊、二曰親、三曰賢。此「三科九旨」既布，而壹裁以「內外之異例」，「遠近之異辭」。錯綜酌劑，相須成體。凡傳《春秋》者三家，粵唯公羊氏有是說焉。（《公羊通義·敘》，頁1）

孔廣森明言：凡傳《春秋》者三家，唯公羊氏有「三科九旨」之說。而《三傳》中，顨軒最尊《公羊》，在孔廣森的心目中，《公羊》通經傳義，實際上，便是三科九旨「錯綜酌劑，相須成體」的成果。所謂「內外之異例」、「遠近之異辭」，實質上都是圍繞著「三科九旨」為總綱，所鋪排而成的行文變化。

①《春秋》於「時、月、日」的行文考量，與「天道」相和

孔廣森推求《春秋》之名，認為孔子沿用魯史《春秋》之名，必定寓有涵義。他於是緣沿「春」、「秋」二季時令之義，由天道四時，推闡聖人著經成書，下筆行文之際，於日月時令必有重視和謹慎。

《春秋》雖魯史舊名，聖人因而不革，必有新意焉！「春」者，陽中萬物以生；「秋」者，陰中萬物以成，善以春賞，惡以秋刑，故以是名其經。……春以統王，王以統月，月以統日，《春秋》所甚重甚謹者，莫若此。（《公羊通義·敘》，頁6）

這樣的想法，履踐於解經釋義，必然孜孜矻矻於推敲經文中，各項記事的記「時」方式——書「日」？書「月」？書「時」？各代表什麼樣的意含。

> 《春秋》之序事甚簡，稱言甚約，記戰伐知戰伐而已，不知其師之名；記盟聘知盟聘而已，不知其事之為。若乃情狀委曲，有同功而異賞，亦殊罪而共罰，抑揚進退要當隨文各具，非可外求；但據記事一言，終無自尋其抑揚進退之緒，誠求諸繫時、繫月、繫日，繫殺之不相襲，則其明晰有不啻若史傳之論贊者。東山趙氏嘗言之曰：「事以日決者，繫日；以月決者，繫月。踰月則繫時，此史氏之恆法也。」（《公羊通義·敍》，頁4）

當然，這樣的書寫，若果真代表某種涵義，其結果必定趨向於「文字條例」的歸納，猶如史官之史筆。孔廣森信奉「繫時、繫月、繫日」為「史官之恆法」，因此這一部份的經文分析，我們可以看到，顨軒所秉持的態度是「史之所書，或文同事異、事同文異者，則假『日』、『月』以明其變，決其疑」，而這種態度其實是稟承自元代《春秋》學者趙汸的觀點而來：

> 孔子之修《春秋》也，至於上下內外之無別，天道人事之反常，史之所書，或文同事異、事同文異者，則假日月以明其變、決其疑。大抵以日為詳，則以不日為略；以月為詳，則以不月為略。其以不日為恆，則以日為變；以日為恆，則以

不日為變，甚則以不月為異。其以月為恆，則以不月為變，以不月為恆，則以月為變，甚則以日為異。將使學者屬辭比事，以求之其等，衰勢分甚嚴，善惡淺深，奇變極亂，皆以「日」、「月」見之，如示諸掌。善哉！自唐迄今，知此者惟汸一人哉。（《公羊通義·敘》，頁5）

孔廣森對於趙汸「事以日決者，繫日；以月決者，繫月。踰月則繫時」的觀點深表認同。順著「時、月、日」的行文考量，《春秋》「善惡淺深，奇變極亂」之義，皆可「如示諸掌」。顨軒甚至以為，「自唐迄今，知此者惟汸一人」。

摧舉其概，「及齊平」、「及鄭平」，均「平」也，而一信一否，月、不月之判也。「郯伯姬來歸」、「杞伯姬來歸」，均「出」也，而一有罪、一無罪，月、不月之判也。「城楚邱」之不嫌於內邑，以其月也。「晉人執季孫行父」，何以別於「齊人執單伯」？以其月也。「晉侯入曹」，何以別於「宋公入曹」？以其日也。「武宮亦立」、「煬宮亦立」，而知季孫隱如之為之者，以其不日也。「諸侯相執」例時，始見於宋人；執滕子嬰齊，則惡而月之。「公如」例時，襄、昭如楚，則危而月之。「會」例時，終桓公之篇，悉危而月之，可得而謂無意乎？（《公羊通義·敘》，頁5）

孔廣森比較《春秋》經文類似事件的行文方式，歸納日期的書寫與

否，所可能具有的特殊意義。他以「及齊平」、「及鄭平」，均以「平」字行文為例，二次事件一信一否，所差別的只有經文一則書「月」，一則「不月」；同樣的例子，還有「郯伯姬來歸」與「杞伯姬來歸」，同樣以「來歸」示「出」，二次事件一有罪，一無罪，所差別的也是經文一則書「月」，一則「不月」。由《公羊通義・敘》所云，我們可知孔廣森著重的，只是在經文事件行文敘述上，討論關於「時、月、日」的記敘方式是否寓託深義；㢅軒並沒有將這種變化依附於「三世異辭」之意。與何休《解詁》將《春秋》經文依「三世」歸結為三階段式的條例變化相比，㢅軒在「時、月、日」筆法上的討論，與何休仍有不同。

②《春秋》於「譏、貶、絕」的行文尺度，與「王法」相應

有關於「譏、貶、絕」的行文，在《春秋》經文的書寫上，並沒有出現「譏」、「貶」、「絕」的字眼，所謂的「譏」、「貶」、「絕」，其實是經過詮釋之後所得到的義旨。

孔廣森在《公羊通義・敘》提到，《春秋》「譏、貶、絕」為「撥亂之術」：

> 「禮」，生殺不相悖，天以成其施；刑賞不偏廢，王以成其化。非《春秋》孰能則之？撥亂之術，譏與貶、絕，備矣。（《公羊通義・敘》，頁8）

孔廣森認為《春秋》大義，由「天道」落實於「王法」，具體表現在《春秋》「譏」、「貶」、「絕」的文旨上。所以，㢅軒對於《春秋》「譏」、「貶」、「絕」的筆法，便直接視之為「撥亂之

術」；也就是說，《春秋》「譏」、「貶」、「絕」的行文尺度，實際上是聖人「王法」社會中，道德價值觀的呈現。孔廣森以「天道」為《公羊》學「三科」之第一科，以「王法」為第二科；由本文前述可知，所謂「天道」，是指《春秋》行文在「時、月、日」記載上的講究；而此處所言之「王法」，則強調人事禮度儀軌的建立。顨軒在《公羊通義·敘》所言之「不奉天道，王法不正」，隱公十一年經「冬十有一月壬辰，公薨」，傳文「隱何以無正月？隱將讓乎桓，故不有其正月也」下，我們可以同時看到孔廣森對於「天道時月」與「王法禮度」的詮釋：

> （顨軒）謹案：《穀梁傳》亦曰：「隱十年無正，隱不自正也。」元年有正者，言乎隱之非正，以文王之正月治之，而公不敢即位也。《春秋》之教莫大乎「五始」，凡事不正其始，必不善其後，隱公是已。魯人但知隱母繼室，禮同夫人，且桓母後娶，乃君子必能決其尊卑於微者；仲子始娶即貴，聲子始媵後貴，亦唯辨之於始焉爾。《易》說曰：「君子慎始。」《盛德記》曰：「明堂，天法也；禮度，德法也。」故能審「五始」之義，則天法無不順，禮度無不明，萬物由是可得而正矣。

顨軒以為：能審「五始」之義，則禮度無不明。「《春秋》之教莫大乎五始」，顨軒所謂「《春秋》之教」的內涵與意義，顯然指的是「王法禮度」，亦即在「譏」、「貶」、「絕」這些筆法背後，所寓含的《春秋》大義。《春秋》筆意所及，可見「王法」之誅

絕，例如：桓公六年《公羊傳》討論有關魯桓公世子同誕生（即後來的魯莊公）的經文書寫方式，孔廣森便藉著這個機會，也發表了他對這件事的看法。桓公六年經「九月丁卯，子同生」，傳文「久無正也。子公羊子曰：『其諸以病桓與』」下，顨軒云：

> 蕭楚曰：「桓公以太子之禮舉之，史必書『世子』。孔子修《春秋》，去其『世』字耳。桓公弑兄竊國，王法所誅絕，故於同生不書『世』，言不得繼世享國也。齊襄既卒，而糾書『子』焉，則知其與也；魯桓存而同書『子』焉，則知其譏也。故曰：美惡不嫌同辭。」（顨軒）謹案：《春秋》之法，誅君之子不立，內無絕於公之道。然奪其『世』，所以起賤桓，蓋微文也。

孔廣森此處引用蕭楚所言，強調「《春秋》之法，誅君之子不立」，「桓公弑兄竊國，王法所誅絕」，《春秋》經文不以「世子」稱呼桓公之子同，就是藉著微文譏貶顯示「賤桓」之義，來突顯「弑君」一事為王法所誅絕。此外，莊公元年經「三月，夫人孫于齊」，傳文「貶，不與念母也」下，何休《解詁》以「見王法所當誅」來詮釋經文「夫人孫于齊」有譏貶之意，孔廣森將這段文字完整抄錄於《通義》之中：

> 《解詁》曰：念母則忘父，背本之道也。故絕文姜不為不孝，距蒯聵不為不順，齊靈社不為不敬，蓋重本尊統，使尊行於卑，上行於下。貶者，見王法所當誅。至此乃貶者，並

> 不與念母也。又欲以孫為內見義,明但當推逐去之,亦不可
> 加誅,誅不加上之義。

《公羊傳》揭櫫經文「夫人孫于齊」之寫法有「貶斥」之意,何休
特別提示「貶者,見王法所當誅」,所謂「重本尊統」——「使尊
行於卑,上行於下」,這種社會秩序,便是孔廣森所強調的「王
法」。將《春秋》經傳的行文筆意,透過王法秩序來詮釋,同樣亦
見於僖公二年經「春王正月,城楚丘」,傳文討論「諸侯之義,不
得專封」,在「力能救之,則救之可也」句下,孔廣森云:

> 《春秋》書「執人之君」、「滅人之國」者,著其無王,罪
> 之也。至恩惠之事,諸侯擅之,雖未足以傾周,皆削而不
> 書,冀後之君子觀其所書,而知天下之所以亂;索其所不
> 書,而知王之所以存。

「觀其所書,而知天下之所以亂;索其所不書,而知王之所以
存」,無論是「著其無王」,或是「削而不書」,孔廣森將「譏、
貶、絕」繫於《春秋》之義,我們可以從顨軒的行文看出,顨軒對
「譏、貶、絕」的詮釋,終究是以「王法」的落實為其考量。孔廣
森在《公羊通義·敘》中,甚至以張揚「譏、貶、絕」行文中的
「王法」旨意,為閱讀《春秋》經之重要方法:

> 譏、貶、絕,不概施,每就人情所易惑者,而顯示之
> 法。……公子結專其所可專,得免於貶,雖於名氏之外,未

有加焉，固已榮矣。鄭襄公背華附楚，賤之曰：「鄭伐許」，與「吳伐郯」、「狄伐晉」無以異，至其子悼經興戎，則正言之曰：「鄭伯伐許。」以為不待貶絕爾。……《傳》曰：「《春秋》不待貶絕而罪惡見者，不貶絕以見罪惡也。貶絕然後罪惡見者，貶絕以見罪惡也。」又曰：「《春秋》見者不復見。」皆讀此經之要法也。（《公羊通義·敘》，頁7）

觀察經文記事「書」與「不書」的微妙，思考《公羊傳》闡釋經旨所言之「《春秋》不待貶絕而罪惡見者，不貶絕以見罪惡也。貶絕然後罪惡見者，貶絕以見罪惡也」，才能深窺《春秋》行文筆意中所寄寓的「王法」。孔廣森在莊公二十八年經「臧孫辰告糴于齊」，傳文「一年不熟告糴，譏也」下，強調：

> 蓋以為《春秋》之文，非徒見刺譏而已，將使後之王者，關於告糴之譏，知未荒而備之。

顨軒再次申明，經學的本質，不在史料的留存，而在道德價值觀的闡揚，《春秋》於「譏、貶、絕」的行文尺度，與「王法」相應，目的不在於如實保留魯國的禮制史料，而是期待「後之王者」觀《春秋》以自省，藉由《春秋》的「譏、貶、絕」去領悟，身為王者所應該具有的行事風範。

③《春秋》於「尊、親、賢」的行文顧慮，與「人情」相從

《公羊傳》在閔公元年經「冬，齊仲孫來」下云：「《春秋》

為尊者諱，為親者諱，為賢者諱」。「諱」是「微言」中的一種寫法，基於「尊尊」、「親親」、「賢賢」而發，《公羊傳》明訂了三種「諱」筆的對象：「尊者、親者、賢者」。「為尊者諱」的考量點，是身份貴賤的問題；「為親者諱」的考量點，是血緣親疏的問題；「為賢者諱」的考量點，則是道德典範是否被摧毀的問題。

孔廣森《通義》在《公羊傳》閔公元年「《春秋》為尊者諱，為親者諱，為賢者諱」下，注曰：

> 為尊者諱，諱所屈也；「內不言敗」、「盟大夫不稱公」之類是也。為親者諱，諱所痛也；「弒而曰薨」、「奔而曰孫」之類是也。為賢者諱，諱所過也。「諱」與「譏」之為用，一也。其事在「譏」之限，其人在「尊親賢」者之科，然後從而諱之，三者道通例耳。……《春秋》之「諱」，必使文不沒實。

顯然，孔廣森認為：《春秋》「諱」與「譏」的行文目的，都是在張揚「王法」。巽軒以「人情」為《公羊》學的「第三科」，「不合人情，王法不行」（《公羊通義·敘》），人情的考量，就在於《春秋》行文在「尊、親、賢」這三種身分上的斟酌。

孔廣森在《公羊通義·敘》，特別針對《春秋》「尊、親、賢」的行文顧慮提出討論：

> 聞之有虞氏貴德，夏后氏貴爵，殷、周貴親，《春秋》監四代之合模，建百王之通軌，尊尊親親而賢其賢。尊者有過，

是「不敢譏」；親者有過，是「不可譏」；賢者有過，是
「不忍譏」，爰變其文而為之諱，諱猶譏也。（《公羊通
義·敘》，頁8）

基於「不敢譏」、「不可譏」、「不忍譏」而有隱諱之筆，事實
上，這種隱諱的筆法，若是以「隱過」為目的，那麼，聖人便不須
大費周章地「變其文而為之諱」；顨軒以「人情」來詮釋《春秋》
之「諱」筆，並且直接指出：「諱猶譏也」。《春秋》「為尊者
諱，為親者諱，為賢者諱」的目的，不在「隱過」，而在「譏
刺」。因為身份的考量，《春秋》才以更恰當的文筆來書寫其事，
但無論如何，「《春秋》之『諱』，必使文不沒實」。

以「人情」言《春秋》「尊、親、賢」之諱筆，並且納入《公
羊》學「三科九旨」之中，這是孔廣森的發明。不過，以「人情」
詮釋《春秋》筆法，孔廣森並非第一人，董仲舒在《春秋繁露·楚
莊王》裏，已經提出「人情」是詮釋《春秋》經文的重要因素：

《春秋》分十二世以為三等：有見，有聞，有傳聞。有見三
世，有聞四世，有傳聞五世。故哀、定、昭，君子之所見
也。襄、成、文、宣，君子之所聞也。僖、閔、莊、桓、
隱，君子之所傳聞也。所見六十一年，所聞八十五年，所傳
聞九十六年。於所見微其辭；於所聞，痛其禍；於傳聞，殺
其恩。與情俱也。……屈伸之志，詳略之文，皆應之。吾以
其近近而遠遠，親親而疏疏也，亦知其貴貴而賤賤，重重而
輕輕也。（〈楚莊王〉）

董仲舒以「與情俱也」去解釋經文的書寫態度，看出何以經文在三世之事的敘述上，書寫方式會有「微其辭、痛其禍、殺其思」的差異。董氏認為，《春秋》經文於「所見世」表達褒貶，因事件人物都在當世，所以用「微辭」隱晦地陳述；於「所聞世」表達褒貶，因為時間相去未遠，事情的來龍去脈可以掌握得清楚，所以往往痛心地指陳出其中的禍事；至於更遙遠的「所傳聞世」，由於史料未必詳盡，對於所欲表達的史事與褒貶，若是文獻足徵，就不須要再有太多的顧忌和隱晦。同時，董氏也把時間遠近對經文記載用詞的影響，由「屈伸之志」與「詳略之文」二方面去考量，並把這些因素一起置於經文寓含的「近近遠遠」、「親親疏疏」、「貴貴賤賤」等行文的考量之中。

我們可以發現，董仲舒以「人情」去詮釋的筆法，著重於《公羊傳》所提到的「所傳聞世」、「所聞世」、「所見世」，這三世在行文筆觸上的差異；而孔廣森納入「三科九旨」的「人情」，則集中於《公羊傳》「為尊者諱，為親者諱，為賢者諱」這三種身分上的詮釋。二者雖然都重視《春秋》筆法中的「人情」，實際上，其側重點並不相同。

孔廣森謂「三科九旨」，是在釋義的目的下，試圖歸類《春秋》經文的寫作筆法；除了第一科「時、月、日」，接近何休《解詁》「三世異辭」的條例變化外，其餘二科，「譏、貶、絕」，「尊、親、賢」，其實是由《春秋》經文的寫作筆法，窺探《春秋》行文下筆的尺度和顧慮。孔廣森所論之「三科」，目的在揭示掌握《春秋》義旨的方法，而所謂之「九旨」，其實是「三科」內容的進一步說明，簡言之，孔廣森的「三科」與「九旨」，一為

綱，一為目，二者並無不同。至於何休的「三科九旨」，雖然也是「三科」、「九旨」同為一物，然而與顨軒所論之「天道、王法、人情」相較，二者綱目顯然不同；反倒是宋氏說的「三科」與「九旨」值得我們注意，宋氏所云之「三科」與何休相合，而與顨軒不類，於此，我們不再贅論；但是宋氏所謂的「九旨」：「時、月、日、王、天王、天子、譏、貶、絕」，與顨軒「時、月、日；譏、貶、絕；尊、親、賢」的相類，二者究竟是偶合？或是別有關係？本文認為有再一步釐清之必要。

(2)孔廣森對於「王魯」、「三世」的看法

①「王魯」

孔廣森亦同意《春秋》實乃「假天子之事」，含君子所託「新義」。隱公元年經「三月，公及邾婁儀父盟於眛」，傳「褒之也」下，孔廣森表示了他的看法：

> 《春秋》假天子之事，設七等之科，所善者進其號，所惡者降其秩。君子雖有其德，苟無其位，諸侯大夫之功罪，非匹夫得而議也。是故以文王之法臨之而黜陟焉。孟子曰：「《詩》亡然後《春秋》作。」《詩》有美刺，《春秋》有褒貶，其義一也。

隱公三年經「夏四月辛卯，尹氏卒」，傳「諸侯之主也」下，孔廣森同樣也提到：

> 魯史本有其卒，但舊文書名，今更之曰：尹氏，則君子所託

新義爾。凡治《春秋》，皆當以此意求之。

在《公羊通義·敘》一開始，𫘤軒亦表達他對《春秋》的認知是「因衰世之宜，定新國之典」：

> 因衰世之宜，定新國之典，寬於勸賢，而峻於治不肖，庶幾
> 風俗可漸更，仁義可漸明，政教可漸興。烏呼託之？託之
> 《春秋》！（《公羊通義·敘》，頁1）

然而，他卻堅持反對「王魯」一辭。隱公元年經「七月，天王使宰咺來歸惠公仲子之賵」，傳「仲子微也」下，何休《解詁》云：

> 所傳聞世，外小惡不書，書者來接內也。《春秋》王魯，以
> 魯為天下化首，明親來被王化漸漬禮義者，在可備責之域，
> 故從內小惡舉也，主書者從不及事也。

何休言「王魯」，顯然視魯為一實存之王朝，故曰：「以魯為天下化首，明親來被王化漸漬禮義。」孔廣森對於這一則經傳，只云：

> 《解詁》云：所傳聞世，外小惡不書。書者，來接內也；主
> 書者，不及事也。

我們若比照𫘤軒所引之《解詁》，與何休原文對照，就可以看出孔廣森正好略去中間「王魯」一段，而首尾尚存。另外，宣公十六年

經「成周宣榭災」，傳「新周也」下，何休《解詁》云：

> 孔子以《春秋》當新王，上黜杞，下新周而故宋。因天災中
> 興之樂器，示周不復興，故繫宣榭於成周，使若國文，黜而
> 新之，從為王者後，記災也。

顨軒卻認為：

> 治《公羊》者，舊有新周故宋之說，新周雖出此傳，實非如
> 註解。故宋絕無，又唯《穀梁》有之，然亦尤不相涉。是以
> 晉儒王祖游譏何氏黜周王魯，「大體乖剌」，志通《公羊》
> 而往往還為《公羊》疾病者也。

類似的批評，也出現在《公羊通義·敘》：

> 黜周王魯，以《春秋》當新王云云之說，皆絕不見本傳，重
> 自誣其師。（《公羊通義·敘》，頁1）

事實上，「王魯」之說並非始於何休，而是出自董仲舒「三統
說」。

「三統說」是董仲舒的歷史觀，以黑統、白統、赤統循環反
覆，將朝代之遞嬗視為三統之循環，王者繼位之後，新王朝之度制
必須改制以應天，表示新王乃受天命而立，董仲舒在〈三代改制質
文〉云：

　　故《春秋》應天作新王之事，時正黑統，王魯、尚黑，紬
　　夏、親周、故宋，樂宜招武，故以虞錄親，樂制宜商，合
　　伯、子、男為一等。

董氏所云之「王魯」，其義實為：孔子藉《春秋》記事之褒貶，呈
現王者行事應有的氣象和風度。董仲舒在《春秋》中看出「王道」
之義，由《春秋》之記事，歸納出理想的新王朝所擁有的度制。董
氏所言，與孔廣森對《春秋》的認知：「因衰世之宜，定新國之
典」，其實是一致的。顨軒所反對的「王魯」，實乃何休以「三世
進化」：「亂世、升平世、太平世」指陳魯國王朝十二公，「託隱
公以為始受命王」之「王魯」。

　　《繁露·奉本》「緣魯以言王義」蘇輿注文之下，王先謙曰：

　　如董所云，則《春秋》託魯言王義，未嘗尊魯為王，黜周為
　　公、侯也。何氏直云「王魯」，遂啟爭疑。

即明白指出董、何二人「王魯」說之不同；由此，也可看出孔廣森
對於《春秋》的認知與董仲舒較為一致。

　　②「三世」
　　孔廣森對於《公羊》學「三世」說的認知，不同於董仲舒將
「十二世」分為三等，以「見三世」、「聞四世」、「傳聞五世」
去解釋《公羊傳》所云之「所見、所聞、所傳聞」❸❶。在《公羊

---

❸❶　董仲舒：《春秋繁露·楚莊王》：「《春秋》分十二世以為三等：有見，有

傳》裏，只是提示了「始乎隱，終乎哀」，並未以「十二世」分三
等的方式去說明「所見、所聞、所傳聞」。董氏將十二世分三等，
並非整齊地分配十二世為每四世一等，而是按時間遠近作不等例的
分配，其中，時代接近者，只有三世；時代久遠者，則時間間隔拉
開，分別是四世、五世。也就是說，對於《公羊傳》「所見、所
聞、所傳聞」，董氏清楚的訂定為「哀、定、昭」（所見）、
「襄、成、宣、文」（所聞）、「僖、閔、莊、桓、隱」（所傳
聞）。

　　孔廣森則遵從顏安樂之說，在隱公元年經「公子益師卒」下
云：

> 顏安樂以為：襄公二十三年「邾婁鼻我來奔」，《傳》云：
> 「邾婁無大夫，此何以書，以近書也。」又昭公二十七年
> 「邾婁快來奔」，《傳》云：「邾婁無大夫，此何以書，以
> 近書也。」二文不異，同宜一世。故斷自孔子生後，即為所
> 見之世。廣森從之。所以三世異辭者，見恩有深淺、義有隆
> 殺，所見之世，據襄為限；成、宣、文、僖，四廟之所逮
> 也。所聞之世，宜據僖為限，閔、莊、桓、隱，亦四廟之所
> 逮也。親疏之節，蓋取諸此。

聞，有傳聞。有見三世，有聞四世，有傳聞五世。故哀、定、昭，君子之所
見也。襄、成、宣、文，君子之所聞也。僖、閔、莊、桓、隱，君子之所傳
聞也。所見六十一年，所聞八十五年，所傳聞九十六年。於『所見』微其
辭，於『所聞』痛其禍，於『傳聞』殺其恩，與情俱也。」卷1，頁5。

董仲舒劃分三世的作法,為何休所採用,並進一步以之作為「三世異辭」文字條例的根據。但是,這樣的區分方式,孔廣森卻提出質疑:襄公二十三年(大夫鼻我)、昭公二十七年(大夫快),一為「所聞世」,一為「所見世」,何以大夫皆稱名而書?若以何休「三世異辭」之文字條例來看,「所聞世」與「所見世」,書寫的方式應該不同;所以,顨軒認為,這二則邾婁大夫皆稱名的經文,應該隸屬於同一世。由此,孔廣森遂採取顏安樂之說,以「孔子生後,為所見之世」。

對於《公羊傳》所言之「所見、所聞、所傳聞」三世,孔廣森主張將十二世等分為三,「所見之世,據襄為限;成、宣、文、僖,四廟之所逮也。所聞之世,宜據僖為限,閔、莊、桓、隱,亦四廟之所逮」,也就是將「哀、定、昭、襄」四公,列為「所見世」;「成、宣、文、僖」四公,列為「所聞世」;「閔、莊、桓、隱」四公,列為「所傳聞世」。

孔廣森雖然重視經文事件在「時、月、日」上的書寫方式,但是他並不採取何休將經文書寫條例依三世作規則性變化的作法。因此,顨軒將十二公均分為三,以作為《春秋》「三世」,與董、何二人之說,皆不相同;事實上,這也僅代表一種顨軒個人的看法,至於在《春秋》義旨的推求上,則絲毫未有任何的影響。

⑶孔廣森「三科九旨」說,與董、何二人所倡之異同

孔廣森所說的「三科」是總綱,「九旨」是三科的細目。「三科」與「九旨」實為一體。「不奉『天道』,『王法』不正;不合『人情』,『王法』不行」,所謂「三科」:「天道、王法、人情」,實又以「王法」為中心。

巽軒所言之「王法」，強調「道德價值觀」的建立，指的是「社會秩序」所依循的典範，與何休「為新朝制法」的「王魯」，二者立意完全不同。

董氏所言之「六科」，正是期許社會秩序的建立；司馬遷在〈太史公自序〉裡說：「《春秋》為禮義之大宗」，董仲舒所言之「十指」：

> 舉事變，見有重焉，則百姓安矣。見事變之所至者，則得失審矣。因其所以至而治之，則事之本正矣。強幹弱枝，大本小末，則君臣之分明矣。別嫌疑，異同類，則是非著矣。論賢才之義，別所長之能，則百官序矣。承周文而反之質，則化所務立矣。親近來遠，同民所欲，則仁恩達矣。木生火，火為夏，則陰陽四時之理相受而次矣。切刺譏之所罰，考變異之所加，則天所欲為行矣。……說《春秋》者凡用是矣，此其法也。（《繁露·十指》）

正展現了董氏人倫秩序與務實致用的思維。由此「十指」所得識的《春秋》義法，呈現出董仲舒對於當世社會秩序所欲建立的理想面貌。董仲舒云：「說《春秋》者凡用是矣，此其法也」，深究董氏之意，正是孔廣森所說的「王法」。

董仲舒在《繁露·楚莊王》指出：「《春秋》之道，奉天而法古。故聖者法天，賢者法聖，……先賢傳其『法』於後世也。」在《繁露·基義》裏，董氏更直接指出：

> 陰者陽之合；妻者夫之合；子者父之合；臣者君之合；物莫
> 無合，而合各有陰陽。……君臣、父子、夫婦之義，皆取諸
> 陰陽之道。君為陽，臣為陰；父為陽，子為陰；夫為陽，妻
> 為陰。

對於「陰陽」宇宙自然之秩序，董仲舒將它具體化而以人事之倫理
秩序去類比，那麼，天地陰陽之道，就可以在「君臣、父子、夫婦
之義」上體現。董氏《繁露・王道通三》說道：

> 人生於天，而取化於天。……故四時之行，父子之道也；天
> 地之志，君臣之義也；陰陽之理，聖人之法也。

對於「四時之行」、「天地之志」、「陰陽之理」，董仲舒分別以
人類社會的倫理秩序去闡釋。將「天道」置於《春秋》大義之中，
繫於「王法」所強調的道德典範之內，孔廣森「三科九旨」裡所暢
論的「天道」與「王法」，我們在董仲舒的《春秋》學裡，找到二
者一致的脈絡。

　　董仲舒主張：「唯人道為可以參天」（《繁露・王道通
三》），而就《春秋》的內容發表看法：「《春秋》論十二世之
事，人道浹而王道備」（《繁露・玉杯》）。《禮記・喪服小記》
中亦有云：「親親、尊尊、長長，男女之別，『人道』之大者
也。」董仲舒在〈玉英〉篇裡，對「人道」有如下的闡釋：

> 《春秋》修本末之義，達變故之應，通生死之志，遂人道之

極者也。是故君殺賊討，則善而書其誅。若莫之討，則君不書葬，而賊不復見矣。不書葬，以為無臣子也；賊不復見，以其宜滅絕也。今趙盾弒君，四年之後，別牘復見，非《春秋》之常辭也。……晉趙盾、楚公子比皆不誅之文，而弗為傳，弗欲明之心也。（《繁露‧玉英》）

藉由《春秋》事例的借鑑，發揚「人道」真正的精神。董仲舒論述《春秋》義法，亦將這種精神發揮在探討《春秋》行文「緣人情，赦小過」的書寫態度上：

《春秋》重『人』，諸「譏」皆本此。……《春秋》緣人情，赦小過，而《傳》明之曰：「君子辭也。」……孔子明得失，見成敗，疾時世之不仁，失王道之體，故緣人情，赦小過。（《繁露‧俞序》）

董氏所云之「王道」，就是「王法」❸❷。聯繫「王法」與「人情」，去深究《春秋》行文敘事之筆義，而以取法「天道」作為道德價值觀的本源依歸，這正是董氏《春秋》學的宗旨。司馬遷謂董生之《春秋》學，而云：

---

❸❷ 董仲舒在〈玉杯〉篇裏，提到：「《春秋》論十二世之事，人道浹而王道備。」又提到：「論《春秋》者，合而通之，緣而求之，……是以人道浹而王法立。」（《春秋繁露‧玉杯》，卷 1，頁 13）既云「人道浹而王道備」，又云「人道浹而王法立」，可知「王道備」與「王法立」意義相同。

> 夫《春秋》上明三王之道，下辨人事之紀。別嫌疑，明是
> 非，定猶豫，善善惡惡，賢賢賤不肖，存亡國，繼絕世，補
> 敝起廢，王道之大者也。（〈太史公自序〉）

這段話恰恰也是孔廣森以「天道」、「王法」、「人情」架構其
《公羊》學「三科九旨」的最佳寫照。

三、結論——孔廣森被視為
常州《公羊》學「異議」的關鍵：
「私淑董氏、志通古學、心儀康成」

　　歷覽《公羊通義》，我們可以發現，孔廣森在董、何二人意見
相左時，《通義》往往直接標識「董仲舒曰」，整段引用《春秋繁
露》原文以作為《通義》論證的準據；顨軒在《公羊通義》中與董
仲舒《春秋》學相輝映的言論，歷歷可取，對身為《公羊傳》的註
本而言，這也使得以何休註經體為底本的《公羊通義》，在內容上
大幅偏向董仲舒❸，和歷來的《公羊傳》註本—何休《解詁》本，
有明顯的差異。

　　由孔廣森在《公羊通義·敘》中的說明，我們可以得知，顨軒
以東漢何休《解詁》為《通義》底本的最主要原因，是註經本通行
的考量。《春秋》三傳的版本，《左氏》學者以杜預為重，《穀

---

❸　董、何二人對《春秋》解經途徑的不同看法，請詳參楊濟襄：〈《春秋》書
　　法的常與變——論董仲舒、何休二種解經途徑所代表的學術史意義〉，高雄
　　師範大學經學研究所主編：《經學研究集刊》（高雄：高雄師範大學出版，
　　2005 年 10 月），創刊號，頁 129－168。

梁》學者則宗范甯，至於《公羊》學者，則以何休《解詁》相沿，「何休《解詁》列在註疏，漢儒授受之旨，藉可考見」（《公羊通義・敘》，頁 9），《通義》與《解詁》同樣是「註經體」，以《解詁》為基礎，自有其便利。更何況，顨軒《公羊》學雖然主張《春秋》「義重於文」，然而，見義之途，莫重於「屬辭比事」，顨軒「三科九旨」以「時、月、日」為《春秋》行文考量的「第一科」，雖然與何休隨「三世」而規則性變化的「文字條例」不盡相同；但是，顨軒認為，《春秋》行文時「時、月、日」的書寫變化，必有其義旨之所繫，這點其實與何休一致。孔廣森對於何氏《解詁》雖多有批駁，我們在《公羊通義・敘》卻可以看出，顨軒對於《解詁》的批駁帶有保留，其原因主要是基於對《公羊》先師胡母生、董生的敬重，孔廣森強調「《解詁》〈自序〉以為略依胡母生條例，故亦未敢輕易」：

> 胡母生、董生既皆此經先師，雖義出傳表，卓然可信，董生緒言，猶存《繁露》，而《解詁》〈自序〉以為「略依胡母生條例」，故亦未敢輕易也。（《公羊通義・敘》，頁 9）

顨軒指出，董生言論，猶存於《繁露》；而胡母生之學，卻只能在《解詁》中略見一二。有關「何休之學，是否出於西漢胡母生」，以及「胡母生、董仲舒，二人之《公羊》學，究為『相承』抑或『有別』」，由於並非本文主題，故不在此贅述。但我們卻可以從孔廣森對胡母生、董生之學「義出傳表，卓然可信」的稱揚態度，感受到顨軒對西漢《公羊》先師的孺慕之情。

　　梁啟超在《清代學術概論》指出孔廣森「不明家法，治今文學者不宗之」。經由本文的分析，可知其主要原因有二：一是巽軒不完全遵照何休的解經途徑，在《解詁》「三科九旨」之外，另提出以「天道、王法、人情」為主軸的《公羊》科旨。晚清今文經學所倡言之「微言大義」，實以何休在《春秋》文辭書法上所建立的「三世異辭」條例為大蠹；其中，劉逢祿是真正建立董、何學術以為統緒，使今文經學全面復甦的關鍵人物。劉逢祿在《公羊春秋何氏解詁箋・敘》即說：「何君生古文盛行之日，廓開眾說，整齊傳義，傳經之功，時罕其匹。」劉申受對何休推崇備至，在《春秋公羊經傳何氏釋例・敘》亦謂何休傳經之功「五經之師，罕能及之」。他極度遵奉何休《春秋公羊解詁》所建立的「書法條例」，若謂孔門微言大義，惟何氏一家得之；所謂的「探原董生」，實以「發揮何氏」為目的。因此，「於何休所定三科九旨亦未盡守」的孔廣森，便在這樣一股「何休學術」的熱潮裡，被標誌為「異議」。劉逢祿曾在〈春秋論〉一文，具名批評孔廣森：

> 《春秋》之有《公羊》也，豈第異于《左氏》而已，亦且異於《穀梁》。《史記》言《春秋》上記隱，下至哀，以制義法，為有所刺譏褒諱抑損之文，不可以書見也，故七十子之徒口受其傳指。……夫使無口受之微言大義，則人人可以屬詞比事而得之趙汸、崔子方，何必不與游、夏同識？惟無其「張三世」、「通三統」之義以貫之，故其例此通而彼礙，左支而右絀，是故以日月名字為褒貶，《公》、《穀》所同而大義迥異者，……清興百有餘年而曲阜孔先生廣森始以

《公羊春秋》為家法，于以擴清諸儒，據赴告、據《左氏》、據《周官》之積蔀，箴砭眾說，無日月、無名字、無褒貶之陳義，詎不謂素王之哲孫，麟經之絕學？乃其三科九旨不用漢儒之舊傳，而別立「時、月、日」為「天道」科，「譏、貶、絕」為「王法」科，「尊、親、賢」為「人情」科，如是則《公羊》與《穀梁》奚異？奚大義之與有？推其意不過據以魯「新周故宋」之文，疑于倍上；治平升平太平之例，等于鑿空。不知孟子言《春秋》繼王者之迹，行天子之事，知我罪我其唯《春秋》。……

又其意以為三科之義不見于傳文，止出何氏《解詁》疑非《公羊》本義，無論元年文王、成周、宣謝、杞子、滕侯之明文，且何氏〈序〉明言依胡母生條例，又有董生之《繁露》，太史公之《史記‧自序》、〈孔子世家〉皆《公羊》先師七十子遺說，不特非何氏臆造，亦且非董、胡特創也。無「三科九旨」則無《公羊》無《公羊》則無《春秋》，尚奚微言之與有？

且孔君之書，辟《春秋》當新王之名而未嘗廢其實也。其言曰：《春秋》有變周之文，從殷之質，非天子之因革邪？甸服之君三等，蕃衛之君七等，大夫不氏，小國之大夫不以名氏通，非天子之爵祿邪？上抑杞、下存宋，褒滕、薛、邾婁儀父，賤穀、鄧而貴盛、郜，非天子之絀陟邪？內其國而外諸夏，內諸夏而外夷狄，非天子之尊內重本邪？辟王魯之名

　　而用王魯之實，吾未見其不倍上也。❸

劉逢祿對騌軒的批評，可從以下幾方面來分析：

　　㈠質疑騌軒未重視「張三世」、「通三統」。

　　㈡質疑騌軒屬詞比事得之趙汸、崔子方等後儒，引用各家文獻箴砭眾說，無日月、無名字、無褒貶之陳義。

　　㈢批評騌軒懷疑何休《解詁》非《公羊》本義，對三科九旨不用漢儒之舊傳，而別立「時、月、日」為「天道」科，「譏、貶、絕」為「王法」科，「尊、親、賢」為「人情」科。

　　㈣批評騌軒「三科九旨」新義：「如是則《公羊》與《穀梁》奚異？」

　　㈤認為不遵何休《解詁》「三科九旨」，則無《公羊》；無《公羊》則無《春秋》，「奚微言之與有？」、「奚大義之與有？」。

　　㈥騌軒不同意何休「以魯為始受命王」來解釋「王魯」，騌軒對「王魯」的看法是「託魯為王者氣象，以待後世王者效法」。劉逢祿因此批評騌軒「辟王魯之名而用王魯之實」。

　　嚴格來說，劉逢祿對騌軒的批評是不相應的，主要關鍵還是在劉逢祿未審董、何之異，信守何休對《公羊》學的詮釋，視董、何二人學術「若合符契」；事實上，騌軒在何休舊說之外，所提出的「三科九旨」、「王魯」諸說，乃至「會通三傳以治《公羊》」，

---

❸　劉逢祿：〈春秋論·下〉，《劉禮部集》，《續修四庫全書》（上海：上海古籍出版社，1995年），第 1501 冊，卷 3，頁 19—21。

所遵循的正是西漢董仲舒的治經主張。若奉何休之學為《公羊》唯一「法定理論」，那麼，對孔廣森「私淑董氏、志通古學、心儀康成」的不諒解，似乎就成了必然。更何況，視孟子「言《春秋》繼王者之迹，行天子之事，知我罪我其唯《春秋》」為《春秋》之傳人，劉逢祿這樣的主張，其實正源自孔廣森。孔廣森受到其師戴震《孟子字義疏證》影響，以義理之學重審諸經舊說，並由此肯定孟子學說具有傳承《春秋》之功，孔廣森在《公羊通義·敍》（頁2）特別指出「愚以為《公羊》家學，獨有合於孟子」、「孟子最善言《春秋》」，常州《公羊》學家遵奉《孟子》，孔廣森正是倡行此說之第一人。

嘉慶六年阮元曾在浙江杭州設立詁經精舍，尊奉許慎、鄭玄學風，辦學與教學的宗旨內容，完全以樸學為中心，後來阮元在廣州設立學海堂，雖然也同樣倡導樸學，以培養有用之才為目的，並且對嶺南學術產生相當的推動作用；但是，與前者不同的是，學海堂大力推動了今文經學的復興，甚至連「學海堂」之名，也寓有紀念何休之意❸❺，阮元曾為孔廣森《公羊通義》寫序，序中褒揚顨軒之學，簡要敘述了顨軒《公羊》學的治經方法：「旁通諸家，兼采《左》、《穀》，擇善而從」：

---

❸❺ 道光四年十二月阮元在粵秀山正式成立「學海堂」，根據阮元《揅經室續四集》（北京：中華書局，1993 年），卷 4，頁 1077。〈學海堂集序〉云：「昔者何邵公學無不通，進退忠直，聿有學海之譽，與康成並舉，惟此山堂，吞吐潮汐，近取於海，乃見主名。」阮元於學海堂亦撰有對聯云：「公羊傳經，司馬記史；白虎德論，雕龍文心」。參鍾玉發：〈阮元與清代今文經學〉，《史學月刊》2004 年第 9 期。

曲阜聖裔孔顨軒先生，思述祖志，則從事於《公羊春秋》者
也。先生幼秉異資，長通絕學，凡漢晉以來之治《春秋》
者，不下數百家，靡不綜覽，……旁通諸家，兼采《左》、
《穀》，擇善而從，撰《春秋公羊通義》十一卷，序一卷，
凡諸經籍義有可通於《公羊》者，多著錄之。（阮元，〈春
秋公羊通義序〉，《揅經室一集》卷11，頁11－12，《續
修四庫全書》第1478冊，集部·別集類）

阮元並且具體指出，孔廣森與何休之學有四點不同：

謂古者諸侯分土而守，分民而治，有不純臣之義，故各得紀
年於其境內，而何邵公猥謂「唯王者然後改元立」，號經書
元年為託王於魯，則自蹈所云「反傳違戾」之失矣，其不同
一也。謂《春秋》分十二公為三世，舊說「所傳聞之世」：
隱、桓、莊、閔、僖也；「所聞之世」：文、宣、成、襄
也；「所見之世」：昭、定、哀也。顏安樂以為：「襄公二
十三年『邾婁鼻我來奔』，云：『邾婁無大夫，此何以書？
以近書也。』又昭公二十七年『邾婁快來奔』，傳云：『邾
婁無大夫，此何以書？以近書也。』二文不異，同宜一世；
故斷自孔子生後，即為所見之世」。從之，其不同二也。謂
桓十七年經無「夏」，二家經皆有「夏」，獨《公羊》脫
耳，何氏謂：「『夏』者，陽也；『月』者，陰也。去
『夏』者，明夫人不繫於公也。」所不敢言，其不同三也。
謂《春秋》上本天道，中用王法，而下理人情。天道者，一

日時，二曰月，三曰日。王法者，一曰譏，二曰貶，三曰
絕。人情者，一曰尊，二曰親，三曰賢。此三科九旨，而何
氏《文謚例》云：三科九旨者，「新周、故宋、以春秋當新
王」，此一科三旨也。又云：「所見異辭，所聞異辭，所傳
聞又異辭」，二科六旨也。又「內其國而外諸夏，內諸夏而
外夷狄」，是三科九旨也。其不同四也。他如何氏所據，閒
有失者，多所裨損，以成一家之言。

阮元具體舉出顨軒與邵公有關《春秋》義法主張的四項不同，而這
四點所論內容，與漢學家對經文訓詁的考據毫無關係，純粹是針對
《春秋》學內部義理的討論。

　　其實，我們若深入顨軒《公羊》論題的核心，即可發現他的
「三科九旨」，完全凝練於西漢董仲舒對於《春秋》義法的主張；
所以，若是以此原因批評顨軒「不明家法，治今文學者不宗之」，
那麼，就有必要反省學界對於《公羊》學內部方法論的認識，是否
只趨於以何休為定法？亦即──只見董、何之同，而未見二者之
異？

　　另外，批評孔廣森「不明家法」，乃至「治今文學者不宗之」
的另一項主因，來自於孔廣森對於鄭玄的仰慕，顨軒甚至將自己的
書齋，取名為「儀鄭堂」。顨軒既治《公羊》，又慕康成，世人對
於孔氏之學的爭議焦點，遂轉移至東漢鄭玄、何休二人的今古文爭
議上。

　　但是，筆者在深入孔廣森學術後卻發現，極度推崇董仲舒
「《春秋》無達辭」的顨軒，並非以突破今文家法為職志，顨軒之

所以既治《公羊》又心儀鄭玄，其根本糾結處，是翚軒嚮往「通學」的治經態度；稟承漢學家「通經學古」的傳統㊱，致使他追循西漢董仲舒「會通三傳以解《春秋》」，終而回歸《公羊》經學義趣的解經途徑；翚軒不能完全認同何休章句條例式的治經方法，轉而倚向鄭玄「通學」式的釋經路線，孔氏所秉持的，是「博學取義」的治經態度，他並非刻意挑戰經學史上今、古文家法的矜持。

　　章權才曾指出鄭玄治學的三個特點㊲：一是「混淆家法」、二是「突出禮教」、三是「詳於訓詁」。章氏在「混淆家法」下，說：

㊱　晚明學術界已經出現「通經學古」的提倡。歸有光鑒於八股文的風行，積極提倡「通經學古」，他說：「近來一種俗學，習為記誦套子，往往能取高第。淺中之徒，轉相效仿，更以通經學古為拙，則區區與諸君論此于荒山寂寞之濱，其不為所嗤笑者幾希！然惟此學流傳，敗壞人才，其於世道為害不淺。」（歸有光：〈山舍示學者〉，《歸震川先生全集》（臺北：世界書局，1977年），卷7，頁81。）歸有光之後，錢謙益亦提倡古學，成為歸有光「通經學古」的呼應者。錢氏倡導「古學」，認為宋明以來的道學，並非儒學正統，而是猶如八股時文般的「俗學」。他說：「自唐宋以來，……為『古學』之蠹者有兩端焉，曰：制科之習比於俚；道學之習比於腐。斯二者皆俗學也。」（錢謙益，〈答唐訓導汝諤論文書〉，《初學集》（上海：上海古籍出版社，1985年），卷79，頁1701。）主張「融理學於經學之中，進而以經學去取代理學」的顧炎武，也是沿著明季先行者的足跡，為復興「古學」，重振經學而努力。顧炎武認為，應當張揚經學，在經學中去談義理，才是「務本原之學」。在致友人李因篤的論學書札中，他力矯積弊，重倡「古學」，提出了「讀九經自考文始，考文自知音始」的訓詁治經方法論。（陳祖武、朱彤窗：《乾嘉學派研究》（石家莊：河北人民出版社，2005年），頁81。）

㊲　章權才：〈論兩漢經學的流變〉，《中國經學史論文選集》（臺北：文史哲出版社，1992年），頁168－170。

儒有一家之學，故稱家法。兩漢時期，家法隨著經學的流傳，繁衍枝蔓。家法之戒，其實是經學中的派別之見。東漢以來，家法包含了兩層意思：一是今學與古學的分野；一是今學與古學內部，也存在著不同的派別。……第五元先、張恭祖、盧植、馬融，都是學貫古今、不拘於家法的一代通儒；鄭玄拜他們為師，學到了廣博的知識，為他後來建立綜合學派提供了堅實的基礎。鄭玄著述宏富，……前此家法林立的局面被打破，經學面貌為之一變。

在「詳於訓詁」下，他指出東漢後期經學學風之一隅：

馬融、許慎、鄭玄這些綜合學派的佼佼者，不僅遍注群經，而且對其中涉及的歷史事件、典章制度、文字章句都作了詳細的考訂。但綜合學派的訓詁之學跟西漢時期章句之學有所不同，兩者相較，綜合學派的知識廣博得多，涉獵面廣泛得多，治學態度嚴謹得多。

章氏指出了東漢「綜合學派」：「知識廣博，涉獵面廣泛，治學態度嚴謹」的「通學」特徵，並作出「由今文經學而古文經學，由今古文學的並行到今古文學的綜合，這就是兩漢經學流變的大勢」的結論。筆者以為，以「經今文、古文的分列、並行、到綜合」，可以論述兩漢經學的大勢，卻無法具象地描繪經學家治學的態度與學風。皮錫瑞曾試圖勾勒兩漢學風的特質：

> 前漢重師法，後漢重家法。先有師法，而後能成一家之言。
> 師法者，溯其源；家法者，衍其流也。（《經學歷史》，頁
> 139）

> 治經必宗漢學，而漢學亦有辨。前漢今文說，專明大義微
> 言；後漢雜古文，多詳章句訓詁。章句訓詁不能盡饜學者之
> 心，於是宋儒起而言義理，此漢、宋之經學所以分也。惟前
> 漢今文學能兼義理訓詁之長，武、宣之間，經學大昌，家數
> 未分，純正不雜，故其學極精而有用。（《經學歷史》，頁
> 85）❸❽

猶如章權才氏所言，東漢以來所昌論之「家法」，除了今學與古學
的分野之外，也應注意到今學與古學內部，存在著不同的派別。皮
錫瑞氏將經今文、古文各自冠上「明大義微言」、「詳章句訓詁」
的標誌，雖然他補充說道「惟前漢今文學能兼義理訓詁之長」，但
是這種壁壘分明的形象，對兩漢學術的描述顯然過於粗略，更何
況，東漢學術雖以章句訓詁為風潮，但是這種風潮並不是古文經學
家的治經路數，將章句訓詁與后漢經學家「雜古文」連結在一起，
與事實完全出入。以往學界對於清代學術慣稱「漢學」、「宋學」
之分，以「漢學」為考據訓詁的代表，「宋學」則象徵義理論證；
如果是「兼義理訓詁之長」，則冠以「漢宋調和」之名，這樣的簡

---

❸❽ 皮錫瑞：《經學歷史》（臺北：藝文印書館，1987年），頁85。

單切割，在近年來的台灣學術界引起深切的反省與討論❸，以「漢學」一名而言，漢代學術莫不以「揭櫫義理」貫串治經理念，何嘗將義理摒棄於章句訓詁之外？粗略地為「漢學」一詞烙為「考據訓詁」的圖騰，既無益於清代學術的理解，更是將漢代經學史模糊化。葛兆光氏在《中國思想史》第一卷中說到：

> 關於今、古文經學的爭論，更多的是其能否立於學官的問題，雖然他們之間有學術風格與技術上的不同，但是在漢代思想史的角度說，並不存在太重要的意義，今、古文的學術之爭在思想史上產生實質性影響的，實際上是在清代。❹

如果我們今日對於經學專題的議論，不在於經今文、古文版本的考據，而是在思想史實質意義的探討，那麼，以往對於「漢學」、「宋學」對舉而模糊的指稱，就有必要根據更明確的主題，重新對學術史的面貌予以釐清。林慶彰先生在〈兩漢章句之學重探〉一文中，以「師法」、「家法」，以及「章句學」的發展，對兩漢學風

---

❸ 近年來臺灣地區清代經學的研究，以中央研究院中國文哲研究所帶領的幾項大型研究計畫為主流，如：「清乾嘉學派經學之研究計畫」（1998－2001）、「晚清經學研究計畫」（2002－2006），來自海內外的專家學者們對於清代經學「漢學」、「宋學」之分，以及「漢宋調和」等有諸多的省視與討論。詳見中央研究院中國文哲研究所已出版之《清乾嘉學者的治經方法》、《清乾嘉學者的義理學研究》、《清乾嘉學者治經的貢獻》等清代經學研究專著。

❹ 葛兆光：《中國思想史》（上海：復旦大學出版社，1998 年），第 1 卷，頁414 注 1。

作出具體的分期：

> 兩漢經學的發展，約可分為三階段：
>
> 一、是西漢初至昭帝時代，古學盛行，治經訓詁舉大義而已。
>
> 二、是西漢宣、元至東漢明、章時代，今學盛行，用章句的方式來詮釋經書。
>
> 三、是東漢和帝至獻帝時代，古學復興，治經倡行訓詁通大義而已。❹

林先生的分期，以「古學」、「今學」、「古學復興」的解經態度為訴求，引導兩漢經學史走出以「西漢、東漢」或「經今文、古文」二分的討論視野，著眼於兩漢經學的學術史意義，考慮了學術理念（如餖丁與博通）、學術氛圍（如利祿薰擾）、學術譜系（如師法、家法）等要素，尤其是「章句」這種體式的發展，對於整個兩漢學術史的牽動：

> 章句之學，本身既是一閉鎖的系統，又為了要博取利祿，不惜牽強附會，久而久之，所謂的「章句」，不但內容煩瑣，且已無法善盡解經的功能。因此，東漢初年時，這種解經方式，即遭到各方的質疑。（〈兩漢章句之學重探〉，頁

---

❹ 林慶彰：〈兩漢章句之學重探〉，《中國經學史論文選集》（臺北：文史哲出版社，1992 年 10 月），頁 292－293。

289）

構成章句的根本思想或意識形態，也許不是藉刪削可以除去的。……（章句之學的沒落）代之而起的是承繼西漢初治經傳統的古學。這種古學的特色，是講求博通，不似章句之學的自我封閉。有如此開闊的格局，自然可以取得主導學術的地位。（林慶彰先生，〈兩漢章句之學重探〉，《中國經學史論文選集》，頁290－292）

後世學者慣以「師法」、「家法」論漢代經學，林先生綜合兩《漢書》中的資料，歸納出：《漢書》中尚無「家法」一詞；師法、家法其實和「章句」學風的發展，息息相關：

從西漢宣帝元平元年（74B.C.）至東漢章帝章和二年（88A.D.），約一百六十多年，是章句之學由興起、極盛和衰微的時代。（〈兩漢章句之學重探〉，頁295）

章句既是當時經師的一種解經方式，此種詮釋方式是由創立學派的經師所傳，凡是受學於此一學派的經生，代代皆應以此種解經方式為典範，此種典範，即稱為「師法」或「家法」。不能奉行師法或家法的，可能受到相當嚴厲的制裁。（〈兩漢章句之學重探〉，頁288）

傳習一經的始祖所建立的解經方式和規範，可以說是他的師

> 法。師法是一個學派解經的指導原則，也是約束、規範這學
> 派成員的一種法律，所以每一位經生都應遵守他們的師法。
> 但是能成一家之學的，才享有博士的榮寵。（〈兩漢章句之
> 學重探〉，頁293）

身為聖人哲胤的顨軒，何以既宗事西漢大儒董仲舒，又景仰東漢大
儒鄭康成？西漢昭帝以前，大儒所留下的「古學」風儀，與東漢後
期對「古學」的復興，這樣的學術史觀察，為孔廣森在學術史上留
下的爭議，找到了足以理解的答案。

　　姚鼐是孔廣森的座師，在顨軒築「儀鄭堂」時，曾贈〈儀鄭堂
記〉與顨軒，文中他提及對於經學大師鄭玄的看法：

> 漢儒家別派分，各為崇門，及其末造，鄭君康成總集其全，
> 綜貫繩合，負閎洽之才，通群經之滯義，雖時有拘牽附會，
> 然大體精密，出漢經師之上。（《惜抱軒詩文集·儀鄭堂
> 記》卷14，頁215）

孔廣森閱讀後，在回函時也提到自己對於東漢經學的觀點：

> 賢者識大，不當囿以專家；古之離經，非徒尋夫章句。許君
> 謹案，何掾膏肓，雜問之志，六藝之論，詎要道之微言，祇
> 通人之鄙事。（《駢儷文·上座主桐城姚大夫書》卷1，頁
> 14）

顨軒特別提到東漢經學史上和鄭玄有關的二大論爭，即鄭玄與許慎《五經異義》、以及鄭玄與何休《左傳膏肓》的議論，顨軒提到：「賢者識大，不當囿以專家」、「要道之微言，秖通人之鄙事」。顨軒以「賢者」、「通人」指稱康成，同時也特別強調「古之離經，非徒尋夫章句」；顨軒對於古學博通的神往，以及對章句瑣碎的不屑，溢於言表。

史應勇氏在〈由經有數家、家有數說到括囊大典、貫通六藝——論鄭玄通學的產生〉❷，提到東漢是「今、古文兩家打破門戶界限，互相學習，取長補短，形成『通』的導向的關鍵時期」：

> 今文章句的被減省，幾乎伴隨了整個東漢時代。……建初年間是朝廷出面引導今、古文兩家打破門戶界限，互相學習，取長補短，形成「通」的導向的關鍵時期。……在這樣的情勢下，「通」就成為不可避免的趨勢。而「通」的觀念受到官方的支持，並以「法典」形式表現出來，那就是《白虎通義》。……《白虎通義》的「通」字，確實值得注意。（頁12—13）

史氏引用了章權才氏《兩漢經學史》（頁 215）中的說法，認為「皇帝欽定」並非真正的關鍵。《白虎通義》在東漢經學史上最主

---

❷ 史應勇：〈由經有數家、家有數說到括囊大典、貫通六藝——論鄭玄通學的產生〉，《經學研究論叢》（臺北：臺灣學生書局，2004 年），第十二輯，頁 1—14。

要的意義之一，是通過「考詳同異」，在不同經典、緯書、傳、記中找到了共同的東西，這就是所謂的「通義」。《白虎通義》沒有具體地批判哪一家經說的是非，而是按照問題依章敘述，這些都是東漢政治時局實際遇到的共性的問題，爵、號、諡、五祀、社稷、禮樂、封公侯、京師、五行、三軍、誅伐……等。它所採用的經說，雖然以今文經為主，但也兼採了古文經。史氏並且引用了余英時《士與中國文化》（頁 352－354）關於東漢以後章句之學逐漸衰微的情形，說明「白虎觀會議以後，兼通今古而不守一家章句者越來越多」。漢代古學「博學取義」的治學路線，在清代中葉以後再度引起波瀾，如本文前所述及，倡導樸學的阮元同樣也在廣州設立學海堂，大力推動今文經學，學海堂即有對聯云：「公羊傳經，司馬記史；白虎德論，雕龍文心」。這幅對聯之所以特別提到《公羊》，顯然和何休以及常州《公羊》學風有關，但是學海堂將「《白虎通義》」與「《公羊》」、「《史記》」並舉的情形，卻反映出清中葉以「通學」為導向，嚮往漢代古學學風的一個面向。

　　學界以往對於孔廣森被批評為「不明家法，治今文學者不宗之」（梁啟超《清代學術概論》語），皆只是簡單的歸咎於他身為《公羊》學家，竟然仰慕鄭玄，不只書齋命名為「儀鄭堂」，文集亦稱「《儀鄭堂文集》」。經由本文仔細分析，透過對孔廣森《春秋》學關鍵論題的掌握，得知孔廣森的治經方法傾向於西漢董仲舒，其所以仰慕鄭玄，事實上與不同意何休對《公羊傳》的闡釋有極大關係。孔廣森在《公羊通義·敘》一開始，就表明了他對西漢《公羊》學術的認同，同時也對號稱「以經術治天下」，而實質上卻在《公羊傳》之外，獻諛妄言、為漢制應符立說的東漢《公羊》

學，下了「絕不見本傳」、「自誣其師」這樣嚴厲的評論：

> 漢初求六經於燼火之餘，時則有胡母子都、董仲舒，皆治
> 《公羊春秋》，以其學鳴於朝廷，立於校官。董生授弟子嬴
> 公，嬴公授眭孟，孟授東海嚴彭祖，魯國顏安樂，各專門教
> 授，由是《公羊》分為嚴、顏之學。

> 東漢時，帝者號稱以經術治天下，而博士弟子因端獻諛，妄
> 言「西狩獲麟」，是庶姓劉季之瑞，聖人應符為漢制作，黜
> 周，王魯，以《春秋》當新王云云之說，皆絕不見本傳，重
> 自誣其師，以名二家之糾摘矣。（《公羊通義·敘》，頁
> 1）

孔廣森仰慕鄭玄博通的解經態度，尤其是連自己《春秋》學最主要
的著作，也名之為《公羊通義》。「通學之風」從東漢的《白虎通
義》，到清中葉尊崇董子，仰慕鄭玄的孔廣森《公羊通義》；筆者
認為，辨別董、何二人解經途徑的差異，「《公羊》學方法論」的
探究，不只涉及《春秋》學內部「文例與義法」、「博通諸經與章
句家法」的議題，更可以提供「西漢《公羊》學到東漢盛極而衰」
的一種關乎學風與學術氣度的經學史思考面向，同時，這種解經途
徑的反省，也延伸到清代。阮元曾為孔廣森《公羊通義》寫〈序〉
提到：

> 何氏所據，閒有失者多所裨損，（㢅軒）以成一家之言。

（彝軒）又謂：「《左氏》之事詳，《公羊》之義長」、
「《春秋》重義不重事」，是可謂好學深思，心知其意者
矣。故能醇會貫通，使是非之旨，不謬於聖人，豈非至聖在
天之靈，懼《春秋》之失恉，篤生文孫，使明絕學哉。元為
聖門之甥，陋無學術，讀先生此書，始知聖志之所在，因敬
敘之。❸

阮元對於彝軒《公羊通義》給予高度評價，他稱讚孔廣森「能醇會
貫通，使是非之旨，不謬於聖人」，並說「讀先生此書，始知聖志
之所在」，而「貴志論事」、「從賢之志以達其義，從不肖之志以
著其惡」正是董仲舒對《春秋》義法的主張。

清代治《公羊》學之學者，總是將何休《解詁》與《公羊傳》
劃上等號，因此，董學之中凡論及《公羊》一系之解經觀點時，學
者便以何休《解詁》所論之《公羊傳》去發凡董氏，對董學造成嚴
重的斲害。蘇輿在《春秋繁露義證·自序》裡便指出：

國朝嘉、道之間，是書大顯，綴學之士，亦知鑽研《公
羊》。而如龔（自珍）、劉（逢祿）、宋（翔鳳）、戴
（望）之徒，闡發要眇，頗復鑿之使深，漸乖本旨。承其後
者，沿訛襲謬，流為隱怪，幾使董生純儒蒙世詬厲，豈不異
哉！

---

❸ 阮元：〈春秋公羊通義序〉，《揅經室集·一》，《續修四庫全書》，第
1478 冊，卷 11，頁 13。

何休之《公羊》學，實質上牽動著整個清代「經今文學」學術的脈絡。清末常州《公羊》學派尊奉何休《解詁》為大纛，視條例之法為研究《公羊》經傳的最佳門徑，流傳至今，這個觀念仍普遍影響當代治理《公羊》經傳的學者。清乾嘉時期，以古學自期，高舉「治《春秋》經義，唯《公羊》得之」的孔廣森，將唯一傳世的一本《春秋》學著作，取名為《公羊通義》，卻因為「通經學古」的治學理念，二百年來，孔氏始終未能堂皇登入《公羊》學門列。

蘇輿對於常州《公羊》學者「鑿之使深，漸乖本旨」、「沿訛襲謬，流為隱怪」、「幾使董生純儒蒙世詬厲」之嚴厲批評，與〈方耕學案〉裡所云之「（存與）講筵《春秋》則主《公羊》董子……所學與當時講論，或枘鑿不相入，故所撰述皆祕不示人」的情況相對照，恰可為晚清梁啟超、皮錫瑞等人指陳莊存與門人孔廣森之《公羊通義》為「不守家法」，提供了最佳的說明與釐清。對於《公羊》學史而言，文例的歸納，並非理解《公羊》一系學者詮釋《春秋》大義的唯一途徑；《公羊》學的確因為「方法論」的歧異，在學派理論的建立上，產生了無法自圓其說的困難。由此看來，被視為「不守家法」的孔廣森，其「通經學古」的治經理念——「私淑董氏，志通古學，心儀康成」，今日看來，無疑為清代《公羊》學的釋經門徑，埋下了檢視與反省的方向。

張惠言《虞氏易禮》中的《公羊》思想

盧鳴東[*]

一、引　言

張惠言（1761－1802），字茗柯，常州武進人，生於乾隆二十六年，卒於嘉慶七年，其與莊存與（1719－1788）、莊有可（1744－1822）、惲敬（1757－1817）、劉逢祿（1776－1829）等皆是常州學派的代表人物。[❶]《清儒學案》記載「茗柯經學出於惠氏定宇、江氏慎修兩家，精心過人，於虞氏《易》為專家絕學」。[❷]又

---

[*]　盧鳴東，香港浸會大學中文系副教授。

[❶]　張惠言在〈先府君行實〉中曰：「先府君……姓張氏，其先自宋初由滁州遷常州。」見《茗柯文二編》，載《四部叢刊初編·集部》（臺北：臺灣商務印書館，1967 年），第 99 冊，頁 44。其友惲敬於〈張皋文墓誌銘〉中亦云：「張皋文，名惠言，先世自宋初，由滁州遷武進，遂世為武進人。」載《大雲山房文稿》（上海：商務印書館，1935 年），第 2 冊，頁 132。

[❷]　〔清〕徐世昌：〈茗柯學案〉，《清儒學案》（北京：中國書店，1990 年），第三冊，頁 217。

〈祭金先生文〉曰：「嘉慶之初，問鄭學於歙金先生。」❸這說明張惠言善於虞翻（164－233）《易》學和鄭玄（127－200）《禮》學。事實上，他在《茗柯文·序》中自稱「求陰陽消息於《易》虞氏，求前聖制作於《禮》鄭氏」。❹而惲敬亦指其「言《易》主虞氏翻，言《禮》主鄭氏元（玄）」。❺可見，張惠言《易》學出於惠棟（1697－1758）、江永（1681－1762），又曾問《禮》學於金榜（1735－1801），是以其兼備吳派和皖派的薰陶。

　　清儒在研治禮與諸經的關係上，用力尤深，特別重視漢人注本中以禮注經的條例。凌曙（1775－1829）溯源何休《公羊》禮說，撰成《春秋公羊禮疏》和《春秋公羊禮說》；陳立（1809－1869）傳其師說，於《公羊義疏》中援禮注釋《公羊》。陳奐（1789－1863）以為《三禮》不能盡錄古禮，遂根據《公羊》補述古代逸禮，撰寫《公羊逸禮考徵》。除了《公羊傳》以外，清儒認為《左傳》和《穀梁傳》亦能徵明禮制，這從侯康（1798－1837）《穀梁禮證》和張其淦（1859－？）《左傳禮說》可証之。此外，桂文燦（1823－1884）審明《鄭箋》禮注，撰成《詩箋禮注異義考》，藉此探討禮與《毛詩》的關係。由此看來，自凌曙以後的百餘年間，清儒以禮為切入點從事諸經經義研究，乃累積了豐厚的成果，其中既包括了典章訓詁、名物考據，也備有《禮》義及與其相關內容的

---

❸　〔清〕徐世昌：〈茗柯學案〉，《清儒學案》（臺北：世界書局，1966年），卷117，頁1。此外，張惠言：〈祭金先生文〉，見《茗柯文四編》，載《四部叢刊初編·集部》，第99冊，頁58。

❹　張惠言：《茗柯文》，載《四部叢刊初編·集部》，第99冊，頁1。

❺　惲敬：《大雲山房文稿》，第2冊，頁132。

說明。

　　《五經》為儒家經典之學，諸經經義多有會通之處，可供互証。因此，清儒以禮來解釋諸經經義，相對來說，也可藉此申明禮義，考訂禮制。在《虞氏易禮》中，張惠言根據《周易》卦爻來解釋禮制，審視卦爻逸象與禮制相應之處。本來，他在《周易鄭荀義》中已通過「禮象」一條，據《周易》鄭《注》闡明二十三條禮文，但基於鄭玄取象「遠而少變」，故另撰《虞氏易禮》兩卷，藉以虞翻《易》學中多變取象之法，詳釋《周易》中所見的禮象。可見，《虞氏易禮》的寫成既是「據禮注《易》」，與此同時，也是「取象釋禮」，《易》、《禮》之間是相互發明的。

　　從區域上來研究，張惠言出生的常州是清代《公羊》學的發源地。自莊存與重整《公羊》學旗幟後，歷經莊述祖（1751－1816）、劉逢祿等常州學者，常州《公羊》學遂自成一系，聲勢也日益壯大。張惠言累世居於常州，年代與莊述祖、劉逢祿、宋翔鳳（1776－1860）相若，在學問上也曾與他們有過砌磋交流。因此，張惠言雖不曾為《公羊》學注經立說，但也曾受到常州學風感染，在治學上帶有《公羊》學的色彩。本文論述張惠言對鄭玄《易》學的評價，並據此與虞翻《易》學比較，藉此說明其以虞氏《易》象補述鄭玄釋禮的因由。然後，通過《虞氏易禮》中婚禮《易》象的分析，舉例說明張惠言取象釋禮的方法，最後勾勒出他襲取漢代《公羊》學說，作為闡釋易代禮變的取象根據。

二、對鄭玄《易》學的評價

　　漢代《易》學分別門派，述旨不一，而治《易》主要有占驗與

注經之途。西漢孟喜、焦延壽、京房（公元前 77－37）、費直、高相等諸家著重研治《周易》的占驗作用，倡言「卦氣」、「八宮」、「世應」、「十二月卦」等取象之法。基本上，「取象」是根據卦爻的升降秩序，配合陰陽五行、干支曆法、星宿節氣等的一種推測人事、占算吉凶的方法。東漢以來，西漢取象之法續有新的發展，鄭玄、荀爽（128－190）、虞翻皆循之注《易》。《周易鄭荀義·敘》曰：「漢儒說《易》大恉，可見者三家：鄭氏、荀氏、虞氏。」❻在漢儒治《易》要旨上，張惠言以為鄭玄、荀爽和虞翻三家可作代表。

張惠言認為三家治《易》之法，旨意有別。他在《周易鄭荀義·敘》中指出：「鄭氏言禮；荀氏言升降；虞氏言消息。」❼鄭玄擅於《三禮》之學，注《易》取象乃以釋禮為主。《禮記·禮運》云：「夫禮必本於天。」又云：「夫禮，先王以承天之道，以治人之情。」❽《禮》與《易》關係密切，在於天道是禮的導源，作為王者制禮的憑據。《禮記·喪服四制》云：「凡禮之大體，體天地。」鄭玄注云：「禮之言體也，故謂之禮，言本有法則而生也。」❾因此，鄭玄通過《周易》卦象參透天道，藉此申明禮的生成。至於荀爽和虞翻注《易》乃根據陰陽二氣「升降」、「消息」

---

❻　〔清〕張惠言：《周易鄭荀義》，載《續修四庫全書》（上海：上海古籍出版社，1995 年），第 26 冊，頁 671。

❼　同前註。

❽　〔漢〕鄭玄注，〔唐〕賈公彥疏：《禮記注疏》，載《十三經注疏》（臺北：新文豐出版社，2001 年），第 11 冊，頁 1032。

❾　同前註，第 12 冊，頁 2565。

之義。《九家易》注云：「〈泰〉卦曰：『陽息而升，陰消而降。』」⑩凡陽氣長為「升」、「息」，凡陰氣長為「降」、「消」。基於陰陽二氣消息盈虛，據此可說明卦爻升降變化的原理。

在《易》漢學的研究上，張惠言十分重視卦象中的象示意義。《周易‧繫辭傳下》云：「是故《易》者，象也。象也者，像也。」⑪漢儒治《易》取象，上至天文星宿、山川氣候、雷風雨澤，下至人事諸物、宮廷器物，無所不包。他在〈丁小疋鄭氏易注後定序〉中云：「《易》者，象也。《易》而無象，是失其所以為《易》。」又云：「漢師之學謂之言象可，謂之言數不可。」⑫張惠言認為尋常行事言理，也要「比事合象，推爻附卦」，即一切以《易》象為依歸。《虞氏易事‧序》云：「夫理者無跡，而象者有依，舍象而言理，雖經姬、孔，靡所據以辯言正辭，而況多岐之說哉！」⑬可見，張惠言申明治《易》當取象斷義。

同時，張惠言強調取象是為了說明人事，解釋禮制的生成。他指出漢儒治《易》用來喻明人事，是由孟喜開始。《周易虞氏義‧序》云：

---

⑩　〔清〕惠棟：《易漢學》，載《叢書集成初編》（北京：中華書局，1985年），頁7。

⑪　〔魏〕王弼、韓康伯注，〔唐〕孔穎達疏：《周易正義》，載《十三經注疏》，第1冊，頁621。

⑫　張惠言：《茗柯文二編》，載《四部叢刊初編‧集部》，第99冊，頁31。

⑬　同前註，頁20－21。

> 孟喜傳《易》家陰陽，其說《易》本於氣，而後以人事明
> 之。八卦、六十四象、四正、七十二侯，變通消息，諸儒皆
> 祖述之。⓮

到了鄭玄，取象之法便集中在禮制方面的說明。張惠言在《茗柯
文·馬氏》中云：「鄭《易》之于馬，猶詩之于《毛》。然注
《詩》稱《箋》，而《易》則否，則本之于馬者蓋少矣。……馬于
象疏，鄭合之以爻辰；馬于人事雜，鄭約之以周禮。」⓯鄭玄雖師
從馬融（79－166）門下三年，但治《易》之法多由己出，其法是
以「爻辰」來取象明禮。

　　有見及此，張惠言指出鄭玄以「爻辰」取象，不是治《易》的
根本目的，其旨乃在於釋禮。他在〈丁小疋鄭氏易注後定序〉中
云：

> 爻辰者，鄭氏之所以求象，而非鄭氏言《易》之要也。鄭氏
> 之學盡于爻辰而已乎。《記》曰：「夫禮本于太一，分而為
> 天地，轉而為陰陽，變而為四時，其降曰命也。」韓宣子見
> 《易》象，曰：「周禮在魯矣。」是故《易》者，禮象也。
> 是說也，諸儒莫能言，唯鄭氏言之。故鄭氏之《易》，其要
> 在禮。若乃本天以求其端，原卦畫以求其變，推象附事以求
> 其文王、周公制作之意，文質損益，大小該備，故鄭氏之

⓮　同前註，頁 19。
⓯　同前註，頁 27。

《易》，人事也，非天象也。❶

《周易・繫辭傳上》云：「是故法象莫大乎天地。」又云：「天垂象，見吉凶，聖人象之。」❷《周易》卦爻逸象無所不包，據之可象示出不能窮盡的天道，參透周禮制作之意。張惠言認為，這是鄭玄以《周易》取象釋禮的因由。此外，《左傳》昭公二年記載晉侯使韓宣子聘魯，「觀書於大史氏，見《易》象與魯《春秋》，曰：『周禮盡在魯矣。』」杜預《注》：「《易》象、《春秋》，文王、周公之制。」❸韓宣子驟見《易》象，便知周禮存於魯地，這也是由於卦象有釋禮作用之故。因此，張惠言直指《易》即是「禮象」。

對於鄭玄治《易》之法，張惠言多加接受，並由此倡導取象釋禮。他在《虞氏易禮・敘》中曰：「《易》家言禮者惟鄭氏，惜其殘闕不盡存。」❹由於鄭玄《易注》已不盡存，未能詳見其釋禮之義。惠棟在《易漢學・自序》中亦言：「王輔嗣以假象說《易》，根本黃老，而漢經師之義，蕩然無復有存者矣。」❺張惠言在《周易虞氏義・序》中曰：

---

❶　張惠言：《茗柯文二編》，載《四部叢刊初編・集部》，第 99 冊，頁 31。

❷　王弼、韓康伯注，孔穎達疏：《周易正義》，第 1 冊，頁 593－594。

❸　〔晉〕杜預注，〔唐〕孔穎達疏：《春秋左傳正義》，第 15 冊，頁 1857－1858。

❹　〔清〕張惠言：《虞氏易禮》，載《續修四庫全書》（上海：上海古籍出版社，1995 年），第 26 冊，頁 601。

❺　〔清〕惠棟：《易漢學》，頁 1。

> 自魏王弼以虛空之言解《易》，唐立于學官，而漢世諸儒之
> 說微，獨資州李鼎祚，作《周易集解》，頗采古《易》家
> 言，而翻《注》為多，其後古書盡亡。㉑

王弼（226－249）以義理治《易》，其說在東漢以後普遍流行，又
被孔穎達（574－648）納為官學，以致漢《易》學幾近殆盡。這是
張惠言從事鄭玄《易注》的輯存補述工作的一個原因。他在《周易
鄭荀義》中置「禮象」一條，已補述鄭氏取象釋禮的內容，並以為
《易》象能「列貴賤之位，辯大小之序，正不易之倫」㉒，其用合
乎禮義。

　　但除了輯存工作外，張惠言更重視發揮鄭玄取象釋禮之義。他
有感於鄭玄取象之法過於狹隘，指出其僅用「爻辰說」，不能盡得
陰陽消息之用，難以充分體現出卦爻所顯示出來的禮象。張惠言在
《周易鄭荀義·敘》中曰：

> 鄭氏贊《易》實述之至，其說經則以卦爻無變動謂之彖
> 辭，……爻象之區既隘，則乃求之于天，乾坤六爻上繫二十
> 八宿，依氣應宿謂之爻辰。若此則三百八十四爻，其象十二
> 而止，殆猶溓焉，此又未得消息之用也。㉓

㉑　張惠言：《茗柯文二編》，載《四部叢刊初編·集部》，第99冊，頁20。

㉒　張惠言：《周易鄭荀義》，頁671。

㉓　同前註，頁671。

「爻辰說」以乾、坤各十二爻配合十二地支。乾卦由初九至上九分別配子、寅、辰、午、申、戌六辰；坤卦由初六至上六分別配未、酉、亥、丑、卯、巳六辰，六十四卦皆限於此相應之法。例如凡是初九爻皆按乾卦初九上屬子辰；又如所有的初六爻皆據坤卦初六上屬未辰。由此來說，六十四卦共三百八十四爻僅限於與十二辰相配，故張惠言評「爻辰者，遠而少變，未足以究天地消息」。這也促使他撰述《虞氏易禮》，期望「以虞氏之註推禮以補鄭氏之缺」。❷

　　取象之法以卦爻為本，卦爻變化愈是繁複，其用愈能發揮，所顯示的逸象也愈豐富。相反，若卦爻位置不變，顯見之象自然受到限制。荀爽、虞翻二家據陰陽以注《易》，比起鄭玄的「爻辰說」顯得更靈活。荀爽注〈升卦〉上六云：「陰用事為消，陽用事為息。」❷虞翻注〈剝卦〉象傳云：「乾息為盈，坤消為虛。」❷若用卦爻表示，陽爻主陽氣，陰爻主陰氣。由於二氣消息盈虛，循環不斷，據之解釋卦爻之位的升降變化，自然能夠析出更多的卦爻逸象，由此所象示的禮制也會增加，足以糾正鄭玄「爻象之區既隘」之弊。然則，荀、虞二家治《易》之法不異，但張惠言卻選擇了虞翻《易注》，他在《周易鄭荀義·敘》中解釋箇中原因：

　　　荀氏言陽常宜升而不降，陰常宜降而不升，則是〈姤〉、

---

❷　張惠言：《虞氏易禮》，頁601。

❷　〔唐〕李鼎祚：《周易集解》（北京：中國書店，1987年），頁10。

❷　同前註，頁14。

〈遯〉、〈否〉之義大于〈既濟〉也。❷

張惠言治《易》貴乎卦爻能各當其位。〈既濟〉六爻為初九、六二、九三、六四、九五、上六，此見陽爻當陽位，陰爻當陰位，六爻各得其正。可是，荀爽不管卦爻之位是否得正，認為凡陽爻皆有上升九五之勢，而陰爻則有下降六二之勢，譬如〈姤〉、〈遯〉、〈否〉三卦之陰陽六爻不盡其位，陰爻皆在陽爻之下。這種「陽升陰降」的必然規律自然減少爻變的靈活性，取象之法也因而受到束縛。從張惠言評論虞翻《易》學「與荀同原而閎大遠矣」之言❷，大底明白其取虞捨荀之由。

三、「取象釋禮」例舉

虞翻，三國吳人，高祖父「少治孟氏《易》」，先祖「世傳其業」，至其五世，堅稱「經之大者，莫過于《易》」。❷今觀虞氏《易注》，其學不限於孟喜，乃匯集兩漢《易》學之大成，故其取象類目繁多，靈活多變。張惠言在《虞氏易禮·敘》中曰：

> 虞氏于禮，蓋已略矣。然以其所及，揆諸鄭氏原流本末，蓋有同焉。何者？其異者，所用之象也；而所以為象者不殊，故以虞氏之註推禮以補鄭氏之缺，其有不當則闕如，一以消

---

❷　張惠言：《周易鄭荀義》，頁 671。

❷　同前註，頁 671。

❷　張惠言：《易漢學》，頁 54。

息為本。㉚

　　張惠言認為，鄭、虞用象之旨有別，而取象之法則同，故虞翻《易注》能彌補鄭玄取象之法的局限。但由於虞翻注《易》略於釋禮，卦爻之象不一定為釋禮而發，故若虞氏《易》象有不能釋明禮制的情況，張惠言便抒以己見，以陰陽消息加以推導。因此，在《虞氏易禮》中，張惠言在沿用虞氏《易》象之餘，還詳備個人取象釋禮的方法。

　　本文例舉《虞氏易禮》中的婚禮《易》象，來說明張惠言取象釋禮的方法。在《周易鄭荀義》中，張惠言把〈泰〉六五和〈歸妹〉上六納入「中春嫁娶」條中，並承襲鄭玄《易》象釋明婚禮。然而，他又嫌鄭氏獨以「爻辰」取象，致使釋禮不足，故在《虞氏易禮》「歸妹」條中，採用虞氏《易》象再次釋明〈泰〉、〈歸妹〉卦爻中的禮象。其取象釋禮的方法大致有三種：

（一）鄭玄據《易》象釋禮，卻沒有注明取象之法，而張惠言以虞氏《易》象補述之。

　　在《周易鄭荀義》「中春嫁娶」條中，張惠言徵引《周易》鄭《注》云：「〈歸妹〉上六爻，女承筐。《注》云：『〈士昏禮〉云：婦入三月，然後祭行。』」㉛鄭玄指出〈歸妹〉上六爻象示婦人嫁後三月祭廟的逸象，不過，他沒有解釋取象之法。在《虞氏易禮》「歸妹」條中，張惠言徵引虞氏《易》象補述之。張惠言先引

㉚　張惠言：《虞氏易禮》，頁 601。
㉛　張惠言：《周易鄭荀義》，頁 680。

用虞翻《易注》，利用漢《易》「世應法」，說明婦人承筐祭祀的
逸象。〈歸妹〉上六曰：「女承筐，無實。」虞翻《注》云：「女
謂應三兌也。自下受上稱承，震為筐。」❸根據「世應法」，〈歸
妹〉爻的上六與兌三相應。兌三象妹，象示出嫁之婦，與上六婦人
相應；又〈歸妹〉震上兌下；兌在震下，而兌象婦人，震象為筐，
故有「女承筐」的逸象，由此象示婦人出嫁後承筐祭祀。

　　通過虞氏《易》象的說明，張惠言把婦人承筐祭祀的逸象進一
步分析。〈歸妹〉上六云：「士刲羊，無血。」虞翻《注》曰：
「刲，刺也。震為士，兌為羊，離為刀，故刲羊。」❸依照「世應
法」，〈歸妹〉震四為士，與兌三易位而與上六相應。張惠言
《注》曰：「謂四反三為士應上。」❸因此，〈歸妹〉震六象示祭
士。再者，震六在上，兌在其下，而兌象示羊，由此便得出祭士在
羊上的逸象。若據漢《易》「互體」言之，〈歸妹〉二爻至四爻為
離，離象示刀，而聯繫之前的逸象，便推出祭士操刀宰羊以為祭祀
之義。張惠言《注》曰：

　　　　上，宗廟爻也。〈曾子問〉曰：「三月而廟見，稱來婦也。
　　　　擇日而祭于禰，成婦之義也。」鄭《注》云：「謂舅姑歿者
　　　　也必祭。成婦之義者，婦有供養之禮，猶舅姑存時，盥饋特
　　　　豚于室。」此云「士刲羊，女承筐」，則此也。❸

---

❸　張惠言：《虞氏易禮》，頁 621。
❸　同前註。
❸　同前註。
❸　同前註，頁 622。

此外，張惠言根據「世應法」多取一個逸象，以〈歸妹〉上爻為宗廟，而與兌三祭婦相應，說明婦人祭祀的場地是在宗廟。由此可見，虞氏釋〈歸妹〉上六為「女承筐」、「士刲羊」；張惠言發揮其說，以「承筐」、「刲羊」象示祭祀時的祭物，並配合婦人、士和宗廟等逸象，把婦人嫁後三月臨廟祭祀的逸象表現得更完整。

㈡ **鄭玄沒有據逸象釋明禮制，張惠言以虞氏《易》象推之。**

在《虞氏易禮》「歸妹」條中，張惠言不僅補述鄭玄取象的不足，還全面地勾勒出卦象中的禮象，包括婚象、夫婦之象、媵制和反馬留車之象。他徵引虞翻注〈歸妹〉曰：「歸，嫁也。兌為妹。〈泰〉三之四，坎月離日，俱〈歸妹〉象。陰陽之義配日月，則天地交而萬物通，故以嫁娶也。」❸❻虞翻根據「卦變」之說，以〈泰〉一爻之變，示明歸妹喻象嫁娶。〈歸妹〉、〈泰〉同是三陰三陽卦，而當〈泰〉九三升至六四，〈泰〉則變成〈歸妹〉，即是虞翻所謂「〈泰〉三之四」，並備有「俱〈歸妹〉象」之意。張惠言據《乾鑿度》釋曰：

> 〈泰〉者，正月之卦也。陽氣始通，陰道執順，故因此以見湯之嫁妹，順天地之道，立教戒之義也。❸❼

〈泰〉，坤上乾下，象示天地氣交，陰陽相接。按照「卦變」的次序，〈歸妹〉承〈泰〉變來，繼有陰陽相合之象，故虞翻以歸妹喻

---

❸❻ 張惠言：《虞氏易禮》，頁 620。
❸❼ 同前註，頁 621。

象嫁娶。

　　整體上，張惠言先說明歸妹含有嫁娶之意。然後，再據虞氏《易注》逐一推明兄嫁妹及夫婦的逸象。〈歸妹〉，震上兌下，而虞翻認為「兌為妹」，「震為征」。張惠言釋曰：

> 歸妹之象，震兄嫁妹，有婦象而無夫。爻變，四反三，三反四；二五易位，則離在震四，坎在兌三，日東月西，二五相望得為夫婦。㊳

張惠言指出歸妹喻象「震兄嫁妹」，乃是根據虞氏以「兌為妹」之象，而又把「震為征」改為兄象。《周易‧說卦》云：「震一索而得男，故謂之長男。」㊴由此〈歸妹〉便以震上為兄，兌下為妹，取得兄嫁妹之象。但是，張惠言以為〈歸妹〉沒有夫婦逸象，故又據虞氏《易》象推之。虞翻注〈歸妹〉六五曰：「坎月離日，兌西震東，日月象對，故曰：『幾望。』二之五，四復三，得正，故吉也。」㊵張惠言據此指出〈歸妹〉六三（兌三）與九四（震四）易位，即所謂「四反三，三反四」，再以九二與六五易位，變出〈既濟〉卦。據此，〈既濟〉，坎上離下。《周易‧說卦》云：「離為日。」又云：「坎……為月。」㊶離象為日，坎象為月；日陽月陰，已象示陰陽相合之象。進一步來說，由於在〈歸妹〉卦中，兌

㊳　張惠言：《虞氏易禮》，頁622。

㊴　王弼、韓康伯注，孔穎達疏：《周易正義》，第1冊，頁678。

㊵　張惠言：《虞氏易禮》，頁621。

㊶　王弼、韓康伯注，孔穎達疏：《周易正義》，第1冊，頁677，682。

三和震四已經易位，故當變成〈既濟〉後，兌三在〈坎〉，而震四在〈離〉。兌三為陰爻，在〈坎〉合陰；震四為陽爻，在〈離〉合陽，因此，陰陽之位得正，而男陽女陰，便喻示出夫婦之義。再者，〈歸妹〉六五為「帝乙歸妹」，則帝乙以其妹嫁給周文王。〈歸妹〉震上兌下；因六五本為天子之位，卻為震五陰爻居之，故升兌二陽爻代之，變為九五，喻象文王為夫，並把震五降二為婦，即所謂「二五相望得為夫婦」，由此推出夫婦逸象。

除此以外，婚禮有陪送出嫁之制，即媵制。張惠言同樣取〈歸妹〉虞氏逸象釋之。〈歸妹〉初九曰：「初九歸妹以娣，跛而履征吉。」虞翻《注》云：「震為兄，故嫁妹謂三也。初在三下動而應四，故稱娣。履，禮也。初九應變成二，坎為曳，故破而履，應在震，為征。初為娣，變為陰，故征吉也。」❷〈歸妹〉，震上兌下；虞翻視震四為兄，兌三為妹，即出嫁女，象示兄嫁妹。此外，他又欲以初九（兌初）為娣，象示出嫁女的妹妹，來承接在〈既濟〉卦中由五降為二的婦人，但由於兌初為陽爻，沒法與六二取得姊妹之象，又不能與〈歸妹〉卦中的震四取得兄妹之象。因此，他便把兌初變為陰爻，由此也使到〈歸妹〉的兌下變為坎。張惠言釋曰：

初變而應四，本體兌女，亦四之妹，是同姓所媵之娣也。必變而應四者，四未變為兄，媵女必致之兄也。❸

❷ 張惠言：《虞氏易禮》，頁 620−621。
❸ 同前註，頁 622。

在〈歸妹〉兌初變為陰爻後，便可以與震四相應，作為兄妹逸象。同時，當〈歸妹〉變成〈既濟〉以後，六二已喻象為出嫁女，而與兌初（妹）相應，則其妹的身分又得以確立為媵婦，由此釋明了婚嫁媵制。

根據《左傳》的記載，大夫以上嫁女，婦入三月以後，要行「反馬留車」婚制。《左傳》宣公五年曰：「冬，來，反馬也。」杜預《注》云：「三月廟見，遣使反馬。」孔《疏》云：「大夫以上，其嫁皆有留車反馬之禮。」又云：「至三月廟見，夫婦之情既固，則夫家遣使反其所留之馬，以示與之偕老，不復歸也。」[44]張惠言乃取虞翻逸象釋明此禮。〈歸妹〉六三云：「歸妹以須，反歸以娣。」虞翻《注》曰：「震為反，反馬歸也。」[45]張惠言釋曰：

> 四下三，則二五為夫婦。三反四，象反馬者。禮，送女不下堂。震為馬，故以四之三，為女家之馬；三之四，反之也。鄭氏《箴膏肓》云：「大夫以上，至天子皆留車反馬。」[46]

〈歸妹〉，震上兌下，張惠言以震象馬，兌為女，而以震四降至兌三，象示此馬屬於女家。當二五易位，〈既濟〉已成，夫婦之義既立，則又把〈既濟〉九三升至六四，變出〈隨〉卦。〈隨〉，兌上震下；兌為女，震為馬、為反，由此象示出反馬於女家。

---

[44] 杜預注、孔穎達疏：《春秋左傳正義》，第 14 冊，頁 976。

[45] 張惠言：《虞氏易禮》，頁 621。

[46] 同前註，頁 622。

㈢ **虞氏《易》注沒象可據，張惠言自行注明取象釋禮之法。**

在《周易鄭荀義》中，張惠言指出鄭玄用〈泰〉六五爻之象，推述婚時在仲春二月舉行。〈泰〉六五卦曰：「帝乙歸妹，以祉元吉。」鄭玄《注》云：「五爻辰在卯，春為陽中，萬物以生。生育者，嫁娶之貴，仲春之月，福祿大吉。」❹❼〈丁小疋鄭氏易注後定序〉云：

> 余往嘗疑鄭君箋《詩》，以婚期盡仲夏以前，于經無所徵
> 驗，及就〈歸妹〉之《注》考之，六五爻辰在卯，二月
> 中。……然後知《箋》義，蓋出于此。❹❽

張惠言指出，鄭玄根據爻辰取象，以〈乾〉、〈坤〉十二爻主六十四卦爻。因〈泰卦〉六五屬〈坤卦〉六五爻，而〈坤卦〉六五與十二辰相配為卯辰，即仲春二月，故便認為親迎禮當在二月舉行。

根據〈泰〉六五爻，張惠言明白鄭玄以二月仲春為婚期正時的原因，並據此抒發己見，申明夏、商、周三代改制之義。張惠言在《虞氏易禮》中曰：

> 《詩》、《禮疏》說婚期，孫卿、韓嬰、毛公之義，自季秋
> 至于孟春。……馬融、鄭康成之義，據《周官‧媒氏》仲春
> 為婚月之正。……以《易》義言之，〈歸妹〉九月之卦，

---

❹❼ 張惠言：《周易鄭荀義》，頁680。
❹❽ 張惠言：《茗柯文二編》，頁31。

〈泰〉正月之卦。其辭皆云：「帝乙歸妹。」則季秋王于孟
春，殷禮婚期審矣。歸妹之名，庖犧所作，則殷因于古。
《夏小正》：「二月，綏多士女。」則周因于夏，實改殷
制。❹

兩漢經儒指婚期正時有二：一為季秋至孟春，即九月至正月；二為
仲春二月。張惠言取〈泰〉、〈歸妹〉卦爻逸象，證明婚期九月至
正月為殷商婚制。〈泰〉、〈歸妹〉皆有「帝乙歸妹」的卦辭，說
明二卦所主的月份皆有可能為商湯嫁妹的婚時。於是，張惠言沿用
孟喜卦氣說找出二卦所主的月份。孟喜卦氣說中的四正卦即
〈坎〉、〈震〉、〈離〉、〈兌〉，各主一年中的三個月；餘下的
六十卦分配二十四節氣。因一節氣分為三侯，即初侯、次侯、末
侯，故一年二十四節氣共有七十二侯。若以六十卦整除之，則六十
卦之中有十二卦分佔二侯，如此方能把七十二侯以整數除盡。基於
這個原因，六十卦中便有十二卦分為內、外二卦，其中包括〈歸
妹〉。❺〈歸妹〉九月外卦主九月初侯；〈泰〉主正月次侯，所
以，商湯嫁妹有可能在九月或正月。不過，婚禮不可能分隔二時舉
行，因此，張惠言認為商制在九月至正月之間皆可視為婚時；又由
於周代不從商制婚時，張惠言乃以易代改制之義申明之，指出周改
殷制，婚時從夏，而行於仲春二月。

---

❹　張惠言：《虞氏易禮》，頁 621。

❺　〔清〕惠棟：《易漢學》，見「〈卦氣圖說〉」、「〈唐一行開元大衍歷
　　經〉」，頁 1−6、28−34。

由以上舉例中，可見虞氏《易》象多變的一面，此實集合兩漢取象法之大成。所以，張惠言根據虞氏《易》象釋明婚禮，其法既有孟喜的卦氣說、京房的世應法（初與四應，二與五應，三與上應），並及爵位（以〈歸妹〉上六為宗廟）；虞翻的卦變、爻變、互體及逸象等。相比之下，鄭玄爻辰說規定六十四卦與乾、坤十二爻相應，並固定上值十二辰、二十四節氣、二十八星宿，其可變性已少，又僅喻象節氣、星辰，而遠離人事，遂以「遠而少變」。相反，虞翻不僅在已形成的卦爻中取象，更按照六爻升降的位置，有系統地使一個卦象演變成另一個卦象，直至轉變到一個適合的卦象，可用來釋明禮制為止。同時，虞翻逸象多能貼近人事，並兼容前人取象之法，故有助推明禮制，「補鄭氏之缺。」

然而，虞翻治《易》略於說禮，不少逸象須經張惠言刻意安排，加工改造，才能勾勒出一個完整的禮象面貌。事實上，卦爻純粹是一組排列符號，而張惠言往往為了釋明禮制，就在卦爻的排列上，作出多方面的遷就，種種的改變，方能使卦爻逸象與禮象取得平衡對應。可以說，取象之法貴在多變，且著重靈活性，這是張惠言所以有取虞，棄荀、鄭之決定，也反映出其在處理「取象」與「釋禮」的關係上，禮是佔著首要的地位。

四、《公羊》思想的「《易》象化」

兩漢之世，取象之法已普遍應用，而當時也累積了不少古禮儀式的記載，漢儒自可據此作為卦爻逸象的參考，達致釋禮之用。然而，禮是變動不居的，它含有動態的本質。《周易·繫辭傳下》

云：「《易》，窮則變，變則通，通則久。」❺❶卦爻善變，其用恆久，故用之取象釋禮，固然可揭示出禮制的變化，可是，取象之法雖可窮盡禮變的規律，但它不是規律本身，難以審明變化的因由。在以上的舉例中，張惠言根據周承夏制，改革殷商之說，申明仲春為周代婚時，這反映出他對易代禮變的原理應有一定的認識。虞翻治《易》旨不在禮，沒有涉及禮變規律；鄭玄雖善於《禮》學，但注《易》也不曾辨明易代禮變的逸象。這樣，漢代《公羊》學便為張惠言提供了禮變的思想根據。

張惠言「少學為時文」，「其後好《文選》辭賦」，乃以「無其道而有其文者，則未有也。故迺退而考之于經。」❺❷他早年工於辭賦，後來轉治經術，而曾在賦中提及到《公羊》易代改制的思想。他在〈館試天以為正周以為春賦〉中云：

> 且夫正朔三改，文質再旋，順三才以為序，實百王所同然。軒轅以尚赤為統，虞嬀以建子為年，夏規殷革，商紀周遷，並改時以命月，明稽古以同天。❺❸

軒轅、虞嬀、夏、商、周易代遷禮，而賦中所謂的「正朔三改」、「文質再旋順」、「尚赤為統」等說❺❹，實為漢代《公羊》學三代

---

❺❶ 王弼、韓康伯注，孔穎達疏：《周易正義》，第一冊，頁 615。

❺❷ 張惠言：《茗柯文三編》，載《四部叢刊初編·集部》，見〈文稾自序〉，第 99 冊，頁 58。

❺❸ 同前註，頁 52。

❺❹ 漢代存在朝代更替的理論有兩套：一為鄒衍的「五德終始」說，二為董仲舒

禮變的成法。董仲舒在《春秋繁露‧三代改制質文》篇中以「三統」、「文質」和「正朔」申明三代變制；何休承襲之，撰有《春秋公羊解詁》發明此義。據此來看，張惠言對漢代《公羊》思想理當不會感到陌生。事實上，張惠言身處常州，與莊述祖、劉逢祿、宋翔鳳等《公羊》學家有過不少接觸交流，即使在學問上帶有漢代《公羊》思想，也是絕不為奇。

(一) 受命改制

漢代《公羊》家以新王「受命改制」說，作為三代禮變的思想根據。《春秋》隱公元年云：「元年春王正月。」《公羊傳》云：「王者孰謂？謂文王也。曷為先言王，而後言正月？王正月也。何言乎王正月？大一統也。」《公羊》據文王即位申明《春秋》「大一統」之義。何休《注》曰：

> 以上繫王於春，知謂文王也。文王，周始受命之王。天之所命，故上繫天。端方陳受，命制正月，故假以為王法……以上繫於王，知王者受命布政施教，所制月也。王者受命必徙居處，改正朔，易服色，殊徽號，變犧牲，異器械，明受之

的「三統」說。若據「五德終始」說，則是依照五行相勝之道，軒轅首以土德為王。若以「三統」立說，則德運依據黑、白、赤三統而循環，由軒轅開始輪起，理應尚黑統。不過，劉向在皇帝軒轅以前，再加上包羲氏和神農氏二帝，故輪到黃帝時，便成為赤統了。劉向的說法見《漢書‧郊祀志》末班固贊。〔漢〕班固：《漢書》（北京：中華書局，1995 年），第 4 冊，頁1270－1271。

於天，不受之於人。❺

何休以為新王受命即位，必須改革前制，表示受命於天，不是繼位於人。他根據文王受命制正月，變法度，倡明新王「受命改制」之義。這說明大凡新王受命即位，必須改革禮制；至於三代禮制損益不同，也是基於新王易代改制之故。就此，張惠言指出文王演繹伏犧八卦時，已把受命革商，變法改制之義著在卦爻之中。《茗柯文·干氏》云：

> 故《易》者，文王考河洛、應圖書，革制改物，垂萬世憲章。周公監之以制作者也。鄭氏知之，故推象應事。《周官》典則，一一形著于《易》，故曰：「制而用之，謂之法，舉而措之天下之民，謂之事業。」若乃應期受命，革而用師，商、周之所以興廢固亦見焉。❻

《象傳》論〈革卦〉云：「湯、武革命，順乎天而應乎人。」又〈師卦〉云：「能以眾正，可以王矣。」❼二卦皆示明文王受命革商之象。

由於《公羊》禮變思想源於文王「受命改制」說，故張惠言在《虞氏易禮》篇首，已取卦象釋明文王受命之義，為周革商制確立

---

❺　〔漢〕何休注，〔唐〕徐彥疏：《春秋公羊傳注疏》，第 17 冊，頁 22－27。

❻　張惠言：《茗柯文二編》，頁 26。

❼　王弼、韓康伯注，孔穎達疏：《周易正義》，第 1 冊，頁 412、108。

逸象。張惠言在「周家受命三卦」條中，取象於〈晉〉、〈升〉、〈明夷〉三卦，並以虞氏《易》象說明文王受命革商的經過：

> 《易》著殷、周革命之文，《象傳》言之，《緯》言之，漢儒莫不言之。後人不敢道文王受命稱王改制，遂使大義淪晦。……具說此三卦，其餘隨文而見者，多有以義可推。❺❽

《周易》云：「〈晉〉：康侯用錫馬蕃庶，晝日三接。」虞氏《注》云：「〈觀〉四之五。」張惠言《注》云：「〈觀〉四之五，天子也。五柔進，康侯輔王之象。」❺❾虞翻變卦以〈觀〉、〈晉〉同屬二陽四陰卦，當觀四爻升至五爻，則變為〈晉〉。因「世應法」以四爻為諸侯，五爻為天子，故張惠言以〈觀〉變為〈晉〉，用來象示文王輔商。張惠言《注》云：「〈晉〉為文王，為方伯服事殷之象。」❻❿與此同時，張惠言也指出文王在商紂時，已有受命的符瑞。虞翻《注》云：「初動體〈屯〉震為侯，故曰：康侯。」張惠言釋曰：

> 初則侯，二三體〈屯〉震，皆初之上行也。……蓋王者受命之符也。〈晉〉當以初動，〈屯〉建侯為王。❻❶

---

❺❽　張惠言：《虞氏易禮》，頁 604。

❺❾　同前註，頁 602。

❻❿　同前註，頁 602。

❻❶　同前註，頁 602。

張惠言根據〈屯〉推解釋〈晉〉的逸象。〈屯〉，坎上震下。《周易·說卦》云：「震，動也。」❷張惠言認為，〈屯〉初爻為諸侯，震初象示震上。《周易·屯》云：「利建侯。」❸由於〈屯〉二三與〈晉〉二三互體，皆為陰爻，故據以〈屯〉初陽爻變動〈晉〉初陰爻，使〈晉〉同樣備有陽升陰退的逸象，象示有利諸侯封國建業。《史記》載文王南征之前，諸侯已稱「西伯蓋受命之君。」❹這恰如〈屯〉、〈晉〉二卦所示的逸象。

　　張惠言依據〈屯〉、〈晉〉二卦示明文王有受命符瑞，接著以〈升卦〉象示文王受命創業的經過。根據《史記》記載，文王脫羑里之困後，德澤被化，使周地「耕者皆讓畔，民俗皆讓長。」此後文王自歧山南伐諸國，先伐犬戎、密須，後敗耆國、崇侯虎，周室基業鞏固。❺《虞氏易禮》載《周易》云：「〈升〉，元享。用見大人。勿恤，南征吉。」❻虞氏《注》云：「〈臨〉初之三，又〈臨〉象二當之五為大人。」❻虞氏卦變以〈臨〉初爻升至三，卦變為〈升〉；又以〈臨〉二爻升至五爻，變為〈屯〉。〈升卦〉辭為「用見大人」，〈屯〉為「利建侯」，二卦相應，象示大人為諸侯而創業。張惠言根據〈臨〉二至五為〈屯〉的逸象，示明文王受命之義。張惠言《注》云：

---

❷　王弼、韓康伯注，孔穎達疏：《周易正義》，第 1 冊，頁 677。

❸　同前註，第 1 冊，頁 73。

❹　〔漢〕司馬遷：《史記》（北京：中華書局，1992 年），頁 117。

❺　同前註，頁 118。

❻　張惠言：《虞氏易禮》，頁 602－603。

《乾鑿度》曰:「孔子曰:〈昇〉(升)者,十二月之卦
也。陽氣升上,陰氣欲承萬物始進。」譬猶文王之修積道
德,宏開基業,始即昇平之路,當此時也。鄰國被化,岐民
和洽……陽之息卦始于〈升〉,王者受命之義也。柔以時
升,主五升二,為二作階,使以五為尊位,則堯、舜之薦
舜、禹也。⑰

在孟喜六日七分法中,始於〈復卦〉十一月,陽氣震動,至十二
月,陽氣漸進。〈升〉為十二月卦,有陽升陰承之義,喻象文王受
命以後,始開基業。據此,張惠言釋明文王南征諸國之象。虞翻注
〈升卦〉云:「離,南方卦,二之五成離,故南征吉,志行也。」⑱
〈升卦〉變至〈臨卦〉,〈臨〉,坎上震下。《周易·說卦》稱離
為「南方之卦也。」⑲坎與離旁通,離為南方,喻示文王南征;而
〈升卦〉辭有「南征,吉」,乃示明文王出征為吉。張惠言《注》
曰:「卦辭曰:南征,吉。四曰:王用亨于西山,則文王巡南國諸
侯,禪于岐山,告受命也。孚乃利用禴者,巡守在時祭之後;南
征,故用禴也。此始受命稱王之象。」⑳再者,〈臨〉二爻升至五
爻為〈屯〉,〈屯〉「利建侯」,而五為天子之位,亦象示文王受
命為王。

文王南征以後,諸侯歸服,張惠言指出〈明夷〉卦見周革殷商

---

⑰　張惠言:《虞氏易禮》,頁603。

⑱　同前註。

⑲　王弼、韓康伯注,孔穎達疏:《周易正義》,第1冊,頁673。

⑳　張惠言:《虞氏易禮》,頁603。

之象。虞翻注〈明夷〉卦云：「〈臨〉二之三而反〈晉〉也。五失位。」張惠言《注》云：「〈明夷〉于消息次〈升〉，于序卦反〈晉〉。殷、周之文，莫著于此。」**⑦** 〈臨〉二爻升至三爻，變為〈明夷〉。〈明夷〉，坤上離下；〈晉〉，離上坤下，彼此上下二卦剛好相反。因此，〈晉〉，坤、離上下二卦互調位置，則成為〈明夷〉，這便是「反晉」的意思。〈晉〉上卦為離，本有「離日麗乾」之義，殷商天子居於五爻，下有四爻諸侯存其政，國祚不為所傷。張惠言《注》曰：「謂之〈晉〉，謂四晉而麗五也。是天子衰，下有方伯存其政，率諸侯以朝天子。」**⑦** 可是，〈明夷〉卦之變成，使〈晉〉上下二卦相反其位，離反置於坤下，日為土所淹沒，導致「五失位」之象。〈晉〉五本為殷商天子，但經過〈明夷〉卦的變成後，便象示出被周革命失位。

(二) 三代正月

當文王受命新王的逸象釋明以後，張惠言接著說明新王改制之義，藉此確立禮變的規律。沿於《公羊》思想，新王受命即位以後，定必改制，而改制又以改革正月為先。何休《注》曰：

> 天王者，始受命改制，布政施教於天下，自公侯至於庶人，
> 自山川至於草木昆蟲，莫不一一繫於正月，故云：政教之
> 始。**⑦**

---

⑦ 張惠言：《虞氏易禮》，頁 603－604。

⑦ 同前註，頁 602。

⑦ 何休注、徐彥疏：《春秋公羊傳注疏》，第 17 冊，頁 28。

正月代表新王政教之始，天下萬物皆據之生息運作。《尚書大傳·甘誓》云：「周以至動，殷以萌，夏以芽。天有三統，物有三變，故正色有三。」❼三代正月為草木初生的三個月份，而物有三色，則周尚赤，殷尚白，夏尚黑。由於三代正月不同，物色有異，故制禮成法遂有分別。何休《注》云：

> 夏以斗建寅之月為正，平旦為朔，法物見，色尚黑。殷以斗建丑之月為正，雞鳴為朔，色尚白。周以斗建子之月為正，夜半為朔，法物萌，色尚赤。❼

因十二月與十二辰配合，而子、丑、寅三辰之序相隨，故建子、建丑、建寅按序各相隔一個月。即是說，周正比殷正早一個月，殷正又比夏正早一個月。

在新王改革正月上，張惠言在〈臨卦〉中發明文王改制的逸象，指出周革商命，先改殷正。《周易》曰：「〈臨〉，元亨利貞。至于八月，有凶。」虞翻《注》云：「與〈遯〉旁通。〈臨〉消于〈遯〉，六月卦也。于周為八月。〈遯〉，弒君父，故至于八月有凶。」❼〈臨〉與〈遯〉旁通。在孟喜十二月消息卦中，〈臨〉為十二月卦，陰衰陽長；〈遯〉為六月卦，陽衰陰長。這是以夏曆來計算。相對商、周二曆來說，若〈臨〉為夏之十二月，為

---

❼ 〔清〕皮錫瑞：《尚書大傳疏證》，《續修四庫全書》（上海：上海古籍出版社，1995年），第55冊，頁788。

❼ 何休注、徐彥疏：《春秋公羊傳注疏》，第17冊，頁27。

❼ 張惠言：《虞氏易禮》，頁604。

殷則是正月，為周便是二月。因在十二月卦中，〈臨〉、〈遯〉二卦相隔六個月，故〈遯〉於夏為六月，於殷則為七月，於周則為八月。虞翻以為〈遯〉為文王改殷正之象，是依據〈繫辭〉以周曆計算，指出君父之弒發生在八月。張惠言釋曰：

> 鄭氏云：「人之情盛，則奢淫，奢淫將亡，故戒以為凶也。」〈臨卦〉斗建丑而用事，殷之正月也。當文王之時，紂為無道，故于是卦為殷家著興衰之戒，以見周改殷正之數。⓲

〈臨〉象殷商正月，以陰陽消息言之，主陽氣長，象商代興盛。然而，〈臨〉與〈遯〉旁通，〈遯〉主陽衰陰長，國家有哀亡之象，示明商紂奢浮無道，商祚由盛轉衰。本來，〈臨〉主殷正月，則〈遯〉當為七月。不過，張惠言認為文王於卦辭特意用周曆言之，稱八月見商喪君父之凶，此是為了象示出周已代商，改革殷正。

除了說明文王改革殷正之義外，在《虞氏易禮》中，張惠言也多次取象釋明文王革改商禮。張惠言注〈既濟〉九五曰：

> 殷禮四時之祭，春曰礿，夏曰禘。周則改之。春曰祠，夏曰禴（礿），以禘為王者之大祭。……舉一時以該三，且以明改制也。⓳

⓲ 張惠言：《虞氏易禮》，頁 604。
⓳ 同前註，頁 606－607。

《禮記·王制》云：「天子諸侯宗廟之祭，春曰礿，夏曰禘，秋曰嘗，冬曰烝。」鄭玄《注》曰：「此蓋夏、殷之祭名，周則改之。春曰祠，夏曰礿，以禘為殷祭。」❼殷商稱夏祭名為「禘」，周則改之，稱為「礿」。又張惠言注〈同人〉曰：

> 《五經異義》許君謹案云：「《易》曰：『同人于宗，吝。』言同姓相取，吝道也。」……百世而婚姻不通者，周道然也。此文王所制。❽

《禮記·大傳》云：「雖百世而昏姻不通者，周道然也。」孔《疏》云：「此作《記》之人，以殷人五世以後可以通婚。」❽孫希旦云：「愚謂百世而昏姻不通者，周道然也，則自殷以上，男女別姓之禮固不如周之嚴矣。」❽殷禮以為同姓五世後可通婚，文王改之，以為同姓雖過百世也不可嫁娶。可見，周革商制甚明。

(三) 文質禮變

漢代《公羊》學以「經權」、「三統」、「正朔」、「文質」諸義作為禮變成法，而張惠言專取文、質立說，並透過虞氏逸象釋明王者改制的原理。《虞氏易禮·敘》云：「至於原文本質，使周

---

❼ 鄭玄注，賈公彥疏：《禮記注疏》，第 10 冊，頁 606－607。

❽ 張惠言：《虞氏易禮》，頁 602。

❽ 鄭玄注，賈公彥疏：《禮記注疏》，第 11 冊，頁 1548。

❽ 〔清〕孫希旦：《禮記集解》（北京：中華書局，1995 年），中冊，頁 910。

家一代之制損益具備，後有王者監儀在時不可得而廢也。」⑧張惠言指出周代制禮以質、文為據，以為王者「尚文尚質者，所由以入禮樂之途也」。⑧這說明王者以質、文禮變，大凡衣帶食糧，舟車宮室、器械之用，世更世變，直至適合生民為止。所以「質之不得不變而文也，勢也。文之不得不變而質也，亦勢也」。⑧如此來說，新王易代改制，其勢為取得文、質平衡，各有所重，這一思想導源於《公羊》學說。董仲舒曰：「王者以制，一商一夏，一質一文。」⑧董仲舒視質、文為夏、商二代禮變成法。直至何休，質、文內涵變得更豐富。何休《注》曰：

> 天道本下親親而質省，地道敬上尊尊而文煩，故王者始起，先本天道以治天下。質而親親，及其衰敝，其失也親親而不尊，故後王起法地道以治天下。文而尊尊，及其衰敝，其失也尊尊而不親，故復反之於質也。⑧

何休以尚質樸為親親，尚文飾為尊尊。王者制禮，主親親則失於尊，主尊尊則失於親。所以，前代禮法主於質，後代必返於文，此後質、文復返。何休稱「《春秋》變周之文，從殷之質」，這便說

---

⑧　張惠言：《虞氏易禮》，頁 601。
⑧　張惠言：〈答吳仲倫論文質書〉，《茗柯文補編》，第 99 冊，頁 21。
⑧　同前註，〈文質論〉，第 99 冊，頁 3。
⑧　〔清〕蘇輿：《春秋繁露義證》（北京：中華書局，1996 年），〈三代改制質文〉，頁 204。
⑧　何休注、徐彥疏：《春秋公羊傳注疏》，第 17 冊，頁 188。

明了周從文，尚尊尊。

在《虞氏易禮》中，張惠言鑑於質、文有異，而周代制禮有所損益，故參以文、質，取象釋禮，著明周尚尊尊，以顯示出易代禮變的痕跡。張惠言注〈鼎〉初六云：「明長子死，雖無適孫，猶立妾子，不立世子之弟也。此周道也。」⑧這反映出殷、周立君制度不同。《禮記・檀弓》鄭玄《注》云：「周禮適子死，立適孫為後。」又「微子適子死，立其弟衍，殷禮也。」孔《疏》云：「殷禮若適子死得立弟也。」⑧殷禮立弟，尚親親；周禮立孫，尚尊尊。何休《注》曰：「質家親親，先立弟。文家尊尊，先立孫。」⑨張惠言注〈鼎〉初六之象，使周道從文，假以長子、嫡孫皆死，亦不得立弟，另立妾子。又張惠言注〈益〉上九云：「〈益〉上為宗廟，震長子主器。」⑨又注〈震〉云：「〈序卦〉曰：『主器者，莫若長子。』此周道尊尊，立適之文。」⑨周道尊尊，嫡長子地位最為尊隆，故有爵位繼承權和宗廟祭祀權。

雖然，王者制禮以一質一文為法，各有偏重，但這不表示尚質便棄文，尚文便棄質，兩者實可兼備。董仲舒曰：「質、文兩備，然後其禮成。」⑨《禮記・大傳》云：

---

⑧ 張惠言：《虞氏易禮》，頁610。

⑧ 鄭玄注，賈公彥疏：《禮記注疏》，第10冊，頁269、271。

⑨ 何休注、徐彥疏：《春秋公羊傳注疏》，第17冊，頁34。

⑨ 張惠言：《虞氏易禮》，頁607。

⑨ 同前註，頁612。

⑨ 蘇輿：《春秋繁露義證》，〈玉杯〉，頁27。

> 立權、度、量，考文章，改正、朔，易服色，殊徽號，異器
> 械，別衣服，此其所得與民變革者也。其不可變革則有矣。
> 親親也，尊尊也，長長也，男女有別，此其不可得與民變革
> 者也。❹

一代之典章制度，器械服色可易代變革，然而，親親、尊尊之道並
存在一代之中，不可革去。所以，文、質有相合之理，而沒有相
離之嫌。張惠言曰：「是故文、質之為禮，猶麴糵之為酒也。聖人
合文、質於禮而輕重之以為教，猶酒。人之輕重其麴糵以為齊
也。」❺《虞氏易禮》亦體現出這種思想。張惠言在〈損卦〉中徵
引鄭玄《儀禮注》曰：

> 〈特牲饋食〉：「設兩敦、黍、稷及劉，佐食分簋、鉶。」
> 鄭《注》云：「敦，有虞氏之器也。周制，士用之，變敦言
> 簋，容同姓之士，得用周器耳。」然則二簋用亨同姓之士，
> 祭宗廟禮也……王者制禮始于士。周道親親，故以二簋用
> 亨，為制體之大也。❻

敦、簋皆為祭廟盛物之器。張惠言雖以周制從文，尚尊尊，但以上
卻以周制從質，尚親親，使同姓之士可用二簋。就此，張惠言在

---

❹　鄭玄注，賈公彥疏：《禮記注疏》，第 11 冊，頁 1540。
❺　張惠言：〈文質論〉，《茗柯文補編》，第 99 冊，頁 3。
❻　張惠言：《虞氏易禮》，頁 607。

〈答錢竹汀大令書〉中釋曰：「天子祭八簋，降損至士而用二敦，同姓則二簋，謂禮之別尊卑，定親疏也。」❾❼禮有尊卑降殺之序，從天子下至士人，祭廟用簋之數遞減。天子八簋降至士用二簋，顯見尊卑之義；而士用二簋，亦能分明親疏之別。由此禮兼文、質，親親、尊尊並濟其效。

再舉爵位為例，《公羊》有文家五等，質家三等之說。何休《注》曰：「質家爵三等者，法天之有三光也。文家爵五等者，法地之有五行也。」❾❽張惠言取比卦逸象說明文、質定爵的區別。《虞氏易禮》載《周易》云：「〈象〉曰：地上有水。〈比〉，先王以建萬國，親諸侯。」❾❾〈比〉，坎上坤下。坎為水，坤為地，故稱「地上有水」，象示天子封侯建國。虞翻指出比五爻象示先王，並說明其封侯始見於〈復卦〉。虞翻《注》云：「先王謂五。初陽已復。震為建，為諸侯。坤為萬國，為復。」❿〈復〉，坤上震下，震下象諸侯震動，坤上象諸侯封國。依照虞翻卦變，〈比〉和〈復〉皆為一陽五陰之卦，始於復初爻一陽震動，而直至一陽升至五爻位，遂成為〈比〉。這卦變經過說明殷、周爵制的確立。張惠言《注》曰：

> 〈比〉……以五為天子。初正震象諸侯。本象以五陰一陽，故文家封五等。然上象後，夫王化不及初，已正九五，三毆

---

❾❼　張惠言：《茗柯文四編》，第99冊，頁71。

❾❽　何休注、徐彥疏：《春秋公羊傳注疏》，第17冊，頁188。

❾❾　張惠言：《虞氏易禮》，頁612。

❿　同前註。

不及于初。坤，國之象，唯三爻，故五等為三位。質家則三
等，取坤爻也……周地雖為五等，唯七命以上成國，則三而
已。通文、質之制，故言「萬國」。⑩

凡一陽五陰之卦，變化皆始於〈復〉。〈復卦〉一陽在下，五陰爻
在上，一陽象先王，五陰象諸侯，一陽震動象天子封諸侯爵位，五
陰象示文家立公、侯、伯、子、男五等爵。但當一陽爻升至五位，
〈復卦〉變成〈比卦〉後，原來象示先王的一陽爻已居於五位，其
王化雖能下達於二、三、四爻，但遠不及初爻。因〈比〉二至四爻
皆為陰爻，而三陰爻成坤，坤又為國之象，所以，當〈復〉變成
〈比〉後，原先〈復〉象示文家的五等爵位，於〈比〉中所取得封
國者便僅有公、侯、伯三個爵位，這所以謂文家「五等為三位」。

　　據《周禮》言之，〈大宗伯〉稱「五命賜則」、「七命賜
國」。鄭玄釋「則」為「地未成國之名」。大夫五命而出，封為子
男，賜之方百里、二百里之地，然而「方三百里以上為成國」⑩，
則子、男未得以建國。〈大司徒〉以公地五百里、侯地四百里、伯
地三百里，故公、侯、伯得以建國。⑩張惠言認為，由於質家以坤
國為象，合文家伯、子、男為一等，取坤三爻象示公、侯、伯三等
爵各得建國。因此，雖周制從文，封爵五等；商制從質，封爵三
等，爵位數量不同；但周爵建國者僅得公、侯、伯三等，於封國爵

---

⑩　張惠言：《虞氏易禮》，頁 612。
⑩　〔漢〕鄭玄注，〔唐〕賈公彥疏：《周禮注疏》，第 6 冊，頁 734、766。
⑩　同前註，頁 396。

位上與質家相同。由此顯示出文、質會通之處，也說明王者變禮損
益之所由。

五、結　語

　　乾嘉時期，清儒為求在《五經》之中尋找政治改革良方，皆在
治經上作出多方面的嘗試和融合，以達致經世匡時之旨。張惠言治
學兼得吳派《易》學和皖派《禮》學的影響，又不拘泥於經今、古
文的界限，遂結合虞氏《易》學和鄭氏《禮》學，撰寫成《虞氏易
禮》。然則，張惠言援禮注《易》，其旨已與鄭玄不同：卦爻取象
已不只是用來解釋禮制，而是在明確的政治目標下，引入《公羊》
禮變思想，解釋王者改制的由來，藉此為清代改革的思潮作出了初
步的嘗試。

　　從區域上來考慮，張惠言蒙受常州學風薰陶，而在取象釋禮中
滲入了漢代《公羊》思想。實際上，清代今文經學以研治《春秋》和
《周易》為主，認為二經載有聖人遺法。莊存與在《春秋要指》中
曰：「《春秋》以辭成象，以象垂法。」又云：「《春秋》之辭，禮
不備，則雖有事焉而不書。」[104]在《虞氏易禮》中，張惠言以卦爻
逸象揭示出文王法度，所據的理念基本上與莊存與相同，惟取法對
象則由《春秋》變成《周易》，分別是《春秋》以辭成象垂法，而
《周易》則以爻卦取象成法。至於莊有可也曾指出《易》可推明禮
制，在《禮記集說》中便以《夏時》為夏《易》，並稱「夏禮可由此

---

[104]　〔清〕莊存與：《春秋要指》，《續修四庫全書》（上海：上海古籍出版
　　　社，1995 年），第 141 冊，頁 120。

而推」；而以《坤乾》為殷《易》，亦指「殷禮可由此而推。」❺

再從《虞氏易禮》中的《公羊》思想來看，說明張惠言在治《易》的過程中，《公羊》思想所起到的重要指導作用。後來，劉逢祿論述《公羊》乃承用張惠言之說，其於《春秋公羊經何氏釋例》中云：

> 文王雖受命稱王，而于繫《易》以庖犧正〈乾〉五之位而謙居三公。〈晉〉、〈明夷〉、〈升〉三卦，言受祖得民而伐罪也。〈臨〉，商正言改正朔也。夫文王既沒，文不在茲乎？故明《春秋》而後可與言《易》。《易》觀會通以行典禮，而示人以易。《春秋》通三代之典禮，而示人以權。經世之志，非二聖其孰能明之。❻

劉逢祿為莊存與外孫，其《易》、《禮》之學皆出自張惠言，撰有《虞氏易言補》，用來補述張氏《易》說。以上劉逢祿視〈晉〉、〈明夷〉、〈升〉三卦為文王受命之象，又據〈臨卦〉指出周改商正，諸說顯然是來自《虞氏易禮》。然而，劉逢祿更以文王已沒為據，主張先明《春秋》而後言《易》，進一步把二經垂法的要旨拉近。由此來說，《虞氏易禮》在常州《公羊》學的發展上，無疑是起到承先啟後的作用。

---

❺ 〔清〕莊有可：《禮記集說》（臺北：力行書局，1970 年），頁 481。

❻ 〔清〕劉逢祿：《公羊春秋經何氏釋例》，《皇清經解》（臺北縣：藝文印書館，1971 年），頁 14031。

李兆洛與常州學風

丁亞傑[*]

一、前　言

　　乾嘉時期興起的專門漢學，略有一評價學者的標準，這一標準雖未如今日形成條文，公諸於世，但也非漫無可稽。這可從著作是否收錄於《皇清經解》、《續皇清經解》得知。亦即是否有專門經學著作，可為評價的標準；而這些著作是否收入兩部《經解》，更是生前身後進入其時學術主流的門檻。以此標準評價李兆洛（1769－1841），顯然與其時學術主流有一距離，這當然可以學術路向不同解釋，一如不可能收錄文學家作品於經解之中。但包世臣（1775－1855）、魏源（1794－1857）、譚獻（1830－1901）俱稱美李兆洛為通儒，通儒之學與專門漢學之異何在？

　　清代中期興起的常州學派，雖在晚清有深遠的影響，但清末民初學者，對常州之學卻有兩極評價。譽之者如龔自珍（1792－1841）、魏源（1794－1857）、梁啟超（1873－1929），貶之者如章太炎（1869－1936）、劉師培（1884－1919）。不論褒貶，討論

*　丁亞傑，國立中央大學中國文學系助理教授。

的人物，大致集中在莊存與（1719－1788）、莊述祖（1750－1816）、劉逢祿（1776－1829）、宋翔鳳（1779－1786）等人，討論的經典則集中於《公羊》學，甚至以「《公羊》學派」指稱常州學派。與常州學派重疊的陽湖文派，則在文學史中討論，與經學史無關。李兆洛被列為陽湖派作家，但又與莊綏甲（1774－1828）、張惠言（1761－1802）、劉逢祿遊，是以經學有常州，文學有陽湖，只是便於學術研究的類分，究之實際，恐不如是。而今人論述常州學，對李兆洛多所忽略，李兆洛在常州學派地位何在？

二、李兆洛的通儒之學

最早稱美李兆洛之才學者，應是劉逢祿，但劉逢祿並未以「通儒」當之，而是以「博綜」形容：「申耆亦博綜，一麾用差謬；若得曠世遇，禮樂庶可復。」❶儒家經世之業，主在禮樂，以「禮樂可復」形容李兆洛，其實已點出李兆洛學問特色。魏源將李兆洛與莊存與並列，以「通儒」當之❷，魏源自是對乾嘉專門漢學不以為然，所以在重新建構經學傳統之外——重在經世致用的經今文學傳統❸，並表彰與其所認可的經學傳統符同的學者，莊存與、李兆洛正是與魏源認知的經學傳統相同的學者。包世臣則云：「讀書破萬

---

❶ 劉逢祿：〈歲莫懷人詩〉，《劉禮部集》（臺北：中央研究院傅斯年圖書館藏道光十年思誤齋刊本），卷11，頁13。

❷ 魏源：〈武進李申耆先生傳〉，《魏源集》（臺北：鼎文書局，1978 年），頁 358－359。

❸ 這一傳統的建構，見其〈兩漢經師今古文家法攷敘〉，同前註，頁 151－153。

卷,通儒李與沈;益我以見聞,安我之罔殆。」❹偏重在知識精博
方面。綜合諸家評論,可知李兆洛學問淵博,且強調實用。

　　李兆洛也極為欣賞龔自珍、魏源:「默深初夏過此,得暢談,
又得讀《定盦文集》,兩君皆絕世奇材,求之於古,亦不易得,恨
不能相朝夕也。」❺但考論李兆洛學術,並不以經學名家,也不是
《公羊》學者,曾語弟子蔣彤(?-?):❻

　　　　《白虎通》多《公》、《穀》家言,多經生附會之語,不能
　　　　據以論事。❼

《公羊傳》、《穀梁傳》解經方向就是「據事建義,以義論事」,
既不能據以論事,義又何所本而存?義既不存,《公羊》學無異瓦
解。❽反之,若非附會之語,自可解經,並以論事。去取之際,有

---

❹　包世臣、李星點校:〈述學一首示十九弟寄懷〉,《藝舟雙楫》(合肥:黃
　　山書社,1993 年),頁 302。沈指沈欽韓(1775－1831),也為近世所忽
　　略,研究者眇。

❺　李兆洛:〈與鄧生守之〉,《養一齋文集》(臺北:臺灣大學圖書館藏光緒
　　四年重刊本),卷18,頁30。

❻　蔣彤為李兆洛「首選弟子」(包世臣語),師事李兆洛最久,著有《丹稜文
　　鈔》,至於《暨陽答問》為蔣彤筆錄李兆洛語。

❼　李兆洛:〈復蔣生丹稜〉,《養一齋文集》(上海:上海古籍出版社,1995
　　年),《續修四庫全書》第 1495 冊,卷18,頁35。

❽　皮錫瑞(1850－1908)指出《白虎通義》「集今學之大成」,陳立(1809－
　　1869)《白虎通疏證》「治今學者當奉為瑰寶矣」,見《經學歷史·經學極
　　盛時代》(臺北:藝文印書館,1985 年),頁 117。李兆洛所說,其實間接
　　否定《白虎通》的經今文學地位。

其預設的前提。劉逢祿早於嘉慶十年（1805）即撰寫《公羊何氏釋例》，嘉慶十四年（1809）撰寫《公羊何氏解詁箋》，嘉慶十七年（1812）撰寫《論語述何》。道光四年（1824）李兆洛刊行《公羊釋例》，並欲為之作〈序〉，最終未成。蔣彤於道光八年（1828）從學李兆洛，其時劉逢祿《公羊》學主要著作皆已完成。據蔣彤記載，李兆洛曾將欲作〈公羊釋例序〉未成之事告知蔣彤，並說：

> 吾於《公羊》，未得其深也。❾

尋其詞氣，未必是不滿《公羊》學，反似頗右《公羊》學，但自謙造詣不深。與前述合觀，李兆洛於學術別擇頗嚴。而這些現象，可以說明李兆洛與後人所認知的常州學派主流，有若干差距。

其後譚獻作〈師儒表〉列「通儒」一門：

> 胡石莊先生嗣音李申耆氏，黃梨洲先生私淑全祖望紹衣，顧亭林先生嗣音包慎伯大令，同學張稷若氏。❿

胡承諾（1607－1681）、李兆洛為一組；黃宗羲（1610－1695）、全祖望（1705－1755）為一組；顧炎武（1613－1682）與包世臣（1775－1855）為一組；張爾岐（1612－1677）單獨為一組。胡承

---

❾　蔣彤：《武進李先生年譜》（臺北：臺灣商務印書館，1981 年，影印《嘉業堂叢書》本），卷 2，頁 21。

❿　譚獻：〈師儒表〉，《復堂日記》（臺北：華文書局，1970 年，影印《半厂叢書》第四冊），卷 1，頁 30。

諾聲名久湮，著有《繹志》，幸賴李兆洛發現刊行，極力表彰，其
人其書方得以傳世。⓫包世臣則與李兆洛交誼至深，兩人往復討論
書學。

其實包世臣、譚獻雖非籍隸常州，但根本受到常州學派影響，
也是常州學派中人。無論魏源或譚獻，表彰前賢外，也不忘時人，
不約而同推尊李兆洛為通儒，實可深究。胡承諾治學，反覆申明追
求聖人之旨，至於聖人之學雖衍為不同流派，只要有益聖學，均在
研究之列，並指出為文之道：

> 故為文之指三：一曰：務實，務實者欲事事可行也。二曰：
> 務平，務平者欲人人能行也。三曰：從道，道則從，非道弗
> 從也。⓬

這一學術方向，確實與李兆洛類似，無怪乎李兆洛亟亟刊行《繹
志》，也無怪乎譚獻認為李兆洛為胡承諾嗣音。魏源有更具體分
析：

> 其論學無漢、宋，惟以心得為主，而惡夫以餖飣為漢，空腐
> 為宋也，故以《通鑑》、《通考》一書為學之門戶。⓭

⓫ 李兆洛：〈繹志序〉，《養一齋文集》，卷5，頁1；〈與康竹吾〉，《養一
齋文集》，卷18，頁27。

⓬ 胡承諾：《繹志·自敘》，《續修四庫全書》（上海：上海古籍出版社，1995
年，影印道光十七年顧氏謏聞書屋刊本），第195冊，卷19，頁4－5。

⓭ 魏源：〈武進李申耆先生傳〉，《魏源集》，頁361。

李兆洛確如魏源所言,治學不分門戶,但詳究其實,魏源自有其特殊學術立場:

> 自乾隆中葉以後,海內士大夫興漢學,而大江南北尤盛。蘇州惠氏、江氏,常州臧氏、孫氏,嘉定錢氏,金壇段氏,高郵王氏,徽州戴氏、程氏,爭治訓詁聲音,爪剖䰄析,視國初崑山、常熟二顧及四明南雷、萬季野、全謝山諸公,即皆擯為史學非經學,或謂宋學非漢學,錮天下聰明知慧使盡出于無用之途。武進李申耆先生生于其鄉,獨治《通鑑》、《通典》、《通考》之學,疏通知遠,不囿小近,不趨聲氣,年甫三十而學大成,兼有同輩所長,而先生自視嗛然如弗及。❶

魏源所論,已見到乾嘉學術發展的限制,即是學術視野日漸狹隘,所以強調通貫之學。這一通貫之學,就在破除其時的漢、宋對諍,而欲回復清初漢、宋不分的學術視野。但其最終目的,其實是要回到西漢之學:「今日復古之要,由訓詁、聲音以進於東京典章制度,此齊一變至魯也;由典章制度以至于西漢微言大義,貫經術、故事、文章於一,此魯一變至道也。」❶魏源固欲結合訓詁、義理、文章、政事,破除門戶之見,而以西漢經今文學為最高標準,則顯然可見。

---

❶ 魏源:〈武進李申耆先生傳〉,《魏源集》,頁358－359。
❶ 魏源:〈兩漢經師今古文家法攷敘〉,《魏源集》,頁152。

　　其後陳澧（1810－1882）也有意調停漢、宋：「著《漢儒通義》七卷，謂漢儒善言義理，無異於宋儒，宋儒輕蔑漢儒者，非也。近儒尊漢儒，而不講義理，亦非也。」❶所以陳澧推尊漢儒就在漢儒也言義理：「漢儒說經，釋訓詁、明義理，無所偏尚。宋儒譏漢儒講訓詁而不及義理，非也。近儒尊崇漢學，發明訓詁，可謂盛矣。澧以為漢儒之說義理，醇實精博，蓋聖賢之微言大義，往往而在，不可忽也。」❷宋儒雖以義理見長，但漢儒何嘗沒有義理，非僅如此，漢儒義理反能得聖人之精。如此豈不隱含宋儒只有義理，沒有訓詁，且義理未若漢儒能得聖之意？皮錫瑞亦云：「國初諸儒治經，取漢、唐注疏及宋、元、明之說，擇善而從。由後人論之，為漢、宋兼採一派，而在諸公當日，不過實事求是，非必欲自成一家也。」❸然而皮錫瑞也強調西漢經今文學：「嘉、道以後，又由許、鄭之學導源而上，……是為西漢經今文之學。學愈進而愈古，義愈推而愈而愈高，屢遷而返其初，一變而至於道。」❹皮錫瑞經學史觀，從漢末至明代，是一由盛而衰的歷史，至清代才逐漸

---

❶　陳澧：〈自述〉，《東塾讀書記》（臺北：臺灣商務印書館，1997 年），頁 2。又嘉慶以降，調和漢、宋者頗多，自不止陳澧，如支偉成（？－？）即列出黃式三（1789－1862）、黃以周（1828－1899）、林伯桐（1778－1847）、桂文燦（1849－1886）、朱次琦（1807－1881）、朱一新（1846－1894）等人，詳見《清代樸學大師列傳》（臺北：藝文印書館，1970 年），卷 9，〈浙粵派漢宋兼采經學家列傳〉，頁 271－290。

❷　陳澧：《漢儒通義》（臺北：華文書局，1970 年影印廣東刻本《東塾叢書》第一冊），〈序〉。

❸　皮錫瑞：《經學歷史》，〈經學復盛時代〉，頁 335。

❹　同前註，頁 376。

上溯，恢復經學光采，這一過程是以西漢經今文學為正統。陳澧、皮錫瑞雖云調和，終究以漢學為宗，只是一偏重古文，一偏重今文。

三、李兆洛通儒之學的呈顯

李兆洛的破除漢、宋，殊不如是，既無義理與訓詁的對立，也無漢、宋學術的比較，更非要全面回復西漢經今文學。最能顯現這一通儒之學，就是李兆洛的教學指引，李兆洛卸任安徽鳳臺縣令後，遊幕八年，於五十五歲時主講江陰暨陽書院，曾很自負的說：

> 余教弟子，有又簡要又闊大法子，只要司馬公《通鑑》、馬氏《文獻通考》兩部書，天下人才便從此出。[20]

此一「二通之學」既無與於漢學，也無與於宋學；既非訓詁，也非義理。用李兆洛自己的語言形容：「《通鑑》以知人，《通考》以博物。」[21]教學如此，自學亦然，青年時代即日課《文獻通考》、《通鑑》，並輔以《讀史方輿紀要》。時間流轉、空間變化、制度更易，俱為李兆洛學術關懷所在。[22]從通貫的史學與典制中，培養器識，以為經濟之才。在歷史變遷之中，見出制度的意義，制度的

---

[20] 蔣彤：《暨陽答問》，《叢書集成續編》，第 88 冊（上海：上海書店，1994年），卷 3，頁 2。

[21] 蔣彤：《武進李先生年譜》，卷 1，頁 2。

[22] 蔣彤：〈養一子述〉，《丹棱文鈔》，《叢書集成續編》，第 141 冊（上海：上海書店，1994 年），卷 3，頁 25。

背後，其實正是思想的具體化，思想與制度，也就涵蓋了整體文化。李兆洛評析古今史事，即從文化視野論究。

如蔣彤認為：「三代以上為人君者，皆炎黃之裔，數千載世德相承，其臣亦皆世家大族，與國同體，是故熟習典故，深明禮意。自漢以下，君若臣皆起自田間，又不虛心以求禮之所以然，故制作總無三代氣象。夫子曰：『此議甚得其本。』」❷❸本在何處？就在禮，而李兆洛又認為禮以周為極盛，所以盛稱周禮、周公，對《周禮》贊美不置：

> 《周禮》不可不熟讀，天下之大，兆民之眾，庶務之煩冗，天子一人兀然坐在殿上，教他如何治得。看《周禮》綱紀條目，斟酌安放，無不盡善，乃曉得天下是箇治法。❷❹

又云：

> 司徒十又二教最精，以俗教安等語，都是治天下根子。❷❺

李兆洛並不討論《周禮》真偽問題，正好相反，視之周公所作：「周公之功，自與天地並，《周禮》雖有殘缺，後王尚知治天下不可無禮，傍周禮成就模範，總賴此周公在。」❷❻這與劉逢祿以降常

---

❷❸　蔣彤：《暨陽答問》，卷4，頁1。
❷❹　同前註，卷1，頁2。
❷❺　同前註，卷3，頁2。
❷❻　同前註，卷4，頁1。

州學者獨尊《公羊》異途,更與晚清經今文學者懷疑《周禮》的立場絕不相類。❷由是觀之,李兆洛未必以經今文學者自命,更未必以《公羊》學者自居。這與莊存與類似,莊存與被視為常州學派之祖,但莊存與並未強調經今文學,也未如劉逢祿以為《公羊傳》直承孔子之學。李兆洛嘗序莊存與《周官記》,指出即使《周禮》完備,但封建井田、郊壇宮廟,也不能施之於今日:

> 師《周官》者,當師其意,不當師其法。……權其可施行於當日者而為之通變,以適其宜,無失乎先王之意而已矣。❷

師其意不師其法,即在探究制度之後的意義,而不在制度本身。思想史的研究,超過了考古的研究。所以又說:

> 治經者讀書所以致用,必有觀其會通,而不泥於跡者,庶幾六經之在天壤,不為佔畢記誦之所荒,不為迂僻謬固之所竄

---

❷ 有關《周禮》真偽之辨,原始文獻可參考張心澂:〈經部·禮類〉,《偽書通考》(臺北:鼎文書局,1973 年),頁 342-388。清末懷疑《周禮》最著者,可參考皮錫瑞:〈三禮·論周官稱周禮始於劉歆武帝盡罷諸儒即其不信周官之證〉,《經學通論》(臺北:臺灣商務印書館,1989 年),卷 3,頁 47-49;廖平著(1852-1932),李耀仙編:《古學考》,《廖平選集》(成都:巴蜀書社,1998 年),頁 116-137;康有為(1858-1927):〈漢書劉歆王莽傳辨偽〉,《新學偽經考》(北京:中華書局,1988 年),頁 143-159。

❷ 李兆洛:〈周官記序〉,《養一齋文集》,卷 3,頁 7。

矣。㉙

阮元（1764－1849）曾指出莊存與治經特色：「不專事箋注，得先聖微言於語言文字之外。」㉚乾嘉經師，即專事箋注，究心語言文字之中，方法異途，學術也判然為二。至於經世致用是儒者向來的治學目的，並無異處；但求其會通，則又與乾嘉專門漢學趨徑不同。會通一直是李兆洛的學術目標。在這一前提下，李兆洛對乾嘉學術的核心——小學或語言文字學，有其特殊的認知：

> 讀書之道，莫先識字，居今而欲求三代之遺，舍許氏奚所適從哉。學者不知師古，向壁虛造，焉烏莫辨，惟稍窺許氏書，庶幾足以救之。㉛

此一講法，與顧炎武所構成的治經傳統，甚相類同：「故愚以為讀九經自考文始，考文自知音始。以至於諸子百家之書，亦莫不然。」㉜與乾嘉漢學也無不同，戴震（1723－1777）就說：「由文字以通乎語言，由語言以通乎古聖賢之心志。」㉝語言文字與聖賢

㉙ 李兆洛：〈周官記序〉，《養一齋文集》，卷3，頁8。
㉚ 阮元：〈莊方耕宗伯經說序〉，收入《味經齋遺書》（臺北：中央研究院傅斯年圖書館藏），〈卷首〉，此文未收入《揅經室集》。
㉛ 李兆洛：〈重刊說文繫傳跋〉，《養一齋文集》卷3，頁15。
㉜ 顧炎武：〈答李子德書〉，《顧亭林詩文集》（北京：中華書局，1983年），卷4，頁73。
㉝ 戴震：〈古經解鉤沉序〉，《戴震集》（臺北：里仁書局，1980年），頁193。

心志的關係，至少有兩種存在形式，一是語文僅是工具，借以理解聖人心志，一是聖人心志就在語文之中，戴震顯是後者：「經之至者道也，所以明道者其詞也，所以成詞者字也。由字以通其詞，由詞以通其道，必有漸。」❸❹聖人心志既在語文之中，所以研究語文學，是治經的根本。錢大昕（1728－1804）也說：「有文字而後有訓詁，有訓詁而後有義理，訓詁者，義理之所由，非別有義理出乎訓詁之外者也。」❸❺文字訓詁就是義理所在。焦循（1763－1820）亦然：「訓故明乃能識羲、文、周、孔之義理。」❸❻凡此均將語文研究等同於義理研究。但李兆洛除採漢學家小學，又兼採宋學家小學：

> 古之所謂小學，蓋曰：「幼儀」，〈內則〉所謂：「出就外傅，朝夕學幼儀」是也。自後學樂、誦詩、舞勺象、學射御，皆不兢兢於語言文字，而惟服習於動作進退，使之渾化於耳目、手足、筋骸、血脈、聲音之屬，以調柔之、醞釀之，使自入於聖賢之路而不自知也。三代以降，幼儀闕然，童子入學者，惟相引以字義形聲，以觀其才能，故朱子輯《小學》一書，薈萃古聖成模，旁及後世嘉言善行，以啟誘

---

❸❹ 戴震：〈與是仲明論學書〉，《戴震集》，頁 193。

❸❺ 錢大昕著，呂友仁點校：〈經籍籑詁序〉，《潛研堂集》（上海：上海古籍出版社，1989 年），頁 393。類似意見尚可見〈臧玉林經義雜識序〉、〈小學考序〉，見同書，頁 391、394。

❸❻ 焦循：〈寄朱休承學士書〉，《雕菰集》（臺北：鼎文書局，1977 年），卷13，頁 203。

愚蒙。❸

三代之遺，似乎舍文字而莫由；但聖賢之路，卻又啟自於幼儀，而非字義形聲，看似矛盾的講法，其實正是會通所在，或者說會通之會，就在此處顯見。李兆洛視漢學小學──語言文字之學與宋學小學──修身檢束之學：「皆為學之本，致治所先，誠當務之急也。」❸

　　小學如此，漢、宋學亦然，曾指出治經之途：

　　治經之途有二：一曰：專家，確守一師之法，尺寸不敢違越，唐以前諸儒類然。二曰：心得，通之以理，空所依傍，惟求乎己之所安，唐以後諸儒類然。孔子曰「述而不作，信而好古」，專家是也。孟子曰「以意逆志，是謂得之」，心得是也。能守專家者，莫如鄭氏康成，其於經也，泛濫博涉，彼此通會，故能集一代之長。能發心得者，莫如朱子，而其於經也，搜采眾說，惟是之從，故能為百世之宗。❸

---

❸　李兆洛：〈重刻朱子小學章句跋〉，《養一齋文集》，卷7，頁25。

❸　同前註，〈重刊說文繫傳跋〉，卷7，頁15。

❸　同前註，〈詒經堂續經解序〉，卷3，頁10。《詒經堂續經解》為張金吾（1787－1829）所編，收錄宋、元經說，李兆洛此〈序〉可見出其重視宋學的態度。《詒經堂續經解》的研究，見林師慶彰：〈張金吾編詒經堂續經解的內容及其學術價值〉，《應用語文學報》（臺北：臺北師範學院，2000年），第2號，頁35－49。唐代經學開啟宋代經學先聲，見劉師培：《經學教科書》第一冊論三國南北朝隋唐經學部分，收入《劉申叔先生遺書》（臺北：華世出版社，1975年影印寧武南氏刊本），第四冊。

以鄭玄（127－200）、朱子（1130－1200）為專家、心得的代表，說明漢學、宋學的異同。二家雖異，但博綜諸經則同。其實綜合李兆洛先贊美二家的評語——彼此會通與惟是之從，正是李兆洛治學風格。所以對不同學派著作，只要言之成理，俱能為李兆洛欣賞。如包文在（？－？）《易玩》，「研窮義理，兼綜象數」，顯屬漢學一派，陸元鼎（？－？）《易參》，則「深得程、朱之旨」，顯屬宋學一派，李兆洛分為之〈跋〉。甚且陸元鼎不知為何時何地人，只因其著作「所識甚正」、「切實平近」，故為李兆洛賞識，〈跋〉文收入集中。❹至於漢、宋學的起因是：

> 襄時讀書甚不喜康成，然於朱子亦時時腹誹。讀先生書，敬當力改其失，其為賜豈有量哉。竊嘗謂漢、宋紛紜，亦事勢相激使然。明代以八股取士，學士低首束縛於《集注》之日久，久則厭而思遁。一二才智之士，鑿空造奇，一遁而之子，再遁而之史，然皆不能越《集注》範圍。漢學興，於是乎以注攻注，以為得計，其實非為解經，為八股耳。一二君子倡之於前，無識者乃藉以取名，或甚以此希取富貴，波流至今日而極，而掇拾愈細，其味愈薄，亦稍稍有厭之者矣。❹

無論漢學、宋學，均與科舉考試密邇相關，也就是學術的背後，其實是功名，就此而言，並無高下之分。宋學以朱子《四書集注》為

---

❹　李兆洛：〈跋包文在易玩〉、〈陸傳嚴易參跋〉，《養一齋文集》，卷7，頁8。
❹　同前註，〈與方植之〉，卷18，頁22。

科舉程式，漢學以漢魏經注為研究範圍，就此而言，也無優劣之別。漢學之弊是餖飣瑣屑，宋學則為《集注》所籠罩，就此而言，只能說各有限制。這與方東樹（1772－1851）撰《漢學商兌》揚宋抑漢本意，相去甚遠，無怪李兆洛不肯為《漢學商兌》作序。❷

至於對鄭玄的評論，確實很特殊：

> 今之所謂漢學者，獨奉一康成氏焉耳。而不知康成氏者，漢學之大蠹也。西漢經師，大抵各為一說，不能相通，就其不相通而各適於道焉，此正聖人微言大義，殊途同歸之所存也。康成兼治眾家，而必求通之，于是望文穿鑿，惟憑私意以為兩全，徒成兩敗，此正徐防所謂輕侮道術也。❸

從鄭玄、朱子並尊，到鄭玄、朱子各有優劣，終至鄭玄竟為「漢學大蠹」，令人質疑李兆洛對漢、宋學的立場，也令人質疑其學術判斷。❹然而與前述合觀，李兆洛對漢學的認知是西漢專家經學，述而不作，信而好古，宗祊孔子，傳承古代文獻，保存歷史紀錄。這些文獻紀錄，或彼此互異，但都蘊含聖人之意，都是道術的一部

---

❷ 所以汪喜孫（1786－1847）以「學該漢、宋」稱美李兆洛，見蔣彤：〈養一子述〉，《丹棱文鈔》，卷 3，頁 27。李兆洛婉拒為《漢學商兌》作序，見〈與方植之〉，《養一齋文集》，卷 18，頁 22－23。

❸ 李兆洛：〈兩漢五經博士考序〉，《養一齋文集》，卷 3，頁 18。

❹ 如張舜徽（1911－1992）云：「兆洛平昔大張《公羊》，而特鄙棄鄭氏，觀所為〈兩漢五經博士考序〉，至目康成為漢學之大蠹，宜其不能識得北海深處。」見《清人文集別錄》（臺北：明文書局，1982 年），卷 12，頁 341。

分。鄭玄之長在於會通，這也是李兆洛贊美鄭玄之處，但竟因此一會通之法，而不得見到西漢經學的原始面貌。而這一原始面貌，則是經學根本。

如果必會而通之、合而觀之，才能見出道術的全體，此一前提正確，鄭玄囊括大典，網羅眾家，正是掌握整體道術的進路，豈會失去經學根本？李兆洛云：

> 師道之壞，實始於鄭康成。秦漢諸儒，各執一經，傳之其徒，而不相陵躐。至康成併合諸家，羅為己有，於是士不專經，人無常師，門戶除而傳授失，師道因以大壞。㊺

李兆洛的經典史觀，頗為特殊，以為秦漢諸儒，雖各執一經，對經典的解釋，彼此互異，但因為經由不同的師承，保存了原本樣式，反而較接近經典的原意，一旦合併諸家，經典意義即喪失，從而也失去了聖人之意。漢學大蠹之蠹，正在此一現象。教師就在傳授這些經典意義，進而求得聖人義理。聖人之意難求，師道亦因而崩解。「聖人－經典解釋－教師」是一緊密結構，居於關鍵地位者是經典解釋。

李兆洛一直在追求聖人心志，原因是：

> 古今以來，載籍博矣，而其統必歸之六經，六經之旨趣繁矣，而其統必歸之孔孟。孔孟之書，上自性命天道，大而禮

㊺　李兆洛：《暨陽答問》，卷1，頁1。

樂刑政，微而至于日用飲食，一舉一動，一名一物，無不賅焉。言其言則必學其學，言其言則必有其神，故有一語之不衷乎道，一字之不當于節，則其為文也不至，故制藝之設，合心術、經術、治術而為教者也。**❹⁶**

研治六經，在探求孔孟之道，所以「孔孟－六經－讀者」可與「聖人－經典解釋－教師」互勘，二者結構，其實相同。亦即研究經典的目的，不在經典本身，而是從經典逆探孔孟之道，乾嘉經師當然也追求孔孟之道，但往往止於經典本身，忽略最終目標。雖然，對求得聖人心志，卻異常謹慎：

> 古善讀《詩》者，莫若孟子，其言曰：「不以文害辭，不以辭害志，以意逆志，是謂得之。」是謂得之云者，不必其果得之也，得于吾之心，而古人之心不遠矣。**❹⁷**

此一評論，應是針對孟子本人而發，兼以勉勵眾人。但果如此說，易流於以己心當聖人之心，即以己意當聖意，其弊曷可勝言：

---

❹⁶ 李兆洛：〈毓文書院課藝序〉，《養一齋文集》，卷 2，頁 25。李兆洛曾嚴厲抨擊八股為「蹧踐人才之具」，但文集又有多篇制藝、時文之序，此處甚至贊揚制藝，似與《暨陽答問》所說相反，然應注意其對八股文要求：心術、經術、治術合一，由此可推論，正因其時八股文未臻此一標準，士子卻須以此為範，是以李兆洛有此酷評。一如李兆洛為陽湖派作手，但評價文士時卻說：「浮靡不實，畢竟有何用處？」看似矛盾的說法，都有一經世致用的標準，掌握此一標準，則不會覺得李兆洛矛盾，均見《暨陽答問》，卷2，頁3。

❹⁷ 同前註，〈毛詩後箋序〉，卷4，頁21。

> 爾只謂聖人的意思，與尋常人意思一般，無不可知者。宋儒
> 常有此病，以為聖人之心，即是我輩的心，無他異樣，於是
> 執自己目前淺近之臆見，窺上古神化不易測之聖人，而不知
> 其相去已萬里。❹

李兆洛要求蔣彤完成《喪服傳表》後，須認真讀書，講論義理，直
接周孔❹，更說：「凡禮者皆可以義比矣。」而〈喪服〉又是「制
禮之本」，自可以義比勘。❺這些均近於宋學一路。但合觀兩段引
文，就可得知很難以漢、宋之別，判斷李兆洛學術立場。至於聖人
之心與常人之心，異同在於：

> 經為聖言，聖人之心同天地，實有見于其心，然後可以為
> 言。宋諸子以常人之心即聖人之心。夫常人之心，不學不慮
> 之良心也；聖人之心，則有學有慮之心，學與慮而後同于天
> 地也。❺

聖人之心，此處所指是知識心，而非道德心，這與宋儒基本立場差
距頗大。其次，聖人之心，發而為言，即須從語言才能得知聖人心
志所在。此一講法，使經典研究重心，又回到文本：

---

❹ 李兆洛：《暨陽答問》，卷1，頁2。
❹ 同前註，卷4，頁2。
❺ 李兆洛：〈喪服傳表序〉，《養一齋文集》，卷5，頁17。
❺ 同前註，〈珍藝先生遺書序〉，卷3，頁19。

通之以意，以去其害，正宜博求之于文辭，以極其變而歸於
一。舍文辭而求志，將強文辭以從我，是與於害志之甚者
也。㉜

即聖人心志，存於語言文字之中：經典詮釋，是否符合聖人之意，
須從語言文字判斷。這頗類似西方語言學的轉向：問題回到語言，
澄清語言，問題也隨之明朗。這是因為世界和我人之間，存在一符
號系統，語言是其中最精粹者，我們即透過語言這一符號認識世
界。同理，作者與讀者之間，存在著文本，借著文本，我們試圖理
解並掌握作者原意。㉝儘管作者原意難以確知，但舍棄文本，又如
何理解作者原意？亦即文本既是作者所創造，對文本的諸多解釋，
都是作者原意的可能性之一，不能輕易放棄。㉞而驗證這些諸多解
釋的正確性，可以依據者，就是語言。而一切關於語言的思考，早
已再度落進語言之中。㉟亦即我們是以語言解釋語言，以獲得意

㉜　李兆洛：〈毛詩後箋序〉，《養一齋文集》，卷 4，頁 21。

㉝　恩斯特·卡西勒（Ernst Cassier，1874－1945）撰、甘陽譯：〈符號：人的本
性之提示〉，《人論——人類文化哲學導引》（臺北：桂冠圖書公司，1997
年），頁 35－39。

㉞　赫施（E.D. Hirsch）嘗試以「含義」與「意義」，區分作者之意與讀者讀出
之意，但令人質疑的是，意義必然是讀者讀出之意，而不能是作者含義？見
氏撰、王才勇譯：〈保衛作者〉，《解釋的有效性》（北京：三聯書店，
1991 年），頁 9－33，引述見頁 12－13。

㉟　漢斯－格爾奧格·加達默爾（Hans-Georg Gandmer，1900－2000）撰、洪漢
鼎譯：〈人和語言〉，《詮釋學Ⅱ真理與方法－補充和索引》（臺北：時報
文化出版公司，1995 年），頁 163－172，引述見頁 166。

義。

而運用語言思考的是人，不同的讀者，會讀出不同的結果，以
《詩經》為例：

> ……而自以其意說之，大抵皆隨其人性情學力所至，以自驗
> 其淺深高下，各有得也，亦各有失也。❺

性情指詮釋者對其存在處境的感受，學力指詮釋者的見識；詮釋
者、存在處境、詮釋對象三者結合，而有各自的詮釋結果。而人有
所見也有所不見，所以李兆洛才說各有淺深高下。淺深高下，而不
是正誤，才是判斷經典詮解優劣的原則。聖人之心，有學有慮，但
只要眾人有學有慮，也可同於聖人之心，所以李兆洛云：「讀聖人
之書，必求窺聖人之心，聖人之心，千萬人之心也。」但是這只是
一理論預設，有此可能，卻不必然保證如此：

> 聖人之心未嘗異也，亦隨知之者而異也。竊怪夫循誦習傳之
> 士，未得其一端，而遽名曰吾知聖，則孟子所云：「智足知
> 聖。」七十子所不能者，今之士顧反能之，而大而化聖而不
> 可知之之云者，抑果易知也。❻

聖人之心未嘗異，即已預設有一固定的意義，但此一意義會隨詮釋

---

❺ 李兆洛：〈詩經申義序〉，《養一齋文集》，卷4，頁23。
❻ 同前註，〈尚書既見序〉，卷3，頁6。

者詮釋而有高下之別,所以一旦詮釋者根據其所詮解結果,宣稱掌握聖人之心,反而引人疑竇。此時詮釋者成為整個詮釋過程的關鍵。詮釋者必須:

> 無獨是之見者,不可與治經,蔽於所不見也,眾喙若雷,此挽彼推,頹靡而已。守獨是之見者,不可與治經,蔽於其所見也,盛氣所鑠,不顧迂錯虛詭而已。❺⑧

有自己的創見,但又不可固執己見,這仍然不是矛盾,詮釋者必須不斷質疑本身所詮釋的結果,根據文獻檢證自己讀出的意義,並與其他人所讀出的意義比較,或修正己見,或放棄己見,或另尋別解等。經典意義,就在此進路下,不斷擴大、深化,以獲得最佳詮解。

　　從小學、漢宋學、解經方法,均可見出李兆洛的通儒之學的特色:重視語言文字,但也重視躬行實踐;強調漢學,但也服膺宋學;探求聖人心志,卻忌強人從我;思創一己之見,又時時自我批判。更重要的是,李兆洛並不以專經名家,但涉獵多方,歸於致用,這是傳統的士大夫之學,可稱為博雅型知識分子。

四、從通儒之學論常州學派

　　嘉慶二十五年(1820),李兆洛校刻姚鼐《古文辭類纂》,次年道光元年(1821),《駢體文鈔》也刊刻行世。論者或謂《駢體

---

❺⑧　李兆洛:〈詩古微序〉,《養一齋文集》,卷3,頁9。

文鈔》在溯古文之源，或謂在取代《古文辭類纂》。㊿兩種論述都
是以駢、散對立為前提，實情可能不如是：

> 洛之意，頗不滿于今之古文家，但言宗唐、宋，而不言宗兩
> 漢。……後人欲宗兩漢，非自駢體入手不可。今日之所謂駢
> 體者，以為不美之名也，而不知秦漢子書無不駢體也。㊀

欲宗兩漢，必自駢文，兩漢之學，自不止文章，還有學術，至於秦
漢子書無不駢體，更可說明李兆洛倡導駢體的目的，可能並不在為
駢文爭正統，而是推究學術的根源，進入秦、漢的門庭。這與其對
漢代經學史的認知合觀，更可見出此一路向。桐城學宗程、朱，文
法唐、宋，似與李兆洛趨向不同，但卻對姚範（1702－1771）、姚
鼐（1731－1815）的學術，評價甚高，更認為姚鼐正因宗法程、
朱，文章才充實粹美：

> 明之時，學者不能行程、朱之行，而誇言程、朱之言；今之
> 時，不屑程、朱之言，而并蔑棄程、朱之行。一襲取以為
> 名，一旁馳以求勝，大抵不足內焉耳。㊁

㊿ 有關《駢體文鈔》的研究，見曹虹：〈文體不甚宗韓歐〉，《陽湖文派研
　　究》（北京：中華書局，1996年），頁82－115，論《駢體文鈔》見頁96－
　　110，引述見頁102－103。

㊀ 李兆洛：〈答莊卿珊〉，《養一齋文集》，卷18，頁4－5。

㊁ 同前註，〈桐城姚氏薑塢惜抱兩先生傳〉，卷13，頁3。

桐城所以能為「古文導師」，是外取程、朱之言，內有程、朱之行。
從這些現象觀察，《駢體文鈔》未必是與《古文辭類纂》爭勝，而
且李兆洛頗能欣賞不同學術取徑，本身也試圖開啟另一學術領域。

至於《公羊》學，則是另一種情境，李兆洛追憶劉逢祿云：

> 予弱冠即與君相知愛，君孜孜從事《公羊》家言，予淺陋，
> 極知其學之正，而不能從問業，又時出不經語相難，君俯仰
> 唯諾，未嘗折之，亦未嘗以語人，予甚愧焉。㉒

其實與劉逢祿《公羊》學並未契合，李兆洛亟言吾常之學如何、吾
郡之學如何等，表彰莊、劉之學，未必是大張《公羊》，保存鄉邦
文獻可能才是主因。㉓

基於學術視野，李兆洛略無門戶之見；基於鄉土情誼，李兆洛
張大常州之學。兩者的交合，在莊存與、莊述祖。事實上，二莊之
學，一不分經今古文學，二不以《公羊》學為指歸，強調經今文學
者，是龔自珍、魏源；以《公羊傳》為歸依者是劉逢祿、宋翔鳳。
但是劉、宋、龔、魏卻成為常州學派的代表，於是在後來學者看
來，經今文學、《公羊》學，也可與常州學派替換。

而做為常州府屬的一縣——陽湖，則與桐城並稱，是文派，而

㉒ 李兆洛：〈禮部劉君傳〉，《養一齋文集》，卷14，頁2。

㉓ 李兆洛弟子蔣彤亦喜表彰莊、劉之學，有〈書莊方耕先生春秋正辭後〉、
〈書劉申受先生公羊釋例後〉、〈書莊方耕先生四書說後〉，見《丹棱文
鈔》卷2。沿至清末，盛宣懷（1849－1916）輯《常州先哲遺書》，均是出
於保存鄉邦文獻的傳統。

非學派。但洪亮吉（1746－1809）、孫星衍（1753－1818）、惲敬（1757－1817）、陸繼輅（1772－1834）並隸籍陽湖，洪、孫除雅擅詞藻，並為漢學派學者，惲、陸則以文章知名。李兆洛約略介於兩者之間，同為常州學者推崇，亦為陽湖文士景仰。

　　龔自珍作於道光七年（1827）的〈常州高材篇送丁若士履恆〉，如此形容常州學風：

> 《易》家人人本虞氏，毖緯戶戶知何休；聲音文字各窔奧，
> 大抵鐘鼎工冥搜；學徒不屑談賈、孔，文體不甚宗韓、歐；
> 人人妙擅小樂府，爾雅哀怨聲能道；近今算學乃大盛，泰西
> 客到攻如讎。❻

經學主今文學，文字則上溯金文，文章超越唐宋八大家，並兼擅填詞，同時又精算學。這種學術規模令人驚詫，這也是學者有意識地以「常州」為名，綜論學風的開端。其後自覺以地域為派分，析論各地學風，則是劉師培於光緒三十一年（1905）所作《南北學派不同論》，分為子學、經學、理學、考證學、文學五項析述。清代學術置於考證學項下，指出常州學風發生的原因：

> 江南學者仍守摭拾校勘之學，揭《說文》以為標，攘袂掉臂
> 以為說經之正宗。然違於別擇，昧厥源流，務于物名，詳于

---

❻　見王佩諍校：《龔自珍全集》（上海：上海古籍出版社，1999 年），頁494。

> 器械，考于訓詁，摘其章句，不能統其大義之所極。……由
> 是有常州今文之學。……又慮擇術之不高也，乃雜治西漢今
> 文學，以與惠、戴競長。……。⑥

劉師培曾說明「摭拾之學」的內容：「掇次已佚之書，依類排列，
單詞碎義，博采旁搜。」至於「校勘之學」的內容是：「考訂異
文，改易殊體，評量于字句之間，以折衷古本。」⑥又分清代漢學
為三期，一是徵實派，乾嘉諸大師屬之；二是叢綴派，乾嘉後學屬
之；三是虛誣派，經今文學屬之。摭拾校勘屬叢綴派，常州學派則
屬虛誣派。嘉道以後，不滿意叢綴派，又無能返還徵實派，只能遁
入虛誣派。⑥這即是劉師培清代學術史觀。所以摭拾校勘固無能比
肩戴、段、二王之學，但顯然較虛誣二字評價高出甚多。梁啟超作
於民國十三年（1924）的《近代學風之地理的分布》，則是全面以
地域為區畫，描述清代各地學風的力作，指出常州學術特色：

> 而常州一域，尤為一代學術轉捩點之樞者，則在「今文經
> 學」之產生。⑥

對常州學派也有較高的評價。從各家論評中，可以得知各家雖不廢

---

⑥　劉師培：《南北學派不同論》，頁19，收入《劉申叔先生遺書》第一冊。
⑥　同前註，頁13。
⑥　劉師培：《近代漢學變遷論》，頁1-2，收入《劉申叔先生遺書》第三冊。
⑥　梁啟超：《近代學風之地理的分布》，收入《飲冰室文集之四十》（臺北：
　　臺灣中華書局，1983年），第十四冊，頁65。

常州學派多種相貌，但均以經今文學或《公羊》學作為常州學派特色。所謂特色，其實是與其他學派比較而來，為了突顯其異，難免強調此一差異之處，或多或少忽略與其他學派類同之處，及其他學術的成就。梁啟超已注意此一現象，所以將常州學派分為二支：無錫、江陰，學風類似崑山、常熟，陽湖、武進才是後世所謂常州學派的產地。❻但即使是陽湖、武進，也不止經今文學，且經今文學也不限於《公羊》學。依梁啟超之說，再進一步而言，綜論今文經學，並精研史地學、諸子學、文章學，可能才是以陽湖、武進為主的常州學派整體學風。❼

五、結　論

李兆洛號稱通儒，通儒之通，一在學問根柢，基礎、視野廣大，不圄限一隅，以《通鑑》、《通考》為教學法門，即蘊含此一意義。一在學問成就，通儒之通，未必是沒有專門之學，李兆洛專精輿地即可為證，但不以專門之學自限，旁涉經學、史學、文學，文獻等，見識精到，沾漑士林。李兆洛雖不以經學名家，卻能以其通學，悠遊經學與文學之間，兼容並包，指點後學。至於李兆洛所從出的常州學風，既重視語言文字，也強調躬行實踐；既有經古文學，更以經今文學揚聲；既有漢學，亦不廢宋學；既有駢文，亦發

---

❻　梁啟超：《近代學風之地理的分布》，頁65。

❼　章太炎《檢論·清儒》意在評論清儒學術得失，與劉師培《清儒得失論》同，因主旨不在以地域詮學風，故未敘及。《檢論》收入《章氏叢書》（臺北：世界書局，1982年影印民國八年浙江圖書館刊本），上冊；《清儒得失論》收入《劉申叔先生遺書》第三冊。

揚古文；既有學者，也有文士。既有考古之功，更在意經世致用。詞章、義理、考據、經濟，同時出現在此一地域，並影響其他地區。❼

　　與乾嘉考據學相較，學術視野其實較為博綜，亦即以傳統義理、辭章、考據三分而論，在於統合三者，不偏廢於一方，更不以專家自居。由此觀察，其時不滿於乾嘉學風者，或為乾嘉學者所譏者，對諍之處，或在此點。民國以後，學術日趨於專家，類似常州的學風，不為時所重，乾嘉考據學遂執代學術牛耳。

---

❼　皮錫瑞在湖南、廖平在四川、康有為在廣東，就是最著名的例證。

李兆洛與常州今文經學

承　載[*]

一、引　言

　　在清代學術史上，李兆洛（1769－1841）一直是作為傑出的文學家、方志學家和地理學家而被提及的，對於他在經學方面的造詣，尤其是他與常州今文經學的關係，過去較少注意。美國漢學家艾爾曼（B.A. Elman）在 1990 年出版的一本專論常州今文學派的著作中，注意到李兆洛與常州莊氏家族，包括劉逢祿、宋翔鳳等人的關係，認為李兆洛與孫星衍、洪亮吉等人「既是常州的一流學者，又是漢學運動的積極參與者」，屬「常州漢學的產物」，「在許多方面代表著常州古文經學的主張」。至於李兆洛在與常州今文經學代表人物的交往，在常州今文經學的發展、傳播過程中究竟起過哪些作用，因該書主旨不在於此，故語焉未詳。❶

---

[*]　承載，上海社會科學院研究員。

❶　艾爾曼著，趙剛譯：《經學、政治和宗族──中華帝國晚期常州今文學派研究》（Classicism, politics, and kinship: the Chang-chou school of new text Confucianism in late imperial China）（南京：江蘇人民出版社，1998 年），頁 82。按：此書為說明常州莊氏、劉氏等在今文經學方面的建樹，多次引用

　　筆者以為，要評判李兆洛的經學傾向，有必要注意三個現象：第一，在李兆洛的學術文字中，有眾多篇幅談到了他同莊存與、劉逢祿，以及與常州今文經學發展、遞變有關的其他人物，今人在研究莊、劉的經學思想，以及常州今文經學時，又每每以此為據。❷這表明，李兆洛雖不以今文經學名家，但不等於他只關注古文經學。第二，李兆洛對莊氏之學的態度，以及他在讀經、治經方面的特質，實與當時日益成熟的漢、宋合流的大趨勢相適應，他作為這一時期常州地區學術界的領袖人物，提倡西漢今文經學，對常州今文學派的流播發展，起到了一定的作用。第三，李兆洛辭官回鄉後，長期授徒講學，校刊圖書，雖不復從政，但也關注政治現實，表現出較為強烈的經世意識，這與其經學傾向有無聯繫？本文即圍繞這些現象，從李兆洛與莊氏之學，與劉逢祿的關係，以及他的經世意識及其經學傾向等方面，逐一探討。

二、對「莊氏之學」的推崇

　　探討李兆洛與常州今文經學的關係，首先應該釐清他與常州莊氏家族的關係，以及他對於「莊氏之學」的態度。其中，也包括了

　　了李兆洛對他們的評價，並從李氏為莊述祖、莊綬甲、劉逢祿等所寫的許多文字中，揭示並印證了莊、劉之間密切的學術傳承關係。但作者顯然又將李兆洛排斥在這一學派之外。

❷　湯志鈞師在《莊存與年譜》（臺北：臺灣學生書局，2000 年）中，對李氏協助莊氏後人整理、刊印莊存與著作的事蹟多有涉及，並多次引用李氏對莊存與經學思想及其成就的論述。這些內容，是認識李兆洛經學傾向的基本資料。

他對此所作的學術評判。

客觀地說，李兆洛對「莊氏之學」從瞭解到認識，是有一個過程的，他在結識劉逢祿、宋翔鳳等人之前，對常州今文經學的內容和實質均不甚清楚。這一狀況，與他幼年、少年時的求學經歷有關。據《年譜》記載，李兆洛從五歲起讀書，先隨宜興路思元受「《四子書》」，七歲時因病輟學，在家聽兄長康齡（字五初）讀《戴記》。十三歲時受學於外祖奚賓（字曰朝，號蕉峰），十五歲從黃向榮（字峀孩）讀《資治通鑑》、《文獻通考》等，並學習制藝，十六至十八歲，先後師從高荃（字芳餘，號蘿籫）、呂嶽（號雲莊），也以學習制藝為主。這一期間，李兆洛受兄長影響，對《戴記》包括〈喪服〉等篇有了初步的瞭解，《年譜》中說他七歲時讀《戴記》「即能背誦」，但這大約是因記憶力較強而已，不一定就能夠理解其意義。「既長，乃補讀〈喪服〉諸篇。」《年譜》又說：「先生英敏絕特，每制一藝，稍不當父師意，則更位置。或一題成五、六篇，不終日而就。好讀司馬文正《資治通鑑》及馬端臨《文獻通考》，不七年，貫徹首尾，其節目要處，皆能成誦。」對此，李兆洛後來總結道：「《通鑑》以知人，《通考》以博物，一經一緯，稍有才分，何患不一日千里。」❸這是李兆洛早期求學

---

❸ 參見〔清〕蔣彤：《李申耆先生年譜》（臺北：臺灣商務印書館據道光聚珍版影印本。下引此書，稱《李申耆先生年譜》道光本），卷1，「（乾隆）三十八年」、「四十」、「四十六年」、「四十八年」、「四十九年」、「五十一年」等條，頁8-10。按：《李申耆先生年譜》又於光緒十三年由嘉興金吳瀾重刊，正文與道光聚珍版基本相同，個別文字略有出入，卷末附《小德錄》，為其學生追憶李兆洛道德行誼之片斷。下引此書，稱《李申耆

階段的主要內容和心得。

李兆洛從年輕時進入常州學術圈開始，逐漸與莊氏家族成員建立起了較為密切的關係，並由此延續了數十年。這一關係中，當然會包含一定成分的鄉鄰親情、同窗之誼，但也應該看到，由此而衍生的大量學術行為，實已大大超過了彼此的私人情感，更遠非文人、士大夫間的泛泛之交可比。

乾隆五十四年（1789），李兆洛廿一歲，「肄業」於常州龍城書院，時書院主持人為余姚盧文弨。李兆洛雖從受業，但以「講習制舉文」為主，「亦與校讎之役」，於盧氏之學「無所窺也」，「同几者臧在東、顧子明頗能研求一二」，李兆洛雖「私心喜之」，卻「不能專意」。❹當時，李兆洛對「莊氏之學」還不熟悉，不過，他在這一時期與丁履恒、劉逢祿等人由相識到相知、定交，卻是他得以接觸「莊氏之學」的開始。

他說：「兆洛自交若士、申受兩君，獲知莊氏之學。」❺「若士」，即丁履恒，莊存與長子莊逢原的女婿，曾在莊家教授弟子。如莊逢原之子莊綬甲，以及劉逢祿、宋翔鳳、董晉卿等，均曾受業於他。時李兆洛廿一歲，丁履恒廿歲，劉逢祿十四歲。這一時期與李兆洛先後定交者，還有：江陰祝百十、祝百五兄弟，武進陸繼輅、陸耀遹叔侄，以及莊儀曾、周儀暐等人。這是一個在地域上以常州府為中心的，年齡參差，輩分不同，但志趣頗為相投的青年學

先生年譜》（光緒重刊本）。

❹ 〔清〕李兆洛：〈抱經堂詩抄序〉，《養一齋文集》，卷 5，四部備要本，頁 61；參《李申耆先生年譜》（道光本），頁 168－170。

❺ 李兆洛：〈珍藝先生遺書序〉，《養一齋文集》，卷 3，頁 37。

子群體，他們的友情持續了幾十年，皆所謂「金石不渝者」。❻

　　李兆洛結交丁履恒、劉逢祿之後，「繼又得交」莊存與之孫莊
綬甲。莊綬甲為莊逢原的第四子，小李兆洛五歲，其經學成就在於
恪守家傳，不僅能夠從學問上繼承家族的傳統，對於整理、出版先
人的著述更是十分熱心。莊存與、莊述祖的經學著述，在其生前刊
刻行世的不多，後來流傳的莊氏著作，大都與莊綬甲的整理有關。
李兆洛對此一過程有如下敘述：

> 宗伯公所著書多未刊佈，君研精校尋，於未刊者次第付梓，
> 已刻者補續未備，每一書竟，即探求旨趣，附記簡末，條理
> 秩然可觀。惜乎僅竟三書，而遽屬疾不起也。珍藝先生於諸
> 子行尤器識君，有所得，輒相披示，君亦能以穎悟之思出所
> 見相次益。珍藝先生之歿也，《古文甲乙篇》尚未脫稿，君
> 方思理其緒緒，就所知見，條其大端，使來者可繼。此志亦
> 竟不遂。（〈附監生考取州吏目莊君行狀〉，《李集》卷
> 12，頁161）

莊綬甲刊行莊存與遺著，對推動莊氏之學的流播，頗有功焉，李兆
洛則於此多有襄助，用力甚勤。道光八年（1828）十二月二十二
日，也即莊綬甲臨終前一日，李兆洛前去探望。其時莊綬甲病重
「不能臥」，但仍「倦倦於宗伯公諸書」，對李兆洛說，「病起，

❻　李兆洛：〈孝廉方正祝君行狀〉，《養一齋文集》，卷12，頁160。

當悉力校刊」。❼

莊綬甲這種孜孜以求，至死不渝的精神，肯定對李兆洛大有影響。《尚書既見》、《周官記》兩書刊行前，莊綬甲委託李兆洛校訂，李兆洛「一一為訂正其體例，既序而行之」。為使莊氏著作的體例、內容更臻完整，他又向莊綬甲建議：「《周官記》之書，非《尚書既見》比，宜詳核《周禮》，參互融會，為之注釋，使至精之思、至實之理一一髮露，庶幾懸諸日月。」然莊綬甲急於刻之，未暇事此。莊綬甲去世後，李兆洛又組織學生多次與莊氏後人一同整理莊存與遺著。據《李譜》記載，「卿珊子子定潤示以《彖傳論》、《彖象論》、《繫辭傳論》、《八卦觀象解》、《卦氣論》諸種並《演算法約言》，先生常自攜尋繹，歎其精微廣大，心胸常若不能容受。又曰：『此身通六藝，七十二子之徒也。』遂次第刊行。《演算法約言》未成之書付冕之（即宋景昌），徐竟其緒」。李兆洛不遺餘力地從事莊氏遺著的校訂、刊行，其目的是要「使莊氏之學天下得睹其大全」，讓世人瞭解莊氏學說的完整面目。所以，他不僅協助莊綬甲校訂莊述祖的《珍藝先生遺書》，又督促莊綬甲之子「刻卿珊遺書」。❽

李兆洛在與莊綬甲交往以及學術合作的過程中，對「莊氏之

---

❼ 李兆洛：〈附監生考取州吏目莊君行狀〉，《養一齋文集》，卷 12，頁 161。

❽ 蔣彤：《養一齋文集》（道光本），卷 3，頁 182。按：莊存與《周官說》一書，據李兆洛〈周官記序〉，此書似亦經其校訂。又，檢《味經齋遺書·八卦觀象篇》，其後有李兆洛學生薛子衡、宋景昌〈跋〉語，言此篇刊於道光十八年。

學」的瞭解也在不斷深入，由此充實了自己的學術素養。他說：
「得交宗伯之孫卿珊，始得盡窺所著造，伏而讀，仰而思，累月日
乃曉然，有會於讀經之法與讀書之法」❾。同時，他對「莊氏之
學」的來源嬗變有了明確認識：

> 莊氏學者，少宗伯養恬先生啟之，猶子大令葆琛先生廓之者
> 也。宗伯如泰山洪河，經緯大地，而龍虎出沒，風雪自從。
> 大令如窮島極憿，宙合未通，而齊險所辟，跬步皆實。蓋有
> 積精致神之詣焉。（〈珍藝先生遺書序〉，《李集》，卷
> 3，頁 37）

> 傳宗伯之學者，從子珍藝先生述祖、外孫劉申受逢祿。申受
> 書皆行世，珍藝書多至百卷，其子文瀚不能盡刊，多刻序
> 例，使學者可尋繹。（《李譜》（道光本），卷 3，頁
> 182）

對於莊存與說經的精髓所在，他概括為：

> 宗伯公經術淵茂，諸經皆有撰述，深造自得，不分別漢、
> 宋，必融通聖奧，歸諸至當。……宗伯之書，足以窺聖人之
> 學、聖人之慮。（同上）

---

❾ 李兆洛：〈珍藝先生遺書序〉，《養一齋文集》，卷3，頁37。

李兆洛對莊氏一門斈問道德的推崇，因莊存與而衍及其先人。莊綬甲為其曾祖莊柱（號南村）輯制藝集，請李兆洛校勘，李兆洛校定文字後，作《南村制義序》，除了盛讚莊氏家族在地方文化、風俗道德方面所起的模範作用外，更認為「方耕先生、珍藝先生之經術湛深」，與其祖上的「傳薪有要」關係密切，可謂「源遠而流光也」。並說：「今吾鄉士氣少衰，科第亦稍減於昔，奉此編以開示來學，先生之遺澤，其尚有能振之乎！」❿常州莊氏一門的學者儘管在治學中各有所長，各有所專，但萬變不離其宗，這又是同莊存與有直接關係的。所以李兆洛認為：

> 若士、申受所著《公羊》之說，多本宗伯。卿珊搜覽漢學，亦能繹先生之旨，稺莫沈默如先生，思究《古文甲乙篇》終始補成之，而未及竟，皆傑然自立於學者。後之聞而興者，能無望乎？（〈珍藝先生遺書序〉，《李集》，卷 3，頁 37）

對於莊氏學說中的不足，李兆洛並不諱言。光緒二十二年（1896）三月，孫詒讓讀寫本莊述祖《尚書記》，書其後曰：「李申耆論莊氏《古文甲乙編》云：『愛其精而嫌其鑿。』足為莊氏經說字書定評。此書尤其鑿空武斷之甚者。其校《逸周書》諸篇，憑臆改竄，一若親見先秦漆書者。嘻！何其悍也。其書本無足取，以所校間有

---

❿　李兆洛：〈南村制義序〉，《養一齋文集》，卷3，頁35。

一二精確者，棄之又可惜，故錄存之，讀者慎擇之可也。」⑪孫詒讓的批評，言辭雖比李兆洛更為激烈，但仍是在指出其缺陷的基礎上，肯定了尚有一二可取之處。

隨著對「莊氏之學」的瞭解程度不斷加深，李兆洛也預見到「莊氏之學」必有「聞而興起」的局面。所以，當丁履恒、劉逢祿、莊綬甲等人相繼去世後，他既為這些比自己更通曉「莊氏之學」的好友「不及與校訂之役」而扼腕；另一方面，則積極參與、協助莊氏後人整理「莊氏之學」的工作，由此推動了這一學說的流播。道光十九年（1839）九月，七十一歲的李兆洛以年邁之軀由江陰至常州，時龍城書院設先賢祠，祀常州先賢如春秋時季子以下共六十八人，李兆洛「率弟子輩瞻拜，惻然曰：前人創此基業，後人豈忍廢之，亟宜與守令議，且補入莊宗伯、張皋文二人」。⑫李兆洛建議地方政府在先賢祠補祀莊存與、張惠言一事，後雖未果，但建議本身，已明白地表示了李兆洛對「莊氏之學」的推重。

不過，儘管李兆洛通過協助他人校訂、刊行莊氏著作，但從這些著作在當時的流傳狀況來看，範圍並不很廣，規模也有限，其詳細原因今已難確認，但一個間接依據可以表明，這可能與他當時的經濟能力有很大關係。李兆洛曾對人提到過他刻書的艱難，「某有負郭田，僅給饘粥，刻書但節縮」⑬，故「所刻書印成者少」。⑭

---

⑪　孫延釗撰，徐和雍等整理：《孫衣言孫詒讓父子年譜》（上海：上海社會科學院出版社，2003 年），頁 289－290。
⑫　蔣彤：《李申耆先生年譜》（道光本），卷 3，頁 191。
⑬　李兆洛：〈與汪孟慈農部書〉，《養一齋文集》，卷 18，頁 227。
⑭　同前註，〈與方植之〉，卷 18，頁 226。

如由他人出資刊刻，也要看情況，若費用局促，往往「楮印皆不佳」。❺這一狀況，當然會對所刻之書的流傳帶來一定影響。所以，李兆洛雖有熱心推動「莊氏之學」流播發揚的美好願望，但行動上還是有一定困難的。

李兆洛與常州莊氏族人的交往，重在學術。一方面，他由此獲得了對「莊氏之學」的瞭解和認識，從而給他本人的治學帶來了很大幫助；另一方面，當他學有所成，特別是晚年成為常州學術界的領袖人物以後，又努力通過各種方式，為盡可能地擴大常州今文經學的學術影響，起到了應有的作用。

三、常州二申：李兆洛與劉逢祿

李兆洛與「莊氏之學」最重要的傳人——劉逢祿，交誼甚深，這是考察李兆洛與常州今文經學關係的又一重要線索。

李兆洛與劉逢祿的交往，可以追溯到他們的青年時代。據劉承寬為其父所撰〈行述〉中提到，在劉逢祿的「平日師友淵源」中，除了引導、教誨他的「先正」，如段玉裁、孫星衍、王念孫等人外，其志趣相合的「同志」中既有「共習『莊氏學』」的莊綏甲兄弟、宋翔鳳、丁履恒等；還有「共習『張氏學』」的李兆洛、惲敬、陸繼輅、陸耀遹等❻，他們均是「束髮以學，行相砥礪」的好友。

---

❺　同前註，〈與謝蘭生貳尹〉，卷18，頁234。

❻　〔清〕劉承寬：〈先府君行述〉，《劉禮部集》（道光十年劉氏思誤齋刊本），卷11附，頁7。

　　道光九年（1829）八月十六日，劉逢祿卒於北京，噩耗傳到江
陰暨陽書院，李兆洛「哭之慟」，作〈禮部劉君傳〉。文中，李兆
洛回顧了劉逢祿一生的學術成就，對於劉逢祿從政期間的「據經決
事」，尤為稱道，贊其「有董相風」，又將劉逢祿繼承莊氏之
學、發揚《公羊》大義而不失師法，比之「贏公守學」而「固有
餘矣」。李兆洛為劉逢祿的不幸去世而深感悲痛，其原因誠如他
所說：「吾鄉一意志學，洞明經術，究極義理者輩中，遂無人
矣！」❶

　　當年，李兆洛研習的重點為「張氏學」，即張惠言所治的「虞
氏《易》」，這是與劉逢祿不同的地方，但並不影響兩人之間學術
上的溝通。李、劉二人當年同師盧文弨，在治學方法上頗有相似之
處。李兆洛雖「不喜為考據之學，然見考據之書輒收之。曰：以輔
吾所不足也」。❷他又說：「兆洛少知治小學，即讀許氏書，積
久，覺其解說頗不應經法，而文字亦不盡出於古。欲少少疏通證明
之，……既從先師盧抱經遊，師教人讀書，必先識字。」❸劉逢祿
在談到自己早年讀書、治經的經驗時也說：

　　　余束髮誦經，感於司馬文正公之言，凡讀書必先審其音，正
　　　其字，辨其句讀，然後可以求其義。（〈五經考異敘〉，
　　　《劉禮部集》，卷9，頁7）

---

❶　李兆洛：〈禮部劉君傳〉，《養一齋文集》，卷14，頁179。
❷　蔣彤：〈小德錄〉，《李申耆先生年譜》（光緒重刊本），頁6。
❸　李兆洛：〈說文述誼序〉，《養一齋文集》，卷5，頁61。

出於對李兆洛的理解，劉逢祿始終將他視為常州學人中的佼佼者。劉逢祿在作於嘉慶二十一年（1816）的〈歲暮懷人詩小序〉中寫道：

> 敦行孝友，屬志貞白，吾不如莊傳永；思通造化，學究《皇》、《墳》，吾不如莊珍藝；精研《易》、《禮》，時雨潤物，吾不如張皋文；文采斐然，左宜右有，吾不如孫淵如；議論激揚，聰敏特達，吾不如惲子居；博綜古今，若無若虛，吾不如李申耆；與物無忤，泛應曲當，吾不如陸邵聞；學有矩矱，詞動魂魄，吾不如董晉卿；數窮天地，進未見止，吾不如董方立；心通倉籀，筆勒金石，吾不如吳山子。（《劉禮部集》，卷10，頁2）

此序文在《劉禮部集》中與題為〈歲暮懷人雜詩十六章〉的詩作分開，單獨成篇。其原因，據劉承寬為〈序〉文所加的按語說，當時，劉逢祿「先作是〈序〉，其後詩成，觸興連及，刪存十六首，多與〈序〉不相應，故別存於此，以當先友之記錄」。[20]根據〈序〉文，涉及的師友共十人。從詩作來看，除家族長輩、親戚外，師友輩共有莊傳永、孫星衍、惲敬、陸繼輅、陸耀遹、丁履恒、祝百十、周儀暐、張惠言、李兆洛、董士錫、董方立、吳山子、潘准等十餘人。其中除個別人外，絕大部分是劉逢祿年輕時定交的學友。關於李兆洛，劉逢祿將他與張惠言合為一首，即第八

---

[20] 〔清〕劉逢祿：《劉禮部集》，卷10，頁2。

章。詩中寫道：「申耆亦博綜，一麾用差謬。若得曠世遇，禮樂庶可復。」❷這是稱讚李兆洛在禮學方面的造詣。

　　劉逢祿稱賞李兆洛在禮學方面的造詣，並不偶然。他曾從張惠言學《禮》，自己也對禮學頗有研究。以治經而論，尤重〈喪服〉，認為其「於五禮特一端」，在京城時曾與胡培翬講論《儀禮》。❷以實踐而言，劉逢祿任職禮部期間，適逢仁宗升遐大事，居署治大喪檔案，以「喪紀為禮之極，大喪為國家萬事之根本」，因而「披集大禮」，歷時八月，「創《庚辰大禮記注長編》十二卷」。❷當然，劉逢祿的禮學，也有自己獨特的一面。魏源為其整理〈禘議〉一稿後說，「原稿以各經為次第，條例諸說，各為之議，統貫難尋」，「略窺旨趣，其異於鄭氏者，在不信《周官》、〈月令〉，而取徵六藝」。❷其實，這正是劉逢祿治經的一貫風格。

　　李兆洛治學，是將經學與其他學問融會貫通起來，作為立足之

---

❷　同前註，卷 11，頁 13。此詩寫作時間不明，今人張廣慶認為，約作於劉氏41－43 歲之間，即嘉慶二十一年至二十三年（1816－1818）。張氏所撰《武進劉逢祿年譜》暫將此詩系於「嘉慶二十一年」條中，以便與前引《小序》內容對照。參張廣慶：《武進劉逢祿年譜》（臺北：臺灣學生書局，1997年），頁 88－89。

❷　參劉承寬：〈先府君行述〉，《劉禮部集》，卷 11 附；張廣慶《武進劉逢祿年譜》，頁 131。

❷　劉逢祿：〈庚辰大禮記注長編恭跋〉，《劉禮部集》，卷 9，頁 19；參劉承寬：〈先府君行述〉，《劉禮部集》，卷 11 附。按：〈恭跋〉云長編為「六卷」，〈行述〉則說有「十二卷」，互有出入。

❷　魏源語見〈禘議〉附錄，《劉禮部集》，卷 3，頁 7。

本。他的學生對此有所揭示:「經書老而不忘。昔年夏晚納涼,猶背講《尚書》全部。」「治經奧賾並到。有問明堂制度者,則舉筆圖示之,歷歷如睹。問車制者亦然。曰:『吾幼時仿鄭漁仲說作溝洫圖頗詳明,其稿不知在何許也。』」㉕李兆洛對於禮學,尤有獨到之處,他少時從其兄讀《戴記》,及長,又補讀〈喪服〉,四十八歲起與其兄討究喪、祭諸禮,綜合諸書之長,「定其可行於今而無悖於古者」。㉖門生蔣彤(丹稜)撰《喪服傳表》,「於子夏氏之傳,詳稽慎考,下及鄭氏《注》所旁及者、所訂正者,並六朝議《禮》諸家,羅列而究其得失」,李兆洛因此為之作〈序〉,對這種學風表示贊同㉗,可見他不是一味拘泥於古人的。

李兆洛校刊劉逢祿的代表作之一《春秋公羊釋例》,是他贊同劉逢祿治經別有創見的一個典型例子。道光四年(1824),李兆洛在江陰暨陽書院校刊《公羊釋例》。此書「初刻於邗上,未成」,李兆洛即取來補刊之,後又寫信到北京,想將劉逢祿的其他著作一併刊行,未果。《公羊釋例》刊行時,李兆洛沒有作〈序〉,其中原因,可能如李兆洛所說:「吾於《公羊》未得其深也。」㉘儘管如此,李兆洛在《禮部劉君傳》中,對此書仍有精當的評價:

> 禮侍公兼通五經,各有論述。著《春秋正辭》,涵濡聖真,

㉕　蔣彤:〈小德錄〉,《李申耆先生年譜》(光緒重刊本),頁2、頁5。

㉖　此語為李兆洛的學生蔣彤所引,見《李申耆先生年譜》(道光本),卷2,頁56。

㉗　李兆洛:〈喪服傳表序〉,《養一齋文集》,卷5,頁64—65。

㉘　李兆洛:《李申耆先生年譜》,卷2,頁95。

執權至道，取資《三傳》，通會群儒。君乃研精《公羊》，探源董生，發揮何氏，成《釋例》三十篇，以微言大義刺譏褒諱抑損之文辭，洞然推極屬辭比事之道。……大抵君之著書，不泥守章句，不分別門戶，宏而通密，而不縛其大宗也。（《李集》，卷14，頁179）

這一評價，來自於李兆洛長期以來對劉逢祿的治學特質的熟悉和理解。他認為，「漢學之可考見於今者，公羊氏而止矣」❷⁹，但他對此顯然還缺乏深究，曾說：

予弱冠即與君相知愛，君孜孜從事《公羊》家言。予淺陋，極知其學之正，而不能從問業。又時出不經語相難，君俯仰唯喏，未嘗折之，亦未嘗以語於人，予甚愧焉。比從宦，日疏闊，見其成者，《公羊釋例》、《虞氏易表》數通而已。餘所成者，多在服宦後十數年間。（《李集》，卷14，頁179）

李兆洛說自己「於《公羊》未得其深」，並非客套，這正是他實事求是的表現。能夠當面對學生毫不掩飾地道出自己學問的短處，又從另一個角度反證了李、劉二人之間確是能夠赤誠相處的。

魏源、龔自珍曾先後問學於劉逢祿，不單是常州今文經學的積極發揚者，更是其有力實踐者。魏源撰《詩古微》，初稿成，劉逢

---

❷⁹ 李兆洛：〈兩漢五經博士考序〉，《養一齋文集》，卷3，頁36。

祿為之作〈序〉，這是在道光九年（1829）之前。魏源又於道光十
一年（1831）初夏至江陰，訪李兆洛，請為《詩古微》作〈序〉，
李兆洛欣然答應，稱魏源是「好學深思之士」，其《詩古微》一書
充分體現了「獨是之見」。⑳事後，他在與門生鄧守之的信中，講
到和魏源見面後的「暢談」，並告知讀《定庵文集》後的印象，盛
讚魏源、龔自珍「兩君皆絕世奇才，求之於古亦不易得，恨不能相
朝夕也」。㉛龔自珍於道光十九年（1839）初夏至江陰訪李兆洛，
大有相見恨晚之意。此前，龔自珍曾賦〈常州高材篇，送丁若士履
恒〉，有「所恨不識李夫子，南望夜夜穿雙眸」之句㉜，「至是始
獲奉襜」。㉝為此，他在〈己亥雜詩〉中記下了對李兆洛的印象：
「江左晨星一炬存，魚龍光怪百千吞。迢迢望氣中原夜，又有湛盧
倚劍門。」㉞李兆洛對魏源、龔自珍的讚許，與他們揭櫫今文經學
有關。

　　李兆洛與劉逢祿還有除經學以外的共同的愛好。劉逢祿有一首
〈寄李四申耆〉，即透露了這一訊息：

㉚　李兆洛：〈詩古微序〉，《養一齋文集》，卷3，頁33。

㉛　李兆洛：〈與鄧生守之書〉，《養一齋文集》，卷18，頁233。

㉜　〔清〕龔自珍：《龔自珍全集》（上海：上海人民出版社 1975 年），頁
　　494。按：此詩作於嘉慶二十四年（1819），距龔、李相見整整早了二十年，
　　說明龔自珍對李兆洛早有所知。嘉慶二十三年（1818）莊綬甲館龔自珍家，
　　龔於二十四年在京城從劉逢祿學《公羊》，故同詩有「明日獨訪城中劉」之
　　句。詩中還提及其餘常州諸子，也大都是與李兆洛訂交的好友。

㉝　〔清〕吳昌綬：《定庵先生年譜》「道光十九年」條，《龔自珍全集》，頁
　　623。

㉞　龔自珍：《龔自珍全集》，頁522。

璿閨椒合鎖仙班，銀浦流雲擁佩環。絕代施嬙到金屋，千重
宛委啟名山。要將經緯侔元化，豈僅文章動帝關。回首昔年
觴詠地，一簾花月夢初還。（《劉禮部集》，卷 11，頁
20）

此詩表明，劉逢祿與李兆洛都愛好文學。據劉承寬〈先府君行述〉
記載，劉逢祿二十五歲時以廩生拔貢，是因為他的文章得到了學使
的讚賞。當時，常州青年學子中以文章著稱者已有李兆洛。兆洛字
申耆，逢祿字申受，因此兩人便有了「常州二申」的雅號。㉟李兆
洛推崇秦、漢古文不遺餘力，成就卓著；劉逢祿則「於詞章」，
「由六朝而躋兩漢」，「洞悉其源流正變，故所著述，隨物賦形，
無體不備。」所不同的是，劉逢祿專意經學，所以並未將文學作為
主要研究方向，誠如其子劉承寬後來所指出的那樣：「在他人稱絕
業，而在府君自視為緒餘。」㊱

「常州二申」這一雅號，當時流播甚廣，直到幾十年以後，學
術界中還時時有人提起。道光十九年（1839），道州何紹基至常州
龍城書院訪李兆洛，並對已去世的劉逢祿表示了敬仰之情。他在題
為〈龍城書院謁李申耆年丈〉的詩中有「父執經師李與劉，二申儒
術重常州」的讚頌。在另一首題為〈題申耆丈輩學齋授經圖〉的詩
中也說，「二申吾仰止，捧手後先偕」。㊲何紹基將李、劉並稱，

㉟　劉承寬：〈先府君行述〉，《劉禮部集》，卷11附，頁1、2。
㊱　同上；又，參李兆洛：〈禮部劉君傳〉，《養一齋文集》，卷14，頁179。
㊲　〔清〕何紹基：《東洲草堂詩抄》（同治長沙無圍刊本），卷7，頁14。

視「二申」並重，都著眼於兩人的「儒術」。兩年後李兆洛去世，魏源對他的評價也是以此為據的，但更加突出了李兆洛學術成就的地位。他說：「乾隆間經師有武進莊方耕侍郎，其學能通於經之大誼，西漢董、伏諸老先生之微淼，而不落東漢以下。至嘉道間而李先生出，學無不窺，而不以一藝自名。醰然，粹然，莫測其際也。並世兩通儒皆出武進，盛矣哉！」❸❸魏源將莊、李稱為「並世兩通儒」，已超出了今文經學一家一派的局限，而著眼於兩人對清代學術的貢獻，在學術史的意義上來說，比將李、劉並稱「二申」更具普遍性。

四、以「致用」、「會通」爲特徵的經學傾向

　　李兆洛的經學傾向，很大程度上與他所認同的治經之道有關。而他所認同的治經之道，則一如他反復提到的，是以「致用」、「會通」為特徵的。

　　清代從乾隆後期經嘉慶到道光年間，國勢已日漸衰退，面臨內憂頻仍，外患日迫的局勢，復興今文經學，也成為經世派人士尋求思想武器的一種手段。今文經學的復興，直接引發了經學研究中的漢宋融合、今古文會通的大趨勢。李兆洛去世前一年，鴉片戰爭爆發，傳統中國的社會性質，至此開始發生巨變。他作為與常州今文經學派的同鄉學者，不僅對這一學派的形成、發展過程有所瞭解，而且對其所蘊涵發揮的社會政治思想的重大意義，也有所認識。這

---

❸❸　魏源：〈武進李申耆先生傳〉，《古微堂外集》（光緒四年淮南書局刊本），卷4，頁30。

種認識，與嘉道時期在一部分文人士大夫中所表現的日益強烈的經世精神，是互為因果的。

李兆洛早年讀《通鑑》、《通考》，研習制度，三十六歲舉江南鄉試第一，次年（嘉慶十年，1805）中進士，四十歲以朝考一等七十七名選授安徽鳳臺知縣。時會試主考官之一英和以朝廷方開律曆館，急需人才，欲奏請李兆洛入館，李兆洛婉拒之，說：「三十年讀書，亦欲一臨民以自試。」表達了強烈的經世願望。及到任，「盡棄其學，從事於刑名法術之家」。在鳳臺八年，他整頓縣治，除弊興利，「勸民孝謹」以廓清風俗，在邊遠地區「創設義學，延師教讀」，「使頻年積訟」「永息爭端」❸，表現出較強的從政能力。嘉慶二十一年（1816），年近五十的李兆洛因喪父而辭官回鄉。嘉慶二十二年至道光二年（1817－1822），他先後在安徽授徒，到廣東入幕，至揚州校輯圖書。道光三年（1821）起，應江陰人士之邀，主講暨陽書院，其間，除到揚州等地外，未再遠行，直到終老。

這一時期在中國知識階層中逐漸產生的一批熱心於通經致用的士大夫，大都貫通古今而學有所長，有的還通曉中外，最顯著的特點，就是敢於議論時局朝政，向當道提出建議。他們的立身之本是經學，但又不受傳統束縛。李兆洛的治學特點，正與此頗有相通之處。他「不喜宋、明儒迂腐之言」❹，所重者在於實際，讀書、行

---

❸ 〔清〕王植等：道光二十七年十二月〈名宦題稿〉，《養一齋文集》，卷首，頁10。

❹ 蔣彤：〈小德錄〉，《李申耆先生年譜》（光緒重刊本），頁6。

事皆「當求要務」。可以說，他雖然已經不再從政，卻仍然體現了鮮明的「致用」特徵。對此，魏源有所評說：

> 自乾隆中葉後，海內士大夫興漢學，而大江南北猶盛。蘇州惠氏、江氏，常州臧氏、孫氏，嘉定錢氏，金壇段氏，高郵王氏，徽州戴氏、程氏，爭治訓詁音聲，瓜剖瓟析，視國初昆山、常熟二顧及四明黃南雷、萬季野、全謝山諸公，即皆擯為史學非經學，或謂宋學非漢學，錮天下聰明知慧，使盡出於無用之途。武進李申耆先生，於其鄉獨治《通鑑》、《通典》、《通考》之學，疏通知遠，不囿小近，不趨聲氣，年三十而學大成，兼有同輩所長，而先生自視嗛然如弗及。……其論學無漢、宋，惟以心得為主，而惡夫以餖飣為漢，空腐為宋也。（〈武進李申耆先生傳〉，《古微堂外集》，卷4，頁27－30）

李兆洛的學術成就建立在博采眾家的基礎上，不拘一格，應時而用，因此與當時不少著名的經世之士交情甚篤，旨趣相合。除魏源、龔自珍外，還與包世臣、徐松、陶澍等人保持著較為密切的關係，其詩文書信往來中，常常談論經世濟民之道。其顯著特點，便是以「取其適於用者，在神而明之」的態度❹，用於對時事政治的分析判斷。這一特色，可從以下三個方面看出：

對舊習成規表示不滿，主張應當「變通」。

---

❹　蔣彤：《李申耆先生年譜》（道光本），頁193。

嘉慶二十五年（1820），李兆洛在廣東巡撫康紹鏞幕。其間，因督責查撤陋規一事，李兆洛代為起草〈與兩江制軍孫繼圖書〉。所謂「陋規」，是指清廷以「養廉」為名，從所入歲納中留取一定比例的費用作為官吏長俸以外的津貼銀兩，雍正以後，逐漸成為定例，與正俸無異。但是，此法雖以杜絕貪墨、廉潔官守為名，卻因地方往往即以此為貪，積久日長，成一弊端。為此，李兆洛在文中詳細分析了它的起因與現狀，認為此法不可為「一成不易之規」，而應根據不同情況，「時亦改更」。對有礙於「公者」，雖為「經制」，「似宜變通」。[42]

道光年間，江南漕運一度成為當局極為關注的事務，在經世之士中也圍繞著漕運改海運的問題引起了一場討論。道光五年（1825），陶澍由安徽調任江蘇，籌辦海運，疏浚吳淞江。其間，與李兆洛「書疏頻繁」，陶澍以所著《蜀輶日記》及所繪《海運圖》相贈，李兆洛為之〈序〉、〈跋〉，並作詩以答。詩中極贊陶澍的海運措施，認為其成功的根本就在於「通變」。[43]為此，陶澍回信說，「先生所題，多得我意中事也」。[44]

第二，敏銳地感覺到西方國家對中國開始有所影響，由此開始著手整理有關資料，以備應用。

李兆洛在廣東期間，「觀於洋商肆樓」，見其「室屋、衣服、器用之窮巧奇侈」，萌發了「一詢諸國所在遠近，海道曲折及其國

---

[42] 李兆洛：〈代廣東撫軍康蘭臯與兩江制軍孫繼圖書〉，《養一齋文集》，卷18，頁225。

[43] 李兆洛：〈陶中丞雲汀先生澍海運圖〉，《養一齋文集》，卷18，頁267。

[44] 蔣彤：《李申耆先生年譜》（道光本），卷2，頁108－109。

之大小強弱，風氣厚薄美惡，政令刑禁之大凡」的想法，目的是要「規揣今勢」，為當道提供防範措施和與之交往的辦法。為此，他經友人吳石華介紹，訪得嘉應州人謝清高。此人十七八歲即「隨洋商船周歷海國，無所不到」，至三十一歲返，有十餘年海外經歷，「於洪濤巨浸，茫忽數萬里中，指數如視堂奧」。吳石華曾請他口述各國大致，錄其所言。謝清高所言，皆其親歷，「具有條例」，並能道出海外諸國制度，行政的特有之處。如說荷蘭等國吞併別國他邦，輒於要隘處留兵戍守，「尤深得要領」[45]，吳石華因之錄為《海錄》一卷。李兆洛熟諳歷代輿地史志，於考驗論證特有所長，故又以其說證諸史書，輯為《海國紀聞》、《海國集覽》）兩書，並「約其所言，列圖於卷首」。可惜，後因謝清高遽亡，書未殺青。對這兩種書的作用，李兆洛曾寄予很大希望，可以想見，若其得以行世，對於中國瞭解海外諸國，一定有所裨益。

　　第三，鼓勵學生立經世之志，學有用之學。

　　在鳳臺任上，李兆洛重視水利、農桑等關乎民生大計的事，並時有整飭之策。他晚年雖以講學為生，卻鼓勵學生投身現實，為國效力。這種態度，在國勢漸衰的年代中顯得尤為可貴。由於世風日下，時局日艱，李兆洛深以為痛，其學生對此有這樣的描述：「比年來每語涉人倫名教，輒流涕被面。」[46]他認為，「今天下大患在乎無事不用銀，銀一重而百物皆賤」[47]，所以便有種種不合理之

---

[45]　參李兆洛：〈海國紀聞序〉、〈海國集覽序〉，《養一齋文集》，卷 2，頁 28、29；《李申耆先生年譜》（道光本），卷 2，頁 79－81。

[46]　蔣彤：〈小德錄〉，《李申耆先生年譜》（光緒重刊本），頁 13。

[47]　李兆洛：〈復蔣生丹稜〉，《養一齋文集》，卷 18，頁 235。

事。他稱讚學生薛某為「有志經世之士」。所著《防海備覽》一書，能「病明世海防諸書繁而不切於用」者，「詳於治本，略於言兵」，是「老成持重之見」。❹

李兆洛臨終前一年的六月，英軍破定海，學生蔣彤「因縱覽防海諸書」，欲為朝廷之用。李兆洛教以「當求要務」。次年（道光二十一年，1841）三月，常州知府致書李兆洛詢問應對辦法，信中說：「今營中鑄炮多不能精，未發而先裂。申耆先生通知古今，兼曉術藝，必有能推度准望，妙精火器以禦寇侮者，……或弟子、子姓能傳其業者，列姓氏以聞。」李兆洛作書答曰：「『推度准望』之事，門人有能之者，然無與於火器。……明孫中丞元化集中言火器法頗詳，在通其法者用之耳。」五月，蔣彤見李兆洛，又談及「鑄炮事」，李兆洛建議，所鑄之炮「其實在精不在大，有二千斤苟精之，足以制敵矣」。❹事實表明，清軍在與西方列強的作戰中屢屢落敗，除其他因素外，也與武器的落後關係極大。

李兆洛提倡從傳統中「取其適於用者」，根據時局的不同而「通變」，不僅符合時勢的需要，而且在方法論上與主張「變易」的常州今文經學有共同之處。尤其是他晚年以後，雖身處鄉間，卻心繫廟堂，表現出較為強烈的經世意識，成為這一時期中國知識分子投身現實者的同道中人。所以，時人將他的去世與龔自珍的去世相提並論，也就不足為怪了。

---

❹ 李兆洛：〈防海備覽序〉，《養一齋文集》，卷3，頁38－39。

❹ 參《李申耆先生年譜》（道光本），卷3，「道光二十年」、「二十一年」條，頁192－194。

　　李兆洛的經世意識，與他在讀經、治經中提倡「致用」、「會通」一脈相承。

　　李兆洛不以經學名世，但他從小就接受經學教育，並在此後較為深入的研習中，逐步形成了自己的看法。今存李兆洛《文集》中，收錄了他為別人的經學著作所寫的不少短小精當的序文，有的是應作者所請而寫，如〈易林考正序〉、〈詩古微序〉、〈兩漢五經博士考序〉、〈詁經堂續經解序〉等，有的是為校訂刊行他人著作所撰，如〈尚書既見序〉、〈周官記序〉、〈詩經申義序〉、〈十三經斷句序〉等。這些文字雖非長篇大論，但內容包含了他對傳統經學的看法，以及對當時經學研究狀況的評判，因此，為探尋李兆洛的經學傾向提供了一定的依據。

　　關於治經方法，他說：「治經之途有二，一曰：專家，確守一師之法，尺寸不敢違越，唐以前諸儒類然。一曰：心得通之，以理空所依傍，惟求乎己之所安，唐以後諸儒類然。」他認為，以此兩種類型的治經方法來看，有得有失。前者之得，一如孔子所說的「述而不作，信而好古」，能夠「泛濫博涉，彼此會通，故能集一代之長」；但其之失，是為了維護前人經說的權威而不問緣由地「盡廢後來之說。」後者之得，則如孟子所說的「以意逆志，是謂之心得」，能夠「搜采眾說，惟是之從」；但其之失又在於為了強調個人心得的正確而「悉屏前人之言。」所以，如果在治經中一味偏頗，難免就會陷入「專己守殘，自益其孤陋」的困境。這一弊端，又是造成「唐以前說經之書存者十之一」，「唐以後說經之書

所存者十之二三」的局面的重要原因。❺為此，李兆洛本著摒棄漢、宋之爭，注重通經致用的態度，提出了自己通過對「莊氏之學」的瞭解而確立的讀經、治經的觀點。他說：

> 讀方耕莊先生《尚書既見》，始卒業而爽然，徐尋繹之而怡然，舜、禹、文王、周公，得孔子、孟子之言，而其心可知矣。後之讀書者求端於孔子、孟子之言，而勿以凡所言者亂之，則幾乎其可死矣。先生之言若與凡言之者異，而與孔子、孟子之言近矣。由是以求窺聖人之心，亦猶欲問日於羲和。……夫不知聖人，不為聖人損。不知而不求知，而自安於其所知，吾恐學道之見日益卑陋，遂錮於淺近，所造亦以益下。（《李集》，卷3，頁33）

在〈周官記序〉中，李兆洛也並未斤斤於莊存與此書內容的不盡完備，而是著眼於大處，認為此書雖是「仿《儀禮記》作《周官記》」，但「甄綜經意，令就條理，欲以融通舊章，定後世率由之大凡」，「有志於治者，由其說通其變，舉而措之如視諸掌，非徒經生講解之資而已也」，揭示了此書在現實中的重要價值。同時，他借此鮮明地表達了自己的治經態度：「治經者知讀書所以致用，必有觀其會通而不泥於跡者，庶幾六經之在天壤，不為占畢記誦之所荒，不為迂僻膠固之所串也夫。」❺

---

❺　李兆洛：〈詒經堂續經解序〉，《養一齋文集》，卷3，頁34。
❺　李兆洛：〈周官記序〉，《養一齋文集》，卷3，頁33。

在為魏源的《詩古微》所作的〈序〉言中，李兆洛對讀經、治經如何「會通」，有比較具體的闡述，可從以下兩方面看出：

第一，他認為，讀經、治經首先須有正確的「獨是之見」，這是求其「會通」的關鍵所在，也是治經的基本態度。

因為，無獨是之見者，面對各種解說，必然無所適從，「此挽彼推，頹靡而已」。但是，若專守獨是之見，過份強調一己私見，必然帶來「不顧迕錯，虛詭而已」的後果。由此，他以魏源的著作為例分析道：「魏子默深之治《詩》也，鈲割數千年來相傳之篇第，掊擊數千年來株守之〈序〉、《箋》，無獨是之見者然乎？而其所鈲割者，所掊擊者，質之以傳記，平之以經文，比竅別膝，左右交會，其綜之也博，其擇之也卓，其會之也密，其斷之也愨。守獨是之見者然乎？夫治經者，求其會通而已耳。」李兆洛對治經「求其會通」的分析、說明，對怎樣理解「獨是之見」，無疑是很有意義的。

第二，「會通」不可「強通」。所謂「強通」者，是在說經時對於「不可通」處，往往「執一端而強通之」，結果卻是「益其塞」，這與「不求通」的弱者其實沒有多大區別。這又是李兆洛所心儀的治經方法。為此，他主張「求諸大體，得其統宗，隨而理之」，以為這樣才能「無一端之不順」，「其所言者皆古之言，所心者皆經之心，疏之瀹之，尋乎理之，自然而不以己與焉」。在當朝治經者中，能夠有所會通而又有獨是之見的，李兆洛認為自己也算一人：「兆洛亦頗懷獨是之見者。」但他又以為自己「學不足以濟之」，所以「惟欣欣然樂聞君子之緒論以自證」，其榜樣就是，「如張皋文之於虞氏《易》，劉申受之於《公羊春秋》，私竊服

屑，奉為治經法」。

李兆洛曾目睹乾嘉時期漢學的盛行，也真切地感受到今文經學復興對思想界所帶來的巨大衝擊力，所以對漢、宋之爭的局面很不以為然。他在回覆方東樹請為《漢學商兌》一書作〈序〉的信中說，「嚮時讀書，甚不喜康成，然於朱子亦時時腹誹。……竊嘗謂漢、宋紛紜，亦事勢相激使然。明代以八股取士，學士低首束縛於《集注》之日久，一二才智之士鑿空造奇，一遁而之子，再遁而之史，然皆不能越《集注》範圍」，「漢學興於是乎？以《注》攻《注》，以為得計，其實非為解經，為八股耳」。他認可漢學的成就，但並不滿意漢學的全部，指出：「一二君子倡之於前，無識者乃藉以取名，或甚以此希取富貴」，「掇拾愈細，其味愈薄，亦稍稍有厭之者矣。」❷顯然，這是他對乾嘉時期相當盛行的注經風氣的不滿。李兆洛既反對一些人惟文字是瞻，甚至帶有某種非學術的企圖的治學方法，也不贊成那種空言道理，脫離實際的作風，所以他並未答應替《漢學商兌》一書作〈序〉。這一態度的直接動因，當與他一貫奉行的實學理念有密切關係。

在為張金吾《西漢五經博士考》所作的〈序〉中，李兆洛對所謂「漢學」的實質作如是觀：

> 且夫漢學之可考見於今者，公羊氏而止矣。毛公之《詩》雖存而節目不備。其餘眾家，或掇拾於煨燼之中，章駁句脫，大義了不可知。今之所謂漢學者，獨舉一康成氏焉耳，而不

---

❷　李兆洛：〈與方植之〉，《養一齋文集》，卷18，頁230。

> 知康成氏者，漢學之大蠹也。西漢經師大抵各為一說，不能
> 相通，就其不相通而各適於道焉。此正聖人微言大義，殊途
> 同歸之所存也。康成兼治眾家，而必求通之，於是望文穿
> 鑿，惟憑私臆，以為兩全，徒成兩敗。（《李集》，卷 3，
> 頁 36）

在這段批評文字中，李兆洛直言，除「公羊氏」之外的其他經說，
或「節目不備」，或「章駁句脫」，並不完整。他認為西漢經師
「各為一說」的目的，其實是「各適於道」，「聖人」的「微言大
義」也因此得以「殊途同歸」。從這一立場來看，鄭玄的所謂「兼
治眾家」，雖然形式上是統一了，但內容卻失去了各家經說應有的
特質，這不啻是對兩漢經學成就的反動，實際上也就此改變了西漢
經師「通經致用」的傳統。

五、結 語

　　誠然，李兆洛作為嘉道時期的著名學者，其治學經歷的主流雖
非經學，但憑藉其經學功底，通過與常州莊氏家族成員的密切交
往，逐步對「莊氏之學」的內容和價值有了明確的認識。這些都足
以表明，李兆洛實際上與乾嘉年間「漢學」一派人物是有較大區別
的。當莊存與、莊述祖、劉逢祿等人相繼謝世後，李兆洛不僅以常
州學術界領袖的身份，為推動「莊氏之學」的流播傳揚，起了很大
作用，更身體力行，關注現實。可以說，要深入研究常州今文經學
的發展，要深入認識常州今文經學之所以成為近代經世思潮的先兆
原因，李兆洛應該是一個不可忽視的重要人物。

　　李兆洛生當中國學術由傳統走向近代之時，既曾目睹「漢學」的盛行，又切身感受，並直接參與了復興常州今文經學的種種活動。他在求知、從政、遊幕和治學的經歷中，眼看中西文化在交融碰撞中的起伏跌宕，逐步體會到常州今文經學在「經世致用」的時代浪潮中，將起著重要的思想奠基作用。不僅其經學傾向更朝著今文經學靠攏，而且在具體行動上也表現出種種與之相應的「變通」、「致用」色彩。因此，說李兆洛是常州古文經學的「產物」，「在許多方面代表著常州古文經學的主張」，這僅僅是著眼於傳統的學派分立的觀點立論，而忽略了社會發展對學術流變，對個人思想的重要的影響。

莊綏甲與常州學派

蔡長林[*]

一、研究莊綏甲的意義

近年來，筆者研究的重心，除了關注於經典的敘事與詮釋等相關課題之外，也致力於將經學史的研究，納入學術史研究的範疇中來思考。亦即筆者嘗試著將傳統與經典之學相關的各種表述形式，納入當時學術活動的脈絡中來考察。筆者認為，傳統學者的經學研究，當不止是孤立的對經典文本的訓詁注解而已，其所關注者多為當時學術界共同關注之課題；所研究之方法與呈現之內容，亦多可顯示出當時學術界之共性。故學者個人的經學研究，可以視為當時學術界整體活動的有機組成，而表現在外者，則為多樣的學術形式：除了透過對文本的訓詁、考訂、輯佚、校刊等基礎工作，重新注解經典之外；也包括了以論說的方式，針對個別經學主題作專門而深入的探究；或是與同好對彼此共同關注的課題，互相通信交流；或為在文集與學術札記中，表達了對某種學術風氣的攻詰與讚許；或是在交流的過程中，體現了對前輩學者論點的承繼與發揮；

---

[*]　蔡長林，中央研究院中國文哲研究所副研究員。

或為對影響自身學術觀點之前輩學者的著作之蒐集整理與為之撰寫
傳記等等。當然，其中也包括了同道相互間經術人品的評價。凡此
既為學者經學研究的一部分，亦是整體學術流變中的具體環節；而
學者之間的交流，則彷彿是一面複雜的關係之網，交織成紛繁多姿
的學術畫面。故觀察其現象，乃為一群體之學術活動；然探究其本
質，則是圍繞各種與經學相關的主題之討論。

　　大略而言，為清代中葉學術界所集中討論，並形成共同之學術
風氣與時代思潮者，主要表現為經典文獻的訓詁考據之學，以及伴
隨而來的考據學方法論及其價值觀的擴散。除此之外，清代中葉以
降，仍有相對於考據學以外的學術風氣之形成。其中，最顯著者，
當推常州學風。一般言之，常州學風之異於吳、皖、揚州者，除了
可由《公羊》學及其後所衍生出的今文學派來觀察之外，具有濃郁
的文人氣息，想要改變世界而非解釋世界的儒家傳統，尤其是藉由
科舉制度的形塑而更形強化的儒家政治意識形態❶，當是推動常州

---

❶　克里斯多福‧道森在《宗教與西方文化的興起》一書中提到：「意識形態是
人的產物，是有意識的政治意向試圖按照它的意圖來塑造社會傳統的工
具。」換言之，意識形態是一種以行動為最後目標的信仰與價值系統，具有
極大的社會學功能，如顏習齋所言「一人行之為學術，眾人從之為風俗」
者。準此而言，中國歷代許多知識分子之藉由察舉推薦，或藉由科舉考試而
投身於政治運作，應可視為其儒家信仰或經學價值系統的最後目標或最高表
現。擺開功利之徒不論，則儒者投身政治之目的，是欲藉此而來改變世界，
如東漢慨然有澄清天下之志的李膺、陳蕃、范滂諸人，此即所謂儒學經世
者。故經典所描述的理想藉由知識分子的政治參與與推廣而滲透到現實生活
的實踐當中，吾人或可視之為儒者的政治意識形態。參克里斯多福‧道森
著，長川某譯：《宗教與西方文化的興起》（成都：四川人民出版社，1992
年），頁4。另外，有關意識形態之說明，請參季廣茂著：《意識形態》

學風成形最潛在而又最原質的力量，只不過因時代環境之異，相較於宋、明以來的理學經世之風，常州學風展現出更為獨特的面貌而已。當然，上述的解釋，不過是一種粗淺的觀察，想要得到堅強的論據，似仍須如稍前所言，透過現象與本質之繫聯，摘錄並分析與常州學術群體相關聯的各種學術載體之內涵，以掌握常州學者經典研究的大方向及其學術風氣形成之因。如此，再配合對常州學者經學專門著作進行爬梳與詮釋，則吾人觀照之視野當能有相對的擴大，也較能準確地為常州學者或常州學派的經學研究在當時乃至對後世的意義與價值，作出合理的說明，此即筆者所謂的學術史的思考。

　　一代學風由形成而興盛到衰亡，乃是一種動態的演變，基於上述之認識，筆者以為不但要觀察它循著什麼具體途徑而變動，也應盡可能地窮盡這些變動的細微周折。從這個角度來看，對每一位傳統學者的研究，似皆不可輕易忽視之，不論其經典研究成果的或高或低，其學術參與程度的或深或淺，窮盡其學行曲折，皆足以作為說明一個學術集團乃至一代學風之參考。而所謂時代思潮者，也正在前有大師之奠基，後有繼起者之推波助瀾中，呈現其發展之面貌。本文之撰作，正是基於上述理由為之。以本文所欲論述之莊綏甲為例，就作為常州學派的第三代成員而言，莊綏甲所面臨的形勢，與其父祖相較，可謂更形嚴峻。不但家族賴以立身的科舉仕進

（桂林：廣西師範大學出版社，2005 年）；余英時：〈意識形態與學術思想〉、〈再論意識形態與學術思想〉，《中國思想傳統的現代詮釋》（臺北：聯經出版事業公司，1992 年），頁 53－122。

之途，已無法在其兄弟行輩中得到有效的延續❷，莊氏家族的學術理想亦因政治地位的低落，無法在高層的政治舞臺作充分有效的發揮。❸如何在家族沒落的情況下，維繫家學傳統，是莊綬甲所面臨的嚴酷挑戰。因此，掌握了莊綬甲的學行經歷，將有助於吾人對常州學派更深入的了解。換言之，研究常州學派，既可正面地從構成常州學派主體的莊存與、莊述祖、劉逢祿、宋翔鳳等人的學行經歷著手，以求其發展的大勢之外；亦可側面地從莊家子弟如莊綬甲、丁履恆等人的學行經歷中，觀察莊氏一族的興衰傳衍，以及莊氏家學由政治關懷轉向學術領域，並逐漸為人所知的過程；並且在莊氏家族與當時學術界的交流當中，看出具有文人特質以及以強烈經世之思為底蘊的常州學風；更可一窺考據學方法逐漸為常州學者嫻熟

---

❷ 按：「久困場屋」在當時可謂普遍現象，不獨莊氏家族如此，鍾彩鈞在〈宋翔鳳的生平與師友〉一文中，對此曾有精采論述，並列舉數人為例以為說明，讀者可參。比較值得觀察的是，科舉程式在乾隆一朝的三次變革，明顯的是朝向有利於漢學（或經史實學）這一方面的發展，常州文人的科考成績從乾、嘉之際開始呈下滑之勢，與此學術風氣之轉移似有內在之關聯。當時已有個別的鄉試主考官（如謝墉、朱珪、戴心亨等）嘗試以漢人經說命題，而常州文人學者也嘗試在考試的文章中加入漢學的見解，冀得考官青睞，臧庸與宋翔鳳即為顯例。不過顯然他們沒有阮元這般幸運，能得到像支持漢學的朱珪等人這樣的主考官欣賞。鍾彩鈞：〈宋翔鳳的生平與師友〉，收入國立中山大學清代學術研究中心編：《清代學術論叢》（第三輯）（臺北：文津出版社，2002年），頁167－168；張維屏：《紀昀與乾嘉學術》（臺北：國立臺灣大學出版委員會，1998年），頁31－32；蔡長林：〈論清中葉常州學者對考據的不同態度及其意義——以臧庸與李兆洛為討論中心〉，《中國文哲研究集刊》第23期（2003年9月），頁263－303。

❸ 有關莊氏家族學術與政治之關係，請參蔡長林：《常州莊氏學術新論》（臺北：臺灣大學中國文學研究所博士論文，2000年），第3、4章。

運用的事實,此亦筆者所謂的學術史的思考。

從現存文獻來看,莊綬甲的一生主要是為傳承與維護家族學術而努力。這一點,從他致力於整理與刊刻祖父的著作即可說明。雖然莊存與曾說劉逢祿他日必能傳己之學❹,但在諸孫中,存與最寵愛者實為莊綬甲。❺另外,即使莊述祖嘗云「吾諸甥中,劉申受可以為師,宋虞廷可以為友」❻,然在莊氏家族第三代成員中,最為莊述祖所賞識倚重者,實為莊綬甲。❼惜其家貧,客遊早逝,著作雖經子嗣莊潤整理,並由好友李兆洛代為刊刻,然仍亡佚過半,且深埋於故紙堆中,未易一見。惟從殘存著作詩文及時人記載中,仍可鉤勒出綬甲之學行梗概,以為觀察常州學派乃至常州學風之資,則是篇之作,亦所以發潛德之幽光也。

二、常州文人的關係之網

常州學派的奠基人為莊存與,父莊柱,弟莊培因。存與有子三

---

❹ 〔清〕劉承寬:〈先府君行述〉,收入〔清〕劉逢祿:《劉禮部集》(道光十年劉氏思誤齋刊本),卷 11 附錄,頁 1a~10b。

❺ 劉逢祿:〈記外王父莊宗伯公甲子次場墨卷後〉,同前註,卷 10,頁 8b。

❻ 〔清〕宋翔鳳:〈莊珍藝先生行狀〉,《樸學齋文錄》(桃園:聖環圖書公司,1998 年影印《浮谿精舍叢書》本),卷 3,頁 16b。

❼ 〔清〕李兆洛:〈拾遺補藝齋遺書序〉,《養一齋文集》(上海:上海古籍出版社,2002 年《續修四庫全書》,第 1495 冊影印道光二十三年活字印二十四年增修本),卷 3,頁 9a。按:述祖對綬甲在學術上的期望,將詳論於後。另外,綬甲之學行,頗為李兆洛所敬佩,這一點在李氏的許多文章中可看出來;二人交誼篤厚,綬甲刊刻莊存與遺書,每請李氏提出整理意見,而李氏編纂《駢體文鈔》,亦請綬甲作〈序〉,乃至於綬甲身後著作,亦是李氏代為刊刻,詳論於下。

人，長逢原，次通敏，次選辰；培因有子一人，即述祖。綏甲為逢原次子，在堂兄弟的排輩中居四，生於乾隆三十九年（甲午，1774），卒於道光八年（戊子，1828），享年五十五歲。❽生母顧氏，為逢原側室。❾毗陵莊氏是一個龐大的家族，在以追求仕進為正途，奉行官方文化政策著稱的常州，有著舉足輕重的地位。莊氏家族的勢力在乾隆中葉達到高峰，據《毗陵莊氏族譜》所載，合東莊、西莊計算，同時或前後在朝為官者，即有十數人，其中尤以身居鼎甲的莊存與兄弟為代表。莊氏家族以其優異的科舉表現，在乾隆初中葉間，曾歷經一段輝煌的歲月。綏甲祖父存與，高中乾隆十年（乙丑，1745）榜眼，官至禮部左侍郎，長期擔任皇家的家庭教師，擁有豐富的政治資源❿；從祖培因，更於乾隆十九年（甲戌，1754）大魁天下，旋以翰林院修撰赴福建主持鄉試，再以侍講學士督學福建，掌一省文衡。以其升遷之速，則出為督撫，入為六部臺

---

❽　李兆洛：〈附監生考取州吏目莊君行狀〉，《養一齋文集》，卷 12，頁 31b－33a。按：據《族譜》所載，綏甲字卿珊，然友輩多稱其為卿山，此正如翔鳳字于亭，友輩有稱于庭、于廷、虞庭、虞廷者；另外述祖字葆琛，亦有稱以寶琛、保琛者；惠言字皋文，亦有稱以皋聞者；逢祿字申受，亦有稱以申甫者；周伯恬名儀暐亦有作儀煒者。而陸繼輅字祈孫，亦有稱其為祈生者；陸耀遹字劭聞，亦有稱其為劭文者，此蓋友朋之間為便於書信往來，取其同音之變通方式。筆者概依原文為據，故以下行文將有「卿珊」、「卿山」……之異。

❾　〔清〕莊貴甲、莊綏甲：〈顧太孺人事略〉，《毗陵莊氏增修族譜》（光緒元年刊本），卷 20，頁 11b。

❿　〔清〕莊勇成：〈少宗伯養恬兄傳〉，《毗陵莊氏增修族譜》，卷 30，頁 29a；莊綏甲：〈味經齋遺書總跋〉，《拾遺補藝齋文鈔》（道光十八年李兆洛刊本），頁 38－40。

閣，當可積年而至，不幸四十二之齡卒於學使任上。❶觀存與兄弟二人所以身居高位，正以其科舉成績優異，走的是翰林出身，快速升遷的清望之路。更何況除了莊培因及表弟錢維城這兩位受到乾隆欣賞的當朝狀元之外，又藉由姻婭之誼而得到當朝兩位大學士劉綸、劉統勳的支持，乾隆三十六年擔任會試副總裁（總裁為劉綸）、三十七年教習庶吉士，可以說是莊存與最風光的時候。不過隨著兩位當朝狀元的早逝，以及兩位大學士的相繼謝世，莊氏家族在朝中盡失支柱，後繼乏力，在于敏中、和珅相繼任大學士之後，莊氏二代子弟的翰林之路，幾已斷絕，如存與長子逢原，僅以舉人終老；其弟通敏、選辰，從弟述祖，雖亦進士出身，已無能躋身一甲之列。❷再加上以經義取代駢辭表、判，移性理論至二場之末等科舉程式的變革，至乾隆晚葉形成一種有利於漢學的氛圍，不利向來在二、三場以駢辭儷語策論文章取勝的莊氏子弟發揮，故莊氏第三代子弟的舉業之路，更顯艱困，如貴甲、雋甲等人，甚至連舉人都未考上，只有貢生、監生的出身；綬甲也不過多了一個州吏目的頭銜，與祖上顯赫的地位相比，實不可同日而語，頗有負先人命名

---

❶ 莊勇成：〈學士仲淳弟傳〉，《虛一齋集》（光緒九年刊本），卷首，頁 1－3。

❷ 按：逢原為乾隆三十年舉人，官至全椒縣教諭；通敏為乾隆三十七年進士，官至詹事府左春坊左中允；選辰為乾隆四十三年進士，官至內閣中書，早卒；述祖為乾隆四十五年進士，官至濰縣縣令。逢原未中進士，可以不論，其餘兄弟三人，皆未達翰林遴選之次。選辰、述祖中進士又相繼在于敏中、和珅當權之時，二人皆未能進入翰林院。述祖之轉而以考據方法整理家族學術，與其無法進入翰林院有密切的關聯。其詳請參蔡長林：《常州莊氏學術新論》，第 5 章。

勉其身居鼎甲之意。從《族譜》相關傳記行狀所載,可以感受到身居狀元第卻舉業無成的失落感,籠罩在家族第三代成員中。

正如鍾彩鈞先生所言:「清代讀書人的正途是進士入仕,而對官宦世家子弟而言,除應試與遊幕之外,似乎沒有別的出路,因此不畏難的一再應考,是個普遍的現象。」[13]「告君窮達渾閒事,莫以糊名誤此生」[14],這是宋翔鳳對綏甲的規勸,也可以視為官宦子弟的寫照。綜觀綏甲一生,即游走在應試與遊幕之間,生活的不安定,概可想見。[15]翔鳳在〈常州懷莊四綏甲劉六逢祿兩外兄〉詩

---

[13] 鍾彩鈞:〈宋翔鳳的生平與師友〉,頁167。

[14] 宋翔鳳:〈秋日懷人詩‧莊卿山外兄綏甲〉,《憶山堂詩錄》(《浮谿精舍叢書》本),卷4,頁17b。

[15] 按:與祖父輩不作第二人想的一甲進士相比,綏甲以諸生考取州吏目,常愧遺父、祖之羞,復以政治地位之喪失,致家道中落,乃如李兆洛所言「以貧故,時時客遊」、「奔走衣食,日月耗於道途」。綏甲甚至曾經擔任過龔自珍的家庭教師,文集中有〈題滬城秋興圖〉,〈序〉中即記丁丑(嘉慶22年,1817)秋為龔闇齋觀察招致上海,此詩之作,乃因偕同龔自珍、段右白(段玉裁之子)、徐耕雲、金登園、吳南薌、朱檢之等人訪處士徐文臺,同遊菊舍,觀五石山房,並立石,自珍囑吳南薌補圖,綏甲繫之以詩。詩中並有小注及「近向右白乞尊人茂堂先生《說文注》遺刻」。綏甲在龔自珍心目中分量匪淺,其名字常見於龔氏詩集中。如有詩云:「常州莊四能憐我,勸我狂刪〈乙丙書〉。」〈乙丙書〉即〈乙丙之際箸議〉。又其〈常州高材篇送丁若士〉有「勿數奇童數平輦,蔓及洪、管、莊、張、周」之句,「莊」指的正是綏甲;其〈懷沈五錫東莊四綏甲〉則有「沈生飄蕩莊生廢」之句,對綏甲的際遇表同情之意。又據吳昌碩所記,龔氏所撰存與〈神道碑銘〉,即是據綏甲、翔鳳所述存與事蹟而成。另外,龔氏與劉、宋關係密切,載在其文集中,早為世人所知。合而觀之,可以推知常州學派第三代對龔自珍由戴、段一脈走向發揮《公羊》大義,致疑劉歆《周禮》的學術轉向,皆曾發揮影響力。如自珍曾作〈祀議〉一篇以質胡培翬,並為韻語記其

中，有很深刻的描寫，詩云：

> 我來惆悵蘭陵道，官柳初殘雁早飛；酒熟何曾一醉酡，風多
> 直欲成潦倒。我愛莊周意最真，傳經劉向更無倫；尋常里巷
> 過從慣，此日天涯各苦辛。莊生橐筆遊閩海，海外詩成鬗應
> 改；波濤滿眼自棲遲，文字依人足慷慨。劉郎重繭走山東，
> 垂白高堂憶朔風；舟行聞阻黃河決，涕淚麻衣路竟窮。如此
> 飄零更何已，我復蕭條行萬里；雲樹今年冷客袍，江湖何處
> 逢知己。楓落扁舟歲序侵，寒山寂歷寒江深；幾番鴻雁聞遙
> 夜，各抱明明一寸心。❶

詩中所描述者，實為一幅莊氏家族第三代子弟淪落天涯的圖畫，真

事，詩中有言：「余生惡《周禮》，《攷工》特喜誦，封建駁子輿，心肝為
隱痛。五帝而六天，誕妄讖所中，同時有四君，偉識引余共。」詩中顯示了
對《周禮》及鄭《注》的負面批評，尤其對鄭玄言封建而駁孟子，又據讖緯
以五天帝替代五人帝之說，反應最為激烈。而所謂偉識與余共的「四君」，
吾人可由詩末小注觀之，其言曰：「莊君綬甲、宋君翔鳳、劉君逢祿、張君
瓚昭言封建，皆信《孟子》，疑《周禮》，海內四人而已。」顯示龔氏之批
駁《周禮》鄭《注》，乃受到常州諸子的影響。莊綬甲：〈題滬城秋興
圖〉，《拾遺補藝齋詩鈔》（道光十八年李兆洛刊本），頁 34a；〔清〕龔
自珍：〈己卯自春徂夏在京師作得十有四首〉之二、〈常州高材篇送丁若
士〉、〈懷沈五錫東莊四綬甲〉、〈資政大夫禮部侍郎武進莊公神道碑
銘〉、〈同年生胡戶部培翬集同人祀漢鄭司農於寓齋禮既成繪為卷子同人為
歌詩龔自珍作祀議一篇質戶部戶部屬隱括其指為韻語以諧之〉，《龔定盦全
集類編》（北京：中國書店，1990 年），頁 396、360、401、295、356。

❶ 宋翔鳳：〈常州懷莊四綬甲劉六逢祿兩外兄〉，《憶山堂詩錄》，卷 3，頁
1b－2a。

是「尋常里巷過從慣，此日天涯各苦辛」。劉逢祿因父歿於山東，故急往山東料理父親喪事；翔鳳則是將越重山之險，到雲南去探望父親；而綏甲則因家貧，應聘到福建當家庭教師，即所謂「文字依人足慷嘅」者。❼ 不過，莊家子弟或因父、祖舉業成就之蔭，故所至之處，人爭禮聘，蓋重其家傳文章之學也。如逢原，貴甲形容云：「專力於經籍，為文務收攬含蓄，醇正和平，不苟為驚炫藻飾，每身遇繁劇，沉思腹稿，不刻而就，或窮日累夜，始成一藝。甫脫稿，人爭傳錄之。」❽ 又云：「都中為南北人文所集，府君居其間，吶吶如不出口，至講學考業，及有質問者，口對響應，無所窮。酒食遊戲之會，未嘗偶與，京師鉅公莫不推重府君，爭聘為經師。」❾ 而綏甲則是「以貧故，時時客遊，所至倒屣，無不敬而暱之」。❷

當然，遊食四方，可謂最不得已，士子所不忘者，仍以功名為念，並有讀書會的組織存在，定期或不定期的聚會，相互研討，相互激勵。乾嘉之際的常州府最著名者莫過於愛日草堂之會。從現存常郡文獻中，很容易見到愛日草堂的記載，如李兆洛〈江陰順三坊

---

❼ 按：旅食四方，不獨綏甲為然，逢祿、翔鳳及常州乃至大江南北的同輩友朋，多有類似情況。劉承寬即云：「府君以名門之子，早負重望，屢困場屋，又拙謀生，喪葬之事，積載瘁瘏，兩浙、廣陵，連年旅食。」劉承寬：〈先府君行述〉，《劉禮部集》，卷 11 附錄，頁 2b。

❽ 莊貴甲等撰：〈先考匯川府君行述〉，《毗陵莊氏增修族譜》，卷 20，頁 2b。

❾ 同前註。

❷ 李兆洛：〈附監生考取州吏目莊君行狀〉，《養一齋文集》，卷 14，頁 41b。

祝君年六十五行狀〉云：

> （祝君）所交者，江陰則夏獻之祖瓚、汪瀚門道平、夏循陔
> 翼朝、季仙九芝昌；郡中則錢魯思伯坰、張皋文惠言、惲子
> 居敬、孫訪山讓、張翰風琦、莊傳永儀曾、李鹿籽慶來、丁
> 若士履恆、陸祁生繼輅、陸劭聞耀遹、劉申受逢祿、莊卿珊
> 綬甲、周伯恬儀暐、黃小仲乙生、趙子述學彭、魏曾容裏、
> 吳碩甫特徵；宜興則吳仲倫德旋；歸安則姚聖常晏；山陰則
> 蕭子滂以霈；吳江則吳山子育；歙則金朗甫式玉，皆金石不
> 渝者。尤重皋文、子居，有所為，必取正焉。君所居曰愛日
> 草堂，諸君子自郡中至，常館之；君亦樂至郡就諸君子譚
> 集，流連信宿，迭相為賓，斐然以發名成業相砥礪。㉑

行狀主人為江陰祝筱珊。文中所記，主要是常州府及其下轄縣治之
同好者，而所謂以發名成業相砥礪者，其目的仍是以科名為念。另
外，郭嵩燾《日記》則專記出身於常州府的草堂諸子，如周儀暐、
李兆洛、祝百十、張惠言、張成孫、陸繼輅、陸耀遹、莊綬甲、劉
逢祿、洪貽孫、丁履恆等，並稱乾嘉之際，士皆尚文章，馳騖聲
利，於時常州尤獨多文士。而草堂諸子獨以立身砥行相為劘切，風
尚為之一變。㉒陸寶千認為，常州學派之萌坼，始於諸君子的草堂

㉑ 李兆洛：〈江陰順三坊祝君年六十五行狀〉，同前註，卷 14，頁 38a–b。
㉒ 〔清〕郭嵩燾：《郭嵩燾日記》（長沙：湖南人民出版社，1985 年），頁
6。

之會，其言頗具啟發性。㉓諸子的聚會，當然是以切磋舉業、砥礪德行為主要目的，然而貫串於諸子內心深處者，乃是儒家鮮明的入世抱負。世人每以常州學派具有強烈的經世之志，筆者以為其故在此。至於支持此一經世情懷的背後動力，則是以常州特有的經學學風為轉移之具，再往前一步來觀察，則是與常州的科舉文化密不可分。亦即與舉業結合的常州經學，具有鮮明的政治、社會動能，而不純然是知識學背景的產物，此一現象與主要立基於知識層面作學術考索，並逐漸展現其影響力的考據學風，有本質性的差異。所以，草堂諸子乃至其常州前輩的功名之念，在利祿追求的背後，尚有一儒者經世的根本動力。其經世精神，或所謂儒家之意識形態，展現於常州學術文化，而與歷代儒者及當世考據之風相異者，正如陸寶千所言，其一為使《公羊》之學「經世化」；其二為古文之「經世化」，如阮元所謂「以經術為古文」者㉔，即不取理學文以載道之說，而代之規模兩漢文章的援經議事；其三為詞學之「振衰」，使言詞而寓意內言外之旨及比興寄託之志。簡言之，亦經世精神之表現也。㉕

　　掌握了常州士子的經世性格後，再來看莊綬甲的交遊。其實，草堂諸子的姓名，不但互見於常州學者的文集之中；而且綬甲的交遊群，也大致不出草堂諸子的朋友師弟這一範圍。例如綬甲有詩題

㉓　陸寶千：〈愛日草堂諸子——常州學派之萌坼〉，《近代史研究所集刊》第16期（1987年6月），頁67－83。

㉔　〔清〕阮元：〈茗柯文序〉，收入〔清〕張惠言：《茗柯文》（臺北：世界書局，1985年），卷首。

㉕　陸寶千：〈愛日草堂諸子——常州學派之萌坼〉，頁79。

曰：〈甲戌小除夕，虞廷歷黔、楚、燕、秦、齊、魯而歸，過舍小
駐，招同祈生、伯恬、山子、晉卿、孝逸、幼懷、仲遷小飲，同
賦，因憶若士先生、子常、秀翰、輕風、申耆、勁文、孟慈、申
受、曾頌，並懷亡友皋文、從子傳永，兼示彥惟、君祐。時余歸自
白下、祈生歸自都中、伯恬歸自齊、山子歸自皖、晉卿歸自豫、仲
遷歸自蜀、若士先生官贛榆、子常里居江陰、秀豐客無為、翰風客
洛陽、申耆以父喪去官滯鳳臺、勁文客長安、孟慈謁選京師、申受
以庶常假客青浦、曾頌以母喪去官滯睢州、彥惟客青浦、君祐客洛
陽，得瘵疾，聊志蹤跡〉❷，詩繫於嘉慶十九年，是歡迎翔鳳遠遊
歸來之作，綬甲所招所懷，盡是少時同心之友，這些人也是愛日草
堂的中堅。其中稱丁履恆為先生者，乃因丁氏不但是綬甲的親姐
夫，更是他的授業師，終綬甲一生，皆以師禮待若士，載在李兆洛
所撰〈行狀〉內。另外，劉承寬在〈先府君行述中〉提到逢祿的交
遊云：「同志中與共習莊氏學者，則有若莊君綬甲兄弟、宋君翔鳳、
丁君履恒；其共習張氏學者，則有若張君琦、其姪成孫、其甥董君
士錫；其束髮以學行相砥礪者，則有李君兆洛、惲君敬、陸君繼
輅、周君儀暐、李君復來。」❷顯示逢祿的交遊群體亦大體不出愛
日草堂諸君。而翔鳳在〈吳嘉之詩序〉中云：「余外家在常州，少
壯時往來其間，凡訓故詞章之士無不與交，而所學無不相合。」❷

---

❷　莊綬甲：《拾遺補藝齋詩鈔》，頁 22a。

❷　劉承寬：〈先府君行述〉，《劉禮部集》，卷 11 附錄，頁 8a－b。

❷　宋翔鳳：〈吳嘉之詩序〉，《樸學齋文錄》（上海：上海古籍出版社，2002
　　年《續修四庫全書》，第 1504 冊影印清嘉慶二十五年刻浮谿精舍叢書本），
　　卷 2，頁 33a。

在翔鳳的詩文集中,也留有許多與常郡文人學者往來的記錄,如趙懷玉、惲敬、孫星衍以及草堂諸子如周伯恬、陸繼輅、陸耀遹、吳育、丁履恆、李兆洛、莊綬甲、劉逢祿、李復來、李慶來、張琦、洪孟慈、方履籛等。至於李兆洛的交遊群,也大致與綬甲、逢祿、翔鳳相當。❷❾另外,丁履恆《思賢閣詩文集》所載與常郡文人之往來,大體亦不出翔鳳、綬甲、李兆洛之範圍。❸⓿而即使陸繼輅在推薦纂輯省志的人選時,所舉亦是李兆洛、丁履恆、莊綬甲、宋翔鳳、沈欽韓、董士錫、方履籛、吳育、周伯恬、顧蘭崖、張成孫、陸劭聞等人,並稱許諸子是方今之「珪辭樸學」。❸①文獻顯示,清

---

❷❾　如蔣彤云:「同時如周伯恬先生儀煒、莊卿珊先生綬甲、劉申受先生逢祿、董晉卿先生士錫、陸祈生先生繼輅、紹聞先生耀遹、張翰風先生琦、洪孟慈先生飴孫、李鹿籽先生慶來、心陔先生復來、董方立先生祐誠、魏尊容先生裒、無錫薛畫水先生玉堂、宜興周介存先生濟、江陰祝子常先生百十、吳江吳山子先生育、元和沈小宛先生欽韓、涇縣包慎伯先生世臣,並先後與訂交」。又黃體芳云:「生平交遊皆一時名宿,若顧氏廣圻、劉氏逢祿、莊氏綬甲,覃精經術,校正古書。」〔清〕蔣彤:〈養一子述〉,《丹棱文鈔》(上海:上海書店,1994 年《叢書集成續編》,第 141 冊影印《常州先哲遺書》本),卷 3,頁 25b;〔清〕黃體芳:〈養一詩集序〉,《養一詩集》(光緒八年刊本),卷首,頁 1b。

❸⓿　事實上,從洪亮吉、孫星衍、趙懷玉、惲敬、張惠言、張琦、莊綬甲、劉逢祿、宋翔鳳、李兆洛、丁履恆、陸繼輅、陸劭聞、董士錫、周伯恬等人的詩文集中,皆可發現此一常州文人集團的存在,關於此點,亦可參張廣慶、鍾彩鈞對劉逢祿、宋翔鳳師友交遊的介紹。張廣慶:《劉逢祿及其春秋公羊學研究》(臺北:臺灣師範大學國文研究所博士論文,1997 年);張廣慶:《武進劉逢祿年譜》(臺北:臺灣學生書局,1997 年);鍾彩鈞:〈宋翔鳳的生平與師友〉,頁 157－176。

❸①　〔清〕陸繼輅:〈上孫撫部書〉,《崇百藥齋續集》(上海:上海古籍出版

代中葉的常州學者,絕非孤立的個體,而是經常聚會,互相砥礪德行、切磋學問的學術群體。以故鋪墊在常州學派經說議論之底層者,乃是常州眾多學者心力匯聚而成的學術精神;而其展現途徑,主要顯示在經學、詩詞與古文的創作之上,而貫穿於三者之間者,則為其具有鮮明的政治、社會動能的經學觀。而這一切,都與莊氏學術密不可分。至於其具體的傳播途徑,可以透過對莊綬甲學行經歷的考察,來加以說明。因為,莊綬甲既是身為廣泛的常州士大夫群體的一分子,也是常州學派第三代的重要人物。從對莊綬甲學術行誼的考察中,可以清楚看到一個共習莊氏學的核心集團,而這些共習莊氏學的同心之友,不但將莊氏學術發揚光大,並且將莊氏之學術精神運用到詩詞與古文創作中,成就知名的常州詞派與陽湖文派。另外,透過這個核心集團,我們更可以看到考據學方法與莊氏學術融合的過程。所以有必要對於莊綬甲這樣的關鍵人物,以及對於這一段莊氏學的傳播歷程,做詳盡的考察。且觀李兆洛之言:

> (綬甲)又承師論交,博訪孤詣,如張編修皋文、丁大令若士、劉禮部申受、宋大令于廷、董明經晉卿諸子,無不朝夕研詠,上下其議論,蓋庶幾於好學不倦,篤行不困者焉。㉜

上述諸人加上李兆洛,就是與綬甲共習莊氏學的同心之友。莊氏之

社,2002 年《續修四庫全書》,第 1497 冊影印嘉慶二十五年合肥學舍課刻本),卷 3,頁 19a。

㉜ 李兆洛:〈附監生考取州吏目莊君行狀〉,《養一齋文集》,卷 14,頁 40b。

學的傳播與常州學派的開展，諸子居功厥偉。首先是張惠言。從稍前所引綏甲詩作可以看出，即使惠言已辭世多年，綏甲仍對其懷念不已。在張氏的《茗柯文》中，有兩篇文章是與綏甲直接相關的，其一是稍後將要討論的〈答莊卿珊書〉，在信中對綏甲勉勵有加；其一則為〈遷改格序〉。《遷改格》是綏甲與陸耀遹「取明人《功過格》，正之以禮，明其統例，名之曰：《遷改》」。而惠言則據《易經》所言遷善改過之義序之。❸雖然二人文集中，少見論學之語，然惠言與莊氏家族成員，卻有深厚的學術淵源，尤其是與莊述祖的交往，為其所治《虞氏易》帶來《公羊》學的身影，盧鳴東觀察到惠言《易》、《禮》之學與《公羊》學關係密切，提出從「受命改制」、「三代正月」、「文質禮變」三個主題討論張惠言帶有《公羊》精神的《易》象論述。❹另外，據文獻所示，張惠言曾與述祖共治《說文》諧聲之學，從述祖游者如丁履恆、莊綏甲、劉逢祿皆得傳此學問。在惠言即世之後，述祖又傳此學於惠言子成孫。

---

❸ 張惠言：〈遷改格序〉，《茗柯文》，第 2 編，卷上，頁 32b－34a，引文見 34a。又按：「功過格」概念的產生大約始於元代，而盛行於明代，有關功過格之的文化意義，請參〔荷〕高羅佩著，李零、郭曉惠等譯：《中國古代房內考：中國古代的性與社會》（上海：上海人民出版社，1990 年），頁 327－334；〔美〕包筠雅著，杜正貞、張林譯：《功過格──明清社會的道德秩序》（杭州：浙江人民出版社，1999 年）。

❹ 盧鳴東：〈取象釋禮：張惠言《虞氏易禮》中的《公羊》思想〉，《新亞學報》第 23 卷（2005 年 1 月），頁 167－192；又張惠言受莊氏學術之影響，亦可參徐楓：〈張惠言與常州經學〉，《杭州師範學院學報》（1997 年第 2 期），頁 20－25；趙伯陶：《張惠言暨常州派詞傳》（長春：吉林人民出版社，1999 年）。

在劉逢祿及惲敬的文章裏，都提到述祖精於古韻的分部，惲敬更提到述祖曾將古韻分為十九部，以小篆寫之，未竟其業，而由惠言續成之，復析為二十部❸；而逢祿則概以二十部目之❸，顯示他將此視為莊氏、張氏二人共有的成就。陳新雄先生曾介紹張惠言、莊述祖、劉逢祿古韻分部之說，以為與張氏古韻學說極為相近者，則為莊述祖。❸然據惲敬所言可知，《說文諧聲譜》實莊、張共同之創作，或者可以說是述祖奠其基，而由惠言賡續者。❸今觀其別泰、怪以下五韻自為一部，其說即本莊述祖。❸尤有說者，莊氏、張氏、劉氏論古韻皆推《三百篇》而斥《廣韻》，亦可以見其一脈相承之理路。更重要的意義是，常州在莊述祖、張惠言之前，學者如孫星衍、洪亮吉對於考據學方法的運用，似偏於《說文》字形之

---

❸ 〔清〕惲敬：〈說文解字諧聲譜序〉，《大雲山房文稾·二集》（上海：上海古籍出版社，2002 年《續修四庫全書》，第 1482 冊影印《四部叢刊》本），卷 3，頁 13a—14b。

❸ 逢祿之言曰：「金壇段氏分十七，曲阜孔氏分十八，武進莊氏、張氏分二十，高郵王氏分二十二。」至於逢祿則將古韻分為二十六部。劉逢祿：〈詩聲衍序〉、〈詩聲衍條例〉，《劉禮部集》，卷 7，頁 1a—4b、9a。

❸ 陳新雄：《古音學發微》（臺北：文史哲出版社，1983 年），頁 415—454。
按：莊述祖《珍埶宧文鈔》卷六有〈與張鳴柯編脩書〉、〈答張鳴柯編脩書〉，提到惠言向他請教古韻之事，讀者可參。

❸ 按：《說文諧聲譜》惠言亦未成而卒，乃由述祖指導張成孫續之，改名曰：《諧聲譜》。張成孫：〈諧聲譜自序〉，《端虛勉一居文集》（上海：上海書店，1994 年《叢書集成續編》，第 135 冊影印《常州先哲遺書》本），頁 4b—5a。

❸ 〔清〕丁履恆：《形聲類篇》（上海：上海古籍出版社，1995 年《續修四庫全書》，第 247 冊影印光緒二十二年《佞漢齋叢書》本），卷上，頁 40b。

運用，其能系統的運用古韻學知識討論學術者，或始於莊、張二人。❹

　　張惠言另一可以討論者，是他與劉逢祿的關係。劉承寬說：「（逢祿）年二十又七，入都，……始識張先生惠言于都，與譚《周易》、《三禮》之學，旋省親于山東書院而歸。」又云：「大抵府君于《詩》、《書》大義及六書小學，多出于外家莊氏，《易》、《禮》多出于皋文張氏。」❹戴望亦據之而云：「嘉慶五年，年二十有五，舉拔貢生，旋入都應朝考（嘉慶七年），時文定公及世父侍郎故舊徧京師，先生不往干謁，唯就張編修惠言問虞氏《易》、鄭氏《三禮》，竟以此被黜。」❹蓋二人皆以逢祿《易》、《禮》之學出張皋文。❹然據逢祿〈歲暮懷人雜詩十六章〉之九云：「憶昔初入都，姝子守金閨；問《禮》喜得師，良友

---

❹　按：洪亮吉纂有《漢魏音》一書，〈序〉中雖強調「求漢、魏人之古訓，而不先求其聲音，是謂舍本事末」，然其重點仍在「為守漢、魏諸儒訓詁之學者設耳」，距莊、張系統的研究古韻分部，仍有間耳。洪亮吉：〈漢魏音序〉，《洪亮吉集》（北京：中華書局，2001 年），第 1 冊，頁 177－179。

❹　劉承寬：〈先府君行述〉，《劉禮部集》，卷 11 附錄，頁 2a－5a。

❹　〔清〕戴望：〈故禮部儀制司主事劉先生行狀〉，《謫麟堂遺集》（宣統三年歸安陸氏依會稽趙氏本刻），卷 1，頁 23b。

❹　另外翔鳳有詩云：「張君注《易》時，吾曾預親炙，今存卯金子，人海一魁碩。」而李兆洛亦言：「中交張翰林皋文共通虞氏《易》，為《六爻發揮旁通表》，《虞氏易變動表》，《卦象陰陽大義》，《易言補》，《易象賦》，《卦氣頌》，凡五卷。」言下之意，蓋亦以為逢祿之《易》淵源於張氏。宋翔鳳：〈論易一首贈姚仲虞〉，《洞簫樓詩紀》（《浮谿精舍叢書》本），卷 11，頁 17a；李兆洛：〈禮部劉君傳〉，《養一齋文集》，卷 14，頁 1b。

如壎箎；童烏能問字，神駿生渥洼；忽忽十數年，流轉各天涯；夔曠不相遇，韶舞為誰攜；鄭音易為好，趙舍惟自知。」其下自注云：「壬戌之春，見茗柯先生，談《禮經》最樂，時董晉卿在甥館，江安甫已沒，彥惟幼稚也。」❹則是逢祿自言入都所問者，惟《禮》而已。文獻顯示，逢祿於嘉慶七年（壬戌，1802）春天始入都，結識這位久聞其名的同鄉前輩，問題是逢祿「旋省親於山東書院而歸」❺，而張皋文則卒於同年夏六月❻，是逢祿與張惠言的接觸，僅能在嘉慶七年春天短短旬月間，則其受於惠言者，或僅如逢祿所自言之《禮經》而已。至於《易》學，據逢祿所撰〈虞氏易言篇後記〉所云：

> 初張皋文先生述《易言》二卷，自〈震〉以下十四卦未成，而先生沒。其甥董士錫學于先生，以余言《易》主虞仲翔氏，于先生言若合符節，屬為補完之。……祿學識淺陋，又未嘗奉教先生，僅僅窮數日之力，以先生所為《易說》，竟其條貫而為此，稍為疏通證明之，庶于師法少所出入，其于先生之意有合有否，則不敢信焉爾。嘉慶七年冬十月，劉逢

---

❹ 劉逢祿：〈歲莫懷人雜詩十六章〉之九，《劉禮部集》，卷 11，頁 13b。

❺ 劉承寬：〈先府君行述〉，《劉禮部集》，卷 11 附錄，頁 2a－5a。

❻ 惲敬：〈張皋文墓誌銘〉，《大雲山房文稿‧初集》，卷 4，頁 23b；阮元：〈張惠言傳〉，《碑傳集》（臺北：明文書局，1985 年《清代傳紀叢刊》，第 113 冊），卷 135，頁 1a－2a；〔清〕吳德旋：〈張惠言述〉，《國朝耆獻類徵初編》（《清代傳紀叢刊》，第 150 冊），卷 132，頁 40b。

祿并記。❹

逢祿撰此文,距惠言之逝,不過四月,記憶猶新,然僅自言於
《易》主虞仲翔氏,與張皋文若合符節;又自言未嘗奉教於張惠
言;所為之《虞氏易言補》,亦僅就皋文之《易說》竟其條貫,稍
為疏通證明而已,則逢祿之《易》學未必出自皋文。且逢祿文集卷
一有〈易象賦〉、〈卦氣頌〉,其〈易象賦〉主要是在闡發孟氏、
虞氏之《易》蘊,此或即董士錫認為逢祿言《易》主虞仲翔氏的原
因;至其《卦氣頌》,則是引用存與的《易》學著作如《卦氣
解》、《八卦觀象解》及述祖《夏小正》之說為注解。❹蓋存與論
《易》,實能綜孟、虞二家之說,而逢祿亦能引存與、述祖之說闡
此二家;又其朝考所撰〈尚德緩刑疏〉,亦援存與《卦氣解》首出
〈中孚〉之說立論❹,然則逢祿之《易》學,實具外家身影,只能
說與惠言所論若合符節,不必皆為得自惠言者。更何況惠言言

---

❹ 劉逢祿:〈虞氏易言篇後記〉。按:《劉禮部集》本〈易言篇〉末跋文未載
「嘉慶」以下十二字,此文所據為李兆洛養一齋校刊本《虞氏易言補》所
附,題為〈虞氏易言後記〉。詳細分合情形,請參張廣慶:《武進劉逢祿年
譜》,頁48。

❹ 如引存與《卦氣解》云:「莊侍郎云:『辟卦十二、侯卦十二,陰陽爻各三
十六,皆君道也。辟序而侯錯,讓辟也,臣道也。公卦陽爻四十一,陰爻三
十一,師保也。卿卦陽爻三十五,陰爻三十七,讓侯也。大夫卦陽爻三十
二,陰爻四十,讓卿也。辟、侯卦凡四百四十畫,合坤策;公、卿、大夫卦
凡二百一十有六畫,合乾策也。』」劉逢祿:〈卦氣頌〉,《劉禮部集》,
卷1,頁12b。

❹ 劉逢祿:〈尚德緩刑疏〉,《劉禮部集》,卷9,頁24a。

《易》，既受述祖《公羊》之說影響，其注《虞氏易》，亦非閉門獨造，而是有莊氏學者參與，如翔鳳即言「張君注《易》時，吾曾預親炙」❺⓪，則其治《易》而講求微言大義之精神，不可謂未沾染莊氏學風。至於《三禮》之學，本莊氏學問之大宗，而為存與所最早致力者❺①，存與《禮》學著作除《周官記》、《周官說》外，《味經齋遺書》中時有駁鄭玄《禮》學的言論❺②，這方面既為逢原、述祖、綬甲所繼承，並撰有著作❺③，以逢祿對外家學術認知之深，不可謂未聞其緒論。如〈禘議〉所論，乃繼述祖〈禘說〉而來，其根本立場在反對鄭玄之論，而又時引「周公顯相」等外家之說❺④；又如在〈書馬貞女〉一文中，舉莊存與之說以駁鄭康成之論《禮》❺⑤，故逢祿於見惠言之前，必有受於外家《禮》學，且有相當的根柢，方有能力與張惠言談論繁難之《禮》學。更何況除了受到金榜影響之外，張氏言《禮》學，由常州學者彼此頻繁的交往情形來看，也可能有與莊氏學者討論而得者，張惟驤稱惠言「言《易》主虞氏翻，言《禮》主鄭氏康成，微言奧義，究極本源。於

---

❺⓪ 宋翔鳳：〈論易一首贈姚仲虞〉，《洞簫樓詩記》，卷11，頁17a。

❺① 莊綬甲在〈周官記跋〉、〈味經齋遺書總跋〉二文中，兩次提到存與治經，最先致力於《禮》。

❺② 最顯著者為《周官記》、《周官說》及《毛詩說》，讀者可覆按。

❺③ 按：逢原撰有《詩鄭箋正譌》、述祖有《毛詩周頌口義》、綬甲有《周官禮箋》，皆涉及對鄭氏注《禮》之探討。

❺④ 劉逢祿：〈禘議〉，《劉禮部集》，卷3，頁1a－7b。

❺⑤ 劉逢祿：〈書馬貞女〉，《劉禮部集》，卷3，頁12b－13a。

古今天人之統紀，言之皆親切有味」❺❻。張氏自「微言奧義」以下的評論，不難看出帶有幾分莊氏學之身影。所以觀察張惠言的《易》、《禮》之學，實有助於吾人思考常州學風與吳、皖不同之處，即方法相同，然歸宗不同也。至於常州詞派大闡意內言外之旨，與莊氏論經典講求微言大義之間的關聯，已有學者指出❺❼，此處不再贅述。

另外，與綏甲朝夕研詠，上下議論者，還有丁履恆。眾所周知，龔自珍著名的〈常州高材歌〉所贈予的對象即為丁履恆，即此亦可推知丁氏在常州學派的位置。雖然文集中師弟之間的交流並不多見❺❽，然二人密切之關係還是可以從其他文獻得到補充說明，例如張惠言的〈答莊卿珊書〉，信中惠言提及到京師後，「鄉里之賢士，聞其名者多矣，嘗恨不及知而友之，其或見之而無恨于不知

---

❺❻ 張惟驤：《清代毗陵名人小傳稿》（上海：常州旅滬同鄉會，1944 年），上冊，卷6，頁4。

❺❼ 吳宏一：〈常州派詞學研究〉，《清代詞學四論》（臺北：聯經出版事業公司，1990 年），頁94。

❺❽ 按：綏甲詩集僅一及丁氏（已見前引）；文集則在〈上孫觀察星衍書〉中言及自己最近和丁道久師、沈君夢蘭討論治河宜復古道之計；丁氏《思賢閣詩文集》亦僅在詩作（〈上巳日同人重集花嶼仍疊前韻並序是日寒食〉「惆悵言詩孰與商 卿山未與斯會。」）、詞作（〈摸魚兒 辛巳花朝，與屺山、卿珊、曾客、小松、晉卿……小集花嶼讀書堂，同人賦詩，予填此詞〉）的間注或小序中提及綏甲，倒是在文集中留有不少與綏甲堂兄弟如傳雲、傳永、佑平等人的通信，內容亦多砥勵德行學問之語，也在不少詩作中提及逢祿、翔鳳；至於逢祿與翔鳳，在詩文集中，亦皆留有懷念丁氏之作，如逢祿有〈歲莫懷人雜詩十六章〉，其第五章所懷念者即丁履恆；翔鳳一系列的〈秋日懷人詩〉中，即有一首題曰「丁道久明經」；翔鳳另有〈雨阻贛榆訪丁道久履恆不值寄宿學舍作此〉。

者，乃亦多有」。又說：「其慕而友之者，卒歲不過三四見，又嘗自恨友之而不足知之，與向之不得友之也，無有異。」言下之意，大有這些所謂的鄉里賢士，徒具虛名，實寓見面不如聞名之意。惟獨言「與道久（履恆）居三十日，自以為知之。其聰敏特達，志氣激發，昭昭然在三代之上，庶幾聖人之所為進取者。僕既得其為人，稠人廣眾之中，率語之以自壯」。可見惠言對丁履恆頗致推崇之意。又言：「吾子在諸君子之中，內重而外厚，最可一望而識，又學于道久，議論性術，一宗于師，僕之于知吾子也，自以為差易，而又堅之以道久，則吾之信于吾子者，其亦有以得之矣。」❺❾其意謂綬甲性情敦厚，又從學於丁履恆，以履恆之聰敏特達，志氣激發，則綬甲從其學，亦庶幾乎聖人之所為進取者也。最後惠言勉勵綬甲云：

> 自古非才之難，成之實難，其于今尤甚，何者？貧窮迫其中，而誹譽敗其外也。然天下之事，無藉為之則已，為之有異于古乎哉？幸而不為其事則已，為之不必于古之人之為之乎哉？才之，天也；成之，人也。在天者，道久之與卿珊皆是矣；在人者，道久之與卿珊之志皆是矣。二子者之成豈不謂難哉？然吾謂二子者有其志，則眾人之所難者不足以難之，而二子者之不負乎其志，抑為難也。❻⓿

---

❺❾　張惠言：〈答莊卿珊書〉，《茗柯文》，第 2 編，卷下，頁 5b－6a。
❻⓿　同前註，頁 6a。

蓋惠言推許履恆、綏甲既有其才，又有其志，而又能不負其志，實屬難得。從惠言勉勵綏甲的話語推之，吾人可以更清楚掌握郭嵩燾所云草堂諸君子獨以立身砥行相為麗切者，所指為何。事實上，丁履恆不但是典型具有經世之思的常州文人❻，也是綏甲的姐夫暨啟

---

❻ 吳育言：「錢塘盧弨弓、金壇段若膺、滄州李甯圃、同縣莊寶琛、張皋文、惲子居皆其師友，文章學術，淬厲磨濯，於漢、宋諸儒，必求有得於心，不務立門戶。嘗磊落有經世志，益講求農田、水力、錢法、鹽政、兵制，著為論說，以待求取。……君嘗好宋韓、范、富三大臣集，語余之三公者，非獨功在天壤，觀其書，尤不可及，蓋深有意其為人也。嗚呼！使君而果用之，以方剛之氣，其設施或有可觀，乃不果用，及莫年精已銷亡之後而用之，尚何益哉！尚何益哉！」另外，《清代毗陵名人小傳稿》稱履恆「詩文負盛名，尤好經世之學」。，而包世臣、張際亮所撰墓誌亦推稱履恆經世之志，張舜徽認為兩家所言，殆非阿好之詞，並認為丁氏一生喜言經世之略，與包世臣、張際亮同趣。從這幾則記載裏，吾人可以了解到經世，或為世所用，可以說是丁氏一生最大的願望。事實上，從莊存與、莊述祖、洪亮吉、孫星衍、黃景仁、張惠言、惲敬、李兆洛、丁履恆、陸繼輅、莊綏甲、劉逢祿、董士錫、董基誠、董祐誠等常州學者的傳記中，作者每每指出傳主不為世用的遺憾。可見經世，為世所用，直白一點說，即是身居高位，取得世俗功名，以發揮抱負，對所思皆在籍科舉晉身的常州文人而言，是其處世立身第一義，其次才是學者的身份。也正因於此一特質，使其即使討論學術，亦不以知識的客觀性為第一義，而帶有強烈的實用主義色彩。〔清〕吳育：〈敕授文林郎山東肥城縣知縣丁君家傳〉，《思賢閣詩集》（咸豐四年刊本），卷首，頁 1b－2a；張惟驤：《清代毗陵名人小傳稿》，上冊，卷 6，頁 15；〔清〕包世臣著，李星點校：〈皇敕授文林郎山東肥城縣知縣丁君墓碑〉，《藝舟雙楫》（合肥：黃山書社，1993 年《包世臣全集》本），卷 8，頁 495－496；張際亮：〈丁若士先生墓誌銘〉，《張亨甫先生文集》（出版項不詳），卷 4，頁 23a－25b；張舜徽：《清人文集別錄》（臺北：明文書局，1982 年），頁 348。

蒙師❷，更是與綏甲共學莊氏學者。❸丁氏發揮存與之學者，有《春秋公羊例》❹；守述祖之說者，有《形聲類篇》、《說文諧聲》等。❺其他專著則有《左氏通義》、《毛詩名物志》，詩文則有《思賢閣詩文集》、《守韻齋集》，《倚聲寫韻齋詞稿》，另有《望雲聽雨山房劄記》、《愛日堂自治官書稿》、《宛芳樓雜著》等，為治常州莊氏之學而甚少有人注意者。❻

---

❷ 李兆洛〈附監生考取州吏目莊君行狀〉云：「君于師友誼甚篤，若士，君姐壻也，君少從問業，終身執弟子禮甚恭。」（《養一齋文集》，卷 14，頁 41b）

❸ 劉承寬：〈先府君行述〉，《劉禮部集》，卷 11 附錄，頁 8a－b。故李兆洛於〈珍藝宦遺書序〉中乃云：「若士、申受所箸《公羊》，多本宗伯（存與）；卿珊搜覽漢學，亦能紬繹先生（述祖）之旨。」李慈銘於《越縵堂讀書記》引之，而稱「李氏兆洛序《珍藝宦遺書》，稱莊氏又有若士、申受兩君，皆著《公羊》學，不知其名，蓋皆宗伯之孫」。（〔清〕李慈銘：《越縵堂讀書記》〔臺北：世界書局，1975 年〕，中冊，頁 821。）按：丁若士（履恆）是存與的孫女壻。

❹ 按：丁氏文集卷二有多處提及治《公羊學》及論治經應有之態度，如〈與（莊）傳雲〉、〈與（徐）仲平〉、〈與董宗邵書〉等。另外，丁氏孫紹基跋云：「先大父⋯⋯平生撰著甚富，於諸經中，尤深《春秋公羊》學，創著《釋例》，未及卒業，會劉申受先生亦治《公羊》，遂以橐本相屬。」（《思賢閣文集》，卷 2，頁 4b、12a、29b；附錄，頁 1b）

❺ 按：述祖分古韻為十九部，丁氏《形聲類篇》亦分古韻為十九部，並在〈復王懷祖先生書〉中云：「今蒙進而教之，益不勝雀躍鶴望，尊恉分二十二部，祭、月別出，發端先生，幸得承教，其于鄙見十九部中，復出至、質一部，緝、盍二部，恆心知其是，顧尚未重加搜討，未敢強為苟同。」（《思賢閣文集》，卷 2，頁 23a－b）顯示出他對分古韻為十九部的堅持。

❻ 按：丁氏行世之作，除了《形聲類篇》、《說文諧聲》之外，尚可見《思賢閣文集》四卷，《詩集》八卷附《詞草》二卷。

　　董士錫是另外一個與莊氏家族關係密切的學者，他是張惠言的外甥，也是莊述祖與張惠言的學生。現存董氏與莊氏學術關係最密切的文獻，應是他為存與《易》學著作所寫的〈易說序〉。此文之所以重要，乃因董氏提出三個至今觀之，仍是非常鮮明的論點，為吾人思考莊氏乃至常州學術之精神，及其與考據學風相異之處，提供了線索。首先，董氏將莊氏之學與乾嘉考據之學對立起來，他說：

> 本朝經學盛于宋、元、明，非以其多，以其精也。乾隆間為之者，《易》則惠棟、張惠言；《書》則孫星衍；《詩》則戴震；《禮》則江永、金榜；《春秋》則孔廣森；小學則戴震、段玉裁、王念孫，皆粲然成書，著于一代。而其時莊先生存與以侍郎官于朝，未嘗以經學自鳴，成書又不刊板于世，世是以無聞焉。⑰

他將各家經學的粲然成書，著於一代，對比於存與的不以經學自鳴，世無聞焉，使莊氏與考據學者之間形成強烈反差，為其批判考據，推許莊氏預留了空間。其次，他高度評價了存與之學，他說：

> 其為文，辯而精，醰而肆，旨遠而義近，舉大而不遺小，能言諸儒所不能言。不知者以為乾隆間經學之別流，而知者以

---

⑰　董士錫：〈易說序〉，收入〔清〕莊存與：《味經齋遺書》（光緒八年陽湖莊氏藏板），卷首，頁 3a。

為乾隆間經學之巨匯也。⑱

言下之意，蓋以為真正的經學，應是存與辯精醇肆、旨遠義近的文章體裁，而不是由《說文》、《爾雅》入手所考據訓釋的經學。最後，董氏強烈的批判乾隆年間所流行尊漢貶宋的考據之學，是門戶太深，是其術太峻，是其說太拘，更可以視為是常州價值的展現，值得吾人注意。他說：

> 方乾隆時，學者莫不由《說文》、《爾雅》而入，醰深于漢經師之言，而無溷以游雜，其門人為之，莫不以門戶自守，深疾宋以後之空言。固其藝精，抑示術峻，而又烏知世固有不為空言而實學恣肆如是者哉！昔許慎、何休著書，鄭康成駁辯之，而《鄭志》文有與諸弟子互相問答之語，亦或病其術之太峻，而虞其說之太拘歟？⑲

蓋董氏此文，實為研究常州學派重要的參考文獻，非共習莊氏之學，與莊氏子弟切磋研討者，不能至此。所以，他介紹的雖是莊存與的學問，然其自身亦未嘗沒有將常州之學與漢學考據家對立的意圖在內。吾人在討論綏甲的交遊時，也正是探尋常州學派開展的軌跡的同時，這一點是討論莊綏甲師友交誼時須格外注意者。

當然，在綏甲的交遊中，最值得注意的莫過李兆洛了。從古文

---

⑱　同前註，頁 3b。

⑲　同前註，頁 3b－4a。

辭的角度來看，李氏最引人注目者，是他所編纂的《駢體文鈔》，
薛子衡在〈李養一先生行狀〉中提到李氏編輯之目的：

> 先生嘗病當世之治古文者，知宗唐、宋而不知宗兩漢。《六
> 經》以降，兩漢猶得其緒遺，而欲宗兩漢，非自駢體入不
> 可，因輯斯編，至是遂序而刻之。……當世皆知，是編可以
> 正駢體之軌轍，而先生實欲以是溯古文之原始也。⑩

在清中葉的駢、散之爭中，陽湖文派以其融通駢、散，講求學問、
文章兼擅的古文主張，展現其獨特的經世之志，這一點在李兆洛的
身上最為鮮明。⑪陸寶千先生認為：「陽湖派者，使經世性之文章
文學化也。世人於桐城、陽湖之別，專從駢語之取捨著眼，固皮相
焉。」⑫今觀《駢體文鈔》上編所錄者「皆廟堂之製，奏進之
篇」，中篇所錄則「指事述意之作」，而下篇所錄，「多緣情託興
之作」，觀篇中所謂「表裏《詩》、《書》」、「言為典章」、
「博而能檢」者⑬，則其宗旨蓋亦尋古人寓學問於文章之軌跡，此
所謂：「《六經》以降，兩漢猶得其緒遺，而欲宗兩漢，非自駢體
入不可」也；而薛子衡所言《駢體文鈔》欲以溯古文之原始者，也
正是有古人寓學問於文章或文章即學問這一認識的緣故。進一步言

---

⑩　〔清〕薛子衡：〈李養一先生行狀〉，《養一齋文集》，卷首，頁 3a－4a。
⑪　詳細討論，請參曹虹：《陽湖文派研究》（北京：中華書局，1996 年），第
　　6 章。
⑫　陸寶千：〈愛日草堂諸子──常州學派之萌坼〉，頁 79。
⑬　李兆洛：〈駢體文鈔序〉，《養一齋文集》，卷 5，頁 8b－9b。

之，李氏文章宗兩漢的主張，與莊氏學術之宗兩漢者，在精神上更是若合符節，因為在他們看來，能將學問與文章完美結合，並展現醇正義理者，非兩漢莫屬，尤其是大臣們的廟堂之製，奏進之篇；更何況莊氏學術根源，與其說是重在重現今文博士的章句之學，毋寧說是重在追述大臣的援經立義，出以策論奏議的經術文章。正是出於這個原因，李兆洛不但自己為《駢體文鈔》寫〈序〉，也請綏甲另作一〈序〉，在《養一齋文集》中且有〈答莊卿珊書〉，對綏甲有關《駢體文鈔》選文標準的疑問，提出澄清。**❼**即此已可以見李兆洛與莊綏甲學術關係之密切。

　　不過，李兆洛對莊氏學術乃至常州學派最大的貢獻，乃在於他對莊氏家族學術行誼的記載以及對莊氏著作的整理與刊刻。筆者檢閱李氏文集，時可見其對莊氏家族學術行誼之敘述，原因很簡單，乃在於他掌握了莊氏家族的第一手資訊。在〈珍藝宧遺書序〉中，李氏云：「兆洛自交若士、申受兩君，獲知莊氏之學。……繼又得交宗伯之孫卿珊，得盡窺（存與、述祖）所著造，伏而讀，仰而思，累月日乃曉然有會于讀經之法與讀書之法。」**❼**李氏所以能在莊氏家族菁英殆盡之後，負起保存莊氏著作之責，在於他先經丁履恆、劉逢祿的介紹，得知莊氏之學；又從綏甲處得盡窺存與、述祖著作，而大為嘆服之故。也由兆洛此文，讓我們了解到常州學派能為世所知，莊綏甲實功不可沒，他一反父祖秘不示人的態度，將祖

❼　李兆洛：〈答莊卿珊〉并附卿珊作〈駢體文鈔序〉，同前註，卷 8，頁 6a－8a。又：蔣彤撰李氏年譜，繫此事於道光元年。

❼　李兆洛：〈珍藝先生遺書序〉，同前註，卷 3，頁 18b－19a。又載《珍藝宧遺書》，卷首。

父、叔父的著作公開，讓莊家以外的人也能夠掌握到二人的學術精髓。我們如果讀完李氏所撰〈南村制義序〉、〈尚書既見序〉、〈周官記序〉、〈莊珍藝先生傳〉、〈珍藝宧遺書序〉、〈拾遺補藝齋遺書序〉、〈附監生考取州吏目莊君行狀〉、〈禮部劉君傳〉，以及蔣彤錄李氏晚年指示學問門徑的《暨陽答問》，再結合其弟子薛子衡、宋景昌分別撰寫的〈八卦觀象解跋〉，蔣彤的〈莊存與傳〉、〈書莊方耕先生春秋正辭後〉、〈書莊方耕先生四書說後〉、〈書劉申受先生公羊釋例後〉而觀之，則莊氏家族三代之生平行誼與學術大要，莊氏家族在常州的地位，以及莊氏學術在常州的意義，已大致可以掌握，而李兆洛師弟的敘述，對吾人理解莊氏乃至常州學派的重要性，已毋庸贅言。

尤有說者，莊氏文獻的保存與流傳，李兆洛可謂居功厥偉。因為莊氏一門著述，多賴李兆洛為之整理刊刻。今觀蔣彤《李養一先生兆洛年譜》道光十八年條下所記：

> 鄉先哲莊宗伯存與諸經皆有譔述，多未刊行，孫卿珊綏甲先以《尚書既見》、《周官記》二書示先生，一一為訂正其體例，既序而行之矣。與卿珊書曰：「《周官記》之書，非《尚書既見》比，宜詳核《周禮》，參互融會，為之注釋，使至精之思，至實之理，一一發露，庶幾懸諸日月，不刊之書。」然卿珊急於刻之，未暇事此也。繼示以《四書說》、《樂說》，先生復書曰：「樂律向曾學之。所說與宋、明人多差異，而理解精微，遠過昔人，無奈不聰於耳，又不諳於簫管，故未能究極妙處。嘗欲覓一善吹笛者，與之細辨笛色

工尺，則此處亦無不可了，而竟不得暇。此後當留心為此，
稍解七律，然後合之於書，庶幾不致茫然。」再後卿珊子子
定潤示以《彖傳論》、《彖象論》、《繫辭傳論》、《八卦觀
象解》、《卦氣論》諸種，并《算法約言》，先生常自攜尋
繹，歎其精微廣大，心胸常若不能容受。又曰：「此身通六
藝，七十子之徒也。」遂次第付刊。《算法約言》未成之
書，付冕之（宋景昌）徐竟其緒。并前卿珊所刻《尚書既
見》、《尚書說》、《毛詩說》、《周官記》、《春秋正辭》七
種，合并行世而不為序，曰：「吾於莊宗伯不能測其涯也。」
傳宗伯之學者，從子珍藝先生述祖，外孫劉申受逢祿。申受
書皆行世，珍藝書多至百卷，其子文灝不能盡刊，多刻序
例，使學者可尋繹。先生并命子定刻卿珊遺書，使莊氏之
學，天下得覩其大全云。按：珍藝有《說文古籀疏證》，先
生每歎為奇書，賞其精而嫌其鑿，嘗命聖俞錄存副本，就其
義例，重加訂定，發其凡以示聖俞，然不能竟業，屢書督珍
藝子墀莫又朔，墀莫固深於《說文》者，亦不及成也。❼

在這則文獻中，蔣彤提到綬甲最早出示的是《尚書既見》、《周官
記》二書，李兆洛除一一訂正其體例，為之作〈序〉之外❼，更建

---

❼ 蔣彤：《清李申耆先生兆洛年譜》（臺北：臺灣商務印書館，1981 年），頁
180－183。

❼ 按：今存李氏文集中載有〈尚書既見序〉、〈周官記序〉，既推崇存與能得
聖人之旨，並諷刺樸學之士的佔嗶記誦乃迂辟膠固，不知治經在於會通以致
用，讀者可覆按。

議綏甲應慎重處理《周官記》一書，使能行之久遠；另外，兆洛對
《四書說》、《樂說》的評價是理解精微，遠過昔人，可惜他自己
對樂律等專門之學所知不多，無法提供建設性的見解；在綏甲身故
之後，其哲嗣莊潤子定再出示《彖傳論》、《彖象論》、《繫辭傳
論》、《八卦觀象解》、《卦氣論》及《算法約言》，李氏歎其精
微廣大，視存與為身通六藝，七十子之徒，故可刊者刻之，未竟者
責成學生董理之。今觀薛子衡〈八卦觀象解跋〉云：「先生（存
與）經說多已刊布，是書則今歲吾師申耆先生始刊行之。余又得先
生之孫經饒先生寫本校正焉。道光十八年歲次戊戌八月，同邑後學
薛子衡謹跋。」❼❽又宋景昌〈八卦觀象解跋〉云：「方耕先生遺書
大半多已刊行，是書則吾師申耆先生今歲校刊也。剞劂既就，以景
昌習于天官家言，命疏其所以，故述其略例如右。道光戊戌季秋月
朔，江陰後學宋景昌謹跋。」❼❾文獻顯示，綏甲刊刻存與遺著此一
未竟之業，乃由李氏續成之，並使其合并行世。另外，傳存與之學
者，述祖、逢祿著作既已行世❽⓪，兆洛乃又助莊潤刻綏甲遺著，務

---

❼❽ 薛子衡：〈八卦觀象解跋〉，見〔清〕莊存與：《八卦觀象解》（光緒八年
陽湖莊氏藏板），卷末，頁3a－b。

❼❾ 〔清〕宋景昌：〈八卦觀象解跋〉，見同前註，頁5b。

❽⓪ 按：述祖主要著作，亦在道光年間，陸續由其子又朔刊行，為脊令坊刊本，
然既有因卷帙龐大，留遺珠之憾者，如《校逸周書》十卷、《毛詩授讀》三
十卷；亦有草創未就，僅刻序例者，如《說文古籀疏證》。至於逢祿生前，
其《春秋》著作即有刊行之議。據李氏《年譜》所載，早在道光四年（甲
申，1824），兆洛即在暨陽書院校刊逢祿之《公羊釋例》，初刻於邗上（揚
州），未成，復取以歸為補刊之，並移書京都，索其別種，以《公羊》未得
其深而未為作〈序〉。另據劉承寬〈先府君行述〉云：「（逢祿）凡為《春

使莊氏之學，天下得睹其大全。今觀李氏〈拾遺補藝齋遺書序〉
云：

> 吾友卿珊莊君，……歿十一年而君之子潤，盡奉其所著遺
> 稿，乞余為理而刊之，其書之粗就者曰《尚書考異》、曰
> 《釋書名》二種而已，餘皆首尾不能完具，所為古文幾百
> 篇，亦叢殘不成篇帙，稍稍詮次而成是編。……此編區區，
> 何足以盡君之學，亦何足以見君之志致所謂宏且遠者？而不
> 能不藉是以傳君也，可哀也哉！吾黨少俊而夭折者多，有如
> 江安甫、金朗甫，皋文先生俱為刻其未成之書，以傳其學。
> 然安甫、朗甫年才弱冠，而卿珊已逾強仕，不可謂無年，徒
> 以奔走衣食，日月耗於道途，自恃壯盛，欲得衣食足而後畢
> 力於此，此日足可惜，安能待來茲？此則不能不為君深憾者

秋》之書十有一種。宮保阮公、申耆李公，各為梓行于廣東、揚
州。」孫海波則云：「今按劉氏遺書，其說經之作，多刊入《皇清經解》中，《文集》
則有家刻本，《春秋》之書，則有太清樓、養一齋兩本，即〈行狀〉所謂宮
保阮公、申耆李公，各為梓行于廣東、揚州者也。惟劉氏說《春秋》之書，
稿前後數易，故養一齋所刻，與《經解》不同，而《易虞氏五述》，世多未
見，惟養一齋刻本《何氏釋例》卷後附有《虞氏易》殘帙數紙，即所謂《五
述》者也。」孫氏除詳細比對逢祿遺著之刻本及內容異同外，並言及養一齋
本之《禘議》及《易虞氏五述》，本為《皇清經解》所收書，並已雕板，後
恐以此二書統貫難尋之故被擯。及李申耆為逢祿刻遺書時，不忍聽其湮沒，
遂就已雕之板，別鑴養一齋之名而彙行之，故其版式一如《經解》之舊也。
蔣彤：《李申耆先生兆洛年譜》，卷 2，頁 21；劉承寬：〈先府君行述〉，
卷 11 附錄，頁 5b；孫海波：〈書劉禮部遺書後〉，周康燮主編：《中國近
三百年學術思想論集》（香港：存粹學社，1978 年），頁 336－337。

也。……道光戊戌李兆洛撰。⑧

李氏行文,讓人感受到他對莊綏甲的真摯情感,從綏甲刻存與遺著時提供建議,到襄助莊氏遺族整理家族文獻,到為莊氏家族撰寫傳、狀、書序,到晚年指示學術門徑時仍盛推莊氏之學,讓人感受到李氏對莊氏家族,有一種發自內心的崇敬⑧,這與他對莊氏之學的深度理解有密切關聯,故李兆洛實為常州學派之功臣,亦為常州價值之維護者。

另外,道光戊戌即道光十八年,綏甲《拾遺補藝齋遺書》為道光十八年刻本,而薛子衡、宋景昌序存與《八卦觀象解》,亦言李氏校刻存與遺書,在道光十八年。由是而知綏甲所研精校讎存與遺著而未及刊刻者,由兆洛續成之,併綏甲遺書亦刊行其後也。再來看王大隆的〈釋書名跋〉,王氏云:

> 右《釋書名》一卷,清莊綏甲撰。案綏甲……客遊早世,撰述多未成,沒後,子潤整理遺稿,寫成《尚書攷異》及此書,為《拾遺補藝齋遺書》。道光戊戌(十八年,1838),

---

⑧　李兆洛:〈拾遺補藝齋遺書序〉。按:《養一齋文集》本〈拾遺補藝齋遺書序〉不著撰作年月,然附於《拾遺補藝齋遺書》卷首的李氏之〈序〉,文末則有「道光戊戌李兆洛撰」諸字。

⑧　又:《年譜》道光十九年九月下載:「(李兆洛)赴龍城書院,院西為先賢祠,祀季子而下六十有八人,先生率弟子輩瞻拜,惻然曰:『前人創此基業,後人豈忍廢之?亟宜與守令議,且補入莊宗伯、張皋文二人。』又曰:『昭明太子為吾常文學之祖,豈可缺而不祀?』然竟不及舉也。」蔣彤:《清李申耆先生兆洛年譜》,頁190-191。

李兆洛序而刊之，傳布未廣，板遭兵燹，後其孫寶森訪得一
本，欲重梓而未果。光緒十五年，寶森猶子謙吉始以此書付
活字排印，而《尚書攷異》卒未得見，今活字本亦希流傳，
蓋其傳之難如此。瑞安張君宋廎寄示所藏舊鈔本，……付諸
手民，深惜《尚書攷異》已佚，不得與此並傳也。歲丙子冬
月吳縣王大隆跋。㊸

王氏此文，大略介紹了《釋書名》之流傳始末。蓋李氏所刊布之
《拾遺補藝齋遺書》，幾毀於兵燹，後雖經綬甲文孫訪得《釋書
名》一部，然《尚書考異》已不得見。由王氏跋語觀之，知其深惜
《尚書考異》已佚，不得與《釋書名》並傳於世，實則《拾遺補藝
齋遺書》至今尚存海內孤本於北京圖書館，其內容亦不止《尚書考
異》與《釋書名》而已。（詳下）

當然，與綬甲朝夕研討，無間術業者，除了上述諸子外，還有
他的兩個表弟劉逢祿與宋翔鳳。在逢祿的詩集中，留有許多他與丁
履恆、張惠言、李兆洛、莊綬甲、宋翔鳳等人交往的記載。㊹值得

㊸ 王大隆：〈釋書名跋〉，見莊綬甲：《釋書名》（上海：上海書店，1994 年
《叢書集成續編》，第 18 冊影印《丁丑叢編》本），頁 13b－14a。

㊹ 如在〈歲莫懷人詩小序〉中，逢祿云：「精研《易》、《禮》，時雨潤物，
吾不如張皋文。」又云：「博綜今古，若無若虛，吾不如李申耆。」其〈歲
暮懷人雜詩十六章〉之五有「仙人號若士，犖犖出雲表，抗論邁三古，秦漢
一何小」之語；之八則有「茗柯絕世材，假年志不就」、「申耆亦博綜，一
麾用差謬」之語；之十二則云：「吾鄉大儒宗，好古竟忘筆，味經善識大，
味經，外王父葆琛先生齋名。珍藝益精眇。珍藝，從母舅葆琛先生齋名。……廿年正《夏時》，絕學
三代表，晚歲窮古籀，匡許到秋秒。……從游綬與鳳，綬，莊卿珊；鳳，宋于季。敏

注意的是，逢祿有〈五經考異序〉一文，記其有感於司馬文正公之言，凡讀書必先審其音、正其字、辨其句讀，然後可以求其義。欲先校夫子所正《五經》，乃仿陸德明《經典釋文》之例，采輯舊本經籍所引，旁稽近代名儒深通經義小學者之言，彙為一編，以為童蒙養正之始基，然奪於他務，未暇為之。至嘉慶十四年（己巳，1809）冬天，乃與同里學者臧庸、莊綏甲，分經掇拾，而自己則擔任《易》與《春秋》之彙校。其後臧庸《詩考》幾成而逝，綏甲為《尚書考》將半而中輟，《禮考》則為逢祿與弟子潘準共同擔任，乃稿本袞然，惜潘準不幸夭折，稿藏潘氏遺篋，亦杳不可得。至嘉慶十七年（壬申，1812）夏日，薛傳均之弟子張潤欲將其舊輯《易》與《春秋》之稿付諸梓人，以為續考群經者倡。逢祿嘉其意，不以未定而阻之。並言《詩考》可以校定，而《書考》則促綏甲成之，至於《禮經考》，只能祈其不至人琴俱亡了。❽今張潤手鈔以付梓人之《周易考異》、《春秋考異》皆未見，而逢祿與弟子潘準合纂之《禮古經考異》亦杳然無蹤，惟綏甲遺著有《尚書考

魯各深造。著作滿一家，竹帛永持保。」又其〈寄李四申者〉有「要將經緯佇元化，豈僅文章動帝闈，回首昔年觴詠地，一簾花月夢初還」之句，既表達對兆洛經術文章的推崇，也表現對往日交遊的懷念。另外，劉承寬所述逢祿交遊，已見於前，而陸繼輅〈先太孺人年譜〉亦載：「（乾隆）五十八年癸丑，五十九歲，是年不孝補陽湖縣學生員，同案莊綏甲卿珊、劉逢祿申甫尤嗜學，來謁太孺人，太孺人一見，許為益友，命不孝勤相過從。」劉逢祿：〈歲莫懷人詩小序〉、〈歲暮懷人雜詩十六章〉、〈寄李四申者〉，《劉禮部集》，卷 10，頁 2a；卷 11，頁 12b－14a、20b；〔清〕陸繼輅：《崇百藥齋文集》，卷 20，頁 10b。

❽ 劉逢祿：〈五經考異序〉，《劉禮部集》，卷 9，頁 7a－b。

異》三卷，乃當年逢祿所倡《五經考異》之一部分。今觀綏甲〈尚書考異敘目〉云：

> 震同姑子劉申受庶常討論《五經》，病其文多譌舛，始約共纂《考異》，定所適從。申受盡得外氏之傳，于先宗伯《公羊春秋》之學尤精，而專分得《易》、《春秋》；綏甲分得《詩》、《書》；適潘生準來就學《禮》，爰以《禮》屬之。而先為《尚書》，采集同異，稽譔其說，殆三歲而略備。[86]

依筆者初步觀察，當時針對經典及古籍的校勘異文，彙聚同異，業已蔚為風氣。單是常州就有不少學者從事這項工作，例如莊述祖校勘經典之作，即有《尚書古今文考證》、《校尚書大傳》、《校逸周書》、《毛詩考證》、《穀梁考異》、《五經小學述》、《明堂陰陽夏小正經傳考釋》、《校正白虎通別錄》、《校定孔子世家》等，述祖在〈校薛氏詩古文訓古文序〉中云：「述祖欲以古文籀篆

---

[86] 莊綏甲：〈尚書考異敘目〉，《尚書考異》（道光十八年李兆洛刊本），卷首。事實上，綏甲曾企圖將對《五經》異文的考釋擴大到《十三經》，並參照逢祿援引陸氏《釋文》之例為之，惜其中道齎志。今觀劉承寬所云：「（逢祿）又嘗欲為《五經攷異》，仿陸德明《經典釋文》之例，以存異文古訓，先成《易》一卷，《春秋》一卷。」又李兆洛云：「震吾友莊卿山欲成《十三經異文》一書，本之《釋文》，旁諏諸家，斷自唐以上，形聲之異皆備著之，惜其中道齎志。」劉承寬：〈先府君行述〉，《劉禮部集》，卷11附錄，頁6b；李兆洛：〈錢子樂十三經斷句序〉，《養一齋文集》，卷3，頁15a。

參校《五經》。」[87]今觀其《尚書今古文考證》、《毛詩考證》、《逸周書》，乃從分別今、古文字入手，參以今、古文經學家法校勘異文；其《穀梁考異》、《尚書大傳》、《孔子世家》等校本今雖未見，所用方法當亦雷同。又如孫星衍，著名的《平津館叢書》與《岱南閣叢書》所載，大部分是他利用校勘之學所整理重刊的古籍。又如臧庸，臧氏一生的學術工作真可用「校勘異文，彙聚同異」概括之。[88]即使對校勘之學「意殊不屑」[89]的李兆洛，亦是與顧廣圻、劉逢祿、莊綬甲等好友覃精經術，校正古書[90]。至於宋翔鳳《過庭錄》卷二、三之《周易考異》，是否亦為逢祿所倡《五經考異》的成果之一，抑或為繼逢祿未竟之志，則已無從考證矣。不過從翔鳳的《管子識誤》中，吾人當可推知常州學者已接受並利用校勘之學此一當時學術界的共同語言，作為與考據主流對話的工具之一。今觀其〈跋〉語曰：

> 明刻《管子》，以劉績本為近古，有意改處，皆明言之。其後有趙用賢本，稍遜。嘉慶壬申（17 年，1812）歲，客南昌，就郡守張古餘丈借得影抄南宋初年本，對校一過，絕多

---

[87] 〔清〕莊述祖：〈校薛氏詩古文訓古文序〉，《珍藝宧文鈔》（道光間莊氏脊令坊刊本），卷 5，頁 16a。

[88] 蔡長林：〈論清中葉常州學者對考據的不同態度及其意義——以臧庸與李兆洛為討論中心〉，《中國文哲研究集刊》（2003 年 9 月），第 23 期，頁 263－303。

[89] 蔣彤：《清李申耆先生兆洛年譜》，頁 10。

[90] 黃體芳：〈養一詩集序〉，《養一詩集》，卷首，頁 1b。

> 勝處。王石渠、孫伯淵諸先生所据之宋本，皆從此本，校於今所行本，不能無遺漏。儻有力者借影抄本重雕，則盛事也。嘗見石渠先生校《管子》既精博，歲甲申（道光4年，1824），至廣州，頗與同歲生臨海洪君論《管子》，而余時出異同，遂錄所見為《管子識誤》，冀附王、洪兩家之後，以質好古君子。(91)

筆者認為，這一則記錄，既可以看作是考據學風潮對常州學者造成的影響，也可以視作是常州學者企圖與考據學主流對話的文獻。跨出常州，則校勘經典的風氣又更加盛行。誠如梁啟超（1873－1929）所云：「校勘之學為清儒所特擅。」(92)清儒治學既重視古典的鑽研，又以學風嚴謹相自許，乃逐漸養成讀書講究善本，治學重視經籍校勘的風氣。龔自珍曾言：

> 李銳、陳奐、江藩，友朋之賢者也，皆語自珍曰：「曷不寫定《易》、《書》、《詩》、《春秋》？」方讀百家，好雜家之言，未暇也。內閣先正姚先生語自珍曰：「曷不寫定《易》、《書》、《詩》、《春秋》？」又有事天地東西南北之學，未暇也。……龔自珍歲為此言，且十稔，卒不能寫定《易》、《書》、《詩》、《春秋》。生同世，又同志，

(91) 宋翔鳳：〈管子識誤跋〉，《過庭錄》（北京：中華書局，1986 年），頁245。

(92) 梁啟超：《中國近三百年學術史》（揚州：江蘇廣陵古籍刻印社，1990年），頁224。

寫定者：王引之、顧廣圻、李銳、江藩、陳奐、劉逢祿、莊綏甲。❽

這是一則頗有價值的記載。寫定《五經》，應在經典校勘之學成熟後方有可能，在這之前，諸經勢要經過一番分別古今文字乃至分別經學家法的洗禮，而這種情形，常見於江聲、王鳴盛、孫星衍、段玉裁、莊述祖、臧庸、莊綏甲、宋翔鳳等人的著作中，從這個角度來看，在治學方法上，常州學派第三代成員與漢學家已無太大出入，從莊綏甲、劉逢祿、宋翔鳳的著作中，都可以找到此一治學痕跡，而龔氏此條記載，也就更有學術史的價值。

當然，綏甲與逢祿的關係，仍有可說者。嘉慶二十二年（丁丑，1817），逢祿由庶吉士改官禮部，結識其父高弟歷城尹濟源，自尹氏處獲得八十年前外祖莊存與甲子科中舉之墨卷，嘆其手澤猶新，而惜不能盡得存與鄉會試三場硃墨之本，以存與於諸孫中尤愛綏甲，故謹記此事始末，歸此卷於內兄綏甲。並言綏甲「生於甲午（乾隆 39 年，1774），長予二歲，至相得也」❾。嘉慶二十五年（庚辰，1820），阮元於廣東建學海堂，欲蒐採當代說經之書，以為後學津逮，逢祿乃從綏甲處錄寄存與遺書付之。❾另外，綏甲、逢祿文集中雖未見書信往來，然兩人的學術交流，仍可從逢祿著作中窺見一二，例如在《尚書今古文集解》中，逢祿於〈皋陶謨第

---

❽　龔自珍：〈古史鉤沈論三〉，《龔定庵全集類編》，卷 5，頁 104－105。

❾　劉逢祿：〈記外王父莊宗伯公甲子次場墨卷後〉，《劉禮部集》，卷 10，頁 8a－9a。

❾　阮元：〈莊方耕宗伯經說序〉，《味經齋遺書》，卷首，1b。

二〉「侯以明之」以下八句加案語曰：「莊綬甲疑王肅等羼入，不為無見。」❾⁶又其〈甘石星經正誣〉載綬甲問「急繕其怒義」，逢祿據唐僧一行所據古義以答之。❾⁷

綬甲、逢祿之交誼已略如上所述。至於翔鳳，李兆洛〈洞簫樓詩紀序〉說：「余於嘉慶己未（4 年，1799）識于庭於莊卿山家。」❾⁸翔鳳則提到，他在嘉慶四年，隨母歸寧，母命留常州，舅父莊述祖教以讀書稽古之道，家法緒論得聞其略。❾⁹從這兩則記載中，可據以略推當年諸子的交游情景。翔鳳對綬甲頗有依戀之情，其詩文集中時可見到綬甲的相關記載，除了之前所引〈常州懷莊四綬甲劉六逢祿兩外兄〉及〈秋日懷人詩·莊卿山外兄〉二詩之外❿，如題〈舟過常州趙味辛先生招同陸祈生繼輅莊卿山綬甲讌集齋中見秦中留別四詩即次原韻奉呈〉，中有句謂「耆舊頻驚異物遷，常州老宿如迁甫舅氏、趙甌北、洪北江諸先生相繼謝世。靈光猶見兩名賢，謂葆琛舅氏暨味辛先生。著書各積一千卷，名世都逢五百年。」⓫此詩蓋趙懷玉招集陸繼輅、莊綬甲、宋翔鳳等人的讌集之作，是年為嘉慶二十年（乙亥，1815）。又如題〈途次理近日所得書間各繫一詩〉之

---

❾⁶ 劉逢祿：《尚書今古文集解》，收入《皇清經解續編》（臺北：復興書局，1972 年），第 6 冊，卷 2，頁 11。

❾⁷ 劉逢祿：〈甘石星經正誣〉，《劉禮部集》，卷 8，頁 21a。

❾⁸ 李兆洛：〈洞簫樓詩紀序〉，《洞簫樓詩紀》，卷首，頁 1b。

❾⁹ 宋翔鳳：〈莊珍藝先生行狀〉，《樸學齋文錄》，卷 3，頁 16b。

❿ 按：其一繫年於嘉慶九年（甲子，1804），其一繫年於嘉慶十三年（戊辰，1808）。

⓫ 宋翔鳳：〈舟過常州趙味辛先生招同陸祈生繼輅莊卿山綬甲讌集齋中見秦中留別四詩即次原韻奉呈〉，《憶山堂詩錄》，卷 8，頁 4a。

四,其云:

> 莊子五十餘,面目殊未老;相別忽半年,使我形坐槁。念子
> 滯故山,常積經世抱;醰醰守家學,矻矻坐編校。思悮正自
> 適,俗塵定如埽;悠然憶朋儔,怒焉憂心擣。纏緜書中意,相
> 慰在遠道;須知四方人,乞食長不飽。莊卿山外兄書自常州寄來。[102]

此詩對綏甲既有傳神的描寫,也有自少至老不曾磨滅的情誼。「念
子滯故山,常積經世抱」,既表達了綏甲具有常州學者共同之精
神,也點出了常州學者「不遇」的淒涼;「醰醰守家學,矻矻坐編
校」,描寫的是綏甲對莊氏家學的繼承與整理;「須知四方人,乞
食長不飽」,既是自況,也是相憐。詩繫於道光四年(甲申,
1824),距綏甲亡故僅四年,故曰:「莊子五十餘。」又詩中所言
思悮者,即劉逢祿,思悮為其書齋名,現行流傳由龔自珍、魏源、
陳潮、凌堃等人整理之《劉禮部集》,即道光十年思悮齋刊本。另
外,翔鳳題〈飲席贈丁叔侯煦若士履恆莊卿山綏甲吳子山育董晉卿
士錫趙芸酉申嘉吳碩甫特徵〉,有「每思知己在江湖,獨向長干贈
楊柳」[103]之句,表達的仍是對友朋遊食四方的同情,詩繫於道光五
年(乙酉,1825)。至道光九年(己丑,1829),逢祿謝世,宋翔
鳳則有〈哭外兄劉申甫禮部逢祿二首〉,詩云:

---

[102] 宋翔鳳:〈途次理近日所得書間各繫一詩之四〉,《洞簫樓詩紀》,卷 4,
頁 6b。

[103] 宋翔鳳:〈飲席贈丁叔侯煦若士履恆莊卿山綏甲吳子山育董晉卿士錫趙芸酉
申嘉吳碩甫特徵〉,同前註,卷 8,頁 5a-b。

絕學群言寄此身,著書一室邈無鄰;早衰記語同心友,將沒
誰為枕郊人。惜我未歸秋病葉,哭君臨去路荒榛;壁中科斗
航頭策,漠漠愁隨萬古塵。久甘巖谷任薶藏,每聽容臺議禮
詳;一歲長余同寂寞,千秋待子忽淪亡。文遲誄德愁難理,
<small>哲嗣屬余為誄文,尚未脫稿。</small>世便需才事已荒;記失蒙莊偕雪涕,獨
緘餘恨過江鄉。<small>去臘莊鄉山外兄殉于常州,正月抵京,與君同聞此耗。</small>⑩④

首聯四句傳神描繪出逢祿獨學無友,寂寞不為世人理解,乃至抱負
難酬而學問又終將無傳的窘境。的確,「壁中科斗航頭策」,指的
是從述祖所受的《說文》古籀之學;以及家族幾代相傳,具有特殊
解釋的《尚書》之學。在綬甲、逢祿相繼謝世之後,此絕學殆亦同
埋地下,永為萬古塵埃。蓋綬甲卒於道光八年冬,九年正月逢祿與
翔鳳在京同聞此耗,而逢祿旋亦謝世,故有「記失蒙莊偕雪涕」之
語。又翔鳳〈李申耆兆洛屬題同車圖寫友人及弟子十餘人同坐一車
中〉有云:「當年懷遠道,此日有先民。<small>圖中如祝子常、莊卿山皆謝世。</small>」⑩⑤
是詩繫年於道光十年(庚寅,1830)。至其〈題周素夫<small>世錦</small>紀遊圖
冊三十首〉,其中一詩乃是對其常州交游的總回憶,詩云:

南蘭陵多老尊宿,人痛山阿存著錄。<small>張皋聞先生最先沒,後則先舅氏迂</small>
<small>甫、葆琛兩先生及洪穉存、孫淵如、趙味辛諸先生相繼下世。後來交舊亦凋殘,</small>

---

⑩④　宋翔鳳:〈哭外兄劉申甫禮部逢祿二首〉,同前註,卷13,頁8b。
⑩⑤　宋翔鳳:〈李申耆兆洛屬題同車圖寫友人及弟子十餘人同坐一車中〉,同前
　　　註,卷14,頁1b。

莊傳永早沒，其後如洪孟慈、劉申甫、李申耆、陸祁孫、莊卿山、陸劭聞、丁若士、管孝
逸並徂謝。偶作相逢猶落落。[106]

是詩繫於道光二十五年（乙巳，1845），其時常州著名學者，不管
是長一輩的張惠言、莊通敏、莊述祖、洪亮吉、孫星衍、趙懷玉，
還是同輩的莊傳永、洪孟慈、劉逢祿、李兆洛、莊綬甲、丁履恆、
陸繼輅、陸劭聞、管蓬萊，蓋已零落淨盡，翔鳳以其高壽，只能每
憶故人，獨享寂寞。以上所列，為宋翔鳳從嘉慶四年至道光二十五
年的四十六年間，對莊綬甲以及常州同人的敘述或回憶，足以見翔
鳳、綬甲之交情，亦可以推常州學者交流之密切。是知論常州之學
術經說，當能於異中求其同，同中見其異。異中求其同者，求其經
世之共同精神；同中見其異者，則是此一經世理念落實在文化、學
術、文學、政治各層面的具體情況，尚有待進一步梳理。至於逢
祿、翔鳳與綬甲學術淵源關係，則留待綬甲學術之部一併討論。

三、綬甲對家學的整理與傳承

在考據學方法引進之前，「經術文章」是常州學派表現學問的
基本觀念，「文章」便於科舉發揮，「經術」則由文章表現，二者
互為體用，既利於科舉，亦便於闡釋經義。[107]從莊存與、莊逢原的

---

[106] 宋翔鳳：〈題周素夫世錦紀遊圖冊三十首·毗陵菊醑〉，同前註，卷 20，頁
16b─17a。

[107] 按：程勇在討論漢代儒家的經學文論時，提出經學與經術分野的問題，他認
為儒家的文化立場，從先秦到兩漢，歷經了「從民間文化立場」到「體制文
化立場」的轉變，由於時代發展與思想立場的變化，造成兩漢視野中有「經

著作每以表現義理的「論」、「說」、「解」命名，即可看出端倪。當然這種說經方式，隨著考據學方法的引進而逐漸被取代，居於關鍵位置的莊述祖，其著作即可看到既保有文章特色，也出以考據語言的過渡情形[108]，到了莊綬甲、劉逢祿、宋翔鳳，其經說就純以考據形式表現了。這一現象，顯示的是家族所奉行的經術文章合一之路，在考據學思風的衝擊之下，已難以成為表現學問或與學術界「對話」的理想形式。當然，研究常州學派，學問表現形式的變化雖是重點，不過學派特殊的經說以及幾代學者之間的累積性研究，更值得吾人關注。舉逢原、綬甲父子為例，據莊貴甲〈先考匯川府君行述〉所載，其父莊逢原：

> 好學老而彌篤，手錄大父（存與）經義數十卷，終日探索，雖甚寒暑不輟。前歲病瘍，臥床猶撰《周易訓解》，皆扶力

學」與「經術」之別。「學」的具體目的在於「通經」，「術」的目的在於「致用」。「經學」指向儒家經典一般精神與意義，其中包含了個人修養與人格精神，而與知識分子的民間文化立場相對應。而「經術」則指向了實際政治實踐，具有直接的統治教化的功利目的。筆者認為，「民間文化立場」與「體制文化立場」的對立之說尚待仔細分疏，但常州學者所重之漢學，確實是偏於程勇所說的「經術」一面，此即筆者稍前所謂「莊氏學術根源，與其說是重在重現今文博士的章句之學，毋寧說是重在追述大臣的援經立義，出以策論奏議的經術文章」之意。故其目的乃為參與政權，其工具則為策論文章。程勇：《漢代經學文論敘述研究》（濟南：齊魯書社，2005年），頁64－81。

[108] 莊綬甲〈尚書攷異敘目〉云：「蓋先宗伯始邑《書序》之旨，貴玩經文以解經；從祖父代傳樸學之科，能識古文以證古。」點出了存與、述祖學術表現型態的不同。（《尚書攷異》，卷首，頁1b）

手書，旋作旋改，不憚再三，蓋性所嗜也。說經不設漢、宋
儒見，各取其言之當者而會通之，一以經文為質。著有《易
說》、《春秋說》、《詩鄭箋正謬》，于天人性命鬼神之
說，並各有論著。⑩

身為存與長子，莊逢原可以說是繼承發揮存與之學的最適當之人，
惜其舉業不就，困於場屋，為吏於窮鄉僻壤之間。晚年居家時，方
重拾存與之學，手錄亡父經義數十卷，終日探索。其所發揮，亦不
外是存與所揭聖王天道之學，故曰：「於天人性命鬼神之說，並各
有論著。」惟其著作於今，蓋已不存於天壤之間矣。至於綏甲，則
如李兆洛所云：

自國朝以來，莊氏為邑右族，觀察公（莊柱）以名德矜式鄉
里，宗伯公兄弟（莊存與、莊培因）相繼大魁，子孫仍世，
科名鼎盛。君兄弟三人（貴甲、綏甲、襃甲），從兄弟復若
干人，皆能守其家學，粲粲彬彬，望之者若王謝子弟，別見
標格。而君尤力學，得師法，好深湛之思。宗伯公經術淵
茂，諸經皆有撰述，深造自得，不分別漢宋，必融通聖奧，
歸諸至當；而君從父珍藝先生（莊述祖）盡傳其業，復旁究
《夏小正》、《逸周書》，暨古文篆籀之學，皆一代絕業
也。訓導公（莊逢原）宿稟庭聞，因源導委，綴次遺學，所

---

⑩　莊貴甲等撰：〈先考匯川府君行述〉，《毗陵莊氏增修族譜》，卷 20，頁
9b。

著盈篋而年壽未究，九仞猶虧。君既負敏達之資，思兼綜素業，通匯條流。❿

李兆洛除了提到綏甲良好的出身及好學深思之外，文中更提示了莊氏家學三代之間的傳承關係。經術淵茂，深造自得的莊存與，其學傳於逢原、通敏⓫、述祖等人。述祖不但盡傳存與之業，復能推而旁及《夏小正》、《逸周書》，暨古文篆籀之學；而逢原則主要是發揮存與遺說，並整理存與遺著。身為第三代的莊綏甲，則是思兼綜素業，通匯條流。他不但肩負起傳承祖、父、叔父學說的責任，也致力於整理刊刻祖父的遺著。所以，綏甲在莊氏家學傳承中的地位，由李氏此文，即可推知。甚至可以說，與劉逢祿、宋翔鳳相較，綏甲所傳承之莊氏家學，可謂最純粹者。在〈行狀〉裏，李兆洛對綏甲和堂兄弟們的競爽學藝，印象深刻。他說：「君伯兄吾珍貴甲、季弟頌平褒甲、從弟觀喻濤，少同師，長同尚，斐斐競爽，

---

❿ 李兆洛：〈附監生考取州吏目莊君行狀〉，《養一齋文集》，卷 14，頁 40a－b。

⓫ 陸繼輅云：「莊迂甫表兄通敏，少宗伯方耕先生仲子也，好宣德香爐，官翰詹垂二十年，和珅浸用事，君飲大醉，即呼名痛詆，盡取所蓄爐，捽之滿庭，醒而惜之，則又購買，月或一二次，有賣爐者知其然，至移寓近之。君研精經學，而不好造述，歿後，予題其靈次云：『上相憚風裁，罵座如披彈，佞疏遺經究終始，杜門偏諱著書名。』」由此條記載觀之，則莊氏第二代皆傳存與之學，惟未必皆有著述行世。陸繼輅：《合肥學舍札記》（上海：上海古籍出版社，1998 年《續修四庫全書》，第 1157 冊影印清光緒四年興國州署刻本），卷 1，頁 1a－b「莊中允爐」條。

兆洛每過君齋，共諸昆季談學藝，未嘗不心怵。」⑫不過他也說：
「君尤力學，得師法，好深湛之思。」⑬可見綏甲是莊氏家族第三
代成員裏，表現最為突出者，所以也最為存與及述祖所賞識。逢祿
曾提到：「公（存與）于諸孫中，尤愛綏甲。」⑭又翔鳳〈莊珍藝
先生行狀〉在介紹述祖《夏小正》、古文篆籀之學後，接著說：
「時從兄子綏甲，日從講論，得之最詳。」⑮另外，在〈拾遺補藝
齋遺書序〉裏，李兆洛也提到：

> 憶與卿珊聚首時，每抗論當世績學之士，述造所得，其致功
> 之門徑，詣力之深淺，銖分而寸計之，莫不洞其得失，纚纚
> 有條理，以為將來當集其大成，為本朝一代粹學之薈，尤
> 為珍藝先生所愛重，凡所著述，常與上下其議論而資其伙
> 焉。⑯

李慈銘曾云：「常州即以莊氏一家論，方耕侍郎敔之，葆琛先生繼
之，而侍郎有孫曰綏甲，先生有子曰又朔，皆有譔述，而綏甲尤有

---

⑫　李兆洛：〈附監生考取州吏目莊君行狀〉，卷 14，頁 41a。
⑬　同前註，頁 40a。
⑭　劉逢祿：〈記外王父莊宗伯公甲子次場墨卷後〉，卷 10，頁 8b。
⑮　宋翔鳳：〈莊珍藝先生行狀〉，《樸學齋文錄》，卷 3，頁 17a－b。
⑯　李兆洛：〈拾遺補藝齋遺書序〉，《養一齋文集》，卷 3，頁 8b－9a。另
　　外，李氏在綏甲的行狀裏也提到：「珍藝先生於諸子行尤器識君，有所得輒
　　相披示，君亦能以穎悟之思，出所見相伙益。」李兆洛：〈附監生考取州吏
　　目莊君行狀〉，《養一齋文集》，卷 14，頁 41a。

名。」⑰這是常州以外學者對綬甲的印象。大概綬甲在兄弟輩中，是對學術最具熱誠者，所以能得述祖之愛重。李兆洛的另一條敘述，當可以加強這方面的印象。他說：

> 君于師友誼甚篤，若士，君姐壻也，君少從問業，終身執弟子禮甚恭，申受、于廷、晉卿（董士錫）皆親串，並年小於君，然每折衷經義，問所疑否，欣然請益，一義之勝，懽欣怡愉，奉之若師，意所不可，侃侃辨諍，不肯少挫。⑱

綬甲不但能對當世績學之士的述造所得，其致功之門徑、詣力之深淺，銖分寸計，洞其得失，並且對學問的熱誠，使他不但能與述祖討論深奧的古籀之學，並且對劉逢祿、宋翔鳳、董士錫等人也是多方請益，不計己身較諸子年長，載在逢祿遺集，前已述之。述祖也寄望他將來能集其大成，為一代粹學之蕾。所以，以綬甲所具有的這些特性來看，他的致力於繼承莊氏一門學問，也就理所當然。他對家學的貢獻，首先即在於整理並刊布存與遺書。李兆洛云：「方耕先生遺書皆未刻，君始為次第刊之，僅成一、二種而君死矣。」⑲又云：

> 宗伯公所著諸書多未刊布，君研精校尋，於未刻者次第付

---

⑰ 李慈銘：《越縵堂讀書記》，頁 821。

⑱ 李兆洛：〈附監生考取州吏目莊君行狀〉，《養一齋文集》，卷 14，頁 41a－b。

⑲ 李兆洛：〈拾遺補藝齋遺書序〉，《養一齋文集》，卷 3，頁 9a。

梓，已刻者補續未備，每一書竟，即探求旨趣，附記簡末，條理秩然可觀。惜乎僅竟三書而遽屬疾不起也。……卒之前一日，兆洛就榻前，見君不能臥，隱几對語，尚惓惓於宗伯公諸書，病起當悉力校刊。嗚呼！其志足悲也已。⑫

董士錫云：「道光八年（戊子，1828），其孫綬甲刻所著《易說》若干卷成，以示，余再三讀之。」⑫董氏此文繫年月於道光八年十月十日，正是綬甲去世前夕⑫，其時存與《易說》初刻成。綬甲另外刻成者，為《春秋正辭》，今上海古籍出版社新纂《續修四庫全書》所收之《春秋正辭》，即道光七年綬甲所刻之本。《周官記》、《周官說》及《周官說補》，則已校勘完畢，或刊刻未及殺青而綬甲已卒。

除刊刻存與遺著之外，綬甲亦欲整理述祖的遺著，續其未成者。李兆洛云：「（述祖）所著書三十七種，若干卷，惟《夏小正》已具，《甲乙篇》未竟，而條理粗備，俟有志者成之，餘皆啟其端緒，引而申之者，存乎其人焉。」⑫存乎其人者，存乎綬甲、逢祿、翔鳳也。今觀述祖〈答宋甥于廷書〉：

---

⑫　李兆洛：〈附監生考取州吏目莊君行狀〉，《養一齋文集》，卷 14，頁 40b－42a。

⑫　〔清〕董士錫：〈易說序〉，《味經齋遺書》，《養一齋文集》，卷首，頁 3a。

⑫　按：綬甲卒於道光八年十二月二十三日，距董氏之作〈序〉，不過二月有奇。想見其卒前一日，尚惓惓於存與諸書，冀望病起後再悉力校刊，覽之而悲其志也。

⑫　李兆洛：〈莊珍藝先生傳〉，《養一齋文集》，卷 15，頁 8a。

近撰《說文古籀疏證》，頗有新得，竊謂《連山》亡而有《夏小正》，《歸藏》亡而有倉頡古文。今就許氏篇旁條例，以幹支別為敍次，亦始一終亥，名曰：《黃帝歸藏甲乙經》，記字正讀，意欲以此書與《夏小正等例》，為夏、商之《易》補亡，未知能竟其業否？如精力不繼而中輟，尚望吾甥與卿珊續成之，炳燭苦短，無可寄聞，特以此博吾甥一拊掌耳。㉔

蓋述祖《夏小正》之學已成，則其為夏《易》補亡之心願已達，然

㉔ 莊述祖：〈答宋甥于廷書〉，《珍藝宦文鈔》，卷 6，頁 24a。按：翔鳳撰〈莊珍藝先生行狀〉，自云每於鄭書中聞舅氏發明《歸藏》之說，由以上書札可證。述祖卒後，翔鳳除撰〈行狀〉之外，亦賦〈撰舅氏莊葆琛先生行狀竟係之以詩即呈孫淵如觀察星衍三首〉，詩中既略述孫氏與述祖之學術關係，亦言「願得留此身，兢兢尋失墜」。（卷 1，頁 7b）蓋翔鳳感念述祖之作，既屢見於《洞簫樓詩紀》，如〈和詩送玉蕃意有未盡更附長句〉、〈過濰縣〉、〈常州書感〉等，亦屢屢於著作中發明述祖《尚書》及《說文》古籀之學。如其論《老子》，通篇運以述祖所言《歸藏》始一終亥之義，亦無怪乎招致章太炎之批評。又如《尚書譜》云：「嘗聞之葆琛先生曰……」又云：「謹案：孔子序《周書》，自〈大誓〉迄〈顧命〉，皆《書》之正經，以世次，以年紀。其末序〈蔡仲之命〉、〈柴誓〉、〈呂刑〉、〈文侯之命〉、〈秦誓〉五篇者，幼嘗受其義於葆琛先生，龘晚佔畢，未能詳記，奔走燕、豫，留滯梁、荆，函丈斯隔，七年於茲，茲譜《尚書》，細繹所聞而識之曰……」（《過庭錄》〔北京：中華書局，1986 年〕，頁 214－222、100、121）至於書中以武王觀兵在九年；周公居東，罪人斯得為管、蔡、武庚者，蓋得之於述祖之說，而述祖又得之於存與者也。又達祿〈歲暮懷人雜詩十六章〉之十二，提到述祖：「廿年正《夏時》，絕學三代表；晚歲窮古籀，匡許到秋杪。至樂無與談，見我廩困倒；淫思欲骨立，諫果知味妙。」

其由古文篆籀以溯古《歸藏》之心願尚未達成，乃冀望於翔鳳、綏甲、逢祿續成之。又述祖〈復從子卿珊詢古文大小篆書〉云：

> 余所述《古文甲乙篇》（後更名為《說文古籀疏證》）如此類者，皆以古籀文定之。冀為許氏拾遺補闕。但鍾鼎不比五經古文，有師說相授受，今以一人通其讀，竊恐斯事難專，況學植荒落，久病善忘，其不能卒業，可以逆料，幸吾姪有同好，他日可為去其穿鑿，廣其陋略，刪其復重，是所深望也，力疾率復，不盡欲言。⑫

是述祖仍冀望其古文甲乙之學，能得綏甲賡續成之，然綏甲亦因天年所限，最終也無法完成述祖的托付。〈行狀〉云：「珍藝先生之歿也，《古文甲乙篇》尚未脫稿，君方思理其綸緒，就所知見，條其大端，使來者可繼此志，亦竟不遂。」⑫所以，在〈珍藝宧遺書

（《劉禮部集》，卷11，頁13b－14a）蓋是詩於稱道述祖《夏時》、《說文古籀疏證》之外，又感念其諫學而使逢祿深知古籀之學的妙味，有托付其學於逢祿之意。今觀承寬〈行述〉所云，蓋逢祿亦有繼述祖窮研古籀之志，而事未能就也。其言云：「至于近世小學，但知溯源小篆，而古籀幾為絕學，嘗病《說文》多有從所得聲之字，反不見于本書，而一字重文別體，或分收各部，又部首過繁，稽攷不易，嘗欲仿《爾雅》體，并其重俗，補其古訓，增其闕文，以省初學之心，俾得專心于大業，手書創橐而未能就也。」（《劉禮部集》，卷11附錄，頁7b－8a）

⑫　莊述祖：〈復從子卿珊詢古文大小篆書〉，《珍藝宧文鈔》，卷6，頁27a－b。

⑫　李兆洛：〈附監生考取州吏目莊君行狀〉，《養一齋文集》，卷12，頁32b。

序〉中，李兆洛再一次提到：

> 宗伯諸書，文孫卿珊已刻之，未竟而歿；大令之書，次子稚
> 莫曾刻《夏小正》數種，未卒業；今幼子文灝盡以付梓，書
> 幾百卷，不能竟刻，多刊序例，使讀者可尋繹。又合他文及
> 詩為遺集并刊焉。為莊氏學者，于此可以得其大凡矣。而若
> 士、申受、卿珊、稚莫皆已歿，不及與校訂之役，甚可悼
> 也。則邠農之勤勤刻是書者，誠不可緩矣。若士、申受所著
> 《公羊》之說，多本宗伯；卿珊搜覽漢學，亦能紬繹先生
> 之旨。稚莫沈默如先生，思究《古文甲乙篇》，終始補成
> 之，而未及竟，皆傑然自立於學者。後之聞而興者，能無望
> 乎！❿

這是吾人讀莊氏著作應注意的文獻，莊存與之遺著由綏甲刻之，然
未竟而歿；莊述祖之遺著，則由次子稚莫、幼子文灝賡續刊行，然
亦以卷數過夥，僅能刊刻序例及詩文集。後人於莊氏學術，僅能得
其輪廓，與綏甲、逢祿等人之早歿，未及系統整理存與、述祖學
術，有一定的關聯。至於李氏提到「卿珊搜覽漢學，亦能紬繹先生
之旨」，亦是有據之言，今觀《珍藝宧遺書》卷首有莊綏甲所撰
〈珍藝先生像贊〉，其言云：

> 磐磐名儒，經師人師，孝友純固，廉節堅持。生平學業，萃

於《夏時》，騾栝董、胡，規模等差，文辨壁書，義窮聲
《詩》，官禮通貫，古籀心知，源探甲乙，倉史克追，䲨聲
肇譜，古音長垂，經術湛漬，鬱為吏治，翊強扶弱，咸振仁
施，儒林循吏，兼而成之，儀頌肅然，長此懷思。道光七年
歲在丁亥季冬朔辰會，從子綏甲敬題。⓲⓲

這是綏甲對述祖生平為政與學術的概括，也可以視為綏甲整理述祖
學問的心得，惟以遽亡，其志亦竟不遂，誠可哀也已。綜合《莊氏
族譜》、《光緒武陽合志》、《清代毗陵書目》所載，綏甲的著作
計有《周易古本》一卷，已佚；《尚書考異》三卷⓲⓲；《周官禮鄭
氏注》十卷，已佚⓲⓲；《釋書名》一卷⓲⓲；《遷改格》不著卷數，

⓲⓲　莊綏甲：〈珍藝先生像贊〉，《珍藝宧遺書》，卷首。

⓲⓲　按：此書原為二十九卷，後散佚，僅存十四卷，今所存三卷本，為其子潤所
　　改編而成。據莊潤跋云：「原稿脫佚，僅存一十四篇（〈堯典〉至〈金
　　縢〉），〈大誥〉而下，有錄無書。」莊潤：〈尚書考異跋〉，《尚書考
　　異》，卷3，頁12a。

⓲⓲　按：宋翔鳳詩云：「家法相傳世不輕，絳帷同拜鄭康成，山河兩戒勞車馬，
　　參井三年憶弟兄，廢疾當為《周禮》起，微言要在孔書明，時輯鄭氏學。告君窮
　　達渾閒事，莫以糊名誤此生。」是詩繫於嘉慶十三年（戊辰，1808），點出
　　綏甲正輯鄭氏《周禮》學，並有所砥礪。又綏甲有〈周官記跋〉，備言其祖
　　莊存與《三禮》學之始末，並言己方法鄭君箋毛之義，纂《周官禮箋》十
　　卷，此當即《清代毗陵書目》所載之十卷本《周官禮鄭氏注》。跋文作於道
　　光七年（丁亥，1827），並云：「為之有年矣。」又按：光緒元年增修《毗
　　陵莊氏族譜》，著錄綏甲著作有《尚書考異》、《釋書名》、《遷改格》、
　　《拾遺補藝齋詩文集》，然未見《周官禮箋》，則是書光緒前似已七佚，更
　　有可能早在道光十八年李兆洛刻綏甲遺書時，連同《尚書考異》的〈太誓〉
　　以下篇章，一併七佚。宋翔鳳：〈秋日懷人詩·莊卿山外兄〉，《憶山堂詩

已佚❶；《文鈔》一卷，《詩鈔》一卷，《詞鈔》一卷。❸另外，綬甲曾言欲纂《尚書集解》而未能完成❹；又據譚獻所云，尚有《石鼓考證》❺，實則為〈石鼓文考證〉，收入文集中；又兆洛言綬甲有意撰《十三經異文》，惜中道而歿，則是《十三經異文》亦未有成書也。❻又云：「君于經義無不窺，有所得輒劄記之，往往

錄》，卷4，頁17b；莊綬甲：〈周官記跋〉，《拾遺補藝齋文鈔》（道光十八年李兆洛刻本），頁37。

❶ 按：《光緒武陽志餘》注云：「是書……首論《河圖》、《洛書》、八卦為造字之始；次及六書、八體，及魏、晉以來字書；末詳簡策筆墨縑紙之屬。自為注，詳其出處。書名賅博古雅，亦初學必讀之書也。」是書有《拾遺補藝齋遺書》本、光緒十五年木活字本及《丁丑叢編》本，今光緒本未見。〔清〕莊毓鋐等纂修：《光緒武陽志餘》（《中國地方志集成》，第38冊影印清光緒十四年活字本），卷7〈經籍〉，頁92b。

❷ 按：張惠言有〈遷改格序〉，略云：「吾友莊君卿珊寡言而力行，好學不倦，與其同志陸君紹聞，取明人功過格，正之以禮，明其統例，名之曰《遷改》。余以為君子之學，所以異于釋氏者，唯無求其報應福利而已，非昧昧于善惡之輕重，而曰吾明道不計功也。卿珊之為此，其諸以為禮之律令與？故為說《易》之言遷善改過者以序其篇。」張惠言：《茗柯文》，第2編，卷上，頁34a。

❸ 按：《文鈔》、《詩鈔》、《詞鈔》暨《尚書考異》、《釋書名》共五種七卷，收入道光十八年李兆洛所刻《拾遺補藝齋遺書》，現存北京圖書館，計有刻本及手抄清樣二種，清樣未見《詩鈔》、《詞鈔》。

❹ 莊綬甲：〈尚書既見跋〉，《拾遺補藝齋文鈔》，頁36。又按：述祖、綬甲、達祿皆有纂《尚書集解》之役，最後由達祿在述祖的基礎上完成之，此猶古韻二十部經述祖、惠言、成孫乃成，亦是常州學派累積性研究之一例。

❺ 譚獻：《復堂日記》（臺北：新文豐文化公司，1989年《叢書集成續編》，第218冊），卷7，頁10b。

❻ 李兆洛：〈錢子樂十三經斷句序〉，《養一齋文集》，卷3，頁15a。

有精詣，惜未有成書。」[137]至於「所為古文幾百篇，亦叢殘不成篇帙」[138]，而所遺殘稿中有端緒可尋者尚十之三四，李兆洛寄望綏甲之子能引其餘緒，通其條貫，上以繼先人之志，而下足以自成其業。[139]這些斷簡零編，業已化為塵土，無從覓見了。

綏甲著作，略已如上所述。其中，《周官禮鄭氏注》雖已亡佚，然據綏甲〈周官記跋〉自記，是書殆可以視為繼承存與《禮》學之作。至於〈周官記跋〉本身，則是一篇存與《禮》學之提要，對我們掌握存與的《禮》學內涵，有相當大的幫助，拿來和存與的〈序冬官司空記〉及李兆洛的〈周官記序〉合參，更有助於吾人掌握《味經齋遺書》之一貫精神。綏甲首先指出存與治經之途徑，是先由《三禮》之學入手，且最致力於《周官》之學。存與認為《冬官》是《周官》之精華，故其《周官》之學的重點在於為《冬官》補其亡闕，如存與在〈序冬官司空記〉中所言：「夏王之作司空，周公之建事典也，其道甚著，萬世卒不可廢，安可泯沒哉！」[140]其目的是要通貫六官，以陳一官之典，而其潛臺詞則是否定鄭玄的《考工記》足以補《冬官》之缺。由存與手定者，除《周官記》、《周官說》之外，尚有綏甲於遺稿中檢得零章斷句及批注簡端者，

<hr>

[137] 李兆洛：〈附監生考取州吏目莊君行狀〉，《養一齋文集》，卷 14，頁 42a。

[138] 李兆洛：〈拾遺補藝齋遺書序〉，《養一齋文集》，卷 3，頁 8b。

[139] 同前註，頁 9b。

[140] 莊存與：〈序冬官司空記〉，《周官記》（上海：上海古籍出版社，1995 年《續修四庫全書》，第 80 冊影印清嘉慶八年味經齋刻道光七年匯印《味經齋遺書》本），卷首，頁 3a。

并錄而編之，成三卷，為《周官說補》，補錄附後，都為十卷。其次，綬甲提到存與治《禮》，本鄭氏學，又遍觀唐、宋、明以來說《禮》之書，擇善而從，為鄭氏拾遺補闕。其實，整體的從《味經齋遺書》來看，存與對鄭玄不止是拾遺補闕而已，而是以批判的態度，目其為使後世不能得知聖王天道的千古罪人，其程度之烈，不下於存與對王弼、朱子的批判。[141]最後，綬甲提到他見到存與之作而好之，乃仿鄭氏箋毛之義，為《周官禮箋》十卷，蓋已行之有年。[142]惜其書已佚，無由見此《周官禮箋》之詳略。

綬甲著作最值得注意者，是《尚書考異》與文集中涉及《尚書》的相關篇章。《考異》雖非完帙，仍是討論常州學派《尚書》學的重要文獻，配合文集相關的敘述，可以窺見常州學派三代之間學術積累的過程，其中存與、述祖重要的《尚書》學觀點，如以《詩》、《書》、《春秋》相通，闡發聖王微言大義；如對荀子、劉歆的批駁；如堅信〈書序〉、《孟子》；又如堅持周公相成王而批鄭玄之注「罪人斯得」為誣妄之言等等，皆在綬甲的著作中有進一步的引申。

首先是〈尚書既見跋〉，此文是了解莊氏《尚書》學的重要文獻。首先，綬甲指出存與觀聖人天道之常變者，在於《詩》、《書》，故生平於《詩》、《書》之學最明。[143]綬甲此說，與後世專從學術影響的角度，將焦點放在《春秋正辭》上，有相當大的距

---

[141] 按：有關莊存與對鄭玄、王弼、朱子的批判，請參蔡長林：《常州莊氏學術新論》，第4章第4節。

[142] 莊綬甲：〈周官記跋〉，《拾遺補藝齋文鈔》，頁37b。

[143] 莊綬甲：〈尚書既見跋〉，同前註，頁34a。

離。其次指出命名「既見」者,「取《書》『凡人未見聖,若弗克見;既見聖,亦弗克由聖』之意也」。●其次指出存與立說多取之於〈書序〉之因,乃以「《書》為孔子論次,〈序〉與《書》相表裏,別嫌明微,推見至隱,與《春秋》同義,非聖人不能作,亦非游、夏所能贊也」。●其次則說明存與不廢古文之因:

> 初亦以今文、古文不同授讀先父、仲父輩,分別寫錄為課本,後見閻徵士若璩《古文尚書疏證》攻訐過甚,歎曰:「此啟後人變亂古經之漸,《五經》將由此糜爛矣。漢、唐以來,聖教衰微,獨賴有《五經》在,猶得依弱扶微,匡翊人主,默持世道,安可更有興廢哉!」于是屏不敢加以辨駁,且謂古文多精理粹言,故《既見》一書,開宗一章即論列〈禹謨〉,餘說經之作,亦多徵引古文,欲以彌縫經傳,尊保彝訓,心至苦矣。●

此段文字,可與龔自珍所撰存與〈神道碑〉相參,蓋龔氏文章重點亦在為存與不廢偽古文辯護,並表明存與所重於《尚書》者,在於對皇室教育的功能,其說即來源綏甲所述。●《尚書既見》由述祖出資出刊,綏甲整理,條其大旨:

● 同前註。
● 同前註。
● 同前註。
● 龔自珍:〈資政大夫禮部侍郎武進莊公神道碑銘〉,《龔定盦全集類編》,頁295。

一卷首篇正後儒之誤解〈禹謨〉為再征有苗，重為《書》
誣，因以明不攻古文之意；次篇釋〈盤庚〉而證以二
《雅》，因以著以經解經之法；三篇闡《書》之言天言命言
性至明確，而惜後儒鹵莽讀之也。二卷皆論周公相武王輔成
王之事，一衷於經與〈序〉，以明文、武之志事，述顯承之
艱難，辨成王不能泣阼、周公踐阼攝政之誣。三卷皆論舜事
父母之道，以孟子之言為本而證明《逸書》。後述伊尹、周
公之遇，皆所以明聖人之於天道也。⓯

存與《尚書既見》，乃常州學派《尚書》學的總綱，三代之間信守
不渝，皆所以明聖人之於天道，綬甲所隱括，可謂得其根本。⓰接
著介紹述祖與存與《尚書》學之異同：

> 從父珍藝先生從大父講授，有《尚書駁議》、《尚書授讀》
> 之著，亦考信於〈序〉，有《書序說義》之著。從父嘗嘆
> 曰：「《書》所著蓋文、武之道，賢者識其大者，世父是
> 也；予則不賢者識其小者而已。」一時學者因目大父與從父
> 為大、小夏侯焉。恪守家法，亦不為墨守，如今文、古文則
> 從閻氏、惠氏之說，大指則無不合揆云。⓱

⓯　莊綬甲：〈尚書既見跋〉，《拾遺補藝齋文鈔》，頁3a。
⓰　有關莊存與、莊述祖《尚書》學的詳細討論，請參蔡長林：《常州莊氏學術新論》，第4、5章。
⓱　莊綬甲：〈尚書既見跋〉，《拾遺補藝齋文鈔》，頁35b。

洪亮吉盛稱莊氏「家世傳學，則有夏侯」⑮，綬甲詩云「願為小夏
侯，傳業老伏生」⑯，參諸綬甲此處所述，亦可推知在乾嘉之際，
莊氏家族並不止是以《春秋》見重當世，至少還要加上《尚書》之
學。述祖恪守家法，指的是相信存與據〈書序〉發論，重在聖人之
於天道的探研，不因講求實證的考據學方法引進而放棄；不為墨
守，指的是述祖有分別今、古文的意識，並且基本上不信偽古文，
與存與於偽古文多所徵引，不敢辨駁者異趣。最後，綬甲自述鑽研
《尚書》的大略：「從父於諸兄子中，尤好為綬甲講論，令為《尚
書考異》；綬甲又私述所聞，為《尚書集解》，以《詩》、《書》
通《春秋》之大義，冀承先業而未能也。」⑯《詩》、《書》與
《春秋》相通之說，創自存與解《毛詩》「雨無正」之章，頗為其
後人所重視，既見於逢祿《書序述聞》、《尚書今古文集解》⑭，
以及翔鳳《尚書譜》之末，亦見於綬甲〈尚書既見跋〉、〈詩書春

---

⑮ 〔清〕洪亮吉：〈南華九老會唱和詩序〉，《洪北江詩文集》（臺北：世界
書局，1964 年），上冊，頁 233。

⑯ 莊綬甲：〈乙亥初夏客遊白門孫淵如觀察招遊五畝園賦贈兼示南麓芸葵兩別
駕〉，《拾遺補藝齋詩鈔》，頁 22b。

⑯ 莊綬甲：〈尚書既見跋〉，《拾遺補藝齋文鈔》，頁 35b。

⑭ 按：逢祿《書序述聞》自〈賣誓〉以下，皆發此義，大略乃仿變風、變雅之
義，而有正書、變書之說。又逢祿《尚書今古文集解》釋〈文侯之命〉引存
與之言曰：「謹案：莊宗伯《毛詩說》以〈雨無正〉之二章『庶曰式臧，覆
出為惡』，刺攜王奸命也。……〈正月〉之九章云『終其永懷，又窘陰
雨』，刺平王之不復宗周也。合《詩》、《書》以觀，而平王之罪自見，
《春秋》所以作也。」劉逢祿：《書序述聞》，收入《皇清經解續編》（臺
北：復興書局，1972 年），第 5 冊，總頁 3932－3934；《尚書今古文集
解》，收入《皇清經解續編》，第 6 冊，總頁 4091。

秋相通論〉及〈上孫觀察星衍書〉諸篇之中。至於《尚書考異》，因〈大誥〉以下亡佚，已無由考見綬甲據〈蔡仲之命〉、〈柴誓〉、〈呂刑〉、〈文侯之命〉、〈秦誓〉諸文對《詩》、《書》、《春秋》相通之說進行具體而詳盡的論述了。

綬甲文集中關於《尚書》之討論，尚需注意者為〈上孫觀察星衍書〉，可歸納出兩個重點，首先是對孫星衍《尚書》之學的概括與評論。文中稱讚孫氏於文集及《尚書義疏》中，於古、今文同異，稽覈極備。其中，斷伏生所見乃古文本經，而自授鼂錯，傳教博士之後，始為今文。然自唐之陸、孔，近世閻、惠諸君，皆未能發此義。又盛推孫氏於馬、鄭古文之學素深，故參之今文，各求其是，誠有從善服義之公心，而無專己守殘之私意。例如唐虞象刑、洪範曰容，皆典要不刊之訓；五服五章，獨能博採傳記，疏證《大傳》，較勝鄭義。而鄭玄十二章、九章之說，綬甲亦曾斷以今文家說，於諸經若合符節。所以他認為《尚書》雖非完帙，然若能與它經互證，並且於今、古文經師之說，以得其真為要而不偏廢，如此則典、謨、訓、誥之義，二帝、三王之統，猶可尚論具世而心知其義。⓯此說看似卑之無甚高論，實則是呼應孫星衍、莊述祖對王鳴盛等人治《尚書》專重鄭玄的批評，綬甲「有從善服義之公心，而無專己守殘之私意」的論述，蓋有其現實之意義存焉。其次則鉤勒家族的《尚書》學見解，其言云：

> 《五經》惟《詩》、《書》尤與《春秋》相通，故以讀《春

⓯　莊綬甲：〈上孫觀察星衍書〉，《拾遺補藝齋文鈔》，頁45b。

秋》者讀《詩》、《書》，無不可得聖人微言大義，自七十子喪後，弟子人人異端，荀卿氏之儒獨陋，戰國詭誕之說，皆出于是。漢氏惟董君、毛公學最醇，能抉經之心，以貽後學，雖精如鄭君，猶不能不沿其說。故為《尚書》，必斟酌於古、今文而折衷于百篇之〈序〉，可勿畔於聖。鄭氏之失，有必宜是正者，如周公稱王之解，〈金縢〉罪人之訓，皆襲荀卿氏陋儒之論。達神旨者，理而董之，二十八篇之《書》，咸可盡信矣。⑯

這是一段非常具有特殊性的陳述。筆者一再強調，常州學者即使從事學術研究，也必寓有其特殊的經學政治觀於其中。這也就意味著即使掌握了考據學的方法，其治《尚書》仍是將興趣放在尋求潛在於經文深處的微言大義，以及描寫理想的聖王境界，以達致藉由純化學術以純化政治的目的。與力求出以客觀態度，淡化政治性適用，並從事經典復原工作的樸學家之間，存在不可逾越的鴻溝。其所強調《詩》、《書》、《春秋》相通，一衷於《書序》，而痛批荀卿、鄭玄者，表面上仍是一般性的學術評論，隱藏在後的卻是立足於以《尚書》學的特殊詮釋為背景的經學政治觀，《尚書》在莊氏學者眼中，具有崇高而神聖的意味在內。

另外，由述祖命綬甲纂《尚書考異》推之，則綬甲、逢祿、臧庸、潘準等人《五經考異》之編纂，也有可能是受述祖之命，廣其《五經小學述》之意而作者。至於《尚書考異》，雖大恉歸宗存

與，然表現之法，則頗受述祖分別古、今文字以推今、古文經典文本之法的影響。今觀其〈敘目〉開宗明義即指出，影響《尚書》文本面目的主要原因，不在於經學上有今、古文之分，而肇於唐天寶之改今字與宋開寶之改《釋文》，此舉使經文淆亂，即便是東晉偽古文之本，亦非其真，至於舊典之遺，更是已鮮概見。正如「司農之註，厥有先後；夏后之傳，遞分大小；鄭君答問，猶經小同而纂成；戴氏記文，迭諸次君而備著」，所以他也要繼父、祖之業，志古之道，本之家言，著以師說，並博采廣搜，捃摭殆盡，沿流溯源，尋文考義，于以循習東、西京之家法，別擇古、今文之遷流，咸可窺觀其大義，隱約於微言。也要「考信前哲，博訪通人」，如閻若璩、惠棟、戴震、錢大昕、王鳴盛、王念孫、孫星衍、江聲、段玉裁、阮元、陳壽祺、王引之、徐直卿、臧庸、宋翔鳳等，諸家「各著篇章，頗宣義訓，或左右采獲，而未必盡同，或問難往來，而其歸合轍」❺，所以他謹就唐《正義》本別白丹鉛，不錄宋以後書，至句度音讀有互異者，也一并討論。❺值得注意的是，他對〈大誓〉的態度。與其從叔述祖不同的是，述祖對〈大誓〉非常重視，文集中既有〈大誓序說〉❺、〈書校定太誓三篇後〉❻，且在《尚書今古文考證》中，不但以三章篇幅考證〈大誓〉本文，也考

---

❺ 莊綬甲：〈尚書考異敘目〉，《尚書考異》，卷首，頁 1b。

❺ 同前註。

❺ 莊述祖：〈大誓序說〉，《珍藝宧文鈔》，卷 3，頁 1a－5b。

❻ 莊述祖：〈書校定太誓三篇後〉，《珍藝宧文鈔》，卷 5，頁 33a－34a。

證〈大誓序〉⓲，更重要的是，他充〈大誓〉於今文二十八篇之列，認為〈大誓〉比〈武成〉更為可信，並藉考辨武王伐紂之年攻擊劉歆竄亂經說。⓳述祖關於〈大誓〉的討論，頗受孫星衍重視，孫氏《尚書今古文注疏》特別將〈大誓〉列入今文二十九篇之列，此舉是否受述祖影響，尚待進一步考證。然孫氏於疏中兩次徵引述祖之說，亦可見述祖關於〈大誓〉的討論，有其可取之處。⓴綏甲則以《尚書大傳》及《史記》皆不載，故僅復其篇卷，本其時代，考辭就班，仍斗四七宿之法，從逸十六篇之遺。並特別解釋何為逸

⓲　莊述祖：〈大誓考證·上·中·下〉、〈尚書序考證·大誓〉，《尚書今古文考證》，卷6，頁1a─17a；卷7，頁8a。

⓳　莊述祖〈大誓序說〉云：「十有一年者，武王即位之十一年也。九年會諸侯於孟津，十有一年伐紂。……劉歆欲立古文《尚書》，移讓諸博士，不肯置對者，則所云《書》十六篇，歆得其真矣。而《三統》以為伐紂之歲，歲在鶉火。文王受命九年而崩，再期而大祥而伐紂，故《書序》曰：『惟十有一年，武王伐紂，大誓，八百諸侯會，還歸二年，乃遂伐紂克殷，以箕子歸。』十三年也。故《書序》曰：『武王克殷，以箕子歸，作〈洪範〉。』〈洪範〉篇曰：『惟十有三祀，王訪于箕子。』自文王受命而至此十三年，與今文說異，同東晉古文。《大傳》曰：『箕子既受周之封，不得無臣禮，故於十三祀來朝。』劉歆乃謂武王伐殷，以箕子歸，誣聖之甚者也。太史公〈書序〉〈洪範〉次〈分器〉，先〈金縢〉，在克殷後二年，與《書序》今弟異，伏生《傳》亦云，視劉歆以〈洪範〉之十三祀為伐紂之歲，於義為長，其說在〈洪範序〉。惟以〈大誓序〉所云十一年，統文王受命數之，其誤則一。存其說，本諸經以燕其疑，俟後之君子。……今文〈太誓〉雖晚出，然去古未遠，視〈克殷〉、〈世俘〉為近實，亦周史記之文，不過非百篇中〈大誓〉耳。……故以〈大誓〉今文充學，瘉以〈世俘〉為〈武成〉也。」見《珍藝宦文鈔》，卷3，頁1a─4a。

⓴　〔清〕孫星衍：《尚書今古文注疏》（北京：中華書局，1998年），頁278、279。

書：「所謂逸者，博士既皆不肯，秘史亦罕流傳，殆以後學私記，駁于七十二子，不同前史，國典崇諸。」**[164]**簡單來講，就是沒有師承授受紀錄者。惟《考異》自〈大誥〉**[165]**以下既已亡佚，無由見其考論之梗概，僅以譚獻所記補充之：

> 莊卿珊《尚書攷异》，〈金縢〉以下未成。大旨謂有〈夏書〉，亾〈虞書〉，二十八篇而外，佚篇不出于孔門。文字去取，不甚勇改，謂段茂堂之拘《說文》，孫伯淵之信《史記》，皆不為定論，大都得之珍蓺先生為多。然（述祖）《今古文攷證》尚采〈泰誓〉，卿珊以為得自民閒，不入二十八之列，尤謹嚴矣。**[166]**

由譚獻的敘述得知，綬甲主要的《尚書》學觀點，都得之於述祖，惟有對於〈泰誓〉的看法，綬甲與述祖不同。譚氏所記，尚有兩點值得注意者，其一則為對〈夏書〉篇題的堅持，其一則為對段玉裁、孫星衍等人的批評。來看莊潤〈尚書考異跋〉的介紹，他說：

> 先君子受業先從叔祖珍蓺先生，盡通曾王父宗伯公《公羊春秋》、《毛詩》、《周官》之學，而于《尚書》尤精，以為讀書必先審正字讀，乃可進求誼理。歲己巳，始為《尚書考

---

[164] 莊綬甲：〈尚書考異敘目〉，《拾遺補藝齋文鈔》，卷首，頁 1b。

[165] 按：綬甲依古文之序，列〈金縢〉於〈大誥〉之前，與伏生《大傳》及今文《尚書》列〈大誥〉於〈金縢〉之前異。

[166] 譚獻：《復堂日記》，卷 7，頁 10b。

·525·

異》，……大旨凡有三端焉：鄭氏〈書贊〉稱《尚書》三科
之條，五家之教，故據周錄夏，上法唐、虞，則加稽古之
文，此《春秋》通三統之義也。然則不特東晉古文分題
〈虞〉、〈夏〉為非，即伏、鄭《尚書》兼題〈虞夏〉亦非
古義矣。是書循《春秋》之義，定〈夏書〉之名，一也；
〈大誓〉一篇民間後得，馬氏所疑，後儒紛紛，或謂伏生所
無 _{閻徵君百詩、段大令懋堂說}，或謂壁藏所有 _{惠徵士定宇、王光祿鳳階、王伯升}
_說，是書考四七之文，采《正義》之是，刪厥篇題，用昭古
義，二也；又《尚書》之學，至國朝而大明，雖剖析遞因，
亦純疵互見，統論宏恉，則章句不循；是正文字，則故訓是
略。又如王光祿之篤守鄭誼，孫觀察之惟信馬遷，段大令之
專崇《說文解字》，宗旨既分，主奴互見，先君子是書，兼
裁眾有，各剖是非，驪黃已別，則好古信從；朱紫尚淆，則
獨下己意，剖白定尊，無使學者疑，三也。❿

莊潤所記，正可為譚獻之言做註腳。首先，關於莊氏學術累積性研
究的記載，在此又得一佐證。其次，堅持〈夏書〉之篇題，與家族
獨特的《春秋》學見解密切相關。對於〈大誓〉的紛爭，亦是一以
今文《尚書》篇次為準，刪厥篇題，以昭古義。至於當世學者討論
《尚書》，不論是王鳴盛的篤守鄭誼，或是孫星衍的惟信馬遷，還
是段玉裁的專崇《說文解字》，在綏甲看來，其立場各有偏袒，是

---

❿ 〔清〕莊潤：〈尚書考異跋〉，見莊綏甲《尚書考異》，附錄，頁 1b。

書則兼裁眾有，各剖是非，有定論者從之，尚淆亂者獨下己意。⓰

　　值得注意的是，不論是莊綏甲的自我敘述，還是譚獻、莊潤的介紹，都指向一個現象，即《尚書考異》既欲兼採眾家、帖合樸學理趣；亦要堅持家學、尚論聖王天道，可以說是宗旨、方法互異的兩種學風之融合，這種情形在《尚書考異》僅存的篇卷中，隨處可見，舉綏甲論〈虞書〉為例：

> 《正義》云：「馬融、鄭玄、王肅、《別錄》題皆曰〈虞夏書〉。」鄭〈序〉：「〈虞夏書〉二十篇、〈商書〉四十篇、〈周書〉四十篇。」〈贊〉曰：「三科之條，五家之教。」是虞、夏同科也，孔則虞、夏別題。師說當直題曰〈夏書〉。謹按：《墨子·明鬼篇》曰：「《尚書》夏《書》，其次商、周之《書》。」明《書》惟有三代。蓋孔子刪《書》，義同《春秋》，皆據周而錄二王，運之三代，文雖斷自〈堯典〉，《書》則肇于夏后，亦以明三統也。至上錄唐代，則加「曰若稽古」之文，以上古之書亦在〈夏書〉中也。故鄭〈贊〉亦曰三科之條。夫既曰三科，則稱〈虞夏書〉者，猶為牽合之詞，不若直稱〈夏書〉之得；其但稱〈虞書〉者益非，何以更處乎〈唐書〉邪？《大傳》有〈虞夏傳〉，是漢代經師推本事以加之，馬、鄭諸家遂依

⓰　徐震云：「莊氏之學，為清代今文家所由昉，而先生述古文諸經，仍據班書，不云出於劉歆偽造，尊信舊聞而不穿鑿，謹嚴之度，亦足多也。」〔清〕徐震：〈釋書名序〉，見莊綏甲：《釋書名》，卷首。

之。《正義》云：「漢、魏諸儒同伏生，從〈堯典〉至〈允征〉二十篇，總名曰〈虞夏書〉，固非如周時親見國史者之得真矣。」《左氏春秋》僖公二十七年引〈皋陶謨〉「賦納以言」三語為〈夏書〉，杜預《註》云「〈虞夏書〉也」。惠徵士棟《補註》云：「《尚書》二〈典〉，總謂之〈夏書〉，此孔子刪《書》之本也。今文家增為〈虞夏書〉，東晉古文又改為〈虞書〉，皆非孔氏之舊。《左氏》引今所謂〈虞書〉者，皆為〈夏書〉，惟文公十八年有云『〈虞書〉數舜之功』，說者以此篇為劉歆點竄，此亦其一證耳。《大傳》又分〈唐傳〉、〈虞傳〉，《說文》亦稱〈唐書〉、〈虞書〉，亦于本事細剟言之，非典要也。顧炎武固謂〈堯典〉亦〈夏書〉，良是，今從之。」[169]

吾人可以很明顯看出綏甲此處的表現方法，與樸學家的考證方式，並無二致，都是列舉各家之說為據，以證成其觀點。與莊存與的純出乎文章，或是莊述祖的考證兼夾議論相比，在形式上，至少是更接近漢學家慣有的方式。但在本質上，綏甲的考證仍有其基本立場，表現在他對師說，即述祖之言的遵崇。主張將〈虞夏書〉改為〈夏書〉的說法，自孔穎達經顧炎武至惠棟，不曾斷絕，但是他們並不曾比傅《春秋》三統之義；相反的，在綏甲的論證中，他充分運用家族《春秋》學三科之旨，與《尚書》做比傅，認為孔子刪《書》，義同《春秋》，皆據周而錄二王，運之三代，文雖斷自

---

[169] 莊綏甲：《尚書考異》，頁 1a–b。

〈堯典〉，《書》則廑于夏后，所以明三統也。既據周而錄二王，則所運之三代是夏、商、周三代，所明之三統亦是夏、商、周三統，準此一理論，《尚書》在篇題上，不應該有題〈虞夏書〉或〈虞書〉的情形，只能題作〈夏書〉，否則不合三科之義。其有上錄唐代者，則加「曰若稽古」之文以別之，亦所以廑三代之義。所以，所謂的「兼裁眾有，各剖是非」，指的是一般的《尚書》學問題，至於核心觀點，則仍是惟師說是從。

事實上，不僅綬甲的《尚書考異》充滿了述祖的身影，劉逢祿、宋翔鳳的著作亦是如此。今觀翔鳳〈虎坊橋雜詩十二首〉之九所云：

> 漆書非散佚，北斗宿當中，王肅詞難合，劉歆說已通，余說《尚書》，外兄劉申受頗以為是，近與王伯申學士論之，不甚相合也。古文真朽蠹，大義付冥鴻，寥落塵寰裏，何人識宋衷。[170]

逢祿之所以頗以翔鳳說《尚書》為是，即在於二人系出同門，與新城尚書的段、戴學風自不相得。[171]另外，來看譚獻的記載：

> 閱《過庭錄》五卷，宋氏說《書》推莊先生遺緒，為逸十六

---

[170]　宋翔鳳：〈虎坊橋雜詩十二首之九〉，《憶山堂詩錄》，卷5，頁7b。

[171]　相關討論，尚可參宋翔鳳：〈與王伯申學士書〉、〈與陳恭甫編修書〉，《樸學齋文錄》，卷1，頁28、30。

篇本不足信之說，未嘗不持之有故，究未可為定論。〈舜
典〉附入〈堯典〉，則偽古文判為二篇，未為巨謬。〈益
稷〉與〈大禹〉、〈皋陶謨〉同〈序〉即同篇，偽名淆溷，
非〈呂刑〉、〈甫刑〉之比也。且〈康誥〉、〈酒誥〉、
〈杼材〉同〈序〉異篇，〈書序〉之例如此，不容無說者即
同篇。閱劉申受《書序述聞》，說《尚書》精深，源于宗伯
公。吾故謂莊氏家學精于惠，大于王矣。⓲

譚獻言翔鳳說《書》推莊先生遺緒，莊先生即述祖。今觀翔鳳〈尚
書說略〉、〈尚書譜〉，如論虞、夏同科之義，論武王伐殷之年，
論周公攝政，論〈書序〉數篇合為一篇或一篇分為數篇之情形，皆
本諸述祖之說。⓳又譚獻言逢祿說《尚書》精深，源於宗伯公。蓋
其《書序述聞》及《尚書今古文集解》本為紹述述祖一家之學，而
述祖關於《書序》、《尚書》之討論，又是闡發存與之說而來，此
譚獻所以言逢祿源於宗伯公者。⓴綏甲、逢祿、翔鳳三人皆學於述
祖，故三人的《尚書》學實為相同之系統，此為研究常州學派第三
代學者所須注意者。

綏甲所傳述祖之學，猶有可說者，即古文篆籀之學。綏甲與述
祖討論古文篆籀之證，見於〈再答從叔祖父保琛先生〉，而完成之
著作，則為〈石鼓文考證〉與《釋書名》。先來看〈石鼓文考

⓲　譚獻：《復堂日記》，卷1，頁3b—4a。

⓳　宋翔鳳：《過庭錄》，頁85、88、100。

⓴　按：逢祿學《尚書》於述祖之記載，見劉逢祿：〈跋杜禮部所藏漢石經後〉
　　及〈尚書今古文集解序〉。《劉禮部集》，卷9，頁20a—21a、2a—3a。

證〉。譚獻云：

> 卿珊文鈔，扶質立幹，自成經生門徑，〈石鼓攷證〉，出于
> 〈然疑〉，而益暢其說。汪容父氏之言，遭其摧拉，不得不
> 畏後生。而以書迹為集字而成，竟與予二十季持論脗合，亦
> 一奇也。**⑰**

按：〈然疑〉者，即莊述祖所撰〈石鼓然疑〉也。述祖有論北周出
土石鼓文之文字三篇，依序為〈舊拓石鼓文跋〉、〈石鼓然疑〉及
〈復從子卿珊詢古文大小篆書〉，觀點前後不同。在〈舊拓石鼓文
跋〉中，以為石鼓文乃先秦古物；至〈石鼓然疑〉及〈復從子卿珊
詢古文大小篆書〉則推翻前說，以為出於蘇綽、盧辯之制作，其
〈石鼓然疑〉即為疏證此觀點而作者。今觀述祖所云：

> 余向時以石鼓多與大篆合，頗不信馬定國宇文時物之說，及
> 檢《後周書》有數事可與石鼓相證，作〈石鼓然疑〉一篇，
> 所云「不證以事而證以文」，亦彼此互見者也。詩辭蓋出於
> 蘇令綽、盧景宣二人之手，故石鼓自唐始顯，即表章於綽曾
> 孫勗，一時盛傳，皆以為宣王時古籀書也。唯張懷瓘知其假
> 託，又不敢顯然立異，《書斷》於大篆外，別為籀文，且
> 云：「其迹有石鼓文在焉，李斯小篆兼采其意，則以石鼓閒

---

⑰ 譚獻：《復堂日記》，卷7，頁10b–11a。

雜小篆故也。」是其識過韋、韓諸公遠矣。⓰

〈石鼓然疑〉之論如此，〈考證〉既出於〈然疑〉，其論亦相去未
遠。今觀綏甲所云：「或以為宇文周時，則以史考之，曰：獵、
曰：漁、曰：雨、曰：脩塗，事俱適合，見余從祖叔父〈然疑〉篇中。且其
詞故蘇綽、盧辯所為也。何則？其時籀書已亡佚，惟此二人獨為識
古文，又石鼓自唐始出，即表章於綽之孫勖，知其有所受矣。然綽
特輯古書以載今事，而勖乃威今事以冒古書，則蔑先亂古者，勖
也。」⓱其論調與述祖基本一致而又有所引申。值得注意的是，述
祖在此中所透露出的古文字學觀點。蓋〈石鼓然疑〉不過是述祖
《說文》古籀之學的副產品，在現存所見述祖的著作中，留有大量
關於古文字學的討論文字，除了校勘異文，分別家法之外，也企圖
建立一套比小篆更早的古文字系統，以回復古代的《歸藏易》。其
方法是透過蒐集現存各種鐘鼎文獻以及《說文》所載在內的古文大
篆籀文，依照許氏始一終亥的方法繫聯，希望能夠透過此一繫聯，
找到古人撰作文字所蘊涵之制度精神，其思路頗有漢字文化學的意
味。他認為此一精神是黃帝正名之教，亦是古代《歸藏易》的精
神。為了突出他的理論，他必須對文字的源流演變有清楚的了解，
並且對李斯小篆以下的文字展開批判，這些文字既表現在他的《尚
書》學著作裏，也大量的以書信或序跋的方式表現出來，留在他的

⓰　莊述祖：〈復從子卿珊詢古文大小篆書〉，《珍藝宧文鈔》，卷6，頁26b。

⓱　莊綏甲：〈石鼓文考證〉，《拾遺補藝齋文鈔》，頁 31b。又按：綏甲〈再
　　答從叔祖父保琛先生〉一文，對石鼓文來歷之觀點，亦與此同。

文集中。所以欲觀述祖的古文甲乙之學，除了其子所刊之《說文古
籀疏證》目錄及凡例外，文集中關於古文字的討論更是重點。而他
也將心得與綬甲分享，例如在與綬甲的信中，他解釋了大篆別稱籀
文之原由。他說：

> 詢張懷瓘於大篆之外，別列籀文之說，前書辭不達意，茲復
> 悉言之。古文大、小篆之名，始於秦漢之際。古文謂伏生、
> 張蒼、竇公、孔安國所獻，及郡國閒得鼎彝古器物銘文；大
> 篆謂史籀十五篇；小篆謂李斯、趙高、胡毋敬所造。至閭里
> 書師合〈爰歷〉、〈博學〉於〈倉頡篇〉，學者但謂李斯作
> 小篆，不復知有趙高、胡毋敬之說矣，此亦上蔡莫白之冤
> 也。況可伣為倉史遺文邪？以小篆而有大篆之名，以今文而
> 有古文之名，其實大篆亦古文也，故《呂氏春秋》謂倉頡作
> 大篆，安得大篆之外，別有籀文邪？ **⑱**

在述祖看來，大篆即籀文，之所以大篆有籀文之別稱，答案就在北
周石鼓文之偽造。至唐張懷瓘知其為假託，又不敢顯言，乃託言石
鼓之文為籀文，以與大篆立異。述祖關於文字源流正變之論說，雖
星散見於各篇章，並未有系統的闡述，不過綬甲從游述祖日久，於
其古文字學有整體認識，尤其是述祖關於文字源流正變之敘述，給
與綬甲相當大的啟發。如在給孫星衍的信中，以篆、隸變遷為例所

---

⑱ 莊述祖：〈復從子卿珊詢古文大小篆書〉，《珍藝宦文鈔》，卷6，頁26a－
b。

做古、今書體變化規律的說明,即展現出其對文字發展史的深刻認識。⑲另外,綏甲關於文字源流正變的系統著作,厥為《釋書名》,是書頗融述祖觀點於字裏行間之中。且看譚獻的介紹:

> 《釋書名》,源流晰,正變詳,可教學子。辨正秦篆,諍及許書,謂有秦隸、有漢隸、有八分、有章艸,皆如金湯之固。斷王次仲為漢人,持論亦堅。⑱

辨正秦篆,諍及許書,正是述祖欲重建古文字系統所必須掃平的障礙,而綏甲持論如此,正是受述祖影響的顯證,譚氏之評論可謂掌握了重點。事實上,述祖的觀點,亦為逢祿、翔鳳所承襲。如逢祿曾言「余嘗據鐘鼎古文以考篆籀之變」。⑱劉承寬則云:「府君復從受《夏時》等例及六書古籀之學,盡得其傳,學益進。」「大抵府君于《詩》、《書》大義及六書小學,多出于外家莊氏。」「至于近世小學,但知溯源小篆,而古籀幾為絕學。」⑱蓋言逢祿六書古籀之學受之於莊氏,而不滿於世之言小學者只知溯源小篆,使古籀幾為絕學也。至於翔鳳,今觀其〈書鐘鼎字源後〉云:「夫〈三蒼〉既作,古文滅絕,近工徒隸之書,遠昧形聲之恉,八體攸分,號為奇字,爾雅之士,尋其偏旁,辨其通假,六書之義,宜亦粲

⑲ 莊綏甲:〈上孫觀察星衍書〉,《拾遺補藝齋文鈔》,頁45a。
⑱ 譚獻:《復堂日記》,卷7,頁10b。
⑱ 劉逢祿:〈六安晁氏族譜序〉,《劉禮部集》,卷10,頁3b。
⑱ 劉承寬:〈先府君行述〉,《劉禮部集》,卷11附錄,頁7b—8a。

然，未可奇矣。」⑱又題〈宋湘陰縣得古鐘歌用昌黎石鼓詩韻〉
云：「後儒紛紛習徒隸，古文滅絕誰相磋。」⑱蓋亦不滿於後儒只
知辨證徒隸，溯源小篆，使古籀之學瀕於滅絕之境遇。只不過逢
祿、翔鳳雖言之鑿鑿，卻並未如綏甲，有系統之著作。今引綏甲
《釋書名》一段，以見其議論特色：

> 《周禮》八歲入小學，大司徒教鄉三物，書在六藝，保氏掌
> 養國子，教以六書。外史掌達書名，大行人九歲屬瞽史，諭
> 書名，文乃滋盛。宣王大史籀箸文十五篇，與古或異。自諸
> 侯立政，去其典籍，七國棼亂，言語異聲，文字異形。秦并
> 天下，丞相李斯乃奏同之，罷其不與秦文合者，于是始皇使
> 下杜程邈定書，而篆書出焉。李斯作〈倉頡〉七章，車府令
> 趙高作〈爰歷〉六章，太史令胡毋敬作〈博學〉七章，皆取
> 〈史籀篇〉，或頗省改，謂之小篆，遂謂倉史舊文為大
> 篆。……大、小云者，推所自出也。〈倉頡〉、〈博學〉皆
> 篇端命題，〈倉頡〉者，追創造之祖也；〈博學〉者，示學
> 童以博文也；〈爰歷〉猶為爰書也，于獄吏用之。爰者，換
> 也，文書換其口辭，以訊鞫論報也。以獄制書，即以書斷
> 獄，所謂教胡亥書及獄也，是為秦篆。程邈又增減大、小篆
> 方圓而為書三千，始皇名之曰：隸書，謂施諸徒隸也。時官

---

⑱　宋翔鳳：〈書鐘鼎字源後〉，《樸學齋文錄》，卷 2，頁 21a。
⑱　宋翔鳳：〈宋湘陰縣得古鐘歌用昌黎石鼓詩韻〉，《憶山堂詩錄》，卷 3，
　　頁 13a。

獄務繁，苟趣省易矣。亦曰：佐書，篆書之捷，所以為佐
也，是為秦隸。經傳以來曰文、曰書、曰名而已，未有異
號，秦既興隸，迺為篆稱，體繁而名熾焉。⑱

蓋其造語雖平易，未如述祖之上下抑揚者，然仍可見其承述祖之
跡。於古文篆籀徒隸之演變，詳引群籍，持之有故，非空言議論而
已。故徐震〈釋書名序〉評之曰：

> 莊卿珊……《釋書名》一卷，自文字肇端、六書恉例、字體
> 嬗衍、字學要籍，以至簡編筆札紙墨之屬，咸有訓解，類聚
> 群分，有似〈急就〉，而不為韵語，循音索義，同於《釋
> 名》，而考訂特詳。標指歸於正文，附疏證於注釋，體約而
> 賅，辭雅而顯，信足昭源流、曉學者矣。自魏、晉以降，
> 隸、楷、八分、正書，數者稱名樊然，錯雜難辨，先生旁攬
> 舊說，定厥是非，凡所折中，靡不諦當，全書之中，斯為尤
> 精善者。⑱

莊綬甲所有著作，惟此編收入後人所輯叢書中，由此亦可以推見其
價值。又王大隆〈釋書名跋〉云：

---

⑱　莊綬甲：《釋書名》，頁 2a－3a。按：此處所引，僅為正文，正文之下，尚
　　有小注，詳考出處，以文繁不載，讀者可覆按。
⑱　徐震：〈釋書名序〉，同前註，卷首，1a。

右《釋書名》一卷,清莊綬甲撰。……於文字源流,旁及簡策縑紙之屬,靡不徵引廣博,剖析詳明,足為治小學者之津逮。⑱

二家之說,蓋僅專從其於文字源流之考釋見其書學史之功績,又因條件所限,未能遍觀莊氏遺著,以致未能見是書之作,乃承述祖古文字學觀點者。極而論之,述祖古文字學觀點,一如其《夏小正》、《尚書》之學,所以推闡存與聖王天道之說,此為研究常州學派三代傳承之軌跡者所不得不知者。

四、結　論

本文之目的,在於藉由釐清莊綬甲的生平交遊,及其對父、祖學術之整理傳承,來觀察常州學派的一個學術側面。從莊綬甲的交遊來看,嘉道之際的常州,可謂人文匯萃,學者輩出。然而這些人並非孤立的個體,而是總角相交,結社學習,既砥礪志業,又鑽研文章,展現出一種亟為世用的企圖心,形成複雜的關係之網。這是常州的整體風氣,莊氏家族亦無法自外於此。只不過,與專注在詩詞、散文上推銷價值理想的常州同行稍有不同,他們將經世的理想,轉化為對經典境界的描繪,以探索聖人之於天道為研經之首務,企望藉由純化學術以達於純化政治的目的,這是莊氏學術特有的經學政治觀。以此為前提,家族特有的經典解釋傳統於焉誕生。

但是,擺在莊綬甲面前的,是一個沒落的家族,一堆零亂的遺

---

⑱　王大隆:〈釋書名跋〉,同前註,附錄,13b—14a。

稿，所以奔走謀食、整理刊刻，就成為他的生活重心。筆者常在思考，要成為一個學派，至少應具備三方面的條件：其一，要有明確的學術宗旨；其二，要有明確的傳承譜系；其三，要有系統性、累積性的研究成果。這三點，不論從綏甲的師友交遊來看，還是從他對家學的整理保存來看，都有豐富的文獻可資佐證。進一步來說，以莊綏甲為切入點，側面來剖析常州學派，也為我們帶來豐富而罕見重視的學術內涵，亦即在眾所周知的《春秋》學視野之外，還有一條由古文字學入手，譜系明確的《尚書》學傳承，這是研究常州派，尚有待開發的一環，也將是挪開今文學框架，最有力的依據。進一步來說，透過對莊綏甲交游學行的考察，更能為考據學在清代中葉的擴散，作出具體的說明，有助於對考據學在清代中葉以下的影響力，進行更精確的評估。

最後要說明的是，莊綏甲的學術內涵並不突出，不具有高度的原創性，在思想史或是經學史的敘述中，很難說明他的重要性，但是透過學術史的觀察，我們可以看到一幅莊氏學術開展傳播，並且與考據學展開對話的畫面，可以作為清代中葉經學史的一個側面觀察，而這正是筆者致力於將經學史的研究納入學術史視野的根本原因。

史法與經例——比較錢大昕及劉逢祿兩篇〈春秋論〉中之見解

胡楚生*

一、引　言

　　錢大昕，清江蘇嘉定人，生於雍正六年，卒於嘉慶九年，當西元一七二八年至一八〇四年，享年七十七歲。

　　錢大昕，撰有《廿二史考異》、《三史拾遺》、《諸史拾遺》、《元史氏族表》、《元史藝文志》、《四史朔閏考》、《通鑑注辨正》、《疑年錄》、《金石文字跋尾》、《十駕齋養新錄》、《潛研堂文集》、《潛研堂詩集》等書，是乾嘉時期著名的學者。

　　劉逢祿，清江蘇武進人，生於乾隆四十一年，卒於道光九年，當西元一七七六年至一八二九年，享年五十四歲。

　　劉逢祿撰有《公羊何氏釋例》、《公羊何氏解詁箋》、《左氏春秋考證》、《發墨守評》、《箴膏肓評》、《穀梁廢疾申何》、

---

*　　胡楚生，明道大學中國文學系教授。

《論語述何》、《今古文尚書集解》、《書序述聞》、《詩聲衍》、《劉禮部集》等書,是晚清時期著名的學者。

錢大昕較劉逢祿年長約五十歲,二人年歲相差雖不甚多,而二人所處之時代,學風已自有異,錢氏處於乾嘉考據之學鼎盛之際,而劉氏已入於晚清學術逐漸變轉之時。

錢大昕曾撰有〈春秋論〉一篇,討論《春秋》一書之要旨。劉逢祿也撰有〈春秋論〉一篇,其中曾經針對錢氏關於《春秋》一書之意見,而提出不同之看法。

本文之作,主要擇取錢氏與劉氏二人對於《春秋》中同一事件而有不同見解之例證,試加比較,並加分析,以彰明錢、劉二人對於《春秋》一書不同的立場與觀點。

二、比較(上)

錢大昕〈春秋論〉之一云:

> 《春秋》,褒善貶惡之書也。其褒貶奈何?直書其事,使人之善惡無所隱而已矣。曰崩,曰薨,曰卒,曰死,以其位為之等。《春秋》之例,書「崩」、書「薨」、書「卒」,而不書「死」,死者,庶人之稱,庶人不得見於史,故未有書「死」者,此古今史家之通例,非褒貶之所在,聖人不能以意改之也。魯之桓公、宣公,皆與聞乎弒者也,其生也書「公」,其死也書「薨」,無異詞。文姜淫而與聞乎弒者也,其生也書「夫人」,其死也亦書「薨」、書「小君」,無異辭,書「薨」者,內諸侯與小君之例也,非褒之也,

《春秋》不奪之也,然猶可曰此為君諱爾。公子遂之弒其君之子,季孫意如之逐君,皆大惡也,其死也亦書「卒」,無異辭。書「卒」者,內大夫之例也,非褒之也,《春秋》不奪之也,然猶可曰此為宗國諱爾。吳、楚,僭王之君;鄭伯寤生,射王中肩者也;宋公鮑,與聞乎弒者也,其生也書「爵」,其死也書「卒」,皆無異辭。書「卒」者,外諸侯之例也,非褒之也,《春秋》亦不奪之也。弒逆之罪大矣,以庶人之例斥之曰死,可乎?曰:不可。是諸人者,論其罪,當肆諸市朝,僅僅夷諸庶人,不足以蔽其辜;論其位,則彼固諸侯也,大夫也,夫人也,未嘗一日降為庶人,而我以庶人書之,非其實矣。紀其實於《春秋》,俾其惡不沒於後世,是之謂褒貶之正也。❶

錢氏之意,以為《春秋》雖是褒善貶惡之書,然而,其褒貶之方式,乃是「直書其事,使人之善惡無所隱而已」,而《春秋》中,書「崩」、書「葬」、書「卒」等書法,乃是「古今史家之通例,非褒貶之所在」,此等書法,並不關涉乎一字之褒貶與奪。錢氏並舉出《春秋》中的一些例子,用以證明其主張。

劉逢祿〈春秋論〉之上云:

嘉定錢詹事論《春秋》曰:「《春秋》之法,直書其事,使

---

❶ 錢大昕:〈春秋論〉,《潛研堂文集》(上海:上海古籍出版社,1989年),卷2,頁18、19。下引並同。

善惡無所隱而已，魯之桓、宣，皆與聞乎弒，其生也書
『公』，其死也書『葬』，無異詞。文姜淫而與聞乎弒，其
生也書『夫人』，其死也書『葬』，無異詞。公子遂弒其
君，季孫意如逐其君，亦書『卒』，無異詞。」應之曰：錢
氏以《春秋》無書法也，則隱之不葬，桓之不王，宣之先書
「子」，卒不日，胡為者？公夫人姜氏如齊，去「及」，夫
人孫於齊，去「姜氏」，夫人氏之喪，至自齊，去「姜」，
胡為者？仲遂在所聞世，有罪不日，意如在所見世，有罪無
罪，例日，皆以其當誅而書「卒」，見宣、定之失刑縱賊
也。❷

劉氏認為，「錢氏以《春秋》無書法」，其說並不可信，乃針對錢
氏所說，擇取其最重要之舉例，加以辨正。以下，即就錢氏與劉氏
之意見，加以分析評論。

㈠ 錢大昕之見解

1.魯隱公十一年，大夫羽父欲求太宰，請於隱公，使殺桓公
（隱公異母弟），隱公不許，羽父懼，反譖隱公於桓公，並請弒
之，羽父遂使賊弒隱公，而立桓公，是隱公之弒，桓公實曾與聞，
而《春秋》於桓公元年，稱「公即位」，於桓公十八年，稱「葬我
君桓公」，故錢氏以為，桓公既然與聞隱公之弒，而「其生也書
公，其死也書葬」，與一般國君的稱名用詞，並無不同，是即《春

---

❷ 劉逢祿：〈春秋論〉，載《劉禮部集》（上海：上海古籍出版社，2002 年
《續修四庫全書》影印道光十年刊本），卷3，頁 16a。下引並同。

秋》直記史實而無涉「書法」褒貶之一例證。❸

　　2.魯文公有二妃，長妃生子惡及視，次妃生子俀。及長，大夫襄仲欲立俀，魯文公十八年，文公卒，襄仲因得齊惠公之助，乃殺惡及視，而立俀，是為宣公，是殺適立庶，宣公實與聞之，而《春秋》於宣公元年，稱「公即位」，於成公元年，稱「葬我君宣公」，故錢氏以為，宣公既然與聞國君之子被殺，而「其生也書『公』，其死也書『葬』」，與一般國君的稱呼用詞並無不同，是亦《春秋》直記史實而無涉於褒貶「書法」之另一例證。

　　3.魯桓公十八年，公與夫人文姜如齊，齊襄公與文姜私通，桓公怒，夫人以告襄公，襄公使公子彭生弒桓公於車上，是桓公之弒，文姜實曾與聞，而《春秋》於桓公十八年，稱「公夫人姜氏遂如齊」，於莊公二十一年，稱「夫人姜氏薨」，於莊公二十二年，稱「葬我小君文姜」，故錢氏以為，文姜既然與聞桓公之弒，而「其生也書『夫人』，其死也書『薨』，書『小君』」，與一般國君夫人的稱呼用詞並無不同。因此，也是《春秋》直記史實而無涉於褒貶「書法」之另一例證。

　　4.魯文公十八年，文公卒，襄仲因得齊惠公之助，乃殺文公之嫡子惡及視，而立庶子俀，是為宣公，襄仲即公子遂，又名仲遂，蓋魯公子名遂，襄其諡，仲為其字。（參見前文第 2 條）而《春秋》宣公八年，稱「仲遂卒于垂」，故錢氏以為，「其死也亦書『卒』」，與一般公卿大夫的用詞並無不同，也是《春秋》直記史

❸　本文以下所引之《左傳注疏》、《公羊傳注疏》、《穀梁傳注疏》，皆據臺北：藝文印書館影印阮元刻《十三經注疏》本。下引並同。

實而無涉於褒貶「書法」之另一例證。

5.魯文公卒後，襄仲殺文公嫡子惡及視，而立庶子倭為宣公，大權旁落，大夫季氏，專擅國政，昭公二十五年，季孫意如（季平子）逐昭公，昭公如齊，三十二年，昭公卒于晉地乾侯，昭公之弟宋，立為定公，而《春秋》定公五年，稱「季孫意如卒」，故錢氏以為，「其死也亦書『卒』」，與一般公卿大夫的用詞並無不同，也是《春秋》直記史實而無涉於褒貶「書法」之另一例證。

在以上所舉出的五項例證之中，錢氏以為，「《春秋》之例，書崩、書薨、書卒，而不書死，死者，庶人之稱」，「此古今史家之通例，非褒貶之所在」，「曰崩、曰薨、曰卒、曰死，以其位為之等」。因此，舉出五項例證，以為弒君、逐君之事，本屬罪大惡極，而與聞弒君之人，《春秋》之中，皆於「其生也書『公』，其死也書『薨』，無異辭」，於與聞逐君之人，「其死也書『卒』，無異辭」。因此，錢氏以為《春秋》之中，並無以書「崩」、書「薨」、書「卒」為「書法」以行其褒貶之事，而《春秋》褒貶善惡之方法，則係「紀其實於《春秋》，俾使其惡不沒於後世」，則係「直書其事，使人之善惡無所隱」，才是「褒貶之正」。

(二) **劉逢祿之見解**

1.魯隱公之弒，《春秋》隱公十一年記曰：「冬，十有一月，壬辰，公薨。」《公羊傳》云：「《春秋》君弒，賊不討，不書葬。」又云：「公薨，何以不地？不忍言也。」劉氏因而以為，《春秋》僅記「公薨」，而並未書「葬」，又不書「葬」之地，即於此處，以貶謫桓公之實與弒其君，而不於桓公之書「公」、書「葬」處貶之。

2.魯文公卒，宣公與聞弒君之嫡子，《春秋》文公十八年記曰：「冬，十月，子卒。」《公羊傳》云：「子卒者孰謂？謂子赤也，何以不日？隱之也，何隱爾？弒也，弒則何以不日？不忍言也。」魯宣公殺文公之嫡子赤（《左傳》記其名為「惡」），《春秋》不記赤被殺之日期，劉氏據此，用以說明文公嫡子之弒，《春秋》即於嫡子之卒，不書「日」，不忍言「日」之處，以貶譴宣公之實與其弒，而不於宣公之書「公」、書「葬」處貶之。

3.魯桓公之弒，夫人文姜實曾與聞，《春秋》桓公十八年記曰：「公夫人姜氏遂如齊。」《公羊傳》云：「公何以不言及夫人，夫人外也，夫人外者何？內辭也，其實夫人外公也。」劉氏據《公羊傳》之說，以為《春秋》不言桓公「及」夫人姜氏遂如齊，乃是由於為桓公避諱，因為夫人文姜已經自外於桓公。因此，劉氏以為，《春秋》於桓公被弒，並非沒有書法，而卻不是於文姜之生稱「夫人」，死稱「薨」處見貶譴，乃是於「公及夫人姜氏遂如齊」之中，去其「及」字，僅書為「公夫人姜氏遂如齊」處，以彰明文姜之罪惡而貶之。

此外，《春秋》莊公元年記曰：「三月，夫人孫于齊。」《公羊傳》云：「夫人何以不稱姜氏？貶，曷為貶？與弒公也。」劉氏據此，以為《春秋》於所記「夫人姜氏孫于齊」之中，不言「姜氏」，而僅書為「夫人孫于齊」，正是對於文姜與聞弒君而又遜避於齊國的貶譴之義。

此外，《春秋》僖公元年記曰：「十有二月，丁巳，夫人氏之喪，至自齊。」《公羊傳》云：「夫人何不稱姜氏？貶，曷為貶？與弒公也，然則曷為不於弒焉貶，貶必於重者，莫重乎其以喪至

也。」劉氏據此，以為《春秋》於所記「夫人姜氏之喪，至自齊」
之中，不言「姜」氏，而僅書為「夫人氏之喪，至自齊」，正是對
於文姜與聞弒君的貶謫之義，至於《春秋》何以不在弒君之時貶謫
文姜，則《公羊傳》以為，弒君行為，應於重大事件或重要時刻加
以貶謫，才能彰顯其罪甚大，故文姜之喪，乃於僖公自齊返國告
廟，方乃書「夫人氏之喪」，用以貶之。

4.襄仲殺文公嫡子之事，其惡甚大，《春秋》宣公八年記曰：
「仲遂卒于垂。」《公羊傳》：「仲遂者何？公子遂也，何以不稱
公子？貶，曷為貶？為弒子赤貶，然則曷為不於其弒焉貶？於文則
無罪，於子則無年。」劉氏以為《春秋》對於公子遂之貶謫，不於
文公之時貶，乃因文公在世之時，仲遂並無弒嫡子之罪行，及文公
薨，嫡子又未繼立，故於宣公八年襄仲卒時，方加貶之，且又不書
「公子」，亦是貶意，而不於襄仲書「卒」處貶之。

劉氏以為，「仲遂在所聞世，有罪不日」，《春秋》隱公元年
記曰：「公子益師卒。」《公羊傳》云：「何以不日？遠也，所見
異辭，所聞異辭，所傳聞異辭。」《公羊傳》所稱三世，謂孔子作
《春秋》，己所見及者，為昭、定、哀三公之事；己所聞知者，為
文、宣、成、襄四公之事；己所由傳聞而得者，為隱、桓、莊、
閔、僖五公之事。何休《解詁》云：「異辭者，見恩有厚薄，義有
深淺，時恩衰義缺，將以理人倫、序人類，因制治亂之法。」又
云：「於所聞之世，王父之臣，恩少殺，大夫卒，無罪者日錄，有
罪者不日。」劉氏據此，因而以為，《春秋》於宣公八年記曰：
「仲遂卒于垂。」而不書明所卒之「日」期，正是彰明仲遂有罪，
故不書「日」而貶之。

5.魯昭公二十五年，魯大夫季孫意如逐其君，致昭公薨於異國，季孫之罪極大，《春秋》定公五年記曰：「六月，丙申，季孫隱如卒。」（《公羊傳》經文作「意如」），《春秋》隱公元年《公羊傳》何休《解詁》云：「故於所見之世，恩已與父之臣尤深，大夫卒，有罪無罪，皆日錄之，丙申，季孫隱如卒是也。」劉氏據此，因而以為，季孫意如卒於定公五年，乃孔子作《春秋》時所見及之事，恩情已深，故意如雖有逐君之罪，而《春秋》仍於其卒，書「丙申」之「日」，而無貶文。

錢氏以為《春秋》中不藉書「崩」、書「薨」、書「卒」以為褒貶「書法」的觀點，劉氏則提出不同的見解，他針對錢氏所舉出之五項例證，提出反證，主要說明，《春秋》書法，並不在於錢氏所舉其人之生也書「公」、書「夫人」，死也書「葬」、書「卒」處，見其褒貶，見其「書法」，而是在其他相關事蹟，相關經文之紀錄處，展轉配合，以表明其「書法」，以彰顯其褒貶之意義。

三、比較（下）

錢大昕認為《春秋》中不藉書「崩」、書「薨」、書「卒」以為褒貶「書法」之觀點，基本上見於所撰之〈春秋論〉，此外，錢氏在所撰之《潛研堂答問》卷四之中，也曾經表示了相似的意見，劉逢祿針對錢氏之觀點，也曾加以辨正。錢氏云：

> 楚商臣、蔡般之弒，子不子、父亦不父也；許止不嘗藥，非大惡，而特書「弒」，以明孝子之義，非由君有失德；故楚、蔡之君不書「葬」，而許獨書「葬」，所以責楚、蔡二

君之不能正家也。

又云：

> 宋襄公用鄫子，楚靈王用蔡世子，皆特書之，惡其不仁也，
> 且以徵二君之強死，非不幸也，宋公與夷、齊侯光、楚子
> 虔，以好戰而弒，晉侯州蒲，以誅戮大臣而弒，經文皆先文
> 以見義，所以為有國家者戒，至深切矣，《左氏傳》曰：
> 「凡弒君稱君，君無道也，稱臣，臣之罪也。」後儒多以斯
> 語為詬病，愚謂君誠有道，何至於弒？遇弒者，皆無道之君
> 也。❹

錢氏在此文中，舉出五項例證，主要以為：《春秋》於君弒，而
「書葬」，或「不書葬」處，以及在「特書」處，各有褒貶之意旨
存在。

劉逢祿針對錢氏之意，而在自己所撰〈春秋論〉之上云：

> 錢氏又曰：「楚商臣、蔡般之弒，子不子、父不父也，許止
> 以不嘗藥書弒，非由君有失德，故楚、蔡不書『葬』，而許
> 悼公書『葬』，以責楚、蔡二君之不能正家也。宋襄公用鄫
> 子，楚靈王用蔡世子，皆特書之，以惡其不仁，且明二君之
> 強死，非不幸也。」（《潛研堂答問》）正之曰：《春秋》

---

❹　錢大昕：《潛研堂答問四》，載《潛研堂文集》，卷7，頁84、85。

之義,君弒,賊不討,不書「葬」,未聞有責君不正家者,許止本未嘗弒君,故書葬以赦之;吳楚之君,從無書「葬」之例,至蔡景公,實書「葬」,三《傳》經文所同,而謂其不書「葬」,不知所見何經也。僖十九年夏,宋人、曹人、邾婁人盟于曹南,鄫子會于邾婁,己酉,邾婁人執鄫子,用之,《經》文瞭然,故《公》、《穀》均指邾、鄫以季姬事相仇為說,如果宋襄用鄫而《經》歸獄邾婁,則《春秋》其誣罔之書歟?《左氏》經文,亦同《公》、《穀》,而錢氏謂《經》特書之,以著宋襄之罪,又不知所見何《經》也。❺

劉氏此文,則針對錢氏所舉例證,加以辨駁。

以下,即就錢劉二人不同之意見,加以分析比較。

㈠ 錢大昕之見解

1.《春秋》文公元年記曰:「冬,十月,丁未,楚世子商臣弒其君頵。」此事之起,緣於楚成王時,將立商臣為太子,詢諸令尹子上,子上以為,商臣蜂目而豺聲,乃凶殘之人,不可以立,成王弗聽,而立之,既而又欲立王子職,而黜太子商臣。魯文公元年,商臣以甲兵圍成王,成王自縊。故錢氏以為,商臣子既不子,成王亦父乃不父,故《春秋》於成王之卒,並不書「葬」,用以貶之。

2.《春秋》襄公三十年記曰:「夏,四月,蔡世子般弒其君固。」此事之起,緣於蔡景公為太子般娶婦於楚,而景公與之私通,故蔡般遂弒景公。錢氏以為,蔡景公私通太子之婦,亦父不似

---

❺ 劉逢祿:〈春秋論〉,《劉禮部集》,卷3,頁16a−16b。

父,而蔡般弒君,亦子不似子,故《春秋》於景公之卒,並不書「葬」,用以貶之。

3.《春秋》昭公十九年記曰:「夏,四月,戊辰,許世子弒其君買。」又記曰:「冬,葬許悼公。」此事之起,緣於昭公十九年,許悼公染瘧疾之病,五月,戊辰,飲太子止所獻之藥,因而卒,《左傳》記君子曰:「盡心力以事君,舍藥物可也。」亦深惜之。故錢氏以為,悼公之卒,「非由君有失德」,而太子不親嘗藥,也「非大惡」,故《春秋》於悼公,仍書其「葬」。

4.《春秋》僖公十九年記曰:「夏,六月,宋人、曹人、邾婁人,盟于曹南,鄫子會盟于邾婁,己酉,邾婁人執鄫子,用之。」此事之起,緣於宋襄公既與曹人、邾婁人會盟,鄫子未及與盟,乃自會盟於邾婁,襄公使邾文公殺鄫子,用其血以祭祀神明,《左傳》記司馬子魚之言,以為祭祀之舉,本乃為人祈福,而殺人以祭,神孰敢馨饗,襄公以此求取霸業,不亦難乎。故錢氏以為:《春秋》特書「用之」,乃深惡襄公之不仁也。但《春秋》僖公二十三年曰:「夏,五月,庚寅,宋公慈父卒。」亦記宋襄公之卒。

5.《春秋》昭公十一年記曰:「冬,十有一月,丁酉,楚師滅蔡,執蔡世子有以歸,用之。」此事之起,緣於楚靈王帥師滅蔡,執其世子有而歸,而殺世子於岡山,《左傳》記楚大夫申無宇之言,以為祭祀之時,五牲尚不能互易使用,更何況以諸侯之子為血祭之用,以為靈王必將後悔。故錢氏以為,楚靈王殺蔡侯世子以祭祀神明,《春秋》特書「用之」,乃深惡靈王之不仁也。《春秋》昭公十三年記曰:「夏,四月,楚公子比,自晉歸于楚,弒其君虔于乾谿。」靈王受逼於公子比,乃自縊而死。

在以上所舉出的五項例證之中，前三例，錢氏多以被弒之國君，「書『葬』」或「不書『葬』」，作為《春秋》褒貶之依據，在後二例中，錢氏則以為，《春秋》對於罪大不仁之君，即以「特書」之方式，加以貶謫。在前三例中，錢氏對於《春秋》以書「葬」，不書「葬」之褒貶「書法」，與其在〈春秋論〉中所持《春秋》不藉書「崩」、書「薨」、書「卒」以為褒貶「書法」之觀點，已有所差異。

㈡ 劉逢祿之見解

1.《春秋》文公元年記曰：「冬，十月，丁未，楚世子商臣弒其君頵。」記楚成王為太子商臣所弒，劉氏以為，「《春秋》之義，君弒，賊不討，不書『葬』」（《公羊傳》、《穀梁傳》於魯隱公之弒，皆云然），成王被弒，商臣尚未伏誅，故《春秋》於楚成王之被弒，不書「葬」，此與錢氏所云，「責君不正家」，以譏楚成王之不能自正其家人者，無關。

2.《春秋》襄公三十年記曰：「夏，四月，蔡世子般弒其君固。」記蔡景公為太子般所弒，劉氏以為，「《春秋》之義，君弒，賊不討，不書『葬』」，景公被弒，蔡般尚未伏誅，故《春秋》於蔡景公之被弒，不書「葬」，此與錢氏所云，「責君不正家」，以譏景公之不能自正其家人者，無關。

又《春秋》襄公三十年記曰：「冬，十月，葬蔡景公。」故劉氏以為，「至蔡景公，實書『葬』，三《傳》經文所同，而謂其不書葬，不知所見何《經》也」，用以駁正錢氏蔡景公不書「葬」之說。

3.《春秋》昭公十九年記曰：「夏，四月，戊辰，許世子弒其

君買。」又記曰:「冬,葬許悼公。」許悼公之卒,《穀梁傳》云:「許世子不知嘗藥,累及許君也。」《公羊傳》云:「葬許悼公,是君子之赦止也,赦止者,免止之罪辭也。」故劉氏以為,「許止本未嘗弒君,故書葬以赦之」,此與錢氏所云:「以明孝子之義,非由君有失德」,亦非盡同。

4.《春秋》僖公十九年記曰:「夏,六月,宋人,曹人,邾婁人,盟于曹南,鄫子會盟于邾婁,己酉,邾婁人執鄫子,用之。」邾婁人執鄫子之事,《春秋》僖公十四年記曰:「夏,六月,季姬及鄫子,遇於防,使鄫子來朝。」又十五年記曰:「九月,公自至會,季姬歸于鄫。」又十六年記曰:「夏,四月,丙申,鄫季姬卒。」考季姬乃魯僖公之女,後嫁於鄫國之君,《公羊傳》僖公十九年何休《解詁》云:「魯本許嫁季姬於邾婁,季姬淫泆,使鄫子請己而許之,二國交忿,(宋)襄公為此盟,欲和解之,既在會間,反為邾婁所欺,執用鄫子,恥辱加於宋無異,故沒襄公,使若微者也,不同於上地,以邾婁者,深為襄公諱,使若不為邾婁事盟,而鄫子自就邾婁,為所執也。」邾婁人既與鄫子有怨尤在心,故「執鄫子,用之」,《穀梁傳》云:「用之者,叩其鼻以衈社也。」是邾婁人執鄫子,殺之,以其血,用為祭祀,實非宋襄公主之,亦非宋襄公「欲和解之」之用心也,故劉氏以為:「邾婁人執鄫子用之,《經》文瞭然」,「《公》、《穀》均指鄫以季姬事相仇為說」,而非宋襄公用鄫子之血以祭祀神明也。故亦以為:錢氏謂「《經》特書之,以著宋襄之罪」,也「不知所見何《經》也」。

5.《春秋》昭公十一年記曰:「冬,十有一月,丁酉,楚師滅

蔡，執蔡世子有以歸，用之。」《公羊傳》云：「惡乎用之？用之
防也，其用之防奈何？蓋以築防也？」孔廣森《公羊通義》云：
「意時有人築隄，善崩潰，殺人釁之。」❻楚靈王滅蔡，殺其世
子，用其血以祭祀神明，錢氏以為「惡其不仁」，乃深惡楚靈王不
仁之行為。劉氏於錢氏此說，未加辨正，對於《公羊傳》之解說，
亦未加使用。

　　要之，劉氏針對錢氏所舉出之例證，則從不同之方向，加以辨
解，加以駁正。

四、結　論

　　錢大昕在其所撰〈春秋論〉之一云：「《春秋》之法，直書其
事，使善惡無所隱而已。」因此，直書其事，善惡無隱，是錢氏對
於《春秋》褒貶方式最基本的觀點，此一觀點，自然受到前人的影
響，《春秋》宣公二年記曰：「秋，九月，乙丑，晉趙盾弒其君夷
皋。」《左傳》云：「乙丑，趙穿攻靈公於桃園，宣子未出山而
復，太史書曰：趙盾弒其君。」又云：「孔子曰：董狐，古之良史
也，書法不隱。」孔子稱贊董狐「書法不隱」，而「直書其事」與
「書法不隱」，意義相近，同時，孔子也首先提出了「書法」一
辭，作為史官對於歷史事件及歷史人物評價的書寫用語。

　　此外，唐代的劉知幾，撰有《史通》一書，對於史官的「書
法」，也提出了不少的意見，《史通·直書》云：「史之為務，申

---

❻　孔廣森：《公羊春秋經傳通義》，《續修四庫全書》（上海：上海古籍出版
　　社，1995 年），第 129 冊，卷 9，頁 12b。

以勸誡，樹之風聲，其有賊臣逆子，淫君亂主，苟直書其事，不掩其瑕，則穢跡彰於一朝，惡名被於千載。」《史通·申左》云：「至於實錄，付之丘明，用使善惡必彰，真偽盡露。」《史通·惑經》云：「善惡必書，斯為實錄。」❼劉知幾所說的史學主張，像「直書其事」，「善惡必書」等，對於錢氏觀點的形成，自然也曾產生不少的影響。

劉逢祿在其所撰〈春秋論〉之上云：「《左氏》詳于事，而《春秋》重義，不重事；《左氏》不言例，而《春秋》有例，無達例。」劉氏認為《春秋》重義，《春秋》有例，故特別重視解釋《春秋》經義之《公羊傳》，撰有《公羊何氏解詁箋》、《公羊何氏釋例》等書，以求發明《春秋》之「義」與「例」。

《禮記·經解》云：「屬辭比事，《春秋》教也。」以為會合眾辭，比次史事，使人合而觀之，參互見義，方是《春秋》的教化精神，劉逢祿〈春秋論〉之上云：「《春秋》有例，無達例。」又云：「唯其無達例，故有貴賤不嫌同號，美惡不嫌同辭。」無達例，謂無通達不變之例。

考《春秋》隱公七年記曰：「滕侯卒。」《公羊傳》云：「何以不名？微國也，微國則其稱侯何？不嫌也，《春秋》貴賤不嫌同號，美惡不嫌同辭。」春秋五等爵位，公、侯、伯、子、男，侯本大國之名，則滕侯之卒，理當稱名，《公羊傳》指滕本小國，然而

---

❼ 〔唐〕劉知幾撰、〔明〕李維楨評；郭孔延評釋：《史通》，收入《四庫全書存目叢書》第 279 冊（臺南縣：莊嚴文化事業有限公司，1996 年），卷7，頁 9b、10a；卷 14，頁 27a；卷 14，頁 5a。

小國又何以稱侯？何休《解詁》云：「滕侯卒，不名，下常稱子，不嫌稱侯為大國。」又云：「貴賤不嫌者，通同號稱也，若齊亦稱侯，滕亦稱侯，微者稱人，貶亦稱人，皆有起文，貴賤不嫌同號是也。」貴賤通同號稱，因為各有起文，互相參補，其義不致相淆，而《春秋》正於此等處，以見其褒貶之用意。徐彥《公羊傳注疏》云：「滕侯卒，不名，下恆稱子，起其微也；齊侯恆在宋公之上，起其大也。」陳立《公羊義疏》云：「下常稱子，桓二年滕子來朝是也，後此常稱子，知實子爵，故不嫌為侯，此稱侯者，自有別義。」❽滕實子爵，《春秋》稱侯，自有別義，此別義，即褒之是也。

　　至於《公羊傳》所謂「美惡不嫌同辭」，何休《解詁》云：「若繼體君亦稱即位，繼弒君亦稱即位，皆有起文，美惡不嫌同辭是也。」徐彥《公羊傳注疏》云：「前君之薨，書地者，起其後即位者，是繼體之君也；若前君薨，不地者，起其後即位者，非是繼體之君也。」繼體君可美，繼弒君可惡，兩者繼立，皆稱「即位」，似美者惡者可以同辭，實則，《春秋》非不分美惡，只是，其分美惡，不於「即位」一辭分之，乃於前君之薨，書地、不書地處分之，也即於此等參互見義之處，以見褒貶也。

　　綜合錢、劉二人對於《春秋》之見解，約可得到幾項重點，略述於下：

　　1.錢大昕與劉逢祿二人，各自撰有〈春秋論〉，在此二文之中，兩人對於《春秋》之見解，有相同者，也有相異者，其相同

---

❽　陳立：《公羊義疏》（臺北：鼎文書局，1973年），卷8，頁8b。

者，在二人皆以為《春秋》中有褒貶，其不同者，在錢氏以為，《春秋》褒貶之方法，在「直書其事」，使「善惡自見」；而劉氏以為，《春秋》褒貶之方法，在「屬辭比事」，以「參互見義」。

　　2.錢氏之意，以為《春秋》之中，凡書「崩」、書「薨」、書「卒」等，乃古今史家記事自古相承之通則，並不關涉於一字之褒貶與奪。而劉氏之意，則以為《春秋》之中，凡書地不地，書日、不書日等，皆有其一貫之義例，也關乎一字之褒貶與奪。由此，劉氏進而且認為「錢氏以《春秋》無書法」。

　　3.就學術流派而論，錢氏於吳縣惠棟，嘗執經問難，二人關係，在師友之間，惠氏之學，在經學史上，屬於古文經學。而劉氏曾從學於常州莊存與，莊氏之學，在經學史上，屬於今文經學。其於《春秋》之學，古文經學，著重《左傳》，今文經學，著重《公羊傳》。故錢氏所論，多據《左傳》記事，以申論史法。而劉氏所論，多據《公羊傳》之說，以發明經例。

　　4.錢氏為學，本長於「史」，故其於《春秋》一書，亦多自史學之觀點，求其實錄，以申論史家之通則，而不就一字一例，定其善惡之褒貶。而劉氏之學，本長於「經」，故其於《春秋》之中，會比眾辭，推尋義例，以探索微言大義之所在。要之，錢、劉二人，尚論《春秋》，其立足點，也自有此「史家」與「經生」之異趣者在。

　　5.錢氏在其〈春秋論〉中所舉之例證，旨在證明《春秋》不藉書「崩」、書「薨」、書「卒」以為褒貶之「書法」，錢氏在其《潛研堂答問》中所舉之例證，對於《春秋》中有關「書法」之立場，已稍不同，兩者之間，似見矛盾。

6.錢氏於其〈春秋論〉中，尚曾論及朱子《通鑑綱目》、正統論等問題，劉氏於其〈春秋論〉中，也嘗有與之相應之意見，以其與《春秋》本身，相距稍遠，此文暫不予以評論比較。

五、附　考

一九七六年三月，上海中華書局出版之《魏源集》中，收有魏氏所撰之〈公羊春秋論〉一文，分上、下兩篇，而光緒四年八月淮南書局刊印之魏源《古微堂內外集》中，則未收有此文。

中華書局出版之《魏源集》，書前曾說明〈公羊春秋論〉一文，乃據魏源《古微堂文稿》，而收入《魏源集》中者。

今取《魏源集》中〈公羊春秋論〉一文，與劉逢祿所撰之〈春秋論〉一文比勘，兩文相異之處極少❾，實則應係相同之一篇文章，而分在劉、魏二人集中，則又究竟出於何人之手？

依據王家儉教授所著之《魏源年譜》❿，以及一九七九年北京中華書局出版李瑚所撰之《魏源詩文繫年》，魏源生於西元一七九四年，卒於西元一八五七年，而劉逢祿生於西元一七七六年，卒於西元一八二九年，劉氏較之魏氏年長十八歲。

嘉慶十九年（西元 1814 年），魏源二十一歲，隨同劉逢祿研

---

❾　分見於劉、魏集中之兩篇〈春秋論〉，文字相異之處雖極少，但如劉逢祿〈春秋論〉之上云：「宣之先書子，卒不日」，《魏源集》中〈公羊春秋論〉之上作「宣之篡，先書子，卒不日」，宣下多一「篡」字，則關係頗大。

❿　王家儉：《魏源年譜》，《中央研究院近代史研究所專刊》之二十一（1967年）。

治《春秋公羊》學。

道光六年（西元 1826 年），魏源三十三歲，赴京會試，劉逢祿適為試官，曾評閱試卷，得魏源、龔自珍卷，薦之主試，未獲錄取，劉氏曾撰有〈兩生行〉一詩，為此惜之。

道光九年（西元 1829 年），魏源三十六歲，撰成《董子春秋發微》、《詩古微》。是年八月十六日，劉逢祿卒，魏源為之校刊遺書。

道光十年（西元 1830 年），魏源三十七歲，校刊劉氏遺書竣事，魏源並為《劉禮部集》撰敘。

然而，前舉《魏源年譜》及《魏源詩文繫年》二書，皆不言魏源有〈公羊春秋論〉一文之作。

《古微堂文稿》，當係魏源生前未曾編定之作品，魏源於編定劉逢祿之遺書時，或因心喜《公羊》之學，抄錄劉氏〈春秋論〉，以備研索省覽之用，而編刊《古微堂文稿》者，以為該文為魏氏所作，一併入於文稿之中，又為中華書局新編排印《魏源集》者收入集中，也未可知。

經檢尋林慶彰教授所主編之《經學研究論著目錄》（1988－1992），得知蔣康先生撰有〈魏源集中「公羊春秋論」一文發覆〉，載一九八八年三月北京出版之《書品》一期（總九期），當與拙稿此節所論有關，匆忙之際，也未能尋覓得見，只有俟諸異日，再求寓目！

怨、讎、叛、逆：劉逢祿與《公羊》禮學的價值闡釋

程克雅*

一、前　言

　　本文基於以禮解經的既有議題，以及清代中葉以降，常州學者經解《公羊》化的論述上開展相關的探討，透過《公羊傳》中「怨、讎、叛、逆」的相關解詁，析論「《公羊》禮學」的成立基礎以及相沿而來的價值闡釋，試述劉逢祿關於《公羊》禮學方面的思想與主要貢獻。

　　就一般學術史的問題意識來看，多視劉逢祿（1776－1829）為今文學派的轉變關鍵，並認為劉逢祿在微言大義的倡導，上承乾嘉經學的考證方法，下開今文經學的通經致用❶，以論定劉逢祿的學

　*　程克雅，東華大學中國文學系副教授。

❶　這一意見，幾已成為學術史及常州學派研究的定論，見梁啟超：《清代學術概論》（臺北：臺灣商務印書館，1994 年 1 月臺二版）；陸寶千：《清代思想史》（臺北：廣文書局，1978 年初版）；及孫春在：《清末的公羊思想》（臺北：臺灣商務印書館，1985 年 10 月初版）。

術貢獻。但卻免不了其中糾纏不清的幾個問題：一是劉逢祿同時具有蘇州惠氏（惠棟 1697－1758）與其外祖莊氏（莊存與 1719－1788）兩重不同的學術淵源❷，在其實際的治學成就應予釐清；二是劉逢祿的經解中，以抉發沈寂已久的《公羊》學最受稱道，注重家法，尊信董（董仲舒 176－140 B.C.）、何（何休 129－182），駁難鄭玄（127－200）❸；但在實際的傳注中，固應重視以本經解本經，以本經之傳注解本經，卻仍然有采取《左傳》、《穀梁傳》而未依《公羊傳》的解說，也有並非循著董仲舒、何休而來的看法。❹故藉此仍然可以在一般觀點上，對劉逢祿的經解有所補充；三是劉逢祿固以《公羊》書法、義例解經，倡言經書之微言大義；但就經世之旨來看，並沒有明確的實踐或作為，這是不能免於後人責難的，反觀時代接近的學者阮元（1764－1849）、胡培翬（1782－1849）、朱珔（1769－1850）等人，卻能在書院課講、刊校經籍、戶部、斷獄等實務上實踐考禮議禮的成果。❺四是就影響後學的角度看，即使劉逢祿只講論大義，嚮風而至者如魏源（1794－1857），將「章句考證到微言大義」的探討，喻為「齊一變而至於

---

❷　錢穆：《中國近三百年學術史》（臺北：臺灣商務印書館，1957 年），頁526－528；侯外廬：《中國早期啟蒙思想史》（北京：人民出版社，1956年），頁 630。

❸　梁啟超：《清代學術概論》；《中國近三百年學術史》，頁 192。

❹　如陳澧《東塾讀書記·春秋三傳》即二度稱道劉逢祿特有卓見之處；但卻遭章太炎引仲長統《昌言》「三姦」譏議之負面評價，見《訄書·清儒》（北京：三聯書店，1998 年），頁 162。

❺　張壽安：《以禮代理——凌廷堪與清中葉儒學思想之轉變》（臺北：中研院近代史研究所，1994 年）。

魯，魯一變而至於道」❻，是回歸於西京之學，上求古義為宗旨；可是在魏源纂編《經世文編》之際，卻看不出受劉氏《公羊》學的影響❼，對於以今文學或《公羊》學倡導實現經世致用的大義，藉目前的詮解與研究看，皆未能有所推闡。五是今文經學在晚清思想及學術史論評中，最受詆議，評者認為：在以他經解本經、會通五經的脈絡中仍有特定的畛域，但劉逢祿及後學龔自珍（1792－1841）、魏源及康有為（1858－1927），往往又破壞既有今、古文學的區辨，其所主據的今文經典籍，與向受疑偽的古文經立場常相矛盾，比劉氏以《毛詩》證《公羊》，撰《論語述何》更尤有甚之。❽

　　欲釐析乾嘉時代這一稱之為「一種不漢不宋」的學術思想❾，了解其著重的經籍及經義解釋，則仍應回到傳注中考察，做為論究大義取決的依據。《公羊》學與《禮經》相表裡❿，是在今文學的一致看法，劉逢祿後學中，亦有治禮學者，如江都人凌曙（1775－

---

❻　魏源：〈兩漢經師今古文家法攷敘〉，《古微堂外集》，收入《近代中國史料叢刊》，第 424 冊（臺北：文海出版社，1969 年），卷 1，頁 36a。

❼　如周妤探討以經世派為名的今文運動中，藉魏源《經世文編》的實際計量考察，並沒有討論《公羊》家或「今文經學」之文；也沒有據《公羊》「三世」，及「三科九旨」等歷史觀以鼓吹變法或主張革新制度的文篇。見《中國近代經世派與經世思潮研究》，頁 60－61。

❽　侯外廬：《中國早期啟蒙思想史》（北京：人民出版社，1956 年），頁 630。

❾　錢穆：《中國近三百年學術史》，頁 526－528。

❿　皮錫瑞：《經學通論》（臺北：臺灣商務印書館，1969 年）；段熙仲：《禮經十論》（《文史》第一輯，1962 年 10 月），頁 1－122。

1829）、凌氏弟子陳立（1809－1869）等。江都本隸於揚州，清代乾嘉時期揚州學者治經以《三禮》、小學為主，高郵王氏父子（王念孫 1744－1832；王引之 1766－1834）、阮元等皆推尊許（許慎 30－124）、鄭；以實事求是相尚。可是凌曙著《公羊禮說》、《公羊禮疏》；其門人陳立撰《公羊義疏》、《白虎通義疏證》說釋禮制禮義多仍許、鄭之說，以劉逢祿「申何難鄭」的基本態度與其《公羊》禮義的立場，對照析論凌、陳二氏之見，則可進一步了解禮學的地域互動與學術宗風之歧異有何關係。

晚清以來的學者對劉逢祿的評議尚稱一致，但評價繼常州之學後發展的今文學則甚為紛歧，梁啟超認為是「於新思想之發生間接有力焉」[11]；章太炎（1868－1936）則謂「妖以誣民，夸以媚虜，大者為漢奸劇盜；小者以食客容於私門，三善悉亡，學隱之風絕矣」。[12]透過本文所述「怨、讎、叛、逆」解，劉逢祿論《公羊》禮學微言大義與當世現實感受下的價值闡釋，隨著講學著述而推展，事實上仍然具有典型的經世致用意義，對論述劉逢祿解經《公羊》化具體的貢獻，也是實質的證例。本文同時論究常州學者劉逢祿，在「超離漢、宋」、「地域互動」與「今、古分歧」的晚清經學課題中，所占的關鍵性地位。

---

[11] 梁啟超原本在思想主張上與康有為並稱，對今文學運動採正面推動者的立場，多予肯定，故謂：「清代《春秋》學之成績，……惟《公羊》極優良。諸經除《儀禮》之外，便算他了。今文學運動以《公羊》為中心，開出晚清思想界之革命，所關尤重。」見梁啟超：《中國近三百年學術史》（臺北：臺灣中華書局，1956 年），頁 192－193。

[12] 章太炎：《檢論·清儒》（臺北：廣文書局，1970 年），卷 4，頁 31b。

二、「怨、讎、叛、逆」的界義與涵義

探討「怨、讎、叛、逆」的界義與涵義，由兩重問題開始：在方法上，取一般語詞的涵義，先就心境、情感語彙的辨認模式說明各項字詞的擷取理由；再由恩怨、報復、尊卑、順逆等人事涵義說明倫理學在語言上的關聯與實現；並舉經籍「怨、讎、叛、逆」字義詮釋古訓，了解清代常州學者在既有的名物度數考釋外，延用藉古訓以求義理、解析特定經籍寓含書例、闡釋微言大義等的問題意識及其背景。

㈠ 心境、情感語彙的辨認模式

近年來關於情感語言的應用研究受到重視，學者探討明清反映在文學作品中的人性與教化，情感與價值觀念往結合心理學、倫理學對傳統的語彙及篇章提出不同於以往的闡釋，同時探究意義與價值體系的相關問題。反映心境與情感的語彙，在義大利漢學家 P. 史華羅《明清文學作品中的情感、心境詞語研究》中，集結了包切爾（J.D. Boucher）等人的研究成果，提出五種代表情感表達的差異類型，分別是：一，消極反應類型（恐懼、懷疑、焦慮、驚異）；二，積極反應類型（愛、感動、喜歡、希望）；三，滿意反應類型（快樂、美感、宗教情懷、歡愉、滿足）；四，攻擊性反應特質（憤怒、仇恨、妒忌）；五，不滿反應類型（悲哀、沮喪、羞慚）。❸這五種不同的情感語彙類型是基本的區分；但史華羅也特

---

❸ P.史華羅（Santangelo, Paolo）著，莊國土、丁雋中譯：《明清文學作品中的情感、心境詞語研究》（北京：中國大百科全書出版社，2000 年），〈前言〉，頁2－6；〈第一章：概論〉，頁10。

別註明了這五種不同的類型中可能會有相反的含意,例如中國文學中關於「愛」這一情感往往以「悲哀」相聯繫。另外,他也認為分析情感語彙有必要通過上下文而且考慮內容、社會、制度背景等因素。所以,在第一章〈概論〉中,史華羅說:

> 我們的研究是一種通過語言表達的情感概念,這是心境的表達,是通過符號手段交流的、熱烈嫉妒持久的經歷所產生的情感。除情感之外,當然還要分析屬於我們情感生活的複雜思想狀態。此外,由於任何一種心情都是私人的經驗,我們應該考慮到它的客觀經歷和敘述。前者不能複製或精確傳達,後者符合了語義價值論的定義。

這一種觀察與分析詞彙的模式放在史傳或小說中的語言考察,史華羅提出探究深層意識的兩個方面:

> 情感是一種更深層的內心抉擇的結果,這種抉擇是無意識的。然而當我們利用了所了解的文化方式(典型、風格、象徵、價值觀等)詞彙加以認真思考時就會發現,情感變得越來越有意識。……一方面,語言是以抽象和象徵的概念為基礎作出的確切定義。它試圖提供對現象有次序、有選擇、有理智和精確的定義。另一方面,由於研究情感詞彙的語義性質所決定,因而語言學差異、特性、和變化就成為心理學和人類學模式轉化的有意義的標識,這種模式在歷史和文化的動力學中引發激情。

回到本文所擷取的怨、讎、叛、逆四則情感語彙來看，在其一般的
含義而言，是屬於史華羅所說的第四類，首先面對的疑難即是字面
的和實際的內涵其實是有差異的，值得深入藉特定的文本，以便於
了解之所以造成差異的理由和作用：如果將這四類相關的情緒與具
體上下文事義的前因後果，同時考慮，那麼立即面臨的疑惑即是價
值判斷的兩難：描述負面的情緒／情感卻帶出同情的效果；藉負面
的事義與譴責（甚至是口誅筆伐的懲戒）卻意圖完成勸誡與道德教
化的目的。有時，言在此而意在彼，負面事義的主角反而陪襯了應
受譴責卻未曾言明的對象。這在本文所處理的範圍而言是有一定的
文本限制，也就是先以劉逢祿《公羊》禮學的相關論述為討論範
圍，做為語彙和材料的擷取來源。其次是這一探究的對象在一般性
的負面情感的陳述上，仍符合史華羅提出的兩個方面：在學術史或
是中國近代史的表述中，劉逢祿的《公羊》學一方面具有「對現象
有次序、有選擇、有理智和精確的定義」，特別是在其義例的解說
上；另一方面具有「在歷史和文化的動力學中引發激情的語言模
式」，特別是在書法的辨認上。

　　沿著史華羅所關心的問題，葉正道撰有〈論中國文學材料中情
感詞語的分析和分類：語義框架〉一文，以《紅樓夢》的「喜、
樂、憂」為對象，分四個方面進行論述：

　　第一，情感、語言和語義。

　　第二，情感研究中存在的方法論上的問題。

　　第三，定義示範。

　　第四，結合漢語構詞自身的特點，中國傳統情感學說以及

（經過語義分析後呈現出的）共有的「情感認知元素」，對
《紅樓夢》中出現的情感字和情感詞作了初步的系統的分
類，並討論了情感詞的構詞規律，歷時研究的意義，各情感
類型的特點和相互關聯。⓮

小說中的情感語彙固然反映了社會框架的內在邏輯，和人們日常行
為中的意義；但是在近來學者注意的研究中，更試圖發掘非文學的
史料，以探求特定歷史時期的道德價值觀。例如關於「情與報」的
論述，雖然楊聯陞早已有通貫的論述，詮釋了文化史上關於報恩復
仇的相關主題⓯；但恩怨、報復等行為與尊卑、順逆的倫序發生情
理的衝突，近年學者則亦有分別采心理學與法制史的不同視角予重
新解釋的主張。

⓮　葉正道：〈論中國文學材料中情感詞語的分析和分類：語義框架〉（On the
　　analysis and categorization of emotion terms in Chinese literary sources: a semantic
　　framework）筆者未能參閱全文，主要論點轉引自葉正道撰：〈中國情感與史
　　料分析國際研討會後記〉（Notes on the International Conference on Emotions
　　and the Analysis of Historical Sources in China），《漢學研究通訊》第 21 卷第
　　2 期（2002 年 5 月），頁 41－50；同篇文字中亦繼續介紹史華羅發表的〈非
　　文學材料分析的初步注釋：道德和司法材料〉（Preliminary notes on the
　　analysis of non-literary sources: moral and judicial materials），在這一篇中，P.
　　史華羅已經對非文學的史料（內閣檔案中的司法史料）予以重視，但對於學
　　派紛陳，學說根深蒂固，同時深切影響中國文士與庶民的經書傳注仍未曾處
　　理。
⓯　楊聯陞著，段昌國譯：〈報——中國社會關係的一個基礎〉，收入《中國思
　　想與制度論》（臺北：聯經出版事業公司，1976 年），頁 349－372。

㈡ 倫理學在語言上的關聯與實現

　　探究傳統中國儒學的倫理觀與價值觀，往往指向人倫與德目，董仲舒《春秋繁露・基義》篇提出：「三綱」，謂君為臣綱，就是說，君為臣之主。夫為妻綱，父為子綱。而《白虎通義・卷八》亦提出「仁、義、禮、智、信」五常，合稱「綱常」，原指社會的人倫順序與道德規律，是儒家思想中文化與文明的根本。這一詞彙到了明清時期無論是民間文學或是在思想的辨論中已經反映了負面的涵義；可是傳統社會中，沿著三綱形成的倫理規範系統，卻因人際關係與社會活動的發展形繁密，據焦國成的統計，表現在十種不同的人倫關係上，包括：「夫婦」、「血緣」、「地域」、「姻親」、「君臣與官民」、「家國與私己」、「長幼」、「師徒」、「朋友」、「人與天地自然萬物」等。沿著五常而形成的倫理德目，扣緊人倫關係而發展，出現了以下的項目：君臣家國的關係講求「公忠」、父子講求「孝慈」、男女之間講求「別嫌」、兄弟長幼之間講求「順悌」、朋友講求「信義」……師徒同於父子，鄉黨與姻親則濟困扶危，同於兄弟朋友。以上的倫理與德行之間的配當是應然的，理想的一面；在實際的史事實例中，我們可以看到種種衝突不斷挑戰著儒家及其脈絡下的思想與價值信仰，在黃俊傑與吳光明合著〈古代中國人的價值觀：價值取向的衝突及其解消〉一文中，即列舉五項在史傳中耳熟能詳的實例：「舜負瞽瞍而逃」（《孟子・盡心・上》「桃應問曰」章）、「相見黃泉」（《左傳・隱公元年》「鄭伯克段於鄢」）、「石奢刎頸」（《韓詩外傳》）、「申生自縊」（《左傳・僖公四年》）與「鉏麑觸槐」（《左傳・宣公二年》）除了第一例舜選擇的是私親而非國家外，

其餘每一個實例，均呈現個人在「君父」、「忠孝」、「正義」與
「私己」的選擇中，成全外在的公義道德，甚至捐棄一己的生
命。❻在上述不同的規律（或規範）與現象之間，實存在著三項問
題：第一是正面的道德倫理規範不能同時提供正面的道德行為回
應；第二是正面的道德價值感可能也會引起反感；第三是當必須面
對多重倫理關係必須抉擇時，道德的承諾則必有所犧牲。以上的種
種都令今人不得不面對著儒家倫理與語言表述的困境；同時也是價
值抉擇的困境。二十世紀兩部著名的倫理學著作《倫理學原理》與
《倫理學與語言》❼均處理了以上所述相關的問題，而這一理解上
的問題則可以回歸到語言表述的層面來了解，具體而言，也就是指
《春秋》文例與屬辭的解說，可以達成藉書法義例以道微言大義的
語義。

　　何新在〈論價值與文化〉一文更提出道義和輿論的獎懲，認為
是維繫繫共同價值的重要方式，這賦予了口誅筆伐與褒貶善惡在道
德價值的傳達和規範上所形成的作用：

　　　每一種社會文化都具有一種道德制度，通過集體認同的共同

---

❻　黃俊傑，吳光明：〈古代中國人的價值觀：價值取向的衝突及其解消〉，
　　《中國人的價值觀國際研討會》（臺北：漢學研究中心，1992 年），頁 55－
　　73。

❼　這兩書分別是謨爾（G.E. Moore）著，蔡坤鴻譯：《倫理學原理》（臺北：
　　聯經出版事業公司，1978 年）與查爾斯·L·斯蒂文森（Stevenson, Charles
　　L., 1908-1979）著，姚新中、秦志華等譯：《倫理學與語言》（北京：中國
　　社會科學出版社，1991 年）。

價值觀念，才能把各種不同的個人，在意識上、信念上、感
情上統合於一個整體，這就是價值觀的整合機制；而道義和
輿論的獎勵和懲罰，則是維繫這種共同價值的重要方式。⓱

如果要論及倫理學與語言表述的密切關聯，在《春秋·公羊傳》
「莊公十年」中：「七等進退之義」中，即有嚴密的屬辭之例，也
就是何休所主張的「內其國而外諸夏，內諸夏而外夷狄」，就義例
而言，屬內外例，前者則屬於貶絕的絕例，在書法上即藉著層遞之
不同，在名字稱號上決定褒貶之意，可以前後相證，何休云：

> 州不若國，國不若氏，氏不若人，人不若名，名不若字，字
> 不若子。⓲

徐彥《疏》云：

> 言荊不如言楚，言楚不如言潞氏、甲氏，言潞氏不如言楚
> 人，言楚人不如言介葛盧，言介葛盧不如言邾儀父、言邾儀

⓱ 何新：〈論價值與文化〉，《論中國歷史與國民意識》（北京：時事出版
社，2002 年），頁 191。

⓲ 何休注，徐彥疏：《春秋公羊傳注疏》（臺北：藝文印書館據 1815 年阮元校
勘南昌府學本景印《十三經注疏》本），卷 7，頁 89；又參見皮錫瑞：《經
學通論》四·春秋「論異外內之義與張三世相通」，按：皮錫瑞徵引「七等
進退之義」誤植為「莊公十三年」，頁四-8－四-9。

父不如言楚子、吳子。❷⓪

何休《解詁》則明此義而詳述云：

> 爵最尊。《春秋》假事以見王法，聖人為文辭孫順，善善惡
> 惡，不可正言其罪。因周本有奪爵稱國氏人名字之科，故加
> 州文，備七等，以進退之。若自記事者書人姓名，主人習其
> 讀而問其傳，則未之有罪焉爾。猶此類也。

何休又在其後「蔡侯獻舞何以名？絕。曷為絕之？獲也。曷為不言
其獲？不與九狄之獲中國也」一段之下，解云：

> 夷狄謂楚，不與楚言荊者，楚強而近中國，卒暴責之，則恐
> 為害深。故進之以漸，從此七等之極始也。

何休同時參引隱公七年《注》曰：

> 中國者，禮義之國也，執者，治文也。君子不使無禮義制治
> 有禮義，故絕不言執，正之言伐也。
> 所以降天子，為辭順。

無禮義不可制治有禮義，在《公羊》禮義的論述中，是符合於外夷

---

❷⓪　何休注，徐彥疏：《春秋公羊傳注疏》，卷7，頁89。

狄而內諸侯，就這一層來看，為了達成致治天下的意涵，則強調夷狄進於中國則中國之的意義，皮錫瑞亦承劉逢祿與魏源之意，申明其中進退諸侯之義，云：

> 董子明言：「自近者始。」王化自近及遠，由其國而諸夏而夷狄，以漸進於大同。正如修身而齊家，而治國，以漸至平天下。進化有先後，書法有詳略，其理本極平常。
>
> 且春秋時夷狄非真夷狄也，吳，仲雍之後；越，夏少康之後；楚，文王師鬻熊之後；而姜戎是四岳裔胄；白狄鮮虞是姬姓，皆非異種異族，特以其先未與會盟，中國擯之，比於戎狄，故《春秋》有七等進退之義。
>
> 《春秋》設此七等，以進退當時之諸侯。

在《春秋》經文與《公羊傳》、《穀梁傳》二傳之間，可以看到更多「書與不書」、「志與不志」、「道與不道」、「言與不言」等具體的屬辭之例。這四者，屬於語言書面表述倫理與道德判斷標誌的功能，在特定的經傳脈絡中，則是不容忽視的，而劉逢祿的論述與闡釋也是在這一學術背景上發展出來的。

(三) 怨、讎、叛、逆字義古訓

怨、讎、叛、逆四字在古籍中從未同時連言或並列，唯其意義均表負面情感，當作名詞時亦有負面的評價意謂，所以首先一一就字義古訓觀察其用例如下文。就複詞的構詞實例看，「怨讎」、「叛逆」、「怨叛」、「讎怨」等詞彙兩兩連言而成為同義複詞；還有個別單詞衍生而來的同近義詞如：「怨恨」、「仇恨」、「怨

府」；「報讎」、「復讎」；「反叛」、「叛變」、「叛臣」；
「逆子」、「逆賊」、「逆祀」等。為了在掌握劉逢祿對原始的意
涵的說釋，故本文擬在討論此一詞義詮釋時以注釋為主，以《春
秋》三傳的義例闡發為輔，怨、讎、叛、逆四字相關事例履見不
鮮，涉及《春秋》三傳時，所指事義各有一定的歸納畛域，藉既定
的筆法義例來看：或為譏例，或為貶例，或為誅絕例；或為律意輕
重例，或為王魯例，或為建始例，有筆有削。又或為不書例，或為
諱例，或為朝聘會盟例，則應於《公羊》禮義。㉑

怨字有時假借為蘊，有怨恨義、蘊怨義。在《公羊傳》中兩種
用法皆有，其他古籍中經見的用例及解釋，謂：

當「怨恨」或「哀怨」義時，例如：《周易·繫辭傳·下》
云：「義以興利，困以寡怨。」《論語·陽貨》：「《詩》，可以
興、可以觀、可以群、可以怨。」何晏《論語集解》引孔安國曰：
「怨，刺上政。」；《左傳》「僖公二十八年」：「楚有三施，我
有三怨，怨讎已多，將何以戰？」《左傳》「襄公二十七年」：
「《詩》以志，志誣其上而公怨之。」王引之《經義述聞·春秋左
傳·中》解云：「怨，刺也，言伯有志誣其君，於君享趙孟之時，
賦〈鶉之奔奔〉之詩，公然譏刺之，以為賓榮寵也。」；《國語·
周語·下》：「立於淫亂之國，而好盡言，以招人過，怨之本
也。」《戰國策·趙策·一》：「今下功力，非數痛加於秦國，而
怨毒積惡，非曾深凌於韓也。」《史記·伍子胥列傳》：「怨毒之

㉑ 詳後文：第三部分，第一小節，論怨讎叛逆與相關文本：劉逢祿對《公羊春
秋》的闡釋與回顧。

於人甚矣哉，王尚不能行之於臣下，況同列乎？」《漢書・五行志・中》：「二世不恤天下，萬民有怨叛之心。」《後漢書・翟輔傳》：「怨叛既生，危亂可待也。」《漢書・地理志・下》：「父兄被誅，子弟怨憤。」

當「蘊怨」義時，例如：《荀子・哀公》：「言足法於天下而不傷於身，富有天下而無怨財，布施天下而不病貧，如此則可謂賢人矣。」楊倞《注》：「怨，讀為蘊，言雖富有天下而無蘊蓄私財也。」蘊蓄義與怨字義結合，則有加深仇怨，蓄積憤懣之義，例如：《左傳》「昭公十二年」：「平子欲使昭子逐叔仲小，小聞之，不敢朝，昭子命吏謂小待政於朝，曰：『吾不為怨府。』」杜預《注》云：「言不能為季氏逐小，生怨禍之聚。」「怨府」即意謂著眾怨所歸，故《史記・趙世家》亦謂：「毋為怨府，毋為禍梯。」

讎字或作仇，有讎匹義、怨仇（怨讎）義。在《公羊傳》中多屬「怨讎」義，其他古籍中經見的用例及解釋，例如：《尚書・五子之歌》：「萬姓仇予，予將疇依？」孔穎達《正義》：「仇，怨也。」《穀梁傳》「襄公二十九年」：「閽弒吳子餘祭，仇之也。」范甯《注》曰：「怨仇餘祭，故弒之。」《左傳》「哀公元年」：「（越）……與我同壤而世為仇讎。」《荀子・臣道》：「爪牙之士施，則仇讎不作。」《史記・秦始皇本紀》：「秦王至邯鄲，諸嘗與王生趙時母家有仇怨，皆阬之。」

叛字意為背反、背叛、判分。尤指政權管轄的以下叛上，例如：《尚書・大誥・序》：「武王崩，三監及淮夷叛。」又如：《左傳・宣公十二年》：「伐叛，刑也；柔服，德也。」又有「叛

徒」、「叛人」，皆指反叛者，如：《左傳》襄公元年：「已亥，
圍宋彭城，非宋也，追書也。於是為宋討魚石，故稱宋，且不登叛
人也。」

　　叛逆一詞則如《史記‧高祖本紀》：「項羽皆王諸將善地，而
徒逐故主，令臣下皆叛逆。」

　　至於逆字，本義為迎，然迎逆本相對為言，所以引申出相反的
意義，即逆反義，古籍中有「逆叛」，見《三國志‧魏志‧高貴鄉
公髦傳》：「昔黥布逆叛，漢祖親戎；隗囂違戾，光武西伐。」又
作「逆悖」，如《漢書‧燕刺王劉旦傳》：「今王骨肉至親，敵吾
一體，乃於他姓異族謀害社稷，親其所疏，疏其所親，有悖逆之
心，無親愛之義。」又如「逆亂」：見《管子‧霸言篇》：「攻逆
亂之國，賞有功之勞，封賢聖之德，明一人之行，而百姓定矣。」
另外，在《春秋》三傳中有「逆辭」，有「逆祀」：前者如《春秋
穀梁傳》「僖公二十八年」：「壬申，公朝于王所，朝于廟，禮
也；……言曰：『公朝』，逆辭也。」范甯《注》引鄭嗣曰：「若
公朝於廟，則當言：『公如京師』；而今言：『公朝』，是逆常之
辭也。」後者如《左傳》「文公二年」：「秋八月丁卯，大事於太
廟，躋僖公，逆祀也。」杜預《注》云：「僖是閔兄，不得為父
子，嘗為臣，位應在下，令居閔上，故曰：『逆祀』也。」《穀梁
傳》「文公二年」：「躋，升也；先親而後祖也，逆祀也，逆祀則
是無昭穆也。」

　　就怨、讎、叛、逆在漢代以前的詞例及用例的解詁來看，可以
發現，人性中負面的意念和情感，在古代典籍中的描述與《公羊
傳》中偶一出現的相同詞例仍然是一致的，並不意謂著《公羊傳》

中的「怨、讎、叛、逆」是特定家法學說下的術語，但對這一類事件的發掘或寓含特殊記事書法的發掘，就不能不歸諸於今文經學《公羊》家的專門之學了。

三、「怨、讎、叛、逆」的事義與相關文本

在關於「怨、讎、叛、逆」的事義與相關文本考察中，必須面對的問題有以下三項：首先，列舉研究的主要對象與範圍，亦即劉逢祿對《公羊春秋》闡釋的回顧；其次，說明「例」的形成與「大義」的發揮，在這一段中，主要是欲區別條例、義法、書例、義例等專門術語，在清代經解與文論中實為異施異怡的現象；第三，從而甄辨劉逢祿運用相特定術語時的脈絡，了解其藉「怨、讎、叛、逆」解到刑德論述的具體內容。

㈠ 劉逢祿對《公羊春秋》闡釋的回顧

劉逢祿撰《公羊春秋》相關著述，有版本及篇題上的不同，在本文依《皇清經解》本為主要根據下，參以《劉禮部集》所重訂不同篇題，可見相應於禮制之者，在《春秋公羊經何氏釋例》一書，集中在：「不書例十三」、「諱例十四」、「朝聘會盟例十五」；相應於怨、讎、叛、逆的負面事義，則有筆，有削，見於相應於「釋特筆例」的是：「譏例第七」、「貶例第八」、「誅絕例第十」；相應於「釋削例」的是：「律意輕重例第十」、「王魯例第十一」、「建始例第十二」。以上篇章可以對照司馬遷所謂弒君、亡國、諸侯奔走終不能保其社稷等事例；也可看到僭越、篡位、報復相循的事例。

在劉逢祿所撰《春秋公羊議禮·序》有言：

> 昔者董子有言曰:「《春秋》者禮義之大宗也。」蓋聖人之
> 教,博文約禮,《易》象、《詩》、《書》,皆以禮為本,
> 《春秋》常事不書,固非專為言禮,然而變禮則譏之,辨是
> 非,明治亂,非無以正人也。㉒

劉逢祿論內治,往往從無譏來看《春秋》書事重刑重禮之義,以講
求「仁至義盡」,失禮輒遭譏議,《春秋公羊議禮·制刑》第十,
有謂:

> 《春秋》之治獄也,原情而定誅賞,其例有曰「及」者,內
> 主之;曰「暨」者,外主之;曰「會」者,善惡均。若宋公
> 之弟辰暨宋仲陀石彄出奔陳,罪在陀,絕也;其入叛以辰及
> 之,罪在辰,誅也;其賞善也亦然。《春秋》之例,譏者譏
> 其事,貶者貶其人,事非一人所成,咎加于主其事者,人所
> 行不只一事,即一事以貶其人,功惡足以相除。㉓

援以上之準則,劉逢祿列出了譏、貶、誅絕的事義與制刑次第的關
聯,其義涵蓋著前述關於怨、讎、叛、逆等事類所歸納類例,並不
僅因《春秋》預見之惡而設書法義例,而是在筆削書寫的同時,把
史事鑑戒寓於篇第之間。所以,「怨、讎、叛、逆」詞語本身不是

㉒ 劉逢祿撰:《春秋公羊議禮》,《劉禮部集》(上海:上海古籍出版社,
　　1995 年),卷 5,〈序〉,頁 85。
㉓ 同前註,頁 97。

例；但是在劉逢祿《春秋公羊何氏釋例》中，「釋例」見相關事類及微言大義者，則循著何休的論釋，闡釋其中義例及微言的條理。

㈡ 「例」的形成與「大義」的發揮

關於微言大義的討論，是論及《春秋》學不可忽略的一項重要議題，這一議題包含著從篇章行文的原則，也就是稱為「文例」、「文法」，可以用來判斷書寫者在據事直書下的意見與識鑒。所謂微言大義，據西漢董仲舒《春秋繁露》說，乃分就「微言——為後世立法」、「大義——誅亂臣賊子」二方面論「借事見義」的經義；然而，董仲舒亦謂「《春秋》無達例」，在《春秋繁露》也還未提及「三世」的歷史觀㉔，劉逢祿《公羊何氏釋例·敘》云：

> 嘗以為學者莫不求知聖人，聖人之道，備乎五經，而《春秋》者，五經之筦籥也，先漢師儒略皆亡闕，惟《詩》毛氏、《禮》鄭氏、《易》虞氏有義例可說。而撥亂反正，莫近《春秋》；董、何之言，受命如響。然則求觀聖人之志，七十子之所傳，舍是奚適焉。㉕

《公羊春秋何氏解詁箋·敘》亦云：

> 余嘗以為經之可以有條例求者，惟《禮·喪服》及《春秋》

㉔ 段熙仲：〈《公羊春秋》「三世」說探源〉，《中華文史論叢》第四輯（北京：中華書局，1963 年 10 月），頁 67－76。

㉕ 劉逢祿：《春秋公羊何氏釋例·敘》（上海：上海古籍出版社，1995 年），《續修四庫全書》第 129 冊，卷首，頁 4a、4b。

而已。經之有師傳者，惟《禮·喪服》有子夏氏，《春秋》
有公羊氏而已。漢人治經，首辨家法，……世之言經者，於
先漢則古《詩》毛氏，於後漢則今《易》虞氏，文辭稍為完
具，然毛公詳故訓而略微言，虞君精象變而罕大義。求其知
類通達，微顯闡幽，則《公羊傳》在先漢有董仲舒氏，後漢
有何邵公氏，《子夏傳》有鄭康成氏而已。先漢之學，務乎
大體，故董生所傳，非章句訓詁之學也。後漢條理精密，要
以何邵公、鄭康成二氏為宗。〈喪服〉之於五禮，一端而
已。《春秋》始元終麟，天道浹，人事備，以之網羅眾經，
若數一二辨白黑也。❷❻

陳澧《東塾讀書記》在發掘「例」的解經效用，最為致力。故分別
論列在《三禮》與《春秋》之下每抄集清乾嘉諸儒「以例解經」的
實際解釋，予以評斷。章太炎對於《公羊》學者論義例的態度，大
致是肯定的，但仍認為有其局限；梁啟超評述清代《公羊》學時，
一方面肯定家法，另一方面卻認為毋須拘拘於例。❷❼

清代中葉以來，如依章太炎《訄書·清儒篇》的意見，分為文
士與經儒的不同，那麼議論《春秋》「義法」則絕不是主條例之學
或以本經解本經的惠、戴考證之學能同意的；而桐城文家固然有以
影響陽湖文士，但是洪亮吉、張惠言等常州先儒，對劉逢祿的影響

---

❷❻　劉逢祿：《公羊春秋何氏解詁箋·敘》，收入《皇清經解》（臺北：漢京文
　　　化，1980 年），卷 1290，頁首，1a。
❷❼　梁啟超：《中國近三百年學術史》評王闓運之說，頁 192。

仍然不是義法的講求❷，而在考證求是的「條例」與闡發經義的
《春秋公羊傳》家法中的「書法」、「義例」形成可以一貫論述的
推闡原理。

三 從「怨、讎、叛、逆」解到刑德論述

　　漢代以來，學者知《春秋》可以察獄，故引經義斷獄，近於法
家；但不能見到《春秋》實通於禮。故在經今、古文之爭中，《儀
禮》、《公羊傳》逐步退居於《周官》、《左傳》之後；以《公羊
傳》而言，可謂沈寂了千年，至清代中晚期才又興起闡釋與注疏的
研究風氣。在劉逢祿今傳的已刊刻著作中，可以看到關於禮法相違
時決於法；刑德相循時取乎刑的趨向。藉法以明王政，因刑以見善
惡。以復讎一事為例，在禮書中不難考見君統與宗統的區分，這一
區分在實際的經史義理中是以君為至尊，為周代封建制度的第一
義；而親親與尊尊的區分，在宗法制度的傳統中，向來也是禮義化
成君父家國成立的道德律則。《公羊傳》「哀公三年」有云：

> 不以父命辭王父命，以王父命辭父命，是父之行乎子也；不
> 以家事辭王事，以王事辭家事，是上之行乎下也。

《公羊傳》「定公四年」有云：

---

❷　以洪亮吉為例，撰《漢魏音》，又於《春秋左傳詁》注重古音，正印證了合
　　於惠、戴二氏求古、求是的主張，洪亮吉治《左傳》並不特藉義法之說講其
　　大義，而且雖有《公羊》學論著，但並不是其治學重點所在，要其關注仍在
　　考證。

> 事君猶事父也，此為可以復讎奈可？曰：父不受誅，子復讎
> 可也；父受誅，子復讎，推刃之道也。

關於復讎的界限與名分，在《公羊傳》的《春秋》書法義例闡釋中
採取明確的標準。著重等差及名義相符，否則與一般匹夫豎子的逞
勇殺人無異。再就大宗與小宗的繼承制上來看，承重受重與持重的
抉擇中，也是一道有等差的規律：尊尊莫大於私親，復讎論述在以
此為基礎所開展的事例上看：復父讎是循理，不是循情；父受誅也
好，不受誅也好，是伏於國法或是抗衡國法，固然令孝子陷入抉擇
的兩難：於復讎盡孝則為弒君；賢君戡滅世讎敵國則為獨夫。或者
可以說，在實際的事例中，孝子義無反顧的往赴復讎之任；但史家
的評議卻不能避免的落入解釋的兩難。《公羊傳》大復讎之義的提
出，毋寧為君父復讎提出了超越推刃之譏的超越性質，而劉逢祿的
申說，則不在斤斤計較於君父私己的復讎，同時還表彰史筆下的譏
議，例如莊公三年「紀侯大去其國」事，表面上似是賢齊襄公，但
事實上卻是譏於魯。陳澧《東塾讀書記·春秋》則就「紀侯去其
國」提出其看法云：

> 莊四年：「紀侯大去其國」，《公羊》以為賢齊襄公「復九
> 世之讎」，此蓋有激而言，未可以為《公羊》病也。（《春
> 秋繁露·竹林》篇但云：「榮復讎」不言「賢齊襄公」，蓋
> 以襄公不可謂賢也。）下文：「公及齊人狩於郜」，《公
> 羊》以為譏與讎狩，「讎者無時，焉可與通」？可見《公
> 羊》深惡魯莊公不復讎，遂以為賢齊襄公復讎耳。《公羊》

又云：「襄公事祖禰之心盡矣」。九世安得云：「禰」？明譏魯莊公忘其禰也。❷❾

陳澧承自劉逢祿《春秋何氏解詁箋》之意，明言《公羊傳》的大義，可以說明相關事義在劉逢祿的解釋方向與重心。

四、「怨、讎、叛、逆」解與《公羊》禮學

藉「怨、讎、叛、逆」解探討《公羊》禮學的成立：將首先就學術史的考察，論究《公羊》禮學的源流及劉逢祿《公羊》禮學的成立與開展；其次則觀察《禮》學與《公羊》學的交會，看出二者實有價值闡釋的不同趨向，一是以《公羊》釋《禮》，表達對禮樂刑政今、古微言大義的說解；二是以《禮》解《公羊》，回歸禮樂刑政的具體設想。就中實有禮學的地域互動與宗風同異之辨；承學於劉逢祿的江都人凌曙及其門人陳立，也撰著了名為《公羊禮說》等著作，其解經在影響性與內容方面均值得進一步與常州學者劉氏相比較。晚清以來學者頗有主張禮經與《公羊》大義相表裡之說，其中關於《三禮》的依違去取，正可以對《公羊》禮學之大義的申述方向，提出學說淵源與脈絡的考察。

（一）劉逢祿《公羊》禮學的成立與開展

自董仲舒以禮解《春秋》，而司馬遷於《史記·太史公自序》，中則衍為《春秋》禮學，在其文中答上大夫壺遂所問：「昔孔子何為而作《春秋》哉」之後，曰：

---

❷❾　陳澧：〈春秋〉，《東塾讀書記》（香港：三聯書局，1998 年），頁 198。

余聞董生曰：「周道衰廢，孔子為魯司寇，諸侯害之，大夫
壅之。孔子知言之不用，道之不行也，是非二百四十二年之
中，以為天下儀表，貶天子，退諸侯，討大夫，以達王事而
已矣。」子曰：「我欲載之空言，不如見之於行事之深切著
明也。」夫《春秋》，上明三王之道，下辨人事之紀，別嫌
疑，明是非，定猶豫，善善惡惡，賢賢賤不肖，存亡國，繼
絕世，補敝起廢，王道之大者也。《易》著天地陰陽四時五
行，故長於變；《禮》經紀人倫，故長於行；《書》記先王
之事，故長於政；《詩》記山川、谿谷、禽獸、草木、牝
牡、雌雄，故長於風；《樂》樂所以立，故長於和；《春
秋》辯是非，故長於治人。是故《禮》以節人，《樂》以發
和，《書》以道事，《詩》以達意，《易》以道化，《春
秋》以道義。撥亂世反之正，莫近於《春秋》。《春秋》文
成數萬，其指數千。萬物之散聚皆在《春秋》。

見諸行事，則必就事例來明其涵義，故事例多為反面見義，司馬遷
繼而敘述：

《春秋》之中，弒君三十六，亡國五十二，諸侯奔走不得保
其社稷者不可勝數。察其所以，皆失其本已。故《易》曰：
「失之豪釐，差以千里。」故曰：「臣弒君，子弒父，非一
旦一夕之故也，其漸久矣。」故有國者不可以不知《春
秋》，前有讒而弗見，後有賊而不知。為人臣者不可以不知
《春秋》，守經事而不知其宜，遭變事而不知其權。為人君

父而不通於《春秋》之義者，必蒙首惡之名。為人臣子而不
通於《春秋》之義者，必陷篡弒之誅，死罪之名。其實皆以
為善，為之不知其義，被之空言而不敢辭。夫不通禮義之
旨，至於君不君，臣不臣，父不父，子不子。夫君不君則
犯，臣不臣則誅，父不父則無道，子不子則不孝。此四行
者，天下之大過也。以天下之大過予之，則受而弗敢辭。故
《春秋》者，禮義之大宗也。夫禮禁未然之前，法施已然之
後；法之所為用者易見，而禮之所為禁者難知。

君父與臣子，是在《春秋》「據事直書」之下呈現的最要的倫理關
係，這一倫理關係直接關係著從王化到政教的「差序格局」，《禮
記·禮器》篇中，以「多少、大小、高下、文素、豐殺」等原理言
先稱情立的原初用心，故關於此一原初用心的論述皆就正面的達意
稱情立說：

先王之立禮也，有本、有文。忠信，禮之本也；義理，禮之
文也。無本不立，無文不行。

以禮為本，是結合忠信的德行與義理的原則，成為行事行政的依
據，論其根源，則來自於天時、地財、人心。

禮也者，合於天時、設於地財、順於鬼神。合於人心，理萬
物者也。

所以沿著禮義所標舉，理董萬物之際，又主時、順、體、宜、稱等
五項依序等差的涵義，形成價值判斷優先順序。

> 禮，時為大，順次之，體次之，宜次之，稱次之。

由這一禮義構成的倫序等差，回顧扣求司馬遷所揭櫫的弒君亡國乃
諸侯奔走不得保其社稷的種種情形，驗諸《春秋》書例：「書弒二
十五；書殺其大夫三十六」，可謂是在上述五重禮義的倫序之下各
各違悟，各各反證，乾嘉中葉學者淩廷堪（1755－1809）撰《禮經
釋例》（成書於嘉慶十四年，西元 1809 年），即以凶禮為「變
例」，認為「乃變於常」，故立〈變例〉之篇，撰〈封建「尊尊」
服制考〉；此後其門人胡培翬與胡氏門人夏炘亦各撰有《儀禮正
義》、〈三綱制服尊尊述義序〉（收入《景紫堂文集》）就《春秋
公羊傳》「隱公二年·下」「母以子貴」論《儀禮·喪服·經》
「慈母如母」之義。從變例或是反於常道，甚至是反常合道的例證
來見諸經義的價值判斷，猶如漢人解《詩》務求「正變」、「美
刺」之辨，以推風教之旨；以《禮》解《春秋》，也在人事違於常
道的事例上見義。

劉逢祿撰有《春秋公羊議禮》十四篇，是一未完成的著作，其
〈序〉云：

> 昔者董子有言：「《春秋》者，禮義之大宗也。」蓋聖人之
> 教，博文約禮，《易》象、《詩》、《書》皆以禮為本，
> 《春秋》常事不書，固非專門言禮，然而變禮則譏之。辨是

非，明治亂，非禮無以正人也。自子游、子思、孟子三賢，莫不以禮說《春秋》，而聖人所以損益三代以告顏子者，微言大義，博綜群經，往往而在，後有王者，儀監于茲，所謂循之則治，不循則亂者也。

劉逢祿將以禮說《春秋》，溯及孔子與弟子言論；董仲舒、司馬遷等相承的主張，均是以今文《春秋》教微言大義的脈絡。又曰：

何劭公以《周官》為戰國之書，其見固已卓矣，至其捄文本質，引權取經，使《春秋》貫於百王之道，粲然明白，豈左邱明氏雜采伯國之制所可同日語？

同時，今、古文的抉擇也為劉氏所注意，所以考證《左傳》，不依《左傳》。將《公羊傳》所述禮義，依不同事類纂輯議論，為《春秋公羊議禮》：

今以類纂輯，又引申其所未著，付弟子莊綬樹、潘準前後錄成此卷。

在《劉禮部集》中所錄入已刻的《春秋公羊議禮》，包含十四篇，魏源釐其義類為「正始」、「正內治」、「正妃匹」、「制爵」、「制國邑」、「制田祿」、「制田賦」、「制軍賦」、「貢士」、「制刑」、「郊禘祫附五祀」、「廟制」、「樂舞」、「城制」等。在劉逢祿之子劉承寬的〈跋文〉中則載有另外有目無文的篇題

包括：「郊雩」、「宗法」二事；「喪服尊統」、「喪服厭降」、「天子諸侯服」、「未踰年君」四事；「師行」、「吉行」、「山林藪澤百金之魚」各一事。就其義項類目來看，並不照傳統的通禮著作以五禮分標大類的區分，而是以實際《公羊傳》事例論其禮義。是在議《公羊傳》之旨為基礎。

陳澧嘗稱道劉逢祿采取《穀梁》說而不取《公羊》的實例：

> 惠公仲子，《穀梁》以為惠公之母。此《穀梁》之獨得者。蓋見《公羊》之不通而易其說，且以僖公成風，比例而得之也。左為魯史官，必無不知魯君之母之理，蓋此經《左氏》本無傳，而附益者襲取《公羊》之說耳。（此劉申受《左氏春秋考證》語）附益者必在《穀梁》前，故不知有《穀梁》說也，下文「天子七月而葬」云云，乃取〈王制〉之語。〈王制〉雖出於漢時，其語則傳自古人也。劉申受《何氏解詁箋》於惠公仲子，不從《公羊》而從《穀梁》，孔巽軒則不取《穀梁》，此孔巽軒不及劉申受者也。❸

陳澧主張《穀梁》因於《公羊》，成書在《公羊傳》之後，所以認為：

> 《公羊》、《穀梁》二《傳》同者。隱公「不書即位」，《公羊》云「成公意」；《穀梁》云「成公志」。「鄭伯克

---

❸ 陳澧：〈春秋〉，《東塾讀書記》，頁 208。

段於鄢」，皆云「殺之」。如此者，不可枚舉矣。僖十七
年，「夏，滅項」。《公羊》云：「孰滅之？齊滅之。為不
言齊滅之？⋯⋯《春秋》為賢者諱。此滅人之國，何賢爾？
君子之惡惡也疾始，善善樂其終，桓公嘗有存亡繼絕之功，
故君子為之諱也。」此更句句相同。蓋《穀梁》以《公羊》
之後，研究《公羊》之說，或取之，或不取；或駁之，或與己
說兼存之。其《傳》較《公羊》為平正者，以此也。❸

以實際人事論究其中禮義，諸如《左傳禮說》、《公羊禮說》、
《公羊禮疏》、《穀梁禮證》等，時代雖皆出於劉逢祿之後，但
是在內容事義的對比中，仍可以看到劉逢祿對這些後出的《春秋》
學著作實有開其先導的作用。在禮學的意涵及認定而言，章太炎
謂：「禮者，法度之通名，大別則官制、刑法、儀式是也。」劉
師培亦撰〈典禮為一切制度總稱考〉，認為典章制度、人事刑
政、名物度數的考察探究，概屬於禮學的範疇，因此劉逢祿所特
別申述闡發的《公羊》學，其中涉及禮法相違、刑德相循的思
想，仍然可以依《公羊》義例的歸趨，講論其特殊的價值取捨及闡
釋方向。

(二) 《禮》學與《公羊》學的交會：價值闡釋的不同趨向

1. 以《公羊》釋《禮》：禮樂刑政的今、古微言和以《禮》解
   《公羊》：禮樂刑政的具體設想

在本節中，則試圖分就：「怨於國君」、「讎於敵國」、「叛

---

❸ 陳澧：〈春秋〉，《東塾讀書記》，頁 196－197。

臣賊子」、「逆於制度」四項事義，探討劉逢祿以《公羊》釋《禮》的宗旨在於彰明禮樂刑政的今、古微言。

首先，「怨於國君」之例，見《春秋公羊傳》「文公十三年」下，云：

> 然則周公之魯乎？曰：不之魯也。封魯公以為周公主，然則周公曷為不之魯，欲天下之一乎周也。

何休《注》曰：

> 據為周公者，謂生以養周公，死以為周公主。周公不之魯，則不得供養為主；周公聖人，德至重，功至大，東征則西國怨，西征則東國怨，嫌之魯，恐天下迴心趣鄉之，故封伯禽，命使遙供養，死則奔喪為主，所以一天下之心于周室。❸

怨本是個別的情感詞語，用來表徵個人的情緒，但在攸關倫理價值判斷的《春秋公羊》義例中，首先可以看到情感詞語用在集體意志上的特徵。

其次，「讎於敵國」之例，見《公羊何氏解詁箋·律意輕重例第十》下云：「（莊公）四年《注》：賢襄公為諱者，以復讎之義除滅人之惡；言大去者為襄公明義，但當遷徙，去之不當取，有明

---

❸ 見何休注，徐彥疏：《春秋公羊傳注疏》，卷14，「文公十三年」下，頁177；又「東征則西國怨，西征則東國怨」語早見於《尚書》及《孟子》。

亂義也」。

又於〈春秋論・下〉中曰：「雖以齊襄楚靈之無道，祭仲石曼姑之嫌疑，皆以明討賊復讎之道，行權讓國之義，實不予而文予，《春秋》立百王之法，豈為一事一人而設哉？故曰：『于所見微其辭，于所聞痛其禍，于所傳聞殺其恩。』此一義也，穀梁氏所不及知也。『于所傳聞世見撥亂致治，于所聞世見治升平，於所見世見太平。』此又一義也，即治《公羊》者亦或未之信也。」由這一段所發揮的借事明義的看法與義例，正回到了劉逢祿一貫的主張。

其次，「讎於敵國」之例，見《公羊義疏》卷十八「莊公四年」下，陳立引述《周禮・疏》引《異義・公羊》說、《曲禮・疏》比較復九世之仇、復五世之仇與復百世之仇的文義，並引述厲鶚所謂「滅同姓無親也，滅同盟無信也，襄公獸行而賢其復九世之讎，此《公羊》之俗說也」❸的論點，予以反駁。但陳立的論據與劉逢祿各有不同，論旨也有歧異，劉逢祿強調的是藉襄公反襯譏刺魯莊公，而陳立在法禮的層面剖析復讎論傳注的不同根據與理由。❹

然後，「叛臣賊子」之例，見《春秋公羊傳》卷七「莊公十年」「不與至中國也，……夷狄至極始也」下《解詁》云：

---

❸ 陳立：《公羊義疏》（臺北：鼎文書局，1973年），卷18，頁11a－18b。

❹ 王健文：《古代中國的正當性概念及其基礎》（臺北：臺灣大學歷史研究所博士論文，1991年）；林啟屏：《先秦儒法思想中的血緣問題與國家》（臺北：臺灣大學中國文學研究所博士論文，1995年）。在這兩篇論文中，皆從「國君一體」的觀點分析《春秋公羊傳》中復讎的意義。

即隱七年《注》云：「中國者，禮義之國也，執者治，文
也；君子不使無禮義制治有禮義，故絕不言執，正之言伐
也，所以降夷狄尊天子為順辭，然則此亦獲者治文，君子不
使無禮義制治有禮義，故絕不言獲，正之所以降夷狄尊中國
為順辭矣。故云：與凡伯同義。然則彼已有傳，此復發之
者，彼是天子大夫；此則諸侯，嫌其異，故同之。

徐彥又有云：

言此者，欲道楚屬荊州，吳屬揚州，所以抑楚言荊，不抑吳
言揚者，正以楚近中國，恐為中國之害，故欲進之以漸，先
從卑稱進之，若先得貴名而後退之，則恐害於諸夏故也。
《運斗樞》曰：抑楚言荊，不使夷狄主中國者，義亦通於
此。戴氏云：荊楚一物義能相發，吳揚異訓，故不得州名也
者，與何氏異。《穀梁傳》曰：荊者，楚也，何為謂之荊？
狄之也。何為狄之？聖人立，必後至；天子弱；必先叛，故
曰荊，狄之也。與此異，不得合也。

以蔡侯獻武歸荊者，楚也。何為謂之荊？狄之也。何為狄
之？聖人立，必後至；天子弱，必先叛。故曰荊，狄之也。
蔡侯何以名也？絕之也。何為絕之？獲也。中國不言敗，此
其言敗，何也？中國不言敗，蔡侯其見獲乎？其言敗何也？

釋蔡侯之獲也以歸，猶愈乎執也。㉟

除以上二則辨荊楚夷狄的論述之外，《春秋公羊傳》「莊公十年」亦有云：「聖人立，必後至；天子弱，必先叛。故荊，狄之也。則此亦與彼同耳。」劉逢祿依循何休及徐彥的立場，在〈春秋論·下〉中闡說道：

> 《春秋》有變周之文，從殷之質，非天子因革邪？甸服之，君三等，蕃衛之君七等，大夫不氏，小國之大夫，不以名氏通，非天子之爵祿邪？上抑杞，下存宋襃滕薛邾婁儀父，賤穀鄧而貴盛鄁，非天子之黜陟邪？內其國而外諸夏，內諸夏而外夷狄，非天子之尊內重本邪？辟王魯之名，而用王魯之實，吾未見其不倍上也。《春秋》因魯史以明王法，改周制而俟後聖，猶六書之假借，說《詩》之斷章取義。㊱

在劉逢祿的闡說中，叛之一義並非寓意褒貶的原因所在，而在於天子異內外，行王化的目標。

最後，「逆於制度」之例，在劉逢祿意見中最受注意的，還是《春秋公羊傳》「文公二年」「逆祀」一事。劉逢祿《公羊何氏釋例》云：「文二年八月丁卯，大事於太廟，躋僖公，《傳》：『大

㉟ 何休注，徐彥疏：《春秋公羊傳注疏》，卷 7，「莊公十年」，徐彥疏引《穀梁傳》，頁 90；又《穀梁傳注疏》，頁 51。
㊱ 劉逢祿：〈春秋論·下〉，《劉禮部集》，頁 57-58。

祫也,合祭也,毀廟之主,陳於太祖,未毀廟之主,皆升,合食於太祖,五年而再殷祭。」《注》:『親過高祖,毀其廟,藏其主於太祖廟中,禮取其廟室筭,以為死者炊沐太祖周公廟;陳者,陳列;太祖東鄉;昭南鄉,穆北鄉。其餘孫從王父,三年祫、五年禘。禘所以異於祫者,功臣皆祭也。祫猶合也,禘猶諦也。審禘無所遺失。禮,天子特禘特祫,諸侯禘則不祫,祫則不嘗。大夫有賜於君,然後祫其高祖。』」

接著是順祀:《春秋公羊傳》「定公八年」下,劉氏《釋例》又云:「從祀先公,《傳》:『順祀也』。《注》不書禘。後祫亦順。」

比並順祀與逆祀來看,如果沒有先前出於私親的逆祀之,就不需後來矯正為順祀,這件事例在《左傳》、《穀梁傳》及《禮記》中皆深致譏誚,而在此以不書例點明,據許慎《五經異義》,則直接點明了屬於「內大惡」的評斷,以是可以驗之劉逢祿對何氏釋例關於「內大惡不書」的闡釋。

分就「怨於國君」、「讎於敵國」、「叛臣賊子」、「逆於制度」四項事義,探討劉逢祿門人凌曙與其弟子陳立,在以《禮》解《公羊》上的成果,乃是禮樂刑政具體設想的重述,這一方向明顯與劉逢祿主於大義的闡述有所不同。

2.禮學的地域互動與宗風同異之辨

錢穆《中國近三百年學術史》評論劉逢祿的學術淵源,謂:「申受論學主家法,此蘇州惠氏之風也。」又說:「要之,常州《公羊》學與蘇州惠氏學,實以家法觀念一脈相承,則彰然可見

也。」**❸**在梁啟超《中國近三百年學術史》中，述及禮學，有「禮總」一類，在其下描述了凌曙之學的特質：

> 在（清代）中葉則任幼植（大椿）、程易疇（瑤田）、金輔
> 之（榜），凌次仲（廷堪），有精到的著作。檠齋（按：即
> 金榜）的《禮箋》、易疇的《通藝錄》最好，他們純粹是戴
> 東原一派的學風，專作窄而深的研究。……類書式的案而不
> 斷，他們是不肯的，但判斷總下得極審慎。所以他們所著雖
> 多小篇，但大率都極精銳。……此外則孔巽軒的《禮學卮
> 言》、武虛谷（億）（按：即武億）的《三禮義證》、金誠
> 齋（鶚）《求古錄禮說》、凌曉樓（曙）的《禮說》、陳樸
> 園的《禮說》，性質大約相同。都各有獨到處。又如凌曉樓
> 之《公羊禮疏》，侯君模之《穀梁禮證》等，雖擇他經，然
> 專明彼中禮制一部份，亦禮學之流別也。**❸**

同時，梁啟超在論述《公羊》學之時，又將凌曙歸類於常州學派。有謂：

> 《公羊》學初祖必推莊方耕（存與）他著有《春秋正辭》，
> 發明《公羊》微言大義，傳給他的外甥劉申受（逢祿），著
> 《公羊何氏釋例》，於是此學大昌。龔定菴（自珍）、魏默

---

❸ 錢穆：《中國近三百年學術史》，頁527－529。
❸ 梁啟超：《中國近三百年學術史》，頁190。

深（源）、凌曉樓（曙）、戴子高（望）都屬於這一派。……而陳卓人（立）費畢生精力，成《公羊義疏》七十六卷，實為董、何後本第一功臣。❸

由以上的歸類歧出，可以發現，地域之間的互動原本只是學風的一種描述依據，而不一定是學派的劃分界域；乾嘉中葉常州學者多學於惠氏，而凌廷堪亦以歙人居揚州，與阮元等人問學；江都人凌曙與陳立雖為劉逢祿門人，然凌曙亦受阮元推掖，故劉逢祿的《公羊》禮學與凌曙的《公羊》禮學，就意義上來看確是互有不同：前者主於以《公羊》義例釋《公羊》禮制；後者則主於以古《禮》說釋《公羊》；必究二氏各別呈現的分別，則同在考訂禮制的前人基礎上，一主於微言大義；一主於法度禮意。由此看來，實超越了特定地域學風宗風的局限。

三 禮義與《公羊》大義

《春秋》今文學尊崇董仲舒《春秋繁露》與司馬遷〈太史公自序〉中謂「《春秋》為禮義之大宗」；劉逢祿在今文學的家法脈絡下申何休，透過禮義與《公羊》「微言大義」的類輯與對比，對於相同的事例，凌曙與陳立仍然有繼承劉逢祿者，以「復讎義」注的延伸解說來看，即是其例。

皮錫瑞在《經學通論·三禮》「論經學糾纏不明，由專據《左傳》、《周禮》二書輕疑妄駁」中，云：

---

❸　梁啟超：《中國近三百年學術史》，頁192。

鄭樵為之解曰：「……今觀諸經，其措置規模不徒於弼亮天地，和洽人神，而盟詛讎伐，凡所以待衰世者，無不及也。」鄭氏所說前數條，猶可通，惟以盟詛讎伐，為待衰世，則其說殊謬。孔子作《春秋》，欲由撥亂升平，馴致太平。周公作書曰：「子孫永保，曰萬邦咸休。」惟欲以千萬年為長治久安之計，豈有聖人作書以待衰世，不期世之盛，而期世之衰者。**❹⓿**

至於《經學通論·春秋》中則尚有另一「論《春秋》是作，不是鈔錄，是作經，不是作史，杜預以為周公作凡例，陸淳駁之甚明」一段中，剛好可以與上述一段相表裡，證明《公羊》與禮經意有同趣。

陸淳《春秋纂例》駁杜預之說曰：「杜預云：『凡例皆周公之舊典禮經。』按其傳例云：『弒君稱君，君無道也；稱臣，臣之罪也。』然則周公先設弒君之義乎？」又曰：「大用師曰『滅』。弗地曰『入』，又周公先設相滅之地乎？」又云：「諸侯同盟，薨則赴以名，又是周公令稱先君之名，以告鄰國乎？雖夷狄之人不應至此也。」案：陸淳所引後一條，即《左氏》所謂禮經，杜預所謂常例。陸駁詰明快，不知杜預何以解之；祖杜預者又何以解之？柳宗元亦曰：「杜預謂例為周公常法，曾不知侵、伐、入、滅之例，周之盛時，不應預立其法。」與陸氏第二條說同。**❹❶**

---

❹⓿ 皮錫瑞：《經學通論》〈四·三禮〉，頁三-84－85。

❹❶ 皮錫瑞：《經學通論》〈四·春秋〉，頁四-4。

這一則則駁正了拘泥貶責此怨、讎、叛、逆之亂臣、滅國、復讎、弒君的負面事例的解釋。寓褒貶別善惡，賢賢賤不肖之義不在惡與不肖；而是在於善與賢者。藉負面的情感與人事顯豁正面的價值，是劉逢祿以降，今文家在《公羊》禮學上的後續主要論述脈絡。

五、劉逢祿《公羊》禮學
「怨、讎、叛、逆」解之回響

在第五章中，則就晚清學者的評述回溯，並對比學術史在劉逢祿《公羊》禮學，甚至是「怨、讎、叛、逆」相關人事評斷等議題之回響，藉此說明劉逢祿《公羊》禮學的意義及其對晚清思想的影響。

㈠ 劉逢祿「怨、讎、叛、逆」解之回響

劉逢祿在關於「怨、讎、叛、逆」解反映最明顯的誅絕例上，有明確的呈現：就篤守董、何解《春秋》家法這一點來看，「新周、王魯、故宋」一再被強調，誅絕皆多就內大惡的書法及懲戒義例來表現，就不能不在主旨的上多所迴顧，如劉逢祿〈公羊議禮·制爵篇〉云：

> 以《春秋》當新王，始朝當元勳，進小國為大國，不為公朝起也。王使來聘，書始於諸侯同文，著新周也。魯使如周不稱使，當王也；公如京師，如齊、晉，皆不言朝，當巡狩之禮也。

這一則實例，陳澧曾評之曰：「此仍守何氏之說而更其甚矣。」但如果舉證劉逢祿撰〈釋三科例〉，則不是大體的意旨，落入實際的事證，反而呈現不同的說法，劉逢祿云：

> 且《春秋》之託王至廣，稱號名義，仍繫於周；挫強扶弱，常繫於二伯。何嘗真黜周哉！郊禘之事，《春秋》可以垂法，而魯之僭，則大惡也；就十二公論之：桓、宣之弒君宜誅，昭之出奔宜絕，定之盜國宜絕，隱之獲歸宜絕，莊之通讎外淫宜絕，閔之僭王禮宜絕，僖之僭王禮、縱季姬、禍鄫子，文之逆祀、喪娶不奉朔，成、襄之盜天牲，哀之獲諸侯，虛中國以事強吳，雖非誅絕，不免於《春秋》之貶黜者，多矣。何嘗真王魯哉。

這一段在陳澧看來就顯得矛盾重重，故謂：「此又言『黜周王魯』非真，然則《春秋》作偽歟？」皮錫瑞主張以「借事明義」解《春秋》，非獨《春秋》中祭仲諸事，像今文學者或上溯到常州學者所致論的存三統、張三世也應借事明義解之，然後才可以通曉。在這一解《春秋》的理念上看劉逢祿，也不免仍有拘於籠統的「黜周王魯」議辨，而不能真正敷暢其義，皮錫瑞說：

> 劉逢祿〈釋三科例〉曰：「且《春秋》之託王至廣，稱號名義，仍繫於周；挫強扶弱，常繫於二伯。何嘗真黜周哉！……雖非誅絕，示免於《春秋》之貶黜者，多矣。何嘗真王魯哉。」劉氏謂黜周王魯，非真正明其為假借之義。

皮錫瑞同時連陳澧的反詰也加以駁斥：

> 陳澧乃詆之曰：言黜周王魯非真，然則《春秋》作偽歟？不
> 知為假借，而疑為作偽，蓋《春秋》是專門之學，陳氏於
> 《春秋》非專門，不足以知聖人微言也。㊷

在以上的反響和脈絡來看，劉逢祿未必沒有借事明義的觀念，就像
「《詩》無達詁」一般；「《春秋》無達例」是董仲舒固以明之的
了，在劉逢祿闡發怨、讎、叛、逆相關書法，解說其微言大義之
際，所抱持的明誅絕的態度，已可謂藉禮明刑，從反面的事證來申
述正面的價值觀，陳澧的反詰與皮錫瑞的反響，也都是在不同的程
度上，去為劉逢祿所解釋的《公羊》義加以推陳。

㈡ 劉逢祿《公羊》禮學的意義及其對晚清思想的影響

　　章太炎《訄書·清儒》篇推究清代中葉文士與經儒交惡之由
來，曰：

> 夫經說尚樸質，文辭貴優衍。文士既己熙蕩自喜，又恥不習
> 經典，於是有常州今文之學，務以瑰意眇辭，以便文士。今
> 文者：《春秋》公羊；《詩》齊；《尚書》伏生；而排斥
> 《周官》、《左氏春秋》、《毛詩》、馬、鄭《尚書》。然

㊷　皮錫瑞：〈四·春秋〉，〈論三統三世是借事明義，黜周王魯亦是借事明
　　義〉，《經學通論》（臺北：臺灣商務印書館，1969 年），頁四-22－四-
　　23。

皆以《公羊》為宗。始，武進莊存與與戴震同時，獨熹治公羊氏，作《春秋正辭》，猶稱說《周官》，其徒陽湖劉逢祿，始專主董生、李育，為《公羊釋例》，屬辭比事，類列彰較，亦不欲苟為恢詭。然其辭義溫厚，能始覽者說懌。**❹❸**

侯外廬《中國早期啟蒙思想史》在學派及思想的推溯上承之於章太炎評價的立場頗多；錢穆《中國近三百年學術史》評論常州之學，也謂其源自蘇州惠氏，而原意在考古，但《虞氏易》、《公羊傳》本非吳派專力在所在，故「常州諸賢乃尊之為大義，援之以經世，此則其蔽也」。晚清學者分別以不同的立場和主張看劉逢祿對當時的影響，而分歧為二：贊同申述者：如皮錫瑞，康有為，梁啟超，都在思想的開新上肯定劉氏的啟發；而糾彈駁議者如章太炎，則以典籍中的實證糾正劉逢祿、宋翔鳳、魏源以至康有為等人在釋經籍，立學說之謬誤，形成了明確的分野。

六、結　論

　　本文藉「怨、讎、叛、逆」四項字義古訓，及透過《公羊》義例的評斷與衡量，解析劉逢祿在相關解詁中表現的思想特色，及其學說在《公羊》禮學價值闡釋上形成的貢獻。主要的結論有以下六項：

　　其一，藉由一般人性須面對的負面情感詞語，可以在難深的《春秋公羊傳》「義例」中分析出其褒善貶惡的實際事例，以進一步了解劉逢祿這一重要的《公羊》學者所持的解讀方法。

---

❹❸　章太炎：〈清儒〉，《訄書》，重訂本，頁 160。

其二，倫理學與語言關聯的思考進路，有助於在價值判斷的依據與意義抉發的方式上提出不同的理解方案，以負面事例為依據，往往所欲表達的價值衝突和抉擇標準，更值得成為價值闡釋的對象，受到歷來解經議禮的關注。

其三，藉著怨、讎、叛、逆四項詞語的古義探索與劉逢祿《春秋》禮學的相關論述，可以解析一般的涵義與劉氏以董仲舒，何休《公羊傳》「義例」解經的一貫目標與方法。

其四，比較劉逢祿與其門人凌曙，陳立的《公羊》禮學，可以發現前者主於以《公羊》義例解《公羊》中的禮制，後者則在以古禮印證考訂詳明《公羊》禮意；前者目的在達成大義的一致性，後者的目的則只在詳明禮意；其中透露些微的地域學風不同訊息，也呈現出常州與揚州學人的取向之別，但在乾嘉中葉晚期的多方互動之下，劉氏與凌曙，陳立師徒之間的取向不同，已經超越了地域學風的影響。

其五，以晚清學者對劉逢祿的反響與受到的影響來看，可以明顯的分為兩歧的意見，一是贊同並申述劉氏之學，並引以為致用之途，不過在這方面沒有必然的因素；一是如章太炎及後來的學術思想論者皆就純學術史的立場分別了常州之學與今文之學，對前者肯定，對後者予以強烈的譏評，而學界於承前啟後關鍵的劉逢祿，一般還是視之為《公羊》學者，並不認為他是一名經世致用的實踐者。

其六，透過本文所述「怨、讎、叛、逆」解，劉逢祿論《公羊》禮學微言大義與當世現實感受下的價值闡釋，隨著講學著述而推展，事實上仍然具有典型的經世致用意義，對論述劉逢祿解經《公羊》化具體的貢獻，仍然具有不可忽視的重要性。

宋翔鳳《大學古義說》發微

林素英[*]

一、前　言

宋翔鳳（1777－1860）❶，字于庭，江蘇長洲人。宋氏之母為莊述祖（1750－1816）之妹。宋氏因隨母親歸寧，遂留常州而從舅父受業，所以得以聽聞常州學派之家法緒論。莊述祖曾經說：「劉甥可師，宋甥可友。」❷其所謂劉甥即指劉逢祿（1776－1829），而宋甥則為宋翔鳳。由此可見宋氏之學術走向，與莊述祖、劉逢祿之淵源甚為深遠。

---

*　林素英，國立臺灣師範大學國文學系教授。

❶　宋翔鳳之生年，根據趙爾巽等：《清史稿》（臺北：鼎文書局，1976 年），卷 482，頁 13268，為 1779 年；根據徐世昌等編纂：〈莊存與方耕學案·附劉逢祿、宋翔鳳〉，《清儒學案》（臺北：國防研究院、中華大典編印會，1967 年），卷 75，頁 1311，則為 1776 年；此處則根據鍾彩鈞：〈宋翔鳳的生平與師友〉，收入中山大學主編：《第一屆國際清代學術研討會論文集》（高雄：中山大學，1993 年），頁 197 之說，以宋氏述及年歲之詩作而往前推算其生年為 1777 年。

❷　趙爾巽等：〈宋翔鳳傳〉，《清史稿》，卷 482，頁 13268，記載宋翔鳳通訓詁名物，志在西漢家法，微言大義，得莊氏之真傳。

　　清末之《公羊》思想盛極一時，不僅影響戊戌變法，同時也深切影響民初之學術思想。然而清末盛極一時的《公羊》思想，卻應該上溯至清代中葉以莊述祖為開山的常州《公羊》學派，其後經過劉、宋兩表兄弟之努力奠定基礎，再經龔自珍（1792－1841）與魏源（1794－1857）之發揚光大，而終能成就清末之極盛狀態。由此又可知劉、宋兩人在常州學派中之地位亦相當重要。但是目前學術界對此相關研究甚少，尤其對於宋翔鳳之研究更少。❸目前臺灣的中文出版物中，單篇論文僅有陳鵬鳴的〈宋翔鳳與今文經學〉❹、路新生的〈宋翔鳳學論〉❺，以及鍾彩鈞的〈宋翔鳳的生平與師友〉、〈宋翔鳳學術及思想概述〉❻，因此特別有待來者加入研究行列，藉此深入理解宋氏之學術思想及其在今文經學中的地位。

　　宋氏的《大學古義說》，根據鍾彩鈞研究，作於四十二歲（1818）之時，乃是宋氏撰述義理著作之開始。❼由於鍾氏所論旨在概述宋氏之學術及思想，並不以深入探討《大學古義說》為論文

---

❸　宋翔鳳的學術在清代即未受重視，因此《碑傳集》以及《續碑傳集》中，均未收錄宋翔鳳之傳記。研究常州《公羊》學的美籍人士艾爾曼 Benjamin Elman，雖然於其 "Classicism, Politics, and Kinship"（臺北：南天書局，1991 年）一書中，立有專節討論宋翔鳳，然而誠如鍾彩鈞所言，可以研究之餘裕尚多。

❹　見於《書目季刊》第 33 卷第 3 期（1996 年 12 月），頁 12－23，但是作者為大陸人士。

❺　見於《孔孟學報》第 73 期（1997 年 3 月），頁 175－198，作者亦為大陸人士。

❻　鍾氏之兩篇文章，前一篇之出處見註 1 之說明；後一篇，則見於中研院文哲所編委會主編：《清代經學國際研討會論文集》（臺北：中研院文哲所，1994 年），頁 355－381。

❼　其詳參見鍾彩鈞：〈宋翔鳳學術及思想概述〉，頁 364。

宗旨，然而本為《禮記》中的〈大學〉，又關係著儒家相當重要的
政治思想，更與《公羊》思想關懷政治活動的傾向十分接近，因此
倘若欲明清代今文學對於政治活動之關注，則宋氏《大學古義說》
可謂具有關鍵地位。職此之故，本文將直接探究宋氏之《大學古義
說》，從闡發該說之微言大義，一方面檢驗其對於古本〈大學〉之
闡揚，一方面探討其強烈凸顯政治與教育制度合一的經世思想之用
意何在。

欲達成本文之既定目的，則可先從各研究者對於宋氏經學的總
體評價入手，然後對照其《大學古義說》之內容。然而要客觀說明
宋氏對於〈大學〉的闡揚，則有必要先行理解宋氏何以不以朱子之
改本為依據，而選擇古本為底本，然後方可呈現其詮解〈大學〉的
特色。待歸納出《大學古義說》之後，再進而蠡測其何以有此特異
之說的原因，並由此隱約可以一探其日後影響清末政治思想活動之
線索。以下即依序論述之：

二、世人對宋氏經學的評價

宋翔鳳雖非著作等身，不過，為數也並不少，且還有部分作品
收入《皇清經解續編》之中❽，但是終其一生，考場與仕途卻均不

---

❽　宋氏之著作，主要有：《周易考異》二卷，《尚書略說》二卷，《大學古義
　　說》二卷，《論語說義》（後改名《論語發微》）十卷，《孟子趙注補正》
　　六卷，《小爾雅訓纂》六卷，《過庭錄》十六卷（以上收入《皇清經解續
　　編》，不過《過庭錄》十一卷以後未收），《四書纂言》（包括《大學注疏
　　集證》、《中庸注疏集證》、《論語纂言》、《孟子纂言》），《四書釋地
　　辨證》二卷，《樸學齋文錄》四卷，另有詩詞之作。

得意,雖有龔自珍稱譽之為「樸學奇材」❾,不過卻因其以出奇的「樸學」訓詁方法,而另覓經學「微言大義」,有時難免多顯現穿鑿附會之痕跡,以致自清代以來均未受到重視。

對於宋氏之著述,章太炎批評其為:「長洲宋翔鳳最善傅會,牽引飾說,或采翼奉諸家,而雜以讖緯神秘之辭。翔鳳嘗語人曰:『《說文》始一而終亥,即古之《歸藏》也。』其義瑰瑋而文特華妙,與治樸學者異術。」❿章氏之有此說,實與其乃古文學家,以致對於宋氏脫離古文經學傳統之訓詁方法,而另闢今文經學「微言大義」之異說,自然會有指斥批駁之說,此亦不足為怪。宋氏之治學途徑固然有異於當時之治樸學者,然而其所作是否確實為「最善傅會,牽引飾說」,則有待日後專門研究宋氏所有學術之學者作更詳實而公正的驗證。本文擬專就其注〈大學〉之部分加以論述,而不對其整體之學作評價。

其次,則有張舜徽之說。張氏以為宋氏之說以《春秋》為宗,並且以為《春秋》之義法,乃不隨正朔而變之「天不變也」,不過,宋氏探索《春秋》之義,則認為「舍今文末由」,且「當用《公羊》」之說。又說宋氏談論問題,喜歡援用讖緯之說,而流於附會。例如其以《說文》始一終亥,即古之《歸藏》;釋《大學》

---

❾ 〔清〕龔自珍:〈己亥雜詩〉,收入《龔自珍全集》(北京:中華書局,1958 年),頁 522:「玉立長身宋廣文,長洲重到忽思君;遙憐屈、賈英靈地,樸學奇材張一軍。」

❿ 章太炎:〈清儒〉,《檢論》,收入《章太炎全集(三)》(成都:四川人民出版社,1998 年),卷 4,頁 518。

明明德即王者以五行之德遞嬗；最為學者所譏斥。❶張氏以不到六百字之篇幅對宋氏之生平事蹟、著作內容與學說特色作一概述，扣除固定資料之陳述，對於宋氏之學術，僅有上述簡單之例證與「斷案」，是否真能確實反映宋氏之學的學術特色，實在無以見其原委。

　　至於陳鵬鳴與路新生上述論文對於宋氏學術之評論，雖然兩人所見不盡相同，但是大體同意其喜歡引用讖緯之說，且好強作附會之語。綜觀陳氏〈宋翔鳳與今文經學〉一文，先論宋氏以《春秋》之義統貫群書，其次論述其對於古文經之看法，然後再論其治經之特點，條理相當清楚；較之章、張二氏之說法，讀之，對於宋氏經學之梗概，已經可以獲得較清晰之印象。然而由於篇幅有限，當然無法就其每一專門著作作深入之分析與探討。因此若欲詳細理解宋氏著作之內涵意義，則尚有待後之學者以抽絲剝繭之工夫，針對特定對象進行探究，而後方可明其究竟。至於路氏〈宋翔鳳學論〉，則比陳氏之說含有較多個人研究之評論。該文先行論述宋氏治漢、宋之學的情形，認為宋氏治漢學之態度，乃是先有一今文家法之尺度橫梗於心，因而其說也肆，其斷也臆，與清儒樸學注重實事求是之學風相去甚遠。至於宋氏之治宋學，則抱持「述朱熹、斥陸王」之態度，並且路氏之鴻文特別以《大學》為例，認為朱子對於《大學》之改定，前後如古本，而認為《吳縣志》的不同記載為不可信（此問題與本文所要討論的主題有關，將於下文相關處說明）。其次，則分別從「家派與門戶」以及「《春秋》五始說」，再論宋氏

---

❶　其詳參見張舜徽：《清儒學記》（濟南：齊魯書社，1991 年），頁 490。

之今文經學，說明由於時勢之變化，宋氏在政治上已經弱化今文學派制約王權之思想，而呈現政治思想倒退之現象，對於今古文家派之立場，更是首鼠兩端，無法堅持己見。再其次，則論宋氏之疑「古（文經）」學，說明宋氏此方面之見解多承襲劉逢祿之影響，而少有新論，且在「鄭伯克段於鄢」與「周公居攝」問題上更是牽強武斷。最後，則於結論中說明宋氏漢、宋兼採而偏向宋學之學風，影響後來魏源、康有為、廖平之說，然而由於其考據、義理半生不熟，疑「古」之說又受家派牽累，致使其所作論說徒為後來臆斷史事、門戶之爭者推波助瀾而已。路氏此說雖然已經明言宋氏對康有為等人有影響，不過其說對於宋氏今古文學立場之敘述是否公允妥當，還有待日後研究宋氏之《春秋》相關議題思想時再作更進一步的驗證，亦不在此文中討論。

另外，則為鍾彩鈞在「宋翔鳳學術及思想概述」中對於宋氏之評價。雖然題為「概述」，不過從其平穩之行文，顯然可見其持論之客觀公正。全文分別從詁訓聲音到微言大義，崇古與全體之學，以經書為微言、家法為大義，以《易》、《春秋》、《論語》為微言，《詩》、《書》、《禮》、《樂》為大義，宋氏論今、古學，政教合一，宋氏之諸子學，宋氏之詩詞等方面，說明宋氏學術之梗概。然後再從本體論、人性論、實踐論、政治論以及與戴震哲學之比較，說明宋氏之哲學思想。鍾氏於文中列舉宋氏數條引用緯書之例，說明其旨在證成其家法之說，並非有惑於緯書之荒誕不經。同時鍾氏還說明宋氏由於處於乾嘉（1736－1820）漢學至道咸（1821－1861）今文學轉變中的環節，因而其學兼具有兩派之學術特徵，並且由於認為兩漢以前的經學屬於「全體之學」，因而其所持解經

之材料不僅大為擴張，同時還主張政教合一，認為「大學」乃是周代推行政治與教育制度合一的機構，所謂「大學」即為「明堂」，其所著《大學古義說》，乃用以彰顯其制度與義理兩相結合的理想典型。鍾氏之論文，無疑地對於深入解讀宋氏之著作具有相當的啟發作用，因此本文將依循兩漢以前的經學所具有的「全體之學」的特色，及其強調政治與教育制度合一之重要線索，從事宋翔鳳《大學古義說》之探微工作。

三、宋氏《大學古義說》的微言大義

清代之經學，乾嘉時期大興注重考據訓詁的漢學學風，道光咸豐以後，則今文經學逐漸興起，學者轉而追求經書的微言大義。宋翔鳳正生逢此前後階段的轉折時期，所以兼雜有此兩種學風的特性。宋氏於二十六歲編輯《論語鄭注》之時，即有「故訓是式，章句詘微，乃云破碎」之感❶❷，同時期再作〈經問〉，又覺「竊於諸經，大通其條例，細別其訓故。詳論家法，刊落卮言，自謂近之」。❶❸於是抱定決心，日後將廣羅群經，從分析條例以探究其源，並且進而詳查漢儒之家法以明其流，所以二十六歲當年即開始編輯《四書纂言》，更於四十二歲（1818）時作成《大學古義說》，以成其義理之作。❶❹從這部註解〈大學〉之書，可以明顯看出宋氏所受兩漢之前經學的影響，及其極力要求「經世致用」的呼

---

❶❷ 〔清〕宋翔鳳：〈《論語鄭注》後序〉，《樸學齋文錄》，《浮谿精舍叢書本》（中研院史語所傅斯年圖書館館藏），卷2，頁5。

❶❸ 宋翔鳳：《樸學齋文錄》，卷2，頁7。

❶❹ 其詳參見鍾彩鈞：〈宋翔鳳的生平與師友〉，頁203-204。

聲。以下即分別敘述之：

㈠ 捨朱熹〈大學〉改本以凸顯「實學」之本色

〈大學〉原為《禮記》中的一篇，本無單行本。自從宋儒取〈大學〉、〈中庸〉與《論語》、《孟子》合為「四書」後，〈大學〉即由《禮記》中的一篇，獨立成為一部書。更因為元仁宗在皇慶二年詔令科舉考試於《大學》、《論語》、《孟子》、《中庸》之內出題，並且指定朱子之章句集註為標準本，致使朱子之注本大為流行❺；又經明、清兩代之交相沿用而不改變，於是朱子的《大學章句》遂成為流行的定本。一般士子至此，則儼然不知《大學》本有「古本」，更不知「古本」與朱子「改本」二者在文句、排序上都有明顯的差異，更遑知此兩種版本之《大學》，其立意要旨亦各不相同。

朱熹之《大學章句》乃依照程頤《大學定本》之次序而略加更改，區分為經一章、傳十章，且認為其中第五章「此謂知本❻，此謂知之至也」為全文之要旨所在，又嘆惜其釋格物致知之義有闕文，因而特別取程子之意而補之：

> 所謂致知在格物者，言欲致吾之知，在即物而窮其理也。蓋
> 人心之靈，莫不有知，而天下之物，莫不有理。惟於理有未
> 窮，故其知有不盡也。是以大學始教，必使學者即凡天下之

---

❺ 其詳參見〔明〕宋濂等撰：〈選舉志〉，《元史》（臺北：鼎文書局，1977年），卷81，頁2018－2019。

❻ 根據〔宋〕朱熹集註：《大學章句》，頁5之記載，此處程子以為「衍文」。

物，莫不因其已知之理，而益窮之，以求至乎其極。至於用力之久，而一旦豁然貫通焉，則眾物之表裡精粗無不到，而吾心之全體大用無不明矣。此謂物格，此謂知之至也。**⑰**

朱熹認為進入《大學》的途徑，雖然以首三句為本，然而「《大學》首三句說一箇體統，用力處卻在致知、格物」。**⑱**於是將《大學》的要領，歸結到「格物」之義在於以「即物窮『理』」的「致知」為最終根據。雖然就《大學》全文而言，實在無法找到「即物窮『理』」之蹤影，但是朱子卻在其極度自信下，認為《大學》全文之所以無「理」之蹤影，乃是書簡放失，導致文義多所闕略，因此不但大大調整全文順序，甚且進而再作〈格物致知補傳〉以建立其理學之思想系統，而以「即物而窮其『理』」的分析系統成為其學術核心觀念。由於要求「即物而窮其『理』」，因此對於物之格，必須「因其已知之理而益窮之，以求至乎其極」；一旦能至乎其極，則理與氣可以判然二分。由於朱子認為「性即是理」，乃緣於天命之性而無所不善；至於情，則歸屬於氣質之性，且由於性有遭遇染或不染之不同因緣，遂有所不齊；至於心，則有道心與人心之區別，於是以《大學》乃言心之學。朱子以《大學》乃談論心性之理之基本認定，顯然已違離《大學》實以「天子以至於庶人，壹是皆以修身為本」為核心議題之人倫實踐的「實學」本義。此外，

---

⑰ 〔宋〕朱熹集註：《大學章句》，頁6。

⑱ 其詳參見〔宋〕黎靖德編，王星賢點校：《朱子語類》（北京：中華書局，1994年），頁249、251、260。

牟宗三則從宋明儒的正宗以及「別子為宗」的立場，說明朱子對於
《大學》的理解乃是有別於儒學正宗的「新」義理。牟先生以為宋
明儒之大宗乃以《論語》、《孟子》、《中庸》、《易傳》為中
心，僅有伊川與朱子是以《大學》為中心。由於朱子無法相應契悟
《論語》、《孟子》、《中庸》、《易傳》所言之仁體、心體、性
體、道體之意義，又自訂《大學》「格物致知」之意義系統，且以
此詮釋《四書》之義理，朱子遂成主智論，因此對於先秦儒家之本
質而言實為歧出。**⓳**

　　所謂先秦儒家之本質向來以入世為宗，重在生命之實踐，而非
抽象性理之分析；兩漢以前之經學，更緣於專以經世為務，而主
「全體之學」。孔穎達於〈大學〉篇題下，已明確指出「案：鄭《目
錄》云：『名曰〈大學〉者，以其記博學可以為政也。』此於《別
錄》屬『通論』。此〈大學〉之篇，論學成之事能治其國，章明其
德於天下，卻本明德所由，先從誠意為始」之說**⓴**，可知鄭玄之
意，以為此篇所載乃在於說明學士們為學之目的在於為政；而宋翔
鳳即明確指出「言學而不可究之於治國，其學為『無本』」**㉑**，因
此〈大學〉乃言政治之學，而非言心之學。倘若士子能深入其學，

⓳　其詳參見牟宗三：《心體與性體》（上海：上海古籍出版社，1999 年），上
　　冊，頁 10-18。

⓴　《禮記》，〈大學〉，見於〔漢〕鄭玄注，〔唐〕孔穎達疏，〔清〕阮元校
　　勘：《禮記正義》，收入《十三經注疏》（臺北：藝文印書館，1985 年），
　　頁 983，〈大學〉篇題下。

㉑　宋翔鳳：《論語說義》，收入《皇清經解續編》（臺北：漢京出版社，不著
　　年代），頁 4419。

則一旦學成，即可以得事之宜，而知治天下萬物之本末所在，且明經營百事之終始為何，以彰明其盛德於天下，卒成為治國之才。由此可見所謂「知本」，應以己身之修為本之意；若能內修其身，則能外而彰明其德，且能知物之本末與事之終始，使各項事物皆能得其所宜，以切實實踐「知之至也」之最終目的，而卒為全體之大用。

(二) 採用古本〈大學〉以回歸經學「經世」之本義

宋氏為〈大學〉作注，並未採用朱子之改本，而是採用《十三經注疏》的古本〈大學〉。這說明其認為〈大學〉通篇脈絡貫通，本無闕漏錯亂之處。宋氏這種選擇，正好可與《吳縣志》所載「（宋氏）比長，淹貫群籍，尤長於經，謂〈大學〉為《禮記》四十九篇之一，首尾完具，脈絡貫通，無經傳之可分，無闕亡之可補，為《大學古義說》上、下兩篇」㉒之說相呼應。

㉒ 吳秀之等修，曹允源等纂：《江蘇省吳縣志》，收入《中國方志叢書》（臺北：成文出版社重印，1970 年），卷 68，頁 1246。然而有關宋氏注〈大學〉所用定本之說法，路新生則於〈宋翔鳳學論〉一文中，認為與宋氏所作《過庭錄》「朱子畢生之學皆在《四書》，而於《大學》改定，前後如古本」之記載矛盾衝突，認為應以《過庭錄》所載為信，而《吳縣志》之說為非。然而路氏或許遺漏《過庭錄》該處之下，宋氏另有「後人於《大學章句》多有異議」之說，而且尤其重要的，則是宋氏又說：「要之，朱子之學自足繼往開來，非他儒所能及，其小小異同正可與舊說並存也。」因此，非常明顯的，宋氏對於朱子「前後如古本」，卻又與古本〈大學〉有「小小異同」的《大學》改本，採取「可與舊說並存」的尊重態度。不過，「尊重」並不表示其絕對支持該說，認為其為最佳的選擇。要理解宋氏對於〈大學〉所抱持的態度，則從其選擇古本〈大學〉為定本，並且從其註解的內容又大多依循鄭玄注經大義等實際行動，即可具體說明宋氏對於〈大學〉的態度，仍然認為古本為其較佳之選擇。

　　由於宋氏認定〈大學〉本為《禮記》中的一篇，因而倘若欲明全篇之意義，則必須回到《禮記》該書的場景，理解其時代背景以及當時經師解經的思想脈絡。因此宋氏在註解首句「大學之道，在明明德」之時，即首先引證《禮記》〈王制〉以及《大戴禮記》的〈盛德〉、〈明堂〉等資料，指出〈大學〉與周代的太學制度以及政治制度相當密切，且「明明德」乃為平天下之根本。另外，又引〈射義〉的說法，說明古者天子以射選諸侯、卿、大夫、士，而「大學」亦名「射宮」；配合〈鄉飲酒義〉、〈燕義〉諸篇的相關說法，說明由射可以觀德，增強大學與射宮具有密切關係。同時更引〈中庸〉「自誠明謂之性，自明誠謂之教」的鄭《注》「由至誠而有明德，是聖人之性者也。由明德而有至誠，是賢人學以誠之也」❷❸來說明〈大學〉言教人之法，因而先言明德。而所謂明德者，乃謂人各有可明之德，至於有天下者，必須先能自明，使其內得於己，然後方能明用有明德者，此乃為「明明德」之意。於是宋氏提出「平天下之本，本於用人；而用人之法，基於興學設教」的說法，並且藉此顯示為文者意在為天下後世之主政者，樹立其興學立教之時可以依循之法，並進而建立其為政之時應採的正確用人之道。❷❹

　　繼「明明德」為平天下之根本以外，大學之道的另外兩大綱領則為「親民」與「止於至善」。宋氏先言「聖王為治，先賢後

---

❷❸　鄭玄注，孔穎達疏：〈中庸〉，《禮記》（臺北：藝文印書館，1997 年），卷 53，頁 2b。鄭《注》作「是賢人學以『知』之也」，而不作「誠」。

❷❹　其詳參見宋翔鳳：《大學古義說》，見於《皇清經解續編》，收入《續經解三禮類彙編（三）》（臺北：藝文印書館，1986 年），頁 2673－2674。

親」，並引鄭玄之以俊德為「賢才兼人者」，表明其尊賢親民之義；然後再說明「〈大學〉繼明明德而言親民、止至善，知王道之易易，亦基於用人而已矣」。至於「止於至善」，則引《春秋》「始元終麟」之記事狀況，而說明「於元，見善之至；於麟，見至善之止」。另引《尚書》〈洪範〉之建用皇極，再證「止於至善」之理。❷❺

從「大學之道，在明明德，在親民，在止於至善」的三大綱領，然後再配以緊接其下的八條目看來，大學強調以明德修身為本，而以治國平天下為止於至善，其中介過程乃藉由施政者以無偏無黨、王道正直之方式，從內而外具體落實「親民」之行動，以造福黎民百姓，而成為民之父母，其過程是非常明顯的。

由於宋氏挑選鄭《注》、孔《疏》之古本〈大學〉為定本，可見其註解〈大學〉之思想脈絡，乃是依循鄭玄所謂的「卻本明德所由，先從誠意為始」的思想系統而發。此從其註解「子曰：『聽訟，吾猶人也』」一句時，所明白記載的：「自此以至終篇，《正義》以為廣明誠意之事」❷❻，已可明其梗概。同時更從其就鄭氏「誠意」之說而大加詮解闡釋看來，可見宋氏對於鄭氏之解經理路是遵循不背的。另外，從全篇註解不時出現的鄭《注》身影，都可以說明鄭玄註解〈大學〉對於宋氏發為「古義說」的影響。尤其鄭玄雜揉今、古文之說以解經的特色，更深切影響宋氏解經時能兼採今、古文之說，而不刻意排斥特定一說的溫和態度，認為「古文、

---

❷❺　其詳參見宋翔鳳：《大學古義說》，頁 2674。
❷❻　宋翔鳳：《大學古義說》，頁 2682。

今文無非書也」，而且還能保持理性的解經原則，認為「苟宗馬、鄭，易逐於章句；不窺漢、唐，徒冥冥於元理，學失統紀，遂成支離。有志之士，宜理兩漢之遺業，追群師之緒論」。因而主張不能單單獨尊馬、鄭之說，同時還必須注重清儒研究之成果，因為「近世學者，始漸異乎鑿空」，而有實事求是嚴謹研究的氣象，所以如何有效地「集前人之菁英」，亦為後死者應該引為深責的。由於有此歷史擔當，於是宋氏主張「考其駁難之文，如聽一堂之議，可以據今而驗古，睹指而知歸」。❷從宋氏解經的前一項原則，可以發現其解〈大學〉，乃以漢代經師解經資料為章本，更進而為其詮解而發皇光大之，使不流於章句之學，且有其思想脈絡之頭緒可循。至於其第二項原則影響《大學古義說》的，則為其「據今而驗古」不使經學之研究脫離時勢的務實態度。而此一原則正隱約說明其對於〈大學〉之詮解，不忽視當代社會的時空環境，藉此以顯示如何在持「經」守「常」的原則下，而達到使天下後世興學以立教之法。

㈢ 以「大學」即「明堂」，合政治與教育制度於一爐

宋氏《大學古義說》中最大的特色以及核心思想，就在於其透過「大學」為「明堂」之說法，呈現古代政治與教育合一的政教制度規劃❷；而不遵循朱熹以來對於「大學」之教的說法。亦即宋氏註解〈大學〉，主要不在強調「大學」乃與「小學」相對之不同階

---

❷ 其詳參見宋翔鳳：〈答段若膺大令書〉，《樸學齋文錄》，卷 1，頁 11－12。

❷ 其詳參見宋翔鳳：《大學古義說》，卷 1，頁 2673。

段古代學校教育，因而也不把重點放在區別前後二教之差異發展上，遂將朱熹於〈序〉中所特別提出的，「小學」之教主儀文，而「大學」重窮理，以成其「大小之節」，而「復」其性者之說忽略之❷，而另外標明其註解〈大學〉之基本立場，直接將「大學」解為古之「明堂」，而從「明堂」之特質以展現〈大學〉之原義：

> 〈大學〉一篇不言性而言善，其善即其性也。人有喜怒哀懼愛惡欲之情以滑亂其性，遂以至於禍亂而不可止；故發乎情者，當止乎禮義。〈大學〉之禮，所以治人情而止其禍亂也。知有所止，則當求得其所止。〈中庸〉篇曰：「擇乎中庸，得一善。」夫所止易知而不易至，人秉天地之性，當謹候天氣、審察陰陽，聖人立大明堂之禮，布十二月之令，示王者以所當止。❸

宋氏深知善雖本於性，然而倘若不能「止於至善」，則無以成其善；因此世人雖知「修身、齊家、治國、平天下之道，其功皆基於至善」之理，然而揆諸事實，則多為「所止易知而不易至」所限，亦即世人多知「擇乎中庸，得一善」之理，可是「擇乎中庸，而不能期月守」❸卻更是人之常情，致使世人縱然能有「善始」，卻鮮

---

❷ 其詳參見〔宋〕朱熹：〈大學章句序〉，《四書集註》（臺北：世界書局，1975年），頁1。

❸ 宋翔鳳：《大學古義說》，卷1，頁2674。

❸ 《禮記》，〈中庸〉，見於〔漢〕鄭玄注，〔唐〕孔穎達等正義：《禮記正義》，收入《十三經注疏》（臺北：藝文印書館，1985年），頁881。

有能成「善終」者，因此能否時時刻刻警惕以「求得其所止」，且始終努力以赴，而無一絲一毫之懈怠者，即成為能否達到至善之境的關鍵。由於三代以前的郊祭禮與明堂禮有混淆之現象❷，因此古之「明堂」具有溝通天地陰陽氣候變化之特質，所以聖人定立明堂之禮、布十二月之令，乃欲藉由天地昭昭之明，昭示王者應當止於身修、家齊、國治、天下平的「至善」之境，而非停留在「知」之層次。若從文獻資料而言，將「大學」與「明堂」作如此繫聯，實可從《禮記》〈明堂位〉「昔者周公朝諸侯于明堂之位，天子負斧依，南鄉而立」，以及「武王崩，成王幼弱，周公踐天子之位以治天下。六年，朝諸侯於明堂，制禮作樂，頒度量而天下大服。七年，致政於成王」之載❸，再配合《逸周書》「周公攝政，君天下弭亂，六年而天下大治。乃會方國諸侯於宗周，大朝諸侯明堂之位，天子之位負斧扆，南面立」❹之類似記載，應可顯示周代之「明堂」在祭祀之外，的確又具有聽政、布政、施政之功能。由於〈大學〉關係古代政治哲學之實施方略，且學宮之位置向來又多與「明堂」相涉，因此宋氏以「明堂」註解「大學」，正好可以凸顯周代之〈大學〉重在施政之特色。至於施政能否「止於至善」，則又與興學為教具有直接關聯，因而大學之教又以培養學士們能具備為政之德義與能力為目的。

---

❷ 其詳參見張一兵：《明堂制度研究》（北京：中華書局，2005 年），頁 268 －278。

❸ 《禮記》，〈明堂位〉，頁 575、576。

❹ 〔晉〕孔晁注：〈明堂解〉，《逸周書》，收入《四部備要》（臺北：中華書局，1970 年），第 284 冊，卷 6，頁 26。

有關周代「明堂」之說，班固（32－92）、許慎（30－124）、鄭玄（127－200）等等重要漢儒，都相當強調「明堂」之布政功能。而蔡邕（133－192）之〈明堂月令論〉更為後世建立重要之說法：

> 明堂者，天子太廟，所以崇禮其祖，以配上帝者也；夏后氏曰世室，殷人曰：重屋，周人曰明堂；東曰清陽，南曰明堂，西曰總章，北曰玄堂，中央曰太室。……雖有五名，而主以明堂也。其正中皆曰：太廟，謹承天順時之令，昭令德宗祀之禮，明前功百辟之勞，起養老敬長之義，顯教幼誨稺之學。朝諸侯，選造士於其中，以明制度。生者乘其能而至，死者論其功而祭，故為大教之宮，而四學具焉，官司備焉。譬如北辰，居其所而眾星拱之，萬象翼之，政教之所由生，變化之所由來，明一統也。故言明堂，事之大，義之深也。取其宗祀之貌，則曰清廟；取其正室之貌，則曰太廟；取其尊崇，則曰太室；取其堂，則曰明堂；取其四門之學，則曰大學；取其四面周水，圓如璧，則曰辟廱；異名而同事，其實一也。……《周官》有門闈之學，師氏教以三德，守王門；保氏教以六藝，守王闈。……太學，明堂之東序也，皆在明堂辟廱之內。……凡此，皆明堂、太室、辟廱、太學，事通文合之義也。㉟

㉟ 〔漢〕蔡邕：〈明堂月令論〉，《蔡中郎集》，收入《四庫全書》（臺北：臺灣商務印書館，1987年），第1063冊，卷3，頁180－182。

自從蔡邕對於周代明堂制度提出上述之系統說明後，後代學者對於「明堂」具有布政功能已成為定說。由於「太學」乃位在「明堂」之大範圍內，遂使政令之施行與教育之實施內容可以取得一致，俾使學士們懂得必須順承天時之道，而注重興德報功之禮，且非僅教導養老敬長之義，同時要求必須實踐教誨慈幼之行，以成就絜矩之道。

至於比宋氏稍早之惠棟（1697－1758），另有《明堂大道錄》，再對「明堂」作更大規模的詳細研究。其系統論述中，與「明堂」、「大學」二者之關係較密切者，當推首卷〈明堂總論〉即開宗明義地指出明堂為天子大廟，乃禘祭、宗祀、朝覲、耕籍、養老、尊賢、饗射、獻俘、望氣、告朔等行政施行之所，故為「大教之宮」。至於行之者，則以天下之至誠而毌三才之道。繼之則於同卷〈明堂大教之宮〉之下，引〈祭義〉「祀乎明堂，所以教諸侯之孝也；食三老五更於大學，所以教諸侯之弟也；祀先賢於西學，所以教諸侯之德也；耕藉，所以教諸侯之養也；朝覲，所以教諸侯之臣也。五者，天下之大教也」之說，說明培養孝、弟、德、養、臣之五種重要品德，乃明堂之教的重要教育內容，藉此以申述蔡邕以明堂為「大教之宮」之理由；再引〈樂記〉以郊射亦為大教之一，說明該禮行於明堂四學之緣故。此外，於卷六〈明堂大學〉之下，則引《逸大戴禮》〈政（一作昭）穆〉「大學，明堂之東序」，且說明「東序」即〈王制〉之「東膠」；又引〈祭義〉「天子設四學」，說明由於四學在明堂四門之外，因此又稱「郊學」；繼而再引〈文王世子〉「凡語於郊者」，說明當時從郊學之中「取賢斂才」，而取才之標準，則「或以德進，或以事舉，或以言

揚」，凡能「三而一有焉」，皆可「進其等，以其序」，由此又可見明堂與大學選才之關係密切。**㊱**

　　宋氏遠承漢代以前之文獻資料，確定大學與明堂之關係，更受到清代注重實學以及惠棟大規模研究明堂之緣故，因而在「大學之道，在明明德，在親民，在止於至善」的開宗明義裡，先引〈王制〉「小學在公宮南之左，大學在郊。天子曰辟廱，諸侯曰頖宮」之記載，說明「大學」之名，天子、諸侯各有異名，且明言「辟雍（《十三經注疏》作「廱」）亦曰明堂」，而鄭玄即謂「辟雍」之義為：「辟，明也；雍，和也；所以明和天下。」**㊲**另外再引「辟廱者，天子之學，圓如璧，壅之以水示圓。言辟，取辟有德，不言辟水，言辟雍者，取其雍和也，所以教天下春射、秋饗、尊事三老五更」之說，說明古代天子學宮設置的意義與活動的內容，然後並引〈盛德記〉曰：「明堂者，明諸侯之尊卑。」**㊳**於是宋氏歸結這些資料，得到「周人明堂即大學。聖人南面而聽天下，嚮明而治，故謂之明堂」之結論，而說明此乃是「明明德」之義所由出的因緣。

　　宋氏論證出「明堂即大學」之後，再提出「有天下者，先能自明，其內得於己，然後明用人之有明德者；是為在『明明德』。此平天下之本，本於用人；而用人之法，基於興學設教」。宋氏此

㊱　其詳參見〔清〕惠棟：《明堂大道錄》，收入王雲五主編：《叢書集成簡編》（臺北：臺灣商務印書館，1970 年），卷 1，頁 1-2、6-7；卷 6，頁240-241。

㊲　《禮記》，〈王制〉，頁 236。

㊳　根據今之《大戴禮記》，此處記載應在〈盛德〉之後的〈明堂〉範圍內。

說，即明白表示明堂之規劃設置，乃欲使天子由於常居於昭明雍和之堂，且參與各項例行的禮儀活動，故能時時昭明其德；更藉大學之設施，以行其教化學士們之政策，使學士們能擁有可明之德，而成為平天下可用之人。基於大學旨在培養治國平天下的人才，因此宋氏繼承惠棟之說，再參考〈射義〉之中天子、諸侯以「射」用人取士之方法，提出「大學亦名射宮」之說。「射」之所以能成為用人之標準，其根本原因乃在於「射者，所以觀盛德也」❸之緣故。至於由射而可以觀德，則在於射禮之進行必須配合音樂節奏而行，由於不同的樂曲正代表射者所該擁有的不同職志，因而從其持弓是否審固、周旋是否中禮、合樂是否從容，而可以觀察其心中之德性如何。另外，再藉由〈燕義〉、〈鄉飲酒義〉所載的資料，還可以輔助說明諸侯與卿大夫士之射禮，又須與燕禮、鄉飲酒禮相伴而行，因而如何使學士們射而能中於禮且能合乎節拍，又當是學宮中應該進行的教學內容，於是可藉由相關禮儀的進行，理解個人的德行與才能。

宋氏生存之年代，甲骨卜辭之出土資料尚未發現，因而當時相關的學術研究，僅能從既有的文獻中，整合當時所擁有的相關器物，然後提出可能的假說。宋氏經由整理相關文獻資料以及前賢之研究成果，而提出「周人明堂即大學，亦名射宮」的說法。❹與宋

---

❸　《禮記》，〈射義〉，頁 1014。

❹　儘管天子每月視朝聽政之處，不知是否果真如〈月令〉所載，各隨月份之不同，而分別準確地在「明堂」的不同方位視朝聽政，不過，太陽一年四時之運行雖然有序，但是各地日照之長短卻是有別，太陽出沒的方位又有差異，因此在不同的月份，選擇不同的方位進行視朝聽政之事，應是合理的推論。

氏幾乎同時之阮元（1764－1849），也有「古人無多宮室，故祭天、祭祖、軍禮、學禮、布月令、行政、朝諸侯、望星象，皆在乎是。故明堂、太廟、大學、靈臺、靈沼，皆同一地，就事殊名」❹之說法，雖然兩人的取義不盡然全同，但是仍可歸屬於近似之說，彼此無互相矛盾之處。

甲骨卜辭發現已屆滿百年，其研究成果亦相當可觀。雖然上古時代的政治、教育狀況，還無法據此以重新完整架構其全貌，不過，將出土資料與現存資料互證，宋氏之說已可以獲得進一步的證實。因為卜辭中已經出現「大學」之紀錄❹，該現象非僅可以說明商代已經存在貴族教育之事實，而且從卜辭之前後內容，還可得知「大學」與宗廟神壇的功能相近，彼此可以相提並論。王貴民還根據與該版甲骨同時期（第三期）之卜辭辭例，認為該項祭禮應為獻

宋氏以此為據，於《大學古義說》，頁 2674，言：「人秉天地之性，當謹候天氣、審察陰陽，聖人立大明堂之禮，布十二月之令，示王者以所當止。」並且舉仲夏、仲冬之令，「物至於至極則必爭」之事實，而說明「明堂之禮，知二至為陰陽交爭之際，而後能有所定。大學、明堂之道一，故二至之令，知止有定之象」，亦可以自成一說。

❹ 〔清〕孫星衍：〈閩問字堂集贈言〉，《問字堂集》，收入《百部叢書》之《岱南閣叢書》（臺北：藝文印書館，1971 年），頁 5－6，載阮元之說。

❹ 其詳參見姚孝遂、蕭丁合著：《小屯南地甲骨考釋·六○》（北京：中華書局，1985 年），頁 211；《殷墟甲骨刻辭摹釋總集》，頁 962 釋為：「弓尋（《殷虛甲骨刻辭類纂》，頁 370，隸定此字為「尋」，為祭名。）？入惟癸尋？于十尋？于祖丁旦尋？于廳旦尋？于大學尋？」陳夢家則於《殷虛卜辭綜述》（北京：中華書局，1988 年），頁 472，即以「且丁旦」（《京津·四○一六》）、「后且丁旦」（《京津·四○三六》）……等辭例，歸納出「某某旦，疑假作壇」之結論。

俘典禮,並且由於該祭禮之意義重大,因而選擇在「大學」舉行,正是對貴族子弟進行極佳的機會教育。❸將卜辭所見,對照〈王制〉所載:「天子將出征,類乎上帝,宜乎社,造乎禰,禡於所征之地,受命於祖,受成於學,出征,執有罪;反,釋奠于學,以訊馘告。」❹可知古代由於存在「國之大事在祀與戎」❺的社會現象,所以每當面臨出征的軍戎大事時,則首先要祭拜天地鬼神,祈求戰爭順利,並藉此以說明自己乃是稟承天命,順乎先祖之意而進行討伐有罪者之義軍。至於選擇太學的教育場所做為計劃戰爭謀略之處,並且在戰勝歸來之後,又在太學舉行釋奠大典,訊問或懲處戰俘之行動,其實植基於古代教育乃是文武並重之教育,所以在學宮擔任教職者,自然不乏軍事將領,而且太學生日後還得馳騁沙場指揮作戰,所以亦有必要在適當時機進行軍事教育。因而出征前選擇在大學召開軍事會議,戰後又在大學舉行告捷大典,非僅可使太學生早些見識戰事進行之梗概,更可藉此體會處理兵戎事件應該步步為營❻,態度必須極為慎重。

---

❸ 王貴民:〈從殷虛甲骨文論古代學校教育〉,見於湖北教育編纂出版委員會編《歷代教育制度考》(武漢:湖北教育出版社,1994 年),頁 23–24,以同時期卜辭之相同辭例中,出現所薦有二方伯與異族羌俘,而認定其為獻俘典禮。

❹ 《禮記》,〈王制〉,頁 236。

❺ 《左傳》,〈成公十三年〉,見於〔晉〕杜預注,〔唐〕孔穎達等正義,〔清〕阮元校勘:《春秋左傳正義》,收入《十三經注疏》(臺北:藝文印書館,1985 年),頁 460。

❻ 其詳參見拙著:《喪服制度的文化意義——以《儀禮·喪服》為討論中心》(臺北:文津出版社,2000 年),頁 360–361。

　　另外，再由《靜簋》「隹六月初吉，王在京（豐京）。丁卯，
王令（命）靜司射學宮，……。八月初吉，庚寅，王……射于大
池，靜學（教）無斁，王易（錫）靜鞞。」❹之銘文所載，可知周
王非常注重太學生射箭技術之學習，非僅命令靜於學宮教導太學生
射箭之技術，同時還親自視察其教學成果，擔任教學之靜即因為勤
教不倦而獲得獎賞。由此可見自古以來，學宮與軍事訓練的關係即
相當密切。

　　宋氏以「大學」為「明堂」，並且亦名「射宮」的說法，在甲
骨卜辭尚未出現的年代裡，能夠以其精密考證相關文獻而得到如此
的結論，已足以凸顯其運用漢學考證的特殊專長。另外，宋氏還能
將「大學」、「明堂」以及「射宮」作一有機的結合，則已經明確
點出學宮修業的內容，應該包含各種有關「射」之技藝的活動。因
此當其提出有天下者必須先能自明其德，然後才能明用天下之有德
者的道理，不但說明其深知凡事必須先立其本的重要，而且還更懂
得欲使政策切實收效，則必須再透過政治與教育制度合一的途徑，
積極鼓舞學士們平日勤於修習各項應具備之才能，日後方可為「平
天下」之整體大用作持續性努力。宋氏以「大學」為「明堂」，並
且特別強調其「射宮」之功能，可謂彰顯培育政治人物必須注重本
末終始、體用兼備之制度，方可形成理論與實際相貫通之有效措
施。宋學一向要求能發揚經書的微言大義，宋氏此一部份的成就，
即可代表其吸收宋學研究之方式。

(三) 經世大道端賴君主能秉持明德以用人

「明明德」雖然為大學之道的核心目標，不過，卻非單一目標，而是必須再更進一步地親近具有俊德而賢才兼人者，始可達成「親民」的第二層目標；然後，又必須要求其能止於至善之所當止，方可由修身、齊家，而達到國治、天下平的至善之境，成為本末兼顧、終始一貫的完整大道。因此宋氏即認為「王道之易易，亦基於用人而已矣」之理，至於其所謂「用人」之道，乃是〈堯典〉所謂「克明俊德，以親九族；九族既睦，平章百姓；百姓昭明，協和萬邦；黎民於變時雍」❹❽的一貫大道，也是由「明明德」而「親民」，而「止於至善」的徹底實施。

然而要實踐此起於「明明德」，而最後達到「止於至善」的一貫大道，則首先必須徹底理解何謂本末終始。所謂「正其本，則萬事理；失之毫釐，則謬以千里」之說，正是說明世人處事之時，必須把握根本的重要。此「大學之道」的所謂「本」，即以「明德」為中心，然後再往上下延伸，於是可以發現：凡是能修明自身之德者，則其形之於外的，必然是其身之修；凡是能擁有明德於一身者，則當其深察於內，又必然有其意之誠者。由此可知不「誠」則無物，因此宋氏極為重視由於意念之「誠」所導致的各種「效驗」，尤其認為擁有天下者，一旦其「意」不「誠」，則影響所及，將為陰陽不調、風雨不時、群生不和、萬民不植、五穀不熟、

---

❹❽ 《尚書》，〈堯典〉，見於舊題〔漢〕孔安國傳，〔唐〕孔穎達疏，長孫無忌刊定，〔清〕阮元校勘：《尚書正義》，收入《十三經注疏》（臺北：藝文印書館，1985年），頁20。

草木不茂之現象，天地間之萬物也無以各被潤澤而大豐美，四海之內更乏聞盛德而偕來臣的「效驗」可察。❹因此從〈盛德〉所載「凡人民疾、六畜疫、五穀災者，生於天，天道不順生於明堂不飾，故有天災則飾明堂也」等對於天道不順所採行的措施，可以理解古代的明堂之中，平時即安排有各種莊嚴的禮儀活動，藉此以整飭天子應有的昭明雍和之德，而後才可以因為陰陽調和，明德感召，庶幾乎可以達到「人民不疾，六畜不疫，五穀不災，諸侯無兵而正，小民無刑而治，蠻夷懷服」的政通人和，蠻夷來歸而天下平之狀態。❺

由於宋氏認為天子可以藉由明堂之中例行的齋戒活動，以達到「慎獨」其身，「敬誠」其意的作用，所以又說：「王者惟端好惡於心，而後可以行明堂之令。」「明堂之法，使天子無時而不慎，以不失五行之德。」❺宋氏非常注重明堂活動，而這也正是《大學古義說》一開始，即強調「周人明堂即大學」的緣故。同時，由於「為政在人。取人以身，修身以道，修道以仁」❺，並且還因為〈大學〉早已有「一家仁，一國興仁；一家讓，一國興讓；一人貪戾，一國作亂，其機如此。此謂一言僨事，一人定國」之言，且有

❹ 其詳參見宋翔鳳：《大學古義說》，頁 2678，釋「物格而后知至」至「國治而后天下平」一段。

❺ 分別見於《大戴禮記》，〈盛德〉，頁 143、142。然而此〈盛德〉中的部分句讀，筆者認為採取「凡人民疾、六畜疫、五穀災者，生於天。天道不順，生於明堂不飾，故有天災則飾明堂也」之方式，其文義較為清楚。

❺ 分別見於宋翔鳳：《大學古義說》，頁 2685、2688。

❺ 《禮記》，〈中庸〉，頁 887。

「有德此有人，有人此有土，有土此有財，有財此有用。德者，本也；財者，末也。外本內末，爭民施奪。是故財聚則民散，財散則民聚」之說，可見有天下者能否明德行仁，對於國家的治亂興亡具有絕對之正相關。

宋氏認為經世之道除卻天子必須具有明德之心以外，更需要天子能以其明德之心選用明德之人才。至於用人之道，其實唯在於能區別君子與小人而已。由於〈大學〉已明確述說「唯仁人為能愛人，能惡人」，又說「見賢而不能舉，舉而不能先，命也。見善而不能退，退而不能遠，過也」。因此宋氏進而指出「夫人之情，其始皆知賢之當舉，不善之當退。惟由縵與過，以至拂人之性，則生機以漸而盡，天理以漸而滅」。❸最後終於導致壞國喪家破身而亡之悲慘結局。由此可知用人之道，則務必使其能實踐「絜矩之道」，懂得「允執其中」❹之理，且能「執其兩端，用其中於民」。❺於是宋氏最後歸納出以下的結論：

> 故明明德之義，在自明其德，而明用有德之士。天子、諸侯、卿、大夫、士皆好義而不好利，中外之治清和咸理，民用和睦，上下無怨，恩及禽獸，澤臻草木，以成治太平之世，是謂親民，是謂止至善，皆誠意之學一以貫之也。❻

---

❸　宋翔鳳：《大學古義說》，頁 2691。

❹　《尚書》，〈虞書·大禹謨〉，頁 55。

❺　《禮記》，〈中庸〉，頁 880。

❻　宋翔鳳：《大學古義說》，頁 2692。

由此可見宋氏非常強調經世之道必須率先從天子做起，務求其皆能秉持誠意之心，而成明德之事，任用親近明德之士，卒能坐收「風行草偃」之功，而使萬民和睦，然後恩澤及於萬物，而終於可以成就太平治世。宋氏此說乃是綜合大學、明堂、射宮的多重功能，以推明〈大學〉本末終始之原理，更進而將其政治原理與實際政治中的用人之道相融合，企圖呈現一本末兼顧，終始皆備的為政之道，如此而可以達成鄭玄所謂〈大學〉之篇，旨在「論學成之事，能治其國，章明其德於天下」之說法。同時，由此又可確知宋氏乃是繼鄭玄之後，再進而從綜合古代明堂之活動、射宮之學射等更具體的活動，以使〈大學〉之中所呈現的政治原理，得到更具體的落實之道。

五、對宋氏發明《大學》古義之蠡測

宋氏《大學古義說》的最高宗旨，在於彰顯政治制度應該與道德義理相結合之理想狀況，推測其因，則或本於宋氏欲以政治與教育制度合一之途徑，而實踐其經世致用之思想。同時，又由於宋氏堅定信仰孔子「為政以德」之德政思想，於是《大學古義說》中，不但認定為政者必須具有明德，且所用之人亦必具有明德，而且還以其特有的「五行之德」貫徹其「為政以德」之思想。其中原因推測如下：

㈠ 以「政治與教育制度合一」之途徑實踐其經世致用之思想

宋氏註解〈大學〉雖然大體依循鄭玄注經之管道，然而卻不以馬、鄭之說為限。誠如其在《論語說義》中所言，宋氏認為「今文家傳《春秋》、《論語》，為得聖人之意。今文家者，博士之所

傳,自七十子之徒遞相授受,至漢時而不絕」。而不認同古文學家
逞其博學之功而專務碎義之事,乃至於說五字之文,可以至於二三
萬言,致使學者縱然皓首窮經,終究難得其要。由此可見宋氏主張
讀經而務必求其微言大義之要旨所在。同時,宋氏還認為「孔子受
命作《春秋》,其微言備於《論語》,遂首言『立學』之義」。又
說:「君子如欲化民成俗,其必由學。言學,而不可究之於治國,
其學為無本。」已可說明宋氏主張為學以治國為本。而《論語》於
〈學而〉之後而繼之以〈為政〉,其義乃在於「著明堂法天之義,
亦微言之未絕也」。❺又可見宋氏對於學者務在秉持明德以求「經
世致用」的積極主張。

　　由於要求「經世致用」,因此必然對於〈大學〉相當重視。宋
氏甚且還認為〈大學〉之義可與《論語》之思想相互發明,其中
〈學而〉、〈為政〉兩篇正所以發明古代太學明堂之法而為說❺,
於是將政治、教育的工作合而為一,並區分本末先後的順序,且一
一加以整合發揮,透過學宮文武合一的教育,以培養文武合一的政
治人才。亦即透過「地官」之下所設置之師氏與保氏專司貴族子弟
之小學教育,師氏要對國子進行三德、三行偏重文德培養與善行實
踐之教育,保氏則以文武合一的六藝教育教導國子;另有鼓人與舞
師負責擊鼓、樂舞之教學,令學士們熟悉金鼓信號、兵舞、田獵、
軍旅、祭祀之事。更在「春官」之下,由大司樂掌成均之法,將大

---

❺　其詳參見宋翔鳳:《論語說義》,收入《皇清經解續編》(臺北:漢京出版
　　社,1980 年),卷 389,頁 4418－4419。

❺　其詳參見宋翔鳳:《論語說義》,頁 4425。

學教育之重點擺在詩、樂、舞三者合一的融合之教，並配合樂師、大胥、小胥、大師、小師、籥師等各種職官之分別執教，共同執行教導學士們成為施政人才之責任。❺再配合〈學記〉所載「比年入學，中年考校，一年視離經辨志，三年視敬業樂群，五年視博習親師，七年視論學取友，謂之小成。九年知類通達，強立而不反，謂之大成。夫然後足以化民易俗，近者說服而遠者懷之。此大學之道也。」❻之文武合一教育，以栽培眾多文德武功兼備之人才，而利於實踐「經世致用」之大業，真正達到為學之目的。

宋氏雖然一生科場不如人意，官運亦不見亨通，然而當其年輕之時，即胸懷大志，認為「不通於訓詁名物象數，即無以得聖賢立言之所在；不熟於往古制度損益，即無以見斯世待治之資。」❻因此研究經學，即希望能從東漢古文學而上溯西漢今文學，進而理解聖賢之微言大義，尤其冀望能屏除宋、明以來鑿空玄虛之學，不僅要求學術思想應與實際政事相驗證，更要求其能達到「經世致用」之效果，因此在註解〈大學〉之時，即回歸至最原本的周代政治教育制度，企圖經由加強說明古代政治與教育合一之制度，而相對提高其貫徹經世致用思想之用心。

基於此積極「用世」之理想，於是宋氏乃大大擴張鄭玄作《注》之範圍，在《大學古義說》中，將「大學」之道與古代太學的教育內容緊緊銜接，並且從其發明〈大學〉之「古義」說中，

---

❺ 其詳參見拙著：《喪服制度的文化意義——以《儀禮·喪服》為討論中心》，頁 362－370。

❻ 《禮記》，〈學記〉，頁 649。

❻ 宋翔鳳：《洞簫樓詩紀》，《浮谿精舍叢書》，卷 2，頁 2。

增強其若欲達到「止於至善」之境界，則應該與嚴整周密的教育措施相配合的觀念，同時更積極說明這種從「明明德」而「親民」而「止於至善」的一貫大道，非僅在古代應該按部就班循序漸進，即使在當代亦該如此依序而行。宋氏如此對於〈大學〉古義加以闡述與發揚，充分體現古代政治與教育合一制度的真精神，不但成為註解〈大學〉的最大特色，也是宋氏對於〈大學〉的最有功之處。

㈡ 以「五行之德」發明「為政以德」之思想

由於宋氏繼承《公羊》學派志在發揮孔子受命為素王之微言大義，因此特重為政之道的講求，所以對於《論語》所謂「為政以德，譬如北辰，居其所，而眾星共之」❷感受特別深刻，於是引「帝王之為政如此。聖人南面而聽天下，嚮明而治，故所居曰明堂」❸之說，然後進而說明明堂、太學本為同處，只是當其所用在於教士，則稱為太學，倘若所用在於為政，則謂之明堂。如此，即將《論語》此則記載與〈大學〉之大（太）學制度兩相結合，彼此得以相互發明其義。宋氏更進而以為：

> 明堂之治，王中無為以守至正，恭己南面，自明其德，上法
> 璇璣以齊七政，故曰：政者，正也；德者，得也。外得於
> 人，內得於己也。王者上承天之所為，下以正其所為，未有
> 不以德為本。德者，不言之化，自然之治，以無為為之也。

---

❷　《論語》，〈為政〉，見於〔魏〕何晏集解，〔宋〕邢昺疏：《論語注疏》
（臺北：藝文印書館，1985 年），頁 16。

❸　宋翔鳳：《論語說義》，頁 4421。

雖有四時天地人之政，而皆本於一德。雖有五官二十八星之
名，而皆筦於北辰。……北辰不離於紫宮，而眾星循環，終
古不忒，樞之筦也。居其所者，謂北辰雖周四游之極，而樞
星常居正中，即〈天官〉所云：中官天極星，其一明者，太
一常居也。❻

由於北辰具有「不離於紫宮，而眾星循環，終古不忒，樞之筦也」
之特性，於是宋氏將王者必須擁有的「以德為本」之特質，類比為
「北辰」所具之樞筦地位。同時由於北辰受到眾星之環拱而「終古
不忒」，因此倘若王者能具有明德，懂得「以德為本」，則亦可以
如北辰一般永保天位之尊。

　　宋氏基於對「德」的信仰，以致當其註解「物有本末，事有終
始」之時，即選用「五行之德」之「德」為施政之本，並且說明此
五德之遞嬗，「若五行之於四時，皆明明德而有天下，探命秭之去
就，以絕諸侯闇干天位之心」。❻由此已可顯現宋氏對於「諸侯而
闇干天位者」之鄙棄。

　　宋氏甚且還於註解「德者，本也。財者，末也。外本內末，爭
民施奪。是故財聚則民散，財散則民聚」之時，提出「德者，五行
之德，王者之所受命於天者也。財者，王者財五行之用以施於民者
也。受於天者謂之本，故相生相嬗以相終始；無天命，無德者，不
敢干焉。施於民者謂之末，故相勝相劑以相和，百姓日用而不知

---

❻　宋翔鳳：《論語說義》，頁4421。
❻　其詳參見宋翔鳳：《大學古義說》，頁2675。

焉」❻的說法。由於更加強調「受於天者謂之本」之重要，因而「無天命，無德者，不敢干焉」的「不敢干焉」，其更深層而確切的意思，則應為「不能干焉」，也正是上述所謂的「以絕諸侯闇干天位之心」之意。然而此之所謂「不敢干」與「不能干」，則顯然已經轉化「五行」之間本來普遍存在的相生相勝原理，認為所謂「相勝」之原理，僅僅存在於「施於民者謂之末」的部分，亦即僅有選擇性的限制作用，而非普遍性的共通原理，如此，則已經違反「五行」生剋之間環環相扣的根本原理。因而宋氏雖然提出「五行之德」的說法，但是其「五行」之運轉並非絕對可以周行皆通、順暢無比的，以致其所用以註解之文字雖多，卻難以服眾人之心。宋氏甚且為求強化其「受於天者謂之本」不可懷疑、不可搖撼的地位，以圓滿其特殊的「五行」說，於是大談「感生神話」，以增強其「天命神授」不可違拗的道理。❼不過，宋氏此說儘管相當賣力，實則大大顯露其牽強附會之痕跡，而難辭其為人詬病之咎。

　　然而追溯造成宋氏註解〈大學〉之缺失，其可能原因至少有二：其一，高度信仰「為政以德」以及「以德為本」的政治理想，認為一旦為政者能稟承天命，擁有「明明德」之修為，即可任用「明德」之人，而有清明之政治，使內憂外患之事均不至於發生。其二，由於講求經世致用之學，宋氏衡量當時的政治困境，認為百姓已不堪再承受要達到「天命轉移」所必須付出的代價，以致不得已而必須作適度的妥協。因為宋氏撰述《大學古義說》期間（嘉慶

---

❻　宋翔鳳：《大學古義說》，頁 2688。
❼　其詳參見宋翔鳳：《大學古義說》，頁 2675－2677。

年間），清朝早已因為乾隆晚年信任和珅，以致政治日漸腐敗，遂使苗亂與白蓮教之亂接踵而至❻；更因為滿洲八旗軍長期養尊處優，所以戰鬥力大失，於是禍亂一發而不可收拾，京師甚且還遭遇天理教之變。❻宋氏在面對反清所引發的社會動亂以及為政者無道所造成的內憂外患之間，認為兩害相權應該取其輕，於是寄望主政者能大徹大悟，一旦為政者能修明其德，即可大大扭轉政治局面，而造福百姓的生活。

六、結　論

正如魏源（1794－1857）對於清代經學的概括：「且夫文質再世而必復，天道三微而成一著。今日復古之要，由詁訓、聲音以進於東京典章制度，此齊一變至魯也；由典章、制度以進於西漢微言大義，貫經術、故事、文章於一，此魯一變至道也。」❼宋翔鳳的經學研究，即歷經此不同階段的轉變過程。亦即由於宋氏生當乾嘉漢學與道咸今文學的交接時期，因此能一本其小學考證之長，而專精於典章名物制度之研究，然後又因有感於典章制度乃依隨時空環境之更易而有所別，於是不但有志於整理兩漢之經說流派，而且還認為應該上溯至孔子傳經的微言大義，復歸於天道之無時或已而後

---

❻ 苗亂起於乾隆 60（1795）年，至嘉慶 12（1807）年始全境平定。白蓮教之亂起於嘉慶元（1796）年，至 9（1804）年始完全肅清。

❻ 此次事變以滑縣李文成、大興林清為首，雖然事變不成，不過又引起天地會黨人乘機作亂。

❼ 〔清〕魏源：〈兩漢經師今古文家法考敘〉，《魏源集》（北京：中華書局，1976 年），頁 152。

止。

雖然古代明堂制度的確切內容以及活動情形還無法完全清楚地復原，但是總括宋氏《大學古義說》的最高成就，卻應該算是宋氏以其漢學根柢進行名物制度考證，在甲骨卜辭尚未成為學術研究資料以前，即立本於周代的明堂即大（太）學的說法，以解說〈大學〉之原義。更由於其能把握明堂即大學的根本關鍵，因此再運用宋學精於探微之功力，而回歸到古代社會之大學制度原本融合政治與教育制度於一爐的狀態；更緣於其政治教育二者本為合一，因此為學之目的，亦必須具體落實於治國始為得其本，於是何謂本末終始、處事孰先孰後即相當清楚，於是學成之後而可以有經世之才。

綜觀宋氏之一生，雖然科場不甚如意，但是其能六赴禮部試而不氣餒，亦足證其「經世」之用心；至於仕途方面，則由於禮部試無法中第，所以也無高官顯爵之受命。不過，宋氏儘管無法在政治上發揮其「經世」之雄心大略，但是退而求其次，亦可以以其開館受徒、擔任書院講席、縣學訓導、擔任縣令等等機會，貫徹其「用人以明德」之道，而達到其「致用」之目的。宋氏雖然無法在政治上大展鴻圖，但是仍能孜孜不倦於學問之精進，從其二十六歲開始編纂《四書纂言》，至七十歲始宣佈完成，其堅毅不拔之精神實令人感佩。宋氏時與錢大昕、張惠言、阮元等著名學者交游，又與管繩萊、沈欽韓、陸繼輅、鄧廷楨等交往甚密❼，亦可以藉由彼此切磋琢磨之機會而傳達其「經世致用」之理想，而庶幾乎可以使對方

---

❼　鍾彩鈞：〈宋翔鳳的生平與師友〉，紀錄宋氏自 24 歲中舉以後，屢次赴禮部試而落第。然而其所交往之對象，則不乏著名學者。

也能努力率行其「用人以明德」的治世之道。另外，宋氏縱使與禮部試無緣，但是表兄劉逢祿卻官至禮部主事，則握有用人之實權，因而宋氏從註解〈大學〉中大力鼓吹的「用人以明德」之道，也可以透過間接「致用」的方式，而稍慰其書生「經世」之苦心。

宋氏註解〈大學〉固然有其所長，不過亦不免有其遮障之弊。固然為政理當以德為本，但是由於世人對於所謂「德者，得也。外得於人，內得於己」的認定標準未必彼此相同，因而其所謂「五行之德」的說法有明顯的穿鑿附會痕跡，同時宋氏對於清朝政權的維護之心，甚且還被指斥為違反《公羊》學派的精神。不過，或許正由於宋氏的「保守」想法不可行，遂啟發後來康有為倡導的政治改革思想與行動；而此種狀況又可以重新回應文質相變而至於道的一貫道理，且於此可以凸顯宋氏學術所隱藏的生機。宋氏在《易》與《春秋》方面是否果真「最善傅會，牽引飾說」不在本文討論範圍，然而其《大學古義說》以其特殊之「五行之德」，解說「為政以德」之義，的確難辭牽強附會之嫌，然而其以「明堂」釋古之「大學」，則深得〈大學〉之本，對於闡發〈大學〉之原義具有重大貢獻，應該被積極重視。

《過庭錄》札記

徐興海[*]

宋翔鳳（1777－1860），字虞廷，一字于庭，江蘇長洲（今江蘇蘇州市）人。清代嘉慶庚申（1800）舉於鄉，歷任泰州州學政，安徽旌德縣訓導等，以州牧致仕。咸豐己未（1859）重宴鹿鳴，加知府銜。卒年八十四。

《過庭錄》是宋翔鳳數十年的讀書筆記，輯於清道光二十九年（1849），成書於咸豐三年（1853），「考證經、史、子、集及詩文三十多種。成六百餘條，其中不少創見為前人所未發，亦待今人加以利用。」[❶]

宋翔鳳有〈自序〉說明此書編纂之始末，謂：「余以歲己酉（1849）於役漢皋，輯讀書所得為《過庭錄》。溯自孤露將廿七年，年已七十有三，而所學未成，彌增怵惕。然一管之窺，不能遽棄。姑先編定，以質同人。匡其不及，則所厚望焉。咸豐三年（1853）二月，長洲宋翔鳳記。」卷六《尚書譜》下宋翔鳳有案語說明「庭訓」何指，且詳述莊述祖所講之《尚書》：「謹案：孔子

＊　徐興海，江南大學文學院教授。

❶　梁運華：〈點校說明〉，《過庭錄》（北京：中華書局，1986 年），頁 1。

序《周書》，自〈大誓〉迄〈粊命〉，皆《書》之正經。以世次，以年紀，其末序〈蔡仲之命〉、〈柴誓〉、〈呂刑〉、〈文侯之命〉、〈泰誓〉五篇者。幼嘗受其義于葆琛先生，初曉占畢，未能詳記。奔走燕、豫，留滯梁、荊，函丈斯隔，七年於茲。茲譜《尚書》，細繹所聞而識之曰：……。」又強調學習為一生之事業，此書乃幾十年心血之結晶。宋翔鳳之母乃莊述祖（葆琛）之妹，遂得幼時從莊述祖受業，「庭訓」當指受之莊述祖。

莊述祖乃莊存與之侄，其學承自莊存與。莊存與是清代《公羊》學復興的代表人物，又是常州學派的開創者與領袖，他所究心的是《公羊》學的微言大義。這一學術趨向與乾嘉時期大興的訓詁考據之風，即後來所稱「乾嘉學派」顯有不同。而宋翔鳳的學術研究則更多的帶有從乾嘉學派向後來的今文經學派過度的色彩。其所著《大學古義說》、《論語說義》專門發明孔子學說之義，《小爾雅訓纂》、《周易考異》為訓詁、校勘之作，《過庭錄》一書雖則涉及《公羊》學微言大義，而更多地則注意於詞語訓釋、名物考辨，較多地運用音韻訓詁手段，表現了與其舅父不同的學術風貌。此一書與其所輯《論語鄭注》，所撰《論語纂言》之追求微言大義亦有不同之風貌。

《過庭錄》除考辨內容關涉到今文經學，其它都著力於文獻的求真求實，於文字音韻訓詁，版本目錄校勘之學上闡述一己之見，中有不少創發。本文分考辨、校勘與文字音韻訓詁研究等幾個方面對其作一粗淺考察。

一、考　辨

書中篇幅最多、用力最勤者是考辨。

㈠ 考辨內容

《過庭錄》之考辨內容可分類為學術流派，歷史事實，作品作家，制度淵源，名物，天文，地理，服飾，車制，典籍文獻，甲骨文等。本文謹就其部分內容的考辨作以辨析。

1.考辨之第一目的是發明《公羊》學說之要義

如卷九第一條「元年春王周正月」，此條可看作宋翔鳳對莊存與《春秋正辭》中「建五始」思想的闡明，是其《公羊》學說的核心。其所首先發明者，為《春秋公羊義》之「五始」：

> 案：《公羊春秋義》，元年，為君之始；春，為歲之始；王，謂文王為王之始；正月，月之始；公即位，為一國之始，是為五始。

「五始」正是《公羊》學說所最為關切者。宋接著引何休之說證明五始相通，中心是說明王者在人世間的中心地位，此地位乃來自於天，故而不可動搖，也不可藐視，不可忽視：「惟王者然後改元立號，以繼天奉元，養成萬物。」此乃典型的君權神授說。宋並強調說此五始是破解《春秋》的關鍵，是領會其宗旨之要害：「《春秋》有五始，則二百四十年褒善貶惡之義明，不可以尋常之文習其讀也。」

宋翔鳳此說遠承董仲舒，故此考辨直接引用「董仲舒言：王者

上承天之所為，下以正其所為，正王道之端云爾。」正是董仲舒第
一次如此明確地把天人糾結在一起，給王的地位以明確的規定，指
出王上承於天，是天的意志的體現者。董在《春秋繁露·王道第
六》發揮道：「《春秋》何貴乎元而言之元者，始也，言本正也。
道，王道也，王者，人之始也。王正則元氣和順風雨時，景星見，
黃龍下。王不正則上變天，賊氣並見。」在《天人三策》中強調人
君依天意行事，以正朝廷百官，統率萬民，四方之內正氣充旺，邪
氣蕩清，達到風調雨順，萬民協和，五穀豐登，草木茂盛，四海太
平。董仲舒的思想一以貫之。宋翔鳳既承董說，又再次申說莊存與
對於「五始說」之發揮。莊存與《春秋正辭》即認為「元年春王正
月」中元、春、王、正月、即位五者一同出現，代表了王承天而
治、諸侯上奉王政這一套最根本、最重要的意義。因之稱之為「建
五始」，且將其作為「奉天辭」的第一項。

　　「通三統」是《公羊》學的又一根本觀點，宋翔鳳於此條同樣
予以充分發揮；「《春秋》以王上承天，故繫王於春，而繫正於
王，《春秋》之名，即太史正歲年之法，孔子之所竊取。則《春
秋》之義，天法也，其不隨正朔而變，所謂天不變也。正月以下，
皆王之所為，故有三統，而史之文用之。凡商、周之書，稱月者未
嘗繫時，又代所流傳商、周彝器，其銘詞皆史官所纂，皆稱月而不
繫時，以繫時則文不順也。」這一段論述直接從《春秋繁露·王道
第六》而來，進一步發明《春秋》之例，並且說明「王上承天」乃
「天法也」，確定王是天意代表者的不可動搖之地位，認為這如同
天地之運行一樣是不可改變的。與董之不同在於，宋既說明天人之
間有不變，又說明天人之間有變，變者乃是「正月以下，皆王之所

為」，承認了王朝之更迭，王是可以變化的；雖然王朝更迭，王有變化，但是仍然依循著天意。

宋翔鳳還闡明《左傳》雖然沒有如《公羊春秋》那樣有「五始」的說法，「《左氏》獨言周正月」，但此並不說明二者相悖：「（《左傳》）未嘗以春為周之春，則亦以為不變，是雖不傳《春秋》，而循文求義，亦不倍也。」

2.考辨最多者是史實之考訂

(1)如卷一「《易》孟氏為古文」條引《漢書·儒林傳》自「孟喜字長卿」至「喜時歸東海，安得此事」一段，考辨梁丘賀與班固事實之考證皆有誤：「（梁丘）賀不能疏通其災變之非是，而但據喜歸東海為證，亦見其學之戔小，而朝廷或於其說。班氏，文人，遂從而和之，皆非也。」同時指出，《漢書》之所謂「且死者，當未死之時也。」

此條又考辨《易》學之傳承：「《後漢書·儒林傳》云：『費氏學本以古字，號《古文易》。「又云：『陳元、鄭眾皆傳費氏《易》。荀爽又作《易傳》。』可證荀爽之《易》出於費氏古文。」進而得出結論：「要之，《周易》一書，無屋壁與口授之異。所謂古文者、祇以其行於民間，不與當世博士同爾。自京氏置博士，而費《易》獨以古文名，不知其實出孟氏、京氏也。」

(2)如卷五「周公攝政」條引《孟子》：「孟子曰：周公相武王，誅紂伐奄」，提出問題：「案：經傳皆不言武王伐奄。」對此問題，宋翔鳳援引《尚書》、《詩經》考辨出「奄與淮夷在奄、徐之間，大抵為荊楚群蠻之地。故《史記·魯世家》及〈蒙恬傳〉，皆周公奔楚之說。」又謂：「奄在淮夷之北。」又指出「伐奄」即

《詩經》所指「荊舒是懲」，而「〈費誓〉之作，與成王踐奄一時一事也。」

經學大師王國維對於武王伐奄有論述，於《觀堂集林卷十·殷商制度論》一文中述道：「武王克紂之後，立武庚置三監而去，宋能撫有東土也。逮武庚之亂，始以兵力平定東方，克商踐奄，滅國五十。乃建康叔於衛，伯禽於魯，太公望於齊，召公之子於燕。其餘蔡、郕、郜、雍、曹、滕、凡、蔣、邢、茅諸國，棋置於殷之畿內及其候甸。而齊、魯、衛三國，以王室懿親，並有勳伐，居蒲姑商奄故地，為諸侯長。」是王國維認為，奄之故地在蒲姑，即今之山東曲阜，與宋翔鳳不同。今皆取此說。

(3)考辨盤庚遷都之原因。卷五「般庚」條引《書序》：「盤庚五遷」，鄭玄《注》謂其原因乃「奢侈成俗」，「奢侈逾禮」。宋指出鄭《注》的解釋還是不夠的，顯得籠統而浮淺，究其深層次，當與井田制被破壞有直接關係：「如以奢侈逾禮為宮室衣食之奢淫，則盤庚為政雖尚都耿，法度可繩，何必謀徙？則奢侈逾禮者，謂溝洫不修，井田形改。奢侈者，大也。……蓋自盤庚遷殷，以至春秋之季，五服之內，未嘗一日廢井田，即不能一日廢溝洫，而長無河患。浸至戰國，諸侯兼併，井田不修，溝洫不治。至定王五年，河徙，其後魏李悝有盡地力之說。秦商鞅開阡陌，而井田、溝洫之制遂不可復矣。」

關於盤庚遷都的原因，據朱鳳瀚、徐勇編著《先秦史研究概要》歸納，古人有兩種解釋，一為「去奢行儉說，如《說苑·反質》所引墨子語，此外東漢時人多主此說。」二為「水患說」，主

此說者有偽孔《傳》，《尚書序》。❷據此歸納，宋翔鳳之說當為第一說之修正說。

盤庚遷都是先秦史的重大問題，二十世紀七十年代前又有新的見解：「①遊牧說。持此說著如郭沫若《中國古代社會研究》（1930 年），柳詒徵《中國文化史》（南京鍾山書局，1932 年）。②遊農說。此說見傅築夫〈關於殷人不常厥邑的一個經濟解釋〉，馮漢驥〈自《尚書·盤庚》篇看殷代社會的演變〉與王玉哲《中國上古史綱》（1959 年）。……近年來，也有學者不拘於盤庚遷殷，而以商人多次遷徙為研究物件，對遷徙之原因提出了遊農說。此說見傅築夫〈關於殷人不常厥邑的一個經濟解釋〉，馮漢驥〈自《尚書·盤庚》篇看殷代社會的演變〉與王玉哲《中國上古史綱》（1959 年）。……這幾種解釋的特點，是皆拋棄舊說，另辟蹊徑，強調政治因素的作用，強調王朝統治利害關係，大體上可能比較接近當時的實際，惟在具體解釋上，見解仍有一定的差異，由於資料的缺乏，有一定的推測成分。」❸謹錄以備考。

⑷關於盤古的記載起於何時，盤瓠與盤古之關係的考辨。

卷十二「盤古為國名，盤瓠為盤古之譌」一條引用《廣雅》、《續漢書·律志》、《史記索隱·三皇記》之後得出一個結論：「則漢、魏時無盤古氏之說。」此一結論迄今仍然被證明是正確的。

---

❷　朱鳳瀚、徐勇編著：《先秦史研究概要》（天津：天津教育出版社，1996 年7 月），頁 269。

❸　同前註，頁 269－271。

　　當代許多學者對於盤古進行研究，得出了很多結論，如茅盾先生認為關於盤古的神話是遠古時期南方民族（兩粵）產生的，後來在三國時期傳播於吳國才見著錄。❹但這種解釋很難彌縫神話與文獻記載之間的矛盾。又有人推斷：「盤古神話產生的年代，當早於秦、漢。」❺有人把盤古神話溯源至洪荒時代的大禹❻，有人認為盤古神由殷商時期土地神「亳」音變而成❼，有人認為「盤古」是從《山海經》中「燭龍」神話演變而來。❽諸種推測各有其方法，結論不一而足，但是如果從文獻的角度來看，還是宋翔鳳的結論靠得住。「盤古」一名最早見於三國時期吳人徐整之《三五曆紀》，盤古事蹟又見徐整之《五運歷年紀》，此前並無文獻提及。

3.考辨作者

　　《子夏易傳》之子夏究為何人，說法多有歧異。陸德明《經典釋文》謂為卜商，字子夏，衛人，孔子弟子；又說明《七略》謂韓嬰所傳；而《中經新簿》又謂丁寬所作；又引張璠謂：「或謂馯臂子弓所作。」宋翔鳳另立一說，考辨以為當為韓商，其於卷一「子夏易傳子夏為韓嬰孫商之字」條考辨道：

---

❹　茅盾：《神話研究》（天津：百花文藝出版社，1981 年），頁 75。

❺　陶陽、鍾秀：《中國創世神話》（上海：上海人民出版社，1989 年），頁 41。

❻　劉起釪：〈開天闢地的神話與盤古〉，《社會科學戰線》1988 年第 2 期（1998 年 6 月），頁 142－148。

❼　王暉：〈盤古考源〉，《歷史研究》2002 年第 2 期（2002 年 4 月），頁 3－19、189。

❽　袁珂：《古神話選釋》（北京：人民文學出版社，1996 年），頁 7。

翔鳳案：《漢書·儒林傳》稱，魯商瞿子木受《易》孔子，
以授魯橋庇子庸，子庸授江東馯臂子弓，子弓授燕周醜子
家。則子家當為六國時人。受子弓之《易傳》於燕地。韓嬰
之以《易》授人，自必有所傳，蓋出於子弓，故張璠稱《子
夏易傳》或馯臂子弓所作。子弓之《易》，又五傳而至丁寬，
故或以為丁寬作。蓋嬰孫商為博士，當亦為《詩》博士。孝宣
時，其後韓生始以《易》徵，待詔殿中。則韓氏之《易》，
至是始盛。子夏當是韓商之字，與卜夏名字正同。當是取韓
氏《易》最後者題其名，故韓氏《易傳》為子夏傳也。

陳鴻森先生〈《子夏易傳》考辨〉一文之結論為：「據上所考，可
知漢世傳行的《子夏易傳》一書，即《漢書·藝文志》所著錄之
『《易傳》韓氏』，乃漢儒韓嬰『推《易》意而為之傳』者，自無
可疑也。」並指出「宋氏以『子夏』當為韓商字，殆亦失之鑿」。
其考辨如下：

宋氏謂：「子夏當是韓商之字，與卜子夏名、字正同」，其
說乍見之下，似較臧氏「嬰為幼孩」之說為近理，（作者原
有注，見臧庸《拜經日記》「子夏易傳」條及《子夏易傳·
序》）伊東氏《子夏易傳名義考》即著眼於此而附和其說，
實則此說蓋有未然。按《史記·儒林傳》云：「韓生孫為今
上博士」，《韓氏易》不立於學官，是韓商為《詩》博士甚
明；而《漢書·儒林傳》亦但言「其係商為博士」，不言韓
商更有《易傳》之作；且涿郡韓生言「所受《易》即先太傅

所傳也」，韓嬰為常山太傅，是其所受者為韓嬰所傳，要無
可疑；更且，《漢志》載「韓氏二篇」，班氏自注「名
嬰」，使如宋說，以《易傳》為韓商定著，則班氏此何不著
商之名？宋氏謂《子夏傳》出韓商，「當是取傳《韓氏易》
最後者題其書」，然古經說承學者容或有不忘其說之所自
出，而追題以歸之先師，不聞有反「取傳其學最後者」以尊
其師之名者。……臧庸強為之說，自不免蛇足之累；而宋氏
以「子夏」當為韓商字，殆亦失之鑿。❾

4.考辨制度

典章制度之研究是今文經學家研究的重要問題，「賢人、聖人
之理義非它，存乎典章制度者是也。」❿宋翔鳳十分重視名物制度
的考辨，希圖通過對於名物制度的考訂，深入而直接地同周、秦、
兩漢的儒學相通，以瞭解孔孟之學的真諦，從而建立起與宋學不同
的義理體系。「不熟於往古制度損益，即無以見斯世待治之所
資。」

如對於合葬制度起源之考辨。卷八「五父之衢」條提出合葬制
度自孔子始行，先引梁玉繩《瞥記》對《檀弓》「孔子少孤」一節
之解釋，梁說謂孔子「所謂不知其墓，昭穆之位也；所謂合葬於
防，以孫從祖也。」《史記志疑》又復申此說。宋翔鳳與此不同，

---

❾ 陳鴻森：〈《子夏易傳》考辨〉，《中央研究院歷史語言研究所專刊》之五
十六（1985 年），頁 359。

❿ 戴震：〈題惠定宇先生受經圖〉，《戴震文集》（北京：中華書局，1980
年），頁 168。

謂:「古人三日而殯,即下棺於地,如後代淺葬之法,古人決無以殯為葬之事。且聖人父死,亦無二十年不謀葬之理也。……叔梁紇為陬邑大夫,孔子疑葬於食邑,即殯母於其衢,以問知者。孔子,殷人。先世無合葬之法,至孔子行之。」

現在的考古發掘證明,西周時已有合葬的風俗,只是隨地區的不同,形式有所不同而已。即此可知,宋翔鳳的結論基本接近事實,只是肯定地說合葬自孔子始是不準確的。又,孔子的志向是「吾從周」,合葬一事亦證明之。顯然可證梁玉繩之說為非。

5. 考辨名物

如對於「茅闕門」之考辨。卷十一「茅闕門」一條之考辨指出:「茅闕門即是雉門,其闕即兩觀矣。」其所引用的根據計有《左傳》杜預《注》,《公羊傳》何休《注》,又《史記·魯世家》,《禮記》之鄭玄《注》、《正義》、孫炎《注》。可謂遵循「孤證不立」之科學方法,小心地予以求證。同時又指出朱彝尊之誤:「朱錫鬯謂茅闕門為以茅作闕者,非是。」

今人王叔岷《史記斠證·魯世家》於「煬公築茅闕門」句下引用洪頤煊與孫詒讓之考辨所證明,與宋翔鳳為同一結論。其考證如下:

考證:洪頤煊曰:「古文雉、茅、夷三字通用。『茅門』,即《春秋》所謂『雉門』。」

孫詒讓曰:「『茅闕門』,即《春秋》定二年《經》之『雉門、兩觀』也。諸侯三門,庫、雉、路。外朝在『雉門』

外。」⑪

6.考辨人名

如卷九「闞止」條指出《史記》誤將闞止與監止認作一人。此處考辨先引《史記·仲尼弟子列傳》文:「宰予字子我(宋注:鄭曰:魯人),為臨淄大夫。與田常作亂,以夷其族,孔子恥之。」繼而提出問題:「案:田常殺闞止,殺簡公,其族盛強,無治之者,使宰我與之作亂,何至反滅其族?」是宋翔鳳提出,宰我不當被滅族。如是,則可能記載有誤。宋認為此一宰予為宰我,乃齊之闞止,字子我:「今據《左傳》及《呂覽》,知宰我即齊闞止,字子我也。宰我之先,蓋嘗食采於闞,故仕於齊為闞止。」

宋翔鳳並認為闞止與監止不是一個人,《史記》未能分清闞止、監止之關係,誤將不同之人合為一人。又,宋進一步指出,子我本魯人,為齊國羈旅之人,與監止本不是同宗一族,而《史記》誤認二人為同宗:「又《史記·田齊世家》以闞止為監止,又以子我為監止之宗人,皆記載凌亂,以致一人分為二三也。」

考《史記·田齊世家》「監止有寵焉」句下之《集解》:「賈逵曰:闞止,子我也。」《索隱》:「監,《左傳》作『闞』,音苦濫反。闞在東平須昌縣東南也。」是賈逵注監止為闞止,以為乃一人。梁玉繩《史記志疑》指出闞、監二字聲近義通,古人互用。其考證如下:「『闞止有寵焉。』闞止,《史》皆作『監止』,故

---

⑪　王叔岷:《史記斠證·魯世家》,《中央研究院歷史語言研究所專刊》之七十八(1983年10月),頁1341。

《索隱本》作『監』。而今本作『闞』，乃後人依《左傳》改之。殊不知二字聲近義通，古人互用。《封禪書》：『蚩尤在東平陸監鄉。』《索隱》：『監，音闞。』《戰國策》：『北至於闞。』《魏世家》作『監』。（《韓策》亦作『監止』。）」

王叔岷《史記斠證》贊同梁玉繩之說，其考辨從版本考察入手，說明了「闞」、「監」二字的對轉與演變過程。首先勘明《史記》早期版本即作「監止」，後人依據哀公十四年《左傳》而改為「闞止」，又隨之改《集解》之「監」字而為「闞」。其考辨如下：

> 案：景祐本、黃善夫本、殿本監皆作「闞」。《田完世家》作「監」。《魏世家》：「北至平監。」《集解》引徐廣曰：「《史記》齊闞止作『監』字。」亦可證此作「闞」，乃後人依哀十四年《左傳》所改。《集解》引賈氏《左傳》注，蓋亦本作「監」，與正文作「監」相合。（古人引書，往往改就本文。）後人既改正文之「監」為「闞」以合《左傳》，故又改《集解》之「監」為「闞」耳。惟據《太史公自序》：「田、闞爭寵。」《集解》：「徐廣曰：闞，一云：監。」是徐氏所見本《史記》「監止」字亦有作「闞」字，與《魏世家》徐《注》抵牾。且疑彼文之「闞」字，亦後人依《左傳》所改。既改正文；又改徐《注》。蓋彼文本作「田、監爭寵。」徐《注》本作「監，一云：闞。」所謂「一云：闞。」就《左傳》言之也。

(二) 考辨中的調和傾向

以上考辨內容 1. 之舉例已說明了宋翔鳳有將《左傳》與《公羊傳》調和的傾向，能夠進一步說明此一傾向的還有如下二例：

1. 卷十二有「漢代浮屠、黃老為一家」一條。此條從標題即可知，宋翔鳳雖然意在說明漢代人心目中佛與黃老是一家，但實際是在調和漢時勢如水火的兩家學派。佛教傳入中國以後，引起中國思想學界的極大警覺，排斥與吸收的鬥爭從來沒有停止過。經過漫長的六百多年，佛教才被消化而成為中國文化的有機組成部分。但是，也不是說儒家與道家從根本上說是互不相容的，從哲學的層次上看，「與道家相近，佛教智慧也用否定、遮撥的方法（當然不限於這一方法），破除人們對宇宙一切表層世界或似是而非的知識系統的執著，獲得精神上的某種自由、解脫。……與儒家的成聖、成賢道家的成至人、真人一樣，佛家的成菩薩、成佛陀，也是一種道德人格的斬向。」⓬

此條引證《後漢書·襄楷傳》、〈楚王英傳〉、《三國志·烏桓鮮卑傳》裴松之《注》所引《魏略》，得出結論：「浮屠所載，與中國《老子經》相出入，蓋以為老子西出關，過西域之天竺，教胡。」所謂「老子西出關」即傳說晉代道士王浮《老子化胡經》之說，其立論謂老子乃佛學祖師，其目的旨在證明道家比佛教更為高明。此一說法顯然是道家為了對抗佛家而創設之說，此說後來也一直不為佛家所承認。但宋卻據此推出：「據此，則佛入中國，與黃

⓬ 張岱年、方克立：《中國文化概論》（北京：北京師範大學出版社，1994年），頁32。

老為一家。」

2.宋翔鳳所欲調和者，還有老子之學與儒學。卷十三「老子」一條開宗明義而申明此主旨：「老子著書，以明黃帝自然之治，即〈禮運篇〉所謂『大道之行』，故先道德而後仁義。孔子定六經，明禹、湯、文、武、成王、周公之治，即〈禮運〉所謂『大道既隱，天下為家』，故申明仁義理知以救斯世。故黃老之學，與孔子之傳，相為表裡者也。」

此條將老子與儒學之論述一一對應，說明其「相為表裡」一共有二十三對，可分兩種類型，一是所引原文標明出處者，一是作者發揮未標明出處者。現摘引十例以說明之。列表如下：

老　子	儒　學
1.道可道，非常道。	《中庸》記曰：天下之達道五，所以行之者三，曰：君臣也，父子也，夫婦也，昆弟也，朋友之交也。
2.名可名，非常名。	案名者，文字之始也，所謂修道之教也，道必有所托而傳，故聖人以造文字為急。黃帝正名百物，命其史倉頡造字。古者曰：名，今者曰：字。孔子言：「必也正名」，亦明黃帝之法。……百世以來，文字日變，而莫外乎三十二名，故曰：常名。若舍六書之故，而向壁虛造，不信於當時，無傳於後世，是名可名者，非常名也。
3.無名天地之始，有名萬物之母。	《聘禮記》：百名以上書于策，不及百名書于方。 《禮記·祭法》：黃帝正名百物。 《說文解字》：惟初太始，道立於一。造分天地，化生萬物。

4. 故常無欲以觀其妙，常有欲以觀其徼，此兩者同出而異名，同謂之玄。	《樂記》：人生而靜，天之性也。感於物而動，性之欲也。 《列子·天瑞篇》：死者，德之徼也。 《周易·坤·上六》：龍戰於野，其血玄黃。
5. 玄之又玄，眾妙之門。	《易·繫辭下》：子曰：乾坤其易之門邪？
6. 天下皆知美之為美，斯惡已；皆知為善，斯不善已。	乾始能以美利天下。又元者，善之長也，歸藏育坤，所云美在其中。又云：陰雖有美，含之以從王事，弗敢成也。又云：履霜堅冰，陰始凝也。 《論語》言治民之道曰：興於詩，養其性情也；立於禮，正其身體法度也；成於樂，使其氣和平也。而繼之曰，民可使由之，不可使知之。
7. 萬物作焉而不辭。	地勢坤，君子以厚德載物。
8. 生而不有，為而不恃。	子曰：巍巍乎，舜禹只有天下也而不與焉！
9. 絕聖去智，民利百倍。	《論語》：民可使由之，不可使知之。
10. 夫禮者，忠信之薄，而亂之首也。	以禮治民，三千三百，皆所以約束整齊其民。由忠信之既薄，而禮為治國之首。

「其實道家與儒家殊途同歸，最終都是強調個人與無限的宇宙契合無間——『天地與我並生，萬物與我為一』（《莊子·齊物論》）。」❸漢代的儒學與黃老之學有了更加明顯的融合：「漢初儒家思想復起的代表人物，是陸賈、賈誼、韓嬰等人。他們宣揚仁義德治，批判法家片面崇尚法治和黃老清靜無為的思想，而同時又吸收融合法家和黃老思想，表現出漢代儒法和儒道既排斥鬥爭，又

---

❸ 張岱年、方克立：《中國文化概論》（北京：北京師範大學出版社，1994年），頁327。

相互吸收、融合的歷史特點。」❹

　　司馬談《論六家要旨》既說明了道家與儒家之相同,更著力於其不同:「陰陽、儒、墨、名、法、道德,此務為治也,其所從言之異路,有省有不省耳。」《史記索隱》:「案:六家同歸於正,然所從之道殊塗,學或有傳習省察,或有不省者耳。」老子之學與儒學,在宇宙觀、價值觀、人生觀,或治理天下的方法,對待群眾的態度等多方面迥然不同。以司馬談所論,「儒者博而寡要,勞而少功,是以其事難盡從;然其序君臣父子之禮,列夫婦長幼之別,不可易也。」而道家則與此不同,「其為術也,因陰陽之大順,采儒墨之善,撮名法之要,與時遷移,應物變化,立俗施事,無所不宜,指約而易操,事少而功多。」是其兩者之間雖然在實現天下治理的目標上是一致的,但不同卻是顯而易見的。《過庭錄》拋卻了兩個思想體系在根本問題上之不同,只求細部個別字句上之相同,這樣的考辨不可能給人以大的啟發。

㈢ 有的考辨似有可商榷之處

　　1.如卷八「商容為商禮樂之官非人姓名」條,考辨商容為官職的名稱,而不是某個人的姓名。《史記·殷本記》有一句曰:「釋箕子之囚,封比干之墓,表商容之閭」,《索隱》以為商容為人名,而鄭玄認為商容乃商朝執掌禮樂之官職名,非人名。宋贊同後說,亦以為乃官職名,其論述道:

　　　後人見商容與箕子、比干並稱,遂亦為人名。然〈周本記〉

---

❹　金春峰:《漢代思想史》(北京:中國社會科學出版社,1987年),頁82。

云：「命召公釋箕子之囚，命畢公釋百姓之囚，表商容之
閭。」商容與百姓並稱，可知非一人。蓋紂使師涓作新淫
聲，北里之舞，靡靡之樂，於是樂官、師瞽抱器奔散。〈殷
本記〉又云：「商容賢者，百姓愛之，紂廢之。」謂紂廢知
禮樂之官，其人即太師疵、少師彊之屬也。

可知宋翔鳳已注意到一個矛盾，商容、箕子、比干三個片語在三個
排比句子中處於同樣的位置，按理說其詞性應當相同，但是在〈周
本記〉的句子中，商容與百姓兩個詞組在兩個排比句中也處於同樣
的位置，那麼它們的詞性也應該是一樣的，而百姓顯然不是指一個
人。即是說，商容既與箕子、比干這樣的表示單個人的詞相對應，
又與百姓這樣的表示一類人的詞相對應，就出現了矛盾。要麼商容
表示一個人，要麼商容表示一類人，結論只能是一個。宋翔鳳即是
在這樣的情況下得出結論：商容既然不是表示人的名詞，那就只能
是執掌禮樂的職官名了。但是在這整個推論過程中卻有明顯的漏
洞，可以用來肯定商容指一個人的句子是一個，可以否定商容不是
指一個人的句子也同樣只是一個，在一比一的情況下，顯然誰也說
服不了誰。也因此，得出的結論是令人難以信服的。

現在所見《史記》注本多取商容為人的說法。又，王叔岷《史
記斠證》於「表商容之閭」句下說明《藝文類聚》十二所引〈帝王
世紀〉作「置旌于商容之廬」。此處轉引時於「商容」二字之下標
有一橫線，即人名號，說明王叔岷亦是將「商容」作人名。

如果將商容當作一類人，如宋翔鳳所說指「樂官、師瞽」，或
「太師疵、少師彊之屬」，那就不是指一個人了。這樣就會產生一

個問題，即朝廷要「表商容之閭」時，該如何來標識？豈不是得在「商容」這一類人每一個人所居住的街區都要設立標識？要麼就是這一類的人本來就住在一起？而這是可能的嗎？

2.卷十六「木蘭詩」一條之考辨謂木蘭詩所紀事發生時代為「隋大業間事也」，詩中所提可汗指「突厥啟民可汗也」，所提「天子」指「煬帝也」，所提「黃河，蓋《水經注》所云『奢延水又東，黑水入焉。』水出奢延縣黑澗，黑澗當以黑山名之。」

對於詩中所述情節亦一一考辨，如謂「木蘭當是啟民部落，故其父名在軍帖。其家當在黃河之東，故一宿在河邊，再宿在黑山。」又謂「《突厥傳》大業三年，煬帝幸榆林，啟民及義成公主來朝行宮……故云：『歸來見天子，天子坐明堂』。」

又對其他人的《木蘭詩》解釋作出駁斥。如謂「或以蠕蠕始有可汗之稱，遂以元魏世祖神䴥二年北伐蠕蠕之事當之，……說頗有理，然當時絕無蠕蠕部落見天子之事。」又謂沈括《夢溪筆談》所考之慶州當「別是一地名，非隋、唐、宋之慶州。」

《木蘭詩》影響巨大，甚為後人所重視，不少人下功夫考證其所描繪的時代，但說法不一。姚瑩《康輶紀行》以為發生於北魏孝文帝、宣武帝時，程大昌《演繁露》以詩中有「可汗大點兵」語，謂非隋即唐。程說倒是與宋翔鳳略同。當代不少學者則斷為「北朝民歌」。且明確反對將其時代置於隋、唐，謂此篇目曾收入南朝陳光大二年僧智匠所編之《古今樂錄》中，南朝在隋、唐之前，那也就顯然不可能是發生於隋、唐了。在沒有新的佐證出現之前，關於《木蘭詩》的產生時代為北朝之說，似可視作結論。

對於木蘭的籍貫，亦說法不一。《直隸完縣誌》載元代劉廷直

所撰墓碑以為木蘭為完縣（今河北完縣）人。河南《商丘縣誌》則定木蘭為商丘人。姚瑩《康輶紀行》以為古武威（今甘肅武威）人。《清一統志》以為潁州譙郡城東魏村人，則對其籍貫之描述更為具體，已細緻到了村落。

《木蘭詩》是文學作品，其創作可以有原型，亦可以沒有原型，如果是沒有原型的創作，往往從許多人的身上各取部分典型的特徵，如取某一個人的鼻子，另一個人的眼睛，又取山東人的身材，上海人的生活習慣，等等。將沒有確定的人物原型的作品，硬要將其與現實中的人和事對應起來，恐怕往往難以如願。如一些人研究《紅樓夢》，考據林黛玉，細到了某一天得的什麼病，就似乎必要性不那麼大了，否則你說這個病，他說那個病，又沒有也不可能有新的佐證出現，像這樣的爭論恐怕還要繼續下去。

二、校　勘

清代乾嘉學派之興起，有學術發展之內在邏輯，刻意於校勘輯佚，是求文字之真之全，意欲恢復聖人、賢人之真意。何以會在此學問上狠下功夫，乃是對於宋學之反動。宋學唯在宏觀上著力，對文字之錯謬並不在意，遂引發清儒在校勘學上發揮得淋漓盡致，尤以乾嘉學派為登峰造極。從校勘學的角度看，宋翔鳳承接乾嘉學派；從學派發展的角度看，宋翔鳳是乾嘉學派轉向今文經學學派的過渡人物，是為實現《公羊》學的微言大義作一基礎工作。

《過庭錄》在校勘學上有許多獨特的見解，並且提供了許多例證。現將其所發明校勘實例分類如下。

(一) 發明訛誤原因

1.因對某一名物制度不熟悉而致誤

如卷二《周易考異上》「輿說輻」條考辨輹、輻二字相混，改輹為輻的原因：「案：此知輹、輻相混者，出後人多聞輻，罕聞輹，小王注《易》，又不詳輹制，故錄王《易》者易『輹』為『輻』。其實先儒舊本自皆作『輹』，故馬、鄭之《注》，並同《說文》、《釋名》之訓。」

2.因字之形體相近而訛改

(1)因古文形體與某字相近而訛改

如《周易考異上》「體仁足以長人」條引用「《音義》：京房、荀爽、董遇本作『體信』。」指出「體仁」之「仁」當作「信」：「案：孟、京、荀三家本多同，知荀氏古本即本孟、京。『信』字古文作『𠛐』，从言省，與『仁』字形近。」

(2)因隸書相近而改

如卷二《周易考異上》「以其彙，征吉」條指出董遇本「彙」改作「夤」者，因二字隸書形體相近而改：「董遇（彙）作夤者，以隸相近而改讀也。《爾雅·釋詁》：『寅，進也。』夤、寅音同，故可通用。《說文》：『出，進也。』義亦相成。〈劉向傳〉云：『在下位，則思與其類具進。』故《易》曰：『拔茅茹以其彙，征吉。』改『彙』為『夤』，或本於此。然向引《易》自作『彙』，以『類』解『彙』，以『進』解『征』，未嘗改讀也。」

(3)因篆書而訛改

同見卷二《周易考異上》，「殷薦之上帝」條考證「薦」之作「䕻」，由篆文而誤：「京（本）作『隱』。薦，將電反。本又作

『虋』，同。……案：薦字，本藉『薦草』之『薦』，為『薦進』之『薦』。作『虋』，無此字，當由篆文訛寫。」

3.因不知古音而刪改

(1)如卷十五「正雅樂」條謂「雅」與「予」、「疋」古音同部，可通用，不必改。

此條引班固〈東都賦〉「揚世廟，正雅樂」，又《後漢書·班固傳》所引〈東都賦〉「正雅樂」，「雅」作「予」。「注云：正予樂，謂依讖文改『大樂』為『大予樂』也。」宋翔鳳按語謂：「此可正選注之誤，其賦中，『正雅樂』，『雅』字不必改。古音『雅』與『予』、『疋』同在魚類，則字可通用。……緯書皆隸書，以『疋』是古文，故以音同借為疋以通俗。其實則與『疋』、『雅』為一字也。」

是例說明「雅」不必改「予」，因其古音同在一類。又解釋借「疋」為「雅」的原因，亦在於「音同」。

(2)又如卷二《周易考異上》「盱豫悔」條指出徐鉉為《說文》作《注》不知古音而有誤。其按語曰：「《說文》七篇上：『旭，日且出皃。從日，九聲。讀若勖。一曰：明也。』臣鉉等曰：『九非聲，未詳。許玉切。』……按：旭字，《字林》翻音為呼老，後翻音為許玉。寫《說文》者疑呼老之音，遂於『勖』下『讀若好』，改為『讀若勖』。《說文》好字作『攷』，為丑聲，丑與九同部。徐鉉不知好字之古音，遂不能正勖字之非讀，反謂九非聲而疑之，亦已疏矣。」

查中華書局 1963 年影印徐鉉注本《說文》與宋翔鳳所據本同。上海古籍出版社據經韻樓藏版 1981 年所印《說文段注》

「旭」字注下已改「讀若好」，段注：「好各本作勖，誤。今依《詩音義》訂。按《音義》云：許玉反，徐又許九反，是徐讀如朽，朽即好之古音。朽之入聲為許玉反，三讀皆於九聲得之，不知何時許九誤為許元。《集韻》、《類篇》皆云：許元切，徐邈讀今之《音義》，又改元為袁，使學者求其說而斷不能得矣。大徐許玉切，三部。」

4.傳寫之訛

如卷二《周易考異上》「介於石」條：「《音義》：『介，音界。纖介。古文作『砎』。鄭古八反，云：謂磨砎也。馬作『扴』，云：觸小石聲。』按《說文》十二篇上：『扴，刮也。从手，介聲。』《說文》無砎字，古文與鄭《易》作『砎』，傳寫之訛。」

5.因上下文而誤

(1)涉上文而誤

抄寫或刊刻時所讀的上一句及上幾句之文字會在腦際形成短暫記憶，影響到正在抄寫或刊刻的一句，這樣就會重複上面出現過的字句或句式，因而造成訛誤。

如卷七「濟盈不濡軌軌不當改軓」條之考辨，謂「軌」字之義，當為「由軓以下」，因涉上文而誤為「由軓以上」。其辭曰：「按：《音義》，舊龜美反，謂車轊頭，與鄭注《少儀》『左右軌』之『軌』字同義。既以為車轊，則《毛傳》定作『由軓以下為軌』矣。今作『以上』者，涉上『由膝以上』、『由帶以上』而誤。」

(2)涉下文而誤

如卷十四《管子識誤》謂《管子》文字有涉下文而誤者：《管子》文有「弱子，慈母之所愛也。不以其理動者，下瓦則慈母笞之」，宋按「『不以其理動者』六字，涉下文而衍。」

6.臆改

如卷三《周易考異下》「夷于左股」條考辨謂姚本「右榮」當由「左旋」境改而來。考辨如下：「『夷于左股』：《音義》：……馬、王肅作『股』，云：旋也，日隨天施也。姚作『右榮』，云：自辰右旋入丑。……曆家皆言二十八宿從東而行。（自注：謂天度。）日從西而右行，此日不及天，言其退度，其理則日自隨天左旋也。姚作『右榮』，當由臆改。」

(二) 校勘方法

1.從意義上分析

如卷二《周易考異上》「跛能履」條之考辨：「《音義》：跛，彼我反，足跛也。依字作『破』。按：作『破』無義，『破』當為『跛』。《說文》十篇下：『跛，蹇也。从足，皮聲。』則蹇步之跛與跛異。」

是例之考辨從「破」字與「跛」之義毫不相涉入手，疑「依字作『破』」的結論有誤，作出初步判斷。繼而查《說文》，作出「『破』當為『跛』」的結論。

2.證以碑文

石碑碑文是古人留下的原始文獻，其載體質料為石料，一旦刻定，便不易被改變，因之碑文文獻成為校勘的重要參照文獻。宋翔鳳十分重視碑文與印刷文字之比勘對照，從中發現問題，解決問題。

如卷二《周易考異上》「鬼神害盈而福謙」條之考辨引「《音義》：『而福』，京本作『而富』。按〈後漢劉修碑〉：『動乎險中，鬼神富謙。』」此例以碑文證明「福」可作「富」。

3.以行文規律校正

(1)知某一時代行文習慣而校改者

如卷十四《管子識誤》條考辨《管子》有「故曰伐矜好專」句，劉績以為「故曰」二字為衍文，乃誤。考證如下：「按周秦傳記多以『是故』發端，『故曰』猶『是故』。『故』，古也，猶古語也。劉績以『故曰』為衍字，非。」

(2)知用字之規律而校改

如卷十四《管子識誤》發明《管子》用字之慣例，從而揭示衍文。宋于《管子》「忠也者，民懷之」句下加按語：「《說文》『仁』字，古文作『忎』。此『忠』字，當是『忎』字，《管子》多古字，寫者不識，改為『忠』。」

4.以聲韻的道理校勘

(1)以通假字的借用而校勘

如卷十一「圯上」條之考辨。《史記‧留侯世家》有「（張）良嘗閒從容步遊下邳圯上」之句，《集解》引徐廣曰：「圯，橋也。東楚謂之圯，音怡。」《索隱》引文穎曰：「汜水上橋也。應劭曰：圯水之上也。」是一作『圯』，一作『汜』；一作『橋』，一作『水』，解有不同。宋翔鳳以聲訓的道理說明圯是橋，汜為圯之假借字，亦是橋，而汜不是水：「按：此則《史記》『圯上』本作『汜上』。圯是橋，與从水之汜音同。假借字雖从水，訓亦為橋，故《漢書‧張良傳》『圯上』之『圯』从水，『汜下』之

『汜』從水，音訓並同，故兩字互見。『汜』非水名。……知圮是正字，汜為假借。」

王叔岷《史記斠證·留侯世家》對於「圮上」之考辨從版本之不同入手，廣引眾說，結論與此殊途同歸，謂「《史記》舊有作『汜』，作『圮』兩本；《漢書》舊有作『汜』，作『沂』兩本」，「服虔讀為圮，音頤。楚人謂橋曰：汜，此漢人易字之例也。」❶

(2)又有因不明通假字而改字者，則以通假字的道理校勘之。如「詳」與「祥」本相通，王肅因不明而改「詳」為「祥」，宋翔鳳以通假字的道理證明其誤。卷二《周易考異上》「視履考祥」條考辨：

> 視履考祥。《音義》：祥，本亦作「詳」。案：宋晁氏引鄭《注》曰：「履道之終，考正詳備。」古「詳」、「祥」字通。《大壯》上六《象辭》：不祥也。虞《注》曰：「乾善為祥。」疑古文《易》皆從言作「詳」，王肅始改「祥」字，以就善義。

(三) 校勘內容

1.發明俗字

如卷二《周易考異上》「有孚攣如」條考辨發明用俗字之由：「有孚攣如，《音義》：『攣，力專反。馬云：逆也。《子夏傳》

---

❶ 王叔岷：《史記斠證·留侯世家》，《中央研究院歷史語言研究所專刊》之七十八，1983 年，頁 1901－1902。

作『戀』，云：思也。」按《隸釋》、〈唐公防碑〉、〈京君碑〉，皆以孌為戀。《說文》無戀字。《漢書·敘傳》：『既系孌於世教矣。』亦以孌為戀。《說文》：『孌，依也。从手，絲聲。』依孌即依戀。《子夏傳》為馯臂子弓之學，非古文，故用俗字。」

2.指出誤字

如卷三《周易考異下》「繻有衣袽」條之按語：「《說文》十三篇上：『繻，繒采也，从糸，需聲。讀若《易》「繻有衣」。』又『絮，絜縕也。一曰：敝絮。从糸，奴聲。《易》曰「需有衣絮」。』今校《說文》繻下引《易》之『繻有衣』，當作『需有衣絮』。蓋讀若不當用本字『需』。當是博士所傳之本。（自注：後謂之《今文易》）寫《說文》者既誤『需』為『繻』，又脫『絮』字，其『絮』下引《易》為古文《易》，則『需』當作『繻』，合於薛、虞所見之古文。又《說文》無『袽』字。八篇上，袈，敝衣也。（自注：今本作『弊衣』，依段改）从衣，奴聲。金壇段氏謂『袽』、『絮』皆『絮』之誤字。」

3.考訂版本情況

(1)考訂版本流傳情況

①考辨何時因何被改。如卷十四《管子識誤》中「牧民第一『毋曰不同國』」，宋翔鳳按：「國當是邦。字與从均。漢人避諱改之。」是一考證發明自漢時因避諱改之。

②考辨不同時代之版本情況。如卷九「舟鮫作舟鮫唐時本未誤」條：「翔鳳按：《唐文粹》廿一卷，王維〈京兆尹張公德政碑〉云『舟漁衡麓之首廢』，『漁』與『鮫』通。知唐人見《左

傳》本尚未誤也。」此乃對《左傳》版本流傳情況作考辨。

再如卷十三「大戴禮記」條考辨《大戴禮記》宋本情況。如此書中之「王言」一題，宋謂「『王』字當依舊本作『主』。」又如「惟士與大夫之言之聞也」句，宋謂：「『聞』，當依宋本作『閒』。……宋本自不誤。」又如「誥志」之「星辰不孛」句，宋翔鳳考辨宋時本亦不誤：「《論語》：『色勃如也』。《說文》引作『孛』，則『孛』、『勃』本通。宋本作『勃』，亦不誤。」

(2)據他版本校正譌字

如卷十四《管子識誤》「〈形勢第二〉『抱蜀不言』」一條，宋翔鳳據影宋本《管子》考辨譌字：「按：影宋本附音『蜀』音『猶』。『猶』字顯然『獨』字之譌。」「猶」字譌為「獨」，顯然乃形近而譌。同一卷「所謂抱蜀者，祠器也」條下宋翔鳳對此有更為詳盡的考辨：「按：《廣雅》：『蜀，弌也。』《方言》：『蜀，一也。南楚謂之獨。』《管子》『抱蜀』，即《老子》之『抱一』。抱蜀以為治國之器，《老子》『抱一為天下式』，式亦器義。……近見影宋本《管子》第一卷後音釋：蜀音猶。『猶』字顯係『獨』字之誤。」

(3)比較版本之優劣。如卷十四《管子識誤》謂近刻之《管子》不如宋本。又謂《太平御覽》所引《管子》同於宋本。於「弱子，慈母之所愛也，不以其理動者，下瓦則慈母笞之」條宋翔鳳有考辨曰：「按『不以其理動者』，涉下文而衍。宋本以前，但有『不以其理』四字，校者下一衍字，謂此四字為衍文也。近本則反據下文添『動者』二字，此近刻不及宋本也。」（自注：《御覽》引此，無『動者』二字，同宋本。）

(4)發明正字

①如卷三《周易考異下》「九五，劇剕」條之考辨指出鄭玄《注》之「倪伈」當是「陧阢」之誤。考辨如下：「《音義》：荀、王肅本劇剕作「鮠臲」。云：不安貌。陸同。鄭云：劇剕，當作「倪伈」。京作「劓劊」。《說文》：「劊，斷也。」按：鄭云：「倪伈」，當是「陧阢」之誤。《說文》十四篇下：「陧，危也。从阜，从毀省。」班固說：「不安也。」《周書》曰：「邦之阢陧。」」

又如同卷「可見酬酢」條之考辨指出「「可與酬酢」之「酢」，當作「醋」為正。」又同卷「見天下之至賾」條謂：「《說文》無「賾」字，當以「嘖」為正。」

②發明當改之字

如與上同卷「其靜也專」條之考辨謂：「「塼」字當改「搏」。」

(5)考辨訛誤之軌跡

如卷上《周易考異上》「明辯晢也」條之考辨，則發明一個字之訛誤史：「按：《史記・賈生傳》「風漂漂其高遰」。《索隱》音逝。字又作「虠」。《三倉》音帝。郭璞《注》云：「古文奇字以為古文逝。」則古文《易》作「遰」，博士《易》作「逝」。自鄭有「明呈晢晢」之讀，至小王之後，遂改為「晢」。虞據博士《易》，改古文「遰」為「逝」，而讀為折。」

(6)指正他人校勘之非

如指正劉績《管子》校記之誤，見卷十四《管子識誤》。已見上文 3.(1)之①的舉例「故曰伐矜好專」一條之考辨。

又如指正劉績之另一處錯誤。與上同卷，「道往來其人莫來，道來者其人莫往」一句，宋本如此。宋按：「宋本是也。道往者其人莫往，言人與道具化而不見其往也；道來者其人莫來，亦與道化而不見來也。故《注》云:『均彼我，忘是非，而無往來之體。』劉績據《形勢解》改作『道往莫來，道來莫往』，彼係訛字。」

三、文字音韻訓詁

戴震將清代的學術發展內在邏輯作了如下概括：「詁訓明則古經明，古經明則賢人、聖人之理義明，而我心之所同然者乃因之而明。賢人、聖人之理義非它，存乎典章制度者是也。松崖先生之為經也，欲學者事於漢經師之故訓，以博稽三代典章制度，由是推求理義確有據依。」❶這一概括，說明了音韻訓詁之學是清代學術的基礎，同時它也是一種途徑，是深入瞭解聖賢之學的途徑；說明了乾嘉學派在清代學術的鏈條中處於中間環節，沒有乾嘉學派的音韻訓詁之學，便沒有後來的今文經學學派。宋翔鳳在音韻訓詁之學上的貢獻，即在於他通過此學溝通了乾嘉學派與今文經學。

宋翔鳳曾就學於段玉裁之門。段玉裁為清代樸學大師，發揚通訓詁、務考據之風，成為乾嘉學派之核心人物。段玉裁於文字、音韻、訓詁之關係，及其重要性甚有創見，其謂：「小學有形，有音，有義，三者互相求，舉一可得其二。有古形，有今形，有古音，有今音，有古義，有今義，六者互相求，舉一可得其五。古今

---

❶ 戴震：〈題惠定宇先生授經圖〉，《戴震全集》（北京：中華書局，1980年），頁 168。

者，不定之名也，三代為古，則漢為今；漢、魏為古，則唐、宋以下為今。聖人之制字，有義而後有音，有音而後有形。學者之考字，因形以得其音，因音以得其義。治經莫重於得義，得義莫切於得音。」受其師影響，宋翔鳳於文字音韻訓詁之學極為在意，其在〈四書纂言序〉中說：「不通於訓詁名物象數，即無以得聖賢立言之所在；不熟於往古制度損益，即無以見斯世待治之所資。……吾非敢與宋儒者之書背而馳也，將使知古今之說有如是之不同也；亦非敢謂經傳之文可傳以私臆也，將使知周、秦、兩漢之學皆孔孟之支裔也。」

宋翔鳳在文字音韻訓詁方面所發明，有的是個人所得，前無古人；有的卻是有所依託，向前推進，使之明晰，使之確立而已。其所用術語與方法，如「合言、長言」、「讀為」等亦是有所借用。宋翔鳳所用的研究方法可以分為以下幾類：

㈠ 合言、長言

如卷十「鄒」條發明「鄒」國之鄒，讀音有「鄒」與「邾婁」之不同，宋翔鳳考辨以為兩者音同，只是有合言、長言之不同而已。所謂合言，即二字快速拼讀，長言即二字各自獨立拼寫。其考辨如下：

> 趙歧《孟子題辭》曰：「鄒，本春秋邾子之國，至孟子時改曰：『鄒』矣。」案：《鄭語》：史伯言「曹姓鄒莒」，則春秋之前即名曰：鄒。《春秋》『邾』、『小邾』，《公羊經》並作『邾婁』、『小邾婁』。《公羊》隱九年《音

義》**⑰**：「邾婁，力俱反。」邾人語聲後曰：婁，故曰：邾
婁。《禮·檀弓篇》有『邾婁考公』。『邾婁』合言為
『鄒』，長言為『邾婁』，本是一音，非孟子時改也。

(二) 發明通假字

通假者，本有其字，而借用同音或音同的字，亦稱假借。甲骨
文中已有通假字，先秦文獻中通假字最為常見。不知通假字，不可
讀古書。因之發明通假字歷來受到文字學家的重視。《過庭錄》從
各個方面揭示了通假字，有獨到之處。

揭示經典中之通假字：如卷二《周易考異上》「翩翩不富以其
鄰」條：「（翩翩）古文作『偏偏』，而《音義》本作『篇篇』，
〈子夏傳〉作『翩翩』，三字經典可以通假，故諸家字異而義
同。」

又如同卷「乘其墉」條：案：經典「墉」、「庸」字多通用。
又同卷，「漮」，經典假借作「康」。如案：「殷」、「隱」字可
通用；「腓」與「肥」通用；「柅」與「欄」可通用；「漁」與
「叟」通。

1.發明古音而通假：

如指出古「能」、「而」字通；古字「財」、「裁」本通用；
古「以」、「似」通用。如發明「襪」、「扡」因古音相近而通假
之一例：

---

⑰ 《公羊傳》隱公九年無「邾婁」二字，五年有，疑《過庭錄》引用有誤。

終朝三祬之。《音義》：祬，徐敕紙反。又直是反。本又作
「祬」，音同。王肅云：解也。鄭本作「拕」，徒可反。
案：虒聲；拕，它聲，古音相近。（卷二《周易考異上》）

又有「音近可通」者：如卷九「取闞」條：「《公羊》以
『闞』為邾婁之邑者，得之。『闞』，即上年冬『黑肱以濫來奔』
之『濫』。邾、魯相接，在邾謂之『濫』，在魯則為『闞』，音近
可通。故『闞止』，《史記·田齊世家》作『監止』，『闞』、
『監』、『濫』，音皆近也。」

又發明古音同類時字可通用之例：

如卷二《周易考異上》「巛，《音義》：巛，本又作坤。坤，
今字也。」條宋翔鳳有按語：「案：古文《易》於卦首坤作巛。
彖、象、文言之坤字則不作巛。（宋注：如經文『於』字，彖、象
並作『於』。）葆琛先生曰：巛，即川字。古音坤、川同類，故字
可通用。或改川為巛字，作六斷者，非也。」

發明古音同部者可通用：如同卷「其欲逐逐」條「蓋古音攸
聲、逐聲同部，故可通用。」

又如《周易考異下》「可與酬酢」條：「古音昔、乍同部，
醋、酢可通用。」

2.以古音的道理揭示《春秋》三家傳字異乃因通假。如卷九
「《公羊經》賁渾賁當作齒」條：

《公羊·宣三年經》：「楚子伐賁渾戎。」《音義》：「賁
渾，舊音六，或音奔。二傳作『陸渾』。」案：《春秋》三

家經文，皆以音近或形近而異。賁从卉聲，在辰類；陸从坴聲，在幽類，音與形皆不同。案《公羊》賁當作奤，奤即古文睦字（見《說文》睦字下）。漢、唐「扶頌和睦」作「和陸」，《易》「莧陸」，蜀才本作「睦」，知「睦」字可假為「陸」。《公羊》口說，多有假借之字。漢時與古相近，故《公羊》雖今學，而於奤字則尚存古文。當時猶有六音，魏、晉以後，罕識古文，遂改奤為賁，而並易其音。

此條之考辨指出，通假字之使用與辨識與時代有極大之關係，越是古代，越是通用，亦不會出錯，漢時人就多識假借字，而到了魏、晉之後則罕識古文。

　　3.以文獻證明所發明通假字之正確，並且以通假字的道理揭示古注之錯：

　　如卷十三《大戴禮記》「海不運」條之考辨：「海不運。運通暈。《淮南·覽冥》：『月運闕。』正作『運』。《魯語》：『展禽曰：今茲海其有災乎？是歲海多大風，月運而風，故運為海之災也。』❸《補注》以運為改道，海無改道之理。」

　　揭示古注之誤的例子還有卷三《周易考異上》「妒」條：

妒。《音義》：妒，薛云：古文作「嫭」。鄭同。案：《說文》無「妒」字，當以「嫭」為正。

---

❸　宋明道二年刊本《國語》作「展禽曰：今茲海其有災乎？夫廣川之鳥獸，恒知避其災也。是歲也，海多大風，冬暖。」與宋翔鳳所引不同。

· 670 ·

（三） 發明「讀為」

「讀為」是清代音韻學家常用的術語，亦是揭示通假字的一種方法。

如卷三《周易考異上》「無妄」條之考辨以為「妄」乃「希望」之「望」的通假字：

> 無妄。《音義》：馬、鄭、王肅皆云：妄，猶望。謂無所希望也。案：此則「妄」當讀為「望」。

（四） 發明對轉關係

所謂對轉關係，指一個詞與另一個詞通用時，此一詞在組詞時，可被通用的另一詞替代。如果以公式來表示，即是當 a＝b 時，ac＝bc。

1.如卷三《周易考異下》「為反生」條：「為反生。《音義》：反生，麻豆之屬反生，戴葶甲而出也。虞作『阪』，云：陵阪也。陸云：阪，當為反。案：《集解》引宋衷《注》，《漢上易傳》引鄭《注》俱作『反生』。『反』與『阪』古當通用，故『蒲阪』亦作『蒲反』也。」

2.又如同卷二「二簋可用亨」條：

> 案：「簋」、「甌」同音。又「簋」字古文作「甌」，从「軌」。則形亦相近。蜀才既讀為「塗軌」之「軌」，則亨為「亨通」之「亨」矣。

㈤ 發明俗字

如卷三《周易考異上》「系于金柅」條：

> 《音義》：柅，徐乃履反，又女紀反。《廣雅》云：「止
> 也。」《說文》作「檷」，云：「絡絲趺也，讀若昵。」
> 《字林》音乃米反，王肅作「抳」，从手。子夏作「鑈」，
> 蜀才作「尼」，止也。案：《說文》六篇上：「檷，絡絲
> 檷。从木，爾聲，讀若柅。」與陸所引小異。「柅」與
> 「檷」可通用。「抳」、「鑈」皆俗字。

㈥ 發明聲轉

聲轉、一聲之轉，是同一個意思，均是指詞與詞之間通過聲音
而發生的一種對應關係。如卷三上《周易考異上》「鼓之以雷霆」
條：「鼓之以雷霆。《音義》：『霆，蜀才云：疑為電。』案：
霆、電，聲之轉。」

又如卷九「蒲社」條考辨蒲與亳、薄聲之轉。「蒲姑言蒲，猶
邾婁為邾，句吳為吳，於越為越。」

此句之考辨同時指出快讀時兩字之讀音合為一字，即「文字音
韻訓詁」部分之 1.所指出的「合言」。

1.以聲轉的道理考辨名物

如卷九「鷸冠即圓冠」條，即從「鷸」與「圓」聲轉的道理考
證「鷸冠」與「圓冠」乃是一物，進而指出前人的不少說法是錯誤
的：「《莊子·田子方篇》云：『儒者冠圓冠者知天時，履句履者
知地形，緩佩玦者事至而斷。』又〈天地篇〉云：『皮弁鷸冠搢笏

紳修以約其外。」《音義》云：『鬻，尹必反。徐音述。本又作『鸝』，音同。案：『鬻』字與『圓』，聲之轉。象天之圓，故為圓冠，聲轉為鬻冠。』」

2. 以聲轉的道理考辨地名

如卷九「楚鬻熊居丹楊武王徙郢考」：「楊粵，《索隱》云：譙周作『楊越』，越章亦作『豫章』。『越』、『豫』，聲之轉。」

(七) 考辨之其它方法

1. 證以碑文

石碑文字千年萬代流傳，不易湮沒，因之是文字的最好保存方法之一。宋翔鳳利用石刻文字證明通假字，即極具說服力。如卷三《周易考異上》，「兌為說」條之考辨：「漢碑『和睦』多作『和陸』，則『睦』、『陸』字亦通用。」

又同卷「其形渥」之考辨：「案：漢高彪碑『形不妄濫』，『刑』作『形』，知古字通用。」

2. 從同一詞在不同文獻中的不同寫法推論出某詞與某詞通假

如卷三《周易考異下》「雜物撰德」條之考辨：「《音義》：『撰，鄭作「算」，數也。』案：《說文》無『撰』字，當通作『選』。《論語》：『何足算也。』《漢書》作『何足選也』，則『算』亦通『選』。」此一例中的結論是從《論語》與《漢書》對於同一個詞的不同寫法上推論而得出的。

綜上所述，《過庭錄》是宋翔鳳的一部讀書筆記，於其所撰眾多著作之中有其特色。是其幾十年學習心得之積累，其內容涉獵廣泛。評價宋翔鳳一生學術上之貢獻，應是繼承莊述祖之學，推動今文經學學派的建立。《過庭錄》說明他學術研究的另一面，就是

不忘師學，利用「段學」之功夫，在文字音韻訓詁之學上力圖開創新的局面，同時對於版本目錄校勘這些傳統之學也頗為在意，對於許多重要的文獻典籍之文字作了細緻的工作。其在文獻研究上所作的工作也應該受到人們的重視。

陳立早期的讖緯學
──《白虎通疏證》
引讖解經考論

黃復山*

　　清道光年間，陳立年甫弱冠即撰成《白虎通疏證》，頗引讖文以解說經義，於後人研習讖緯及《白虎通》大義，皆為重要之參考文獻。至於其所屬學部派別，究竟為常州學派抑揚州學派，近世學者頗有不同認定。惟陳立之傳記資料略少，更無年譜傳世，僅得由散雜載記中披檢其行誼。今可知者，祇有劉文淇撰於道光二十三年（陳立 35 歲）之〈句溪雜著序〉以及劉恭冕〈曲靖府知府陳君墓誌銘〉二文，所述陳立事跡較詳；其後，清國史館原編《清史列傳・儒林傳》、趙爾巽等《清史稿・儒林傳》、繆荃孫（1844－？）纂錄《續碑傳集》、支偉成《清代樸學大師列傳》等四書，所述陳立生平，皆取資於二文以增華。是以下文先取二劉篇文，佐以相關著作，如陳立《句溪雜著》、江蘇省《句容縣志》等，略述

*　　黃復山，淡江大學中國文學系教授。

其生平學行，再作派別歸屬之討論。

一、陳立小傳

陳立（1809－1869），字卓人，又字默齋，江蘇句容人，生於嘉慶十四年五月二十一日，家世服田。父啟瑞為國學生，本生父輔則為邑諸生，而陳立自幼穎異，五歲入家塾，過目成誦，讀書亦能求是。後隨父客揚州，迄至弱冠，先後從師於江都凌曙（1775－1829）、梅植之（1794－1843）及儀徵劉文淇（1789－1854）。其間學詩古文辭於梅氏，而得《公羊春秋》、許氏《說文》、鄭氏《禮》於凌、劉二氏，於《公羊》致力尤深。道光十四年（1834）鄉試，以經學淹博，中式江蘇省舉人。二十一年（1841）會試成進士。選翰林院庶吉士，改刑部主事，累官，升郎中。陳立平生受事，皆刑名至重，居處詳慎。咸豐十年（1860）七月，授雲南曲靖府知府，清文宗召對，有「為人清慎」之褒辭。時以太平軍亂事，道梗不克之任，因流轉東歸，蹀躞燕、晉、秦、蜀間，並於同治二年（1863）迂道山西，主講於介休綿山書院。明年八月，太平天國亡，東南底定，乃挈眷南歸故里。七年（1868），浙江巡撫李瀚章延為司刑案，明年十月，以疾辭官歸鄉，二十二日至鎮江途次，病增劇而卒，得年六十有一。著有《白虎通疏證》十二卷、《公羊義疏》七十六卷、《句溪雜著》六卷、《爾雅舊注》二卷、《說文諧聲孳生述》三卷等。

劉文淇記述陳立早期師承云：「嘉慶庚辰冬，先舅氏凌曉樓先生自粵中返里，家居授徒。卓人年甫舞勺，受業於門，天資聰穎，

已具成人之概。」❶凌曙於嘉慶二十五年庚辰（1820）冬返揚州故里，家居授徒，次年（道光元年，1821）陳立十三歲，受業於門，正合「年甫舞勺」之說（《禮記・內則》「十有三年，學樂，誦詩，舞勺」）。

道光四年（1824），凌曙客授他氏，陳立（16 歲）「遂學於梅君蘊生，受詩文之法。」惟次年（1825，陳立 17 歲），凌曙「復家居，閉戶著述，精《公羊春秋》，兼通鄭氏《禮》，卓人復從受經，飫聞緒論。」此即陳立再度授業於凌曙，因而「《公羊》、《禮・服》之學，卓人蚤得其傳，遂乃博稽載籍，凡有關於何、鄭之學者，手自抄錄，推闡其義」，學問因以日進。不幸凌曙於是年歲暮中風，次年乃託囑外甥劉文淇（時年三十九）以字學教授陳立。是以劉文淇亦云：「泊先舅氏臥病董子祠中，令卓人問字於余。」❷

以此而言，陳立之師承可知者，於十三至十五歲學經義於凌曙，十六歲學詩文於梅植之，十七歲復歸凌曙門下，得其《公羊春秋》及鄭氏《禮》，而十八歲又從劉文淇受許慎《說文》。所師三人皆為當時名士，故劉恭冕謂：陳立「少所受學，皆名師，江都梅先生植之授君詩、古文詞，得其義法；江都凌先生曙、儀徵劉先生文淇，授君《公羊春秋》、許氏《說文》、鄭氏《禮》，君兼通

---

❶ 〔清〕劉文淇：〈句溪雜著序〉，收入〔清〕陳立：《句溪雜著》（《續修四庫全書》，上海：上海古籍出版社，1998 年），〈序〉，頁 1－2。

❷ 同前註，頁 1。

之」❸。

凌曙深研《公羊》學，與外甥劉文淇皆以精詳訓詁考證而自豪，劉文淇嘗謂：「余維漢儒之學，經唐人作疏，而其義益晦。徐彥《公羊》空言無當，賈、孔《禮疏》亦少發明，近人如曲阜孔氏、武進劉氏，謹守何氏之說，詳義例而略典禮、訓詁；歙金氏、程氏習鄭氏《禮》，顧其所著書，往往自立新義，顯違鄭說。先舅氏悆然憂之，慨然發憤，其於《公羊》也，思別為《義疏》，章比句櫛，以補徐氏所未逮；其於《禮》也，思舉後儒之背鄭者，一一駁正之。」❹可見二人對於孔廣森（1752－1786）、劉逢祿（1776－1829）之《公羊》義例，並不認同。曙更以「《公羊》舊《疏》，不著撰人，言例雖詳，考禮則略，遂乃覃精研思，逞稽博覽，著《公羊禮疏》十一卷，……以導揚古義，遵守舊聞」❺，因以《公羊》學知名於時。梁啟超即認為：「凌曉樓嘗銳意以此（《公羊》學）自任，晚年病風，精力不逮，僅成《公羊禮疏》十一卷。卓人為曉樓弟子，繼師志以成此書。」❻可知陳立先傳習凌曙之《公羊》學，根柢已頗沈深，又得劉文淇教導，此亦成為其日

---

❸ 〔清〕劉恭冕：〈曲靖府知府陳君墓誌銘〉，收入繆荃孫纂錄：《續碑傳集》（臺北：明文書局，1985 年），卷 74，頁 19。又見於趙爾巽等：〈儒林傳三〉，《清史稿》（北京：中華書局，1977 年），卷 482，頁 13294。

❹ 劉文淇：〈句溪雜著序〉，收入〔清〕陳立：《句溪雜著》，〈序〉，頁 1－2。此〈序〉作於道光二十三年癸卯（1843）七月，見〔日〕小澤文四郎：《儀徵劉孟瞻年譜》（臺北：大華印書館，1968 年），頁 180。

❺ 〔日〕小澤文四郎：《儀徵劉孟瞻年譜》，頁 30。

❻ 梁啟超著，朱維錚校注：《中國近三百年學術史》，收入《梁啟超論清史二種》（上海：復旦大學出版社，1985 年），頁 322。

後《公羊義疏》撰寫之動力也。

道光八年（1828），陳立年二十，「秋，隨劉孟瞻（文淇）、梅蘊生（植之）兩師，劉楚楨（寶楠，1791－1855）、包孟開（慎言）兩先生赴鄉闈」。在應試寓居金陵期間，諸人約定新疏《左傳》等六經，陳立溯其事曰：「孟瞻師、楚楨先生病十三經舊疏多踳駁，欲仿江氏、孫氏《尚書》，邵氏、郝氏《爾雅》，焦氏《孟子》，別作疏義。孟瞻師任《左氏傳》、楚楨先生任《論語》，而以《公羊》屬立。」❼可謂摯友、師徒共作義疏之佳話。此亦可證，陳立雖始弱冠，其學殖功力已得師友之認可。

陳立亦不負師友所託，歲暮罷鄉試而歸後，即準備進行《公羊義疏》之撰作，時約道光九年（1829，陳立 21 歲）歲初。但於實際著手時，發現「《公羊》一書，多言禮制，而禮制之中，有周禮、有殷禮，以孔子有『舍文從質』之說，故言禮多舍周而用殷。殷、周典制既迥然不同，故欲治《公羊》必先治《三禮》。而《白虎通德論》實能集禮制之大成，且書中所列大抵皆《公羊》家言，而漢代今文、古文之流別，亦見於此書，誠可謂通全經之濫觴」，於是陳立另起爐灶，先「別撰《白虎通疏證》十二卷，取古代典章

---

❼　〔清〕陳立：〈劉楚楨先生《論語正義》序〉，《句溪雜著》，卷 6，頁 11。此事劉寶楠之子劉恭冕亦有述及，謂劉寶楠等六人「各治一經」。劉恭冕〈論語正義後敘〉云：「道光戊子，先君子應省試，與儀微劉先生文淇、江都梅先生植之、涇包先生慎言、丹徒柳先生興恩、句容陳丈立始為約，各治一經，加以疏證。」〔清〕劉寶楠：《論語正義》（北京：中華書局，1990 年），頁 797。按：陳鴻森：〈劉氏《論語正義》成書考〉，《中研院史語所集刊》，65 本第 3 分（1994 年），謂柳興恩、包慎言實未參與其事。

制度，一一疏通證明。」❽歷經三載，終於道光十二年（1832）九月竣事，時僅二十四歲。其書用功頗深，引述博雜，而皆有條貫，是以近年北京中華書局集刊古著為《新編諸子集成》，亦選入第一輯中，並誇讚曰：「《白虎通疏證》是到目前為止校釋《白虎通》最好的著作。」❾

《白虎通疏證》既成，陳立乃覃精於《公羊義疏》之撰述，幾四十載而竣功。史傳謂：陳立撰此書時，「博稽載籍，凡唐以前《公羊》古義，及國朝諸儒說《公羊》者，左右采獲，擇精語詳。草創三十年，長編甫具。南歸後，乃整齊排比，融會貫通，成《公羊義疏》七十六卷。」❿陳立於同治四年（1866）五十七歲時，自述其事，則云：「立於《公羊疏》，匆匆四十年，近甫輯成稿本七十餘卷，復囊筆遊楚、越，疏漏淺謬，卒未覈正。歲月如逝，寫定無期，追維先哲，悔恧何已。」⓫可知《義疏》之撰作，鉤稽貫串，曠日費時，由二十四歲以迄五十七歲而未定。立卒年六十一，

---

❽ 支偉成：《清代樸學大師列傳》（長沙：岳麓書社，1986 年），頁 250。

❾ 〔清〕陳立：《白虎通疏證》（北京：中華書局，1994 年），中華書局編輯部〈出版說明〉，頁 4。

❿ 趙爾巽等：〈儒林傳三〉，《清史稿》，卷 482，頁 13294。

⓫ 陳立：〈劉楚楨先生《論語正義》序〉，《句溪雜著》，卷 6，頁 12。陳立此篇撰作時間，據劉恭冕撰於「同治五年歲次丙寅春三月」之〈論語正義後敘〉，言及冕恭續成《論語正義》，於「乙丑之秋而後寫定，述其義例，列於卷首」（〔清〕劉寶楠：《論語正義》，頁 798）。而陳立則是「從明經（即冕恭）假讀竟，乃敘而論之曰」（〈劉楚楨先生《論語正義》序〉），可知陳立作〈序〉時間在乙丑秋後而丙寅三月之前，姑定為同治四年乙丑歲暮。

則《公羊義疏》或竣稿於卒前四年之間，撰述先後垂四十載矣。

陳立問學為文之風格，「淵雅典碩，不尚空言，大抵考訂服制、典禮及聲音、訓詁為多」❷。所撰《公羊義疏》，梁啟超亦謂可當清代《公羊》學中「登峰造極」之作，梁氏云：

> 此書嚴守「疏不破注」之例，對於邵公只有引申，絕無背畔。蓋深知《公羊》之學專重口說相承，不容出入也。其所徵引，自董仲舒、司馬遷以下，凡漢儒治《公羊》家言者，殆網羅無遺。清儒自孔（廣森）、莊（述祖）、劉（逢祿）以下，悉加甄采，而施以嚴正的裁斷。禮制一部分，則多採師（凌）說而篤宗鄭氏。……在《公羊》學裏頭，大約算登峰造極的著作了。❸

二、陳立學術

既明陳立生平學術，則可試論其學部歸屬矣。民國十三年（1924），支偉成撰成《清代樸學大師列傳》，於〈常州派今文經學家列傳第七〉中，次列「武進莊氏一門傳（存與、述祖、綬甲、有可）、劉逢祿、宋翔鳳（1779－1860）、陳立、柳興恩（1795－1880）、迮鶴壽（1773－？）、邵懿辰（1810－1861）、戴望

---

❷ 清國史館原編：〈儒林傳下〉，《清史列傳》（上海：中華書局，1928年），卷69，頁67。

❸ 梁啟超著，朱維錚校注：《中國近三百年學術史》，收入《梁啟超論清史二種》，頁322。

（1837－1873）」等人，視陳立為常州學派。惟章太炎頗持異議，認為：

> 「今文」之學，不專在常州。其莊、劉、宋、戴諸家，執守「今文」，深閉固拒，而附會之詞亦眾，則常州之家法也。若凌曙之說《公羊》、陳立之疏《白虎》、陳喬樅之輯三家《詩》、三家《尚書》，祇以古書難理，為之徵明，本非定立一宗旨者，其學亦不出自常州。此種與吳派專主漢學者當為一類，而不當與常州派並存也。❿

章太炎所言固有其理，惟又認為龔自珍（1792－1841）「附經于史與章學誠相類」、魏源（1794－1856）「不古不今，非漢非宋」，皆「不得附常州學派」❺，則又異於一般學案之歸屬也。因而程發軔《國學概論·近儒學術統系表》（1970 年），將凌曙、劉文淇、陳立三人，皆歸諸「淮南學派」中，與「常州學派」分隔，而魏源、龔自珍則列之「燕京學派──地學」一類中。

　　孫春在《清末的公羊思想》（1985 年），則於「常州《公羊》系學譜」中表列莊存與（1719－1788）至陳立之師弟傳承：

　　莊存與 → （姪）莊述祖 → （甥）劉逢祿 → （門人）凌曙

---

❿　支偉成：〈章太炎先生論訂書〉，《清代樸學大師列傳》（長沙：岳麓書社，1998 年），頁 3。
❺　支偉成：〈章太炎先生論訂書〉，《清代樸學大師列傳》，頁 4。

→（門人）陳立。**⑯**

並且說明：除常州莊、劉家族，以及宋翔鳳、龔自珍、魏源等「《公羊》學的先驅及健將之外，……和他們取相似立場，發揮以《公羊》義例為中心的今文經學的學者，尚有……著《公羊禮說》、《公羊問答》、《春秋繁露注》的凌曙，著《公羊義疏》、《白虎通疏證》的陳立等人，踵事增華，不一而足」**⑰**。美國學者艾爾曼說辭略同，謂：揚州劉文淇雖然認為「陳立與揚州古文學派關係，比他與常州新興的今文學派的關係更為密切」，惟「劉逢祿對陳立的影響，遠遠超乎劉文淇的想像。陳立《文集》中有一文就明確表示，他完全贊同劉逢祿的主張」**⑱**。

艾氏並藉陳新霖《清代經今文學述》所言，推論道：「劉逢祿對阮元、凌曙、陳立等揚州學者的影響表明，常州今文經學已波及漢學發源地。……十八世紀的常州今文經學，多受蘇州、揚州漢學的影響，十九世紀以後，這種局面改變了。今文經學經宋翔鳳的努力傳入蘇州，由陳立之手進入揚州。」**⑲**是以學者亦謂：「常州學派由莊存與為先導，劉逢祿奠基。與吳派、皖派一樣，其涵蓋面不局限於常州府。如曲阜孔廣森、吳縣宋翔鳳、江都凌曙、句容陳立、仁和龔自珍和邵陽魏源等，他們推崇西漢今文經，研究興趣在

---

⑯ 孫春在：《清末的公羊思想》（臺北：臺灣商務印書館，1985 年），頁 26。

⑰ 同前註，頁 56－57。

⑱ 〔美〕艾爾曼著、趙剛譯：《經學、政治和宗族》（南京：江蘇人民出版社，1998 年），頁 170。

⑲ 同前註，頁 171。

《春秋公羊傳》，援用常州學派的《公羊》學理論，也隸屬于常州學派。」❷以此而論，陳立雖是揚州學者，卻可以歸諸常州學派。

　　然而陳其泰從學術內涵來作區分，認為揚州、常州二派，雖然皆注重《公羊》學，卻有實質之差異。若常州劉逢祿學術主何休《公羊解詁》，創通條例，發揮今文微言大義，又於所撰《左氏春秋考證》中非議《左傳》，批評古文學劉歆，此類觀念影響及於康有為撰《新學偽經考》。是以陳其泰謂劉逢祿《公羊》學之特色為「極注重理論上的總結、闡發，這跟清代絕大多數樸學家只限於排比資料、訓詁考證而不擅長於義理的分析、綜合大不相同」❷；而陳立《公羊義疏》，「疏解《公羊》學的義理實非其所長，他的興趣乃在禮制訓詁方面」，「舍棄了《公羊》學『張三世』、『通三統』的大義，根本不理解這些問題的重要性，而把自己疏解的目標集中在『錯綜』異例和異辭上」，因而有學者甚至批評陳立書「不足以稱『義疏』，而應該稱『集解』」❷。楊向奎《清儒學案新編》亦認為：陳立「在占有材料及訓詁方面，有獨到處，……但在他的《義疏》中，一無發揮，二無判斷，因之我們以為他不具備作這種總結的條件」❷。至於常州、揚州二學派之實際差異，張壽安〈清代揚州學派研究展望〉釐之頗為明確，謂：「常州學者挾『文士』、『策論』之風氣，解經不逐字詁訓特喜闡揚大義，上溯三皇治道，下論當今時勢，對經文多摭片語即作發揮，……和揚州學者

---

❷　見《常州學派》所述，取自網站 www.enweiculture.com。
❷　陳其泰：《清代公羊學》（北京：東方出版社，1997年），頁102。
❷　同前註，頁134。
❷　楊向奎：《清儒學案新編》（濟南：齊魯書社，1991年），頁122。

嚴守的『專門注疏之學』，實有天壤之別。」❷

綜合諸家說辭，陳立之學蔀歸屬所以具有爭議，乃因其師傳雖與常州今文學有關，而著作則未能如常州莊、劉家族等學者「具思想的原創性與系統性」❷，考其著成《公羊義疏》時，「中國與外國關係更出現了亙古未有的變局，新的哲學家需要有探求世界的眼光，這更是陳立所未夢見。批判和認識世界，這兩項艱鉅任務需要龔自珍、魏源這樣的出色人物來完成」❷。是以龔、魏可以歸諸為常州思想之後繼者，而陳立卻不具備如是之特質。

持平論之，陳立師承凌曙之時，常、揚學派尚未如後世之劃分明顯。張壽安謂「凌曙窮促時結識了包世臣，經包世臣引介，曾分別問學於阮元、劉逢祿。阮、劉二人正代表著揚、常二州的不同解經取向。最終凌曙撰述的《公羊禮說》、《公羊禮疏》、《春秋繁露注》，走的卻是揚州學派的專門注疏之業」，而「凌曙居乾嘉後期今、古文經之爭尚未正面交鋒之際，以《禮》治《公羊》，其為學態度如何調適於兩者之間，很值得深究」❷。是以陳立承襲凌曙之《公羊》學，「雖然未能在義理上作出獨到的發揮，但從他所廣泛徵引的古代有關記載，我們即可清楚」某些禮制（如告朔禮）之廢止，「不會是陡然完全消失，而應有一個或行或否的過程，這樣更加符合事情發展的規律」，其《公羊義疏》「徵引各種記載，備

---

❷　張壽安：〈清代揚州學派研究展望〉，《漢學研究通訊》第 19 卷 4 期（2000年 11 月），頁 619－624。

❷　孫春在：《清末的公羊思想》，頁 57。

❷　陳其泰：《清代公羊學》，頁 143。

❷　張壽安：〈清代揚州學派研究展望〉，頁 619－624。

述其重要性，……若細加披繹，有其參考價值」❷。是以吾人或可
謂陳立於道、同之際，為常州學派中之揚州學者，而於近世學部分
辨中，則歸諸揚州學派中偏重制度考證之今文學者。

三、陳立早期之讖緯學

　　陳立疏證《白虎通》，成書十二卷，博引古籍，多達百餘種、
七千餘條次❷，其中讖緯文獻即有九種，四百餘條。其於讖緯鑽研
之深，較之當時樸學名家如孫星衍（1753－1818）、王念孫（1744
－1832）等，毫不遜色❸。惟以其始撰《疏證》時年僅二十一，學
殖工夫之深厚，固不及日後耗費三十餘載，竣業於晚年之《公羊義
疏》。是以此時之讖緯學，姑名之曰：「早期」可也。吾人若能析
述陳立早期讖緯學術之成果，再藉具論其日後《公羊》學之內容淺
深，或較有具體之依據也。此亦斯文之作意也。

㈠　《白虎通疏證》引讖概述

　　陳立《白虎通疏證》所引讖文，不計泛引緯名者（如《詩
緯》、《禮讖》、《易說》等），凡有《詩》類二篇（《詩推度
災》等）、《尚書》類九篇（《尚書考靈耀》、《中候運衡》

---

❷　陳其泰：《清代公羊學》，頁 139－141。

❷　吾嘗執行國科會個人研究計畫「《白虎通》與東漢圖讖關係探論」（NSC 88
　　－2411－H－032－005），陳立《疏證》所引據條數，見計畫結案書。後並
　　節錄於黃復山：《東漢讖緯學新探》（臺北：臺灣學生書局，2000 年）〈引
　　論〉中。

❸　按：乾嘉學者如孫星衍、王念孫等人對讖緯之論述，詳見黃復山：〈乾嘉讖
　　緯學探實〉，清代乾嘉學者的治經貢獻第一次學術討論會論文，1992 年；
　　〈孫星衍引讖解經之評議〉，東亞漢學國際學術研討會，2001 年。

等）、《禮》類三篇（《禮含文嘉》等）、《樂》類三篇（《樂叶
圖徵》等）、《易》類五篇（《易乾鑿度》等）、《春秋》類十三
篇（《春秋元命苞》等）、《論語》類二篇（《論語撰考讖》
等）、《孝經》類二篇（《孝經援神契》等）、《河圖》類二篇
（《河圖真紀》等），共計九種，四十一篇，四百二十六條次，僅
《洛書》未見引述。其詳如下：

緯　書	篇　　　名
《詩緯》	《詩推度災》、《詩汎厤樞》
《尚書緯》	《尚書緯》、《考靈燿》、《帝命驗》、《璇璣鈐》、《刑德放》、《中候》、《中候我應》、《中候運衡》、《中候洛予命》、《中候握河紀》、《摘雒戒》。
《禮緯》	《禮讖》、《禮緯》、《禮含文嘉》、《斗威儀》、《禮稽命徵》。
《樂緯》	《樂緯》、《樂叶圖徵》（又作《樂叶圖徵》）、《樂稽燿嘉》、《樂動聲儀》。
《易緯》	《易說》、《易乾鑿度》、《易通卦驗》、《易稽覽圖》、《易坤靈圖》、《易是類謀》。
《春秋緯》	《春秋說》、《春秋緯》、《元命苞》、《說題辭》、《運斗樞》、《文燿鉤》、《考異郵》、《命歷序》、《感精符》、《保乾圖》、《佐助期》、《演孔圖》、《文耀鉤》、《合誠圖》、《漢含孳》。
《論語讖》	《論語讖》、《論語撰考讖》、《比考讖》。
《孝經緯》	《孝經說》、《孝經緯》、《援神契》、《鉤命決》。
《河圖》	《河圖》、《河圖真紀》、《汁光紀》。

四十一篇所引用條次中，以《春秋元命苞》八十一條為最多，《孝經援神契》六十五條居次，此外如《易乾鑿度》二十條、《禮含文嘉》二十條、《春秋說題辭》二十一條、《春秋考異郵》十八條，六篇合計二二五條，已逾全數二分之一；其餘三十六篇所引用，則皆在十五條以下。是以可知陳立所引讖文篇目，略有偏重。

　　然而讖文四二六條之數目統計，容或不夠周延。蓋所引讖文有篇名不同而其實為一條者，如《疏證‧三正》云「《說郛》引《詩汎厤樞》」（8/362）與《疏證‧三軍》云「《說郛》載《詩推度災》」（5/204），二篇讖文字句相同，實皆出自《說郛‧詩紀厤樞》，陳立誤植篇名，致分為二也。又有本屬一條，而分置二處，如《疏證‧爵》云：「《初學記》引《尚書刑德放》亦云：『天子，爵稱也。』」（1/1）《疏證‧號》云：「《類聚》引《刑德放》曰：『帝者，天號也。』〈注〉云：『同之天神。』」（2/44）二條皆見於輯本《尚書刑德放》一條中：「帝者，天號；王者，人稱。天有五帝以立名，人有三王以正度。天子，爵稱也；皇者，煌煌也。」❸亦不乏一條拆解為數條者，如《疏證‧八風》引《考異郵》九條、《通卦驗》八條❷，皆是一條拆散而成；而《疏證‧封禪》引《援神契》十三條，原本只是兩條（詳下文《疏證》與《七緯》關係之列表）。依此原則刪減、合併重複之各條，則實際引讖之條數或不逾三五〇。

---

❸　〔清〕黃奭：《尚書緯》，《黃奭逸書考‧通緯》（上海：上海古籍出版社，1993年），卷2，頁5。
❷　陳立：〈八風〉，《白虎通疏證》，卷7，頁341－346。

　　至於各條讖文之出典，來源不一，如《春秋元命苞》八十一條之出典，即有《詩經疏》、《禮記疏》、《公羊疏》、《論語疏》、《古微書》、《史記索隱》、《續漢志》、《宋書》、《五行大義》、《北堂書鈔》、《初學記》、《開元占經》、《藝文類聚》、《太平御覽》、《翻譯名義集》、《路史注》、《昭明文選注》等十七種。試作四二六條之逐一歸類，凡得經部十五種、史部九種、子部十三種、集部一種，共計三十八種，表列如下：

經部	《十三經注疏》（引述《詩經疏》、《尚書疏》、《禮記疏》、《儀禮疏》、《周禮疏》、《公羊疏》、《穀梁疏》、《左傳疏》、《論語疏》等九種），另有《大戴禮注》、《禮記·釋文》二種；緯書輯本則有《易緯》八種（《四庫全書》本）、〔明〕陶宗儀《說郛》（120 卷本）、〔明〕孫轂《古微書》、〔清〕趙在翰《七緯》。
史部	《史記索隱》、《後漢書注》、《續漢志》（即《後漢書·志》）、《宋書》、《隋書》、〔晉〕酈道元《水經注》、〔唐〕杜佑《通典》、〔宋〕羅苹《路史注》、〔清〕馬驌《繹史》。
子部	〔漢〕應劭《風俗通》、〔隋〕蕭吉《五行大義》、〔隋〕虞世南《北堂書鈔》、〔唐〕釋瞿曇悉達《開元占經》、〔唐〕徐堅《初學記》、〔唐〕歐陽詢《藝文類聚》、〔宋〕李昉《太平御覽》、〔宋〕王應麟《玉海》、《小學紺珠》、〔宋〕董逌《廣川書跋》、〔宋〕釋法雲《翻譯名義集》、〔明〕劉仲達《鴻書》、〔明〕安夢松《孔聖全書》。
集部	〔唐〕李善《昭明文選注》。

諸書所引讖文，以《太平御覽》八十七條最多，《古微書》、《五

行大義》皆為三十八條居次,《禮記疏》三十四條近之,其餘如《詩經疏》十八條等,皆在二十條之下。所採用典籍如《十三經注疏》、陶宗儀《說郛》、杜佑《通典》、李昉《太平御覽》等,皆為篇帙浩瀚之大部套書;再計其餘與讖文無關之引據典籍如《獨斷》、《新論》、《論衡》等,可知陳立疏證《白虎通》時,所用之書已逾百種。若諸書皆為陳立具實引述者,則此時彼雖年始弱冠,所觀眾書已屬難得矣。

㈡ 《白虎通疏證》所引讖文多出自《七緯》

陳立於《疏證》中所引書名逾百種,可稱龐雜,以其家世服田,財貨不富,又非書香傳世,何得藉助如許書籍以為徵引之資?詳細搜檢其讖緯引文之出典,實多擷自趙在翰《七緯》也。

所以知者,陳立疏證《白虎通·天地》「太初、太始」詞義時,謂劉仲達《鴻書·天文部》❸❸引《鉤命決》云:「天地未分之前,有太易,有太初……」(《疏證》卷 9,頁 421。下仿此)惟考覈陳立徵引之實,則出於趙在翰《七緯》卷三十七之《孝經鉤命決》;惟《鴻書》引作「孝經鈎命訣」,與《七緯》之「鉤、訣」二字不同❸❹。又,陳立疏證〈姓名〉「文家尊尊」謂:「《廣川書

---

❸❸ 〔清〕紀昀:《四庫全書總目》(臺北:漢京文化事業,1981 年),謂:劉仲達字九達,明萬曆年間編《鴻書》一百八十卷,纂輯「事實詞章,相雜而載。每條皆註所出,……然大抵轉引類書,不盡出於本文。」(卷 138,〈類書類存目二〉,頁 735。)

❸❹ 〔清〕趙在翰:《七緯》,卷 37,《孝經鉤命決》,頁 3,收入《緯書集成》(上海:上海古籍出版社,1994 年)中。此條佚文見於〔明〕劉仲達:〈天文部〉,《鴻書》,收入《續修四庫全書》(上海:上海古籍出版社,1998 年),卷 1,頁 2。

跋》引《含文嘉》云：『文家稱叔，質家稱仲。』」（9/417）考
宋董逌《廣川書跋》確引其文，而趙在翰則錄之於《七緯》卷十七
《禮含文嘉》中，並注出典曰：「《檀弓正義》、《廣川書
跋》。」考《鴻書》一百八十卷、《廣川書跋》十卷皆頗引讖文，
而《疏證》則僅此一見，可信陳立於此兩條並未蒐尋該書，而為逕
自摘取《七緯》者。

再者，如疏證「文王之牲」時，謂：「《說郛》引《詩汎厤
樞》云：『王者受命，必先祭天，乃行王事。……』」（8/362）
然而《說郛》一二〇卷本輯此條為《詩紀厤樞》讖文，《七緯》則
收入《詩汎厤樞》中，並註其出典曰「《說郛》」❸。陳立此條篇
名同於《七緯》而異於《說郛》，可知取自《七緯》無疑。陳立又
於疏證「天地之名」時，謂：「《詩緯》引《推度災》云：『三氣
未分別，號曰：渾淪。』……《推度災》又云：『上清下濁，號
曰：天地。』《廣雅・釋天》云：『三氣相接……。』」
（9/421）所舉《詩緯》蓋指《七緯・詩推度災》，所引兩條讖文
亦即該篇第四、五條；讖文下所續之《廣雅・釋天》云云，亦摘自
同篇第六條之「在翰按」中❸。以此可證，陳立所引之《詩緯》與
《廣雅・釋天》，皆出自《七緯》。

更舉三例以見陳立援引《七緯》而掩其名之例，陳立疏證〈崩
薨〉「天子飯以玉」，謂：「《穀梁疏》引《禮稽命徵》同。」
（11/548）考《穀梁疏》實作「或以為《禮緯》：『天子用

---

❸　〔清〕趙在翰：〈詩汎厤樞〉，《七緯》，卷15，頁5。
❸　同前註，〈詩推度災〉，卷14，頁2。

珠……」」**❸**，並未賦予篇名，而《七緯‧禮稽命徵》收納此條，
並注出典曰「《穀梁‧隱元年疏》」（18/8），是陳立未檢《穀梁
疏》而逕取《七緯》也。又於疏證〈紼冕〉「垂旒、纊塞」時，引
讖文三條，謂「《大戴禮》……《注》引《含文嘉》云」、「《隋
志》引《含文嘉》云」、「《續漢志》引《含文嘉》云」
（10/499），出典雖列三書，實皆取自《七緯》卷十七《禮含文
嘉》第十六至十八條等三條，趙氏於每條末句注明出處曰：「《大
戴禮‧子張問入官篇注》」、「《隋書‧禮儀志》」、「《續漢
書‧輿服志》」；此又陳立摘引《七緯》之證也。三則於疏證〈四
時〉「歲者遂也」，謂：「《御覽》引《元命苞》云。」「《書
鈔》引《元命苞》云……，《注》：『舉猶備也。』」（9/428）
兩條讖文皆見於《七緯》卷二十四《春秋元命苞》，趙氏注其出典
為「《御覽‧時敘部十七》」、「《書鈔‧歲時部》」，其《書
鈔》所附注文，僅見於《七緯》而不見於《古微書》。是皆可知陳
立當以《七緯》為取資也。

　　尤為明證者，陳立於《白虎通‧封禪》兩段疏證文字中，嘗引
讖文十四條，取以比對《七緯》相同讖文，則陳立擷取《七緯》而
不名者，昭然若揭矣。試列表於下，以見其詳。表之左欄為陳立
《疏證》所引讖文，右欄則為趙在翰《七緯》卷三十六所輯讖文：
（左欄框內 183 等數字，為陳立《疏證》引讖 421 條之編碼；右
欄括弧內文字，為趙在翰《七緯》自注之出典。）

---

❸　〔清〕何休注、〔唐〕徐彥疏：《春秋公羊傳注疏》（臺北：藝文印書館，
　　1981 年），卷 1，頁 6。

(1)《白虎通·封禪》卷六：「德至鳥獸，則鳳皇翔，鸞鳥舞，麒麟臻，白虎到，狐九尾，白雉降，白鹿見，白鳥下。」（頁284）

陳立《疏證》云：	《七緯·孝經援神契》卷三十六：
183 《論語疏》引《援神契》：「德至鳥獸，則鳳皇來。」	* 德至鳥獸，則鳳皇來。（《論語·子罕正義》。）
184 《類聚》引《援神契》云：「德至鳥獸，則鸞鳥舞。」	* 德至鳥獸，則鸞鳥舞。（《類聚·祥瑞部》、《御覽·羽族部三》。）
185 《左疏》引《援神契》云：「德至鳥獸，則麒麟臻。」	* 德至鳥獸，則麒麟臻。（《左氏·哀十四正義》。）
186 《占經》引《援神契》云：「德至鳥獸，則白虎動。」又云：「德至鳥獸，則狐九尾。」《注》：「王燕嘉賓，則狐九尾。」	* 德至鳥獸，則白虎見。（《類聚》全上。《占經·獸休徵》。）
187 王褒〈四子講德論〉云：「昔文王應九尾狐而東國歸周」，《注》引《元命苞》曰：「天命文王以九尾狐。」	* 德至鳥獸，則狐九尾。宋均注：「王燕嘉賓，則狐九尾也。」（《類聚》全上、《占經·獸休徵》。）
188 《御覽》引《援神契》云：「德至鳥獸，則雉白首。」《注》：「妃房不偏，故白雉應。」案：《類聚》引此，亦作「雉白首」，似宜從之。	* 德至鳥獸，則雉白首。《注》：「妃房不偏，故白雉應。」（《類聚》全上。《御覽·羽族部四》上有「王者」二字。）
189 《古微書·援神契》云：「德至草木，則白鹿來。」案：白鹿非草木類，宜即鳥獸之訛也。	* 德至鳥獸，則白鹿見。（〈獸休徵〉、《類聚·祥瑞部》。）

190 《初學記》引《援神契》云:「德至鳥獸,則白鳥下。」小字本「鳥」作「禽」。(《白虎通疏證》卷6,頁284。)	＊德至鳥獸,則白鳥下。(《類聚》全上。《初學記·鳥部》、《爾雅翼·鳥》。《御覽·羽族部七》上有「王者」二字。)

(2)《白虎通·封禪》卷六:「德至山陵,則景雲出,芝實茂,陵出黑丹,阜出萐莆,山出器車,澤出神鼎。」(頁284)

陳立《疏證》云:	《七緯·孝經援神契》卷三十六:
191 《禮疏》引《援神契》:「德至山陵,則景雲出。」	＊王者德至山陵,則景雲出。(《禮·禮運正義》。)
192 《類聚》引《援神契》:「善養老,則芝茂。」	＊善養老,則芝茂。(《禮·禮運正義》、《類聚·祥瑞部》。)
193 《文選注》引《援神契》:「德至山陵,則出黑丹。」	＊德至山陵,則出黑丹。(《文選·東京賦注》。)
194 《御覽》引《援神契》:「王者德至山陵,則澤阜出萐莆。」	＊王者德至山陵,則澤阜出萐莆。(《御覽·休徵部一》。)
195 《類聚》引《援神契》:「德至山陵,則山出木根車。」	＊德至山陵,則山出木根車。(《類聚·舟車部》。)
196 《文選注》引《援神契》:「德至山陵,則澤出神馬。」案:此多用《援神契》文,當亦作「神馬」,故《類聚》引此亦作「澤出神馬」也。(《白虎通疏證》卷6,頁284－285。)	＊德至山陵,則澤出神馬。(《文選·王融曲水詩敘注》、《類聚·獸部》、《事類賦·獸部》、《御覽·獸部二》。)

由左右兩欄之比對，可知陳立所引第 183 至 196 等十三條《援神契》，典出《禮疏》、《左疏》、《論語疏》、《占經》、《初學記》、《類聚》、《文選注》、《御覽》等八書，頗似博檢雜蒐，其實全摘自趙在翰《七緯》卷三十六；僅止第 187 條《元命苞》為取自《文選注》者。其 189 條謂引自《古微書》，今查《古微書·援神契》原文，實作「德至鳥獸，則鳳凰翔，麒麟臻，白虎見，白鹿來，狐九尾，白烏下，雉白首」❸。並無「草木」之語，不知陳立何以致誤。以此而論，陳立此條亦取諸《七緯》，而非引自《古微書》也。

　侯官趙在翰殫精二載而撰成《七緯》二十九卷，時為嘉慶九年（1804），並增補刊行於十四年（1809）歲末❸，陳立即生於是年之五月；迨陳立疏證《白虎通》時，《七緯》行世已二十載，固不難披閱其書。觀陳立〈白虎通義疏證自序〉云：「華容著錄，片羽僅存；侯官集遺，塵珠略見。」❹是陳立亦見及《七緯》之傳本也。趙在翰以二載全力蒐檢讖緯佚文，並輯為專編，而陳立以三載有餘疏證《白虎通》全文，引用經史諸籍百餘種；其於九種讖緯之蒐尋，固無法如趙氏之專精也。是以陳立能摘取《七緯》以疏證《白虎通》經義與讖緯之關係，亦可謂善用人長矣。

　然而陳立雖頗引《七緯》讖文及注語，卻掩其人其書名氏，於

---

❸　〔明〕孫瑴：《古微書》（臺北：新文豐出版社，1985 年《叢書集成新編》本），卷 28，頁 13。

❸　詳見黃復山：〈趙在翰《七緯》引《五行大義》之讖文考正〉，《淡江大學中文學報》第 6 期（2000 年 12 月）。

❹　陳立：〈自序〉，《白虎通疏證》，頁 2。

《疏證》十二卷中，僅〈性情〉「五藏者何」一處述及趙氏，內容論斷亦傾向負面，謂：「趙氏在翰輯《七緯》、孫毅《古微書》，並屬上『官有六府，人有五藏』，皆為《樂動聲儀》語，非也」❹。既繁引《七緯》而隱其名，又譏其書斷句失實，則陳立疑有宣示所引讖文與《七緯》無關之用心。此種藉他人功勞以為己力，於學術求真求實之態度而言，容或可議也。

惟此外仍有未見於《七緯》者，例如《易通卦驗》以及《尚書中候》、《河圖》等讖文❷，當屬陳立自作尋檢所得，是以其蒐檢

---

❹ 陳立：〈性情〉，《白虎通疏證》，卷8，頁383。

❷ 陳立《疏證》所引讖文未見於《七緯》者甚多，如第 119 條《易稽覽圖注》云：「少陰。謂〈否卦〉也。七月〈否〉用事，於辰為申。」（《疏證》卷4，頁 177。以下只注卷／頁）第 41 條《易通卦驗》云：「天皇氏之先，與乾曜合元精。」「君有五期，輔有三名」。〈注〉云：「君之用事，五行代王，亦有五期。三輔，公、卿、大夫也。」（2/44）第 33 條：《御覽》引《中候》云：「予稱太子發，明慎父，以名卒考。」〈注〉：「予，我也。父死曰考。文王命我王，我終之後，恒稱太子者，明慎文王之命也。」……此天子之子稱太子也。（1/30）第 34 條：《御覽》引《中候》云：「文王廢伯邑考，立發為太子。」〈注〉：「定王業也。」又云：「修我度，遵德紀，後恒稱太子發。」（1/31）第 68 條：《禮記疏》引《中候》云：「諸侯曰霸。」〈注〉：「霸，把也。把天子之事也。」案，五霸之字當作「伯」。（2/63）第 168 條：《初學記》引《河圖真紀》云：「王者封泰山，禪梁甫，易姓奉度，繼興崇初也。」（6/278）第 326 條：《大義》引《河圖》云：「腎合膀胱，故膀胱為津液之府，膀胱亦為腎府也。」（8/387）第 327 條：《大義》引《河圖》云：「三焦孤立，為中瀆之府。」（8/387）第 328 條：《大義》引《河圖》云：「肝合膽，膽為中精之府。」（8/388）第 329 條：《大義》引《河圖》云：「肺合大腸，大腸為傳道之府。心合小腸，小腸為受盛之府。」（8/388）第 366 條：《大義》引《汁光紀》云：「日為陽精，故日實也。」（9/424）

之功,亦應予肯定也。

(三) 《白虎通疏證》引讖解經之評議

　　陳立為學,善於博稽載籍,鉤稽貫串,次以整齊排比,再作融會貫通。劉文淇即謂其早年學《公羊》禮制時,「凡有關於何(休)、鄭(玄)之學者,手自抄錄,推闡其義」❸。足見陳立治學工夫之沈穩札實。其撰作《白虎通疏證》亦循此原則,「取古代典章制度,一一疏通證明」❹。是以史傳即謂:陳立「初治《公羊》也,因及漢儒說經師法,謂莫備于《白虎通》。先為疏證,以條舉舊聞,暢隱抉微為主,而不事辨駁,成《白虎通疏證》十二卷」❺。而陳立撰述之際,亦自謂「只取疏通,無資辨難」,「恥鄉壁之虛例,依河間述義之條,析其滯疑,通其結轕,集專家之成說,廣如綫之師傳」❻。陳立既專於抉微析疑而不事辨駁,故劉文淇欣賞之餘,亦僅能舉其樸實可信為特色,讚曰:「所著《白虎通疏證》十二卷,實能條舉舊聞,絕無嚮壁虛造之說。」❼

　　然而此類專致訓詁考證而不擅長於義理分析之樸學方式,確實缺乏思想深度,是以今人評議,乃謂其著作「一無發揮,二無判斷」❽,不足與於清代中期之學術革新思潮中。今欲析論其《疏

---

❸　劉文淇:〈句溪雜著序〉。

❹　支偉成:《清代樸學大師列傳》,頁 250。

❺　清國史館原編:〈儒林傳下〉,《清史列傳》,卷 69,頁 67。又見趙爾巽:
　　〈儒林列傳三〉,《清史稿》,卷 482,頁 13294,說辭相同。

❻　陳立:〈自序〉,《白虎通疏證》,頁 2。

❼　劉文淇:〈句溪雜著序〉。

❽　楊向奎:《清儒學案新編》,頁 122。

證》中引讖解經之價值，亦多見於文獻鋪陳之功，而難尋其經義系統整合之觀念。以下略述其引讖解經之價值。

1. **彙聚各篇讖文，有助文義之解讀**

讖緯之研習所以困難，除內容牽扯龐雜外，亦因歷代禁燬之故，使得明、清諸多輯本皆屬殘篇零簡之餘，各條佚文間並無文義連屬關係，固難藉以窺其思想之完整體系。陳立於《疏證》中類聚文義相近之讖文，使零散義澀之殘簡，得以架構出較完整之面貌，實有助於文義之解讀。如《白虎通・爵》「王者父天母地」，《疏證》引述四條讖文以釋其義，云：

> 《乾鑿度》云：「天子者，繼天理物，改一統，各得其宜，父天母地，以養萬民，至尊之號也。」《後漢書》引《感精符》云：「人主日月同明，四時合信，故父天母地，兄日姊月。」宋均《注》曰：「父天于圜丘之祀也，母地于方澤之祭也。」《御覽》引《保乾圖》云：「天子至尊也，神精與天地通，血氣含五帝之精，天愛之子之也。」……《御覽》引《佐助期》亦云：「天子法斗，諸侯應宿。」皆與《孝經緯》說同。❹

所引《乾鑿度》、《感精符》、《保乾圖》、《佐助期》，原皆散見各緯中，今既合為一段，對於讖文所闡述「天人相互感應」之內容，則更為具體明確矣。又如《白虎通・辟雍》「天子所以有靈

---

❹　陳立：〈爵〉，《白虎通疏證》，卷1，頁2。

臺」，《疏證》亦引述讖文三條，以說其義，云：

> 《古微書·援神契》云：「靈臺考符，居高顯神，聖王所以
> 宣德察微。」案：《乾鑿度》云：「伐崇作靈臺。」然則作
> 靈臺時，仍為諸侯。《續漢志》引《含文嘉》云：「禮，天
> 子靈臺，所以觀天人之際，陰陽之會也。揆星度之驗徵，六
> 氣之瑞應，神明之變化，覩月氣之所驗，為萬物獲福於無方
> 之原。」即此所本也。❺⓪

所引《援神契》、《乾鑿度》、《含文嘉》三條，皆言「靈臺」而
各有詳略，既彙於一段之中，由讖文所言「靈臺」功用，乃天子藉
以「居高顯神」、「觀天人之際」，以證周文王伐崇侯虎時仍為諸
侯。此亦讖文有助於經義之說解之實例也。

2.引讖篇目顯示「讖」、「緯」並無區分

綜觀陳立《疏證》所引讖篇九種，除《洛書》之外，一皆涵
括，是其引述解經之際，並無清儒所強調之「讖」、「緯」別義區
分。蓋自唐初魏徵撰《隋書·經籍志》，擷取鄭玄注讖說辭，始
區別「讖」、「緯」為二，曰：「說者又云：孔子既敘六經，以明
天人之道，知後世不能稽同其意，故別立緯及讖，以遺來世。」❺①
「說者又云」，實襲鄭玄之意也❺②。由此遂寖有「讖、緯」之優劣

---

❺⓪　陳立：〈辟雍〉，《白虎通疏證》，卷6，頁263。

❺①　〔唐〕魏徵：〈經籍志〉，《隋書》，卷32，頁941。

❺②　按：《禮記·王制》「歲三田」，孔穎達《正義》引「鄭玄釋之云：『孔子
　　雖有聖德，不敢顯然改先王之法，以教授於世。若其所欲改，其陰書於緯藏

主從判分矣。清紀昀《四庫全書總目》循其說,亦謂:

> 儒者多稱「讖緯」,其實讖自讖,緯自緯,非一類也。讖者
> 詭為隱語,預決吉凶;……緯者經之支流,衍及旁義。……
> 如伏生《尚書大傳》、董仲舒《春秋陰陽》,核其文體,即
> 是緯書,特以顯有主名,故不能託諸孔子。其他私相撰述,
> 漸雜以術數之言,既不知作者為誰,……遂與讖合而為
> 一。……則「緯」與「讖」別,前人固已分析之;後人連類
> 而讖,非其實也。❺❸

紀昀所言「隱語」、「支流」之意,與《隋志》同,惟視《大
傳》、《繁露》等亦類緯書之流,則「讖、緯」之定義更為廣泛
矣。是以趙在翰亦持此說,謂:「緯之興於漢也以讖,火於隋也亦
以讖。讖、緯之分,知之者眇而緯亡,緯亡而漢學微。」❺❹因而棄
《尚書中候》、《論語讖》、《河圖》、《洛書》等「讖篇」,僅
取《易》、《書》、《詩》、《禮》、《樂》、《春秋》、《孝
經》等七緯佚文,纂成《七緯》,欲以恢復漢學之正途。
　　然而陳立《疏證》引讖凡九種,四十一篇,包含趙在翰所摒棄

之,以傳後王。《穀梁》「四時田」者,近孔子故也。《公羊》正當六國之
亡,讖緯見讀而傳為「三時田」。作傳有先後,雖異不足以斷《穀梁》
也。』」見《禮記正義》(臺北:藝文印書館,1981 年),卷 12,〈王
制〉,頁6。《隋志》所言「說者」,即取之此也。
❺❸　紀昀:〈易類六・附錄〉,《四庫全書總目》,卷6,頁45。
❺❹　〔清〕楊應階:〈七緯記〉引,收入《緯書集成・七緯》,頁1043。

之《尚書中候》、《論語讖》、《河圖》等,今觀其所引三種讖書佚文,皆為闡釋《白虎通》經義者,其中如「《詩疏》引《摘雒戒》云:『曰若稽古周公旦。』周公以有聖德,云:『稽古』,故知皋陶稱『古』,亦聖人也」❺❺,為《尚書中候》解《尚書》經義;「《初學記》引《河圖真紀》云:『王者封泰山,禪梁甫,易姓奉度,繼興崇初也。』」❺❻乃《河圖》言漢代經義中之封禪禮也,《孝經鉤命決》亦有其文。又謂:「《論語》無緯,惟《讖》八卷。」❺❼意指《論語》雖只有「讖」,亦可緯經義也。

衡諸班固《白虎通》原書,亦嘗三引《中候》讖文(如「《中候》曰:『廢考,立發為太子。』」),又引:「《論語讖》曰:『五帝立師,三王制之。』」更以「讖」名《春秋》,作:「《春秋讖》曰:『戰者,延改也。』」❺❽是可證東漢班固時,尚無「讖」、「緯」別義之觀念❺❾。陳立所引諸篇,足以反證《隋志》、紀昀、趙在翰等說辭之牽強也。是以胡玉縉(1859－1940)亦謂:「《論語比考讖》曰:『仁義在身,行之可強。』又《撰考讖》曰:『漸於蘭則芳,漸於鮑則臭。』奚有於穿鑿傅會?更奚有

---

❺❺　陳立:〈聖人〉,《白虎通疏證》,卷7,頁336。

❺❻　同前註,〈封禪〉,卷6,頁278。

❺❼　同前註,〈辟雍〉,卷6,頁255。

❺❽　分見於〔清〕陳立:〈爵〉,《白虎通疏證》,卷1,頁30;卷6,〈辟雍〉,頁255;卷5,〈誅伐〉,頁223。

❺❾　東漢鄭玄以前,與經義比附者曰:「圖讖」、「經讖」,鄭玄始名之曰:「緯」。詳見黃復山:《漢代《尚書》讖緯學述》(臺北:輔仁大學中文系博士論文,1996年),第一章,〈漢代讖緯學流衍〉。

於撟揉造作哉？」⑥

3.論述經、讖內容有互異處

《白虎通》融匯折衷東漢經學為務，或謂其多從讖緯說辭，惟仍不免相異之處，如〈五行〉云：「臣有功，歸功於君。」⑥以君為重。然而《尚書中候・運期》云：堯「歸功於舜，將以天下禪之」，《河圖祿運法》亦謂「堯將歸功於舜，乃齋戒於河洛」⑥，二讖文皆明言堯將禪讓，歸功於舜，是以臣為重也。二說顯然不同。

陳立疏證《白虎通》時，亦頗見此類經、讖解義不同處，故嘗略作說明。如〈五行〉「朋友，何法？法水合流相承也」，《疏證》謂：「《古微書・樂稽耀嘉》云：『朋友之信生於土。』與此取義亦殊。」⑥再如《白虎通・姓名》述殷、周始祖之感生說，《疏證》云：「此蓋用今《春秋》、今《詩》三家說也。《詩疏》引（許慎）《異義》：『……《左氏》說，聖人皆有父。《禮讖》云「唐五廟」，知不感天而生。』鄭駁之云……。是則許用古文，鄭用今文也。」⑥此則陳立藉《禮讖》以明許慎用古義，而《白虎通》與鄭玄則用今文經義也。

---

⑥　〔清〕胡玉縉：〈緯史論微序〉，《許廎學林》（臺北：世界書局，1963年），卷10，頁260。

⑥　陳立：〈五行〉，《白虎通疏證》，卷4，頁195。

⑥　二條讖文，分見於〔清〕黃奭：《黃奭逸書考・通緯》，《尚書中候》，卷7，頁13；《河圖祿運法》，卷11，頁5。

⑥　陳立：〈五行〉，《白虎通疏證》，卷4，頁197。

⑥　同前註，〈姓名〉，卷9，頁405。

又讖文本身亦有相齟齬處。蓋東漢定型圖讖八十一卷本屬雜纂而成，其文義於東漢官定刊行時已有自相違背之處，賈逵、張衡皆已言之⓺。是以《白虎通》所引讖文，難免有與其餘讖文說義不同處，陳立亦嘗擇檢言之。如〈姓名〉引：「《刑德放》曰：『堯知命，表稷、契，賜姓子、姬；皋陶典刑，不表姓；言天任德遠刑。』」陳立《疏證》則考曰：「《詩疏》引《中候握河紀》云：『堯曰：嗟，朕無德，欽奉丕圖，賜示二三子，斯封稷、契、皋陶，皆賜姓號。』《注》：『封三臣、賜姓號者，契為子，稷為姬，皋陶未聞。』則與《刑德放》文異。」⓺蓋謂《中候握河紀》所言異於《白虎通》所引之《刑德放》也。

4. 考論疑義

明、清之緯書輯本頗有擷錄《白虎通》所引讖文者，惟輯者不明文例，句讀失實，乃造成所輯讖文之增衍。如《白虎通·性情》有一段闡述五藏配屬之文字，引及讖文：

> 《樂動聲儀》曰：「官有六府，人有五臟。」五藏者，何也？謂肝、心、肺、腎、脾也。肝之為言干也，肺之為言費也，情動得序。心之為言任也，任于恩也。腎之為言寫也，以竅寫也。脾之為言辨也，所以積精稟氣也。……出音聲，

⓺ 如侍中賈逵「摘讖互異三十餘事，諸言讖者皆不能說」，張衡則云：「一卷之書，互異數事，聖人之言，殊無若是。」皆見〔劉宋〕范曄：〈張衡列傳〉，《後漢書》（北京：中華書局，1962 年），卷 59，頁 1912。

⓺ 陳立：〈日月〉，《白虎通疏證》，卷 9，頁 405。

吐滋液。❻❼

全段文長三百八十餘字，《樂動聲儀》僅前八字而已。然而孫轂《古微書》、趙在翰《七緯》摘取全段，皆輯為《樂動聲儀》佚文，後世輯本如黃奭《通緯》、安居香山《重修緯書集成》等，多因循不改。陳立《疏證》覈以《五行大義》嘗引此段長文，明言出自《白虎通》與《元命苞》，因據論其疑，曰：「《五行大義·三》云：『五藏者，肝、心、肺、腎、脾也。』自此至『吐滋液』宜從《白虎通》原文。趙氏在翰輯《七緯》、孫轂《古微書》，並屬上『官有六府，人有五藏』，皆為《樂動聲儀》語，非也。」❻❽余嘗考論其事，可信《樂動聲儀》確然僅祇八字，陳立所言的是無疑也❻❾。

又有陳立引述讖文時，稽覈其文義，為作補闕者，如《疏證·天地》謂：「《詩疏》引《推度災》云：『陽本為雄，陰本為雌，物本為魂。雄生八月仲節，號曰：太初，行三節。雌雄俱行三節，而雄合物魂，號曰：太素。』案：《詩緯》之『雄生八月仲節』，即氣之始也。『雄合物魂』，即質始也。當脫『雌生九月仲節，號曰：太始』。」❼❿孫轂《古微書》、趙在翰《七緯》、黃奭《通緯》等輯本，此條皆無「雌生九月仲節，號曰：太始」語。今考

---

❻❼　陳立：〈性情〉，《白虎通疏證》，卷8，頁383－385。

❻❽　同前註，頁383。

❻❾　詳見黃復山：〈讖緯文獻學方法論〉，《文獻學的回顧與展望》（臺北：臺灣學生書局，2002年），頁593－598。

❼❿　陳立：〈天地〉，《白虎通疏證》，卷9，頁421。

《御覽·天部》引《易乾鑿度》曰：「雌生戌仲，號曰：太始。雄雌俱行三節。」**❼**戌為九月，曰：太始，適合陳立所考闕文，當據以補足方是。

三則如陳立為旨義不明之讖文，細作闡解者。《白虎通·誅伐》引：「《春秋讖》曰：『戰者，延改也。』」**❼**明、清緯書輯本僅喬松年《緯攟》收錄此條，《註》曰：「疑有誤字。」**❼**並未解說其文義。陳立則尋繹相關文獻考究云：

> 「延改也」三字，未詳何義，蓋「改」是「攻」之誤。《呂覽·上農篇》「不可以戰」，《注》：「戰，攻也。」「延攻」者，古「延」與「誕」通，《漢書·古今人表》「赧王延」，《史記注》作「赧王誕」。「誕」訓為「大」，言其大相攻鬭也。**❼**

引據《呂覽·上農篇》、《漢書·古今人表》、《史記注》等，以字形之訛衍推論「延改」殆「誕攻」之誤，而本義或指「大相攻鬭」也。考何休《公羊解詁》引《春秋說》云：「龍門之戰，民死

---

❼ 〔宋〕李昉：〈天部一〉，《太平御覽》（臺北：臺灣商務印書館，1968年），卷1，頁4。

❼ 陳立：〈誅伐〉，《白虎通疏證》，卷5，頁223。

❼ 喬松年：《緯攟》，收入《山右叢書初編》（太原：山西人民出版社，1986年），卷6，頁22。

❼ 陳立：〈誅伐〉，《白虎通疏證》，卷5，頁223。

傷者滿溝。」⑦《春秋合誠圖》亦云：「戰龍門之下，涉血相創。」⑦皆可證漢人視「戰」字確有「大相攻鬭」之意也。如此則可替原本殘簡不明之讖文，尋繹出相類之文句，並循以得明確之闡述矣。

(四)《白虎通疏證》引讖考疑

1.陳立誤讀、誤引讖文

《白虎通》歷代流傳，固難免抄胥與版本之漏敓。是以陳立疏證之際，亦輒見誤從之處。如《白虎通‧辟雍》云：

> 《論語讖》曰：「五帝立師，三王制之。」帝顓頊師綠圖，帝嚳師赤松子，帝堯師務成子，帝舜師尹壽，禹師國先生，湯師伊尹，文王師呂望，武王師尚父，周公師虢叔，孔子師老聃。

陳立於「制之」句下《疏證》曰：「《論語》無緯，惟《讖》八卷，見《七錄》，宋均注。《古微書》載此語為《比考讖》文。」又於「帝顓頊……師老聃」句下曰：「此疑亦《論語讖》文。」⑦此實承《古微書‧比考讖》而誤。覈以元大德本《白虎通‧辟雍》此段，先引《論語讖》「五帝立師，三王制之」八字，再述

⑦　徐彥：《公羊傳注疏》，卷5，頁4引。

⑦　〔唐〕李善：〈與陳伯之書〉，《文選注》（臺北：藝文印書館，1974年），卷43，頁17引。

⑦　陳立：〈辟雍〉，《白虎通疏證》，卷6，頁255。

「《傳》曰：黃帝師力牧」等十一位君王聖賢之師五十九字❼❽，元、明以降，版本或即有異，是以明孫瑴《古微書》乃輯全段皆作《論語比考讖》佚文，並不正確。而陳立本因欠缺「傳曰……力牧」七字，遂將「制之」下十師五十二字皆視作《論語讖》文。此事吾亦嘗作稽考，知陳立所疑確因誤承《古微書》而致也❼❾。

又如《疏證·三正》載：「《宋書》引《推度災》云：『軒轅、高辛、夏后氏、漢，皆以十三月為正；少昊、有唐、有殷，皆以十二月為正；高陽、有虞、有周，皆以十一月為正。』」❽⓪然而稽考各種緯書輯本，並未見此條佚文。覆查沈約《宋書》，乃於〈禮志〉得其原始，陳立言蓋引自侍中高堂隆奏議，曰：「《詩推度災》曰：『如有繼周而王者，雖百世可知。以前檢後，文質相因，法度相改。三而復者，正色也，二而復者，文質也。』『以前檢後』，謂軒轅、高辛、夏后氏、漢，皆以十三月為正；少昊、有唐、有殷皆以十二月為正；高陽、有虞、有周皆以十一月為正。後雖百世，皆以前代『三而復』也。」❽❶可知《詩推度災》本至「文質也」止句，「軒轅」云云，乃高堂隆闡述讖文「以前檢後」之意者。是陳

---

❼❽　元大德本《白虎通》，收入〔明〕程榮《漢魏叢書》（長春：吉林大學出版社，1992 年影印明萬曆新安程氏刊本），卷上，頁 163；又見〔清〕王謨《增訂漢魏叢書》（臺灣：大化書局影印清乾隆 56 年金谿刻本），卷 2，頁 23。

❼❾　黃復山：〈《白虎通》引讖說原舛論略〉已作論析，見《東漢讖緯學新探》，頁 174－178。

❽⓪　陳立：〈三正〉，《白虎通疏證》，卷 8，頁 360。

❽❶　〔梁〕沈約：〈禮志一〉，《宋書》（北京：中華書局，1987 年），卷 14，頁 329。

立之誤加篇名，使六朝之議論，附會成東漢讖緯之內文矣。

　　《疏證‧五刑》又載：「《周禮疏》引《孝經緯》云：『上罪墨象，赭衣雜屨；中罪赭衣雜屨；下罪雜屨而巳。』」❽惟此條未見緯書輯本收錄，詳作考覈，乃知為陳立誤讀《周禮注疏》所致，原文實作：「《孝經緯》云：『三皇無文，五帝畫象，三王肉刑。』『畫象』者，上罪墨象，赭衣雜屨；中罪赭衣雜屨；下罪雜屨而巳。」❾《孝經緯》原僅十二字，「上罪墨象」云云，皆為賈公彥闡述讖文之語，並非讖緯佚文也。

　　明、清輯本頗多誤收佚文之例❿，陳立疏證之際亦有循之而誤者。如《白虎通‧五行》「三年一閏，天道終也」，《疏證》引：「《後漢書‧張純傳》：『《禮說》：三年一閏，天氣小備；五年再閏，天氣大備。』」❺然而又於〈巡狩〉「三歲一閏，天道小備；五歲再閏，天道大備」句下，陳立《疏證》謂：「《後漢‧張純傳》引《禮稽命徵》：『三年一閏，天氣小備；五年再閏，天氣大備。』」❻引錄同一傳記，而先作《禮說》，繼作《禮稽命徵》，其依違不同也。考《後漢書‧張純傳》原文，則作：

---

❽　陳立：〈五刑〉，《白虎通疏證》，卷9，頁439。

❾　〔唐〕賈公彥：〈司圜〉，《周禮注疏》（臺北：藝文印書館，1981 年），卷36，頁11。

❿　詳見黃復山：〈讖緯文獻學方法論〉，《文獻學的回顧與展望》，頁 593－598。

❺　陳立：〈五行〉，《白虎通疏證》，卷4，頁198。

❻　同前註，〈巡狩〉，卷6，頁291。

純奏曰:「禮,三年一祫,五年一禘。……前十八年親幸長
安,亦行此禮。《禮說》:「三年一閏,天氣小備;五年再
閏,天氣大備。」故三年一祫,五年一禘。❽❼

再考《後漢書·祭祀志下》,亦有類似之載錄云:「純奏:『禮:
三年一祫,五年一禘。毀廟之主,陳於太祖;未毀廟之主,皆升合
食太祖。』」可知《後漢書》二次張純奏疏,皆無《禮稽命徵》之
語,陳立殆依輯本如《七緯》之誤收而述者❽❽。此類原非讖文,因
循輯本而致誤者不為少見,皆應予刪除纔是。

2.《白虎通疏證》引讖後人解讀不易

今存讖文多殘篇零簡,不易通讀,是以標點古籍之際,遇有與
讖緯相關文句時,輒見誤判之例。此事於中華書局之《白虎通疏
證》標點成果中,亦得三十餘處,姑檢三例以述其事。如《疏證·
日月》引文,標點本斷句為:

《書鈔》引《元命苞》云:「日月徑千里,徑一者,其圍
三,故圍三千里也。」《御覽》引徐整《長歷》云:「日月
徑千里,周圍三千里,下于天七千里。」❽❾

---

❽❼ 〔劉宋〕范曄:〈張純列傳〉,《後漢書》(北京:中華書局,1987 年),
卷 35,頁 1195。

❽❽ 黃復山:〈《白虎通》引讖說原舛論略〉於此已作論析,見《東漢讖緯學新
探》,頁 215–217。

❽❾ 陳立:〈日月〉,《白虎通疏證》,卷 9,頁 425。

然而蒐檢孫瑴《古微書》、趙在翰《七緯》、黃奭《逸書考·通緯》，皆無「徑一者……三千里也」之讖文。再查《北堂書鈔·天部》「日徑千里」下，只引「《春秋元命苞》云：『日月徑千里。』」⑳可知「徑一者……三千里也」實屬陳立闡述語，標點者之誤認，乃使漢代之讖文臆增清人之說辭矣。

《疏證·日月》又引《感精符》讖文，標點本斷句為：

> 《左疏》引《感精符》云：「日者，陽之精，月者，陰之精。日陽、月陰，故曰君、月臣也。」故《詩·柏舟篇》「日居月諸」，《傳》云：「日，君象；月，臣象也。」㉑

諸家緯書輯本皆無「日陽」以下十字，惟查覈《左傳正義》，則知其當屬陳立之闡述語，並非讖文也。孔穎達於《左傳序正義》引讖文云：

> 《春秋感精符》曰：「日者，陽之精，耀魄光明，所以察下也。」……《感精符》曰：「月者，陰之精，地之理也。」㉒

---

⑳　〔隋〕虞世南：《北堂書鈔》（臺北：宏業書局，1974 年），卷 149，頁9。

㉑　陳立：〈日月〉，《白虎通疏證》，卷9，頁424。

㉒　杜預集解，〔唐〕孔穎達疏：〈春秋序〉，《春秋左傳正義》（臺北：藝文印書館，1970 年），卷1，頁6。

讖文分置兩段，異於陳立完整一段之引文。再考《左傳正義·莊公二十五年傳》「日又食之」，孔穎達述曰：「日食者，月揜之也。日者，陽之精；月者，陰之精。日，君道也；月，臣道也。以明陰不宜侵陽，臣不宜揜君，以示大義也。」❾❸所言類似陳立「日陽」云云者，惟此段乃孔穎達述語，並非讖文。是以陳立該段之引文應標點作：

> 《左疏》引《感精符》云「日者，陽之精」，「月者，陰之精」。日陽、月陰，故日君、月臣也。

三如《疏證·號》，陳立引《乾鑿度》一段，標點者句讀作：

> 《乾鑿度》云：「王者，天下所歸往。」《易》曰：「在師中，吉，無咎，王三錫命。」師者，眾也，言有盛德，行中和，順民心，天下歸往之，莫不美命為王也。❾❹

標點者視《乾鑿度》引文僅七字，然而蒐檢《四庫全書·易緯乾鑿度》，原文實作：「王者，天下所歸往。《易》曰：『在師中，吉無咎，王三錫命。』師者，眾也，言有盛德，行中和，順民心，天下歸往之，莫不美命為王也。行師以除民害，賜命以長世，德之

---

❾❸　杜預注，〔唐〕孔穎達疏：《春秋左傳正義》，卷110，頁174。
❾❹　陳立：〈號〉，《白虎通疏證》，卷2，頁45。

·711·

盛。」❾是以標點者將完整讖文斷裂為三，其文義亦因而侷狹矣。

五、結　語

陳立於二十一至二十四歲之三年中，嘗博稽載籍，鉤稽貫串，泛引文獻以疏證《白虎通》，並摘引其中讖緯佚文，以證《白虎通》經義與讖緯之關係。其所引讖文計有《詩緯》、《尚書緯》、《禮緯》、《樂緯》、《易緯》、《春秋緯》、《論語讖》、《孝經緯》、《河圖》等九種，篇目為四十一，讖文則有四二六條次，惟以不乏重複收錄及誤認讖文等情況，故實際引用者或不逾三五〇條。至若引據之書，則有《十三經注疏》、《說郛》、《古微書》、《五行大義》、《北堂書鈔》、《初學記》、《太平御覽》等三十四種，其於讖緯鑽研之深，較之當時樸學名家，可謂不遑多讓。

陳立所據諸書雖為習見者，惟以其世代務農，又非書香傳家，能於年方弱冠時即觀得眾書，實非易事也。然而詳考其實，乃多襲取《七緯》而來，如摘錄《說郛》、《隋書·禮儀志》、《廣川書跋》、《鴻書》之讖文各一條，實皆從《七緯》轉引，而未見原書。且陳立引據《七緯》而掩沒原著者名姓，則其用功實襲取他人之力而成，於學術之道德公論言，並不足法。

陳立學風長於訓詁考證而拙於義理發揮，其《白虎通疏證》中所引讖文，亦多屬文獻鋪陳之功，少見經義整合之系統，是以藉

---

❾　《易緯乾鑿度》（臺北：臺灣商務印書館，1986 年影印文淵閣《四庫全書》本），卷上，頁 12。

《疏證》而論述其早期讖緯學，容或難有深刻之思想內容。惟以讖緯文獻價值而言，其彙聚讖文之舉，使殘佚零散之文字，得以架構出較完整之面貌，是有功於讖文之解讀者。且其疏證經義時所引讖篇九種，足證清儒所強分之「讖」、「緯」別義實屬牽強。

　　至於能窺知經、讖異義處，且作舉例說明；又能稽覈讖文義例，為作句讀、補闕者，皆其苦心孤詣之所得也。然而亦頗有失查處，如誤斷高堂隆說辭為《詩推度災》讖文，引《後漢書·張純傳》之《禮說》為《禮稽命徵》，亦有待後人是正。惟後人不熟於讖緯內容，於句讀其《疏證》時，仍不免誤判之情況。是可知《白虎通疏證》之不易通讀，由此亦可證明陳立撰作是書，其學殖功力確乎超逾常人一籌也。

「常州經學研究的展望」
座談會紀錄

蕭開元*整理

中央研究院中國文哲研究所經學組自民國九十一年一月起開始執行為期四年的「晚清經學計畫」。第一年的子計畫是「常州地區經學研究」。執行的方式，一方面赴常州地區考察經學者的遺跡，此一考察計畫已於本年四月一日至八日執行完畢；二方面點校整理常州學者的著作，正在進行中的有莊存與、莊有可、宋翔鳳、李兆洛、劉逢祿等人。三方面是舉行學術研討會，第一次研討會已於七月四、五日舉行，發表論文六篇。此外，為廣泛徵求各專家學者的意見，於七月五日下午舉辦「常州經學研究的展望座談會」，由中央研究院歷史語言研究所陳鴻森教授主持，近代史研究所張壽安教授、文哲研究所蔡長林教授擔任引言人。本文即為該座談會的紀錄整理而成。

林慶彰謹識
二〇〇二年九月九日

---

* 蕭開元，東吳大學中國文學系博士班。

主持人：**陳鴻森（本院歷史語言研究所研究員）**
引言人：**張壽安（本院近代史研究所研究員）**
　　　　蔡長林（本所助研究員）
時　間：**二〇〇二年七月五日下午一時三十分至四時正**
地　點：**本所二樓會議室**

　　陳鴻森：黃院士、慶彰兄、李主任、還有各位學術界的先進、兩位引言人、以及在座的年輕朋友，大家午安。文哲所經過漫長的籌備過程，十年有成，七月一日正式成立研究所，我首先在這裡表示恭賀之意。這十年間，經學文獻組的朋友，在林慶彰先生的領導下，成就斐然，有目共睹。他們雖然只有三位成員，但這十年來，他們先後推動了多項研究計畫，召開了清代、明代、元代三次大型的經學國際研討會，也點校了包括《經義考》、《姚際恆著作集》等多種重要的經學研究文獻。另外，林先生也編纂了多項經學研究目錄、乾嘉學術論著目錄等，給學術界提供了很大的方便。經學組的存在，大大地提高了文哲所的國際能見度。由於他們三位的努力，使文哲所在短短的十年之間，成為國際經學研究與清代學術研究的重鎮。對內而言，他們這些年推動的乾嘉學術研究、揚州學派研究等，相當程度的拓展和深化了清代學術研究的內涵與範疇，成為導引九〇年代國內中文學界研究走向的一個主潮。另外一個重要的意義，則是世代的傳承。每次的研討會，很多年輕朋友，他們積極地參與，發表論文，或參與討論，我覺得這才是研究隊伍不斷壯大、研究理念與研究方法得以延續和擴充的基本要件。我一九八二年四月來到史語所，那時候中研院研究經學的，大概只有先師陳榮

先生、在座的黃彰健院士和張以仁先生三位，年輕的研究者，大概只有我一個人，獨學而無友，到現在還是孤陋而寡聞。在座的年輕朋友，十年之後，他們將成為國內學術研究的主力，他們的學術視野和長年積累、深化而形成的研究縱深，我覺得這才是國內經學研究最大的資產。

這次常州經學研討會，是經學文獻組「晚清經學研究」第一年的子計畫。關於清代常州經學，我曾經寫過兩篇小文章，一篇是一九八九年發表的〈爾雅漢注補正〉，另外一篇是一九九二年發表的〈韓詩遺說補誼〉，是對臧庸（1767－1811）的《爾雅漢注》與《韓詩遺說》這兩本書所作的補正工作；手邊也編有《臧庸年譜》，尚待寫定發表。臧庸是常州人，也是乾嘉學術的旗手，阮元（1764－1849）的《十三經校勘記》，其中的《周禮》、《公羊》、還有《爾雅》這三經的《校勘記》，就是成於臧庸之手；阮元的《經籍纂詁》，也是由他擔任總纂的。一般的成見，往往將清代常州經學侷限在《公羊》學方面，其實像臧庸的漢學、群經研究，張惠言（1761－1802）的《易》學、孫星衍的《尚書》學、洪亮吉的《左傳》學等等，都是常州經學組成的重要元素。等一下的討論，也許各位可以從常州經學的特色，還有哪一些一線的學者，以及代表性著作等，作一些討論。個人粗淺的認識，我常常覺得，群經對中國人影響最為深遠的，除了《論語》之外，應該是《周禮》和《公羊》。當然，《周易》對中國人的思維、信仰、以及生活習俗等方面，也有很大的影響。但是《周禮》建構的國家藍圖，則藉由政治力，形成國家體制，透過制度，全面地影響了兩千年來中國人生活的每一個層面，特別是公領域部門。《公羊》雖然是小

經，顯隱無常，但是它的政治理念，尤其是它強烈的國家主義立場，對中國人的價值系統，影響極大。比如大一統思想，成為兩千年來君主專制、中央集權統治的理論基礎，甚至是一種政治信仰。大一統思想，使中國不致像歐洲一樣分裂成為許多國家。我個人並不認為單一國家就是中國最好的選擇，但是漢以來《公羊》大一統思想，卻使得單一國家和專制政體成為中國唯一的選擇，進而成為兩千年來專制統治「超穩定結構」的中堅力量。常州的經學，雖然也有它的多元表現，但最引人注目的，無疑地還是以莊存與（1719－1788）所開啟的《公羊》復興，與劉逢祿（1776－1829）為代表的《公羊》學研究，最為可觀。清代《公羊》學研究，長期以來積累了相當可觀的研究成果，但是有些課題，我個人覺得研究還不是很充分。比如常州《公羊》學和漢代《公羊》學的異同，漢代《公羊》家極為強調的革命思想、災異思想，還有內外夷夏之辨等，在常州《公羊》學中，則頗為弱化，或者有很大的變貌。以革命思想而言，《公羊》通三統，「新周，故宋，以《春秋》當新王」這種易姓革命的思想，是《公羊》思想中非常進步，頗為可觀的一面。道光時代，魏源（1794－1857）經世致用的《公羊》學，或者說清末康有為（1858－1927）的變法運動，都將這種「通三統」的變革理論加以高度地闡發。但是常州學派宋翔鳳（1776－1860）等人，他們將「通三統」轉化為「存三統」，我覺得這種地方就很具體的體現了清代常州《公羊》學的本質與保守的一面。常州《公羊》學當然與晚清康有為所提倡的《公羊》思想，在目的論上頗為不同，在座的黃彰健院士是這一方面的專家，我不敢在這邊多談。但是單從內外思想來看，也有很多很有意思的地方。《公羊》家外夷狄，

嚴夷夏之防這個觀念的形成，當然有它的歷史成因。但這種民族本位思想與《公羊》學的盛衰，有非常密切的關係，如北魏政權，以夷狄入主中國，這與《公羊》外夷狄思想是對立的，北魏以後，《公羊》式微，當然這種民族本位的思想與時代現實不合，有極大的關係。南宋《春秋》學勃興，也和他們想藉由外夷狄的民族本位思想，建立一個心理長城有很大的關係。清代的統治者，同樣也是夷狄，清代《公羊》學者如何處理內外之義？他們如何從民族本位轉化到文化本位來？但是面對西方列強交逼，他們的夷狄之辨又從文化本位的立場回到民族本位的位置，清代《公羊》學者的時代對應和心理調適，本身便是非常值得研究的課題。而從清代《公羊》家內部來看，像莊存與的《春秋正辭》，他的思想直接受到趙汸（1319－1369）《春秋屬辭》的影響，但光是對隱公元年即位與否，莊存與和趙汸兩人的解釋便極為不同。此外和常州《公羊》學派並時而立的揚州《公羊》學者，他們的《公羊》理念，在我看來，也與常州學者有顯著的差異。以劉逢祿的《論語述何》而言，《述何》一共一百三十六條，錢大昕（1728－1804）的再傳弟子潘維城，他的《論語古注集箋》，一共就引了一百二十四條，幾乎將《論語述何》這部書全部都收入了。但劉寶楠（1791－1855）的《論語正義》，我認為這本書主要是成於他的兒子劉恭冕之手，劉恭冕本身也是一個《公羊》學者，但《論語正義》裡面引用劉逢祿的說法只有十三條，這個數據本身，便顯示了他對劉逢祿用《公羊》思想來推衍解說《論語》在方法論上的一種否定。即使同樣屬於常州學派的學者，宋翔鳳的《論語發微》，與劉逢祿的《論語述何》，在精神旨趣上也不盡相同。這一類課題都是非常值得研究及

深入討論的。今天我們的兩位引言人，在我右手邊的是本院近史所
的研究員張壽安女士，她是國內清代學術研究最具代表性的學者之
一，我左邊的蔡長林教授，他主要的研究領域便是清代常州學術，
也是文哲所的生力軍。我們這場座談會有一百二十分鐘，兩位引言
人每人可以有二十到二十五分鐘發表他們的高見，接下來我們有十
五分鐘左右的時間，給楊晉龍先生報告他們到常州尋訪的一些心
得，然後就把時間開放給各位。以下我們就請張教授先報告他的心
得，請！

張壽安：謝謝主席。主席、黃院士、各位師長、各位同道朋
友。一個星期前，林慶彰先生希望我能為常州與晚清經學的這場會
議作個引言，因為我們長期以來是個合作愉快的團隊，我向林先生
說我其實已經很久沒有專門作常州《公羊》學了，雖然早年的時候
寫過一些文章，現在有很多都已經不復記憶。所以我想我今天講的
東西，可能實在是非常的膚淺，請各位專家學者指正。我早年寫過
一些龔自珍（1792－1841）、康有為（1858－1927）、劉逢祿的研
究，這些年來我發現學術界在七○年代以後，關於常州《公羊》學
或是晚清經學的研究，已經累積了相當多的成果。我在寫完龔自珍
以後，整個的興趣和專注點就轉到《禮》學。所以我今天主要談的
也是把《公羊》學和《禮》學結合在一起，來談談我最近的一些簡
單心得。我想還是從龔自珍說起吧，畢竟對龔自珍還是比較熟悉。
我認為龔自珍的《公羊》學，簡單而言，有兩個特色，我提出來和
各位請教。第一是以治史的方法治經。今天我們比較清楚的是他講
「六經皆史」，再就是他在《公羊》的研究上，是採用自由出入的
方式，也就是「援經議政」。龔自珍本人在經學上並沒有一本專門

著作，對《公羊》也沒有專門著作。我認為這是他比較具有特點的地方，這和劉逢祿、陳立（1809－1869）、凌曙（1775－1829）這些專門治經的學者相較，是非常不同的。那麼，在龔自珍的理念當中，經的重要性何在呢？他認為所有的思想和義理必須從歷史的事實當中去發現，他對道的看法也是如此，他認為道必須在具體的事件當中才能觀察到。所以他首先把《春秋》當作是一種史書，但並不是把它純粹地只當作一個歷史敘述，他是通過了史事來探尋它背後的是非觀念、義理觀念。這個就牽扯到我講的我認為龔自珍《公羊》學的另外一個特色就是義理，也就是說他是從史事當中去尋找義理。龔自珍留下來比較重要關於《春秋》的著作，大概就是他的《春秋決事比》。但《春秋決事比》也沒有寫完，只有一個簡單的序言和幾篇《春秋》決事答問，大概有個六篇吧，還有一個目錄式的綱要。我最近把他的目錄綱要又重新翻了一遍，再對照我自己所研究的《禮》學，我才發現，也才能真正瞭解在中、晚清以後，有這麼一條治經學的流脈，就是把《公羊》和《禮》結合在一起這個趨勢。我們在凌曙的研究工作上可以很明顯的看到，一直到陳立，還是可以明顯看到這條流脈，龔自珍也在這個流脈當中。龔自珍通過《公羊》來尋找義理，最具有特色的關懷點是「斷獄訴訟」，所以他的《春秋決事比》主要是談斷案。他曾經有幾段非常代表性的言論，引司馬遷的話，他說：「《春秋》，禮義之大宗」，這句話很可以看得，龔自珍研究《春秋》，是把《禮》和《禮》背後的是非觀念結合在一起當作他的視點，當作他的關懷。他又說：「《春秋》，明是非，長於治人」，這很明顯談的就是《禮》，就是律，不只是斷獄，還包括一些人倫秩序、社會秩序的問題。其次他進一

步地發揮《春秋》長於斷獄的觀點，他用這個作一個開端，然後把自己整個《公羊》學的研究關懷點，不能說整個，因為他也談三科九旨，也談張三世的問題，至少把他主要的精力投注到禮義的問題上去了。我最近重讀《春秋決事比》的序言，才真正感受到他的文字的動人。他認為《春秋》的書法有很多的義例，比方說「弒」某某人，或者是「篡」，每一個字的褒貶都有一個非常幽微的意思，他寫《春秋決事比》就是把這個幽微的意義，這個義理的觀念彰顯出來，然後再用當時的一些具體事例相比附，最後他再提出一個是非的觀念來。他說他撰寫《春秋決事比》，就是拿事實經驗來比附《春秋》的義理，這個撰寫工作進行了三、五年之久。他在反覆的思索之下，也承認人間是非、黑白很難評斷，一個案子判下去，無論有罪、無罪，都不可能完全正確，所以他說有些判決表面看起來是未受肯定，但實際上是肯定，是與非也就在這隱微之間。在他經過了這一番《春秋決事比》的實際工作，對於斷獄，他有了一套標準。斷獄判案，作出是非裁斷，是人類生命非常終極的一件事情，非常嚴重，這就是龔自珍《公羊》學的關懷。從這裡我想談一些具體事例，這是我最近在作《三禮》之學時，剛好搭配著《春秋》而發現的例子。

各位都曉得，我這幾年一直在探討清代考證學背後的思想性，同時我把它的思想性拿來和宋明理學的思想性作一個比較。我採用的方法是預設清代的《禮》學背後有一個「理」，所謂的"principle"，宋代講天理，這個"principle"落實下來，也會有一種制度，也就是「禮」。我把這四個禮（理），分為兩組，這兩組禮（理）對照觀察，還要找到一些具體的焦點，對照著看，才能看出

清代義理思想的革命性在什麼地方，為什麼戴東原（1723－1777）說「以理殺人」，關鍵性到底在哪邊。在這裡我舉一個例子比較宋儒和清儒對「妾母」的態度，並由此來觀察理念與禮治之間的關係。在《春秋・文公四年》《經》有一句話，說：「冬，十有一月，壬寅，夫人風氏薨。」這段話下，《三傳》裡面只有《左傳》有傳。一段經文下面有沒有傳，是很重要的。《左傳》只寫了一句話，就是「成風薨」。到了五年，《經文》又有一句話說：「春，王正月，王使榮叔歸含且賵。」這個王是周襄王，因為我們知道《春秋》是魯史，所以此處講的是魯文公的母親死了，周襄王就派一個使者送來兩個東西，一個是放在死人嘴巴裡的玉，一個是為了要運送棺材的車馬，那就表示說，周襄王依亡者的身份送來了一些助葬的用具。這段話下頭《公羊》和《左傳》都有傳，都說明了周襄王做了這些事。到了三月間，《經文》又有一句話：「葬我小君成風」，他用「小君」這個詞稱成風，在此下，《公羊》說：「僖公之母」，原來這位死掉的成風，是僖公的母親。《經文》裡面又有一段話說：「王使召伯來會葬」，是周襄王又派了一個人來參與這個葬禮，那是一個很高的榮譽。這是說周天子不但送來了助葬的用具，還派人來參加葬禮，這表示非常肯定這件事情，而且他是用公之母親去世的禮來處理這件事情。在這個下面，《左傳》和《公羊》也都說：「禮也」，合乎禮的意思。從這樣的一段記述中，我們看到三傳都認為僖公之母稱小君，周王助葬等都合乎禮。但到了宋、明理學，就完全不一樣了。我們都曉得胡安國（1074－1138）的《春秋傳》是科舉的定式，大概從明代永樂以後，一直到清代都是如此。如果我們讀這段經文先不要看《三傳》，而是去翻一翻胡

安國的《春秋傳》，就會看到完全不一樣的解釋。胡安國的《春秋傳》是這樣講的，他說風氏是莊公的妾，是僖公的母親，縱使僖公繼莊公為魯國之君，其妾母仍不得稱「夫人」。胡安國批評說你把莊公的妾稱為夫人，這是「以庶亂嫡」，也就是用庶的身份亂了嫡的身份，把妾稱為夫人，是「自卑其身」，就是作賤自己，而且也「賤於其父」，卑賤了父親。他說一個人「賤其父無本」，不懂得自己的本身或本出，就是「越禮」，也就是不合禮，他批評這是「亂人倫、廢王法」，是「僭嫡亂倫」的事。胡安國的這種注解，在宋、明理學中並不新鮮。我們翻看《永樂大典》，可以翻到非常多類似的解釋。他的老師程頤也這麼說，程說成風這件事情是「亂倫失天理」，「天子與妾母同嫡」，縱使是作為天子，把自己的妾母當成嫡母，也是不對的。朱熹（1130－1200）也這麼說，劉敞（1019－1068）也這麼說，劉敞甚至說：「三綱之道廢矣」，他甚至還罵了周天子，他說周天子怎麼會派人來送禮物，派人來會葬呢？失禮的人不配稱作天子，難怪《春秋》經中不用「王」這個字來稱他。一直到康熙三十八年（1699），修訂經書還用這個說法。

現在我再回到乾嘉義理學對宋、明理學的反思這條路子上來。在毛奇齡（1623－1716）的作品裡面，我們就看到了不同的聲音。毛奇齡說莊公的正妻哀姜已經去世了，僖公把自己的母親稱之為夫人，這是《春秋》的「母以子貴」，而不是宋儒的「以庶亂嫡」。我在這邊將「理」與「禮」作一個對照，可以很具體的看到乾嘉學者當他們再重新回到經書注解裡面去發現另外一套是非觀念的努力，和宋、明理學之間是非觀念的衝突性，清晰對比而出。同時，在龔自珍的《春秋決事比》，他也提到了夫人風氏薨這件事情，可

見所謂的「母以子貴」，還有「嫡庶之分」的觀念，在十七世紀後，確實是在是非觀念上，決獄判案觀念上所碰到的一個非常大的事件。龔自珍在談到夫人風氏薨的這件事情時，他特別講「《春秋》，直家也」，他認為這是「母以子貴」，因為《春秋》走的是直家的路子。今天我提出來討論的，是想指出《公羊》學在清代與《禮》學作了很緊密的結合。那麼當我們再去探討清代的《公羊》學的時候，當然了，援經議政，變法改革是一條很大的路子，是很多學術界朋友都在研究的。可我覺得若能從經學角度來探討《公羊》思想，結合歷史事實，這一類的議題，是非常非常具體的，而且實例很豐富。這是我所關心的一個面向。再者我也想指出，這幾年不少年輕朋友們開始撰寫清代《公羊》學，我實在覺得非常興奮，我們真的有很多生力軍花了很大的工夫去研究《公羊》。接著我想特別提出幾個周邊議題，也許很值得大家再去留意。一個是《春秋繁露》，研究《公羊》一定得回到漢代，漢代在《公羊》周邊有三本非常重要的書，一個是《春秋繁露》，一個是《白虎通》，一個是《五經異義》。當然我們不斷地在《春秋》的《三傳》裡面作研究，這是一條大路，可是從側面也許可以發現清朝人的一些特點。清儒為什麼在研究《公羊》時，關懷到《春秋繁露》？同樣地，當凌曙寫了《春秋繁露注》，凌曙同時也寫了《公羊禮說》、《公羊禮疏》，他就是把《公羊》和禮結合在一起，當然他的《公羊》和禮的結合沒有寫完，所以後來陳立接著寫了《春秋公羊傳義疏》，但同時陳立也寫了一部重要的書，那就是《白虎通疏證》。東漢章帝建初四年（79）的學術大辯論，在漢代是個重要的事情，是我們在研究漢代經學義理思想不可缺少的。而《五經

異義》則是許慎（30－124）、鄭玄（127－200）之間一個非常大的論駁。我所期許的，當我們在研究晚清《公羊》學的時候，路徑是多向的。林慶彰先生和陳鴻森先生都是專家，我個人能夠貢獻的，可能就比較偏向經學思想這個角度。一些淺見，請大家指正。

陳鴻森：謝謝張教授。那我們現在就請蔡先生發言。

蔡長林：黃院士、主席、在座的各位長輩，以及各位同好，非常高興有這個機會，來向各位報告一些個人研究常州經學的心得。我的報告，大概僅能根據個人這幾年來對於常州經學或常州學派的粗淺體會，提出說明，如果有錯誤或不夠深入的地方，希望各位前輩能不吝指正。首先報告個人對常州經學興起的看法。個人以為，常州經學所展現出來的學術型態或學術風氣，之所以有別於同時的乾嘉考據學風，其根本原因是常州學者所秉持的學術價值觀有別於當時的考據學者。常州學者所信奉的學術價值觀，是融合西漢經義策論與科舉考試而來的儒學意識形態，是一種具有積極入世之精神，對公共領域事務或現實政治有強烈參與感的儒學信仰。常州經學的興起，無疑是來自考據學的挑戰。到了乾隆中葉，對考據學者或常州學者而言，考據學已不僅只是一種做學問的方法而已，而是一種學術的價值信念。奉行者推動不餘遺力，否定者則深感事態之嚴重。舉莊存與為例，個人曾通讀其著作，充份掌握到他對考據學的不滿情緒。另外，整體的來看其經學特色，與當時的經學家不同之處，即在於強調要發揮經典的微言大義。然莊氏強調要發揮經典微言大義的目的，仍是要把它落實到經學的應用上面。他對於從漢代鄭玄以後的學術，非常地不滿意。他特別不滿三位前輩學者，第一是鄭玄，第二是王弼，第三是朱子。在莊存與看來，正是此三人

誤導了後世的經學研究，使後繼的儒學研究者無法正確地陳述三代的聖王的理想，更使後世廣大的知識份子無由體會儒學博大醇正的生命力，而其嚴重後果更是導致後世無法培養出優秀的知識份子，並暗示後世沒有清明的政治與太平盛世之因在此。為此，莊氏認為責任必須落在他們三個人身上，因為三位先生對於後代經學研究的影響是非常大的。莊存與除了大量的批判鄭玄、王弼及朱子之外，從其著作文本當中，更可以看出他想要建立有別於考據學甚至是歷代以來經學研究模式的意圖。此即我所提到的莊氏經學的兩個特色：一是對於鄭玄、王弼及朱子的批判，一是藉由發揮經典微言大義的形式，以建立新的經學典範。我們從此亦可看出，常州莊氏、常州經學的源頭，本身就跟當時的漢學考據家在價值觀上是不同的。莊存與的常州後輩，或是他的子孫們，繼承莊氏研究經學的態度，發揮莊氏經說，陳述莊氏所揭櫫的理想，我相信這是整個常州經學，常州學派之所以會擴展、甚至成為晚清學術主流，非常重要的原因。

其次要向各位報告的，就是常州學派的成立，我相信由常州莊家特殊的經學研究型態，到整個常州學派的成立之間，有一個概念涵義轉變的過程。我的觀察是這樣子的，比如說同樣是對「西漢」的一種推崇、或是說一種強調，在莊存與身上，我看到的是政治身份與學術理念的結合；可是到了他的姪子莊述祖身上，已無政治舞臺可資發揮，這個崇尚「西漢」的價值觀只能落實到學術上面。在我看來，莊述祖的經學有兩個重要的特徵：一個就是對「西漢」在學術上的意義，他特別地加以發揚，第二個就是經學的家法，他非常地重視。但是這兩個特點在他身上還沒有得到統一的結合，因為

他所崇尚的「西漢」是董、賈、毛公而不是十四博士之學；述祖所強調家法則是區別今、古文門戶的古文字學方法，而不是十四博士的家法。在經學上，他所重者乃古文經學，而不是西漢十四博士所傳的今文經學。可是到了劉逢祿、宋翔鳳，他們對西漢和家法的結合，就接近於今文學的概念。在劉逢祿、宋翔鳳的著作以及他們的文集裡面，常常可以看到他們對於家法以及對於「西漢」學術的強調。「西漢」在他們的概念裡面，已經是一種學術理想而不是政治參與，並且此一強調「西漢」的理念，與今文學逐漸重疊。個人以為，整個今文學成立的過程，就是「西漢」理想與今文學概念重疊最後合而為一的過程，亦即從劉逢祿、宋翔鳳繼承並轉化莊氏學術開始，到後來的龔自珍、魏源，尤其是魏源吸收劉氏學術，確定今文學的概念為止。這可以從魏源對於三家《詩》及《尚書》的研究看出端倪。甚至劉逢祿晚年序《詩古微》，都講自己研究的是《春秋》今文之學。個人相信在道光初年，整個今文學的概念已大致確立，而所強調者再非是莊氏學術原有面目。所以探討晚清今文學，個人以為必須從常州莊氏學術來看今文學的成立，這是一段學術轉變的過程，也是我們在研究常州經學時，可以再深入的地方。

另外，我個人在思考整個常州學派的開展的時候，我自己發現有兩個非常重要的人物要注意。第一個是莊綬甲（1777－1828），他對於整個常州經學的貢獻，在於他公開了莊存與、莊述祖（1750－1816）的著作，讓當時的常州學者一起來閱讀，一起來參與討論，擴大莊氏學術的影響面，影響了李兆洛、丁履恆、董士錫等人。另外一個就是宋翔鳳，他的學術路徑是比較雜一點，包括當時他曾經和錢大昕論學，也曾入段玉裁（1735－1815）之門，也就是

說他和漢學家都有相當深入的交往,而他本身也承繼了莊家的學問。更重要一點是,他年紀很大,活了較久,來得及影響一些活躍在晚清而同情常州學派的學者,例如俞樾(1821－1906)、王闓運(1833－1916)、譚獻(1832－1901)、戴望(1837－1873)、莊棫等。這些人都出生在劉逢祿去世之後。也就是說,宋翔鳳對於莊家的學問,在透過與後輩的交往當中,同時也把莊家的學術精神擴散出去,我相信這是我們在研究常州經學的影響時,可以特別留意的一面。因為在筆者的觀察中,上述諸人對常州學派實有推波助瀾之功,而晚清民初章太炎、劉師培等人所批判者,實亦針對此漫延之勢而發。

接著我要報告的是晚清以來對於常州研究的主要模式。我想這一點大家應該都很清楚,從清末以來,常州學派、常州《公羊》學的學說可謂盛極一時,有些學者對這樣的情況不是很滿意,而提出批判。顯其名者,稍早的有朱一新、葉德輝,稍後有章太炎、劉師培(1884－1919),諸先生的言論,對吾人認知常州學派及晚清今文學有相當程度的影響。另外,像梁啟超(1873－1929)先生對於他自己《公羊》學的研究,以及後來像民國初年的周予同(1898－1981)先生及錢穆先生,他們對於整個晚清今文學的說法,對後輩學人的影響相當大。所以我們在研究的時候,在概念上,往往會承襲他們的說法,繼續朝著前輩設定的模式來研究。這方面的文獻相當多,個人在閱讀一些較早期的敘述今文學或是《公羊》學的文獻的時候,往往發現不脫離梁啟超先生等人所設定的研究模式。這樣的方式對於整個晚清今文學或是常州《公羊》學的研究,其實是有相當大的助益,因為它提供了一個很清楚的脈絡,讓我們可以去依

循，包括我自己本身在內，也是按照這樣的一個脈絡而進入《公羊》學領域去的。

接下來我要向大家報告的是，就我自己側面的瞭解，畢竟我沒有作過一個目錄的總整理，臺灣和大陸在晚清今文學或是《公羊》學，甚至是常州學派，在研究型態上，基本上有一點不太一樣。大陸方面比較喜歡和政治結合在一起，最具代表性的人物當然是楊向奎與湯志鈞（1924－）二位先生。尤其是湯志鈞先生有一系列戊戌變法的研究，他往往會上溯到龔自珍，甚至到整個常州學派。也就是說，包括他們很多關於《公羊》學的研究，其實都把它當作晚清政治思想的素材來研究。在臺灣的話，則比較偏重於學術思想方面的研究。至於最近對於整個常州學派或是《公羊》學的研究，則是以劉逢祿為大宗。像劉逢祿的《論語》學，以《公羊》去闡釋《論語》，這方面的論文也有不少篇。比較遺憾的是，這些論文仍無法脫離梁啟超先生、周予同先生等前輩學者給予我們的框架。我覺得學術研究總是需要向前邁進的，時代環境不同，面對的課題不同，關注的視野也應不同，前輩的說法若已無法支持新的觀點時，或許也可以一種批判性的繼承的態度來面對。我很高興的就是從昨天幾位先生的討論與發言當中，可以感受到這種企圖心，希望能夠超越現有的研究模式。我們當然不是刻意求異於前人，只是當我們從文本的閱讀裏，從研究方法的改良中，找到常州經學研究的新觀點，得出新的體會時，我們亦當勇於提出，以就教於學術界，這是我的自我期許。所以，除了繼承梁啟超先生他們的基本觀點之外，我也提出一些可能和他們看法不同的地方，包括我接下來一系列要做的研究，採取的都是這樣的態度。

　　最後，很簡短再向大家報告的是，個人覺得常州經學或是說常州學派研究可行的議題。首先必須釐清經學的研究與經學史的研究有什麼不同，與思想史的研究有什麼不同，我想這樣的問題釐清是很重要的。在我看來，研究常州學者的經說或經學著作，牽涉的問題可能較單純；但若要對常州學派做經學史的研究，可能就必須有一些思想史或是哲學史訓練，把我們要研究的範圍建構清楚。另外，大家都知道，晚清政治的風起雲湧，跟整個常州學派的興盛有所關連。所以常州學派，常州經學研究和整個晚清政治運動之間的關係，我覺得不應該只用張三世，或是微言大義，或是經世之學等簡單的概念套上去就可以了。我們必須再透過更具體的事件與人物的研究，以觀察彼此之間的結合情形。另外，研究常州學術有很多種方式，我們可以就人物作討論，就經典本身作討論，就整個學術風氣作討論，以及就整體的學術交流、學術流變和研究方法作討論。就人物方面來說，像常州莊氏，像龔自珍、魏源，有關他們的研究，都還可以再加強。除了這些人之外，包括洪亮吉、孫星衍、莊有可（1744－1822）、莊綬甲、李兆洛等、臧庸、張惠言、惲敬等，亦當在探討之列。至於經典研究，則如莊存與的《春秋正辭》，或是劉逢祿一系列關於《公羊》的著作，都還可以作系統的闡釋與發揮。另外除了《公羊》學學派本身之外，一些關於《公羊》學周邊的著作，如張教授剛才提到的《春秋繁露》、《白虎通》、《五經異議》，甚至是《鹽鐵論》，這些都可以做為我們研究《公羊》學的一些基礎，這些都要繼續地再深入研究，作為研究常州學派乃至整個今文學的基礎。而學術風氣方面，整個常州學派所展現出來的學風為何，與乾嘉考據學者的互動為何？我想我們可

能都要繼續加強。亦即常州學派和整個當時學術主流，學術正統，也就是梁啟超先生所講的考據學之間的關係，或是彼此互相的影響，或是考據學如何滲透到常州來，我覺得這方面也可以去作研究。甚至整個學術流變，比如說常州學派對古史辨研究的影響，我相信它們之間是有關係的，至少它們的研究在心態上面或是方式上面是有關連的，我覺得這種學術的流變可以把它講明清楚的。還有最後就是在研究方法上面，我自己本身除了對常州學派做歷史性的研究，而有一系列敘事性的發言之外，也嘗試對常州學者的經說如莊、劉之《尚書》、《春秋》，以及張惠言之《易》學文本作更深刻的研究與闡釋等等。我的報告大概到此為止，謝謝。

陳鴻森：謝謝兩位的報告。剛才引言人提到《公羊》學的研究可以從《春秋繁露》、《白虎通》等，回到漢代去。要回到漢代，我覺得更重要的還有《春秋》本身的研究。臺灣的中文學界是一個比較封閉的學術社群，每個人各自在自己的洞穴裡孤立的作研究，重視別人研究成果的程度不是那麼夠，互相對話，互相回應我覺得也不夠。有關常州《公羊》學興起的背景等外緣問題，以及清代《公羊》學對晚清政治、思想界的影響，這些，過去中、日學者已有相當深入的研究。我比較期望年輕的學者能多針對原典作研究，不要儘作一些重複的研究。我覺得《公羊》學的研究若要更深入的話，《春秋》學的研究相當重要，絕對是不可或缺的。近年來研究《公羊》的人不少，但是我們研究《春秋》的人可能嫌太少了，以致於長久以來，《公羊》研究一直停留在幾個固定的面向。對於整個《春秋》學的研究，我覺得有相當程度的欠缺。日本有位學者濱久雄先生（1925－），他用一輩子的時間研究清代的《公羊》學，

寫了一本《公羊學的成立及其展開》；日原利國（1927－1984）則一生專研漢代《公羊》思想。相對的日本學界另有加藤常賢、佐川修（1913－）、山田琢幾位先生，他們在《春秋》學的領域打下了很堅實的基礎，成為這個領域研究的基本共識，後學可以不必作一些重複的研究。大陸學者談《公羊》多從歷史、思想史方面著手，較少經義的論述，因此他們在經說、義理這方面相對比較薄弱，《春秋》學這方面的研究在中國大陸是比較欠缺的。我們在座的黃院士大概從一九三〇年代就開始《公羊》學的研究，是不是可以請黃院士幫我們開示一下。

黃彰健：我那時候是因為在研究戊戌變法，所以就必須研究康有為。康有為和以前學者不同的地方，嚴格地說來，就是在講「大同」。他以《公羊傳》中的大同思想為立論基礎，認為大同思想就是《公羊》所講的「太平世」，而太平世的君主應該是民選的，是人道的形式，這是受到美國華盛頓的影響，因為華盛頓的地位等同於中國的皇帝，而當時清朝的學者也稱讚華盛頓，認為他的行為是完全合乎唐、虞之聖跡。所以譚嗣同稱讚康有為，認為自孔子而後談大同思想的，就是康有為。《春秋》講內中國而外夷狄，自清朝入關之後，為了擺脫自己夷狄的形象，已幾乎完全遵照中國的禮俗，使滿、漢的分際消弭。但清朝自己不爭氣，朝政國勢日益腐敗，如果當時光緒維新沒有慈禧太后的阻撓，或許中國的情勢就不一樣了。因此在講常州《公羊》學的影響研究時，一定要提到康有為。

陳鴻森：謝謝黃院士的高見。我想《公羊》學裡面當然有一些它進步的思想，但也有它保守的一面。比如說中國封建政體崩潰將近一百年了，但大一統，專制主義思想一直到現在仍然深刻的影響

中國人的政治行為和價值取向。接下來我們請楊晉龍先生發表他們去常州考察的情形。

　　楊晉龍：我現在報告我們去常州考察的情形。我們是在二〇〇二年四月一日到四月八日到常州去考察，成員有我、林老師、蔣秋華、蔡長林、黃智信。我們考察的地方不只常州，因為我們住的地方是在無錫，無錫到常州大約一個小時多的車程，其間我們也去錢賓四（1895－1990）先生的墓園弔祭過，也到蘇州去看了「留園」，大概就是這樣的情況。常州這個名字，大概是在隋文帝開皇九年（589），正式置常州後，就一直沿用下來。清代雍正四年（1726）常州改制後，一共領轄武進、陽湖、無錫、金匱、宜興、荊溪、江陰、靖江八個縣。中共一九八三年重新改制，還包括了武進、金壇、溧陽，所以我們去找金壇的段玉裁，就屬於現在的常州。常州另外一個名字叫「龍城」，原稱「六龍城」，明朝初年的時候開始有這個名稱，因為當地人民認為常州是六龍聚集之地，所以稱之為「六龍城」，這與風水有些關係。常州現有人口三百三十九萬，面積四千三百七十五平方公里，市樹為「廣玉蘭樹」，市花為「月季花」。我們是四月一日到無錫，住進江南大學的專家樓，四月二日早上便前往常州。我們原本是要去常州工學院，但是因為不清楚路線，所以就到了常州技術師範學院，之後才轉往常州工學院。不過最有趣的是，常州在清代雖然是個人文薈萃之地，但很遺憾的是，常州到今天為止，還沒有一個大學。常州工學院是一個以輕工業為主的學校，現任院長為馬樹彬先生，但各位一定意想不到，工學院的院長竟然是研究文字學的學者，更因為他是金壇人，所以就以研究段玉裁《說文解字注》中有關金壇的方音為主。馬院

長是南京師範學院徐復（1912－1995）的學生，當徐復先生知道馬院長是金壇人之後，希望馬院長可以找找段玉裁在金壇活動的事跡。馬院長在聽過徐復先生的建議後，便先尋找段玉裁在大壩頭的葬身之處。但在尋訪之後，發現金壇有五個地方叫大壩頭，不知道到底哪一個才是段玉裁葬身之所在，馬院長在遍尋無著的情況下，向徐復先生報告此事。後來徐復先生在一次全國性的大型文字學研討會中提出了這個問題，得到了中央的重視，地方政府也出面表達願意幫助之意，但仍然不知該從何處著手。後來他們所以能夠找到，竟然是透過了一位具有特異功能的人士，告訴他們在某個大壩頭的水池中可以找到，於是他們就前往那個水池打撈，居然撈起了包括段玉裁及段玉裁雙親的兩塊墓碑，因此確定了段玉裁墳墓的所在地點，可惜段玉裁的墳墓已經夷平了。我們一行人與他們舉行了一場座談會，這場座談會的內容紀錄由長林整理出來後，會登出來供大家參考。我在與他們這些六、七十歲老人對談的過程當中，發現他們對這一方面雖然還有些印象，但是由於內容相當平常，我覺得常州學術的研究，可能在當地已經快消失了。由於這些老人家多有濃厚的鄉音，所以他們講話的內容，我們聽不太懂。後來我們向他們提出想去尋訪包括莊存與、洪亮吉（1746－1809）等清代常州學者遺跡的意願，他們也很熱誠引導我們前往，但大多已經不復存在，成為現代化的馬路或是大樓。各位都知道，常州和蘇東坡（1036－1101）的關係是非常密切的，蘇東坡最後是死在常州。蘇東坡在他四十多歲的時候，就曾經和當時的皇帝說他想在常州長住，而且他至少在常州的附近買過三次田。東坡在一次貶官的途中經過常州，有一個他上來的碼頭，後來改建之後稱為「艤舟亭」，

乾隆皇帝在某次下江南的時候，也到過此處。這個「艤舟亭」現在改為「東坡公園」，他們在第二天招待我們到此處遊覽。東坡公園內還保留了據說是蘇東坡生前磨墨的水槽。後來也到了常州博物館參觀，裡面保存了洪亮吉、孫星衍（1753－1818）、莊存與、黃仲則（1749－1782）等常州學者的手跡，而且這些手跡的精品曾經由博物館攝影後出版成書，館內葉鵬飛主任覺得我們是遠道而來的客人，因此在我們臨走之時，特地送給了我們這「唯二」的兩本書，實在是令我們相當感動。之後又到常州府學參觀。常州府學是在今天常州市第二中學裡面的大禮堂，現在已經成為他們的辦公室。裡面保留一間小小的房間，牆上保存著一些碑文，我們也將部分碑文抄回。隔天接著我們就到常州市圖書館。常州市圖書館外觀相當宏偉，各位也可以利用網路查詢該館網頁，網頁中有一些介紹常州學派、常州詞派、常州地理等基本概念的資料。常州市圖書館有一個和大陸其他圖書館不同的地方，他們說如果我們需要館內所藏的資料，可以透過網路的方式和他們聯絡，館內的管理人員就會代為影印，而且按照正常的規定收取影印費，對我們而言，實在是相當方便。最後一天我們到荊川公園參觀，也就是陳渡草堂，唐順之（1507－1561）的墳墓就在那個地方，他是明代常州人。以上這些是我們在常州考察參觀的地方，至於無錫的部分，就留待下次研討會的時候再報告。

　　陳鴻森：常州應該還有不少研究常州學術的學者，像研究《公羊》思想的湯志鈞先生好像就是常州人（編按：湯志鈞先生，1924年6月生，江蘇常州人）。

　　楊晉龍：我再補充一點。1996年華東師範大學陳鵬鳴先生，

著有《常州學派史學思想研究》的博士論文，我想應該對我們的研究有些幫助。

陳鴻森：接下來請慶彰兄是否能給我們一些高見，或對楊晉龍先生剛才的報告內容作些補充。

林慶彰：剛才楊先生所講的內容相當精采，確實常州當局對本地學術的發展和古蹟的保存並不好。但是我們每一次到大陸去考察，都有帶動他們那個地方學術發展的作用在內。像前一、二年我們和揚州大學合作揚州學派的研究，也到了揚州考察，去的第二天，揚州大學的校長、院長與新任的揚州市長會餐。揚州大學的校長、院長向市長報告這些臺灣來的學者，迢迢千里到了揚州研究揚州學派的學術，但是我們自己都不重視，市長就答應協助揚州大學，成立「揚州學術研究中心」。我們這次去常州考察，當然也有這樣的期待，但是因為常州沒有一個叫做「常州大學」的大學，大部分都是一些工學院或是技術學院，所以我們去的時候就沒有一個對口單位，因此我們才會去常州工學院舉辦座談會。不過他們非常的熱情，他們把對常州學術有過研究的老先生，全部都請來參加座談會，所以才會造成剛才晉龍兄所說的「他們的講話內容，我們大都聽不懂」，也造成蔡長林在整理紀錄時的痛苦不堪。我個人對常州學術沒有太深入的研究，但是常常在思考這個問題。我覺得我們要研究常州學者，第一件要做的事就是整理常州學者的學術著作，這個整理包括了影印、點校等等工作。如果我們觀察一下清代常州府八個縣的學者學術著作，就可以發現真正在市面上流傳的不會超過十種，但是他們的著作可能有幾百種以上，比如說像莊存與的《味經齋遺書》，平常在市面上當然是看不到的，如果需要的話，

就要到圖書館影印。關於莊有可的著作，昨天張政偉先生也提到了，也沒有幾種可以在市面上看到。像洪亮吉的著作也差不多是這個樣子。莊述祖的《珍藝宧遺書》，市面上也看不到。孫星衍的著作，大陸方面有整理幾種出來，但就他整個學術著作的量而言，僅僅不到十分之一或二十分之一。至於莊綏甲等其他常州學者的學術著作，也都沒有人整理。所以我們現在要讓常州學術的研究有所進展，首先就是要讓學者能夠比較容易地、輕易地就可以接觸到他們的著作，而且這些著作最好是經過整理點校的。因此，我們請蔡長林先生點校《味經齋遺書》，請馮曉庭先生點校《劉禮部集》，也希望各位如果有時間的話，可以和我們一起合作點校，包括未來我們繼續要做有關湖湘學派、廣東學派學者的學術著作。第二點要提出的是研究範圍的擴大。我總覺得以前對常州學者的研究，有一個相當大的誤解，就是常州學派等於今文學派，今文學派等於《公羊》學，差不多是這樣的一個觀念而已。其實，常州學者的學術研究，我們只要看他們的著作目錄，就可以發現幾乎所有的學者多是從古文學入手，所以關於古文學的著作非常的多，有關今文學的著作或是《公羊》學的著作，僅不過是他們所有著作的幾十分之一而已。我們現在僅用他們這幾十分之一的著作，來代表他們整個的學術成果，這樣所得的結論是不正確的。所以我們的研究範圍，應該不能僅侷限在以《公羊》學或今文學來看常州學者。再來我們要擴大的是，因為我們現在注意到的所有的常州學者，大抵上都是屬於清代常州府的武進人而已，像陽湖有李兆洛（1769－1841）、洪亮吉、孫星衍，一般的研究都不把他們放進常州學派裡面去，陽湖也是當時清代常州府的八個縣之一，他們當然也應該算是常州人，但

是我們平常都不太注意這些學者。而且如果我們將陽湖這些學者的
著作加以分析，和武進這些學者的著作加以比較的話，就可以發現
一個很大的差別，就是陽湖的學者，他們不但是經學家，而且還是
史學家，但武進莊家這一系下來的學者，大部分僅僅是經學家而
已，所以他們可能就是比較屬於專門之學的，而陽湖的學者大抵上
可以算是通儒之學，兩者之間是有差別的。但是這樣的差別，由於
我們忽略了陽湖學者的學術成就，或是和武進這些學者的差異，一
直沒有人對這樣的異同作比較深入的討論，這是相當可惜的。至於
其他縣，像無錫、金匱、宜興、荊溪、江陰、靖江都屬於清代的常
州府，我們也應該去關懷這些地方的學者，去發潛德之幽光。

陳鴻森：謝謝林教授。林先生談到，陽湖籍的李兆洛、洪亮
吉、孫星衍「不但是經學家，而且還是史學家」；武進莊氏這一系
的學者，大部分僅僅是經學家而已，這個觀察非常深刻，很有啟示
意義。孫、洪、李三位同時也是當時著名的文家。我常覺得，常州
《公羊》學者的學問氣象，給人一種「拘」和「迂」的感覺，劉逢
祿尤甚，這或者可從林先生的說法裡得到一些解釋。剛剛一開始我
們提到，希望這場座談會，可以談談所謂常州學術裡面，到底有哪
些一、二線學者，還有哪些重要著作，盡量地讓他們浮現出來。誠
如林先生所說的，用《公羊》學作為常州學術的代表，其代表性自
然稍嫌不足。歷來之所以會特別著眼在常州學者的《公羊》學，我
想還是有它的意義在，就是莊存與他們讓《公羊》學重新回到了學
術主流的位置，相對於當時惠棟等所標舉的漢學大纛，常州《公
羊》學雖然也算不上主流，但他們獨樹一幟，使沈寂千數百年的
《公羊》家說復現於世，它對清代中、晚期學術思想的影響，我覺

得不可低估,康有為的托古改制,可以說是清代《公羊》思想的歷史歸結,或者說它是《公羊》思想在「傳統中國」歷史舞台上最後堆疊起來的高潮。漢代經學因《公羊》而起,歷兩千年,清代經學因《公羊》而終。這個生滅過程,恰恰顯示了《公羊》思想在中國思想史上獨特的位置。而莊存與、劉逢祿等,則是康有為之前導乎先路者,因此,常州《公羊》學在思想史上的意義,還是非常重大的。下面我們請李威熊教授發言。

李威熊:主席、兩位引言人、黃院士、各位學者專家,今天很榮幸能夠參加文哲所舉辦的常州學術研討會。剛才聽了主席的一番話,還有兩位引言人的高見,我是有一些感想。常州學術在中國經學發展史上,確實是值得我們注意的。我有幾點意見提出來就教於各位。第一,我們談晚清的常州學,當然重點就是在它的今文學,或者是《公羊》,或者是《春秋》。但是我們談到乾嘉以後的常州學,很多人會誤解,認為它和乾嘉的吳、皖兩派相對立,我個人的感覺,就常州學來講,和乾嘉主流學術,應該是異中有同。吳、皖兩派,他們也是很強調今文,強調《公羊》;《公羊》就是西漢早期的漢學。剛才張壽安教授提到,常州學是很重視義理的。其實就莊存與來講,他也重視義理。我們談常州學,談今文學,莊存與是否為開風氣之先呢?如梁啟超是肯定的,但有人是持不同意見,如蔡長林先生的博士論文,就在辨證這個問題。今就事實來論,我們談常州,當然從莊存與講,不過莊存與不算是一個純今文學者,但今文學由他開風氣,應該是可以成立的。我們今天談常州學,從莊存與以後整個的發展脈絡,我們要把它釐清,剛才主席所講,我們今天談常州學,當然要從原典入手,我們讀《公羊》,讀《春

秋》，就莊存與來講，他的《春秋正辭》、《春秋要指》，都從《春秋》入手，我們談早期的常州學，可能要把他的精神闡發出來。至於莊存與後來的幾個晚輩，包括他的師承，當然最重要的就是宋翔鳳、劉逢祿，這是把常州學發揚光大很重要的一個關鍵。這時候的常州學已經和莊存與有所不同。我們根據原典、根據文本來觀察，其不同之處，就是所謂《公羊》被凸顯出來了，也就是剛才蔡長林先生所提到的。宋翔鳳、劉逢祿他們都注意到將《公羊》、將《春秋》和現實、和政治上的結合，大抵上他們都不是重學術的，莊存與則從義理的角度探討當時的學術問題。所以就吳、皖兩派來講，對莊存與不是很重視的，我想這是有原因的。第二個階段今文學，和早期的乾嘉《公羊》學的不同應作一個具體的重點展現。宋、劉至於日後演變到晚清、民初，所謂今文派的《公羊》學，那就不只是《春秋》和《公羊》的問題了，它牽涉到一般今文經學的問題。這時候今文經學的精神，是結合政治、社會，作政治的改革，學術性已不如宋翔鳳、劉逢祿那時候，反而是政治性的加強。他們的用意何在，和早期《公羊》精神的關係如何？這是值得我們注意的。另外，我想再講一下古史辨這個時代，那又是一個非常複雜的關係，但多少和經學有關。但和今文經學精神不同，我個人認為，它是從反面的，就是說，在皮錫瑞（1850－1908）、康有為、廖平（1852－1932）這個時候，他們要用今文經來改革政治，改革社會，到了古史辨這個時候，它以否定經學來改革政治，改革社會，完全不一樣，它負面的影響，在經學史上、學術史上，應該加以評價，今天在談常州學，應該特別注意的。另外，我非常同意剛才林慶彰教授的看法，今天談常州學術，不只是在經學，也不只

是在《公羊》，或者在《春秋》，我想更重要的是如何將相關的著作能很真實的把它校出來，讓大家能夠使用，然後我們從文本來探討常州學術的真實面目。這是我的一些看法，提出來就教於各位，謝謝。

陳鴻森：謝謝李教授。李先生要言不煩的將研究常州學術的幾個面向，給我們作了一些提示。李先生談到莊存與和劉逢祿學問的異同，這點尤其重要。常州學術實際上是相當豐富多元的，大家今天大談揚州學派，但是常州學者從清初臧琳（1650－1713）到盧文弨（1717－1795）這些人，或者說同時稍晚的臧庸、孫星衍、洪亮吉、張惠言等人，這些都是乾嘉學術界的一線學者，揚州學術固然有其精彩的一面，但常州學術也有它可觀的地方，過去研究者片面的用《公羊》來代替整個常州學術，使得其他常州學者的學術業績和表現被遮蔽了，未能適度彰顯他們的學術史意義。相信文哲所爾後這方面的研究，會讓國際的學者對常州學術有一番重估。剛才李教授也談到常州《公羊》學和早期《公羊》學的異同問題，《公羊》有它內部幾個發展階段，《公羊傳》和董仲舒的《春秋繁露》所代表的早期《公羊》公羊家說，他們之間對《春秋》經義的解說時有出入，不盡相同；而何休《注》所代表的，它結合了早期《公羊》學、《白虎通》、讖緯思想，可以說，何休是總結兩漢《公羊》學家說的一個新的發展。今天我們所能看到唐以前有關《公羊》的著作，大概就是《公羊傳》、《春秋繁露》、何休的《注》，以及北朝學者所著，今本題為徐彥著的《公羊疏》。這些唐以前的《公羊》著作，對《春秋》大義的解釋，裡面是有一些出入的，比如說像何休的《注》和《公羊傳》之間是有因革損益的。

本來，《公羊》家是相當講求時代對應的，也就是「切合時務」。但劉逢祿他們所身處的時代背景，與漢代有很大的不同，所以常州學者所談的《公羊》，和漢代的《公羊》學比較，他們的側重點並不完全一樣。比如剛剛所提到的「內外」之辨，因為清代特殊的歷史條件和時代需求，《公羊》理念如何作相應的調整，或者是經學者如何去調適，我覺得這些都是大家可以再深入討論的地方。接下來我們是不是可以請蔣秋華先生作一些補充。

蔣秋華：謝謝主席。前面許多專家學者提了很多意見，其實大部分都把一些要點談了。我就針對我們現在所執行的計畫，作一些補充。我們要執行的這個計畫是晚清經學的研究，第一年是常州學者的經學研究。前人的研究所標榜的「常州學派」，可能有其特殊的定義，甚至對這個學派，有其學理的主張，也許在這個情況下，大家就比較偏向《公羊》的研究，甚至於說是今文經學方面的研究。根據我初步的一些查考，如果把某些重要的學者放入晚清常州學派，似乎有些不妥，畢竟有些重要學者在時代上屬於乾嘉早期的。另外就是在邀請國內的學者參與這個計畫的時候，就有些擔心，也就是前面的研究已經有不少的成果，尤其是在《公羊》學及《論語》的研究上，有很多的博、碩士論文及專著。另外，從各種目錄上觀察，常州這麼多的學者以及這麼多的著作，因為他們本身就是不被人重視的，所以他們的著作成果，也是不容易取得。我接觸到的某些研究者，曾經選定了某些人去作研究，但是就在資料的取得上，可能有些困難。今天提出來，也許大家可以互相幫助，交流提供一些訊息或是資料。我覺得晚清這麼多的學者裡面，由於過去沒有好好研究，或許他們的著作也沒有經過整理，所以對他們研

究成果的優劣得失，也許沒有辦法馬上就作評斷，如果經由多人的研究之後，說不定可以發掘了某些學者過去較少被留意的著作，值得去提倡或彰顯的地方。另外，在常州學派的研究裡頭，有一個「群經《公羊》化」的議題，卜五兄在這方面做了些相關的研究。在這個群經《公羊》化的情況之下，多半討論的是《論語》方面，而《禮》學、《白虎通》方面也有小部分的涉獵。其他的經書方面，像《易經》、《尚書》、《詩經》等，群經《公羊》化提倡的影響是否形成一個普遍性的研究，也許在座有興趣的學者不妨做整體性的研究。因為就我的觀察，可能只在《論語》談論的方面比較多，其他經書的成果倒是沒人注意。也許可以就常州或常州以外的學者，是否利用《公羊》學說來解釋其他經書，這個課題我覺得是可以再開發的。我就簡單說到這裡，謝謝。

陳鴻森：謝謝蔣先生的補充。我想劉逢祿重要的意義，除了對何休經說條例的闡述之外，另外一個重要的意義就是他寫了《左氏春秋考證》，重新挑起今、古學的對立，這在學術史上有它重要的意義。這本書也特別影響了康有為的《新學偽經考》，以及後來古史辨學派的疑古辨偽工作。但劉逢祿的劉歆竄亂增飾《左傳》之說，後來發展成為康有為的「劉歆遍偽群經」說，這種偏向，貽誤了不少聰明才智，一直到錢賓四先生《劉向歆父子年譜》，這問題才被釐清。這種負面效應也值得我們重視。秋華兄所提到的「群經《公羊》化」，我認為它是一個偽命題，對此，我持比較保留的態度。劉逢祿等用《公羊》家說解釋《論語》，他們的構想是：孔子「志在《春秋》」，而《公羊》最能得孔子為言奧旨，以《公羊》家說解釋《論語》，正是用孔子之志證發《論語》不宣之祕，這是

他們的理論依據。劉逢祿他們說得對不對是另一回事，但卻不能否認他們這種構想有其合理性的成分在。「群經《公羊》化」則缺乏這種合理性，群經自群經，《詩經》、《尚書》、《周禮》、《儀禮》怎麼「《公羊》化」？它的理論依據是什麼？缺乏可以邏輯驗證的理論依據，只是穿鑿附會而已。常州《公羊》學者雖有依據《公羊》義解說群經個別的一些文句，但不能說這就是「群經《公羊》化」。群經各有體要，不能將今文家的說法都等同為「《公羊》化」。何休《注》中所稱的禮，不盡周制，往往和春秋通禮或《禮記》所記載的，互有異同，凌曙著《公羊禮疏》疏通證明之，不能說這就是「禮的《公羊》化」。劉逢祿用《公羊》來解說《論語》，只要是《論語》中某章是可以牽引、附會的，他就用《公羊》的說法去比附。但是如果各位把整本《論語述何》讀過之後，就會有這麼一個印象，好像孔子一生就繞著「正名分」、「別內外」、「張三世」這幾個問題，喋喋不休，反覆強調。所以後來到了劉恭冕他們，對劉逢祿的說解，則持比較保留的態度。一些常州學者用《公羊》義解釋其他經書文句，穿鑿附會的程度更甚，在當時也未引起太多的迴響，我認為今天不應該把這種附會的浮說過分強調。接下來我們是不是請戴景賢先生發表一下您的高見。

　　戴景賢：我們今天這個座談會是討論未來常州經學研究發展的方向問題，我現在想談的是一個研究策略的問題。我想這個研究策略問題包括兩個部分，一個是廣度問題，一個是深度問題。就廣度問題而言，我覺得這兩天發表的論文都是以地理和學風關係為重點，基本上，這與梁任公《清代學術概論》、《近三百年學術史》的重點完全不一樣，因為在那個時代所關切的，是一個現代史的問

題，也就是質問中國到底出了什麼問題？為什麼西方文化變成了一種世界性領導文化，而中國的文化反而嚴重的落後了，至少是停滯了。於是他們就提出中國是否缺少「文藝復興」和「啟蒙」的問題，所以在這個議題上，他們需要一個大而有力的意見，來對整個文化歷史、學術歷史作一個解釋，於是在這裡，「乾嘉考證學」與清代中晚的「今文經學」變成兩個重點，這在梁任公的書中可以看得很清楚。所以我認為就這點上面來講，就如同剛才黃院士所說，如果我們今天不是考慮到所謂「地理」和「學風」之間的關係，而講的是清代的今文經學，你一定要聯繫到康、梁。如果今天我們的重點轉移到地理與學術之間的關係，當然它立刻有的好處，就是你的議題增加了，你對於經學史的瞭解，一定是從比較片面的，或者是有機性的解釋，變成一個比較多元的、複雜的解釋。所以它一定能夠促進我們對清代學術史多元化的研究，這樣我們就可以超出以梁任公、錢賓四先生這兩本《近三百年學術史》所建立的框架而有新的議題；這絕對是有利的。可是如果我們太偏向這點而忽略了不直接與常州有關的問題，這樣我們在廣度上面雖有得也會有失。第二個關於深度的問題，基本上我認為也是有得有失。也就是我剛才所講的，因為梁任公、錢先生他們有非常迫切的時代問題，所以當他們面對「學術史」問題的時候，有許多細微問題，都不是他們會認真處理的。但也正因他們有非常迫切的時代問題，所以他們可能在某一些議題上有極深刻的見解，為我們現在的研究水平所不易企及；因為我們並沒有如同他們一般承受很大的時代壓力。可是從另一方面而言，我們也有可能在深度上超越這些前輩，這當然就牽涉到我們所可能操作的「新的學術方法」問題。在這中間有兩項學術

觀念與方法,是非常重要的,一是學術史,一是思想史。大概梁任公那個時代的人,常常把這兩項研究混在一起,像梁任公本身就不太能分辨學術史與思想史不同的線索。就我觀察這兩天所發表的論文,也都企圖一方面談些學術史的問題,可是一方面又好像要去講出它的思想史意義來。當然,學術史和思想史是相互作用的,這是本質上如此。可是它們卻有各自不同的脈絡,所以我現在提出來的,是一個研究策略的問題。也就是我們寫論文的時候,最好能選擇一個單一的研究方面,先決定此刻你這篇文章談的到底是以學術史問題為主,還是以思想史的問題為主。因這牽涉到學術方法應如何掌握的問題。當然事實上你談到學術史問題的時候必會牽涉到思想史,談思想史也必然牽涉到學術史,可是卻不宜同時處理。也就是說,你可以在一本著作裡面都談,可是如果你希望將一篇單篇論文作好,一定要在策略上選擇一個清楚的方向,就是:我現在要處理的究竟是學術史問題?還是思想史問題?這樣子才可能在研究的深度上增加。基本上,學術史的重點是在於學術觀念、學術方法、學術規範、學術性格,也就是說,「學術」作為一個觀念,牽涉到研究者的知識觀念和學術觀念是怎樣結合的問題,以及它是不是具有一個可以操作的「學術方法」的問題。像蔡長林先生很清楚的就是在處理學術方法的問題,所以他所注意的,並不是它的思想有多大意義,而是當某一種學術觀念,某一種方法被帶進一種學術的領域研究,或者是在某個風氣裡產生影響的時候,它所具備的意義究竟為何?這是學術方法方面的問題。關於「學術規範」的問題,譬如以《皇清經解》、《皇清續經解》為例,《皇清經解》便有它一定的規範,也就是說它在編輯的取捨上具有排他性,《皇清經解》

的取捨的標準就是：如果你沒有真正地照著它所定義的經學方法，它便認為你這個方法是錯誤的。這就是一個學術規範的問題。另外就是「學術性格」的問題，這是以人的方式去影響對方研究學問的態度，也就是從一個學者作學問的方式影響到另一個學者作學問的方式，這在學術史上的發展上是常有的。學術史的研究是大家比較熟悉的，而思想史的問題就比較麻煩了。為什麼呢？因為思想史的研究是一個比較晚發展的研究方法。如果今天你要處理儒學思想問題，或者是經學思想問題，那就很直接的是文本及文本的詮釋問題。可是如果要進一步談到真正的所謂思想史的研究，就不是這樣了，因為這就牽涉到它是針對那一項一個時代的議題，以及論述者處的社會關係位置的問題；同時這也關係到個人對於時代議題的認知，以及個人的價值取向，然後到這一個思想者如何開始發展，慢慢凝聚成某個概念的歷程。而如果這種思惟被另一種觀念導引，這就是一個非常複雜而不易處理的問題。如果你真的要去處理思想史的問題，雖然你選擇的是經學家，或是經學家的某種著述，作為你主要論述的對象，可是在研究的時候，你必須有一個非常廣泛的思想史研究基礎，以及具備成熟的思想史研究觀念，才可能研究好議題。否則，我們大概會談一些學術史的脈絡，然後談一些思想的影響和價值，這些雖然都具有某種意義與價值，但這樣的研究可能在深度上很難有大幅度的推動。這是我的一些淺見，謝謝大家。

　　陳鴻森：謝謝戴先生，戴先生談的主要是研究方法論的問題，可以給大家作很好的參考。過去五十年來談《公羊》的人，大部分都是歷史學者，中文學界相關的研究則較為貧乏。但研究《公羊》學，除了知道《公羊》家怎麼說之外，似乎也應參核《左傳》、

《穀梁》家的說法，才能看出《公羊》理念的異質性，《公羊》家的觀念，有很多都有它嚴格的規範和限定意義，以「權」的觀念而論，如果你仔細去吟味《公羊傳》本文，便會發覺大部分學者所談的，其實並非《公羊》本義。因此研究《公羊》學，最好能夠重新回頭省視作為經學的《春秋》到底是怎樣的一本書，這是今天一般歷史學者比較忽略的。當然，整個的《公羊》學史不是我們今天在短時間就可以談盡的，但大家互相激盪，拋磚引玉，作為以後研究方向的引子。接下來是不是請鄭卜五先生發表您的高見。

鄭卜五：主席，各位專家，我的研究主要是探討有關《春秋》學本身的問題，而不只是探討《公羊》學的問題，我是以《三傳》合觀的方向來參研《春秋》學，而以《公羊傳》為入手，來探討《春秋》學。至於我以前所提出的〈常州《公羊》學派「群經釋義《公羊》化」學風探源〉的論題，後來我接受了李威熊教授的建議，修改為〈常州《公羊》學派「經典釋義《公羊》化」學風探源〉，因為群經包含較廣，好比《爾雅》有沒有被常州《公羊》學者依據《公羊》義來「釋義」的現象，這個問題就必須再觀察。為什麼會有這樣的說法呢？我在閱讀常州《公羊》學者的著作時，發現常州《公羊》學者常有「依據《公羊》義來說解經籍要義」的作法，將《公羊》義引入五經之中，孫春在先生、張廣慶先生亦有如此觀點。而那篇文章主要在探討，常州《公羊》學者依據《公羊》義來「釋解經籍要義」的「風氣」，當肇始於孔廣森而非莊存與。從常州《公羊》學者的著作來看，常以《公羊》學觀點對典籍作釋義，像莊述祖在《尚書古今文考證》、《毛詩考證》、《五經小學述》方面有考證；孔廣森在《禮學卮言》、《大戴禮記補注》方面

有考證；劉逢祿有《論語述何》、《今古文尚書集解》、《書序述問》、《五經考異》的考證；宋翔鳳有關於《論語發微》、《尚書略說》、《周易考異》、《五經要義》、《五經通義》方面的考證。而我的博士論文是《凌曙公羊禮學研究》，就曾探討凌曙將《公羊》義引入《禮》學中做發揮的問題。這些常州《公羊》學派的學者，他們將《公羊》義引入五經作詮釋，這種常州《公羊》學派經典釋義《公羊》化風氣的肇始者是誰？是我當時想要再進一步探討的問題，因此才寫那篇〈常州《公羊》學派「經典釋義《公羊》化」學風探源〉。至於我對孔廣森的探討，是起於閱讀孔氏著作時，發現孔廣森是運用董仲舒的評論體方式來闡釋《公羊》要義，而不是採用何休「義例」訓釋《公羊》的做法，這是孔氏的注重點和劉逢祿、宋翔鳳等常州《公羊》學者不一樣的地方，也是使得梁啟超先生說他是不守《公羊》家法之所在。剛才蔡教授所提到了西漢的家法問題，我對「西漢的家法之爭」一辭一直有疑義，我認為西漢應該是沒有家法的爭議，「家法」應該是在東漢以後才有的，因為沒有「爭」怎麼會有家法一辭的區隔。董仲舒在作《春秋繁露》的時候，有用《公羊傳》的說法，也有用《穀梁》傳的說法，所以在西漢早期的時候，是沒有所謂「家法之爭」的。家法之爭應該是產生在劉歆要立學官之後，所以才開始區分各家的師法為家法，所以在西漢早期的時候，這個「家法之爭」是沒有的。另外，董子的《春秋繁露》是一種評論體的書寫法，但從何休以後就不一樣了，是用注疏的方式來釋解《春秋》經、傳，也就是用解經體、注疏體、解詁體的方式來書寫，這兩個不同的脈絡下來，他們的切入觀點不同，所以在討論事情的時候，會有不同的結果出現。在常

州《公羊》學這一脈下來,包括莊存與、孔廣森、劉逢祿、凌曙都很注重董子之學,但為什麼常州《公羊》學者又對何休那樣子的提倡呢?我的懷疑是從劉逢祿之後,他們都把董子之學和何休之學混合為一,而忽略了董、何相異點的存在。劉逢祿之後的常州《公羊》學者,篤信何休《解詁》所歸納的「義例」及三世進化論的創見,何休以據亂、昇平到太平的過程,影響到後來康、梁等人改革政治的理論。所以我認為在討論常州《公羊》學派的時候,應該注意各家的同、異點,而不是只以何休的《解詁》為依據,來衡量其守不守《公羊》家法。謝謝。

陳鴻森:剛才鄭教授提到西漢沒有家法,這我比較不能苟同。《漢書・儒林傳》歷記各經「由是有某某氏之學」,我想西漢有一家之學,就有一家之法。家法的產生,主要出於口授。西漢著之竹帛,經說的傳衍,主要靠口耳相傳。鄭玄前後的學者,雜揉今古學的傾向十分明顯,我想是因為紙的發明,加速學術的流播,承學者截長補短,一家之學的門戶漸漸地淡化,所以在鄭玄的時候,兼綜群言,調和各家異同,成為鄭玄最主要的特徵。進入魏、晉時代,我們現在能夠看到的第一部著作就是何晏《論語集解》,經說開始以集解的形式出現,這就說明紙這樣的物質條件,引起了學術史的發展與變化。

鄭卜五:有關蔡教授所說西漢家法之爭的問題,我剛才沒有說解得很清楚,我的意思是說,西漢雖然有各家師法,但「西漢」沒有所謂「家法之爭」的問題。

蔡長林:我想補充一下我剛才所說的話。莊述祖在學術上有兩點特色,其一是他對西漢以前學術的維護,這可以從他的古文字學

研究，以及他對於董仲舒、毛公等人的推崇中看出來。也就是說，莊述祖的學問標準不在於西漢的十四博士之學，這就牽涉到我為什麼會提到他重視家法的原因。因為莊述祖學問的入手處是古文字學，他也運用古文字學方法研究《尚書》。其經學家法的提出，基本上就是相應於以古文字學研究《尚書》時所提出來的，所以他所說的家法，基本上不是今文十四博士所傳承的師法、家法，而是以今、古文字為判準的今、古文家法，這一點我們可以從劉逢祿關於《尚書》的文章中看得出來。對於西漢價值的維護，當然是莊述祖學術的重點，但是西漢價值和學術研究上的今、古文家法之結合，並非即為對十四博士之學推崇，反倒是對毛公及古文經典的推崇。他只會認為西漢的大儒如董生、毛公是好的，不會承認西漢的博士之學是好的，而這又是他經由古文字學研究所確立的今、古文家法所衍生而來的態度。與莊述祖相較，同是對「西漢」與家法的重視，劉、宋即有向今文學家法傾倒的跡象，而有了後來西漢和今文家法結合在一起的情況，我剛才的意思是這樣子，今文學的成立是在這裡，也就是西漢博士之學和今文家法結合在一起，這才是所謂的今文學。另外，對於經典《公羊》化的問題，我自己有一點小小的心得。我在研讀莊存與的《味經齋遺書》的時候，發現到整個莊存與的思想裡面，有一個很重要的觀點，就是「正名」，包括他在《易說》、《春秋正辭》、《毛詩說》、《尚書既見》等著作中討論從三代聖王到春秋衰亂的過程，就是這種「正名」思想的發揮。這種「正名」的思想，也貫串在我們現在所看到的《公羊傳》裡面。所以群經的《公羊》化，如果我們從這個「正名」角度來看，也許可以給我們一點啟發。不只是一種經典形式上的研究而已，它

有它的思想意義在裡面。我的報告到此。

陳鴻森：我想我對於群經《公羊》化還是不懂。常州學者研究群經和「群經《公羊》化」，是兩個不同的概念，不能把今文學和「《公羊》化」等同，混為一談。這個問題因為時間的關係，可以以後再作深入的討論。

林慶彰：我想補充一下剛才談論有關師法、家法的問題。因為以前我有作過這方面的研究，我將研究的結果稍微講一下，也許可以釐清一些問題。根據我把《漢書》翻過一遍，《漢書》裡面沒有「家法」這兩個字，《後漢書》裡面才有「家法」兩個字，而且非常非常的多。「師法」這兩個字都出現在《漢書》裡面，而《後漢書》中只出現四次。也就是說，「師法」這個詞是從西漢一直貫穿到東漢，而「家法」這個詞的出現，如果以《漢書》、《後漢書》來看，是東漢的時候才比較多起來。這是我提供的一些基本資料，也許可以作為大家思考的方向。另外，關於常州經學研究的展望，我想再補充說明一點，就是關於國外學者的研究成果，我希望將來也可以陸續地翻譯出來，讓學術界的人可以吸收他人之長。如果各位有翻閱過我們的《中國文哲研究通訊》的話，大概會看到最近這三、四年，我們都在作國外學者研究經學的成果專輯，我們作過的專輯大概有五、六個，包括揚州學術專輯、日本學者論乾嘉學術、日本學者論啖助學派，而最近就是要作日本學者論《公羊》注疏，大概有十幾篇文章，會分為兩輯全部登出來。將來各位可以看到這些日本學者，他們論證細密的程度，以前的人從來沒有想過他們已經對這個問題，作過如此細密的考證。所以我覺得他們的研究成果，是比較可以相信的。至於常州學者關於《春秋》學或《公羊》

學的研究，剛才主席提到過的像濱久雄、山田琢的研究，尤其是山田琢的《春秋學の研究》，裡面關於劉逢祿《左氏春秋考證》的研究，篇幅將近一百頁，幾乎可以出一本專書，像這些研究，我希望都可以翻譯出來。並不是說他們的研究比我們的好，只希望提供不能直接閱讀日文的經學研究者，可以參考之用。

陳鴻森：這場座談會的時間已經到了，謝謝各位今天的參與，謝謝。

林慶彰：我們非常感謝各位對我們這個計畫的支持。這兩天有發表論文的先生，我們會發函請各位將論文修改過後，在一定的時間內寄回來。另外，除了這次的研討會之外，我們將在年底十二月的時候，舉行第二次的學術研討會，到時候也希望各位能繼續支持，也希望如果在這方面有研究成果，願意發表論文的人，我們都非常歡迎。最後謝謝各位的參與。

「常州經學研究」
座談會記錄

蔡長林、黃智信＊整理

　　中央研究院中國文哲研究所經學組自二〇〇二年起開始執行為期四年的「晚清經學研究計畫」，二〇〇三年研究「常州地區的經學」，二〇〇四年研究「湖湘地區的經學」，二〇〇五年研究「廣東地區的經學」，二〇〇六年研究「其他地區的經學」。為執行「常州地區經學研究計畫」，經學組同仁林慶彰、蔣秋華、楊晉龍、蔡長林、黃智信等五人，於二〇〇二年四月一日至八日赴常州、無錫、蘇州等地，尋訪學者遺跡，並蒐集研究資料。為較深入了解常州經學者遺跡的現況和常州經學研究的方向，我們透過江南大學文學院徐興海院長的協助，在常州工學院和江南大學各舉行了一次座談會。座談記錄初步整理後，皆請發言學者訂正。感謝徐院長和兩次與會的先進、學者的指導。

＊　　蔡長林，中央研究院中國文哲研究所副研究員；
　　黃智信，中央研究院中國文哲研究所國科會計畫研究助理。

第一次座談會記錄

時間：2002 年 4 月 2 日
地點：常州工學院
主持人：羊淇先生
整理者：蔡長林

羊淇（原常州工學院黨委書記、常州炎黃文化研究會常務理事）：

謹代表在座的諸位先生，也代表常州工學院和常州炎黃文化研究會，對臺灣來的幾位專家，以及江南大學徐興海等幾位教授，表示熱烈歡迎。根據先前的接觸，臺灣來的專家開出一張單子，將要參觀洪亮吉故居、莊存與故居、黃仲則故居、李伯元故居，還有東坡公園、呂思勉故居等地，都可以去看看。明、後天可以勞駕朱先生陪同臺灣來的專家去參觀這些地方。洪亮吉、呂思勉故居已修復，莊存與故居、趙翼故居只能觀其外表。

莊存與的故居大部分房子都沒有了，只剩下西面幾間偏間。劉逢祿故居因拓寬馬路，已經拆掉了。孫星衍的故居只剩下地基還在，唐荊川故居（唐荊川讀書處和他的墓）、東坡公園也可以看看。洪亮吉故居在延陵東路，現為洪亮吉紀念館。黃仲則的兩當軒已破破爛爛，還沒修復。

現在的常州市第二中學（清代的文廟）有莊存與寫的常州府學碑，是他的手跡，可以看看。

林慶彰（中央研究院中國文哲研究所研究員）：

常州地區的各位前輩，還有羊主席，以及江南大學的各位教授，我們這次所以到無錫、常州來考察，主要是因為我們有一個叫

「晚清經學研究計畫」,總共要執行四年的時間。各位手上有我們計畫的簡單版本,第一年研究常州地區的經學,由今年年初至今年的年底,當然我們也會在臺灣開一至兩次小型的學術研討會。除了開研討會之外,我們希望來做田野調查,也就是說實地來看看常州地區學者有無留下故居或紀念館,甚至可以在此找到他們的手稿或是相關文獻。除了田野調查之外,我們也希望能點校他們的著作,包括他們經學方面的著作,還有文集等等,然後由本所出版。此舉主要之目的,是希望讓對傳統漸漸疏離的現代學界或年輕人能比較方便或比較容易去接觸傳統文化。除此之外,我們亦希望能把海內外,尤其是海外研究常州學派的著作,像日本研究莊存與、莊述祖頗具成就的濱久雄教授的著作,翻譯成中文及出書。大抵每一年度的計畫皆循此模式進行。第二年度進行湖湘地區的經學研究,第三年度進行廣東地區的經學研究,第四年度則為綜合性研究。因為要執行此計畫,所以本所委請江南大學徐興海院長代為策劃聯絡,請各位來指導我們,希望能在此得到一些相關的訊息或材料,將來把在此開坐談會的紀錄刊登在本所《中國文哲研究通訊》,也希望藉由此舉能促進常州地區對傳統學術之關懷。我們為什麼這樣講呢?兩年前我們做揚州學派之研究,與揚州大學合作,當時揚州大學也不太關心像阮元、汪中、劉氏祖孫三代的學術,我們去了之後,與他們一起開學術研討會,讓他們覺得臺灣都這麼重視我們的傳統,我們也應該重視才對,所以揚州大學在本所執行揚州學派研究計畫期間,也成立「揚州學術研究中心」,現正運作中。此次前來,除了自己有一些收穫之外,也希望常州地區能對常州學派的學術有一些更深入的研究與關懷。當然我們也是抱著學習的心情來到常州,

希望各位多多指教。

徐興海（江南大學文學院院長、教授）：

　　非常感謝常州工學院馬院長的接待，以及常州工學院對今天活動的精心安排。早就知道常州，知道常州學派，無錫到常州不過咫尺之遙，今天終於如願來到這裏。

　　這一次是我第一次到常州。對常州這個地方，過去從書上、文獻上，還有別人的介紹裏，有一些了解。尤其在七十年代常州工業發展之快，給我留下非常深刻的印象，後來常州在經濟發展上一直保持非常高的速度。另外常州人傑地靈，在歷史上產生了許多對中國的經學研究、對中國的文化、對中國的語言、對文獻整理各個方面，都有非常重大影響的人物。今天也聽到介紹說常州這個地方兩院的院士有四十多名，這個數量在全國是非常之大，所以一直想來。這次林先生還有臺灣中央研究院文哲研究所的五位學者要來常州，我也很樂意一起到常州來學習，感受常州的文化氛圍。在聯繫的過程中，一開始同常州文管所的陳先生，再來是教育學院的錢先生，最後是與常州工學院的羊先生聯繫，都讓人感到非常的鼓舞。他們對於在常州進行經學研究、文化研究，都非常的熱情，願意促成這樣的事情。這也就是今天我們能坐在一起非常重要的原因。這是常州地方上，對常州學派、對常州文化深有研究，很有造詣的前輩所促成的，所以我們江南大學文學院表示非常的感謝，也願意以後建立長期的聯繫，也要向我們的學生介紹常州這樣的文化氛圍，學習常州地方的各位專家對常州文化的研究。就像林先生所說的，今天也很希望常州幾位前輩能夠把自己對常州文化的研究，對常州詩詞，對常州學派各方面的研究成果，把它貢獻出來，給我們一點

學習的機會。

　　常州學派是中國經學史、學術思想史上一個非常重要的學派，是「經學時代結束之前壯觀的一幕」（陳其泰先生語）。常州學派有許多奇特的地方值得研究，比如它反映了中國學術發展史上一個獨特的現象，即每有一個新的思想、新的流派產生，或有外國的思想傳入，中國的學術思想界都要祭起經學這面大旗，以說明這個新的東西植根於上古時代，或說明中國古已有之。常州學派的產生，處於中國封建社會行將滅亡，新的民主思想已經萌芽的轉折關鍵時刻，同樣的要借助於公羊學派的軀殼，為什麼非得要這樣做才能證明自己存在的必要性？這是否反映了中國封建社會長期存在的復古思想？常州學派另一個奇特的地方在於，它的產生必得借助於近兩千年前的一種思想，而這種以大一統為標識的思想是為了維護封建的王權統治的，另一方面它又引發了旨在摧毀封建社會的新的社會思潮，這真是矛盾的統一，豈不值得研究？中國學術思想史上以地方命名的學派很多，如皖派、吳派、泰州學派等，父子相傳的學派也有很多，如裴松之、裴駰等，而像常州學派這樣既有地方性，又有家族性，並且綿亙幾代的學派就很少了，由莊存與發端，傳其從子述組，孫綬甲，以及外孫宋翔鳳、劉逢祿，而且其影響力又如此之大，這一奇特現象更是值得研究。我就是帶著這些問題前來求教的。

羊淇：

　　剛剛徐院長對我們常州多多的讚譽，實在很不敢當。林慶彰先生談了一下他們在經學方面研究的大致情況，說明臺灣有關方面，能夠對大陸的文化，甚至是常州的一些歷史文化、今文經學派，能

夠有這樣的興趣，來慎重的研究，使我們常州的本地人感到很愧
咎，應該很好的向你們學習。我在學術方面根柢很淺，對常州的今
文經學也僅僅了解一些皮毛。這次臺灣許多專家來，我就藉這個機
會，先拋磚引玉，談一些我個人的想法。因為我之前也寫過一點東
西，叫〈常州今文經學派淺說〉，就是今天我送給各位指教的一本
書，同時還寫了一篇〈常州今文經學派贊吟〉，贊揚了十多位有關
常州今文經學派的人物。我在這方面的研究很粗淺，我想首先應充
分肯定常州今文經學派的思想、學說對中國近代史，起了一種積極
的作用，推動了社會的改革，應該說它在這方面的功績是不可磨滅
的。常州的今文經學派，是繼承並發展了漢代董仲舒、何休的今文
經學的學說。從董仲舒開始，今文經學派強調張三世、通三統、以
《春秋》為新王，王魯、絀夏、親周、故宋，它的理論一開始的主
要命題就是這些東西。這些命題的核心思想是變易改革，它把春秋
十二世兩百四十二年，分成三個階段，所見、所聞、所傳聞，「三
世而異辭」，朝代歷史的變化，治國辦法亦不同。從董仲舒、何休
開始一直到清代莊存與、劉逢祿，之後龔自珍、康有為，發展了這
個學說，都是來發揮說明其中變革的思想。劉逢祿在理論上為常州
今文經學派奠定基礎，之後龔自珍、魏源對這個學說進行了更新的
改善，一直到了後來的康有為，利用它的變易改革的精髓，抨擊封
建專制制度，這個思想在當時中國起了進步作用，促進了社會改
革，也可以說導致了辛亥革命。因為今文經學派的學說是比較深奧
的，特別是大陸解放以來，研究的人越來越少。就以我們常州來
講，應該對產生於常州，對學風很有影響的這個學派好好的進行研
究，但是由於種種原因，我們常州地方上對這方面的研究，也是很

少。

　　常州今文經學派，為何不產生在江西、浙江，不產生在湖南、湖北，也不產生在南京、蘇州，而產生在常州？我認為這與常州的學風，與常州的明末東林黨的遺風，與莊氏家族的家風有關係。明代以後的常州學者特別重視經世致用的學說。當時常州很有名的學者唐荊川，即非常重視經世致用之學。明末的東林黨主要的領導者，都在常州府。當時常州府包括無錫、宜興、江陰等縣。東林黨的主要骨幹都出自常州的無錫、宜興、江陰。東林黨是當時中國知識分子、士大夫、飽讀經書的人，他們能以風節自持，清議朝政，關心政治，關心國家大事，而且十分痛惡那些奸邪之徒。這些人都是比較正直的讀書人，敢於和當時魏忠賢的遺黨鬥爭，甚至於冒了殺頭的危險。東林黨的遺風，在我們常州的影響很大。莊存與是很佩服唐荊川的，他很稱讚並且學習唐荊川的經世致用之學，不僅經學而已，其他如數學、天文、地理各方面，都有研究。莊存與的堂高祖莊起元就是很注重經世致用的學者。莊存與的高祖叫莊廷臣，他反對魏忠賢，反對設立紀念魏忠賢的生祠，而且參與創立了我們常州的龍城書院。東林黨之後，我們江南有一個復社，進行種種學術活動，莊存與也受到這些的影響。所以，莊存與能夠來倡導今文經學，開創常州的今文經學派，與常州的經世致用的學風、東林黨的遺風以及他家族的家風有關。這就是我講的為何不產生在別的地方，不產生在別的家族的原因。

　　另外，常州今文經學派的產生，與當時的政治、社會也是有關係。乾隆晚年，莊存與同和珅同朝為官，由於和珅的專權，奸臣當道加快了清王朝由盛轉衰。莊存與是不滿於和珅專權的，在這種情

況之下，莊存與寫了他的重要著作，叫《春秋正辭》。倡導今文學，該書是以《公羊》學說來解釋《春秋》的重要著作。他的這本著作，在他生前沒有能出版。在莊氏卒後幾十年，才由他的孫子莊綬甲整理出版。這已經是道光年間了。魏源為其書作序，序中贊揚莊存與為何要寫這本書，為何產生了今文經學派？就是對當時政治的不滿。所以，莊存與的姪子莊述祖，也是反對和珅的。莊述祖中進士後，他的仕途一直受到和珅的壓制。劉逢祿的父親劉召揚，他是劉綸的兒子，莊存與的女婿，劉召揚也是對和珅不滿，所以在和珅當政之下，他拒絕政府的徵召，不肯做官，他依舊持經世致用的學說，從事經義、詩詞、天文、地理各方面的有用之學的研究。所以從這些方面看，莊存與當時著作這本《春秋正辭》，來發揚《公羊》學說，從中來說《春秋》，與當時的政治必定有關係。之後到了劉逢祿、龔自珍時期，社會日漸混亂，很多正直的知識分子，都在討論救亡圖存之道，今文經學派的核心思想強調改革，正適合當時中國知識分子改革社會的要求，所以龔自珍勇於接受了劉逢祿的思想，加以更新和改善。到了康有為，更發揮了變革的思想。

另外，常州今文經學派的產生，還要強調一個原因。常州學風當中，從來很注重通變創新，莊存與是乾隆時人，在乾隆、嘉慶時期，與莊述祖、劉逢祿同時，常州產生了陽湖文派、常州詞派、常州今文經學派，這不是沒有原因的，這是因為常州學風通變創新，所以開創了上述學派、詞派與文派，並且相互影響，這與常州讀書人通變創新的學風是分不開的。最後想提出來就教於臺灣專家的是，今天對常州今文經學派有沒有研究的價值？我認為它是很有研究價值的。變革和大一統是今文經學派的中心思想，我們應該吸取

今文經學派變革和大一統的思想。加快我們的改革，促進兩岸的統一。所以我認為今天研究常州今文經學派，是有價值的。

錢璱之（原常州教育學院副院長、常州市炎黃文化研究會副會長）：

我個人對經學沒有什麼研究，主要是從事文學研究的。就常州而言，經學與文學分不開，所以臺灣的專家此次為清代今文經學研究的課題到常州來，我非常高興。原因之一是，我本身就是常州人，覺得常州學派的研究好像長期受到冷落，當然這有種種眾所周知的原因。不過，近年來好像又開始進行研究的趨勢，令我高興。在前年，江蘇省特地在常州召開了常州學派的研討會，在座很多同志也參加，並且準備在研討的基礎上，寫一本書。我非常同意剛才羊先生的意見，覺得很有研究的必要，常州人都很歡迎這樣的研究。擴大來說，兩岸從事這樣研究工作的人，都應該為此事感到高興。我特別看到貴所計畫裏面有晚清經學研究，這顯然包括清代的今文經學、古文經學，我一看到這個計畫就覺得這和過去的研究有所不同。在上一次的會議中，我們大家正在看一本書，就是美國的學者艾爾曼所寫關於常州今文經學派的研究。我看了之後，感到很佩服，美國人倒寫出來了，中國人好像還沒有很系統的研究。但是我看了之後也有一些感想，我覺得中國人，包括常州人，好像研究這方面還落後於一個美國學者。我為何如此說呢？他的書內容廣泛，資料豐富，特別有的資料還是從臺灣的故宮博物院蒐集得來，這些資料我們現在都還沒看到。就連我們的一些內部書刊，如《常州古今》，他都看到了。因此我的感覺是，確實這個研究，應該掌握更多材料，當然常州應該有很多古蹟、資料，但是臺灣也有很多

的資料，可以互通有無。在艾爾曼書中，正如剛才羊先生所說的，將東林黨與常州今文學派聯繫起來，當然也還有不同的看法。我個人的感覺是，這本書是翻譯過來的，他這本書引用了許多的原文，而翻譯時，有的照原文，有的照英文翻譯，當然能翻譯出來，是一件很不容易的事，所以不能怪翻譯的人，只是書中引用的許多常州學派代表人物的文章，譯文未用原文，而用外語來翻，未免有些遺憾。譬如說莊家、劉家家族關係之稱謂，因為外文中在兄弟姐妹，堂、表不分，但我們應該把它分清楚。這是一個很小的問題，但是也說明我們這方面的研究不夠，我覺得留意這方面文獻的人研究不夠。所以我看了這個計畫以後，覺得我們應該用較長的時間來全面的把常州今文經學做進一步研究。同時我也覺得作為常州人，我們應該來做這件事。

在上次的會議中，我也提供一篇論文。在這次研究常州今文學派之前，也曾開過常州詞派的研究會，我寫了一篇文章是研究張惠言的，後來在常州學派的會上，我也把這篇送去，其實我那篇文章題目叫作〈論張惠言〉，但是印出來時把它叫作〈常州詞派二百年〉。我們研究的時候，當然公認常州今文學派的莊存與、劉逢祿，是無可懷疑的代表人物。但實際上張惠言，也應是一個代表。不要把張惠言的詞派跟今文學派分開。常州詞派的指導思想跟今文學派的思想完全相通，其表達方式也是與經學的微言大義的表達方式是分不開的。因此我覺得研究範圍還要放寬一些。至少把張惠言放在外面，這就是失策。因為張惠言的經學研究，我們知道他是研究虞氏《易》，而虞氏《易》是今文派的《易》學。因此張惠言的經學研究，我覺得他是在莊存與、劉逢祿之間，是個中間人物。劉

逢祿當時到北京考進士（按：嘉慶七年，以優貢生赴試），他把時間都用來和張惠言討論經學，可見他是用張惠言的《易》學研究來影響他的《公羊》今文經學研究。一般我們對張惠言作為一個經學的代表人物之一，好像不是那麼重視，不得不說是一種遺憾。因此我覺得臺灣的經學討論得比較廣，既研究古文經學，也研究今文經學，有可能特別研究一下張惠言。

另外，上次我們省裏面開會時，也請了一些上海、蘇州的學者參加討論。當時會上主要請了湯志鈞先生來做中心發言。湯志鈞是常州人，後來在上海復旦大學讀書，是周予同的學生。湯志鈞也曾到臺灣去講學，我覺得假如今後我們有機會探討這個問題，找他來出席會更好。

朱達明（常州市文管會辦公室主任、常州市炎黃文化研究會常務理事）：

各位專家學者，我是搞文物工作的，在實際工作中，對常州歷史文化和歷史文化名人有所了解，也只是一知半解，談不上學術研究。臺灣學者專程來常州考察，這對我們也是一種激勵。

莊存與從宋學轉向《公羊》學，寫《春秋正辭》，推崇以今文經學為依據的「要旨」說，研究今文經傳的「微言大義」，繼承並發展了漢代董仲舒、何休的今文經學說。然而，他的學說在他生前並沒有得到傳播。直到他死後，他的侄子莊述祖把它傳授給莊存與的孫子莊綬甲、外孫劉逢祿和莊述祖的外甥宋翔鳳，這就使莊存與的學說發展成為一個學派。莊述祖是莊存與的弟弟莊培因的兒子。莊培因是乾隆十九年（1754）狀元。五年後（1759）因父親去世，悲傷過度，一病不起。莊述祖本來可以因此直接做官，可是他不願

意靠父親的關係進入仕途，他要憑自己的真才實學取得官位。然而，莊述祖考進士受到和珅的排擠和捉弄，和珅把他的試卷從送給皇帝審定的前十名中抽走，使他失去了進入翰林院的機會。莊述祖毅然回家，一邊侍奉母親，一邊研究學問、教授子弟。他的侄子和外甥們在他的精心培育下，很快成長起來。所以莊述祖對於常州今文經學派的形成是功不可沒的。莊綬甲和劉逢祿繼承、發展了莊存與經學研究的不同而又相互補充的學術側面。莊存與極為重視《易經》、《春秋》的研究，劉逢祿也重視《易經》、《春秋》研究。莊綬甲則專攻《尚書》、《詩經》。他將漢學方法融入他的祖父莊存與的闡述，並為莊述祖補充更多小學考證的《公羊》大義。

常州今文經學派的最主要的代表則是劉逢祿。

劉逢祿是劉綸的幼子劉召揚和莊存與的次女莊太恭的兒子，祖父和外祖父都是侍奉乾隆幾十年的心腹大臣。劉逢祿潛心研究《公羊》學二十年，完成了《公羊》學系列著作，在許多方面把常州今文經學推向頂峰。他的成就使常州被譽為今文經學的第二次發源地。劉逢祿完成了《公羊》學的系列著作，正當渴望形成有力的學派的時候，遇到兩個青年學者龔自珍和魏源。劉逢祿以極大的熱情培養這兩位以後成為晚清今文經學新一代旗手的年輕學者，壯大了常州今文經學派的聲威。至此，常州學派不僅其成員突破了莊氏家族人員的範圍，而且其影響也從常州走向全國。

我們蘇州、無錫、常州這個地區比較發達，城市建設搞得有相當規模，所以文物古蹟拆的比較多，修復的比較少。剛才單子上那些名人都是很有地位的，他們的故居當時在常州也是很有規模，現在一部分已經修出來了，一部分把它保留下來，還有一部分已經拆

掉了。比如劉逢祿的故居，是他祖父劉綸的故居傳下來的，在常州是規模很大的。解放軍過來以後，一大批幹部到常州來接管，當時就住在這些名人故居裏，當時的市委幹部就住在劉綸的故居。我們陳主任現在所住的，就是當時劉逢祿的故居所在的位置。當時解放軍幹部住進去之後，逐步地改建，到前幾年為止，已經改建為住宅小區了，所以劉綸（劉逢祿）故居現在已經看不到了。

莊存與故居還在，莊存與故居是祖上傳下來的，莊存與的父親莊柱、莊存與兄弟又逐步增建。上世紀三十年代，用莊存與故居建衛生學校，以後學校規模越來越大，新房子越造越多，舊房子就越拆越少，現在還留下幾十間房子，可以看看。還有唐荊川故居，在青果巷。原來有「唐氏八宅」，現在還有「五宅」。唐荊川在常州人心目中是位了不起的人物，他的經世致用的思想，對我們常州影響很大，尤其是對莊氏一家。莊家在明、清兩代是很了不起的，很輝煌，出了很多進士，有不少是翰林院的官員，這一家族在常州是大姓。他的學術思想，應該是受到唐荊川的影響。唐氏八宅，現在還有八桂堂、貞和堂、筠星堂都連在一起。八桂堂也是劉國鈞的故居，還是瞿秋白的誕生地，也可以去看看。

蘇東坡的藤花舊館，是明代的常州人所建的蘇東坡紀念館，那個時候還沒有紀念館這個名詞。蘇東坡終老在常州，他死了以後，他住的地方孫氏館，經南宋以後，慢慢的湮沒了。到了明代，常州人在孫氏館的原址上，蓋了一個藤花舊館來紀念蘇東坡。藤花舊館規模很大，現在還留下來的就是楠木廳，房子還不少。楠木廳是明代蓋的，其他房子主要是清代蓋的。

徐興海：

楠木廳和東坡公園是什麼關係？

朱達明：

是兩個不同的地方。東坡公園有一段時間叫東郊公園，也叫艤舟亭，它是蘇東坡路過常州，船停在那裏，南宋常州人崇拜蘇東坡，就建一個亭子紀念他，名稱就叫艤舟亭。艤舟亭後來成了一個公園，現在有相當規模。乾隆下江南時，常州人為了獻寶，把洗硯池從藤花舊館搬到艤舟亭去了，洗硯池現在還在。所以蘇東坡在我們市裏有這兩個地方可以看看，一個就是藤花舊館，現在還沒修復，裏面有人居住，我們做了規劃，要把它修好。至於東坡公園，也就是艤舟亭，以後要恢復艤舟亭的名字，不叫東坡公園了。

趙翼故居本來房子很多，在常州也很有名，但是現在有人住在裏面。

洪亮吉故居，因為城市建設，把它移了一個地方。它原來有一些建築，我們把它移了過去，也新造了一些。原來在西獅子巷，現在移到東獅子巷，大概移了幾百米，離開原址不是太遠。他原來的故居，如授經堂、更生齋，房子都比較多，現在也有十幾間房子，還可以看看，但是規模比較小。

黃仲則故居幾十間房子，我們把它保存下來了，還沒有整修。他的故居從形制來看，以後如果修好，也相當漂亮，特別是兩當軒，兩當軒是西廂房，名氣很大，但現在是破破爛爛。因為他的房子也是明代、清代時候，他的祖上的房子。黃仲則本身比較窮，在他的手上，原來的舊房子沒有怎麼修，到現在好幾百年了，所以房子很破舊，但基本上房子還是保存下來了，以後修好，還是可以來看看。

李伯元故居，也有好幾十間房子，我們也把它保存下來了，就是現在沒錢整修。

所以如要看的話，洪亮吉紀念館可以看一看，劉國鈞、唐荊川、瞿秋白，在青果巷的八桂堂，可以看一看。呂思勉故居修好了，可以看一看。府學可以看一看，就是文廟，在我們市二中裏面，可以看看。大成門裏有一塊莊存與所寫的碑，大成門是原來的，把它修好了。後面的大成殿、明倫堂、尊經閣，都是重新修的。東坡公園、荊川公園（唐荊川墓）可以去參觀。這些地方要看的話，起碼要一天。到時候，我願意作嚮導。

林慶彰：

朱先生，常州圖書館是否有藏常州學派學者的一些原稿？

朱達明：

常州圖書館有一些資料，但是不多。所以在常州真要做學問的話，我們圖書館那些資料，是不夠的。

黃志浩（江南大學文學院副院長）：

晚清資料保存最完整的是清華大學，包括康有為、梁啟超的手稿，清華大學現在還有。

徐興海：

常州圖書館像常州學派人物，如孫星衍等的手稿，裏面有沒有？

朱達明：

著作有一些，手稿恐怕比較少。

錢璱之：

不久之前，聽到上海有一位呂少春先生，他家保存張惠言手抄

關於《易經》的著作，後來賣給常州博物館。田家英蒐集不少清代常州名人手札，他是毛澤東的秘書，後來自殺了，這些資料可能送給北京專門的博物館，一部分送到上海。其中有很多常州人的手跡。後來戴老送了幾張複印的給我，其中有莊存與的，劉逢祿的是幾首詞的手稿。

徐興海：

趙翼是清代非常著名的史學家，與錢大昕、王鳴盛齊名，也有人認為中國古代有五大史學家，趙翼即其中之一，可見其地位非凡，他也是常州人，但不知道他是不是市區人，故居在什麼地方？

羊淇：

趙翼是武進人，家住鄉下戴溪。後來做了官，在常州買宅，現在常州市區有他的故居，他的墓葬在馬山。

朱達明：

趙翼到城裏來比較遲，已經五十多歲。但是他活到八十幾歲，所以在常州市裏還住了三十年。

徐興海：

趙翼對中國的史學貢獻很大，但是研究卻很不夠，他的墓在現在的無錫市馬山，太湖邊，據我所知，無錫還沒有人很好地研究趙翼，不知道常州有沒有開過關於趙翼的紀念會或研討會？

錢璱之：

在常州開過好幾次小型座談會，規模都不大。他現在有個後裔叫趙爭，很想把故居整個修復過來。他是一個退休教師，地址不清楚。他有意把趙翼湛貽堂整理出來，還沒正式開館，也請我去了一下。我深有感觸，周圍弄堂非常難走，摸來摸去摸進去，小小一個

房間，掛了一些資料。

戴博元（常州市文物管理委員會顧問、常州市炎黃文化研究會理事）：

趙爭蒐集了很多紀念趙翼的東西。

錢璱之：

馬山趙翼墓還在，到那裏問人就可以問得到。

蔡長林（中央研究院中國文哲研究所助研究員）：

請問莊存與的墓現在還可以找得到嗎？

戴博元：

莊存與的墓在白茅塘橋。他弟弟莊培因的墓在青山莊。毀掉之後，蓋了房子，已經找不到了。莊存與於乾隆五十一年以禮部侍郎原品告歸里門，次年應修建將完工的常州府學之請，撰書了一塊〈重修常州府學廟記〉，是碑用筆端莊嚴謹，記述常州府學修繕始末。這是他最後一次的廟祠碑刻書撰活動，乾隆五十三年他逝世於故居，時年七十歲。莊培因的書法今存〈遊天台山記〉，保存在培因後人莊元馨處。莊存與留下的手跡較少，現在能隨時看到的就是這塊府學廟記。

莊存與的故居原來叫寶硯堂，也叫狀元第。因為他的弟弟莊培因中了狀元，故稱狀元第。培因比其兄早三年中舉人，並考取了內閣中書，所以他比其兄早進京。存與和中表弟兄錢維城同一年中進士（乾隆十年）。錢維城中了狀元，存與是第二名榜眼。乾隆十九年，培因中了狀元，所以馬山埠的故居，又稱狀元第。現在的路名叫延陵西路，這所明、清府第的庭院建築，是全國僅有的。原有房屋一百餘間，佔地十四畝餘，有啟裕堂、賜硯堂、薇暉堂及院落、

花園等。由中、西、東三條縱線排列。解放初的大門前尚存影壁、
水碼頭等建築。大門為戟門一座,儀門上方有豎匾二方,左為「榜
眼及第」,右為「狀元及第」,中間掛一個大福字匾,氣派不凡。
在江南一帶,也極少有這種民居。莊存與、莊培因兄弟同居,也一
直未分家。這個房子,從明代始建,到清代時歷朝都有過增建,所
以並非莊存與一個人建造的。始建人是莊廷臣,字凝宇,是萬曆三
十八年進士,官至浙江右布政使,族人稱他為方伯公,他是莊存與
的高祖父。在明末清初時,莊氏家族一度窘困,部分房屋曾出典於
人,但到了莊存與的父親莊柱時,又家聲大振,一門出了好幾位名
人,莊柱五弟兄中,就有三個進士,一個舉人,一個副榜。莊柱是
康熙五十九年鄉試舉人第一名,雍正五年進士,官至溫州知府,海
防兵備道。我看了他們的房契,有萬曆四十一年莊凝宇的買房契,
有雍正年間、乾隆年間增買的房契,有莊柱手中買的,有莊存與手
中買的。這些房契,現在都保存在常州衛生學校裏,是很珍貴的資
料。這些房屋一直保存到解放初,直到一九五三年才由莊培因的後
人莊元馨,代表莊氏後代,將狀元第這座房子賣給護士學校,共計
房屋一一七間,賣價是四億二千萬元(舊幣),於是各進明、清建
築,後來逐步被拆毀、改建了。今僅存西首門屋、從屋二進各三間
及花籃廳。莊氏的後代現在散居各地,我所知道的如盛宣懷的夫人
莊氏太太就是狀元第的後人,她叫莊德華,她生的女兒叫盛愛頤,
仍是嫁給莊氏太太的內侄(狀元第後人)。所生的女兒名莊元貞,
在上海汾陽路工藝美術所工作。元貞的表兄就是莊元馨,也住在上
海。

　　常州莊氏,另外有分東莊、西莊,狀元第稱東莊。西莊是莊廷

臣的同祖父兄弟，叫莊起元，他也是明萬曆三十八年進士，官太僕寺少卿。住所叫濟美堂，一門也出了許多名人，大門上過去有一塊大橫匾，有「祖孫父子叔姪兄弟進士」十個大字。其子孫分居芳暉堂、星聚堂、維祺堂（後稱傳臚第，是因為起元元子莊應會中了崇禎元年傳臚）。濟美堂東首的星聚堂，是御史莊恒住宅，堂後的九皋樓，即瞿秋白當年住的地方。這些房屋排列了半條西大街（今延陵西路），像一個極大的「一」字。

黃志浩：

我是研究常州詞派的，常州詞派和陽湖文派、常州經學派關係很密切。從思維方式上看，常州詞派的詞學理論較為變通，比如他們不太同意分析詞作只做 AB 式的簡單劃分，要麼有寄託，要麼無寄託，非此即彼，不是有寄託就是無寄託。所以周濟提出：「有寄託入，無寄託出。」強調有寄託與無寄託的統一。從思維方式上講，這與常州經學派的思維特點完全一致。以莊存與為首的常州今文經學，就並不刻意於家法與門戶的區劃，莊存與、劉逢祿與宋學家和漢學家，如吳派與皖派均有聯繫。比如常州詞派的張惠言、惲敬，同時也是經學家，更是公然打破漢、宋之爭，崇尚「非漢非宋」之學（見惲敬《大雲山房叢稿·與湯編修書》）。陽湖文派的李兆洛也是經學家，他既注重古文，也不廢駢文，既重唐、宋，也不廢六朝，編《駢體文鈔》，表現出與桐城派很大的不同來。桐城派的祖師爺方苞，他第一個特點就是要劃門戶，方東樹的《漢學商兌》，公開與漢學各立壁壘。方苞下來到劉大櫆，從劉到錢魯斯，再到張惠言、惲敬、李兆洛等，通過古文的嫁接，產生陽湖文派。陽湖文派的師法路數要比桐城派開闊得多，兼收並蓄，有折中派的

特點。但又不同於阮元的文選派，過度提倡駢文。第二，就其變通與發展來看，也頗為圓通，注重發展，並不守舊。如常州詞派並不以地域為限，這點也不像桐城派，比較有地域的侷限性。龍沐勛先生就講過，常州詞派非以地域為界，它最後成為一面旗幟，同意我這個主張的就是常州詞派，所以後來的莊棫、譚獻，乃至後來的「晚清四大家」都不是常州人，今人南京師範大學的唐圭璋先生生前就說自己是常州詞派。他也不是常州人，是江寧人。常州經學派也是這樣，它對後代的影響也遠遠超出了地區性，劉逢祿的學生龔自珍以及魏源等人，也不是常州人。這與後來能夠影響康有為、梁啟超等，不是沒有原因的。我以為，研究常州學派也應將宋翔鳳納入，他也是莊存與的外甥，劉逢祿的表兄弟，也有人把他稱為常州詞派的成員，在經學上如與劉逢祿相比較，這將是很有意思也很有意義的。另外張惠言、惲敬等也應有所注意，劉逢祿就曾問學於張惠言。由此就想到第三點，就是常州詞派沒有家法，不刻意於師承關係。比如張惠言與董士錫，按理說董是張的外甥、女婿，更是張氏的嫡派詞學弟子，但董士錫的詞學觀卻與張惠言有較大的不同。周濟詞學從董士錫，但又說：「或合或否，各有正鵠。」所以理論的變化是必然的結果。常州經學也是不斷地變化的。有變則通，有通則久，常州詞派與常州經學派對晚清的影響，證明了這一點。常州派包括詞派、文派和學派，他們都首先是學者，絕大部分是經學家，而且互相交叉滲透。所以我感到，研究其中的任何一派，都不能忽視其他兩派。應該在一個大的文化背景下來審察和考量。

朱達明：

吳文化較開放。不僅僅是常州、武進這個地方，應該包括宜

興、無錫、江陰,是一個較大概念的常州,是常州府的常州。

黃志浩:

　　吳文化也是比較開放的,兼收並蓄的,我認為這與蘇州、無錫、常州一帶是資本主義萌芽的發源地有關。文化觀念比較進步,像薛福成的從事洋務運動,榮氏家族將商業與教育相結合等,在當時都是很先進的思想。目前大陸有學科交叉、古今打通的研究趨勢,比如周濟的寄託理論,與現代文學上的李金髮的晦澀詩論(有的也稱為朦朧詩論),就可以做比較研究。那麼莊存與、劉逢祿的經學思想,是否也可以與今天的某些思想變化相結合研究?

錢璱之:

　　錢鍾書在他的著作裏常說「吾郡」,即指常州,即「我們常州」,而不說「我們無錫」。按照大概念,他是常州人。

黃志浩:

　　剛才我們在汽車上討論,這次我們來常州,是跟常州文化界結緣。我們要把這種文化的根留在這裏。在研究常州學派的時候,我個人有些建議,第一是希望臺灣的朋友能經常來,第二是能跟我們大範圍的常州(古代包括無錫),進行學術交流的工作,比如說我們可以寫三本書:常州學派研究、陽湖文派研究、常州詞派研究,然後再做常州文化研究,把這三個派別提高到更加抽象的位置,來看看它的思維方法、它的思潮對後世的影響,從它的思潮產生的根原、源流,每一個鏈條環節上的人物,都起了作用,可以寫一些很好的論文。

羊淇:

　　下面請我們臺灣來的專家指教。

蔡長林：

　　各位前輩，我剛才非常仔細的聆聽各位的高見，其實我都非常的贊同各位前輩所提出來對常州學派研究的一些心得，以及展望。包括我們認識到常州學派的源流可以追溯到唐順之先生，常州學派為何在莊家產生，跟它的地域，跟莊氏家族的學風，有非常密切的關係，這樣的觀點我都非常的認同。我也非常的認同，研究常州的話，必須要把常州學派，就是常州的經學，常州的詞，常州的文章，把它們縮合在一起，然後去觀察它們的思維方式，我想這也是研究常州非常好的觀點。剛才也有前輩提到，研究常州，必須看到常州當時學者們對科舉的重視，以及科舉對於常州莊氏學問的影響，這一點我也非常的贊同。其實，我本身相當贊同常州是一個非常開放的學術團體，它的學風是一種兼容並包的學風。在我的博士論文對常州學派的研究裏面，剛才幾位前輩所談到的，我也都約略的提到過，我很高興我論文裏面的觀點，能有與前輩們的見解取得一致的地方。

　　另外，我在我的博士論文裏面，特別強調了莊存與著作的講義性質，這是一種教育皇子，即未來皇帝的講義，所以內容也特別著重於對三代聖王形象的塑造，以及對儒家所信仰的三代價值觀，即所謂的聖王天道特別維護。這一點對他，以及對他的子孫，都有很重要的意義。因為在他看來，他之所以重視兩漢以前的經學文獻，就在於他認為自鄭玄以後，沒有人能對聖王天道有正確的解釋。所以他認為後世政治之破敗，即在於經學的衰落，而經學的衰落，他就歸罪在鄭玄、王弼、朱子等人，不能夠正確的承襲先秦、兩漢人的學術觀點所致。當然，莊存與因為身居廟堂高位，他可以用教育

的方式來向皇子皇孫宣導他的三代聖王觀。而且莊存與的子孫也一直堅守著莊存與的學術觀點。只是莊存與的子孫並沒有相應於他的政治地位，所以當莊氏的布衣子弟如莊述祖與樸學之士論學時，家學先驗的聖王天道觀點，與講究證據的樸學風氣格格不相入。為了維護家學，莊述祖也學會運用考據學的方法來為家學辯護。只不過莊家子弟透過考據學的努力，比較像是先有答案再找證據的主觀考據，就考據學的標準來看，不具有太高的學術價值，也不為樸學之士所接受。有趣的是，據我個人的觀察，晚清今文學意識的萌芽，卻是發生在莊述祖與當時樸學之士，針對《尚書》學的討論裏面，後來的今文學者批判荀子及劉歆的言詞字眼，許多都可以從述祖的《尚書》學論著裏找到。我個人覺得，釐清晚清今文學興起的真正原因，應該是目前晚清今文經學史的研究，所要加強的地方。

不過，我接下來對常州的研究，比較關心或在意的，是將對常州進行歷史性的考察。就清朝中葉而言，常州地方整體的學術風氣，與當時學術的主流，也就是所謂的考據學學風，是有相當大的差異性的。這一點，從剛才前輩們所講的就可以看得出來。但是，當我們談到清代中葉學術的時候，一般人想到的可能只有乾嘉考據，至於常州，可能會認為是在乾嘉考據之風衰弱之後才產生出來的。就我個人的研究心得而言，我在研究常州學派的時候，我發現一個很有趣的學術現象，也就是說，考據學成為當時學術主流的發展過程，由常州學者對它的接受過程來做對照，可以看得很清楚。而常州學者的接受考據學此一學術方式或學術價值觀，更是顯示出考據學的興盛。因為常州走的本來是藉由經術文章以入仕途的科舉考試的路子，到了大概乾隆中葉，考據學開始流行的時候，常州有

一些學者，如洪亮吉，如孫星衍，他們在尚未考上進士時，到四方
去遊幕，與當時的漢學家接觸，接受了新的考據學方法，回到常州
來，他們想要用新的考據學方法，慢慢來取代常州原有的學風。這
一點，從洪亮吉、孫星衍這一對表兄弟在著作裏對考據學的頌揚，
即可以看出來。當然，這種嘗試，可謂兩面不討好，就常州本身的
學者來講，就有不少人提出反對，最有名的代表，在剛才已經有人
提出來，即惲敬。還有李兆洛，李兆洛他可以說非常贊同常州原有
的文人博雅的經術文章之路，對於考據學成為學術主流，成為一種
新的學術價值觀，感到相當不滿意，這一點從他對八股制藝的重
視，以及從對鄭玄，對東漢以下學風的批判中，亦可觀察得到。常
州不滿於考據學風的另外一種力量，就是莊氏，即莊家子弟，其代
表人物即為莊述祖與劉逢祿。對考據學而言，劉氏可謂操入室之戈
者。他純熟的運用考據學的方法義例，從事於《公羊》學的研究，
將莊氏家學推向學術的第一線。爾後的今古文之爭，正是引發於劉
逢祿以考據學方法對劉歆、《左傳》及《穀梁傳》一系列的批判當
中。所以，常州學者對洪亮吉、孫星衍等人所帶來的考據學這種新
的學術範式，有人則起而反對之，有人則暗中襲取之。另外，就常
州以外的樸學考據家的角度來看，他們也不見得會欣賞洪亮吉、孫
星衍他們的著作，認為這只是一種文人附庸風雅的方式。比如說，
像李慈銘、章太炎、劉師培對孫、洪，甚至對於臧庸以漢學考據的
方式寫成的著作，其評價也不高。至於常州在經世致用這方面的學
問，各位前輩在之前已做充分討論，以後也有很多可以討論的地
方，我就不多說了。我比較重視的是，常州就作為一個歷史考察的
對象來說，所能釋放出來的學術義涵。我發現常州可以作為整個清

代經學、清代學術發展一個非常好的參照點，尤其是立足於考據學在常州的發展這個視野的時候。目前我的研究重心就放在這邊。

蔣秋華（中央研究院中國文哲研究所副研究員）：

清代有關常州學派的研究，其面向剛剛大概討論了，範圍是極廣的，有文學，有經學等等，各方面可能都有。如果能多聚集一些海峽兩岸有興趣的學者一起研究的話，說不定可以使這方面的研究成果更豐碩。因為現在研究的焦點可能只限於少數的幾位學者，還有很多常州學者的著作，甚至不容易蒐尋得來，或一般人不容易見到，如果能透過一些整理合作的方式，讓研究者能夠更容易獲得研究所需的資料，將有助於研究的進行。因此，本所推動晚清經學研究計畫之初，即發出邀請函，詢問參加研究計畫的意願。根據回覆的情況，蠻驚訝的，竟然有不少人願意參加，並發表論文，初步的統計，已經有二十多篇論文，涉及的人物面向也很廣範泛，有些平常不太被注意到的常州人物，像莊家裏頭的莊有可，也有人做研究，所以如何去匯聚更多有興趣的人來投入研究，我想可能會使常州學派的研究越來越受重視。

楊晉龍（中央研究院中國文哲研究所副研究員）：

我是做整個明代學術研究的，對於清代這一方面，我沒有什麼研究。

林慶彰：

我們也可以像跟揚州大學合作一樣，把常州地區經學的研究擴大為常州學術研究，這樣其他方面的學術也可以包括進來。我們當時跟揚州大學起先也是交流，後來交流過後則是談合作，我們在揚州大學開了一次學術研討會，後來也在臺灣開了一次比較大型的學

術研討會。各位如果有餘力的話，是不是也可以從比較基礎的工作做起，譬如有關常州學者著作的調查，他們的手稿、著作現在藏在哪裏，調查清楚以後，把它發表出來。當然如果各位有這樣的調查結果的話，我們那邊是非常願意把它發表出來。讓要研究常州學術的人，很方便就可以知道這些材料到底在那裏，這種基礎工作是非常重要的，如果有這樣的基礎的話，要做深入的研究，當然是比較方便。這可從常州學者的文集或其他著作的點校開始，像我們做揚州學派研究的時候，我們也點校了好幾種集子，譬如汪中的集子，還有劉壽曾的集子都出版了，現在馬上要出劉毓崧和劉文淇的集子。另外像阮元、焦循的研究論集，我們也都準備要出版。雖然揚州學派的研究已經結束了，但是後續的工作還是繼續在做，像常州地方學者的集子，如果在這邊有學者願意承擔來點校，我們會依照院方的標準，付給點校的費用，將來點校完之後，經過一定的審查程序，就可以出版。雖然文集不一定在大陸出版，但即使在臺灣出版，成果還是出來了。我們這一次來，最主要的目的除了做交流之外，也希望將來可以合作，將來可在常州、無錫開會，或者在我們那邊也開個會，邀請這邊的學者過去參加。能這樣做，常州學術的研究，才能真正的紮根。不然的話，我們來像一陣風一樣，就結束了，交流意義並不大。如果將來有後續的合作的話，那當然就更好一點。現在常州這邊，沒有一個更適合的對口單位，無錫地方，我們當然要依賴江南大學的徐院長幫忙，如果常州工學院有合作的意願的話，我們當然非常的期待。

羊淇：

常州市炎黃文化研究會，這是研究常州地區歷史文化的一個群

眾性學術團體。我們願意與臺灣學者經常保持聯繫，進行常州地方文化的研究。

第二次座談會記錄

時間：2002 年 4 月 5 日
地點：江南大學文學院
主持人：徐興海教授
整理者：黃智信

徐興海（江南大學文學院院長）：

　　各位貴賓，各位老師，首先歡迎臺灣中央研究院文哲研究所林慶彰先生一行來我們文學院進行學術交流，這對文學院來說十分榮幸。

　　林慶彰先生是文哲研究所研究員並兼任東吳大學教授，致力中國經學史、思想史及文獻學研究已二十餘年，尤其對清代經學的研究已完成系列論著，頗具特色。林先生研究的思路是首先開展基礎性研究，掌握史料，進行階段的專家的研究，在此基礎上，再清理清代經學發展的脈絡。

　　這次林先生一行前來，就是為了執行晚清經學研究中常州學派的研究計畫。已經去過常州，與當地的常州學派研究者進行了座談，考察了相關的遺蹟。這反映了他們研究方法的實事求是，認真嚴謹的科學態度。相對而言，我們江南大學的經學研究要薄弱得多，但幸運的是有這樣一個很好的交流機會，彼此切磋，希望各位能就關於常州學派的研究，暢談己見。

周五純（江南大學文學院教授）：

　　在介紹的時候，不好意思，我要把它切入到文學的領域。因為什麼原因呢？我們大陸上跟臺灣情況不一樣，十年動亂，我就是在十年動亂裏面的受害者，我們在座裏面有好幾位，像姚老師大概也是。四十五到五十五歲這一群，都是輟學，失去了學習的機會，然後從七七、七八年在高考改革以後，再去上課。人的一生有幾個研究的高峰期？像你們都是十幾年、二十幾年沒有中斷，我們這邊十年就拔掉了，十年後再回到學校，再重新拿起來，我就比喻像種玉米一樣，已經秀穗子了，把它一下子摘了一個頭，然後讓它再長，再讓它冒出一個頭來，玉米棒棒結得就很小了。大概我們就屬於這一批，當然其中也有好的，但是那些特殊的不是我們這些人，我們太普通了。

　　關於經學，什麼莊存與，什麼劉逢祿，我們都是老師在課堂上提提名字，我們才知道的，所以我們一點都沒研究，你們來了，我們沒法跟大家交流。但是我這裏就講一點，經學這東西，我們在大陸上，過去都是因為五四時期中國對經學裏面的傳統的東西衝擊比較厲害，一下子就把傳統翻掉了，因而研究經學的人很少，量也很少，都是從夾縫裏採用一點東西，我不知道我這個觀察是不是清楚。因為基本功不行，所以大家也想搞個研究現當代文學才是實際，古代文學想研究，沒有功力，搞了個古代文學的某個單項，搞個一、二十年，混了就走。經學這東西不簡單，所以大家要做也麻煩。我一直這樣想過，不知道對了多少，說了請你們多指點。經學大概有二個方向，尤其是講經世致用，今文經學這個思想老是搞託古改制，像譚嗣同他們都是這樣的方向，所以大概像常州學派，顯示他們的學風。古文經學講傳統，講中國傳統文化。經世致用這一

派在現代也很重要，鄧小平就是託古改制，不過他的「古」，是凡是鄧所為，皆託毛澤東這個「古」。搞了很多改革開放。不知道你們對這一段怎麼看，我們是很熟的！譬如知識分子地位不高，要提高，鄧就講知識分子是工人階級的一階，這是毛澤東講的。然後，再講是很重要的一部分，這就是託毛澤東之古，改毛澤東之制，託了毛澤東，然後可以改過來。可是這種東西，我們現在都沒有人講，不講這種利用人民的思維定勢來做新的工作的辦法。我以為，鄧小平學的就是今文經學的方法。三學兩學，毛澤東就改成鄧小平了，改掉好多好多。改革開放經常弄一些託古改制的方法，向世界接軌。這些東西，可能你們印象沒有我們深，因為我們經歷了這個特殊的時期。

還有一個就是，繼承中華民族的傳統，這個東西呢，後面弄的人蠻多的，研究的人蠻多的。傳統的東西，五四時期否定得比較多，好像負面的東西討論得多一點，正面的東西討論得少一點，甚至主要攻其負面，不講其正面。事實上，中國傳統的東西是很多的，我們讀的經書很少，都是斷斷續續讀一點，比如說像《論語》，我讀過二、三遍，研究《論語》的書看得很少。我的感覺，中國傳統這種經書裏的文化研究，在我們大陸，好像還沒有臺灣來得——很多人不同意——研究多，也沒有臺灣保存得多，偏向於保護。再加上這些東西，一些我們不方便講的因素，所以造成中國傳統的經書讀得少了。比如說殺身成仁、捨生取義的東西，在我們現實社會中寫得少，這些的因素當然很複雜。最明顯的，比如說「當仁不讓於師」，這本來沒錯，不聽老師的話總是不太好的，現在變過來了，大陸的地方是「當仁就要讓學生」，比如你上課，學生浮

躁、不專心，你還不宜多批評。我不知道臺灣有沒有這種情況，招生量擴大，招生從精英教育走上平民教育、普及教育，學生質量下降，很多學生希望老師告訴他們竅門，一搞就能賺大錢。老師如果講傳統經書這些比較紮實的東西，他們會覺得這些東西都沒什麼用。講古漢語有什麼用，講《論語》有什麼用，能不能讓我賺錢？舉這個例子，當然是有一點可笑。但是如果我們把學生管得嚴一點，考試不及格多一點，打的分數低，我們大陸也流行學生給老師打分數，他跟你打低分，甚至上去告你的狀，說你上課上不好，我們諸位老師就要讓一讓，讓一讓就是當仁讓於學生，不讓呢，激怒他們，他們就說你教得不好。我們覺得這些東西恐怕應該要說真話，臺灣像李敖這些人，在臺灣好像還蠻吃香的，當然也受過政治的壓迫。現在我們大陸這樣的學者，說句不客氣的話，我們也沒這個膽量，明明是對的，也不方便堅持。其實還是要講原則，講「不讓」，處於社會主流地位的人，都要堅持原則，不能只是處於非主流地位的人講原則。這些恐怕到時我們都要從經學中學習孔夫子的思想，君子怎麼和而不同，小人怎麼同而不和，這些都要堅持原則，這是我們傳統經學裏頭的東西，我不知道有多少。比如說清代經學裏面也有不少的東西，像託古改制的東西、要求變化的東西，但這種中國傳統經學的東西——當然歐洲也有這東西——不撒謊、說真話，我們中國傳統的東西恐怕應該不少，像孟子的「民為貴，君為輕」，這都是講真話。但是真話講得很多，是不是能請諸位對經學有研究的人，能在這方面出點力，讓我們看看你們的成果，然後在臺灣跟大陸學術界交流中，你們也能促進我們的思想界。你們的文化和我們的文化如何促進、幫助，這是我們的一個想法，這個

想法也很不成熟。

楊晉龍（中央研究院中國文哲研究所副研究員）：

　　周教授所提的問題，就是以前大學是一種精英教育，現在則變成全民式教育的問題，臺灣現在也是這個樣子，臺灣雖然小，但是現在已經有一百多所大專院校，不過規模比較小，學生最多不會超過四萬人，大概在三萬左右，小的話大概一萬人。剛剛周教授提到經世致用、託古改制，其實「經世」與「致用」，是兩個不同的概念。「致用」的概念包括兩個層次，一個是對社會大眾產生影響，另外一個是對自己的用，對自己產生影響。

周五純：

　　對！修養。

楊晉龍：

　　對！「致用」有一部分是講對自己的修養有所影響的。「經世致用」是對「個人」與「社會」這兩部分都有影響的，所謂「窮則獨善其身，達則兼善天下」，「兼善天下」，就是「經世」。所以「致用」包括兩個層次，一個是對自己「獨善其身」的一種「致用」，就像您剛剛提到的不說謊話，該怎樣的「當仁不讓於師」，所以是對自己的。對外面的「致用」，比方說你提出一些對現代社會有效的東西之類。學生有時會問我說：讀中文的東西有什麼用？他是有資格這樣問的，也是應該這樣問，我們也應該這樣去考慮。就我來講，我曾經教過工學院的學生，工學院的學生同樣會產生這樣的問題。我基本上的講法是：我們是人類，人類是一種動物，動物有兩個基本要求，第一個是生存，第二個是繁衍，沒有生存就無法繁衍。就生存而言，唸工學院是對的，因為沒有經濟收入，你可

能就活不下去。可是人類和動物還是有不一樣的地方，就是人還有人性的需求，學「工的」或學「經濟的」，可以讓人活下去；學這些人文的東西，可以表現人的特色，讓你活得更好。你要不要活得更好，要不要活得更有人性的價值，你可以自己做考慮，我沒有辦法要求你。如果你願意，我相信當你以後經濟達到某一個水平，你就會有這樣的需求，我認為每個人都會有這種需求。人文的東西的確沒有辦法讓你賺錢，當然你學會寫下流小說，可能會賺很多錢，但是基本上人文這種東西，並不是要讓你作賺錢的工具。其實不讀中文系也可以寫小說，沒有說一定要讀完中文系才能寫小說，讀中文系能分析小說，但不一定能寫小說，能夠告訴人家去欣賞這個小說，這個小說好在哪裏，美在哪裏，它什麼地方好，什麼地方有缺陷。但是讀了中文系寫出來的小說，可能比那些沒讀的人寫出來的更不好看，對不對？我是從這個角度去看這些問題。

我們今天對五四時期的新文化運動，其實都有很嚴重的誤解，我們基本上並沒有對新文化運動做一個很好的觀察，我們其實都從一個比較片面的角度來看。梅貽琦先生他們這一派，跟胡適之先生他們這一派，也就是杜威他們這一派，其實在當時都曾產生過影響。我昨天晚上就跟史應勇先生談過這個問題，我說我們今天其實不太瞭解當時五四時代的人，當時五四時代中的人，最終目的是希望能夠救中國，因為當時中國是一個積弱的國家，幾乎都快滅亡了，是一個次殖民地，所以當時他們最終目的就是希望中國能夠富強，能夠救中國。他們在這個大前提、大原則之下，會去要求用什麼方法才能救中國。像梅先生這一派所謂託古改制，就是承認中國的傳統裏面有些東西經過轉化以後，可以對現代的中國人有所幫

助，能夠提升國力，能夠讓國家富強。胡適之先生那一派，就不這樣認為。他們認為中國的東西都是過去的，過去的東西已經沒有辦法適合現在的時代需要，所以那些東西根本就應該不要用了。他也不是說要完全拋棄，只是說這些東西對我們現在沒有幫助，我們應該引進外面的東西，才能夠幫助國力的提升。當時並不是完全否認傳統的東西，他們還是承認傳統的東西對中國人是有價值的，只不過它的價值是在於歷史的價值，而不是在於現實的價值。他們認為在現實上應該積極引進西方的東西，包括船堅砲利這些東西，這樣才能夠讓中國活起來，如果中國人能強勁地活起來，再回來看待傳統這些東西，他們基本上是具有這種程序的。我們今天所看到的資料，大部分都是一些「反」的資料。基本上，胡適之先生這一方面是比較受到注意的，共產黨其實是繼承這個注意下來的。梅貽琦先生他們這一派就被忽視了，幾乎提都不提，我覺得大陸可能很少人去注意到這一派，大多數只知道胡適之先生、顧頡剛先生他們這一系的。像我在做研究，就比較喜歡從整體的瞭解角度入手。我剛才為什麼會批評得很厲害，因為我發現很多學者在做研究的時候，其實還沒有開始做研究，已經自己有一個意識型態在上面。我一直在尋找那個框架怎麼來的，後來我覺得可能就是從《四庫全書總目》開始，然後就是梁啟超先生的《中國近三百年學術史》、《清代學術概論》，大部分的框架都是從這些東西來的，我不知道大陸的這個部分是從什麼地方來的。這個框架至少讓我們在做研究之前就已經受到限制了，這就是詮釋學方面所講的「前預設」的問題。每個人在做研究的時候，其實都有一個「前預設」，包括你以前所接受的一切，比如說上課，或是不知不覺讓整個社會的氛圍，即所謂學

術的認定所影響。所以我們可能在做研究的時候要多注意一下，我們不能否認每個人都有自己的前預設，但是如果能夠比較清楚的意識到自己的前預設，那麼在做研究的時候，可能就比較不會太過於偏向，那你所擔心的一些問題，可能就比較容易解決。

　　繼承傳統的部分，臺灣跟大陸當然不一樣，我們非常遺憾的是，大陸如果當時沒有發生這十年動亂的話，我想兩岸的問題或許很早就解決了。因為有這十年的動亂，所以產生了很大的落差，不只是這樣，也讓大家很怕大陸，講老實話，臺灣人很怕大陸，因為我們不知道什麼時候再來一個十年動亂，誰敢保證？沒有人敢保證，所以大家都怕。如果今天你是臺灣人，你願意承擔這個風險嗎？這是一個很大的問題，我們講實在話，人都是很怕有這種經歷的。像你們承受的那種痛苦，我聽了許多，我覺得那不是人的世界，那簡直是個禽獸的世界，誰願意在這樣的狀況之下跟大陸統一，嚇都嚇死了。我想大家也很怕十年革命再發生吧，對不對？臺灣更怕，因為沒有經過這些，所以比大家更怕。

周五純：

　　我們經歷過來，覺得再怕也就這麼回事。

楊晉龍：

　　對！但是對一個沒經歷過的人，比方說一個被狗咬過的人，會說最多也就是這樣而已，可是一個從來沒有被狗咬過的人，是很怕被狗咬的，看到狗要咬人就要逃走的，我們是那樣的一個心態，我是從這個角度來看的。

　　當然，臺灣在繼承傳統這一方面，因為蔣介石在大陸的時候，就有所謂「新生活運動」，那個時候就提倡讀國學之類，他從大陸

就開始了，不是到臺灣才開始的，他把這一套帶到臺灣去。在我來看，這一套對於他鞏固政權當然有所幫助，因為當時所謂官學或官方的經學、官方儒學這些東西，其實都是在維護一朝一姓的觀念之下建立的，所以不願意有太大的變動，革命是萬不得已的，一般基本上是希望透過一個比較寧靜的方式去改變，對他的政權是有幫助的，所以他也大力地提倡。另外一點，是他要跟大陸區別，大陸在「批孔揚秦」，在「文化大革命」時，他就有「文化復興運動」，所以基本上是和大陸對立的，這個對立對於整個文化傳統是正面多於負面的。我想這整個激烈地變化，是從鴉片戰爭失敗後開始的，從那時候開始，整個中國人對自己就越來越沒有信心了。到今天為止，包括臺灣和大陸，都說要進入地球村，基本上，這是一個弱勢者的想法，美國人從來沒有說我要進入地球村，因為他就是地球村的代表，所以他會認為我為什麼要學其他國家的語言，我就是用我的語言，我的語言就是國際通用語言。其實聯合國通用的語言有五種，中文也包括在裏面，為什麼會這樣，這是一種趨勢。可是如果我們從另一個角度來看，這對我們也有好處，為什麼？因為美國人只學會一種語言，我們至少學兩種語言，一個只會一種語言的人，其實他的思想容易受到限制，我們多學會一種語言，對於眼界和思想的開放，絕對是有幫助的。所以從另外一個角度來看，美國人在走自殺的路，我們在走開放的路，所以這並沒有什麼不好，像我自己的英文是很爛的，但是我經常鼓勵別人去多學不同的語言，這樣對自己是有幫助的。我比較喜歡從不同的角度來看問題，我覺得不必擔心這個問題。

姚淦銘（江南大學文學院教授）：

　　我聽我們院上說中央研究院中國文哲研究所的學者要到我們這邊來，我覺得非常高興，有這麼一個機會，給我們文學院帶來文化的交流。我覺得你們研究的內容，我非常感興趣，因為從中國的情況來看，經學史的研究很薄弱，經學的研究也從文獻學的方式來研究，而不是從經學的角度來研究，我覺得這兩個東西都是我們比較薄弱的。

　　我覺得中國的經學和經學史中都蘊含了非常豐富的營養，比如說我們知道的就這麼幾句話，在一般民眾當中流傳，但是如果你真正從頭到尾把它讀一遍、讀幾遍的話，那你的智慧就不得了。我舉個例子，我做過一個《禮記》翻譯，朱彬的書，我從頭到尾都看，因為要翻譯書，所以必須全部都看。讀了《禮記》以後，自己從事翻譯工作，才看出《禮記》的偉大、中國古代文化的偉大，給我的感觸非常深。後來我寫了一本研究《老子》的書，讀了《老子》以後，才知道《老子》的偉大。中國有一句老話，《老子》裏面的一句老話，美國總統把《老子》的「治大國如烹小鮮」就寫到他的文件當中去了。中國經典裡面的智慧不得了，「治大國如烹小鮮」這句話幾千年過去了，歷史的經驗這樣教我們，老子說治大國就像煎一條小魚一樣，你不能多動牠，你動牠，這條魚就散掉了。他已經給你指出這麼一個高級的智慧，我們沒有聽，四九年以後，我們常受折騰，尤其是文化大革命，剛才楊先生說的，文化大革命是個令人非常恐懼的時段。所以我就想，老子這麼早就提出了這麼一個問題，「治大國」，中國這個大國；「如烹小鮮」，煎一條小魚，這個智慧太高了，中國人沒有理解，美國總統就能領會。還有日本人，一手拿中國的經書，一手拿計算機。我們寫了一套《中國經典

重新解讀》，銷路非常好，每本書大概十五萬字左右，當初怕賣錢會有困難，他們出版社都沒想到銷路這麼好，可見民眾中大量需要經典。所以我覺得你們的課題非常有意思，一個經書研究，一個經學史的研究，我覺得還應該有一個經學文化的研究，這裏面太豐富了，是中國人的經學的一種昇華。就像那個鼎，你是用三個鼎，他是五個鼎，他是九個鼎，吃飯的時候，他是幾個鼎，所以中國人有一種智慧，從日常的器用品當中昇華，把它美學昇華、理想昇華，昇華成一種文化的代碼、一種文化的符號。我就想，中國禮文化的因子，也就是那個基因，如果我們把中國文化的、禮教的基因研究透了的話，非常有意思的，是對中國文化源流的一個研究。錢鍾書在世時，曾經因為他的《管錐篇》沒有完成，他想做一個《禮記》的、《三禮》的著作出來。我前幾年就有一個想法，通過錢鍾書的著作，把他這些東西整理出來。因為錢鍾書他自己沒有發表，把錢鍾書關於禮學的思想整理出來，那就是一個非常好的題目，對於「錢學」也是一個貢獻。比如《禮記》當中，關於夫婦結婚那一段，我看了非常感動。男子到了女方那裏去了，抱一隻雁，到了《儒林外史》，雁沒有了，抱了一隻鴨。女孩子出家門的時候，媽媽一定要跟她叮囑一番，妳千萬不能走在妳丈夫的前面，應該落後他半步，讓妳的老公先走半步，然後上車的時候，老公就要駕著馬車，轉三轉以後就下來，急急忙忙跑回家門口，在那裏等，恭候那個新娘，我讀了覺得非常有趣。而且那個新娘第二天早上得老早就起來，給公公要送什麼，給婆婆要送什麼，給公公大概送牛肉乾吧，給婆婆大概送棗子，都非常有規矩，當然有的是封建的，但是從禮學，整個經學文化的因子來說，是非常有意思的。其次，今天

民間重新認知這句話：「婚姻門當戶對。」婚姻不門當戶對，往往帶來痛苦，這種智慧，《禮記》中老早就有。但是我們不能說以後的一些發明都是古代典籍上的，那也不妥當。我覺得應該深入的研究，畢竟是泱泱大國幾千年文化的結晶，我們如果把它忽略了，非常可惜。美國學者余英時，他有一篇文章讓我覺得非常有意思，從康有為、梁啟超他們對中國文化就表現出一個激進的精神，五四更激進，文化大革命更激進，所以激進的浪潮一浪高過一浪，在激進的浪潮中，中國文化有好多精華都拋棄了。我讀了以後非常有感觸，印象很深刻，當然有的觀念我也不同意，但是這觀念非常有意思，就是中國文化激進的思潮老早就有，並不是五四才有。

我覺得具體從經學史來說，我研究王國維，覺得他應該也是個轉折點，我不知道你們諸位的研究計畫當中，是不是也有把他列入，王國維絕對是個轉折點。王國維研究《尚書》，開出了一個新的方向來；研究《詩經》，開出了一個新的方向來；研究其他《左傳》等，都不用說了，都是開出一個新的方向來。而且他的路子很怪，既不是古文學派，又不是今文學派，他完全就是一種西方的觀點，把六經都稱為史料。所以我覺得他為經學史的研究開闢了一個新的方向，他超越了古今學派的藩籬。還有一個我想到的，諸位是研究常州學派的專家，我覺得這個可以開發的東西很多，常州學派前面的皖派和吳派，就有一個問題，從文化的角度上看，吳派和皖派可以比較研究，吳派和常州學派也可以比較研究。吳派的一個歷史遺憾，是由於後繼無人，先是惠氏祖孫三代，後來有江藩，再後來就沒有了。但是常州學派，後來有廖平、康有為、梁啟超這些人繼承下來，皖派也有一個章太炎繼承下來。但是吳派和皖派是非常

有血緣關係的，戴震見過吳派的領袖惠棟，待他非常好，非常有啟發性，我覺得這也是非常有意思的，江南文化的經學流派，吳派和皖派的彼此的研究。當然我臨時想到的，也沒有什麼很深入的研究。

我覺得你們中間有一個講得非常好，講梁啟超的經學問題。周予同在他的《經學史》當中，有一句話：梁啟超在經學上是沒有什麼可言的。我覺得錯了，完全錯了。我剛才看了計畫，你們把梁啟超放在裏面，絕對是正確的。還有一個想法，現在常州學派一般分為兩期，前面一期是今文時期，又從康有為他們變成經世致用的時期。其實我這樣想，是不是還有一期，以前人都沒提過，我今天應該提出一個三期，第三期就是現在的新儒學派，新儒學明顯跟它非常有血緣關係的，但這個觀念到現在都沒有人提出來過。所以我認為常州學派應該分成三期，第一今文時期，第二經世致用時期，第三是新儒學派時期。但是後面的是不是成立，這是我的想法，但是熊十力就接軌接上去了，血脈接上去了，這是我覺得非常值得開創的一個問題。

我覺得還有一個問題，常州學派實際上到康有為結束了，古文學派到章太炎結束了，吳派那就更早結束了，但是他們的靈魂沒有死，他們在後代學者當中，精神得到發揚。比如說，研究《尚書》不去看吳派的著作，不行啊，有好多東西啊，那皖派就更厲害了。常州學派也有新儒學派繼承下來，所以我覺得樹是老了，好像枯死了，但是裏面的新芽還在冒出，所以我覺得三個方面：一個經書的研究，一個經學史的研究，還有一個我提出的經學文化的研究，從這些角度，有的話題值得我們去思考對不對，前人非常欽佩章學誠

的「六經皆史」，結果是不對的，熊十力就說這句話有毛病，把六經都看成史，確實很偉大，超越了前人，但是忘記了六經對人性的陶冶作用，也就是它的文學作用、社會教育作用，被忘掉了。所以我覺得熊十力的眼光非常好，前面的一些偉大的學者都認為六經皆史是非常了不起的，但是他看到了一個缺點，看到了一個反面的東西。你說讀《詩經》都是史嗎？不，讀《詩經》還有一個審美的作用，還有一個薰陶的作用，不全是史的作用。那麼，比如說對《詩經》史的研究，我覺得也非常有意思，你說「關關雎鳩」，就像我們現在的解釋嗎？就單單是呈現民間的愛情嗎？難道前面幾千年的註解都錯嗎？我們後來都把它理想化了，一部分的原汁原味被扔掉了。所以今天開這個會，我提出一些自己的想法，我覺得非常有意思的。我們江南大學文學院現在邁向一個新的境界，也必須和你們互相交流，如果你們今後能夠來講學，甚至一起來幫我們培養研究生，都是非常好的，或是有什麼共同的課題一起來研究，一起來探討。我們在大陸的思維方式，可能和你們臺灣的思維方式有些不太一樣，因為幾十年的距離，感覺上不太一樣，可以互相交流、互相促進，我就想到這些。

林慶彰：

對於姚教授所提到的，我稍微補充一下。王國維、羅振玉，我們是把他放在遠程計畫，晚清經學研究計畫是我們的中程計畫，以後還有四年的遠程計畫「民國時期的經學研究」，我們會把王國維、羅振玉這些學者放在民國時期來研究。剛才姚教授也提到說新儒學家有受到常州學派的影響，這是絕對沒有問題的，而且還不只是這個樣子，像古史辨學派，也都從常州今文學派得到一些養分。

所以，也可以這樣說，民國初年的學術研究和晚清今文學派的關係是非常密切的，這方面的研究還沒有相當深入的探討，我們可以一起來研究。

楊晉龍：

　　有一個問題我一直很好奇的，無錫在民國初年或是清代的時候，其實是一個人文薈萃的地方。以民國初年來講，就有唐文治先生、有錢穆先生，尤其像唐文治先生，幾乎快被忘記了，實際上我覺得他在教育界的地位不會比錢穆先生差，可是我們發現錢穆先生一直被推崇，而唐先生好像反而不見了。這個地方本來就是無錫國專的所在地，所以我們來這個地方談傳統學問，真有點班門弄斧的味道，是有點不好意思，我們覺得這裏應該是一個國學研究非常精深，非常發達的地方，所以林老師會覺得我們沒有來這裏很不好意思，因為我們覺得這裏應該是近代學術發軔的根源地之一。在這樣的前提之下，我們來到這裏，是希望大家能給我們一些指導，因為我們知道那種長期累積下來的學術研究的資源，應該還是存在的。可是也許大家比較客氣，或者是經過十年動亂，比較不敢像我這樣想到就講，我覺得做學問基本上不應該給自己太多的限制，是可以知無不言的。

　　有關新儒家與常州學派之間的關係，這一方面就像姚老師所講的，幾乎沒有人特別去注意，但有關這方面的研究，在我來看是當地人來做研究，絕對比我們佔優勢。為什麼？因為我們有很多東西不知道。比方說，如果我們今天要研究唐文治先生，研究錢穆先生，我們知道他後半段，前半段大概我們就沒有辦法，可是這裏可能就有一些人是當時讀這個國專畢業的，他們可能有很多我們不知

道的東西，即使很多資料不在這裏，可是至少你們都知道資料在哪裏，但是在我們就比較困難一點。所以有機會我們可以互相交流，也許很有幫助。另外，在大陸不同教育的背景之下，一定有一些不同的思考模式，這個不同的思考模式，對我們還是有幫助的，因為我們沒有想到的，你們想到了；我們也可能會想到一些你們沒有想到的，學術本來就是可以互補的。

張永鑫（江南大學文學院教授）：

今天參加這個會，很高興，也很榮幸，能夠跟臺灣方面進行學術方面的交流，非常難得。

我是搞古典文學的，集中在先秦、兩漢。在座的各位都是搞哲學跟經學的，但是我們中國傳統文化本來就是文、史、哲不分的，所以文學也好，經學也好，哲學也好，都是不分家的。

看到林先生你們主持的這個計畫，我也有一點想法，我覺得常州學派是清代的經學學派，它佔的地位，剛才姚教授已經談到了。我的看法，清代乾嘉學派應該有四派，第一個是吳派的惠棟，第二個是皖派的戴震，第三個是揚派，揚州學派。過去講乾嘉學派，好像就是這三個派，現在大陸有一個新的看法，主張有四個派，就是再另外立一個浙派，包括俞樾、黃以周、孫詒讓，還有章太炎。這四大派，吳派的特點是尊古，戴派的特點是求是，揚派的特點是求貫通，不主張今文經學和古文經學的對立，也不主張漢學和宋學的對立，取消門戶之見，這樣的觀點是可取的。浙派的特點，也用兩個字可以概括，就是創新，已經是乾嘉學派的殿軍，但是也已經用新的研究方法，不再固守乾嘉學派的研究方法。從揚派的學風，主張貫通，各種學派的精華都能接受，引為我有。

　　林先生的課題，可以說是一個有開創性的課題，第一件工作我覺得可以做的，是不是可以搞一個「常州學派學術史料學」，把常州學派有哪些代表人物，他們的代表作品有哪些，搞史料學，對學術界也是一種貢獻。第二件，我也同意剛才姚教授所提出來的，我覺得清代乾嘉學派的四大派裏面，有很大的部分都是在江南，常州學派接近吳派，也接近浙江，因此可以探討一下，做一個課題，就是常州學派和三大派之間的傳承關係和創新方面，這會是個填補空白的工作。這樣，海峽兩岸可以進行學術交流、學術的互補、學術的協助，我們也可以從林先生你們的課題裏面得到啟發。

王新民（江南大學文學院教授）：

　　我是搞現當代文學的，主攻的是現當代戲劇，這樣聽起來，和諸位搞經學是一點關係都沒有。實際上，這兩者之間是有交叉的，交叉在哪裏呢？特別林先生這個研究課題——研究晚清經學，我看了以後很高興，晚清的經學和我們現代文學的源頭，它們之間是有交叉的。我們今天的現代文學，一般從一八四〇年鴉片戰爭前後算起，至少從一八四〇年鴉片戰爭到一九一一年辛亥革命成功這一段，我們是交叉的。而現在我們正需要好好研究這一段現代文學發軔期的複雜問題，因為這裏面有許多經學家和現代文學的發生、發展，有很密切的關係，林先生計畫裏面提到的湖湘地區的幾個代表人物，像魏源、譚嗣同，像廣東學者康有為、梁啟超……等等，經學對現代文學發生期的影響很大，討論現代文學避免不了經學所引發的作用，所以我看到林先生這個研究計畫，非常高興，希望以後這個計畫的研究成果能交流給我們，讓我們從當中得到一些啟發。

　　大家都覺得現代文學好像主要是戲劇，戲劇影響而產生了現代

文學，但戲劇要通過和文學的結合，才會對現代文學產生巨大的影響。比如剛剛姚先生提到的王國維，王國維是一個經學家，但他也接受了西學，西學和經學的融合，才成為王國維的特色。剛才姚教授提到王國維其他方面的成就，沒有提到戲劇，王國維對中國戲劇的考據，對中國現代戲劇的影響，對中國現代文學的影響、對建立中國現代文學觀念方面，都起了非常大的作用。這就提出了一個問題，戲劇學和經學，經學和現代文學間的關係。現代文學對臺灣好像不是非常重要的，但對我們大陸是非常重要的。這些問題，過去都忽略了，基本上注意的就是五四運動之後、一九二一年中國共產黨成立之後，但現在回過頭來，現代文學發生期應該要有比較好的研究，這就和我們今天來的客人的研究有交叉，所以我希望以後我們多交流。我們現代文學、現代戲劇，看起來好像和經學沒有關係，但實際上，和晚清的經學有很重要的關係，所以我對經學雖然是外行，但還是有興趣，希望能看到林先生和其他先生的研究成果，對於我們現代文學的研究，會有很大的啟發和幫助。

黃志浩（江南大學文學院副院長）：

我感覺到常州學派確實是研究成績非常好，如何把它輻射出去，確實是很重要。總之，今天對於經書的研究，依然很有必要，關於對經書的解釋，我對《十三經注疏》花很長的時間，大致翻過，對於《毛詩》，我們讀得比較多一點。對《詩經》的研究，我感覺到，首先研究之前是不是應該考慮到還原，對《詩經》還原的工作，我們是不是可以做得很好？漢儒對於《詩經》，完全是從政治、倫理、道德這樣的角度來解釋，本來漢儒可以做得很好，因為他們和先秦時間相對的近些，但是由於當時的文化背景，曲解經

書。到了宋儒，鄭樵、朱熹重新解釋，從文本本身解釋，但他們的解釋，到底有多少是我們應該認同的，多少是我們還有意見的？我舉個例子，〈周南・芣苢〉：「采采芣苢，薄言采之；采采芣苢，薄言有之……」從漢儒來講，對它的解釋就是后妃之德。到了清代的方玉潤，說讀到這首詩，恍如看到那些姑娘在芣苢樹下勤奮地採擷，歌聲裊裊，非常浪漫。聞一多進一步發揮，認為方玉潤的解釋就是勞動的歌。我覺得這樣解詩，明顯是錯的，道理很簡單，我們從詩歌的節奏來看，「采采芣苢」節奏明快強烈，如果它是一首勞動的歌的話，那這個采芣苢的勞動不會累死人才怪。我們讀過《韓非子》裏面講到築城時有一個人上去唱，唱得大家勞動的時候很愉快，因為他的節奏緩慢，換了他的老師來，上去一唱，唱得節奏很快，工人半天時間還不到，就累倒了。這樣快的節奏，它能是勞動的歌嗎？顯然不是，雖然它是寫勞動的。我在讀碩士的時候，看到漢儒的解釋和朱熹的解釋的一個共同點，說芣苢是草藥，叫車前子，專治婦女的難產。這首詩是在什麼情況下產生，為什麼目的而歌唱？的確值得研究。現在已經有一個共識，《詩經》中的許多作品，是為了實用的目的的，我認為這首很可能是巫師在婦女臨盆的時候唱的巫歌，透過強烈的節奏作為助產，我這個解釋和傳統的解釋幾乎完全是兩回事，但是我們要還原回去。應該說，我們應該給予比較科學的思維，重新來審視。雖然時代已經非常遙遠，我們今天來做這種工作，從某種角度看，幾乎是遙不可及，要完全還原是不可能的，但也不是說我們這方面就不能做。聞一多先生有幾個方面講得很好，比如說他透過圖騰，說《詩經》裏面凡是講到魚的詞，都跟繁衍有關，凡是講到鳥的詞，都和祖先有關。我還要補充

一個，《詩經》裏面凡是講到狐狸的詞，都跟婚姻有關。那就是為什麼我們會講這個女子是壞的就是狐狸精，而不是狼精、老虎精，這跟圖騰有一定的關係。「碩鼠碩鼠，無食我黍！三歲貫女，莫我肯顧」，真的是批判剝削階級嗎？「坎坎伐檀兮，寘之河之干兮，河水清且漣漪」，真的是批判君子嗎？

周五純：

黃老師，我插句話，正好你講到，「彼君子兮，不素餐兮」，書上說諷刺統治階級剝削人民，我的意思是保護高階勞動知識份子，高階知識份子也是做勞動，不知道現在學術界有沒有這種解釋？

黃志浩：

有，〈豳風·七月〉就是講農耕勞動的，可是他最後又講「稱彼兕觥，萬壽無疆」，根據《禮記》的解釋，這首作品是講當時周天子每年二月帶領文武大臣於春耕前祭祀的詩，高唱〈豳風·七月〉，當是一首祭歌，它所表現的乃是當時一種農耕生活，而且也很有可能是一首宗教祭祀的歌。我感覺《詩經》中的好多作品，包括民歌，只要從它寫的目的上面來考察，我們就能夠找到新的啟發。幾年前，我看到上海人民出版社出版了一本關於對《詩經》作品進行新解的書，當然新解還有可商榷的地方。作者考察的依據，就是澳洲的土著。看看原始部落在使用歌謠的時候是什麼樣的情況，然後來反證，這個反證當然是比較間接的，但是給我們許多思考。包括「蒹葭蒼蒼，白露為霜。所謂伊人，在水一方」，在清朝之前，當作政治、訪賢詩，清朝以後，把它當作情歌，現在學術界多認為是情詩，按照現在的解釋，詩的表現，今天的人都寫不出

來。鏡中花、水中月的比喻，幾可與《紅樓夢》中的詩句媲美。那本書也講到〈碩鼠〉，認為是老鼠崇拜，另一方面要吃牠，既要崇拜，又要吃牠，吃的時候要做祭祀的活動，作者說土著就是這樣。

當然，我們這個工程是非常浩大的，對經書的注釋，是一個基礎性的工作。我們今天能不能對《詩經》重新考量，對歷代的注釋重新考慮，通過現在所獲得的資料，我們來做一個經的解釋。我特別給你們一個建議，例如說《五經》，我們能不能有新的解釋？剛才教授講經學文化，用今天的方式來看，像《詩經》，可用文學的方式來看，為《詩經》做新解，盡可能還原它。也可以從文化的角度、從風俗的角度、民俗的角度、宗教的角度，跟著用社會學、政治學、人類學的角度，經典如果能變化一下角度來看，還是很好的。

第二點，常州學派和陽湖文派、常州詞派，有脈絡上的聯繫，在思維方法上完全一樣，就是沒有門派，跟當時強調漢學、宋學，門戶各自對壘，自我封閉者不同。常州學派是不贊成門戶的，思想兼容並蓄，比較圓通，在近代史上，常州學派的經學思想，乃至於它的民族主義，成為社會主流。常州學派的枝節，直接造成龔自珍、魏源、康有為、梁啟超到章太炎，所以我感覺到為什麼新文化運動的矛頭直指桐城派，直指《文選》派，「桐城謬種，《文選》妖孽」，而對於常州學派的人物批判較少，是不是和它在處理漢學、宋學方式的特色有關係？

陳炳（江南大學文學院教授）：

由於臺灣的老師們到我們這裏來，我想這是我們交流的好機會。林先生，不僅他的學術成果卓著，值得我們敬佩；而且他致志

於兩岸的學術交流，我覺得功不可沒，應該大書特書，也希望將來這樣的文化交流能夠開花結果。

經學是訓解或闡述儒家經典之學，是中國傳統之學。這裏談兩點：

第一，經學與中國傳統文化。自漢代以後，到「五四」新文化運動之前，中國文化以儒家經學為主流。受經學影響，中國文化有獨自的特色。例如倫理性，中國古代重人倫、禮儀，與儒家思想有關。又如經學傳統對宗教發展的制約，中國文化中沒有如西方文化、印度文化那種嚴格意義上的宗教，即便是佛、道，也未能居於中國文化的主導地位，其原因是受到儒家經學的制約。孔子說過：「未能事人，焉能事鬼？」

第二，經學與語言學。受經學傳統的影響，科學未能充分獨立。中國古代沒有獨立的語言學理論與體系，但經學與語言學有密切的關係。一是，受經學影響，中國兩千多年的古代語言學，訓詁學（語義學）、文字學、音韻學比較發達，不少經學家也可以說是語言學家。二是，受經學影響，中國古代語言學有自己的特色，重實用、輕理論。中國古代修辭學與西方修辭學也有不同的傳統與特色。《周易》說「修辭立其誠」，中國古人往往把修辭與社會政治、倫理道德、社會風氣聯繫在一起。而古代希臘的修辭學，主要研究如何寫演講稿和論辯術。

史應勇（江南大學法政學院副教授）：

我今天原本是抱著學習的態度來聆聽的，沒準備發言。

《四書》、《五經》的內容，我是在讀碩士研究生時才開始較為仔細地閱讀的，真正研究經學、經學史，那是在博士研究生期

間，在朱維錚先生的指導下開始的，也就是在那期間，通過朱先生知道了林慶彰先生是經學、經學史研究領域卓有成就的著名學者。於是林先生的著作成為我的案頭必備，因為我博士研究生期間的專攻方向就是中國經學史。今天，林先生帶隊來與我們進行交流，我能參加，感到很榮幸。

黃老師剛才說常州學派沒有門戶之見，到底如何，需要具體研究。我這幾年做經學史研究，對漢、宋調和有一點了解和認識，像陳澧就是典型的漢、宋調和論者，他的《東塾讀書記》裏講鄭玄，也講朱熹，認為他們之間都是有脈絡相承的，比如說對於禮的問題，鄭玄關注，朱熹也在關注這個問題。陳澧在很多地方強調鄭學與朱學並沒有什麼矛盾。其他清代中、後期的許多學者也都提到漢、宋調和的問題，用什麼來調和，就是用禮學，用禮來調和。

大陸中文系研究者多從文學的角度，注意文學的形式、文學的內涵、文學的表現方法。我們學史學出身的人，往往注意史的角度，比如說我研究鄭玄，就要結合當時的兩漢社會，尤其是東漢末年的背景，去看待怎麼樣出現一種鄭玄這樣的經學形式。西漢的時候，經典從不齊備到齊備起來，到經有數家，家有數說，到了鄭玄這樣的通學，兼通今文、古文，包容兩家，做統一的詮釋，從文本到詮釋，造成經學小統一的局面。我們往往注意從史的角度來做研究，當然做這方面的研究，我要強調的是，首先需要對文獻下很大的功夫，特別必須關注清人的研究成果，如果不關注清人的研究成果，那就等於從零開始，很多資料、成果不知道。從前的人做了非常多的工作，不要坐井觀天，想當然地忽然就有了一個所謂新認識，還要發表。這說起來容易，做起來太難了，我這幾年單單是看

《四庫》和《續修四庫》裏所收禮部的書，就用了相當大的功夫，因為太多了，看了兩年還不能夠充分的利用和掌握。看這些書時，往往要從禮部書的序言先看，比如說《五禮通考》，因為部頭很大，要先看序言，裏面講到書的取向、體例，然後就能知道全書大體的格局怎樣，需要的時候，再有針對性地看具體的篇章。當然，看起來非常困難。清人做了好多工作，如果你不去了解，那你就只能是拿自己的思想去解釋古人的思想，自說自話而已。我的導師經常說，研究歷史，你要先知道它是什麼，然後再去強調它怎麼樣，我們現在要弄清是什麼就特別難，它本來是什麼樣子，你要去摸清楚，是非常難的工作。經學、經學史的研究要面對大量的文獻，我現在倒是覺得，如果我們想要做這方面的研究，要下大力氣，要先做一點文獻的工作，在這種基礎上，才能去詮釋它、去評價它。我覺得現在很多人對基本的文獻下的功夫還不夠，所以出現簡單化的弊病。我以前看人家引用的東西，看起來似乎很簡單，後來才發現遠不只是這個樣子。研究出一個注經體例，這體例無非就是從張舜徽先生他們發揮出來、解釋出來的一點東西，把它拿來，然後做排比、梳理，就成了一篇文章。後來逐漸發現清朝人的研究成果內容，實在太豐富了，你這樣解釋就極其簡單、極其簡單，不要說超不過張舜徽先生，連一些基本的、一般禮學研究的東西都不具備。比如說遇到禘祫的問題，這個問題其實涉及好多好多的問題，漢朝以來好多經學家都關注這個問題，不只涉及到一些儀節，還涉及到漢朝本身的政治問題。就這些東西，處理起來很難，要下好大的力氣先來熟悉文獻，這樣才能把研究做得紮實。如最基本的孫詒讓的《周禮正義》，羅列了好多好多學者的意見在裏面，從中間可以發

現好多好多東西,我的老師說:國內的學者,就是這樣一部《周禮正義》,也沒有幾個人認真去讀它。新一代的學者古典素養本來就不如老一輩,如南京師大的錢玄,他在二〇年代就研究禮學,寫了多少文章;沈文倬,他是曹元弼的學生。這些學者古典的素養是令人難以企及的,到我們這一代,對古典素養就已很陌生,如果對文獻不下功夫,就更容易流於空泛了。

黃志浩:

　　昨天學報的負責人和我商討一個問題,說能不能由我或由文學院關一個專欄,我想我們是不是可以和中央研究院中國文哲研究所合作,開闢一個「清代的經學與文學研究」的專欄,使得我們《江南大學學報》能夠有特色,能夠佔有一席之地。

蔣秋華(中央研究院中國文哲研究所副研究員):

　　黃副院長的構想非常好,我們所裏的《中國文哲研究通訊》也可以做專輯的,我們曾經為計畫做了一些專輯,譬如我們為「揚州學派」的研究便做過幾次的專輯。如果大家有這個共識,我們可以開始組稿,共同做「常州計畫」或「晚清經學」的專輯。

蔡長林(中央研究院中國文哲研究所助研究員):

　　在提交到中央研究院中國文哲研究所的研究計畫裏面,我就已經有許多構想,想寫幾篇文章,其中一篇文章就是談常州學派與常州詞派的關係。一般大家都會提到它們是有關係的,但是它們的關係,它們接榫的地方是在哪裏,這方面實際上並沒有人去研究。我手上有一些資料,也大概理出一些它們彼此之間的關係,我到文哲所之後,可能會花一些時間,把這方面的研究繼續做下去。剛剛黃先生提到,不只是常州學派或常州詞派,包括陽湖文派也是同樣在

這裏面，我非常贊同這樣的觀點，因為包括常州莊家的人物，包括張惠言、李兆洛、惲敬這些人，其實都是很有關係的。在常州，他們的輩份，大概都是前後差個十幾歲，或是同輩，彼此之間都有交流、彼此之間互相教導子弟、彼此之間學術著作互相往來，或是共同做一種學術著作。彼此之間的觀點，甚至可以說是常州地區，或者是整個科舉文人，他們共同的一種學術觀點。剛剛幾位前輩都提到他們不分漢、宋，其實我們一直以乾嘉的吳派或者是皖派的觀點來看常州，我覺得這樣的觀點是有一點偏差的。吳派、皖派或揚州學派，從事的是經典文本的訓詁、研究，可是常州學派並非如此，他們從事的是經典的應用，他們本身並不是從經典的研究開始，而是科舉考試的官僚。那一天在常州時，盛宣懷文物館的陳主任講得非常貼切，常州是官文化，他們那個地方，科舉考試對他們的影響非常大，一個科舉文人對於經典的要求，絕對不是訓詁、注解，而是應用。從這個角度來看，一個應用學術的人，應用經典的人，他絕對不會想要有任何的派別，他一定是開放的。這樣子的觀點，可以說是整個常州學派的主幹、主精神。我們要用訓詁經典的觀點去看常州學派，我覺得是擺錯了位置。這一點跟剛剛大家所討論的有所關係，我把它提出來，就教於大家。

林慶彰：

　　剛才黃副院長所提的構想相當好，當然我們現在能做的就是，看《江南大學學報》這邊什麼時候需要我們供稿，我們也不只是中央研究院中國文哲研究所的這幾個同仁寫稿，還可以全臺灣各大學的學者，由我們來代替邀稿，看看一年預計幾次，要供應幾篇，我們會盡力配合。另外，中國文哲研究所也有兩個刊物，其中《中國

文哲研究通訊》也常常配合計畫做些專輯，像我們做「揚州計畫」的時候，做「揚州專輯」；做「乾嘉計畫」的時候，我們也做「乾嘉專輯」，我們還可以繼續做相關的專輯，看看需要多少稿子，都可以再商量。此外，我個人也主編了兩個刊物，一個是《經學研究論叢》，這是全世界惟一的經學刊物，現在已經出到第十輯，有時候裏面也有專輯，而且這個刊物每一輯的篇幅至少有三百六十頁左右，可以刊登很多文章。另外我還主編《國際漢學論叢》，也可以做專輯。當然要看徐院長這邊，就你們的現況來講是否可行，如果可行的話，從什麼時候開始，什麼時候需要提供稿子，我們可以來做。不然，說要談學術交流，談一談就沒有了，這樣也不太好。也可以登一些翻譯的稿子，如果有需要，我們可以找人，或者我自己都可以做翻譯的工作。

楊晉龍：

我想對剛剛黃副院長提到的觀點，提出我個人的想法。其實我們在做整個經學研究的時候，當然可以從不同的角度，比方說從經學研究的角度來看，我們所考慮的是如何應用的問題；如果是文學的角度來看，當然考慮的就是美學價值的問題；從史學的角度來看，是講它的源流影響的問題；如果從語言學的角度來看，是語言的使用問題；如果是從宗教學的角度來看，就是文章裏面所呈現的宗教內容或是它的價值和意義；從民俗學的角度來看，也是要研究它呈現民族相關資料的意義及價值的問題。從這幾個角度來看，其實都可以把它納入研究裏面的部分。

您提到有關《詩經》的新解，要求找到它的源流，進行還原的工作，我覺得那是不可能做到的，我從來不做這個工作，因為最後

的結果常是各說各話，毫無對話的可能性。換句話說，我要做的，其實是從比較實證的角度來看。我們有很多是說得通的，但說得通並不代表說得對，說得通是一個虛擬邏輯的問題，說得對是一個歷史現實的問題。我的意思是，現代人可以這樣的解釋、這樣說，但不代表它就只能這樣的解釋跟這樣說。所以我為什麼要做經學史的研究，而不做經學本身的解釋，因為經學本身的解釋比較不具有論證價值的東西，既不能證實，也不能證偽，這種東西我比較不喜歡。您剛剛所提到的新解的部分，當然可以提供很多我們研究經學的人不同的思考和衝擊，但我覺得現在很多人其實在做研究前，先設的觀點已經非常明顯了：在世界上早期歷史裏面有一個圖騰的時代，所以在《詩經》裏面就可以找到圖騰相關的東西，所有人類的歷史過程都是一樣的，都是一致的，在某一段時間之內，它都會經過某一個時代，這種一元化的進化論思考模式，我是不太能接受的，這種進化論思考模式，是我們預設的。我們應該要知道整個歷史發展是螺旋型的，它可能前進，可能後退，可能是一夕之間的改變，不會說一定要經過什麼階段。比方說，某一個土著民族有什麼樣的表現狀況，不一定表示所有的民族都有這種狀況，即使所有的民族都有這種狀況，也不代表《詩經》的時代就有這些存在。我比較不從這方面去研究，但我並不認為這個研究沒有價值、沒有意義。比如說，您提到「芣苢」可能是一首巫歌，但我們只能說可能，並不一定真的是這樣。還有另外一個觀點，尤其是大陸最喜歡講〈國風〉是民歌，但我們把《詩經》中幾首確定知道作者的詩，和一般認為是勞動人民的作品來比較，當時勞動民眾有這樣高的文化水平嗎？所以這其實是自己陷入自己的意識型態去講的，根本不

是在做解釋，只是在做宣傳。我的想法和副院長不一樣，副院長是
文學的角度，文學是透過各種不同的聯想，這或許是經學研究者和
文學的研究者就有這樣基本的不同。我的想法是這樣，提供給副院
長參考。

黃志浩：

　　「夙興夜寐」，四個字至少用了四、五次，其他有的用了十幾
次，二十六次的也有，這個現象也應該要注意。

楊晉龍：

　　有，楊牧先生（即王靖獻博士，現在是文哲所所長）寫了一本
《鐘與鼓》，從口傳文學的角度來研究《詩經》，他認為《詩經》
是口頭傳唱的民謠，民謠唱的時候，會借助別人的口語，把它納入
自己的系統內，所以有些相同的句子一再出現。

林慶彰：

　　日本有個松本雅明，到日本的奄美大島去住個一、二年，觀察
他們的各種祭典，後來寫成了《關於詩經諸篇成立之研究》。這
些，大概都受到法國葛蘭言《中國古代的祭禮與歌謠》的影響。

徐興海：

　　我和林先生的交往不過兩三年的時間，卻有一見如故的感覺。
前兩年，我在負責「司馬遷與華夏文化叢書」的出版時，遇到了出
版方面的問題，同來訪的臺灣東海大學中文系吳福助教授講了，他
把我介紹給林先生，林先生很願意幫忙，積極設法在臺灣出版。雖
然後來出版問題在大陸解決了，但我十分感激林先生的熱誠和對學
術事業的執著追求。去年他們一行去金壇段玉裁故鄉考察，今年去
常州考察，我有幸陪同，結識了蔣秋華先生、楊晉龍先生、蔡長林

先生，深為蔣先生的認真求實、楊先生的思想活躍、蔡先生的年輕有為所感染。今天又有幸聽了各位的高論，實在有幸。

我希望今天關於常州學派的討論僅僅是一個開頭，今後仍然通過其他方式，不斷交流，為海峽兩岸的學術交流盡一份綿薄之力。希望江南大學的老師能參加到常州學派、晚清經學的研究計畫中去，做一點文獻整理的工作，做一點專題研究，把我們的研究隊伍帶起來。

謝謝各位。

「常州學者的經學研究」
學術討論會議程表

第一次學術研討會

民國 91 年 7 月 4 日（星期四）

09:30－10:00　　報　到

第一場 10:00－12:00

主持人：蔣秋華

㈠丁亞傑：李兆洛與常州學風

㈡程克雅：禮圖、禮例、微言——常州學派解經知識系譜析論

12:00－13:30　　午餐時間

第二場 13:30－15:30

主持人：楊晉龍

㈠張政偉：「《詩經》密碼」——莊有可《詩蘊》對《詩經》篇、
　　　　　章、句、字數目的闡釋

㈡蔡長林：常州學者莊綬甲

民國91年07月05日（星期五）

09:30－10:00　　報　到

第三場 10:00－12:00
主持人：周昌龍
㈠楊濟襄：通義與異議──孔廣森對《公羊》學關鍵論題的統籌與
　　　　　澄清
㈡鄭卜五：劉逢祿「申何難鄭」析論

12:00－13:30　　午餐時間

第四場 13:30－15:30
「常州經學研究的展望」座談會
主持人：陳鴻森（本院歷史語言研究所）
引言人：張壽安（本院近代史研究所）
引言人：蔡長林（本所助研究員）

第二次學術研討會

91年12月5日（星期四）

09:30－10:00　　報　到

第一場 10:00－12:00
主持兼評論人：陳鴻森
㈠承　載：李兆洛與常州今文學派
㈡徐興海：宋翔鳳《過庭錄》札記（之一）

㈢陳鵬鳴：常州學派史學思想研究

12:00－13:30　　午餐時間

第二場 13:30－15:30
主持兼評論人：楊晉龍
㈠陳溫菊：莊存與《周官記》研究及其思想
㈡林素英：宋翔鳳《大學古義說》發微

15:30－15:40　　茶敘時間

第三場 15:40－17:40
主持兼評論人：蔡長林
㈠馮曉庭：莊存與的《春秋》學述論
㈡陳其泰：莊存與：清代《公羊》學的開山

17:40－18:30　　晚餐時間

91 年 12 月 6 日（星期五）

09:30－10:00　　報　到

第四場 10:00－12:00
主持兼評論人：鄭吉雄（臺灣大學中國文學系）
㈠孫劍秋：論莊存與的卦氣說
㈡賴貴三：清常州學派《易經》研究的成果與檢討

12:00－13:30　　午餐時間

第五場 13:30－15:30

主持兼評論人：詹海雲（交通大學通識教育中心）

㈠丁亞傑：孔廣森《公羊通義》的學術系譜與解經方法

㈡胡楚生：史法與經例——比較錢大昕及劉逢祿兩篇〈春秋論〉中
　　　　　之見解

15:30－15:40　　茶敘時間

第六場 15:40－17:40

主持兼評論人：蔣秋華

㈠程克雅：怨、讎、叛、逆：劉逢祿與《公羊》禮學的價值闡釋

㈡黃復山：陳立之讖緯學——《白虎通疏證》引讖解經考論

17:40－18:30　　晚餐時間

國家圖書館出版品預行編目資料

晚清常州地區的經學

林慶彰總主編；蔡長林、丁亞傑主編. – 初版. – 臺北市：臺
　灣學生，2009.05
面；公分

ISBN 978-957-15-1394-2 (精裝)

1. 經學 2. 清代 3. 文集

090.97　　　　　　　　　　　　　　　　96026087

晚清常州地區的經學(第一冊)

總　主　編：林　　　慶　　　彰
主　　　編：蔡　長　林　、　丁　亞　傑
出　版　者：臺　灣　學　生　書　局　有　限　公　司
發　行　人：盧　　　　　保　　　　　宏
發　行　所：臺　灣　學　生　書　局　有　限　公　司
　　　　　　臺北市和平東路一段一九八號
　　　　　　郵　政　劃　撥　帳　號：00024668
　　　　　　電　話：(02)23634156
　　　　　　傳　眞：(02)23636334
　　　　　　E-mail：student.book@msa.hinet.net
　　　　　　http：//www.studentbooks.com.tw

本書局登
記證字號　：行政院新聞局局版北市業字第玖捌壹號

印　刷　所：長　欣　印　刷　企　業　社
　　　　　　中和市永和路三六三巷四二號
　　　　　　電　話：(02)22268853

定價：精裝新臺幣一〇〇〇元

西　元　二　〇　〇　九　年　五　月　初　版

09092